le Guide du routard

Directeur de collection
Philippe GLOAGUEN

Cofondateur
Philippe GLOAGUEN et Michel DUVAL

Rédacteur en chef
Pierre JOSSE

Rédacteurs en chef adjoints
Amanda KERAVEL et Benoît LUCCHINI

Directrice de la coordination
Florence CHARMETANT

Directeur de routard.com
Yves COUPRIE

Rédaction
Olivier PAGE, Véronique de CHARDON,
Isabelle AL SUBAIHI, Anne-Caroline DUMAS,
Carole BORDES, Bénédicte BAZAILLE,
André PONCELET, Marie BURIN des ROZIERS,
Thierry BROUARD, Géraldine LEMAUF-BEAUVOIS,
Anne POINSOT, Mathilde de BOISGROLLIER,
Gavin's CLEMENTE-RUÏZ, Fabrice de LESTANG,
Alain PALLIER et Fiona DEBRABANDER

AQUITAINE

2004

Hachette

Avis aux hôteliers et aux restaurateurs

Les enquêteurs du *Guide du routard* travaillent dans le plus strict anonymat, afin de préserver leur indépendance et l'objectivité des guides. Aucune réduction, aucun avantage quelconque, aucune rétribution ne sont jamais demandés en contrepartie. Face aux aigrefins, la loi autorise les hôteliers et restaurateurs à porter plainte.

Hors-d'œuvre

Le *GDR*, ce n'est pas comme le bon vin, il vieillit mal. On ne veut pas pousser à la consommation, mais évitez de partir avec une édition ancienne. D'une année sur l'autre, les modifications atteignent et dépassent souvent les 40 %.

Spécial copinage

Le Bistrot d'André : 232, rue Saint-Charles, 75015 Paris. ☎ 01-45-57-89-14. M. : Balard. À l'angle de la rue Leblanc. Fermé le dimanche. Menu à 11 € servi le midi en semaine uniquement. Menu-enfants à 7 €. À la carte, compter autour de 22 €. L'un des seuls bistrots de l'époque Citroën encore debout, dans ce quartier en pleine évolution. Ici, les recettes d'autrefois sont remises à l'honneur. Une cuisine familiale, telle qu'on l'aime. Des prix d'avant-guerre pour un magret de canard poêlé sauce au miel, rognon de veau aux champignons, poisson du jour... Kir offert à tous les amis du *Guide du routard*.

ON EN EST FIER : www.routard.com

Tout pour préparer votre voyage en ligne, de A comme argent à Z comme Zanzibar : des fiches pratiques sur 125 destinations (y compris les régions françaises), nos tuyaux perso pour voyager, des cartes et des photos sur chaque pays, des infos météo et santé, la possibilité de réserver en ligne son visa, son vol sec, son séjour, son hébergement ou sa voiture. En prime, *routard mag*, véritable magazine en ligne, propose interviews de voyageurs, reportages, carnets de route, événements culturels, dossiers pratiques, produits nomades, fêtes et infos du monde. Et bien sûr : des concours, des *chats*, des petites annonces, une boutique de produits voyages...

Mille excuses, on ne peut plus répondre individuellement aux centaines de CV reçus chaque année.

TABLE DES MATIÈRES

Attention, le Béarn ainsi que le Pays basque (France, Espagne)
font l'objet d'un guide à part.

COMMENT Y ALLER ?

GÉNÉRALITÉS

LA GIRONDE

LE MÉDOC

Le Médoc rouge

Le Médoc bleu

LE PÉRIGORD

Le long de la Dordogne

LE PÉRIGORD POURPRE

LE LOT-ET-GARONNE

LES LANDES

MONT-DE-MARSAN ET SES ENVIRONS

LE BAS-ARMAGNAC ET SES ENVIRONS

LE PARC NATUREL RÉGIONAL DES LANDES DE GASCOGNE

LA CÔTE LANDAISE

LE PAYS DACQUOIS

LA CHALOSSE ET SES ENVIRONS

0   20   40 km

NORD

Royan CHARENT
MARITIM

Soulac-
sur-Mer

Montalivet-
les-Bains

*Lac
d'Hourtin-
Carcans*

Pauillac

Lanessan
Fort Médoc
Listrac-
Médoc

Blaye

Moulis-
en-Médoc

Lacanau

OCÉAN
ATLANTIQUE

BORDEAUX

la Brede

*Bassin
d'Arcachon*

Arcachon
Dune du Pilat

Gujan-
Mestras

GIROND

*Belin-
Béliet*

Leyre

Biscarrosse

Mimizan

Marquèze

Sabres

Morcenx

Labrit

LANDES

*Courant
d'Huchet*

Castets

Mont-
de-Marsan

Golfe
de
Gascogne

Vieux-Boucau

Soustons

Hossegor
Capbreton

Dax

Mugron

Grena

St-Sever

Montfort-
en-Chalosse

Hagetmau

Peyrehorade

Pomarez

Bayonne
Biarritz

Adour

Orthez

*Sauveterre-
de-B.*

PYRÉNÉES-
ATLANTIQUES

Navarrenx

*Oloron-
Ste-Marie*

*Vallée
d'Ossau*

ESPAGNE

Libourne Lieux traités
Captieux Repères

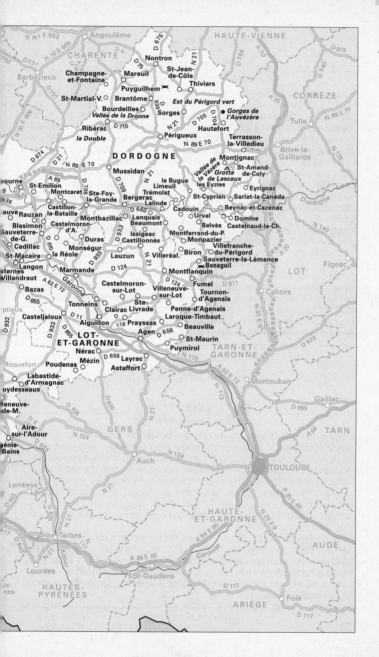

L'AQUITAINE

MONTPELLIER (mars 2004)

Force est de reconnaître une chose : en doublant sa population en quatre décennies, en quadruplant le nombre d'étudiants en vingt ans, Montpellier démontre son incroyable pouvoir d'attraction ! Le soleil n'explique pas tout ! Montpellier se révèle avant tout une grande ville avec une qualité de vie exceptionnelle. Outre un vieux centre plein de charme, la plus grande (et plus séduisante) zone piétonne de France, la ville se targue d'afficher des ambitions architecturales d'une audace sans pareille : rien moins que de s'étendre jusqu'à la mer. Même les ennemis les plus farouches du Polygone, d'Antigone et du nouvel opéra finissent par reconnaître que c'est une réussite quasi totale. Pas de divorce avec la vieille ville. Même le superbe tramway bleu glisse sans heurt le long de la Comédie, la place emblématique de la ville. Vous nous avez compris, amoureux des vénérables hôtels particuliers des XVIIe et XVIIIe siècles et chantres de l'urbanisme moderne le plus avancé se retrouvent de fait, au coude-à-coude, dans une même frénétique passion pour la ville. Sans compter, à deux pas, de vieux quartiers populaires multiethniques et bien vivants. Une ville jeune donc, du dynamisme à revendre, un patrimoine historique hors pair, du soleil dans le ciel, dans les yeux, dans l'accent et dans les assiettes. À 3 h 30 de TGV seulement de Paris, ne cherchez plus les raisons de tous ceux qui rêvent de Montpellier. Alphonse Allais lui-même n'aurait jamais osé rêver d'une ville qui fût tout à la fois à la campagne et à la mer...

NICE (avril 2004)

Plages de galets gris, palmiers ébouriffés de la promenade des Anglais, casinos et palaces : voilà pour Nice version « carte postale ». Mais *Nissa*, la belle Méditerranéenne, ne se livre vraiment qu'à ceux qui sauront trouver le chemin de son cœur ; le chemin de cette vieille ville où le vaste cours Saleya vibre toujours au rythme des marchandes des quatre-saisons, où un labyrinthe de ruelles tortueuses conduit directement en Italie, où de la gueule des fours ouverts sur la rue sortent d'avenantes parts de *socca*, l'un des plats symboles d'une cuisine qui n'appartient qu'à Nice.
Une vieille ville où boutiques et bars branchés témoignent qu'il n'y a pas que des retraités à Nice ! Il faut aussi pousser la porte des musées passionnants pour constater que, de Matisse à Yves Klein, l'art du XXe siècle s'est largement inventé ici. Et grimper sur les collines boisées de Cimiez où d'invraisemblables villas ont été oubliées par de richissimes touristes du XIXe siècle.

LES GUIDES DU ROUTARD
2004-2005

(dates de parution sur **www.routard.com**)

France

- Alpes
- Alsace, Vosges
- Aquitaine
- Ardèche, Drôme
- Auvergne, Limousin
- Bourgogne
- Bretagne Nord
- Bretagne Sud
- Châteaux de la Loire
- Corse
- Côte d'Azur
- Franche-Comté
- Hôtels et restos de France
- **Île-de-France (nouveauté)**
- Junior à Paris et ses environs
- Junior en France
- Languedoc-Roussillon
- Lyon
- Marseille
- Midi-Pyrénées
- **Montpellier (mars 2004)**
- **Nice (avril 2004)**
- Nord, Pas-de-Calais
- Normandie
- Paris
- Paris balades
- Paris exotique
- Paris la nuit
- **Paris sportif (nouveauté)**
- Paris à vélo
- Pays basque (France, Espagne)
- Pays de la Loire
- **Petits restos des grands chefs (mars 2004)**
- Poitou-Charentes
- Provence
- Restos et bistrots de Paris
- Le Routard des amoureux à Paris
- Tables et chambres à la campagne
- Toulouse
- Week-ends autour de Paris

Amériques

- Argentine
- Brésil
- Californie
- Canada Ouest et Ontario
- Chili et île de Pâques
- Cuba
- Équateur
- États-Unis, côte Est
- Floride, Louisiane
- Guadeloupe, Saint-Martin, Saint-Barth
- Martinique, Dominique, Sainte-Lucie
- Mexique, Belize, Guatemala
- New York
- Parcs nationaux de l'Ouest américain et Las Vegas
- Pérou, Bolivie
- Québec et Provinces maritimes
- Rép. dominicaine (Saint-Domingue)

Asie

- Birmanie
- Cambodge, Laos
- Chine (Sud, Pékin, Yunnan)
- Inde du Nord
- Inde du Sud
- Indonésie
- Israël
- Istanbul
- Jordanie, Syrie
- Malaisie, Singapour
- Népal, Tibet
- Sri Lanka (Ceylan)
- Thaïlande
- Turquie
- Vietnam

Europe

- Allemagne
- Amsterdam
- Andalousie
- Andorre, Catalogne
- Angleterre, pays de Galles
- Athènes et les îles grecques
- Autriche
- Baléares
- Barcelone
- Belgique
- Crète
- Croatie
- Écosse
- Espagne du Centre (Madrid)
- Espagne du Nord-Ouest (Galice, Asturies, Cantabrie)
- Finlande, Islande
- Grèce continentale
- Hongrie, Roumanie, Bulgarie
- Irlande
- Italie du Nord
- Italie du Sud
- Londres
- **Malte (avril 2004)**
- Moscou, Saint-Pétersbourg
- Norvège, Suède, Danemark
- **Piémont (fév. 2004)**
- Pologne, République tchèque, Slovaquie
- Portugal
- Prague
- Rome
- Sicile
- Suisse
- Toscane, Ombrie
- Venise

Afrique

- Afrique noire
- Égypte
- Île Maurice, Rodrigues
- Kenya, Tanzanie et Zanzibar
- Madagascar
- Maroc
- Marrakech et ses environs
- Réunion
- Sénégal, Gambie
- Tunisie

et bien sûr...

- Chiner autour de Paris
- Le Guide de l'expatrié
- Humanitaire
- Internet et multimédia

NOS NOUVEAUTÉS

PIÉMONT (févr. 2004)

Trop souvent traversée par les touristes fonçant vers le sud de l'Italie, ou évoquée au hasard d'une discussion à propos de ses usines FIAT, cette région tend les bras dès le passage de la frontière. Elle mérite d'ailleurs qu'on s'y arrête...

De jolies cimes enneigées, idéales pour les sports de glisse et abritant des villages anciens tout de pierre et de bois, de petites églises romanes perchées sur les collines ensoleillées. Et de magnifiques lacs... Voilà à quoi ressemble le Piémont !

Sans oublier les *antipasti,* le *fritto misto,* la *bagna cauda,* le tout arrosé d'un délicieux *barolo.* Une cuisine typique qui ravira les gourmands. L'amateur de curiosités culturelles trouvera son bonheur à Turin, capitale du royaume de Savoie, et qui recèle bien des secrets. D'ailleurs, c'est là qu'en 2006 se dérouleront les prochains JO d'hiver.

Même si Capri, ce n'est pas fini, le Piémont reste une formidable destination.

PETITS RESTOS DES GRANDS CHEFS (mars 2004)

Douce France, qui nous permet de découvrir toutes ces petites tables, poussées à l'ombre des grandes. Des tables sympathiques, sans prétention, et dont le chef est allé à bonne école : chez les plus grands, ceux qui ont su faire évoluer la cuisine de notre temps. Ou bien encore de jeunes chefs, qui ont déjà la tête dans les étoiles, mais qui gardent les pieds sur terre. Ces nouveaux talents qui éclatent un peu partout, et qui remettent à l'honneur des produits oubliés devenant, sous la patte du chef, des plats mémorables.

On aime autant l'établissement repris par un jeune couple que le 2e ou 3e resto d'un grand chef, qui place là ses éléments les plus méritants. À condition, bien sûr, que les prix sachent rester raisonnables.

On ajoute, à chaque fois, un hôtel croquignolet pour dormir dans de beaux draps. Et, pour la première fois, on se met à la photo !

SPÉCIAL DÉFENSE DU CONSOMMATEUR

Un routard informé en vaut dix ! Pour éviter les arnaques en tout genre, il est bon de les connaître. Voici un petit vade-mecum destiné à parer aux coûts et aux coups les plus redoutables.

Affichage des prix : les hôtels et les restos sont tenus d'informer les clients de leurs prix, à l'aide d'une affichette, d'un panneau extérieur ou de tout autre moyen. Vous ne pouvez donc contester des prix exorbitants que s'ils ne sont pas clairement affichés.

HÔTELS

1 - Arrhes ou acompte ? : au moment de réserver votre chambre par téléphone – par précaution, toujours confirmer par écrit – ou directement par écrit, il n'est pas rare que l'hôtelier vous demande de verser à l'avance une certaine somme, celle-ci faisant office de garantie. Il est d'usage de parler d'arrhes et non d'acompte (en fait, la loi dispose que « sauf stipulation contraire du contrat, les sommes versées d'avance sont des arrhes »). Légalement, aucune règle n'en précise le montant. Toutefois, ne versez que des arrhes raisonnables : 25 à 30 % du prix total, sachant qu'il s'agit d'un engagement définitif sur la réservation de la chambre. Cette somme ne pourra donc être remboursée en cas d'annulation de la réservation, sauf cas de force majeure (maladie ou accident) ou en accord avec l'hôtelier si l'annulation est faite dans des délais raisonnables. Si, au contraire, l'annulation est le fait de l'hôtelier, il doit vous rembourser le double des arrhes versées. À l'inverse, l'acompte engage définitivement client et hôtelier.

2 - Subordination de vente : comme les restaurateurs, les hôteliers ont interdiction de pratiquer la subordination de vente. C'est-à-dire qu'ils ne peuvent pas vous obliger à réserver plusieurs nuits d'hôtel si vous n'en souhaitez qu'une. Dans le même ordre d'idée, on ne peut vous obliger à prendre votre petit déjeuner ou vos repas dans l'hôtel ; ce principe, illégal, est néanmoins répandu dans la profession, toléré en pratique... Bien se renseigner avant de prendre la chambre dans les hôtels-restaurants. Si vous dormez en compagnie de votre enfant, il peut vous être demandé un supplément.

3 - Responsabilité en cas de vol : un hôtelier ne peut en aucun cas dégager sa responsabilité pour des objets qui auraient été volés dans la chambre d'un de ses clients, même si ces objets n'ont pas été mis au coffre. En d'autres termes, les éventuels panonceaux dégageant la responsabilité de l'hôtelier n'ont aucun fondement juridique.

RESTOS

1 - Menus : très souvent, les premiers menus (les moins chers) ne sont servis qu'en semaine et avant certaines heures (12 h 30 et 20 h 30 généralement). Cela doit être clairement indiqué sur le panneau extérieur : à vous de vérifier.

2 - Commande insuffisante : il arrive que certains restos refusent de servir une commande jugée insuffisante. Sachez, toutefois, qu'il est illégal de pousser le client à la consommation.

3 - Eau : une banale carafe d'eau du robinet est gratuite – à condition qu'elle accompagne un repas – sauf si son prix est affiché. La bouteille d'eau minérale quant à elle doit, comme le vin, être ouverte devant vous.

4 - Vins : les cartes des vins ne sont pas toujours très claires. Exemple : vous commandez un bourgogne à 8 € la bouteille. On vous la facture 16 €. En vérifiant sur la carte, vous découvrez que 8 € correspondent au prix d'une demi-bouteille. Mais c'était écrit en petits caractères illisibles.
Par ailleurs, la bouteille doit être obligatoirement débouchée devant le client.

5 - Couvert enfant : le restaurateur peut tout à fait compter un couvert par enfant, même s'il ne consomme pas, à condition que ce soit spécifié sur la carte.

6 - Repas pour une personne seule : le restaurateur ne peut vous refuser l'accès à son établissement, même si celui-ci est bondé ; vous devrez en revanche vous satisfaire de la table qui vous est proposée.

7 - Sous-marin : après le coup de bambou et le coup de fusil, celui du sous-marin. Le procédé consiste à rendre la monnaie en plaçant dans la soucoupe (de bas en haut) : les pièces, l'addition puis les billets. Si l'on est pressé, on récupère les billets en oubliant les pièces cachées sous l'addition.

NOS NOUVEAUTÉS

PARIS SPORTIF (paru)

Se baigner dans une piscine classée Monument historique. Courir sur la piste du record du monde du 100 m. Monter à cheval ou jouer au foot au pied de la tour Eiffel. Danser dans un hôtel particulier du XVIIᵉ siècle. Le tout nouveau *Guide du routard Paris sportif* regorge de sites inattendus et de clubs ouverts à tous pour pratiquer les arts martiaux, l'athlétisme, le basket-ball, la danse, l'équitation, l'escalade, l'escrime, le football, le golf, le handball, le jogging, le karting, les sports de glace, les sports en piscine, le roller, le skate, le rugby, la musculation et le fitness, les sports nautiques, le squash, le tennis, le tennis de table, le badminton et le volley-ball.

Enfants, amateurs, pro, et mêmes femmes enceintes seront surpris de découvrir la richesse des activités sportives dans la capitale... Mais faire du sport, c'est aussi trouver la bonne adresse pour s'équiper ou un bon pub pour suivre un Grand Prix ou un match sur grand écran. Bons tuyaux, réductions et conseils avisés pour les routards sportifs ! Dorlotez votre corps et laissez-vous surprendre par le sport à Paris.

MALTE (avril 2004)

Quelle est l'origine du célèbre faucon maltais ? Qui ne rêve de marcher sur les traces des chevaliers ou de l'énigmatique Corto ? Le *Guide du routard*, tel Ulysse, a succombé aux charmes de la Calypso et s'est laissé enivrer par ce joyau, posé entre Orient et Occident. Des temples préhistoriques aux fastes de la co-cathédrale, Malte se déguste entre arts et histoire au gré des influences siciliennes, nord-africaines et anglaises *(of course !)*, qui ont façonné l'archipel depuis l'aube des temps.

Car si ce mélange de cultures donne à Malte tout son attrait et toute son originalité, ses petites îles, tour à tour culturelle (Malte), bucolique (Gozo) et sauvage (Comino), lui offrent une diversité et une richesse d'une densité inégalée dans le monde méditerranéen. Rien que ça !

Nous tenons à remercier tout particulièrement François Chauvin, Gérard Bouchu, Grégory Dalex, Michelle Georget, Carole Fouque, Patrick de Panthou, Jean-Sébastien Petitdemange et Alexandra Sémon pour leur collaboration régulière.

Et pour cette chouette collection, plein d'amis nous ont aidés :

Caroline Achard
Didier Angelo
Barbara Batard
Astrid Bazaille
Jérôme Beaufils
Loup-Maëlle Besançon
Thierry Bessou
Cécile Bigeon
Fabrice Bloch
Cédric Bodet
Philippe Bordet
Nathalie Boyer
Florence Cavé
Raymond Chabaud
Alain Chaplais
Bénédicte Charmetant
Geneviève Clastres
Maud Combier
Nathalie Coppis
Sandrine Couprie
Agnès Debiage
Tovi et Ahmet Diler
Claire Diot
Émilie Droit
Sophie Duval
Hervé Eveillard
Pierre Fahys
Didier Farsy
Flamine Favret
Pierre Fayet
Alain Fisch
Cédric Fischer
Cécile Gauneau
David Giason
Adrien Gloaguen
Clément Gloaguen
Stéphane Gourmelen
Isabelle Grégoire
Xavier Haudiquet
Bernard Houliat
Lionel Husson

Catherine Jarrige
Lucien Jedwab
Emmanuel Juste
Florent Lamontagne
Blandine Lamorisse
Jacques Lanzmann
Vincent Launstorfer
Grégoire Lechat
Francis Lecompte
Benoît Legault
Jean-Claude et Florence Lemoine
Valérie Loth
Philippe Melul
Kristell Menez
Josyane Meynard
Anne-Marie Minvielle
Thomas Mirante
Anne-Marie Montandon
Xavier de Moulins
Jacques Muller
Alain Nierga et Cécile Fischer
Martine Partrat
Jean-Valéry Patin
Odile Paugam et Didier Jehanno
Laurence Pinsard
Jean-Alexis Pougatch
Jean-Luc Rigolet
Thomas Rivallain
Dominique Roland
Pascale Roméo
Ludovic Sabot
Jean-Luc et Antigone Schilling
Abel Ségretin
Guillaume Soubrié
Régis Tettamanzi
Claudio Tombari
Christophe Trognon
Isabelle Vivarès
Solange Vivier

Direction : Cécile Boyer-Runge
Contrôle de gestion : Joséphine Veyres
Direction éditoriale : Catherine Marquet
Responsable de collection : Catherine Julhe
Édition : Matthieu Devaux, Stéphane Renard, Magali Vidal, Luc Decoudin, Amélie Renaut, Caroline Brancq, Sophie de Maillard et Éric Marbeau
Secrétariat : Catherine Maîtrepierre
Préparation-lecture : Véronique Rosy
Cartographie : Cyrille Suss et Daphné Lecœur
Fabrication : Nathalie Lautout et Audrey Detournay
Direction commerciale : Michel Goujon, Dominique Nouvel, Dana Lichiardopol et Lydie Firmin
Informatique éditoriale : Lionel Barth
Relations presse : Danielle Magne, Martine Levens et Maureen Browne
Régie publicitaire : Florence Brunel
Service publicitaire : Frédérique Larvor

Remerciements

Et pour ce guide, nous remercions tout particulièrement :
- Micheline Morisseau, du CDT de Dordogne
- Annie Bersars, de l'OT de Sardat
- Alain Scholly et Roland Mazère, du restaurant *Le Centenaire*
- MM. Tastet, Cailleau et Caussade, du CDT de Gironde, pour leur disponibilité et leur excellent accueil
- Marilys Cazaubìeilh et toute l'équipe du CDT des Landes
- Véronique Audeguis et Olivier Honfanx, du SIVOH Côte Sud
- Nathalie Ribardière, directrice de l'OT de Mimizan
- Elysabeth et toute l'équipe de l'OT de Dax
- Delphine Cabannes et toute l'équipe de l'OT de Mugron
- Patrick Arnaud, du domaine départemental d'Ognas
- Christian Mercurol, de l'agence touristique du Béarn
- Anne Fernandez et Maria de Vos, du CDT du département de Lot-et-Garonne
- L'équipe de l'OT d'Agen
- L'équipe de l'OT de Villeneuve-sur-Lot
- Les OT de Seignosse, Messanges, Hossegor, Léon, Mont-de-Marsan, La Bastide d'Armagnac et Cap-Breton
- Le maire de Brassempouy
- Merci tout particulier à Stéphanie Focé du site de Marquèze, et à Emeline Olha de Peyrehorade
- Et à tous les Landais croisés sur la route...

Le *Guide du routard* remercie l'Association des Paralysés de France de l'aider à signaler les lieux accessibles aux personnes à mobilité réduite. Cette attention est déjà une victoire sur le handicap.

COMMENT Y ALLER ?

PAR LA ROUTE

➤ *Autoroute A 10, Paris-Bordeaux : 582 km (à péage).*
Sortir de Paris par la porte d'Orléans. L'autoroute passe par Orléans, Tours, Poitiers et Saintes. Elle longe les châteaux de la Loire les plus célèbres (Beaugency, Blois, Chambord, Amboise). Profitez-en.

➤ *Nationale 10, Paris-Bordeaux : 560 km.*
Sortir de Paris par l'autoroute de l'Ouest (section gratuite). Après Versailles, bifurquer sur Rambouillet pour rattraper la N 10. Puis Chartres, Tours, Poitiers et Angoulême.

➤ *Nationales 20 et 21.*
Sortir de Paris par la porte d'Orléans. La N 20 passe par Orléans, Limoges. À Limoges, prendre la N 21, puis direction Périgueux, Bergerac, Agen.

EN TRAIN

Au départ de Paris

🚆 *Pour les TGV :* départ de Paris-Montparnasse.
🚆 *Pour les autres trains :* départ de Paris-Austerlitz.

➤ *Paris-Bordeaux :* 21 TGV directs quotidiens en moyenne (environ 3 h de trajet).

➤ *Paris-Libourne :* 5 TGV quotidiens en moyenne (un peu moins de 3 h de trajet).

➤ *Paris-Agen :* 10 TGV par jour en moyenne, dont 2 directs (environ 4 h de trajet), les autres avec un changement à Bordeaux.

➤ *Paris-Mont-de-Marsan :* 7 TGV par jour, avec un changement à Bordeaux ou Dax (4 h 30 environ de trajet). Également un Corail de nuit.

➤ *Paris-Pau :* 4 TGV quotidiens directs en moyenne. Compter 5 h de trajet.

➤ *Paris-Périgueux :* 2 possibilités. TGV avec correspondance à Bordeaux ou Libourne, sinon trains Corail directs ou avec correspondance à Limoges. Dans les deux cas, environ 4 h 30 de trajet.

De l'Île-de-France ou de la province

➤ Liaisons directes pour Bordeaux depuis *Nantes* (4 h), *Montpellier* (4 h 05), *Lille* (près de 5 h), *Marseille* (4 h 30)... mais aussi depuis les gares Île-de-France de *Massy* (3 h 15), *Marne-la-Vallée-Chessy* (compter 4 h) et *aéroport Charles-de-Gaulle* (4 h environ).

Pour préparer votre voyage

– *Billet à domicile :* commandez votre billet par téléphone, sur Internet ou par Minitel, la SNCF vous l'envoie gratuitement à domicile. Vous réglez par carte de paiement (pour un montant minimum de 1 € – sous réserve de modifications ultérieures), au moins 4 jours avant le départ (7 jours si vous résidez à l'étranger).

– *Service Bagages à domicile :* appelez le ☎ 0825-845-845 (0,15 €/mn), la SNCF prend en charge vos bagages où vous le souhaitez et vous les livre là où vous allez **en 24 h de porte à porte**. Délai à compter du jour de l'enlèvement à 17 h, hors samedi, dimanche et fêtes. Offre soumise à conditions.

Pour voyager au meilleur prix

La SNCF propose de nombreuses offres adaptées à tous les comportements de voyage.

➤ *Vous voyagez de temps en temps ?*

Avec les tarifs *Découverte,* vous bénéficiez de 25 % de réduction : *Enfant +,* pour les voyages avec un enfant de moins de 12 ans ; *12-25,* pour les jeunes de 12 à 25 ans ; *Senior,* pour les voyageurs de 60 ans et plus ; *À Deux,* pour des aller-retour de 2 à 9 personnes ; *Séjour,* pour des aller-retour avec la nuit de samedi à dimanche incluse.

➤ *Vous voyagez plus souvent ?*

Les cartes sont faites pour vous. Avec les *Cartes Enfant +, 12-25* et *Senior,* vous avez jusqu'à 50 % de réduction (25 % garantis) sur un nombre de voyage illimité, pendant un an.

La *Carte Escapades* s'adresse aux voyageurs de 26 à 59 ans. Elle offre 25 % de réduction garantie sur tous les trains pendant un an pour des aller-retour avec la nuit de samedi à dimanche incluse.

➤ *Vous anticipez vos voyages ?*

Découvrez les petits prix *Prem's* dans les points de vente SNCF habituels : plus vous réservez à l'avance et plus les prix sont avantageux. Et sur ● www.voyages-sncf.com ●, sur Minitel et dans les agences de voyages en ligne agréées SNCF, *Prem's* est encore moins cher avec des allers à partir de 20 € en Corail et 25 € en TGV.

➤ *Vous décidez de partir au dernier moment ?*

Chaque mardi les *Offres de dernière minute,* sur ● www.voyages-sncf.com ● et dans les agences de voyages en ligne partenaires avec la SNCF, vous proposent 50 destinations en France sur les TGV et Corail à prix avantageux.

Pour obtenir plus d'informations sur ces offres et acheter vos billets

– **Ligne Directe :** ☎ 08-92-35-35-35 (0,34 €/mn), tous les jours de 7 h à 22 h.
– **Internet :** ● www.voyages-sncf.com ●
– **Minitel :** 36-15 ou 36-16, code SNCF (0,20 €/mn).
– Dans les gares, les boutiques SNCF et les agences de voyages agréées.

Comment circuler en Aquitaine ?

Le TER

Avec le TER, la SNCF met à votre disposition des trains et des cars desservant un grand nombre de points d'arrêt afin de vous permettre de découvrir les principaux sites touristiques.

Les principales lignes du réseau TER Aquitaine

➤ **Bordeaux-Dax :** 1 h 20*.
➤ **Bordeaux-Arcachon :** 45 mn*.
➤ **Bordeaux-Agen :** 1 h 30*.
➤ **Bordeaux-Périgueux :** 1 h 15*.
➤ **Bayonne-Hendaye :** 40 mn*.
➤ **Bordeaux-Bergerac :** 1 h 30*.
*Durée moyenne de trajet.

Succombez.

Pour tous renseignements

Rendez-vous dans les gares et boutiques SNCF d'Aquitaine.
– *Ligne-Directe :* ☎ 08-92-35-35-35 (0,34 €/mn).
– *Minitel :* 36-15, code TER (0,15 €/mn).
– *Internet :* • www.ter-sncf.com/aquitaine •

EN AVION

▲ AIR FRANCE

– *Paris :* 119, av. des Champs-Élysées, 75008. Renseignements et réservations : ☎ 0820-820-820 (de 6 h 30 à 22 h). • www.airfrance.fr • Minitel : 36-15, code AF (tarifs, vols en cours, vaccinations, visas). Ⓜ George-V. Et dans toutes les agences de voyages.
Air France dessert Bordeaux au départ de Lyon, Nantes, Nice, Strasbourg et Paris (Orly Ouest et Roissy 2). Périgueux est desservi au départ de Paris et de Lyon (via Paris).
Air France propose une gamme de tarifs attractifs accessibles à tous : du *Tempo 1* (le plus souple) au *Tempo 4* (le moins cher). *Tempo Jeunes* est destiné aux moins de 25 ans. Pour ceux-ci, la carte de fidélité « Fréquence Jeune », nominative, gratuite et valable sur l'ensemble des lignes nationales et internationales d'Air France, permet d'accumuler des *miles* et de bénéficier ainsi de billets gratuits.
Tous les mercredis dès 0 h, sur Minitel 36-15, code AF (0,20 €/mn) ou sur • www.airfrance.fr •, Air France propose les tarifs « Coups de cœur », une sélection de destinations domestiques et européennes à des tarifs très bas pour les 12 jours à venir.
Sur Internet également, tous les 15 jours, le jeudi de 12 h à 22 h, 100 billets sont mis aux enchères. Un second billet sur le même vol au même tarif est proposé au gagnant.

▲ AIR LITTORAL

– *Réservation centrale :* aéroport Montpellier-Méditerranée, CS 10-014, 34137 Mauguio Cedex. ☎ 0825-834-834 (0,15 €/mn). • www.airlittoral.com • Minitel : 36-15, code AIR LITTORAL (0,34 €/mn).
Au départ de Bordeaux, Air Littoral propose des vols directs vers Montpellier et Nice. Au départ de Montpellier, ce sont Lille, Nantes, Strasbourg, Ajaccio, Figari (en été uniquement) et Bastia qui sont accessibles pour les passagers aquitains. Également accessibles via Nice : Nantes et Strasbourg.
Tarifs réduits spécifiques enfants, jeunes, personnes âgées, loisirs, couples, week-end. Places de dernière minute sur Minitel : 36-15, code AIR LITTO RAL, rubrique LAST MINUTE (tarifs dégriffés offrant jusqu'à 70 % de réduction, uniquement les mardi et mercredi).

DECOUVREZ NOS PACKAGES

CARTE D'IDENTITÉ

- **Superficie :** 41 308 km^2 (soit la 3e région de France par sa superficie).
- **Préfecture régionale :** Bordeaux.
- **Sous-préfectures :** Périgueux (Dordogne), Mont-de-Marsan (Landes), Agen (Lot-et-Garonne) et Pau (Pyrénées-Atlantiques).
- **Population :** 2 951 000 habitants (2001). Avec 5 % de la population du pays, la région occupe la 7e place.
- **Densité :** 71,4 hab./km^2.
- **Taux de chômage :** 9,2 % (9,1 % pour l'ensemble de la métropole).
- **Population active :** 46,76 %.
- **Principales industries :** bois, aéronautique, tourisme et agroalimentaire (viticulture et ostréiculture).

INTRODUCTION

Des pinèdes landaises aux vignes du Médoc, des pics des Pyrénées aux moissons de Gascogne, il y a plus de contrastes que de ressemblances. À chaque pays sa capitale, son histoire, éventuellement sa langue. Ici, on connaît et on respecte les frontières entre Landes et Bordelais, Agenais et Périgord, Béarn et Pays basque. Et les vieilles querelles de clochers se règlent aujourd'hui un ballon à la main. Les Gascons retrouvent alors le panache qui fit leur réputation dans les cours royales.

S'il fallait trouver un point commun, ce serait l'attachement à la terre. Les Gascons ont eu beau émigrer, et les Bordelais courir les mers, l'histoire, elle, ne retient qu'une formidable symbiose entre humains et terroirs.

Si le sous-sol, désespérément démuni en matières premières, a découragé l'industrialisation massive, le sol, en revanche, fournit près de la moitié des produits fins de France. Faut-il y voir les raisons d'un goût immodéré pour les plaisirs de la table qui font des hommes du Sud-Ouest des chasseurs de palombes, des châtelains de grands crus ou des cueilleurs de cèpes ? « Bonne cuisine et bons vins, c'est le paradis sur terre », proclamait déjà Henri IV. Le climat doux qui baigne la région lui donne facilement raison.

Romains, Gascons, Anglais, Espagnols et Maures, l'Aquitaine, ce grand creuset soumis à toutes les fascinations, à commencer par la sienne, se devait d'accueillir les touristes. La région doit beaucoup à une Espagnole, l'impératrice Eugénie qui, en lançant Biarritz, fit descendre les mondains de l'époque jusqu'à la frontière. Première étape d'une vogue qui entraînera la naissance des stations thermales dans les Pyrénées et les Landes, avant l'assaut plus tardif des côtes. La redécouverte du Périgord, dans les années 1950, et le rush gourmand des deux décennies passées ont fait de l'Aquitaine un résumé du bien-vivre français.

Avec Hertz, découvrez la France buissonnière.

AVANT LE DÉPART

Adresses utiles

Comité régional de tourisme d'Aquitaine : Cité mondiale, 23, par-vis des Chartrons, 33074 Bordeaux Cedex. ☎ 05-56-01-70-00. Fax : 05-56-01-70-07. • www.tourisme-aquitaine.info • ATTENTION ! N'est pas ouvert au public. Renseignements uniquement par téléphone, par fax, par mail ou par courrier.

Comités départementaux de tourisme : se reporter aux chapitres correspondants.

Gîtes de France : pour commander des brochures, s'adresser au 59, rue Saint-Lazare, 75439 Paris Cedex 9. ☎ 01-49-70-75-75. • www.gites-de-france.com • Minitel : 36-15, code GITES DE FRANCE. Les réservations se font auprès des relais départementaux des Gîtes de France (indiqués dans ce guide en introduction de chaque département).

Carte FUAJ internationale des auberges de jeunesse

Cette carte, valable dans 62 pays, permet de bénéficier des 6 000 auberges de jeunesse du réseau *Hostelling International* réparties dans le monde entier. Les périodes d'ouverture varient selon les pays et les AJ. À noter : la carte AJ est surtout intéressante en Europe, aux États-Unis, au Canada, au Moyen-Orient et en Extrême-Orient (Japon...).

Pour adhérer à la FUAJ et s'inscrire

Par correspondance : Fédération unie des Auberges de jeunesse (FUAJ), 27, rue Pajol, 75018 Paris. Bureaux fermés au public. Envoyer une photocopie recto-verso d'une pièce d'identité et un chèque correspondant au montant de l'adhésion (ajouter 1,15 € de plus pour les frais d'envoi de la FUAJ). Une autorisation des parents est nécessaire pour les moins de 18 ans.

Sur place : FUAJ, Antenne nationale, 9, rue de Brantôme, 75003 Paris. ☎ 01-48-04-70-40. Fax : 01-42-77-03-29. M. : Rambuteau ; RER : Les Halles. Présenter une pièce d'identité et 10,70 € pour la carte moins de 26 ans, 15,25 € pour les plus de 26 ans (tarif 2003).

Inscriptions possibles également dans toutes les auberges de jeunesse, points d'information et de réservation FUAJ en France. • www.fuaj.org •

On conseille de l'acheter en France car elle est moins chère qu'à l'étranger.
– La FUAJ propose aussi une **carte d'adhésion « Famille »,** valable pour les familles de deux adultes ayant un ou plusieurs enfants âgés de moins de 14 ans. Prix : 22,90 €. Fournir une copie du livret de famille.
– La carte donne également droit à des réductions sur les transports, les musées et les attractions touristiques de plus de 60 pays, mais ces avantages varient d'un pays à l'autre, ce qui n'empêche pas de la présenter à chaque occasion, cela peut toujours marcher.

En Belgique

Son prix varie selon l'âge : entre 3 et 15 ans, 3,50 € ; entre 16 et 25 ans, 9 € ; après 25 ans, 13 €.

Renseignements et inscriptions

■ *À Bruxelles :* LAJ, rue de la Sablonnière, 28, 1000 Bruxelles. ☎ 02-219-56-76. Fax : 02-219-14-51. ● www.laj.be ● info@laj.be ●

■ *À Anvers :* Vlaamse Jeugdherbergcentrale (VJH), Van Stralenstraat 40, B 2060 Antwerpen. ☎ 03-232-72-18. Fax : 03-231-81-26. ● www.vjh.be ● info@vjh.be ●

Les résidents flamands qui achètent une carte en Flandre obtiennent 7,50 € de réduction dans les auberges flamandes et 3,70 € en Wallonie. Le même principe existe pour les habitants wallons.

En Suisse (SJH)

Le prix de la carte dépend de l'âge : 22 Fs (14,31 €) pour les moins de 18 ans, 33 Fs (21,46 €) pour les adultes et 44 Fs (28,62 €) pour une famille avec des enfants de moins de 18 ans.

Renseignements et inscriptions

■ *Schweizer Jugendherbergen* (SJH; service des membres des AJ suisses) : Schaffhauserstr. 14, Postfach 161, 8042 Zurich. ☎ 01-360-14-14. Fax : 01-360-14-60. ● www.youthhostel.ch ● bookingoffice@youthhostel.ch ●

Au Canada

Elle coûte 35 $Ca (24,80 €) pour 1 an (tarif 2003) et 175 $Ca (141,50 €) à vie. Gratuit pour les enfants de moins de 18 ans, qui accompagnent leurs parents. Pour les juniors voyageant seuls, compter 12 $Ca (8,49 €). Ajouter systématiquement les taxes.

Renseignements et inscriptions

■ *Tourisme Jeunesse :* 4008 Saint-Denis, Montréal CP 1000, H2W-2M2. ☎ (514) 844-02-87. Fax : (514) 844-52-46.
■ *Canadian Hostelling Association :* 205 Catherine Street, bureau 400, Ottawa, Ontario, Canada K2P-1C3. ☎ (613) 237-78-84. Fax : (613) 237-78-68. ● www.hihostels.ca ● info@hihostels.ca ●

Il n'y a pas de limite d'âge pour séjourner en AJ. Il faut simplement être adhérent.
– La FUAJ propose des guides gratuits répertoriant toutes les AJ du monde : un pour la France, un pour l'Europe et un pour le reste du monde (les deux derniers sont payants).

Cartes de paiement

– La carte *MasterCard* permet à son détenteur et à sa famille (si elle l'accompagne) de bénéficier de l'assistance médicale rapatriement. En cas de problème, contacter immédiatement à Paris le : ☎ 01-45-16-65-65. En cas de perte ou de vol, appeler (24 h/24) à Paris le : ☎ 01-45-67-84-84 (PCV

PETITS RESTOS DES GRANDS CHEFS (mars 2004)

Douce France, qui nous permet de découvrir toutes ces petites tables, poussées à l'ombre des grandes. Des tables sympathiques, sans prétention, et dont le chef est allé à bonne école : chez les plus grands, ceux qui ont su faire évoluer la cuisine de notre temps. Ou bien encore de jeunes chefs, qui ont déjà la tête dans les étoiles, mais qui gardent les pieds sur terre. Ces nouveaux talents qui éclatent un peu partout, et qui remettent à l'honneur des produits oubliés devenant, sous la patte du chef, des plats mémorables.

On aime autant l'établissement repris par un jeune couple que le 2e ou 3e resto d'un grand chef, qui place là ses éléments les plus méritants. À condition, bien sûr, que les prix sachent rester raisonnables.

On ajoute, à chaque fois, un hôtel croquignolet pour dormir dans de beaux draps. Et, pour la première fois, on se met à la photo !

accepté), pour faire opposition. À noter que ce numéro est aussi valable pour les cartes *Visa* émises par le Crédit Agricole et le Crédit Mutuel.
• www.mastercardfrance.com •

– Pour la carte *Visa,* contactez le numéro communiqué par votre banque.

– Pour la carte **American Express,** en cas de pépin : ☎ 01-47-77-72-00, pour faire opposition, 24 h/24. PCV accepté en cas de perte ou de vol.

– Pour toutes les cartes émises par **La Poste :** ☎ 0825-809-803 (pour les DOM, ☎ 05-55-42-51-97).

– Serveur vocal valable pour toutes les cartes de paiement : ☎ 0892-705-705 (0,34 €/mn).

Carte internationale d'étudiant (carte ISIC)

Elle prouve le statut d'étudiant dans le monde entier et permet de bénéficier de tous les avantages, services, réductions étudiants du monde, soit plus de 25 000 avantages concernant les transports, les hébergements, la culture, les loisirs... c'est la clé de la mobilité étudiante !

La carte ISIC donne aussi accès à des avantages exclusifs sur le voyage (billets d'avion spéciaux, assurances de voyage, carte de téléphone internationale, location de voitures, navette aéroport...).

Pour plus d'informations sur la carte ISIC : • www.carteisic.com • ou ☎ 01-49-96-96-49.

Pour l'obtenir en France

Se présenter dans l'une des agences des organismes mentionnés ci-dessous avec :

– une preuve du statut d'étudiant (carte d'étudiant, certificat de scolarité...) ;

– une photo d'identité ;

– 12 € (ou 13 € par correspondance, incluant les frais d'envoi des documents d'information sur la carte). Émission immédiate.

■ *OTU Voyages :* ☎ 0820-817-817. • www.otu.fr • pour connaître l'agence la plus proche de chez vous.

■ *Voyages Wasteels :* ☎ 0892-682-206 (audiotel ; 0,33 €/mn). • www.wasteels.fr •

En Belgique

Elle coûte 9 € et s'obtient sur présentation de la carte d'identité, de la carte d'étudiant et d'une photo auprès de :

■ *Connections :* renseignements au ☎ 02-550-01-00.

En Suisse

Dans toutes les agences *STA Travel,* sur présentation de la carte d'étudiant, d'une photo et de 20 Fs (13 €).

■ *STA Travel :* 3, rue Vignier, 1205 Genève. ☎ 022-329-97-34.

■ *STA Travel :* 20, bd de Grancy, 1006 Lausanne. ☎ 021-617-56-27.

Il est également possible de la commander en ligne sur le site • www.carteisic.com •

Nos meilleures chambres d'hôtes en France

Nous avons sillonné les petites routes de campagne pour vous dénicher les meilleures fermes auberges, gîtes d'étapes et surtout chambres d'hôtes.

Plus de 1600 adresses qui sentent bon le terroir !
et des centaines de réductions

Hachette Tourisme

Les *Chèques-vacances*

Simples et ingénieux, vous pouvez utiliser les *Chèques-Vacances* dans un réseau de 130 000 professionnels agréés du tourisme et des loisirs en France (DOM-TOM compris) pour régler hébergements, restos, transports, loisirs sportifs et culturels sur votre lieu de villégiature ou dans votre ville. Nominatifs, ils vous permettent d'optimiser votre budget vacances et loisirs grâce à la participation financière de votre employeur, CE, amicale du personnel, etc.

Désormais, les *Chèques-Vacances* sont accessibles aux PME-PMI de moins de 50 salariés et sont édités sous forme de deux coupures de 10 et 20 €.

Avantage : ils donnent accès à de nombreuses réductions, promotions et vous assurent un accueil privilégié.

Renseignez-vous auprès des différents établissements recommandés par le *Guide du routard* pour savoir s'ils acceptent ce titre de paiement.

– Renseignements : ☎ 0825-844-344 (0,15 €/mn). ● www.ancv.com ● Minitel : 36-15, code ANCV. Ou dans le *Guide Chèque-Vacances*.

Monuments nationaux à la carte

Le Centre des monuments nationaux accueille le public dans tous les monuments français, propriétés de l'État. Ces hauts-lieux de l'Histoire proposent des visites, libres ou guidées, des expositions et des spectacles historiques, lors de manifestations événementielles. Pour la région Aquitaine, sont concernés les monuments suivants : Eyzies-de-Tayac, le site archéologique de Montcaret, la tour Pey-Berland à Bordeaux, la grotte de Pair-non-Pair à Prignac-et-Marcamps, l'abbaye de la Sauve-Majeure et le château des ducs d'Épernon à Cadillac.

■ Renseignements au *Centre des monuments nationaux :* 62, rue Saint-Antoine, 75004 Paris. ☎ 01-44-61-21-50. ● www.monum.fr ●

Travail bénévole

■ *Concordia :* 1, rue de Metz, 75010 Paris. ☎ 01-45-23-00-23. Fax : 01-47-70-68-27. ● www.concordia-association.org ● concordia@wanadoo.fr ● M. : Strasbourg-Saint-Denis. Travail bénévole. Logés, nourris. Chantiers très variés ; restauration du patrimoine, valorisation de l'environ-nement, travail d'animation... Places limitées. ATTENTION : voyage à la charge du participant et droit d'inscription obligatoire.

■ *Concordia Aquitaine :* 1, pl. de l'Église, 33880 Saint-Caprais. ☎ 05-56-78-76-46. ● concordia.aquitaine@wanadoo.fr ●

ARCHITECTURE

Dans une région aussi vaste, inutile de chercher une quelconque unité architecturale. Dans les paysages déjà, quoi de commun entre les vastes étendues des Landes et les rives de la Dordogne ? En Aquitaine, on trouvera donc une grande diversité en terme d'architecture et d'habitat.

Dans les Landes, l'habitat est plutôt dispersé ; on parle d'*airial* plutôt que de village : ce sont des quartiers qui sont antérieurs à la plantation de la forêt

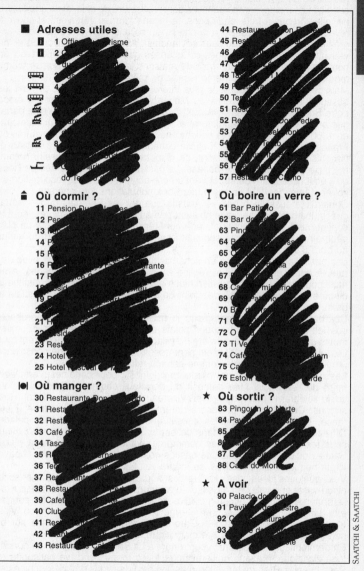

■ **Adresses utiles**
- 1 Office ~~du tourisme~~
- 2 ~~...~~

■ **Où dormir ?**
- 11 Pension ~~...~~
- 12 Pen ~~...~~
- 13 ~~...~~
- 14 P ~~...~~
- 15 R ~~...~~
- 16 R ~~...~~ rante
- 17 R ~~...~~
- 21 H ~~...~~
- 23 Resi ~~...~~
- 24 Hotel ~~...~~
- 25 Hotel ~~...~~

|●| **Où manger ?**
- 30 Restaurante Don ~~...~~ do
- 31 Resta ~~...~~
- 32 Resta ~~...~~
- 33 Café ~~...~~
- 34 Tasc ~~...~~
- 35 R ~~...~~
- 36 Ter ~~...~~
- 37 Res ~~...~~
- 38 Resta ~~...~~
- 39 Cafet ~~...~~
- 40 Club ~~...~~
- 41 Res ~~...~~
- 42 R ~~...~~
- 43 Restaur ~~...~~

- 44 Restaur ~~...~~
- 45 Res ~~...~~
- 46 ~~...~~
- 47 ~~...~~
- 48 T ~~...~~
- 49 R ~~...~~
- 50 Ter ~~...~~
- 51 Res ~~...~~
- 52 Re ~~...~~ Don ~~...~~
- 53 C ~~...~~ el ~~...~~
- 54 ~~...~~ Terr ~~...~~
- 55 ~~...~~
- 56 P ~~...~~
- 57 Restaur ~~...~~ Casino

Ⲩ **Où boire un verre ?**
- 61 Bar Patin ~~...~~
- 62 Bar do ~~...~~
- 63 Pinc ~~...~~
- 64 B ~~...~~
- 65 C ~~...~~
- 66 C ~~...~~ ha
- 67 ~~...~~
- 68 Ca ~~...~~ rio
- 69 C ~~...~~ patin ~~...~~
- 70 B ~~...~~
- 71 C ~~...~~
- 72 O ~~...~~
- 73 Ti Ve ~~...~~
- 74 Cafe ~~...~~ lem
- 75 Ca ~~...~~
- 76 Estor ~~...~~ rde

★ **Où sortir ?**
- 83 Pingou ~~...~~ do Norte
- 84 Pav ~~...~~ str ~~...~~
- 85 ~~...~~
- 86 ~~...~~ a
- 87 B ~~...~~
- 88 Casa do Mon ~~...~~

★ **A voir**
- 90 Palacio do ~~...~~ ont ~~...~~
- 91 Pavil ~~...~~ estre
- 92 C ~~...~~ tural
- 93 ~~...~~ e d ~~...~~
- 94 ~~...~~ te

SAATCHI & SAATCHI

(au milieu du XIXe siècle) et qui se trouvent par conséquent en bordure de celle-ci. Les maisons traditionnelles sont à ossature de bois, avec une toiture de tuiles brunes à trois longs pans, la façade tournée vers l'est, et souvent revêtues d'un crépi blanchi à la chaux, ou parfois tacheté de garluche (un grès ferrugineux propre au sous-sol landais). Au contraire, en Dordogne, on verra bien souvent des villages caractérisés par un habitat groupé avec, en bord de rivière, comme une frise de maisons toutes conçues sur un même modèle (même toiture et même façade de pierre).

Mais ce qui est sans doute le plus intéressant dans la région, ce sont les bastides, ces villes nouvelles du Moyen Âge, qui ont fleuri, grosso modo entre Bordeaux et Toulouse. Aux XIIIe et XIVe siècles, l'Aquitaine était partagée entre le royaume d'Angleterre et le comté de Toulouse. Pour mémoire, en 1360, à la signature de la paix de Brétigny, près du quart du royaume de France revient aux Anglais ! Difficile cohabitation : les seigneurs anglais et français s'opposent et rivalisent, se disputant âprement le terrain, notamment par places fortes interposées. La bastide est pour partie née de l'idée qu'il était nécessaire de structurer l'arrière-pays et organiser l'occupation du sol en campagne tout en regroupant des populations très éparses.

Construites aussi bien par les Anglais que par les Béarnais ou les Armagnacs, les bastides ne ressemblaient pas aux villes déjà existantes, dont la configuration ne présentait aucune cohérence. Elles obéissaient à un plan géométrique rigoureux qui épousait le relief du terrain, la plupart du temps au bord d'une rivière.

Les bastides répondaient à un schéma quasi constant, quadrillé, avec des rues à angle droit entourant l'église et la place publique à arcades, avec halle couverte. Cette association place et église, très fréquente, constitue le binôme gagnant de la bastide, point de rencontre de la vie commerciale et de la vie religieuse.

Ces bastides furent édifiées jusqu'au milieu du XVe siècle. Il est probable que les souverains y ont vu des points d'appui stratégiques car, pour des motifs militaires évidents, nombre de villages et villes médiévaux furent fortifiés. À cette époque naît un élément essentiel pour la prise de conscience urbaine : la notion de ville comme espace refuge.

Les noms des bastides ont plusieurs origines : pour certaines, l'emplacement du lieu choisi (site défensif ou carrefour commercial) ; d'autres ont voulu célébrer le patronage royal (Villeréal) ou celui du seigneur local (Hastingues, Créon) ; d'autres encore prirent le nom d'une ville célèbre (Fleurance, Bruges). Ces bastides constituent d'excellentes idées de balade. Offrez-vous le Moyen Âge dans de beaux villages aquitains et allez flâner sous les arcades abritant les commerces variés tout autour de la place. Sachez qu'on ne visite pas une bastide comme un château ou une abbaye. Ici, la beauté, parfois cachée, se mérite.

Voici quelques idées : dans les Landes, nous suggérons de déambuler sur la place vaste et royale de La Bastide-d'Armagnac (la bien-nommée) ou de voir l'étonnante structure quasi circulaire de Geaune ; en Gironde, on pourrait être Libourne ou Cadillac ; en Périgord, Monpazier, Beaumont ou Villefranche-en-Périgord ; en Lot-et-Garonne, Puymirol, bastide juchée sur un piton, qui offre un point de vue magnifique, ou encore Villeréal.

En dernier lieu, vous pourrez vous rendre à La Bastide-Clairence, au quadrillage classique, presque guilleret (effet tuiles roses), enclave gasconne en Pays basque. Bref, toutes différentes, les bastides vous dévoileront bien des charmes du Sud-Ouest.

ÉCONOMIE

Les domaines d'activité en Aquitaine se distinguent du reste de la France par deux caractéristiques principales et complémentaires : le secteur primaire occupe encore une proportion importante de la population active, environ le double de la moyenne nationale, et l'industrie y est moins présente que dans le reste de la France (15,7 % de la population active contre près de 20 %).

C'est en Dordogne que l'agriculture occupe le plus de bras (10 % de la population active), ce qui ne surprendra personne vu la richesse des terroirs dans ce département. Mais l'Aquitaine tout entière décroche la première place nationale pour le nombre des salariés agricoles, de même qu'elle s'impose sur le plan national pour la production de maïs, de tabac, de fraises, ainsi que pour l'aquaculture et la volaille. Les activités de transformation de la production agricole et sylvicole (la filière bois avec 1/5 de la production nationale et la filière vin avec 30 % des AOC) sont les deux autres domaines en pointe dans la région.

Côté industrie, l'implantation des usines est plutôt déséquilibrée : une opposition nord-sud est assez sensible. Au nord, pas mal de sites d'aéronautique, civile et militaire, dont la région bordelaise s'est fait une spécialité (avec l'*Aérospatiale, Dassault-Aviation* et la *SEP*), de l'électronique et de l'informatique *(Thomson, IBM),* l'industrie pharmaceutique venant compléter le tableau. Et ces nouveaux euros qui vous ravissent ou vous agacent, où ont-ils été produits ? À Pessac, dans la banlieue de Bordeaux. Plus au sud, on peut signaler l'industrie du bois et du papier (Landes), un pôle industriel autour de Pau et, plus à l'est, autour d'Agen (industrie pharmaceutique), mais la densité des industries est assez faible dès qu'on s'éloigne de la métropole bordelaise.

Le tourisme ne cesse de se développer, et là, sur toute la région : alliant mer et montagne, sans oublier le tourisme vert, l'Aquitaine reçoit en moyenne 6 millions de visiteurs par an, ce qui en fait un des premiers pôles touristiques français, générateur d'emplois.

Le taux de chômage, ces vingt dernières années, a toujours été sensiblement supérieur en Aquitaine à la moyenne nationale, mais l'écart a tendance à diminuer et l'Aquitaine court derrière la courbe nationale du chômage pour s'en rapprocher régulièrement. La région attire, on vient s'y installer (augmentation de 30 % de la population en 40 ans, qui n'est pas due à une progression spectaculaire de la natalité mais à un solde migratoire positif), et ce dynamisme se ressent au niveau de l'emploi. Pourtant, la région ne se classe qu'à la 10e place nationale pour le PIB par habitant mais, plus que de l'argent, on vient y chercher une certaine qualité de vie (demandez à nos amis britanniques pourquoi ils sont si nombreux à acheter une maison en Dordogne !).

ENVIRONNEMENT

Le maire de Bègles serait-il l'arbre qui cache la forêt ? En fait, Noël Mamère est le seul écolo d'Aquitaine élu au suffrage universel majoritaire. C'est que la région cache bien son jeu. Industries discrètes, forêts profondes, douces collines, les préoccupations environnementales semblent rares. Ouais... Sauf que la forêt est mitée par la maïsiculture, omniprésente dans toute la région et dont on sait les atteintes qu'elle fait subir à la nappe phréatique. Sauf que les douces collines sont le repaire de chasseurs invétérés (ici, ce sont les terres de CPNT) et souvent brutaux (qui a parlé de pléonasme ?). Le pauvre Bougrain-Dubourg le sait bien, lui qui va se faire boxer tous les ans pour essayer de défendre les tourterelles en Médoc. Ailleurs, c'est pas mieux : matoles (pierres levées), filets et fusils attendent tout ce qui porte plume, de l'ortolan au colvert, en passant par la palombe qui passe souvent de vie à trépas avant d'atteindre les cols pyrénéens.

Ajoutons que l'Aquitaine est un axe de passage important (10 000 camions/jour sur la N 10) et on verra que l'environnement ne s'en porte pas si bien.

Depuis le 13 novembre 2002, jour du naufrage du *Prestige,* la donne écologique n'est plus la même sur le littoral aquitain. Les plages des Landes, jusqu'alors épargnées par la pollution, ont été touchées par la marée noire. Mais malgré l'arrivée occasionnelle de boulettes de fuel sur la côte, la situation s'améliore de jour en jour. Les autorités, avec le soutien de nombreux bénévoles, ont mobilisé leurs efforts afin de nettoyer les plages. Un bon point : l'évolution des deux sites industriels majeurs que sont la région de Bordeaux et celle de Pau-Lacq, qui s'orientent vers des technologies « propres ». Même si, parfois, le vent entraîne sous vos narines les effluves de la papeterie de Facture ou les senteurs soufrées de l'usine de Lacq, ce n'est pas bien grave. Moins odorante, la centrale nucléaire de Braud-Saint-Louis, sur la Garonne, est plutôt moins sympathique.

Le problème, c'est que le futur se présente mal : l'axe Bordeaux-Pau et le tunnel du Somport ne vont pas dans le sens d'un allègement du trafic routier et les chasseurs ne sont guère disposés à ranger leurs flingues. Le maïs est toujours aussi prospère et l'industrialisation de l'agriculture fait planer quelques dangers. Pour l'instant, ces maux semblent limités. Pour combien de temps ?

GÉOGRAPHIE

La région Aquitaine est coupée par la Garonne qui délimite apparemment une frontière naturelle, mais des deux côtés de la Garonne, on retrouve du calcaire. Au nord-est, le Périgord est constitué de plateaux qui sont en réalité les contreforts occidentaux du Massif central et sont entaillés par des rivières (Dordogne, Vézère) qui ont frayé leur chemin en creusant profondément entre des murailles de calcaire ; à l'ouest, le Bordelais est essentiellement formé d'un socle de même nature, si propice aux exploitations viticoles, et qui précède les étendues sableuses landaises.

Les Landes sont aujourd'hui synonymes de forêt, mais ce paysage est en fait une création récente datant de la seconde moitié du XIXe siècle. Avant l'ingénieur Chambrelent, qui a façonné un nouveau paysage en faisant planter des pins pour empêcher la progression du sable dans les terres, les Landes n'étaient qu'une étendue assez désolée, particulièrement insalubre, la couche de grès (garluche) qui se trouve sous le sable, à 50 cm, empêchant l'infiltration des eaux de pluie (d'où les échasses, bien entendu, pour se déplacer sur ces étendues autrefois spongieuses). Par contre, le long cordon de dunes qui borde le littoral a gardé toute sa singularité : rappelons que la dune du Pyla est le point culminant du département des Landes !

Plus au sud, le relief devient un peu plus accidenté, annonçant les Pyrénées : le pays de l'Adour est formé de douces collines. Le relief montagneux, avec ses vallées (Barétous, Aspe, Ossau), s'impose ensuite rapidement.

HISTOIRE

Quelques dates

– *140 000 - 40 000 av. J.-C. :* le climat chaud débouche sur la dernière glaciation. Les cousins de l'*Homo neandertalensis* s'abritent dans des cavernes aménagées contre le froid. Nombreuses en Dordogne, elles fixent les chasseurs armés de silex. Celle du Moustier a fait baptiser cette période le moustérien.

– *40 000 - 20 000 av. J.-C. :* Aurignac, en Haute-Garonne, où un abri a été découvert en 1852, a prêté son nom à l'Aurignacien, cette période où l'*Homo sapiens (Cro-Magnon)*, devenu *Sapiens sapiens,* raffine son artisanat, son armement et invente les premières représentations religieuses.

– *20 000 - 16 000 av. J.-C. :* le solutréen est représenté dans le Périgord à Laugerie-Haute et Bourdeilles. L'industrie lithique de cette époque est très caractéristique (pointes à face plane, feuilles de laurier).

– *16000 - 9000 av. J.-C. :* le magdalénien (grotte de la Madeleine) marque l'âge d'or de la préhistoire. Peintures de Lascaux, Pech-Merle, etc.

– *600 - 300 av. J.-C. :* divers peuples viennent se mêler aux autochtones. Les Celtes du Nord, les Ibères depuis l'Espagne. Fondation de cités habitées par les Bituriges à Bordeaux, les Pétrucores à Périgueux, les Vasates à Bazas.

– *56 av. J.-C. :* depuis la province romaine de la Narbonnaise, un lieutenant de César, Crassus, vient soumettre toute l'Aquitaine.

– *Ier, IIe et IIIe siècles :* urbanisation et prospérité sous la férule romaine. Dax, Bordeaux et Saint-Bertrand-de-Comminges attirent les Bretons de York et de Lincoln, et les Espagnols de l'Èbre.

– *413 :* après les Vandales, les Wisigoths occupent l'Aquitaine.

– *466 :* Bordeaux devient la capitale d'un royaume florissant, qui va de Gibraltar à la Loire.

– *507 :* bataille de Vouillé où Clovis défait les Wisigoths. Résultat, l'Aquitaine est incorporée aux États francs.

– *580 :* invasion des Gascons, Ibères non latinisés.

– *VIIIe siècle :* invasions arabes. Eauze (Gers) est rasée, Bordeaux incendiée.

– *778 :* le duché de Gascogne est intégré au royaume d'Aquitaine que Charlemagne crée pour son fils Louis le Pieux. Le royaume redeviendra assez vite un duché.

– *X^{e}-XIIe siècle :* émiettement du Sud-Ouest et recomposition en trois ensembles : le Béarn, la Gascogne et la Navarre.

– *1152 :* le (second) mariage d'Aliénor d'Aquitaine avec Henri Plantagenêt donne l'Aquitaine aux rois d'Angleterre. Ils n'en demeurent pas moins, à cet égard, vassaux des rois de France. Situation viciée qui vaudra cent ans de guerre. Chaque parti tente de s'attacher les locaux, à coup de privilèges et de chartes d'autonomie. En réalité, le bâton sévit bien plus que la carotte, les seigneurs du cru oscillant au mieux de leurs intérêts.

– *1204 :* Philippe II Auguste reprend aux Anglais leurs territoires sur le sol français sauf la Guyenne, qui couvre (rien que ça !) le Limousin, le Périgord, le Quercy, l'Agenais, la Gascogne et une partie de la Saintonge. Le traité de Paris (1259) confirme que la Guyenne est une possession anglaise.

– *1337 :* début de la guerre de Cent Ans. Philippe VI s'empare du duché de Guyenne, réaction immédiate d'Edouard III qui débarque en France avec son armée. Les 25 premières années de conflit sont favorables aux Anglais, qui étendent leur emprise sur la France.

– *1453 :* sur la lancée de l'« effet Jeanne d'Arc », Charles VII et son artillerie battent l'armée anglaise à Castillon, près de Saint-Émilion. Fin de la guerre de Cent Ans.

– *Vers 1560 :* Jeanne d'Albret, qui vient d'épouser un Bourbon, transforme le Béarn et la Navarre en forteresse protestante. Le Pays basque, lui, reste catholique. Les guerres de Religion font rage.

– *1589 :* le fils de Jeanne d'Albret, Henri, devient roi de France (Henri IV). Jusque-là chef victorieux du parti huguenot, il abjure et publie le fameux édit de Nantes, qui octroie la liberté de religion.

– *1605 :* pendant les Grands Jours du Quercy, Henri IV fait exécuter les derniers seigneurs opposants.

– *1592-1637 :* au mot d'ordre « liberté », les « croquants » du Rouergue et du Périgord prennent les armes par dizaines de milliers contre la noblesse, le fisc et les brigands. En 1548 et 1663, la gabelle provoquera, elle aussi, de longues et terribles émeutes.

– *1649 :* pendant que Paris s'adonne à la Fronde, Bordeaux s'érige en république autonome, avec le soutien des Anglais. Les Bordelais protestent contre le centralisme français.

– *XVIIIe siècle :* apogée de Bordeaux, sous l'égide de son parlement.

– **1793 :** l'arrestation des Girondins soulève l'Occitanie. La répression est féroce.

– **1851 :** gagné aux idées socialistes, le Sud-Ouest prend les armes contre le coup d'État de Louis-Napoléon Bonaparte. Plus tard, ses séjours touristiques dans la région dissiperont la méfiance.

– **1870 :** pendant la guerre franco-prussienne, le gouvernement de Gambetta se replie à Bordeaux, suivi par l'Assemblée nationale. Cela va devenir une habitude puisque, dans des circonstances similaires, deux autres gouvernements feront de même en septembre 1914 et en juin 1940.

– **XIXe siècle :** émigration massive des Béarnais en direction des Amériques.

– **Décembre 1999 :** une tempête sans précédent ravage l'ensemble de la région. Un lourd bilan humain et matériel.

– **Novembre 2002 :** naufrage du pétrolier le Prestige au large du cap Finisterre, Galice. Nappes de fuel sur le littoral espagnol, qui ne tarderont pas à atteindre la côte atlantique française.

– **Janvier 2003 :** ouverture du tunnel de Samport qui relie les Pyrénées-Atlantiques à l'Espagne.

La tentation anglaise

Par une ironie de l'histoire, les Anglais reviennent en force dans ce Sud-Ouest dont ils furent chassés après la guerre de Cent Ans. En Dordogne, où ils rachètent vieilles pierres et terrains pour leurs résidences secondaires ou pour s'y fixer définitivement. Les plus jeunes se contentent pour l'instant de débarquer à chaque vendange en gare de Bordeaux.

En 1038, Guillaume VIII parvient à rattacher la Gascogne au duché d'Aquitaine. Le dixième du nom donne sa fille Aliénor en mariage au fils du roi de France, le très jeune Louis VII. Union orageuse – la dame a des mœurs plutôt libres pour l'époque – qui finit par une répudiation. Aliénor est alors demandée en mariage par Henri Plantagenêt, qui devient roi d'Angleterre en 1154. Commencent trois siècles d'occupation, qui ne laisseront pas un mauvais souvenir aux locaux. Les Anglais développent l'administration et surtout la culture et le commerce du vin. Ils importeront jusqu'à 850 000 hectolitres de vin blanc, rouge et claret par an. Il faudra attendre le XXe siècle pour retrouver une telle activité.

Les gens du Sud-Ouest conservent un souvenir vaguement nostalgique de cette occupation bénéfique. Loin de considérer les Anglais comme leur ennemi héréditaire, ils ne sont pas fâchés de marquer leur différence et leur réserve vis-à-vis de tout pouvoir central. Ainsi, Montesquieu ira étudier le système juridique britannique avant d'écrire son Esprit des lois. Et aujourd'hui, les Bordelais cultivent avec soin un look tweed-cachemire British – et, pour certains, une rigueur victorienne qui n'est pas pour rien dans leur réputation de froideur.

L'aventure maritime

Bordeaux, sixième port de France. Pour ce qui est de courir les océans, toutefois, ceux du Sud-Ouest ne s'en sont guère laissé remonter. Aujourd'hui vaincus par les sables, Vieux-Boucau, Mimizan et Capbreton étaient des ports actifs au Moyen Âge. Si les Capbretonnais n'ont peut-être pas, comme l'assure une légende, découvert l'Amérique avant Colomb, ils sont bel et bien les aïeux directs des Acadiens du Canada. Les États-Unis, qui virent les Basques immigrer en nombre, se souviennent encore que Detroit fut fondée par un certain chevalier gascon du nom de Cadillac...

Quant à Bordeaux, qui incarna au XVIIIe siècle la splendeur de la France, c'est l'Océan qui l'a sacrée. Pendant la guerre de Cent Ans, tout le trafic anglais passait là. Notamment le claret, petit vin souple dont les Britanniques étaient friands et qu'ils délaissèrent ensuite au profit du porto. Tabac de Virginie, pêche à la morue, traite des esclaves de Guinée puis, ceux-ci devenant trop chers, du Mozambique : Bordeaux, soutenue par les capitaux suisses de l'« Internationale huguenote », a touché à tout. Mais ses îles au trésor étaient les Antilles. Avec la Guadeloupe, la Martinique et surtout Saint-Domingue, le monopole du trafic était quasi total. Vins, tissus, clous, farines contre sucre, café, cacao, indigo. Un commerce très juteux que les Anglais, moins bien lotis aux Antilles, jalousèrent pendant des siècles.

LANGUES RÉGIONALES

L'Aquitaine, bien entendu, appartient au vaste domaine historique des langues d'Oc. Petit rappel pour ceux qui l'auraient oublié : au Moyen Âge, la zone d'Oc rassemble les parlers proches du latin, alors que la zone d'Oïl se caractérise par une évolution plus poussée sous l'influence des langues germaniques. En gros, la Garonne définit une frontière : le *gascon* à l'ouest (Gironde, Landes), le *limousin* au nord-est (correspondant globalement à la Dordogne). Le *béarnais,* variante du gascon, est évidemment parlé dans le Béarn, tandis que le *guyennais,* plutôt rattaché au languedocien, domine dans le Lot-et-Garonne. Le nord de la Gironde, à l'est de l'estuaire, relève historiquement du domaine occitan, mais aujourd'hui, c'est le *saintongeais,* appartenant aux langues d'Oïl, qui s'est implanté. Simple, non ?
Les spécialistes vous expliqueraient savamment que le *gascon* est un peu à part dans le groupe occitan, en raison de l'influence du basque sur le vocabulaire. Nous, plutôt que discourir, on a préféré vous donner la recette de la célèbre garbure dans les deux langues, gasconne et française. Sachez quand même que, selon une étude datant de 2000, 50 % des Béarnais parlent le béarnais et 65 % le comprennent. Et vous ?

Recepta de la garbura (per 8 personas)

– 1 caulet vèrd – 4 carrotas – 2 quilos de pomas de tèras – 1 porret – 4 cebas – 500 gramas de havolas – 1 os de cambajon – 4 cueishas d'auca – 1 pecic de piper d'Espeleta – sau – peper (avez-vous tout reconnu ? « 1 chou vert, 4 carottes, 2 kg de pommes de terre, 1 poireau, 4 oignons, 500 g de haricots blancs, 1 talon de jambon, 4 cuisses d'oie, du piment d'Espelette, sel et poivre »).
– Trempar las havolas la vehla. Escautar lo caulet dens duas aiguas (faire tremper les haricots la veille et faire blanchir le chou). Botar 4 l d'aigua dens un metau. Hornir las havolas, lo caulet, l'os de cambajon, los carrotas – 2 oras (dans une cocotte minute, faire cuire dans 4 l d'eau les haricots, le chou, le talon de jambon, les carottes, l'oignon – 2 h).
– Har blondejar las cebas amenudas dens lo greish d'auca, las getar dens lo metau (mettre dans la cocotte les oignons émincés qu'on a fait blondir dans de la graisse d'oie). Mieja ora abans la fin, hornir las pomas de tèra e lo porret. 20 mn arron, hornir las cueishas d'auca (ajouter, 30 mn avant la fin de la cuisson, les pommes de terre et le poireau, puis 20 mn plus tard les cuisses d'oie).
Bon appétit !

LIVRES DE ROUTE

– *Un adolescent d'autrefois,* de François Mauriac (Librio n° 122, 1998). Le dernier roman achevé par François Mauriac, octogénaire, dans lequel il revient sur ce qui a constitué un thème majeur de son œuvre, la bourgeoisie et son climat étouffant, à travers l'histoire d'Alain, riche héritier d'un domaine de 2 000 ha de forêt dans les Landes, amoureux d'une jeune fille sans dot et en proie à l'hostilité de sa famille pour laquelle les stères de bois comptent plus que la véracité des sentiments.

– *L'Enfant roi de Navarre,* de Michel Peyramaure (Robert Laffont, 1997 ; Pocket n° 10367). Prix Alexandre Dumas du roman historique, ce roman, le premier d'une trilogie, met en scène, on l'aura deviné, le futur Henri IV, de son Béarn jusqu'à Paris, à la veille du massacre de la Saint-Barthélemy. Michel Peyramaure, auteur du grand Sud-Ouest, membre de l'école de Brive, retrace avec verve le parcours de ce provincial monté à Paris pour y connaître le destin que l'on sait.

– *Les Noces barbares,* de Yann Quéffelec (Gallimard, 1985 ; Folio n° 1856). Prix Goncourt 1985, ce deuxième roman de Yann Quéffelec raconte la quête désespérée et tragique de Ludo, fruit d'un viol collectif et rejeté par sa mère : relégué dans une institution pour débiles légers, il s'en échappe et va s'installer dans une épave échouée sur la côte bordelaise, toujours à la recherche de l'amour maternel.

– *La Rivière Espérance,* de Christian Signol (Robert Laffont, 1990 ; Pocket n° 3909). « Mon Montana à moi, c'est la vallée de la Dordogne », a déclaré Christian Signol. Sa trilogie (deux autres volumes ont suivi : *le Royaume du fleuve* et *l'Âme de la vallée*) développe l'histoire de la famille Donadieu, bateliers de Souillac, autour du destin d'un couple suivi sur une trentaine d'années au milieu du XIXᵉ siècle. On se souvient du feuilleton télévisé qui en a été tiré en 1995. Du même auteur, un beau livre de textes et de photos, consacré à ce même fleuve : *Voir couler ensemble et les eaux et les jours* (Robert Laffont, 1995).

MERVEILLES DE GUEULE

Le Sud-Ouest des fines gueules n'est autre que cette *Cocagne* immense nommée Gascogne, réunie à la Couronne au milieu du XVᵉ siècle et dont les frontières sont assez floues pour nous mener jusqu'aux portes de l'Auvergne, aux ponts de Toulouse, au pied des Pyrénées et au bord de l'Océan. L'oie et le canard avec leur foie, leur graisse, leurs confits, en fédèrent les particularismes dans l'enivrant parfum des truffes et l'onctueuse complicité des cèpes, sous l'égide de cinq mille châteaux bordelais et de l'une de nos prestigieuses eaux-de-vie nationales, l'armagnac. Bref, une sorte de haut lieu où souffle l'esprit de la cuisine française. Nulle part ailleurs, en effet, ne se mêlent avec tant de bonheur les rugosités paysannes, la générosité, la finesse, le pittoresque dans le culte des produits de la terre. Le Périgord évoque avec le plus d'éclat les richesses de ce terroir. C'est le berceau des truffes et du foie gras. La sauce Périgueux, le lièvre à la royale, l'omelette aux cèpes, les pommes sarladaises, le tournedos Rossini y mènent la fête. À quoi les Landes répondent avec leurs magrets, leurs salmis de palombes, leur viande de Chalosse et leurs tourtières qu'arrosent les renversants armagnacs. Puis voici Bordeaux avec son agneau de Pauillac, son bœuf de Bazas, ses huîtres d'Arcachon, son tourin, ses lamproies et ses trois millions d'hectolitres de vin pour faire glisser le tout, tandis que le Béarn brandit sa royale poule au pot.

À défaut d'un recensement exhaustif, voici, de A à Z – ou presque –, le répertoire très incomplet des produits et spécialités dont les noms plus ou moins familiers jalonneront votre découverte du Sud-Ouest.

– *Agneau de Pauillac :* il est au vulgaire agneau ce qu'un grand château-lafite est à un bordeaux générique, une dentelle d'exquise tendreté, un miracle de délicatesse. Sa production, sur Pauillac et les communes avoisinantes, est confidentielle. Ce sont des « laitons » qui n'ont jamais touché à l'herbe et bénéficient depuis 1985 d'une marque déposée. Le gigot et le carré se préparent en toute simplicité, cuits au four, avec des pommes sautées.

– **Alose :** Ausone, le consul romain qui cautionne l'un des plus fameux châteaux de saint-émilion, eut le premier l'idée de faire cuire l'alose grasse au gril. C'est ainsi qu'on la sert encore à Bordeaux, préalablement marinée dans le vin blanc et l'huile parfumée de laurier : un grand plat de printemps, un poisson d'avril, simple et savoureux. À Dax, on y ajoute dés de jambon et raisin.

– **Bœuf de Bazas :** celui-là, vous pouvez le suivre de confiance. Depuis quelques années, des restaurateurs de la Gironde se battent pour relancer cette race magnifique qui donne une viande merveilleusement fine et tendre. Bazas est le fournisseur traditionnel de l'entrecôte aux maîtres de chais des Chartrons qui, dit-on, ont inventé pour elle le fameux apprêt « à la bordelaise ». Toutes les bonnes tables de la région l'inscrivent à leur carte. Le bœuf de Bazas rivalise sans complexe avec le charolais, l'alose américain, et même le prestigieux *angus* écossais.

– **Bordelaise :** ainsi vous seront proposés la lamproie (aux poireaux et vin rouge), les écrevisses (vin blanc sec, cognac, mirepoix), la fameuse entrecôte (au bœuf bazadais) avec échalotes et moelle, sans oublier les cèpes (huile, pointe d'ail) et les escargots.

– **Cannelé :** délicieux petit gâteau de Bordeaux. Pâte à millas, à base d'œufs, lait sucré, parfumé rhum-vanille, caramélisé dans un petit moule de cuivre à cannelures. Les sœurs de Sainte-Eulalie le fabriquaient dans leur couvent au XIXe siècle. Ne le jugez pas sur son aspect, goûtez-le ! La *Confrérie du Cannelé* est sise au 16, rue Porte-Basse à Bordeaux.

– **Cassoulet :** ses sources sont languedociennes mais les Landes, le Périgord, l'Ariège, le Montalbanais et même le Comminges où veille sur lui un *Ordre Souverain des Tastes Mounjetos* (haricots), en proposent partout diverses versions. Lesquelles ont toujours pour base le confit dans une estouffade aux haricots.

– **Caviar :** les derniers courageux esturgeons (« esturgeonnes » serait mieux dire) s'aventurent dans les eaux de la Gironde pour aller frayer de mars à juin. La pêche à l'esturgeon est interdite depuis janvier 1982.

– **Cèpes :** frais du début septembre jusqu'à la Toussaint, en conserve ou séchés le reste du temps, les cèpes inspirent à tout le Sud-Ouest une infinité de recettes. Huile, persil, pointe d'ail sont de tradition girondine (rissolage assez bref) ; la Dordogne les fait longuement mijoter. Partout en Gascogne on en propose des daubes, des garnitures de salmis, des apprêts au jambon, piqués d'ail et grillés.

– **Confits :** ce sont les ornements obligés et rituels de la plupart des cassoulets, et les plus solides piliers des traditions périgourdine, béarnaise et même landaise. Dinde, porc, lapin et poulet en fournissent, mais les plus fins sont d'oie et de canard : ailes et cuisses sont cuites dans leur graisse et conservées dans des pots de grès ou des bocaux. Vous les mangerez accompagnés d'oseille à Périgueux, et partout assortis de pommes sarladaises et de cèpes.

– **Cruchade :** bouillie de maïs ; se mange aussi en pâtisserie frite et sucrée.

– **Demoiselles :** à ne pas manquer dans les restaurants qui les proposent ; ce sont les carcasses de canard gras, simplement grillées au feu de bois. Une merveille.

– **Foie gras :** référence absolue de la gastronomie de toute la région, c'est presque une religion dans les Landes. C'est là d'ailleurs que vous aurez les meilleures chances de goûter un produit authentique, sur un coin de table, dans une ferme-auberge de Chalosse ou chez un producteur labellisé. De quoi vous faire oublier les horreurs de la grande distribution. Oie ou canard, les bêtes ne viennent pas d'Europe de l'Est mais sont élevées ici, autour des fermes. Dégustez sur place, et commandez.

Le meilleur foie gras, autant le préciser, est celui que vous aimez et non systématiquement d'oie ou de canard. Ce dernier est aujourd'hui le plus consommé et prisé, peut-être parce que moins cher. On le dit plus « goûteux » et celui d'oie plus « fin ». Rarissimes sont les bonnes surprises réservées par les conserveries locales, qui proposent par ailleurs d'interminables cartes de produits cuisinés, pâtés, alcools, vins et sucreries souvent de médiocre intérêt et toujours beaucoup trop chers. Les restaurateurs, grands et petits, qui fabriquent ou mettent eux-mêmes en conserve vous réservent sûrement les plus belles découvertes.

En général, le foie gras offre les meilleures garanties de qualité quand il se présente entier, au naturel et mi-cuit. Son apprêt truffé est une surenchère inutile : mangez le foie gras d'un côté, les truffes de l'autre, le plaisir sera plus grand. Partout dans la région, chez les artisans comme sur les marchés « au gras » très pittoresques, des foies entiers et crus sont proposés à des prix intéressants. Il ne vous restera plus qu'à leur faire subir vos propres expériences. Assez périlleuses à la poêle ou en terrine. Simplissimes et délicieuses en utilisant le viscère tel quel, simplement paré et dénervé, cru ou « cuit » au citron, avec un peu de gros sel et un tour de moulin à poivre sur des tranches de pain de campagne grillé.

– *Fraises :* la Dordogne fournit le quart de la production annuelle française (et se place juste derrière le Lot-et-Garonne !). On se bat sur place pour obtenir une appellation et c'est en partie chose faite, la fraise du Périgord ayant décroché une AQC (Atout de Qualité Certifié) en 1999. Plus tardive que la fraise andalouse ou marocaine, elle est aussi beaucoup plus goûteuse.

– *Fromages :* rares et superbes productions. Les vrais brebis des Pyrénées et les chèvres gras ou secs dits « cabecous de Rocamadour » sont souvent enrobés d'une feuille de vigne.

– *Garbure :* plat paysan, de tradition essentiellement béarnaise. En gros, un pot-au-feu à base de volaille grasse (oie), choux verts, haricots, saucissons et petit lard. Plus pain tranché dans le bouillon. En fin d'assiette, on ajoute vin blanc ou rouge ; c'est le « chabrot » de partout, ici nommé « goulade ». Voir aussi la recette détaillée plus haut dans la rubrique « Langues régionales ».

– *Grattons :* genre de rillettes, avec de gros morceaux de maigre. Celles de Lormont (banlieue de Bordeaux) sont célèbres.

– *Huîtres :* pompeusement nommé « mamelle ostréicole française », le bassin d'Arcachon fournit à longueur d'année de délicieuses huîtres : la gravette, sauvage à l'origine et au goût de noisette, qui a quasiment disparu, remplacée accidentellement dans les années 1920 par la portugaise et, depuis le début des années 1970 (volontairement cette fois), par l'huître japonaise. On les mange à toute heure à la manière bordelaise, accompagnées de pain beurré et de petites saucisses chaudes, les crépinettes (truffées lors du repas traditionnel de Noël).

– *Jambon de Bayonne :* ce grand classique est surtout salé et séché dans le Béarn. Mais tout charcutier local met un point d'honneur à en proposer sa version artisanale. Se mange cru, mais plus encore cuit pour relever omelettes, piperades et autres sauces et ragoûts.

– *Lamproie :* elle remonte les fleuves au printemps pour pondre avant de mourir. Ce poisson sans mâchoire, à l'allure de serpent (un physique pas très engageant à vrai dire), se présente presque partout dans l'assiette « à la bordelaise » : cuite au vin rouge et servie dans sa sauce liée de son sang avec poireaux (de rigueur) et maigre de jambon. On y ajoute parfois, comme pour rendre le mélange plus insolite, du chocolat.

– *Magret* (*lou magre* en gascon) *:* il s'agit des filets pectoraux des oies et canards gavés, « découverts » au début des années 1970 quand on a résolu l'épineuse question : que faire du canard une fois le foie gras vendu ? La grande cuisine, qui s'en est entichée depuis, le met à toutes les sauces. Mais en Gascogne, on s'en tient à juste titre à la recette qui lui convient le mieux : simplement grillé. Et accompagné de pommes sarladaises ou de cèpes. C'est alors un morceau de roi.

– **Noix** : le Périgord est sa terre d'élection, 1er producteur français avec l'Isère, et Sarlat sa capitale. Pour s'en tenir à son seul usage gastronomique (il en est d'autres), notons en premier lieu l'huile, délicieuse et puissamment parfumée, que l'on vous vendra partout dans la région, en même temps que de rassasiants gâteaux aux noix et d'exquises liqueurs (eau-de-noix) et « crèmes » aux vertus intestinales et stomacales. Quatre variétés de noix sont aujourd'hui porteuses d'une AOC « noix du Périgord ».

– **Omelettes** : elles ne sont, partout en Gascogne et dans le Périgord, qu'un prétexte à ajouts plus ou moins riches ou paysans. Les plus couramment proposées en bavent pour les truffes (une association miraculeuse quand les truffes sont fraîches et parfumées), les cèpes, les peaux de canard et le jambon (de Bayonne, de Chalosse). Au printemps, avec des pointes d'asperges, c'est de la folie !

– **Ortolan** : connu seulement des passionnés (écologistes ou gourmets) il n'y a pas si longtemps, ce petit oiseau est passé au rang de star depuis que l'on a appris qu'il fut au menu du dernier réveillon de François Mitterrand. Or, dans les Landes, l'ortolan est considéré comme un plat mythique depuis le XVIIe siècle. Tout est tradition autour du volatile. On le capture dans une petite cage appelée « matole ». Ensuite, il séjourne trois semaines dans l'obscurité avec pour seule occupation les repas, et il mange bien, l'oiseau, puisqu'on le nourrit douze fois par jour ! Occis par une rasade d'armagnac, il est salé, poivré et mis dans une cassolette en cuivre pour la cuisson. Vient ensuite le rituel de la dégustation : sous une grande serviette blanche, on se retrouve en tête-à-tête avec l'oiseau servi brûlant et entier avec les os, la tête, le sang et les viscères. Il faut alors l'ingurgiter en entier, faire craquer les os, mâcher franchement et se délecter des saveurs, des goûts qui se mélangent dans la bouche, dans le nez.

Déguster un ortolan, ce n'est pas un repas, c'est une expérience, une initiation, une plongée dans des traditions séculaires. Cela surprend et on en ressort dégoûté ou conquis. Mais voilà une tradition qui se perd, la capture d'ortolan étant officiellement interdite. Selon certains, l'espèce est menacée. Selon d'autres sources, il y aurait des millions d'ortolans en Europe. De toute manière, on le saura quand on sera tous au lait de soja !

– **Palombe** : c'est le pigeon ramier. Sa chasse est le sport national des Landais. Il s'en fait de véritables hécatombes à l'époque des migrations, malgré la réprobation horrifiée des défenseurs de la nature. Elle se mange rôtie (et de préférence saignante) à Bordeaux, en salmis (partout) et en confits.

– **Pommes sarladaises** : la préparation de stricte observance locale exige que les pommes de terre soient émincées et cuites au four « à cru » et à la graisse d'oie. Une version de luxe y ajoute des truffes. Un grand accompagnement périgourdin.

– **Poule au pot** : Hardouin de Péréfixe, évêque de Cahors, a bel et bien confirmé le souhait formulé par le bon roi Henri IV de voir ce plat chaque semaine sur la table des familles françaises. Ce classique béarnais exige que le volatile soit farci, et cuit longtemps avec ses légumes, comme le pot-au-feu.

– **Praslines** : on ne s'en souvient pas, et pour cause, mais c'est à Blaye, en 1649, à l'occasion d'un banquet pendant la Fronde, que le duc de Choiseul, maréchal du Plessis-Praslin, « inventa » ces bonbons aux amandes rissolées dans du sucre.

– **Pruneaux** : vous les goûterez farcis (comme à Agen), en crème (confiture), en farce (de pastis et croustades) et en délicieux support de glaces.

– **Sauce Périgueux** : un grand classique des banquets républicains avec le vol-au-vent et le jambon au madère. Ladite sauce est d'invention récente (cent ans) et d'origine incertaine. Elle conjugue la truffe noire, l'échalote et l'oignon. D'aucuns l'enrichissent de madère ou de cognac. Et même de foie gras.

– **Saumon** : dès l'automne et jusqu'au printemps, les saumons remontent l'Adour et le gave d'Oloron (centre mondial de pêche sportive à Navarrenx).

Tous les restaurateurs du Sud-Ouest en proposent, frais bien sûr. Goûtez-le dans son apprêt le plus simple : grillé sur la peau, à la fois croustillant et moelleux.

– **Tourin** (ou **tourain**) **:** en honneur dans tout notre Sud-Ouest mais plus particulier au Périgord où, fortement poivré, il était servi autrefois aux jeunes mariés. Le tourin blanchi est un pilier de la gastronomie bordelaise plébéienne : une soupe à l'ail et à l'oignon, faite à la graisse d'oie ou au saindoux et servie sur des tranches de pain. On termine en faisant chabrot avec un peu de rouge gaillard de l'année.

– **Tournedos Rossini :** c'est un plat inventé au XIXᵉ siècle à Paris par le cuisinier du *Café Anglais* mais que le Périgord a fait sien. Du moins à la carte de la plupart de ses restaurants. Pour mémoire : tranche de cœur de filet de bœuf, plus foie gras, plus truffes.

– **Truffes :** dénichées traditionnellement par un cochon gourmand, c'est aujourd'hui le chien qui les cherche pour le plaisir de son maître. Les « diamants noirs » sont devenus si rares et si chers qu'il vaut mieux ne pas se tromper. Et savoir que les truffes ne sont grandes que fraîches et sublimes qu'au naturel. Le Périgord est un des centres truffiers les plus riches de France avec le comtat Venaissin (et le Quercy, *of course* !). À la fin de l'automne, elles apparaissent sur les marchés de la région. Conserveries et restaurateurs ont pris l'habitude d'en fourrer partout, mais c'est le plus souvent, hélas, simple prétexte à saler les prix : les dosages sont homéopathiques et les parfums évanescents. Optez donc résolument pour la truffe fraîche ou une très bonne conserve artisanale (première ébullition), et de préférence dans les apprêts simples : en salade, à la croque au sel, sous la cendre, en chausson, en omelette ou en ragoût.

PARC NATUREL RÉGIONAL DES LANDES DE GASCOGNE

Il existe deux Parcs naturels régionaux : le PNR du Périgord Limousin, créé en 1998, et le Parc naturel régional des Landes de Gascogne, qui figure parmi les tout premiers Parcs naturels régionaux créés en France, puisque sa création date de 1970. Son siège est situé en Gironde, à Belin-Beliet. Pour une première découverte à distance, consultez le site ● www.parc-landes-de-gascogne.fr ●

Ce vaste territoire, qui recouvre un peu plus de 300 000 ha et 40 communes des départements des Landes et de la Gironde, a été fondé en 1970 autour des vallées de la Leyre. Cet étonnant fleuve côtier méritait en effet d'être préservé et peu à peu livré à la curiosité des visiteurs.

Aucune route ne le longe, et seul un canoë permet l'exploration de ce que certains ici qualifient de Petite Amazonie. On y découvre une forêt galerie luxuriante, encaissée dans le plateau forestier. Elle dissimule, sur près de 100 km de cours sinueux, des eaux transparentes et ambrées, colorées par le fer souvent présent dans le sable landais.

Son embouchure sur le bassin d'Arcachon forme un delta où la rivière se ramifie en une mosaïque de paysages particulièrement propices à l'accueil des oiseaux sauvages. On peut les approcher de manière privilégiée sur le site du Conservatoire du littoral au domaine de Certes à Audenge ou au parc ornithologique du Teich.

Il ne faut pas hésiter à emprunter les petites routes forestières. Elles permettent de s'immerger dans une pinède qui n'a rien de monotone et qui réserve quelques surprises : de petites chapelles oubliées sur l'ancien chemin de Saint-Jacques-de-Compostelle, une architecture à colombages ou à pans de bois très particulière que l'on retrouvera sur le site de Marquèze (quartier de l'écomusée de la Grande Lande à Sabres), des étangs naturels appelés lagunes...

La forêt de pins maritimes, paysage dominant, fournit aussi la première richesse économique du Parc. L'ancienne société agro-pastorale a cédé la place à une agriculture de type industriel surtout représentée par le maïs, qui s'est développé à partir des années 1950, et, depuis quelques années, par les cultures de légumes de plein champ. Ces grandes exploitations, s'étendant parfois sur plusieurs centaines d'hectares, occupent près du quart du territoire du Parc. Mais les Landes de Gascogne sont aussi le pays de l'asperge des Landes et des poulets à « cous nus » élevés en liberté.

Comme dans tous les Parcs naturels régionaux, des actions en faveur de la préservation des milieux naturels et de la conservation du patrimoine sont menées auprès des collectivités et des habitants. Ces actions sont accentuées par le fait que le Parc possède et gère lui-même des équipements destinés à sensibiliser le public à l'environnement. L'écomusée de la Grande Lande et les centres de découverte permanents du Teich, de Saugnac et de Belin-Beliet emploient plus de 70 personnes à l'année et accueillent plus de 130 000 curieux de nature.

Le Parc est sillonné par de nombreux sentiers de randonnées et est traversé d'ouest en est par une piste cyclable réalisée par le département de la Gironde.

De jolies chambres d'hôte, des gîtes aménagés dans des maisons de caractère, des gîtes forestiers entièrement conçus en pin des landes, des haltes nautiques sur la Leyre permettent de trouver à se loger à peu près pour toutes les bourses et selon son goût. Le parc décerne un label de qualité, la marque Parc naturel régional des Landes de Gascogne.

PERSONNAGES

– **Aliénor d'Aquitaine :** fille et unique héritière de Guillaume X, dernier duc d'Aquitaine et de Poitou, ses noces (en 1137, à l'âge de 15 ans) avec Louis VII devaient unir la France du Sud à celle du Nord. Doutant (apparemment, il avait quelques raisons...) de la vertu de son épouse, et par ailleurs ne réussissant pas à avoir d'enfant, Louis VII fait casser le mariage. Six semaines plus tard, Aliénor tombe dans les bras d'Henri Plantagenêt. Deuxième mariage (d'amour celui-là !), qui offre le Sud-Ouest aux Anglais (situation complexe qui débouchera, un siècle plus tard, sur la guerre de Cent Ans). Mais, cette fois, c'est son mari qui accumule les maîtresses. Aliénor le quitte et installe sa propre cour à Poitiers. Une femme libre en plein Moyen Âge ! Elle garde toutefois une sérieuse rancœur à l'égard d'Henri, intrigue contre lui avec ses propres fils, est enfermée pendant 16 ans ; libérée par son fils Richard Cœur de Lion qu'elle a aidé (comme Robin des Bois !) à reconquérir le trône, elle termine sa vie, à 80 ans passés, à l'abbaye de Fontevrault.

– **Ausone :** professeur à Burdigalia (Bordeaux), où il est né en 309, puis consul de Gaule, ce Gallo-Romain du Bas-Empire est surtout un poète. Un mauvais poète, dont la gloire prouve le goût décadent de ses contemporains. Des vers tels que « Bordeaux a mon cœur, le ciel y est doux et clément, le sol bon et fertile » lui ont valu ici l'estime générale... et ont fait baptiser le cru vedette du saint-émilion *Château-Ausone.*

– **Jacques Chaban-Delmas :** député de la Gironde de 1946 à 1997, maire de Bordeaux de 1947 à 1995. Sans interruption. Cette étonnante longévité a pour origine ce qu'on a appelé le « système Chaban ». De multiples réseaux de fidèles, l'art d'être partout et de se souvenir de tous. « Chaban » est décédé à Paris le 10 novembre 2000.

– **Jean Eustache :** né à Pessac en 1938, c'est à l'une des institutions de sa petite ville natale (aujourd'hui banlieue de Bordeaux) que ce cinéaste consacre, en 1968, son premier film, *La Rosière de Pessac,* et déjà défraie la chronique. Scandale encore lors de la présentation de son film-confession d'une durée de 3 h 40 (au noir et blanc somptueux), *La Maman et la Putain* (avec Jean-Pierre Léaud et Bernadette Lafont), au festival de Cannes de 1973 où il obtient le Prix spécial du Jury. Ignoré par le grand public, donc éloigné d'un cinéma auquel il vouait un amour immodéré, Jean Eustache se suicida en 1981.

– *Sylvain Floirat :* né en 1899 en Dordogne, ce fils de fonctionnaire des postes devint apprenti charron à 11 ans. Le chemin était tout tracé pour devenir carrossier, puis fabricant de pièces automobiles. Et pourquoi pas transporteur routier puis fabricant d'autocars ? Il suffisait d'y penser. Et pourquoi également ne pas s'intéresser aux avions (PDG de Bréguet en 1955), aux satellites (vice-président de Matra en 1957) et à la radio, histoire de rigoler (Europe 1 en 1957) ? En fait, cet homme, parmi les plus riches de France, eut de son vivant deux titres de gloire : il fut président de la Fédération des producteurs de truffes et maire de Nailhac, son village.

– *Les Girondins :* après avoir fait leur propre Révolution à Bordeaux, les envoyés de la Gironde à la Législative (Ducos, Guadet, Gensonné, Vergniaud, Boyer-Fonfrède) se lient avec d'autres députés (Barbaroux, Louvet, Condorcet...) pour constituer le groupe des Girondins. La poussée des Jacobins les fait passer du statut d'extrémistes à celui de modérés, et leur influence décline en même temps que celle des Montagnards (Robespierre, Danton) augmente. Leur éloquence, fameuse, dominera l'Assemblée jusqu'à leur chute, en 1793 : en deux charrettes (juin et octobre), ils sont presque tous exécutés.

– *Henri IV :* de « Paris vaut bien une messe » à « la poule au pot du dimanche », Henri IV est le bon roi au cheval blanc de la mémoire populaire. Le pragmatisme adroit, la bonhomie bienveillante, l'humour rabelaisien, les collections de maîtresses... autant de traits du gascon Vert Galant. Avec le concours du poignard de Ravaillac, elles ont coloré un personnage dont le grand mérite est d'avoir mis fin aux guerres de Religion et chargé Sully de redresser la France.

– *Philippe Joyaux (dit Sollers) :* le voltigeur de la Rive gauche maoïsante à l'époque de *Tel Quel.* L'alchimiste explosé du verbe avec *H* et *Paradis.* L'insatiable libertin de *Femmes.* Le dandy du *Portrait du Joueur.* Ou le provocateur narcissique de la télé. De toutes les facettes de Sollers, geyser d'intelligence, il n'en est qu'une où les Bordelais puissent se reconnaître : c'est le Sollers des tout débuts *(Le Parc),* encore influencé par Mauriac.

– *Alain Juppé :* successeur de Chaban-Delmas à la mairie de Bordeaux depuis 1995, Premier ministre malheureux d'une dissolution hasardeuse, il a, paraît-il, retrouvé en terre bordelaise une sérénité propre à la réflexion !

– *Max Linder :* de son vrai nom Gabriel Maximilien Leuvielle. Né en 1883 à Saint-Loubès, en plein vignoble des Graves, on voyait bien ce petit homme anodin prendre la succession de son père, viticulteur. Raté ! Il devint en fait, dans les années 1910 (un peu par passion pour le métier d'acteur, un peu par hasard), la première star internationale du cinéma. Pathé lui signa un contrat délirant pour l'époque : 5 000 francs or pour 3 ans. Son personnage de dandy ahuri apparut dans près de 300 films muets (d'un comique proche du vaudeville), que Max Linder tournait à un rythme effréné (un par semaine en moyenne). Chaque apparition publique de « Max » déplaçait des foules immenses. En 1916, il s'installe aux États-Unis où il réussit finalement à s'imposer (c'est là qu'il tourne *L'Étroit Mousquetaire* – il fallait le trouver, celui-là !). Après la Première Guerre mondiale (et l'avènement de Charlie Chaplin – qui pourtant voyait en lui un « maître » – et de Buster Keaton), sa popularité décline. Dépressif, il se suicide en compagnie de sa jeune épouse à Paris en 1925.

– *François Mauriac :* auteur de *Thérèse Desqueyroux* et du *Nœud de vipères,* le petit homme fiévreux à la voix cassée qui aurait voulu être Proust incarne trois figures littéraires. L'écrivain bordelais, élevé dans « un monde étroit et janséniste » dont il stigmatisera l'égoïsme. L'écrivain chrétien ensuite, marqué par « une enfance pieuse et angoissée », amoureux haineux de la famille, « cette cage tapissée d'oreilles et d'yeux ». L'écrivain gaulliste enfin, qui, en 1970, terminera sa vie, ayant été académicien (1933) et prix Nobel (1952). Pour les fidèles, nous conseillons la visite de sa maison de Malagar et de son beau parc (voir « Dans les environs de Saint-Macaire »).

– *Michel de Montaigne :* « J'étais ami de presque tous les esprits et ennemi de presque tous les cœurs ». Le père littéraire français est un homme de paradoxes. Misanthrope cloîtré dans son château pour rédiger ses œuvres, il se laisse élire deux fois maire de Bordeaux. Parrain des esprits modérés, fuyant les guerres de Religion, il édifie un ex-voto après la Saint-Barthélemy. Reste les *Essais*, longue et méticuleuse introspection d'une pensée joyeuse, où des générations d'intellectuels ont puisé leurs exercices spirituels.

– *Charles de Montesquieu :* il est allé partout (chez le pape, en Angleterre pour *L'Esprit des lois*), fréquentait tout le monde (Fontenelle, Mme du Deffand, Helvétius), s'intéressait à tout (de la séparation des pouvoirs à la dissection des grenouilles), a connu la gloire locale (à l'académie de Bordeaux) et internationale (avec un « best-seller », *Les Lettres persanes*). Le père des Lumières et de la Révolution est un pur produit du Bordeaux de l'âge d'or. Il aime ses terres (« Il me semble que mon argent est sous mes pieds ») mais séjourne souvent à Paris « qui dévore les provinces ».

– *Noir Désir :* né de la rencontre en 1980 de deux lycéens bordelais, Noir Désir était, grâce à son chanteur charismatique et à ses disques emplis de fureur, quelque chose comme le plus grand groupe actuel de rock français. L'évènement tragique de l'été 2003 entre le chanteur, Bertrand Cantat, et sa compagne, Marie Trintignant, a mis fin à l'existence du groupe.

– *Sempé :* la pudeur du trait, les grands timides égarés dans des environnements oppressants, un certain goût de l'introspection... L'auteur du *Petit Nicolas* a-t-il vraiment oublié d'être bordelais ?

– *Michel Serres :* philosophe, académicien, mais aussi phénoménologue, épistémologue, il touche avec un égal bonheur à la communication, l'histoire des sciences, voire la littérature. Gascon et fier de l'être, cet homme de talent a fait un malheur en librairie en 1985 avec *Les Cinq Sens,* qui lui ont permis de redonner une jouvence au sensualisme. Il confirma ce succès avec *Le Tiers instruit* : métissez, métissez... il en restera toujours quelque chose !

– Le Bordelais a également offert au cinéma le réalisateur *René Clément* (auteur, entre autres films, de *La Bataille du rail, Jeux interdits* ou *Plein soleil* avec Delon et une autre Bordelaise, *Marie Laforêt*), *Édouard Molinaro* ou les comédiens *Jacques Dufilho* et *Danielle Darrieux.* Et quelques voix à la chanson française : *Jean-Roger Caussimon, Marcel Amont, Serge Lama.*

PERSONNES HANDICAPÉES

Nous indiquons par le logo ♿ les établissements qui possèdent un accès ou des chambres pouvant accueillir des personnes handicapées. Certaines adresses sont parfaitement équipées selon les critères les plus modernes. D'autres, plus simples, plus anciennes aussi, sans répondre aux normes les plus récentes, favorisent leur accueil, facilitent l'accès aux chambres ou au resto. Évidemment, les handicaps étant très divers, des lieux accessibles à certaines personnes ne le seront pas pour d'autres. Appelez toujours auparavant pour savoir si l'équipement de l'hôtel ou du resto est compatible avec votre niveau de mobilité.

Malgré les combats menés par les nombreuses associations, l'intégration des personnes handicapées à la vie de tous les jours est encore balbutiante en France. Il tient à chacun de nous de faire changer les choses. Nous sommes tous concernés par cette prise de conscience nécessaire.

SITES INTERNET

- *www.routard.com* • Tout pour préparer votre périple, des fiches pratiques, des cartes, des infos météo et santé, la possibilité de réserver vos prestations en ligne. Sans oublier *routard mag,* véritable magazine avec, entre autres, ses carnets de route et ses infos du monde pour mieux vous informer avant votre départ.
- *http ://oest.gasconha.free.fr* • Site qui vise à la promotion du patrimoine culturel local (langue gasconne, cuisine...). Même genre d'infos, plus spécifiquement centrées sur le Béarn, sur • *www.plagenet.info* •, sur • *www. maison.aquitaine.fr* • et sur • *www.aquitaine-navigation.com* •
- *www.surfinggironde.com* • Pour tout savoir sur l'actu de la glisse dans le département.
- *www.multimania.com/estuairegironde* • Le site du conservatoire de l'estuaire, très complet pour découvrir ce milieu si particulier.
- *www.arachnis.asso.fr/dordogne* • Bonne entrée pour partir à la découverte du Périgord.
- *www.chez.com/quillesde9* • Vous ne savez pas ce qu'est ce sport, les quilles de 9 ? À découvrir sur ce site présentant un sport régional méconnu, croisement du bowling et de la pétanque.

Il existe un moteur de recherche consacré aux sites aquitains : • *www.aqui tanet.com* •

Et bien entendu, chaque département ou circonscription a son site, par exemple :

- *www.littoral33.com* • *www.perigord.tm.fr* • *www.tourismelandes.com*
- *www.lot-et-garonne.fr* • *www.bearn-online.com* •

SPORTS

Les sportifs ne s'y trompent pas, le Sud-Ouest offre un cadre idéal, entre mer et montagne.

– La côte landaise est riche d'étangs, dont certains sont aménagés en base nautique. Lorsque la mer se fait sauvage, de jeunes athlètes aux cheveux décolorés grimpent sur leurs planches de *surf.* Lacanau, près de Bordeaux, accueille chaque année une épreuve de la coupe du monde.

– De retentissement plus national, le *rugby,* seul sport à être pratiqué à haut niveau dans toute la région, semble avoir été créé par les Gascons et donne lieu à quelques féroces derbies. Bègles, avec sa fameuse phase de jeu – la tortue – et son stade de Musard, fut l'équipe phare du championnat 1991. Les puristes ont même leur sanctuaire, *Notre-Dame-du-Rugby,* à Larrivière, dans les Landes.

– Moins connu, le *basket* s'épanouit entre Landes et Béarn. L'équipe de Pau-Orthez en est le représentant le plus en pointe.

– *Le football* reste cantonné à Bordeaux où les Girondins, malgré quelques années creuses et une gestion en accordéon, s'accrochent aux premières places du championnat national.

– Du Lot aux Pyrénées en passant par la Dordogne, des milliers de clubs de *canoë-kayak* louent leurs embarcations. La descente des cours d'eau donne à découvrir des sites inaccessibles.

– Des Landes aux Pyrénées, les vaches landaises suscitent encore des vocations d'« écarteurs » et de « sauteurs » chez les jeunes gens. Les *corridas* ont aussi leurs fiévreux amateurs (rarement les mêmes) qui se donnent rendez-vous à Dax, Mont-de-Marsan et Bayonne, célèbres « plazas de toros ».

– La montagne offre, l'été, la pratique du *rafting,* du *deltaplane,* du *parapente,* du *vélo tout-terrain,* des *randonnées* de moyenne et haute montagne, des *balades à cheval.* L'hiver, de petites stations aux versants abrupts permettent de skier hors des grands boulevards.

VINS ET ALCOOLS

Armagnac

Il siège, avec le cognac et le calvados, dans l'Olympe des grands alcools français. Trois régions de production : en bas le « haut », en haut le « bas », et le « Ténarèze » entre les deux. Le bas Armagnac, donc, fournit les meilleurs alcools et, à l'intérieur de cette zone, le grand bas Armagnac – pour une bonne part dans les Landes – est le terroir béni entre tous. Retenez ces communes : *Labastide-d'Armagnac, Le Frêche, Perquié, Hontanx, Le Houga, Monclar, Castex, Cazaubon*, domaines des petits producteurs qui mettent un point d'honneur à faire vieillir longtemps leurs eaux-de-vie. Ces dernières développent alors avec l'âge un bouquet d'une subtilité merveilleuse et qui évoque selon les cas le pruneau, le coing, la violette, la vanille ou le poivre blanc. Bien sûr, on trouve aussi en Ténarèze et sur les calcaires ingrats du haut Armagnac des producteurs qui soignent leur distillation.

Pas de restaurateur local, grand ou petit, qui n'ait sa collection, et leurs étiquettes vous mettent parfois sur des pistes splendides. Méfiez-vous des flacons tarabiscotés, des étiquettes féodales qui sont le déguisement habituel d'alcools médiocres.

– Contrairement à l'armagnac, le *floc de Gascogne* (du moût de raisin coupé d'eau-de-vie d'armagnac) se bonifie en bouteille. Très fruité, moins alcoolisé que son spiritueux de père, il se décline en blanc ou rouge, se déguste en apéritif ou accompagne foie gras et fruits.

Bordeaux

Les Gaulois, dit-on, cultivaient la vigne dans la région bien avant la conquête romaine. Mais c'est cette dernière qui imposa le plant « biturica », dont l'on ne peut douter que le nom a enrichi notre argot. La notoriété planétaire des vins de Bordeaux doit beaucoup à la présence anglaise en Guyenne et au commerce des Hollandais avec les pays du Nord, friands de blancs puissants, caloriques et liquoreux. Mais c'est au XVIIIe siècle que commence le règne des fameux Chartrons, puissants courtiers et magnats du négoce, dont les habitudes de vie ont fini par colorer toute la mentalité bordelaise. Les Chartrons, c'est ce quartier de la ville, en pente vers le fleuve, où se dressent bureaux altiers et vastes entrepôts d'où roulaient les tonneaux vers les quais, à destination de l'Angleterre. Des générations de commerçants à col raide s'y sont forgé une prospérité à toute épreuve, même celle des scandales, dans le négoce de l'or « rouge », du bois précieux et des épices. Un parfum de futaille enivrant, de cannelle et d'exotisme flotte encore sur ces Chartrons qui firent l'histoire et la fortune de la ville. Toutefois, ne nous y fions pas trop, si « l'esprit Chartrons » colle encore à la peau du Bordelais comme le tanin à la futaille, il ne préside plus comme naguère à l'immense, au gigantesque commerce des vins de Bordeaux, désormais recyclé, normalisé, internationalisé au point qu'on ne s'effarouche plus d'ouvrir le cercle des plus nobles châteaux aux nouveaux propriétaires : Japonais, Hollandais, Américains et même Arabes.

Gigantesque entreprise, disions-nous : on le comprend aisément, sachant que le vignoble bordelais est par sa taille et sa réputation le premier du monde, avec 100 000 ha de vignes dont les trois quarts classés en AOC (appellation d'origine contrôlée), et produisant bon an mal an 3 millions d'hectolitres de vins dits « fins », issus d'au moins 4 000 propriétés qui revendiquent toutes le nom de « château ». Une classification complexe, officielle ici, officieuse là, s'efforce de hiérarchiser cette incommensurable diversité où l'amateur fait souvent figure de pigeon. Cependant, l'opiniâtreté, l'endurance, le pif et une solide méfiance le mèneront tôt ou tard sur le chemin des bonnes affaires. D'ici là, il aura goûté beaucoup de vinasses sous l'auvent des chalets de bord de route, décliné bien des offres racoleuses de « cartons de trois » ou de « caisses bois d'origine », essuyé pas mal de rebuffades sur le perron des nobles châteaux et constaté avec amertume que la poésie des caves et le folklore vigneron ont bien souvent cédé le pas aux dures lois du marché. Anecdotique mais précieuse information : si vous entendez parler de *frontignan,* c'est de la bouteille de vin de Bordeaux qu'il s'agit (0,75 l).

Vins du Sud-Ouest

On ne meurt pas de soif au pays des truffes et du foie gras. Bordeaux mis à part, notre grand Sud-Ouest compte une bonne trentaine d'appellations pour une production de huit à neuf cent mille hectolitres. Des vins très divers, pleins de charme (leurs prix raisonnables n'en sont pas le moindre) et de fantaisie, dont voici les plus connus :

– *gaillac :* des primeurs légers, des rouges voluptueux et d'intéressants mousseux.

– *Madiran :* il aime prendre de la bouteille avant de déployer ses saveurs de rôti, de venaison et de tabac. Le vignoble est réparti sur trois départements : les Pyrénées-Atlantiques, le Gers et les Hautes-Pyrénées.

– *Jurançon :* des blancs secs pour l'essentiel et, plus rarement, d'exquis liquoreux « impérieux et traîtres comme tous les grands séducteurs », selon le mot de Colette. Sauternes et monbazillac n'ont qu'à bien se tenir !

– *Buzet et duras :* très proches des bordeaux, auxquels ils étaient autrefois rattachés.

– *Bergerac :* « des vins qui ont du nez », selon le slogan de rigueur. Sur le même terroir, les fins et déliés *pécharmant* et les célèbres liquoreux *monbazillac.*

– *Chalosse et tursan :* des vins que certains n'ont pas vu grandir et que vous découvrirez, au restaurant, avec un foie gras ou un pavé de bœuf, et qui vous surprendront d'autant plus agréablement que leur prix, lui, est resté « petit ».

LA GIRONDE

CARTE D'IDENTITÉ

- **Superficie :** 10 725 km².
- **Population :** 1 270 000 habitants.
- **Préfecture :** Bordeaux (218 948 hab., 733 500 avec la conurbation).
- **Sous-préfectures :** Blaye, Langon, Lesparre-Médoc, Libourne.
- **Côte atlantique :** 120 km de côte de la pointe de Grave à Arcachon.
- **Forêt de pins :** 388 000 ha (4/10ᵉ du département).
- **Vignoble :** 115 000 ha de vigne, 13 000 viticulteurs.
- **Activités économiques :** viticulture et négoce des vins et spiritueux, sylviculture et dérivés, ostréiculture (bassin d'Arcachon), industrie aéronautique (Aérospatiale, Dassault) et automobile (Ford), haute technologie (informatique, pharmacie, recherche), élevage (bœuf de Bazas, agneau de Pauillac), céréales (maïs), trafic portuaire (Bordeaux, 6ᵉ port français, 1ᵉʳ exportateur de maïs d'Europe), tourisme.

Le plus vaste département français détient d'autres records encore : plus haute dune d'Europe (le Pyla), plus grand lac de France (Hourtin), plus vaste forêt d'Europe (partagée avec le département des Landes), plus vaste vignoble AOC du monde... Mais, au-delà de ces fortes images, la Gironde est d'abord perçue comme un pays de cocagne, avec une capitale, Bordeaux, riche et belle, une terre généreuse, ensoleillée et donnant parmi les meilleurs vins du monde, une côte splendide, sauvage et bordée d'une infinie pinède, un estuaire poissonneux et un bassin d'Arcachon plein d'huîtres qu'il suffit de ramasser pour gueuletonner... Bref, un cadeau du ciel que cette Gironde, où tout est donné. Et cependant, rien n'est plus faux que cette idée-là, car au contraire, tout ici est issu du travail des hommes : le vin, bien sûr, qui n'est pas le produit du hasard ou de la seule nature mais bien celui du savoir-faire et d'un certain génie ; la pinède couvrant quasiment la moitié du département, entièrement gagnée sur une lande stérile qu'il a fallu irriguer ; et les parcs à huîtres, qui ne sont pas apparus spontanément, on s'en doute ! Et c'est ainsi la physionomie entière du département, et son économie, qui ont été modelées par l'homme, le Girondin tenace et respectueux d'une nature dont il a tiré le meilleur.

Les nombreux aspects de cette Gironde séduiront le sportif comme l'épicurien, le cultureux comme le culturiste : la côte atlantique longue et belle, vivifiante, les balades à vélo à l'ombre des grands pins, les petits ports ostréicoles du bassin d'Arcachon – avec dégustation d'huîtres au programme –, l'arrière-pays vallonné, entre Dordogne et Garonne, où de vieilles bastides veillent sur le vignoble, et Bordeaux, bien sûr, capitale régionale harmonieuse et vivante, au superbe patrimoine architectural. En n'oubliant

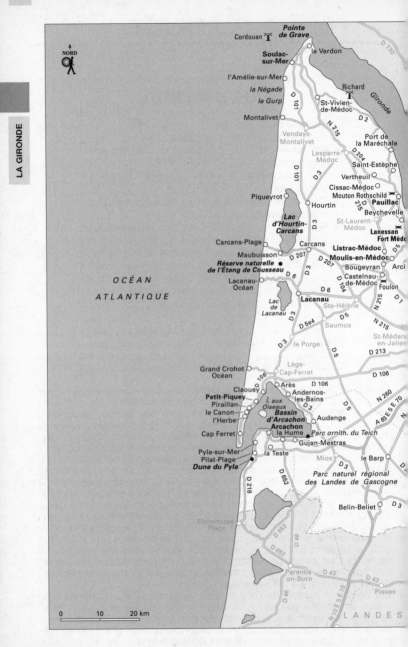

NORD

Pointe
de Grave
Cordouan
le Verdon

Soulac-
sur-Mer

l'Amélie-sur-Mer
la Négade
le Gurp

D 730

Gironde

Richard

Montalivet

St-Vivien-
de-Médoc

D 101

D 2

Vendays-
Montalivet

N 215

Port de
la Maréchale

Lesparre-
Médoc

D 204

Saint-Estèphe

D 101

D 3

Vertheuil

Cissac-Médoc
Mouton Rothschild

Pauillac

Piqueyrot

Hourtin

215

Beychevelle

Lac
d'Hourtin-
Carcans

D 3

St-Laurent-
Médoc

Lanessan
Fort Médo

Carcans-Plage

Carcans

Listrac-Médoc

D 5

Maubuisson

Réserve naturelle
de l'Étang de Cousseau

D 207

D 6

D 207

D 3

Moulis-en-Médoc

Bougeyran

Arci

OCÉAN

ATLANTIQUE

Lacanau-
Océan

Castelnau-
de-Médoc

D 104

Foulon

D 6

Lac
de
Lacanau

Lacanau

N 215

Ste-Hélène

D 3

D 5e4

Saumos

le Porge

D 3

D 5

D 213

St-Médare
en-Jalles

N 215

Grand Crohot
Océan

Lège-
Cap-Ferret

D 5

D 106

D 106

D 106

N 260

Claouey
Petit-Piquey
Piraillan
le Canon
l'Herbe

Arès
Andernos-
les-Bains

Î. aux
Oiseaux

D 3

Bassin
d'Arcachon

Arcachon

Audenge

A 63 E 70
5

Cap Ferret

la Hume

Parc ornith. du Teich

Pyla-sur-Mer
Pilat-Plage
Dune du Pyla

la Teste

Gujan-Mestras

Mios

le Barp

D 218

D 652

Parc naturel régional
des Landes de Gascogne

Belin-Beliet

D 3

D

Biscarrosse
Plage

D 652

D 46

Parentis-
en-Born

D 43

D 43

Pissos

D 46

N 10 E 5 E 70

0   10   20 km

L A N D E S

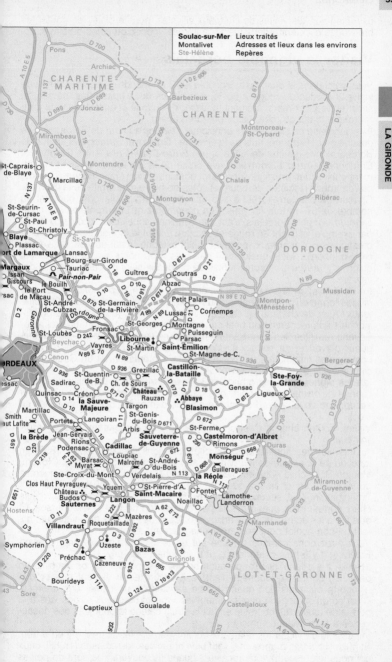

LA GIRONDE

pas, bien sûr, les visites de châteaux viticoles, pour le plaisir de goûter les breuvages d'ici, entre-deux-mers, sauternes, médoc ou côtes-de-blaye...

Visiter le vignoble bordelais

Vous voici dans le plus vaste vignoble AOC du monde, avec 115 000 ha de vigne. Il produit du rouge à 80 %, des blancs doux (sauternes, barsac) et secs (entre-deux-mers, crémant mousseux), du rosé et aussi le fameux clairet rouge, blanc ou rosé, qu'on prend en apéro.

Il se subdivise en cinq terroirs principaux : *Médoc* au nord de Bordeaux, rive gauche de la Garonne, puis la Gironde ; *Graves* et *Sauternais* au sud de Bordeaux, rive gauche de la Garonne ; *Entre-Deux-Mers,* entre Garonne et Dordogne ; *Grand Libournais,* rive droite de la Dordogne, où sont notamment cultivés les prestigieux pomerol et saint-émilion ; puis *Haute Gironde,* où l'on trouve les côtes-de-bourg et côtes-de-blaye, rive droite de la Gironde. Chacun de ces terroirs est à son tour divisé en appellations, qui sont au nombre de 57 en tout (si vous n'en dénombrez qu'une trentaine sur notre carte du vignoble bordelais, c'est que certaines appellations, côtes-de-blaye par exemple, existent en rouge et en blanc). Tout le monde connaît les plus prestigieuses : margaux, pomerol, saint-estèphe, saint-émilion ou saintecroix-du-mont... Mais quelques « satellites » ou noms moins cotés valent qu'on s'y arrête : cérons, côtes-de-bordeaux-saint-macaire, graves-devayres.

En Bordelais, un château, c'est un domaine viticole, que la bâtisse soit une grosse ferme ou un vrai château du XVIIe siècle. Et il y a plus de 10 000 châteaux ! Aller de château en château, visiter les chais, rencontrer les professionnels à la recherche du petit cru de qualité à un prix canon, un vrai rêve ! Soyons réalistes, les négociants font ça toute l'année avec une bonne longueur d'avance sur vous. Le vin est un *business*. D'ailleurs, les grosses compagnies financières du monde entier s'y intéressent et un Girondin sur cinq travaille dans l'industrie viticole. Les chiffres affolent : 700 000 € l'hectare de vignes dans les grands crus classés, 400 € la bouteille de vin de l'année qu'on ne pourra boire que dans dix ans et encore, si le viticulteur accepte de vous la vendre, car il a plus de demandes que de bouteilles en stock.

Visiter, goûter, choisir, c'est un vrai parcours du combattant. Essayons d'y voir clair.

À l'intérieur des appellations, les châteaux sont classés (depuis 1855) en fonction de la qualité de leur vin. Au top, les premiers grands crus (Yquem, Mouton-Rothschild, Cheval Blanc, Château-Margaux...). C'est l'aristocratie du vignoble, les châteaux que tout le monde guigne et où les prix défient l'imagination. Les seconds couteaux, ce sont les crus bourgeois, moins chers certes, mais quand même pas à la portée de toutes les bourses. Et puis il y a les autres, les crus artisanaux, quelques milliers de viticulteurs qui font un bon boulot pour se garder une place au soleil.

Vous avez donc compris : même sur un terroir prestigieux comme Saint-Estèphe, il y a trois catégories... et trois échelles de prix.

Et puis, il y a le joker : l'appellation bordeaux-supérieur (là, on simplifie un peu). Un bordeaux-supérieur n'est lié à aucun terroir. Il peut être produit n'importe où, mais doit quand même satisfaire à un cahier des charges. C'est ce qu'on appelle généralement les « petits bordeaux », des vins à la portée de toutes les bourses, en fait la seule catégorie où il y ait des découvertes à faire. Mais comment ?

Impossible de visiter les châteaux les uns derrière les autres. Il y en a trop. Et puis, si les très grands crus sont bien organisés, les artisans (en fait, ceux qui nous intéressent) vous reçoivent quand ils peuvent : ce sont de petites exploitations familiales. De ce fait, les conditions de visites sont bien compli-

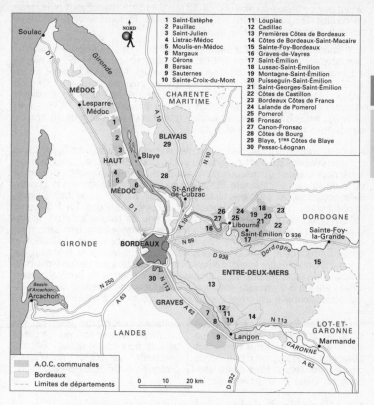

LES APPELLATIONS DU VIGNOBLE BORDELAIS

1 Saint-Estèphe
2 Pauillac
3 Saint-Julien
4 Listrac-Médoc
5 Moulis-en-Médoc
6 Margaux
7 Cérons
8 Barsac
9 Sauternes
10 Sainte-Croix-du-Mont
11 Loupiac
12 Cadillac
13 Premières Côtes de Bordeaux
14 Côtes de Bordeaux-Saint-Macaire
15 Sainte-Foy-Bordeaux
16 Graves-de-Vayres
17 Saint-Émilion
18 Lussac-Saint-Émilion
19 Montagne-Saint-Émilion
20 Puisseguin-Saint-Émilion
21 Saint-Georges-Saint-Émilion
22 Côtes de Castillon
23 Bordeaux Côtes de Francs
24 Lalande de Pomerol
25 Pomerol
26 Fronsac
27 Canon-Fronsac
28 Côtes de Bourg
29 Blaye, 1res Côtes de Blaye
30 Pessac-Léognan

A.O.C. communales
Bordeaux
Limites de départements

0   10   20 km

quées. En général, c'est sur rendez-vous, avec des délais qui varient d'un jour (téléphoner la veille) à un mois. Dans certains cas, la dégustation est gratuite, dans d'autres elle est payante (ça peut aller jusqu'à 2 € le verre dans certains châteaux). En fait, vous recevoir a pour but de vous prendre un peu d'argent en vous faisant acheter du vin. Pas partout : la production des grands crus est vendue avant même la récolte et on vous fera déguster (en payant) un vin dont vous ne pourrez pas acheter une seule bouteille.

Un conseil : simplifiez. Presque toutes les appellations ont créé des Maisons du Vin qui regroupent tous les viticulteurs. Ces maisons présentent donc tous les châteaux de l'appellation et vendent le vin au même prix qu'au château (enfin, presque : en général, ils prennent 0,15 € de frais de gestion par bouteille). Représentant le syndicat du lieu, elles sont tenues à une stricte neutralité et ont une obligation de conseil. Et si vous êtes vraiment intéressé de rencontrer le viticulteur, elles se chargent d'organiser votre rendez-vous, ce qui permet de raccourcir les délais. Commencer par ces Maisons du Vin est le meilleur plan possible pour découvrir les vignobles bordelais. Nous vous donnons leurs coordonnées pour chaque appellation géographique.

Quant aux bordeaux-supérieurs, ils ont aussi leur adresse et vous feriez bien de commencer par là votre visite du vignoble. Ils représentent 6 700 viticulteurs et plus de 66 000 ha de vignes :

▪ **Planète Bordeaux – La Maison des bordeaux-supérieurs :** RN 89, à Beychac-et-Caillau. ☎ 05-57-97-19-20/35/36. Fax : 05-57-97-19-37. ⚒ Hors saison, ouvert du lundi au vendredi de 9 h à 12 h et de 14 h à 17 h 30 ; en saison, ouvert du lundi au vendredi de 9 h à 18 h et le samedi de 10 h à 18 h. Entre Bordeaux et Libourne, sur la N 89, au niveau du village de Beychac-et-Caillau. Entrée payante pour *Planète Bordeaux* : 5 € ; tarif groupes, étudiants et sur présentation du *GDR* : 3 € ; gratuit pour les moins de 16 ans.

Autrefois uniquement réservée aux professionnels, la Maison des bordeaux et bordeaux-supérieurs s'est ouverte au public et constitue une halte indispensable pour qui veut s'initier aux richesses du Bordelais. Un espace de découverte du vin, appelé **Planète Bordeaux,** présente intelligemment la chose : 6 espaces distincts, avec des topos sur le terroir, sur l'art de cultiver la vigne, et des bornes olfactives amusantes, où vainement l'on cherche à désigner l'odeur qu'on respire... jusqu'à ce qu'on donne sa langue au chat, et lise « vanille », « fraise » ou « sous-bois » en se tapant le front, bon sang mais c'est bien sûr ! Dégustation de vins sélectionnés (6 appellations bordeaux et bordeaux-supérieur, en rouge, blanc et rosé, sans oublier le crémant), on commente, on prépare son circuit, on choisit ses châteaux à visiter. Possibilité d'achat sur place, au prix de la propriété. Choix énorme de bordeaux abordables (de 4 à 8 € environ). Initiation à la dégustation : une salle de dégustation professionnelle est ouverte aux clubs et groupes d'amateurs.

– Les Gîtes Bacchus : sur toute la Gironde, un label « Gîte Bacchus » a été attribué par les *Gîtes de France* aux gîtes et chambres d'hôte tenus par des viticulteurs. Près d'une trentaine de gîtes et chambres sur le Bordelais. Votre hôte vous fait découvrir sa vigne et son vin. En général, de bonnes adresses. Renseignements aux *Gîtes de France Gironde* : ☎ 05-56-81-54-23.

La Gironde à vélo

Un effort particulier a été fait en Gironde pour la réalisation de pistes cyclables, et ce sont pas moins de 450 km d'itinéraires aménagés pour le vélo qui sillonnent le département. C'est notamment le littoral qui est équipé, où les pistes, qui empruntent souvent les anciennes pistes allemandes de surveillance, sont très bien entretenues, fléchées et généralement plates... idéales pour la pratique du vélo sans effort ! Si toutefois vous préférez les côtes (pas bien méchantes), une piste Bordeaux-Créon s'enfonce dans l'Entre-Deux-Mers vallonné, et se prolonge jusqu'à Sauveterre. Un nouveau tronçon de piste cyclable vient d'être aménagé entre Biganos et Mios.
Il existe une *carte des pistes cyclables en Gironde,* très pratique et gratuite. Vous pourrez vous la procurer au CDT. Et la plupart des offices de tourisme et syndicats d'initiative vous fourniront des itinéraires complémentaires.

▪ **Comité départemental de tourisme :** 21, cours de l'Intendance, 33000 Bordeaux. ☎ 05-56-52-61-40. Fax : 05-56-81-09-99.
◾ Autres bonnes adresses : **Fédération française de cyclotourisme (FFCT),** 12, rue Louis-Bertrand, 94207 Ivry-sur-Seine Cedex. ☎ 01-56-20-88-88. Fax : 01-56-20-88-99. ● www.ffct.org ● Et la **Ligue d'Aquitaine de cyclotourisme :** ☎ et fax : 05-53-65-10-14 (après 18 h).

BORDEAUX

(33000)   218 950 hab.

Pour le plan de Bordeaux, voir le cahier couleur.

BORDEAUX

Épicentre de tout le Bordelais, à une soixantaine de kilomètres de l'Océan, capitale de l'Aquitaine, Bordeaux, lovée autour de la Garonne, a conservé son décor de théâtre, son atmosphère secrète et sa fierté un peu hautaine, souvent frondeuse vis-à-vis de la capitale. Elle doit sa fortune et son importance à ses vins et à son port. La gloire des siècles passés a laissé ses traces sur les murs comme dans les esprits. La cité se révèle avant tout comme un joyau de pierres ciselées, armoriées, dentelées dans le grand style du XVIIIe siècle : bourse, théâtre, place royale... Mais on y trouve aussi des rues étroites au tracé médiéval, de vieux quartiers aux allures sombres et populaires. Bordeaux est avant tout une belle ville, tout simplement, et on prend un réel plaisir à la visiter. Avec sa pierre calcaire dorée qui noircit naturellement, elle offre une jolie palette de couleurs, du blond pâle au noir le plus crasseux. « Snob » ? Bien sûr qu'elle l'est. Et alors, elle n'est pas la seule. « Ville fermée » ? Sûrement. Elle a de quoi. Avec trois siècles de domination anglaise, qui lui ont finalement bien profité, avec un terroir et un climat donnant les plus grands vins du monde, avec des hommes illustres (les trois « M » : Montesquieu, Montaigne, Mauriac), avec une côte aussi proche et superbe, on peut presque comprendre que Bordeaux se croie si supérieure, si différente. N'est-elle pas la capitale mondiale du vin ? Cependant, les Bordelais s'ouvrent de plus en plus aux influences méridionales, espagnoles en particulier, et l'on voit maintenant partout des restaurants en terrasse (ce qui n'existait pas il y a quelques années encore). Les soirées s'animent furieusement dans les bars à tapas, et les nuits, quai de Paludate, sont chaudes, très chaudes... Finalement, la cité girondine est comme ses meilleurs vins : bouquet profond et complexe, étonnante longueur en bouche. Une forte personnalité, pas toujours prête à s'ouvrir mais attachante.

UN PEU D'HISTOIRE

Le timide village de forgerons gaulois deviendra rapidement *Burdigala* la romaine, au développement rapide, à l'économie florissante dès le Ier siècle. Les alentours sont occupés par des Ligures d'origine ibérique et des Celtes. Celtes ? Pas si sûr. *Burdigala* vient de deux mots : *gala* signifie « gaulois » et *burdin,* en basque, c'est le fer. Surprenant en tout cas ! Les invasions répétées du IVe siècle vont amener les Bordelais à se réfugier à l'intérieur d'un rempart qui délimitera la ville jusqu'au XIIIe siècle. Les fortifications suivent la courbe de la Garonne, d'où le nom de « Port de la Lune » donné à la ville et ses armes aux trois croissants de lune entrecroisés.

La période anglaise

En 1137, Aliénor, héritière du duc Guillaume d'Aquitaine, épouse le prince Louis, fils du roi de France, mais le mariage tourne mal et le roi Louis VII demande le divorce. Quelques années plus tard, en 1152, elle apporte en dot, lors de son remariage avec Henri Plantagenêt, de nombreux domaines, dont le duché de Guyenne et Bordeaux. Par héritage, Henri devient roi d'Angleterre, inaugurant trois siècles de période anglaise en Aquitaine.

Henri et Aliénor sont alors à la tête d'un vaste territoire qui déséquilibre les Capétiens et déclenche une guerre sans fin (celle de Cent Ans) entre Français et Anglais.

Cette situation favorise l'expansion viticole et l'exportation massive du claret (vin primeur) en direction de l'Europe du Nord. On établit le « privilège des vins », qui impose la vente des vins de Bordeaux avant ceux de l'arrière-pays. Les autres vins devaient être stockés hors de la ville. Le claret, très apprécié des Anglais, est soumis à de strictes règles. Un système de dégustation est déjà mis au point, et les voleurs de raisin sont condamnés à avoir l'oreille tranchée. La ville s'agrandit, son commerce prospère. En absorbant le faubourg Saint-Éloi, Bordeaux se dote d'un deuxième rempart dont la Grosse Cloche, ancien beffroi de l'hôtel de ville (XVe siècle), est encore le témoin.

La « Guyenne », déformation anglaise d'Aquitaine, n'a jamais été aussi riche en vendant son vin et ses armes, sans distinction de camp. C'est à cette époque que le Prince Noir, fils du roi d'Angleterre, entreprend de véritables expéditions sauvages à travers le Limousin et le Languedoc notamment. Les grands seigneurs aquitains sont farouchement anglophiles. Mais la bataille de Castillon marque, en 1453, le retour de la ville sous tutelle française et la fin de la guerre, malgré de nombreuses révoltes.

La transformation de la ville

Louis XIV fait détruire tout un quartier pour élever une forteresse à la Vauban afin de contrôler la partie nord de la cité. Au XVIIIe siècle, Bordeaux va vivre son « âge d'or », fondé sur la continuité du commerce du vin, que l'on sait maintenant faire vieillir, et la naissance du commerce triangulaire vers l'Afrique et les Antilles.

La prospérité du premier port de France détermine une ambitieuse politique d'expansion urbaine, menée à bien par les intendants. Le marquis de Tourny et Claude Boucher, entre autres, font détruire les remparts et vont transformer la ville médiévale avec ses rues sinueuses et exiguës en une cité moderne. Des cours, bordés d'arbres, sont créés sur l'emplacement des remparts, des ensembles grandioses longent les quais, la place de la Bourse et les allées de Tourny. Le quartier des Chartrons, véritable QG du négoce du vin, date de cette époque. Et puis on aménagera des jardins, des promenades, des placettes. Parallèlement, la construction du Grand Théâtre et de l'archevêché, le palais Rohan, l'actuel hôtel de ville, l'édification de somptueux hôtels particuliers et d'immeubles bourgeois parachèvent un ensemble architectural d'une exceptionnelle cohérence. Pourtant, ce ne fut pas sans mal que les projets d'expansion et de renouveau du vieux Bordeaux virent le jour, les habitants voyant d'un très mauvais œil les transformations qu'on voulait leur imposer.

De la Révolution à nos jours

La Révolution vit la création du parti des Girondins, mené par Vergniaud. Ces Girondins, toujours animés par une méfiance séculaire à l'égard de Paris, prônaient une République de type fédéral et s'opposaient aux Jacobins. Accusés par les Montagnards de conspirer contre la République, vingt-deux Girondins furent exécutés après une nuit de beuverie à la Conciergerie. Durant le Premier Empire, le blocus décrété par Napoléon amorce le déclin de l'activité commerciale qui, malgré les relations avec les colonies, ne retrouvera plus l'éclat du siècle d'or bordelais. Le Second Empire voit l'amélioration de la situation économique de la région.

Jacques Chaban-Delmas, maire inamovible de 1947 à 1995, s'est voulu moderniste : réhabilitation de plusieurs secteurs anciens, construction en pleine ville d'un complexe moderne dans le quartier Mériadeck (mais là, c'est l'échec !)... Reste à résoudre le problème des quais. 1994 révéla le projet d'aménagement des deux rives du fleuve, confié à Dominique Perrault, l'architecte de la TGB (Très Grande Bibliothèque), projet qui provoque, bien sûr, l'intérêt des Bordelais. Mais pendant les dernières années du mandat de Chaban, la ville s'est quelque peu endormie : le problème des ponts, faute d'être traité à temps, s'est révélé crucial. Avec ses quatre ponts, la ville manque de points de franchissement de la Garonne. Car on utilise beaucoup sa voiture à Bordeaux et dans sa banlieue (ou sa conurbation pour parler technocrate) : Bordeaux est parmi les premières villes de France à donner dans le « tout-automobile ». 62 % des déplacements s'y font en voiture et seulement 10 % en transports en commun, ce qui n'empêche nullement les Bordelais d'être bien placés dans un autre classement, celui des habitants de grandes villes à s'estimer les plus satisfaits de la qualité de la vie dans leur cité (selon une enquête réalisée en 2000 pour *Libération*, 89 % de satisfaction chez les Bordelais, seules Nantes et Toulouse font mieux).

En 1995, les Bordelais élisent Alain Juppé à la mairie, espérant qu'il dynamisera la vie économique locale et fera aboutir les grands dossiers du tramway et de l'aménagement des quais. Le nouveau maire semble avoir relevé le défi (le chantier du tramway a été lancé en février 2000 et on attend le premier tronçon pour début 2004, l'ensemble du réseau devant être complété en 2008, la construction d'un nouveau pont a été décidée, la réorientation de la ville vers le fleuve, ce fleuve qui coupe la ville en deux, semble être d'actualité désormais), et c'est avec sérieux et application qu'il gère sa ville, ayant réalisé des mises en lumière des monuments les plus notables, des ravalements, et entamé la construction d'un énorme complexe cinématographique et d'un casino. Il faut dire qu'Alain Juppé joue gros : un nouvel échec ici, à Bordeaux, pour le Premier ministre de la funeste dissolution, signerait peut-être la fin de sa carrière politique. Sa réélection en mars 2001 semble indiquer que la greffe a pris. Enfin, reste à faire un sérieux effort du côté de la culture : sous prétexte d'économies budgétaires, Juppé a fait des coupes sombres dans le budget de la culture, notamment dans tout ce qui est le plus créatif (le *CAPC*, Centre d'art plastique contemporain, en sait quelque chose).

En attendant, Bordeaux est un immense chantier qui prend régulièrement du retard : chaque coup de pioche révèle des restes archéologiques. La piétonnisation du centre est en bonne voie et les parkings en construction génèrent d'énormes embouteillages. Pourtant, les centres de gravité (si l'on ose dire) de la ville se déplacent : Bacalan au nord, Paludate au sud, ainsi que la rive droite sont désormais les quartiers à la mode. Et pour aller de l'un à l'autre, surtout au cœur de la nuit, il faut une voiture...

Demandez à l'office de tourisme le dépliant *Guide des déplacements* qui liste les parkings gratuits, les points de prêt de vélos et les lignes de bus-navettes électriques qui ceinturent la zone piétonne.

LE PORT DE BORDEAUX

Difficile de penser que le port de Bordeaux fut le premier de France et le deuxième port d'Europe après Londres au XVIIIe siècle, vu l'image qu'il présente aujourd'hui. C'est bien simple, il a carrément disparu : le dernier cargo a largué ses amarres du quai des Chartrons en 1987, et le port autonome de Bordeaux, depuis, s'est installé en aval sur la Garonne.

Mais pendant longtemps, Bordeaux et son port des Chartrons, situé à 98 km de l'Océan par la voie fluviale, était l'endroit idéal pour charger les navires du célèbre claret dont allaient se délecter les Anglais. Dès le début de notre ère,

la Garonne a d'ailleurs eu une vocation portuaire, puisque le vin romain passait déjà par là. Mais la période la plus faste pour le trafic portuaire fut bien le XVIIIe siècle et particulièrement le règne de Louis XV, le Bien-Aimé. Le quartier des Chartrons, véritable salon permanent du vin, voyait alors une population huppée, liée au négoce, côtoyer marins et prostituées dans une atmosphère d'encanaillerie générale, où les bourgeois se retrouvaient sans-culottes le soir venu. Le chic de l'aristocratie du bouchon rencontrait le salace, matelots et viticulteurs semblaient embarqués sur la même barrique. Aujourd'hui, le port s'est développé tout le long de la Garonne et de l'estuaire de la Gironde par secteurs d'activités : port marchand à Bassens, produits pétroliers raffinés à Ambès et Pauillac, tandis que Verdon, « l'avant-port » situé à plus de 90 km de la ville, surdimensionné, ne s'est pas remis du choc pétrolier. Malgré cette mutation, l'activité portuaire a considérablement baissé – avec toutefois une place de premier exportateur européen de maïs et une autre de second port français de croisière, escale de nombreux paquebots de luxe.

LES GENTLEMEN BORDELAIS

Le fleuve et le vin, bien sûr, ont bâti des fortunes. De riches négociants, les Cruze, Calvet, de Luze, Lichine, font figure d'aristocratie locale. Mais voilà, aujourd'hui le port s'endort. Et les vignes sont rachetées par d'anonymes compagnies d'assurances ou businessmen nippons. Alors les Bordelais s'accrochent à leurs repères géographiques comme autant de souvenirs de la gloire d'antan : le jardin public, à l'anglaise ; Caudéran, le Neuilly local et sa villa Primerose où il est plutôt bien vu de frapper ses premières balles de tennis ; le bassin (d'Arcachon) pour les premiers châteaux de sable et les premières régates. Vision stéréotypée : il existe aussi un Bordeaux populaire, riche de son immigration, de son petit peuple volontiers rigolard.
Les Bordelais souffrent de l'image que Mauriac leur a collée sur le dos. Grands bourgeois, secrets, riches, un peu raides... Comme ailleurs, mais pas plus. En fait, cette raideur vient de leur goût de l'indépendance. Sous les Plantagenêt, Bordeaux a gagné beaucoup d'argent dans une totale liberté : Londres était bien loin. Et puis, sous l'Ancien Régime, la situation a perduré : les intendants géraient la ville sans trop en référer à Paris, le vin continuait d'inonder l'Europe et les îles envoyaient rhums et tafias. C'est le séisme révolutionnaire qui a refermé Bordeaux sur elle-même. Avec la mort des Girondins, les Bordelais ont commencé à dépendre de Paris. Le blocus continental n'a pas arrangé les choses, ni la politique coloniale axée sur l'Afrique du nord et l'Indochine qui a profité à Marseille. Bref, la République n'a jamais donné le sentiment d'aimer Bordeaux. Se sentant incompris, les Bordelais n'avaient d'autre choix qu'une certaine morgue. Mais rassurez-vous : le Bordeaux de Montaigne et Montesquieu, bon vivant et humaniste, est toujours sous-jacent.
Les Bordelais tiennent à leur art de vivre et à leur vin autant qu'à leurs monuments. Ils rappellent que Baudelaire y embarqua sur les *Mers du Sud,* que Stendhal écrivit un jour : « Bordeaux est sans contredit la plus belle ville de France » et recensent les auteurs du cru : Jean Cayrol, Jacques Ellul, Jean Anouilh, Sempé, Pierre Veilletet, jusqu'à Philippe Sollers qui la revisite, comme repentant.

Adresses utiles

Infos touristiques

⚏ *Office de tourisme* *(plan couleur C1) :* 12, cours du 30-Juillet. ☎ 05-56-00-66-00. Fax : 05-56-00-66-01. ● www.bordeaux-tourisme. com ● En juillet et août, ouvert de 9 h à 19 h 30 (9 h 30 à 18 h 30 les dimanche et jours fériés) ; en mai, juin, septembre et octobre, de 9 h à 19 h (9 h 30 à 18 h 30 les dimanche et jours fériés) ; en basse saison, de 9 h à 18 h 30 (9 h 45 à 16 h 30 les dimanche et jours fériés). Installé dans un immeuble néo-classique qui abritait autrefois le branché (en 1835!) *Café Montesquieu*. Plans de la ville en couleur gratuit et guide du patrimoine à 1 €, tous deux assez bien faits. L'office organise aussi des visites guidées de la ville (à pied) tous les jours de la semaine à 10 h. Durée : 2 h. Également, en juillet et août, des visites thématiques (le vieux Bordeaux, Bordeaux à 360°, le vignoble) ou en autocar, en omnibus, en attelage... Enfin, l'office de tourisme a mis en place un forfait « 2 nuits comme de jour » qui comprend deux nuits d'hôtel (sur la base d'une chambre double), une carte de bus valable 3 jours, une visite guidée de la ville et une autre du vignoble, l'accès gratuit aux musées, une initiation à la dégustation de vin (le jeudi) et une bouteille offerte. Prix : de 76 à 162 € selon l'hébergement choisi.

🛈 *À la gare Saint-Jean :* ☎ et fax : 05-56-91-64-70. De mai à octobre, ouvert du lundi au samedi de 9 h à 12 h et de 13 h à 15 h, et le dimanche de 10 h à 12 h et de 13 h à 18 h ; de novembre à avril, ouvert du lundi au vendredi de 9 h 30 à 12 h 30 et de 14 h à 18 h, fermé le week-end et les jours fériés.

🛈 *Comité départemental de tourisme de la Gironde (plan couleur B2) : Maison de tourisme,* 21, cours de l'Intendance. ☎ 05-56-52-61-40. Fax : 05-56-81-09-99. ● www.tourisme-gironde.cg33.fr ● Ouvert du lundi au vendredi de 9 h à 19 h (18 h 30 en basse saison) et le samedi de 10 h à 13 h et de 14 h à 18 h 30 (18 h en basse saison). Très bonne documentation sur les multiples possibilités qu'offre la Gironde, notamment le guide des vignobles et châteaux, les topoguides de rando, les circuits cyclo, les cartes de tourisme fluvial et les guides culture et patrimoine.

■ *Gîtes de France :* même adresse que le CDT. ☎ 05-56-81-54-23. Fax : 05-56-51-67-13. ● www.gites-de-france.fr ● Une nouveauté : les *Gîtes Bacchus,* label accordé à des chambres d'hôte et des gîtes ruraux installés au cœur (ou à proximité immédiate) des vignobles. Les proprios s'engagent à faciliter à leurs hôtes la découverte du vignoble.

🛈 *Comité régional de tourisme d'Aquitaine : Cité mondiale,* 23, parvis des Chartrons. ☎ 05-56-01-70-00. Fax : 05-56-01-70-07. ● www.tourisme.aquitaine.info ● Le comité propose des balades gourmandes en Aquitaine. ATTENTION, n'est pas ouvert au public. Renseignements uniquement par téléphone, courrier, fax ou e-mail.

🛈 *Centre d'information jeunesse Aquitaine :* 5, rue D.-Dubergier. ☎ 05-56-56-00-56. Infos sur le logement, les voyages...

Services

✉ *Poste principale (plan couleur A2) :* 52, rue Georges-Bonnac.

Urgences

■ *Hôpital général Saint-André :* 1, rue Jean-Burguet. ☎ 05-56-79-56-79.

■ *Urgences SAMU :* ☎ 15 ou 05-56-96-70-70.

Transports

✈ *Service de bus entre l'aéroport de Bordeaux-Mérignac et le centre-ville :* arrêts du *Jet bus* à la gare Saint-Jean (le 1er bus part à 5 h 30, le dernier à 22 h), quai Richelieu (arrêts douanes 1 et 28), au Grand théâtre (29, rue Esprit-des-Lois), place Gambetta (arrêt autobus M 13) et à la Barrière Judaïque (devant le 15, av. de la République).

BORDEAUX

Départ toutes les 45 mn, puis toutes les 30 mn entre 7 h 45 et 19 h 45. Information navette : ☎ 05-56-34-50-50. Compter 7 € l'aller-retour pour les moins de 26 ans, et 9,40 € pour les plus de 26 ans.

■ *Air France :* ☎ 0820-820-820.

⏰ *Gare SNCF Saint-Jean* (hors plan couleur par C3) : rue Charles-Domercq. Renseignements et réservations : ☎ 0892-35-35-35 (de 7 h à 22 h). Liaison gare – office de tourisme – aéroport assurée par navette.

⏰ *Autobus Citram* (plan couleur C1) : allée de Chartres, tout près des Quinconces. ☎ 05-56-43-68-43. Nombreux bus pour tout le département. Très commode et économique pour se déplacer autour de Bordeaux. Assez lent cependant.

⏰ *Rapides de la Côte d'Argent* (hors plan couleur par D1) : 59, rue Marsan. ☎ 05-56-39-49-73. Pour la côte (Mimizan, Biscarosse, Parentis).

⏰ *Régie départementale des transports des Landes* (hors plan couleur par D3) : 10, pl. P.-J.-Dormoy. ☎ 05-56-91-11-05. Pour les Landes.

⏰ *Autobus Eurolines* : 32, rue Charles-Domercq. ☎ 05-56-92-50-42. Près de la gare Saint-Jean. Dessert internationale.

■ *Location de vélos* (plan couleur C3) : Cycles Pasteur, 42, cours Pasteur. ☎ 05-56-92-68-20.

Où dormir ?

La ville bourgeoise possède pas mal de petites adresses pour les fauchés de passage, ainsi que quelques-unes, gentilles et charmantes, à prix moyens. Toutes celles que nous vous proposons sont situées dans le centre ou tout près. Et il n'y a plus de camping en périphérie proche.

Auberge de jeunesse

⏹ *Auberge de jeunesse de Bordeaux-Barbey* (hors plan couleur par C3) : 22, cours Barbey. ☎ 05-56-33-00-70. Fax : 05-56-33-00-71. ● auberge.bx@wanadoo.fr ● ✗ À proximité de la gare Saint-Jean. Ouvert toute l'année. Compter 16 € pour une nuit, draps et petit dej' inclus. Un peu plus de 100 places réparties dans des chambres de 2 à 6 personnes. Possibilité de préparer son repas et de laver son linge. Carte de la FUAJ ou de la LFAJ non obligatoire.

Bon marché

⏹ *Hôtel Bristol* (plan couleur B2, 10) : 4, rue Bouffard. ☎ 05-56-81-85-01. Fax : 05-56-81-24-72. ● www. hotel-bordeaux.com ● Parking payant. C'est la réception centrale d'un groupe de quatre hôtels : le *Bristol* lui-même, l'*Hôtel de Lyon,* l'*Hôtel d'Amboise* et l'*Hôtel La Boétie,* tous quatre situés à quelques encablures les uns des autres. Les prix varient de 24 à 46 € en fonction de l'hôtel et de la taille de la chambre. Les quatre hôtels sont propres, bien entretenus et situés dans des rues calmes du quartier piéton. Réservation recommandée, car c'est l'un des meilleurs plans bon marché de Bordeaux et c'est plein d'habitués.

⏹ *Hôtel Studio* (plan couleur B1, 14) : 26, rue Huguerie. ☎ 05-56-48-00-14. Fax : 05-56-81-25-71. ● www. hotel-bordeaux.com ● Parking payant. De 24 à 38 €, selon la taille, la double avec douche, TV (câble) et téléphone. Parking privé. Une dizaine de chambres dans l'hôtel même. Et une trentaine d'autres disséminées dans de modestes immeubles des rues voisines. Confort inégal : en cours de rénovation, mais vous pouvez demander un discount pour les chambres non rénovées. Vu les prix et l'abondance des chambres, ne pas s'attendre à un confort grand luxe...

🛏 **Hôtel Choiseul** (plan couleur B1, 11) : 13, rue Huguerie. ☎ 05-56-52-71-24. Fax : 05-56-52-00-08. • www.hotelchoiseul.com • Chambres doubles de 37 € (avec lavabo ou douche, w.-c. sur le palier) à 46 €

Prix moyens

🛏 **Studiotel Blayais** (plan couleur B1-2, 19) : 17, rue Mautrec. ☎ 05-56-48-17-87. Fax : 05-56-52-47-57. Réception fermée le dimanche. Compter 38 € la double avec douche et w.-c. Un tout petit hôtel situé dans une toute petite rue (pas trop bruyante, mais on est quand même dans le centre et il y a des allées et venues la nuit). Chambres simples, propres, avec TV, et certaines avec cuisinette, c'est un gros plus (44 €). Sur présentation du GDR, remise de 10 % sur le prix de la chambre à partir de 2 nuits sauf en juillet et août.

🛏 **Hôtel Gambetta** (plan couleur B2, 15) : 66, rue Porte-Dijeaux. ☎ 05-56-51-21-83. Fax : 05-56-81-00-40. • www.gambettahotel.com • Compter 50 € la double. Dans un quartier central et animé, un établissement d'un bon rapport qualité-prix. Ascenseur, TV, mini-bar dans les chambres, qui sentent le propre, et patron aimable. Un bon point de chute. Un petit dej' par chambre offert à nos lecteurs sur présentation du GDR.

🛏 **Acanthe Hôtel** (plan couleur C2, 16) : 12-14, rue Saint-Rémi. ☎ 05-56-81-66-58. Fax : 05-56-44-74-41. • www.acanthe-hotel-bordeaux.com • ⚒ Fermé aux alentours de Noël. De 45 à 52 € la double avec douche ou bains, w.-c et TV. À 20 m de la superbe place de la Bourse et des quais, dans le pittoresque quartier Saint-Pierre (mais parking difficile). Un établissement récemment repris et bien réaménagé, avec goût. Chambres personnalisées, de bon confort, plutôt coquettes. La petite rue est calme (double vitrage quand même).

🛏 **Hôtel de la Tour Intendance** (plan couleur B2, 17) : 14-16, rue de la Vieille-Tour. ☎ 05-56-81-46-27.

(douche et w.-c.). Assez grandes, avec TV. En cours de rénovation : les chambres rénovées sont les plus chères mais, pour les autres, le rapport qualité-prix est bon, d'autant que l'hôtel est assez central. Sur présentation du GDR, un petit dej' offert par personne et par nuit.

Fax : 05-56-81-60-90. Compter à partir de 50 € la chambre double avec douche et w.-c. et 90 € avec bains sur présentation du GDR. Garage payant (pour la nuit seulement, soit de 19 h 30 à 9 h) : 7 € pour les voitures ; gratuit pour les vélos et les motos. Deux sœurs se relaient à l'accueil de ce charmant établissement pour toujours offrir à leurs hôtes la même disponibilité et la même gentillesse. Ici, accueil signifie une foule de petites attentions, comme ce vrai jus d'orange servi au petit dej'. Pour l'intendance, donc, ça suit ! Quant à la tour (qui daterait du IIIe siècle), quelques vestiges existent encore dans la cave. Dans l'ensemble, les chambres ne sont pas très grandes, voire assez petites, mais elles sont très bien tenues et pas désagréables. Légères nuisances possibles côté rue (elle est piétonne, mais les piétons ça parle la nuit). En revanche, calme plat sur l'arrière où les chambres les moins chères (pour une personne) offrent une gentille vue sur les toits de la ville. Sur présentation du GDR, 10 % sur le prix de la chambre week-end et pendant les vacances scolaires.

🛏 **Hôtel du Théâtre** (plan couleur C2, 24) : 10, rue Maison-Daurade. ☎ 05-56-79-05-26. Fax : 05-56-81-15-64. Dans une rue perpendiculaire à la rue Sainte-Catherine. Chambres doubles de 45 à 50 €. En plein centre, mais, pour les allergiques à la marche, accessible en automobile sur demande préalable. Accueil volubile et sympa. Chambres sans charme particulier mais de bon confort et très propres, réparties au hasard des deux ailes de cette vieille maison. Petit bar au rez-de-chaussée ouvert uniquement dans la journée.

🛏 *Hôtel Notre-Dame (hors plan couleur par B1, 25)* : 36, rue Notre-Dame. ☎ 05-56-52-88-24. Fax : 05-56-79-12-67. Compter 43,50 € la double avec douche et w.-c., 48 € avec bains. Au cœur du quartier des Chartrons, ancien secteur du négoce du vin, aujourd'hui plutôt calme. Parking payant à proximité. Une maison du XIXᵉ siècle, à la façade de pierre bien ravalée, dominée par la monumentale Cité mondiale du vin. Pour vous consoler de la déco un poil trop contemporaine et passe-partout des chambres, la rue Notre-Dame regorge d'antiquaires et autres brocanteurs, et le quartier est vraiment sympa. Réduction de 10 % en juillet et août sur présentation du *GDR*.

Plus chic

🛏 *Hôtel de la Presse (plan couleur C2, 21)* : 6-8, rue de la Porte-Dijeaux. ☎ 05-56-48-53-88. Fax : 05-56-01-05-82. ● www.hoteldela presse.com ● Fermé du 24 décembre au 2 janvier. Compter 75 € la double avec douche, 84 € avec bains. Idéalement situé, à deux pas (une petite dizaine pour être franc !) d'un des carrefours stratégiques de la ville, celui que forment les rues Sainte-Catherine et Porte-Dijeaux. Piétonnes le jour, ces rues voient passer quelques voitures le soir. Mais les chambres, tout confort, sont insonorisées (et climatisées). Et si vraiment vous ne supportez pas du tout le bruit, côté cour, c'est tranquille. Un certain luxe (sinon un luxe certain), mais un rapport qualité-prix plus qu'honorable. Un petit dej' offert par chambre sur présentation du *GDR*.

🛏 *Chambres d'hôte, Une Chambre en Ville (plan couleur B2, 13)* : 35, rue du Bouffard. ☎ 05-56-81-34-53. Fax : 05-56-81-34-54. ● www.bandb-bx.com ● Compter 75 € la double et 115 € pour les suites, petit dej' compris. Cette belle maison du XVIIIᵉ siècle, située en plein cœur de la ville dans une rue d'antiquaires, à quelques mètres des musées, de l'Hôtel de Ville et de la cathédrale, conjugue l'accueil d'une maison d'hôte avec les exigences citadines

🛏 *Hôtel de l'Opéra (plan couleur C1, 20)* : 35, rue Esprit-des-Lois. ☎ 05-56-81-41-27. Fax : 05-56-51-78-80. Fermé du 23 décembre au 3 janvier. Chambres doubles de 48 à 52 € avec douche ou bains et TV. Installé dans une maison du XVIIIᵉ siècle, contemporaine du Grand Théâtre dont elle est voisine. Ce que rappellent plus les pierres apparentes de l'escalier central que la déco des chambres, d'une banale modernité. Il bénéficiera sûrement de l'arrivée du tramway, qui supprimera toute circulation dans la rue (déjà, avec les travaux, c'est paradoxalement très calme). Accueil charmant et chaleureusement sympathique. Superbe ascenseur vitré.

de confort d'un établissement trois étoiles. Les trois chambres : « Nautique », « Orientale », « Herald » et les deux suites : « Bordelaise » et « Nexus », ont chacune une décoration différente, originale et soignée avec télévision, mini-bar, coffre fort et accès Internet. Le rez-de-chaussée, une ancienne galerie, a été transformé en salon et coin salle à manger, où l'on sert un excellent petit dej' et, sur demande, une collation le soir.

🛏 *Hôtel des Quatre Sœurs (plan couleur C1, 23)* : 6, cours du 30-Juillet. ☎ 05-57-81-19-20. Fax : 05-56-01-04-28. Chambres doubles standard de 60 à 85 € selon la saison. Construit au XVIIIᵉ siècle, quand Bordeaux s'est voulue monumentale, entre allées de Tourny, Grand Théâtre et place des Quinconces. Un hôtel chargé d'histoire, donc. Wagner, par exemple, y séjourna en 1850, alors qu'il vivait avec une Bordelaise une aventure amoureuse (et adultère !) plutôt mouvementée... Jolies chambres climatisées donnant soit sur le cours et les allées de Tourny, soit sur une cour intérieure. Déco gaie avec plein de meubles peints, accueil souriant, bref, une adresse *cosy*. Sur présentation du *Guide du routard*, remise de 10 % sur le prix de la chambre à partir de 2 nuits.

🏠 *Hôtel Continental (plan couleur B2, 18)* : 10, rue Montesquieu. ☎ 05-56-52-66-00. Fax : 05-56-52-77-97. ● www.hotel-le-continental.com ● Compter de 59 à 91 € la double. Un hôtel 2 étoiles d'excellent confort, installé dans un bel immeuble bourgeois à deux pas de la place des Grands-Hommes. Chambres nettes et spacieuses, TV (Canal +), etc. Bien tenu et accueil courtois. En vérité, cet établissement mériterait une étoile de plus ; mais il y a une logique : les prix sont presque ceux d'un 3 étoiles.

🏠 *Hôtel Tulip Inn Bordeaux « Bayonne Etche-Ona » (plan couleur B2, 26)* : 15, cours de l'Intendance. ☎ 05-56-48-00-88. Fax : 05-56-48-41-60. ● www.bordeaux-hotel.com ● Entrées : 4, rue Martignac et 11, rue Mautrec. À deux pas du Grand Théâtre. Doubles de 77 € à 121 €. TV (Canal +, satellite). Parking public (payant) à 100 m. Aménagé dans un édifice du XVIIIᵉ siècle, un grand hôtel de 63 chambres qui ne fait pas tache dans ce quartier très bourgeois. Accueil courtois. Dans les étages, les chambres ont été récemment rénovées et décorées ; pas toujours très spacieuses mais sans mauvaise surprise, elles disposent de nombreuses prestations. Si vous le pouvez, choisissez le bâtiment Etche-Ona, plus calme, plus confortable avec son joli mobilier basque sculpté. À partir de 10 % de réduction sur le prix de la chambre sur présentation du *GDR* (selon période).

Très chic

🏠 *Petit Hôtel Labottière (hors plan couleur par B1, 12)* : 14, rue Francis-Martin. ☎ 05-56-48-44-10. Fax : 05-56-48-44-14. Chambres doubles à 180 €, petit déjeuner compris. Le must de Bordeaux. Un hôtel particulier du XVIIIᵉ siècle, classé Monument historique, parfaitement restauré, avec meubles d'époque, petite cour intérieure, stucs et boiseries. Ce bijou est en plein centre, ne comporte que 2 chambres, possède un parking privé et vous permet de débuter la journée avec un brunch plus que copieux. Accueil inimitable, bien entendu, et réservation obligatoire. Animaux non admis (les tapis et les soies des fauteuils ne supporteraient pas). Sur présentation du *GDR,* chambre double à 160 €.

Où manger ?

Bordeaux, ça n'étonnera personne, possède son lot d'adresses bourgeoises. Mais les quartiers populaires comptent aussi de sympathiques restos. Nous avons préféré tabler sur les petits rendez-vous pittoresques et accueillants, ainsi que sur quelques adresses plus raffinées, presque toutes proches du centre.

Bon marché

Les alentours de la place Saint-Michel et du marché des Capucins regorgent de petits restos tenus, pour la plupart, par des Espagnols, des Portugais et des Marocains. Ils sont généralement corrects, pour des prix très bas. On en indique quelques-uns dans cette sélection.

🍴 *Cassolette Café II (plan couleur C3, 31)* : 20, pl. de la Victoire. ☎ 05-56-92-94-96. Ouvert tous les jours de midi à minuit. Fermé le 1ᵉʳ janvier et les 24 et 25 décembre. Menu express à 8,50 € le midi en semaine. Autre menu à 10,50 €. Plats présentés dans des cassolettes de terre cuite et servis avec une truelle de maçon, et c'est le client, souvent assez jeune, qui passe sa commande en cochant les petites cases d'un formulaire. Conceptuel, non ? En fait, c'est la formule des *raciones* espagnoles à peine adaptée. Ces petits plats (une trentaine à la carte) sont bien de chez nous, genre boudin aux pommes ou potage de tomates. Les jeunes apprécient l'endroit, et la formule, bon marché, est tout indiquée pour ne pas boire sans manger. Sangria bordelaise offerte sur présentation du GDR.

|●| *Le Rital (plan couleur C2, 32)* : 3, rue des Faussets. ☎ 05-56-48-16-69. ⛄ Fermé le week-end et la 2e quinzaine d'août. Premier menu à 8,50 € le midi ; autres menus de 11 à 18 €. Dans cette étroite rue piétonne où les restos apparaissent en nombre pour s'évaporer au bout de quelques mois, ce petit italien affiche 22 ans d'âge. C'est plutôt bon signe. Et vrai, dans le genre resto de copains, c'est une bonne table. Accueil sympa. Salle en enfilade avec vue sur la cuisine d'où sortent de remarquables spécialités : aubergines marinées, pâtes fraîches au pesto (basilic) ou aux fruits de mer, le traditionnel osso buco... Les desserts, faits maison, ne déméritent pas.

|●| *Casa Pino (plan couleur D3, 35)* : 40, rue Traversanne. ☎ 05-56-92-82-88. Congés annuels en juillet. Menu à 10 € midi et soir. Compter environ 20 € à la carte. Un bon portugais et l'une des cantines recommandables de ce quartier populaire. On y mange dans une grande salle propre et claire (ou en terrasse aux beaux jours), assez animée, des grillades ou de la morue *(vila verde, trasmontana)*. C'est copieux et bon marché. Clientèle assez jeune, mêlée à de vieux habitués. Apéritif offert à nos lecteurs sur présentation du GDR.

|●| *L'Imprévu (plan couleur B2, 45)* : 11, rue des Remparts. ☎ 05-56-48-55-43. Fermé le lundi et le dimanche, ainsi que la 2e quinzaine de février et 3 semaines en août. Premier menu à 11,50 € le midi ; autres menus à 13,50 et 19,50 €. Quelques tables bistrot en terrasse dans la rue piétonne, et deux salles plutôt agréables, dont une en cave voûtée au sous-sol, décorées de fleurs sé-

chées et de paniers d'osier. Beaucoup d'habitués, bavardant avec le patron affable, et un service rapide. Ici, place aux petits plats de toujours, pot-au-feu en salade, filet mignon de porc à la moutarde... Remarquables crêpes sucrées géantes en dessert. Une cuisine du marché, saine et copieuse. D'où le succès. Prudent de réserver. N'accepte pas les cartes de paiement. Apéritif maison offert sur présentation du GDR.

|●| *Le Café des Arts (plan couleur C3, 43)* : 138, cours Victor-Hugo. ☎ 05-56-91-78-46. Ouvert tous les jours de 8 h à 2 h du matin. Menu à 10,50 € servi uniquement le midi. Compter environ 20 € à la carte. Brasserie populaire à l'ambiance toujours animée, située au croisement ô combien stratégique du cours Victor-Hugo, important axe automobile, et de la rue Sainte-Catherine, large rue piétonne et commerçante. Assez grande terrasse ou salle type vieux bistrot, simples chaises de bois et banquettes de moleskine. On apprécie l'endroit pour son honnête cuisine traditionnelle bien servie : hareng pommes à l'huile, andouillette, Saint-Jacques aux cèpes ou foie de veau forestière... Vraies frites (qu'on préfère aux fausses !). Clientèle assez jeune, mais ce *Café des Arts* est une vieille adresse bordelaise, indémodable.

|●| *Los Dos Hermanos (plan couleur C3, 34)* : 52, cours Victor-Hugo. ☎ 05-56-91-43-70. Fermé le dimanche. Menu à 8 € et « rations » comme en Espagne autour de 4 à 5 € (une « ration » c'est une assiette complète de chipirons, de poulpe ou de boulettes de viande). On n'aurait pas idée de s'y arrêter à le voir comme ça, ce bar au look quelconque et vieillot. Et pourtant, on y mange une authentique cuisine espagnole (le patron est galicien et sa famille exploite un gîte sur le chemin de Saint-Jacques), et on y boit de bons vins espagnols. Si vous le pouvez, optez pour la grande salle voûtée du sous-sol. Le meilleur poulpe frit de Bordeaux.

|●| *La Concorde (plan couleur B3, 46)* : 50, rue du Maréchal-Joffre.

☎ 05-56-44-68-97. Face à la place du Palais-de-Justice. Fermé le dimanche. Formules à 15,50 €. Une brasserie du début du XXᵉ siècle (un peu liftée) avec aussi un agréable jardin d'hiver. C'est bien sûr, vu sa situation, la cantine des avocats. Cuisine de brasserie pure et dure avec bœuf gros sel, os à moelle et tête de veau ravigote. Nous, on aime bien. Et on y entend parfois des groupes de jazz. N'accepte pas les cartes de paiement.

|●| *Crêperie Da Fest Noz* (plan couleur B2, 33) : 77, rue du Palais-Gallien. ☎ 05-56-44-49-25. Fermé le lundi midi et le dimanche. Une petite salle claire, et des crêpes délicieuses, ainsi que des salades autour de 6 €. L'été, vous pourrez apprécier la terrasse intérieure entourée de murs en pierre de Bordeaux. Compter 10 € à la carte sans le vin. Parfait pour caler à bon marché une petite faim. Apéritif maison offert sur présentation du *GDR*.

|●| À noter aussi, le *marché Colbert* (hors plan couleur par C1) du dimanche matin, qui se tient sur le quai face au croiseur : les Bordelais apprécient ce rendez-vous devenu même un peu branché, où l'on se restaure d'huîtres, de fromages, de vins, pas forcément donnés mais de qualité. Très agréable aux beaux jours.

Prix moyens

|●| *Le Passage Saint-Michel* (plan couleur D3, 54) : 14-15, pl. Canteloup-Saint-Michel. ☎ 05-56-91-20-30. Fermé le dimanche soir. Le midi, menu à 11,50 € ; menus à 15,30 € et 25 € servis midi et soir, ou carte. Un resto installé au sein d'une vaste brocante (en fait, vous avez le choix entre la terrasse et la salle de brasserie, ou le resto proprement dit, à l'intérieur du magasin). Un décor on ne peut plus hétéroclite donc, rempli de curiosités et de jolies choses, et une honnête cuisine de bistrot, à l'ancienne, genre tête de veau (bon marché à la carte), côte de bœuf à l'os, tournedos Rossini... En résumé, une formule plutôt sympathique, alliant gastronomie populaire et cadre original.

|●| *Le Port de la Lune* (hors plan couleur par D3, 55) : 59, quai de Paludate. ☎ 05-56-49-15-55. ♿ Service tous les jours jusqu'à 1 h. Un 1ᵉʳ menu « casse-croûte » à 18,20 € ; sinon, compter autour de 25 €. Dans le prolongement du quai de la Monnaie, face aux abattoirs, dans les quartiers de la nuit bordelaise, voilà le quai où il faut venir échouer. Laissez-vous guider par la trompette de Wallace Davemport ou la batterie de Jo Jones. Parce qu'ici, on aime le jazz... doux euphémisme : il s'agit d'un amour proche de la névrose. D'ailleurs, le slogan maison, c'est « L'abus de jazz est recommandé pour la santé ». Cadre chaleureux avec, aux murs, tous les grands du rythme et du toucher jazzy. Le lundi soir, portes ouvertes aux musiciens bordelais, le mardi soirée blues, le jeudi salsa et latino, etc. Et dans ce lieu vivant, « habité » et populaire, on se restaure fort bien de p'tits plats de bistrot sérieux comme la sélection musicale, à des prix modérés. Vins abordables. Michel, le patron souriant et volubile, promène ses moustaches à la Dalí en s'assurant que tout le monde est bien amarré... Pas de risque, ici on est toujours à bon port...

|●| *Restaurant de fromages Baud et Millet* (plan couleur B1, 39) : 19, rue Huguerie. ☎ 05-56-79-05-77. Fermé le dimanche et les jours fériés. Formule à 18,50 € avec fromage à volonté ; autre menu à 23,50 €. Compter environ 30 € à la carte. Plus de 200 fromages en cave, sélectionnés avec rigueur et passion par M. Baud. On les mange à la coupe, bien sûr, mais ces fromages entrent aussi dans la composition de nombreuses spécialités. Des plus classiques (raclette, tartiflette...) aux plus audacieuses. Impressionnante (pas loin d'un millier de références) et judicieuse sélection de vins du monde entier, conseillés avec compétence. On mange et l'on boit dans une des deux petites salles tout en longueur (dont une au sous-sol), climatisées. Accueil aimable. Remise de 10 %

sur l'addition (menus, vins, carte...) sur présentation du *GDR*, ainsi que l'apéritif maison offert.

|●| *Le Café Gourmand (plan couleur B1, 40)* : 3, rue Buffon. ☎ 05-56-79-23-85. Près de la place des Grands-Hommes. Fermé le lundi midi et le dimanche, ainsi que pendant les fêtes de fin d'année. À la carte, compter environ 17 € le midi et 28 € le soir. Un élégant bistrot. Quelques tables dehors avec vue sur le marché couvert et de moelleuses banquettes de velours à l'intérieur. Aux murs, des photos de famille. Ces visages vous rappellent quelque chose ? Eh oui ! Bruno Olivier, à la tête du *Café Gourmand*, est le fils de Michel et le petit-fils de Raymond. Disons-le tout net, l'homme ne trahit pas la vocation familiale, et même l'honore, mais avec une humilité bienvenue puisque les prix sont bien ceux d'un bistrot, et le service, efficace, sait rester simple – alors qu'on mange une vraie bonne cuisine, fine et sans défaut, une cuisine de gastro. Intelligente déclinaison de produits du Sud-Ouest et de l'Espagne proche.

|●| *L'Absinthe (hors plan couleur par A3, 56)* : 137, rue du Tondu. ☎ 05-56-96-72-73. Au sud-ouest, à l'angle de la rue François-Sourdis (face à la polyclinique du Tondu) et donc un peu excentré. Fermé le samedi midi et le dimanche, ainsi qu'en août. Une formule plat du jour + dessert + café à 10 € le midi ; autres menus de 15 à 20 €. À la carte, compter autour de 25 €. Ce resto-bistrot au décor garanti d'époque (celle de Toulouse-Lautrec et de l'absinthe, bien sûr) mérite le détour. Pour une simple et évidente raison : on y mange bien pour pas trop cher ! Carte tous azimuts : la fricassée de Saint-Jacques aux pleurotes côtoie le ris de veau au porto... Les pâtisseries (comme le gâteau au chocolat) sont vraiment maison. Agréable terrasse dès les beaux jours. Apéritif maison offert sur présentation du *Guide du routard*.

|●| *La Boîte à Huîtres (plan couleur C2, 61)* : 36, cours du Chapeau-Rouge. ☎ 05-56-81-64-97. Ouvert tous les jours de 10 h à 14 h et de 18 h à 23 h 30. Formule à 16 € (12 huîtres, vin, dessert) ; à la carte, compter environ 25 €. Un spécialiste de l'huître qui n'a pas tardé à s'imposer. La salle est peut-être un peu petite mais agréable et colorée et, dès les beaux jours, tables et chaises débordent sur la rue piétonne (enfin, pas cette année, travaux oblige). Ici, les huîtres sont d'une fraîcheur réjouissante et toujours les meilleures au meilleur moment. C'est-à-dire, par exemple, que de juin à septembre on ne vous sert que de la quiberon d'eau profonde, moins grasse. Également une petite carte pour compléter : soupe de poisson, saumon fumé, foie gras, desserts maison, etc. Vin au verre. Café offert sur présentation du *GDR*.

|●| *Le Bar-cave de la Monnaie (plan couleur D3, 50)* : 34, rue Porte-de-la-Monnaie. ☎ 05-56-31-12-33. Ouvert de 10 h à minuit. Fermé le dimanche. À midi, menu à 11 €. À la carte, compter autour de 20 €. *La Tupina* est un des meilleurs restos de Bordeaux mais il n'est pas pour toutes les bourses. Voici pourquoi la même équipe a eu la bonne idée de proposer, dans ce lieu, un choix plus limité mais tout aussi bon. Service dans l'esprit bistrot. Plat du jour du Sud-Ouest (7 €), chaque jour différent. Pour les pressés, de sérieux sandwichs ou des tartines qu'on n'oublie pas et des petits plats à 4 € ou même une paire d'œufs sur le plat à 2 € seulement ! Clientèle branchée, intello, bo-bo. Et le barman-cuisinier-serveur est hyper sympa.

|●| *La Compagnie du Fleuve – Chez Alriq (plan couleur D1, 36)* : quai des Queyries, Bordeaux rive droite. ☎ 05-56-86-58-49. Pour s'y rendre, traverser le pont de pierre, puis, à gauche, descendre le quai des Queyries ; c'est 500 m après le Mégarama, derrière les transports Boudot. Ouvert du 1er avril au 30 septembre le soir jusqu'à 2 h. Fermé le lundi et le dimanche. Menus de 20 à 40 €. À la carte, compter de 20 à 22 €. Au cœur d'une zone portuaire et industrielle déchue. Un lieu insolite pour un resto insolite, façon guinguette, avec concerts pratiquement tous les soirs (entrée : 3 à 5 €). Accueil très, très cool. Une grande salle à manger où se donnent régulièrement les concerts et un jardin « destructuré » qui s'étend jusqu'au fleuve... Un rien couru désormais. Vous pourrez savourer des plats très variés : confit de canard, couscous, faux-filet, grosses entrecôtes... On trouve plus régulièrement la soupe de poisson ou les bonnes vieilles moules marinière. N'accepte pas les cartes de paiement. Apéritif maison offert sur présentation du *GDR* pour tout menu complet choisi.

●| Restaurant du Loup (plan couleur C2, **37**) : 66, rue du Loup. ☎ 05-56-48-20-21. ✆ Fermé le lundi, le dimanche, 3 semaines en août et 1 semaine à Noël. Menu à 15,50 € le midi en semaine. Autres menus à 21 et 28 € et assiettes géantes à 12 €. Compter 28 € à la carte. Dans une salle assez marrante, pas trop grande, décorée à l'italienne avec bustes et trompe-l'œil, le chef s'amuse à inventer chaque jour une cuisine basée sur le marché. En fait, ce qu'il préfère travailler, c'est le foie gras accommodé de toutes les manières possibles, selon son humeur. Pas terrible pour la ligne, mais l'éclairage met tellement en valeur le teint de votre copine qu'elle ne vous en voudra pas.

●| La Belle Époque (plan couleur C1, **44**) : quai Louis-XVIII. ☎ 05-56-79-14-58. Fermé le lundi toute la journée et le dimanche soir, ainsi que 2 semaines en août. Formule à midi à 14 €. Menus de 14 à 26 €. Un souffle nouveau pour la plus belle brasserie de Bordeaux. Le jeune patron qui l'a reprise a conçu une carte simple et courte axée sur les viandes et les plats traditionnels comme le quasi de veau ou les volailles rôties. Jolies portions, service rapide, le succès revient et on peut à nouveau admirer les carreaux de Vieillard et Carranza. Qui c'est ? Albert Vieillard, patron de la faïencerie de Bordeaux, débauche vers 1870 Amedeo de Carranza, directeur de la faïencerie de Longwy. Et leur première collaboration, c'est la décoration de *La Belle Époque*. N'accepte pas les cartes de paiement. Apéritif maison offert sur présentation du *Guide du routard*.

●| Le Café du Port (plan couleur D2, **60**) : 1, quai Deschamps. ☎ 05-77-81-18. Fermé le lundi midi, le samedi midi et le dimanche. Formule le midi à 18 €. Plats autour de 16 €, desserts à 7 €. Encore une adresse mode, à juste titre. Sur la rive droite, en bord de Garonne, une grande salle pseudo-coloniale mais qui permet de conserver une certaine intimité (bois sombre, plantes vertes, éclairage tamisé). Arrivez tôt pour bénéficier d'une table en bord de fleuve et admirer la flèche de Saint-Michel sur l'autre rive. Cuisine légère, type carpaccio et mousseline, pour dîner en amoureux, mais servie copieusement. Accueil sympa.

●| L'Estacade (plan couleur D2, **62**) : quai des Queyries. ☎ 05-57-54-02-50. ✆ Formule à 14 € le midi en semaine. À la carte, compter 30 € environ ; entrées entre 8 et 14 €, et desserts à 7 €. Juppé investit et *L'Estacade* rafle la mise. Installé en face de la Bourse, de l'autre côté du fleuve, ce resto offre un très beau panorama nocturne de Bordeaux illuminé. Décor et lumières soft, c'est plein de couples d'amoureux qui feraient mieux de regarder dans leur assiette. Produits de saison dont la cuisson est remarquable, tel le chipiron poêlé et diverses spécialités de la mer. Accueil aimable et réservation indispensable. N'accepte pas les cartes de paiement. Apéritif maison offert sur présentation du *GDR*.

●| Chez Dupont (hors plan couleur par C1, **57**) : 45, rue Notre-Dame. ☎ 05-56-81-54-50. Fermé le lundi et le dimanche. En semaine, menus à 11 et 14,50 €. À la carte, compter dans les 26 €. Un des meilleurs rapports qualité-prix du quartier des Chartrons. Cadre bistrot réussi, serveurs en tablier et plats de toujours (comme le pot-au-feu grand-mère et son os croque au sel), inscrits au tableau noir. Accueil sympathique : ici, la bonne humeur et l'humour règnent en maître, et la patronne est un personnage. De temps en temps, le soir (généralement le jeudi), un pianiste vient jouer du jazz accompagné de son guitariste. Digestif maison offert sur présentation du *GDR*.

●| Le Père Ouvrard (plan couleur B3, **48**) : 12, rue du Maréchal-Joffre.

☎ 05-56-44-11-58. 🍴 Ouvert midi et soir jusqu'à 22 h. Fermé le samedi midi et le dimanche, ainsi qu'en août et une semaine en hiver. À midi en semaine, formule (buffet d'entrées + plat + dessert) à 14,50 €. Menu à 20 € ; à la carte, compter dans les 35 €. Face à l'École nationale de la magistrature. On croise donc logiquement juges et avocats pressés dans le décor frais et coloré ce bistrot ou dans le jardin d'hiver avec son olivier centenaire. Au grand tableau noir, tout aussi logiquement, sont inscrits de bons petits plats de bistrot (sardines grillées fleur de sel, moules marinière, coquelet grillé à la diable...) avec des adaptations sympathiques comme le petit salé de morue aux lentilles. Bons vins et pain maison.

|●| *Le Café Maritime* (hors plan couleur par C1, 63) : quai Armand-Lalande (bassin à flot). ☎ 05-57-10-20-40. Fermé le lundi soir, le samedi midi et le dimanche. Formule à 18 € à midi en semaine, incluant vin et café. Compter 30 € à la carte. L'endroit à la mode. Dans un hangar « requalifié », un très grand restaurant (450 couverts) au décor teck et vert bouteille, avec de grands volumes et, curieusement, un éclairage assez intime. Mais le must reste la cuisine « à la manière de... », car le chef interprète à la bordelaise des recettes du Japon, d'Islande ou de Thaïlande. Difficile à expliquer : ce n'est pas pareil, pas très différent non plus, mais toujours très frais, très subtil. Des spécialités japonaises

telles que les fameux *sushis*, ou encore la daurade à l'espagnole, le tagine de morue au cumin... Des tables de la mezzanine, on peut contempler le bassin.

|●| *La Cheminée Royale* (plan couleur C2, 59) : 56, rue Saint-Rémi. ☎ 05-56-52-00-52. Fermé le lundi midi et le dimanche. Formule à 9 € le midi avec buffet d'entrées, grillade et dessert ; menu à 11 € le soir jusqu'à 21 h. Autres menus à 14 et 27 €. Compter environ 18 € à la carte. Plus de dix ans que cette cheminée grille sous vos yeux, dans une jolie salle aux nappes colorées, côtes de bœuf et bars de ligne. Le buffet d'entrées est superbe, la viande goûteuse, et la carte des vins propose plus de 60 références à partir de 10 €. Bref, on se sent bien à condition d'avoir réservé car l'adresse a du succès. Kir offert sur présentation du *GDR*.

|●| *Le Croc Loup* (plan couleur C2, 53) : 35, rue du Loup. ☎ 05-56-44-21-19. Fermé le lundi et le dimanche, ainsi qu'en août. Menu à 14 € à midi en semaine ; autres menus à 24 et 29 €. À la carte, compter 26 €. Derrière cette enseigne qui fait un peu snack-bar ou fast-food, on trouve en réalité une petite salle coquette et raffinée. Accueil chaleureux. Le 1er menu ne s'embarrasse pas de complications mais offre un bon rapport qualité-prix. Cuisine d'une apparente simplicité qui n'exclut pas une certaine sophistication, et clientèle fidèle. Une bonne adresse.

Plus chic

|●| *La Tupina* (plan couleur D3, 49) : 6-8, rue Porte-de-la-Monnaie. ☎ 05-56-91-56-37. Parking payant. Ouvert midi et soir jusqu'à 23 h. Formules à 16 et 32 € le midi en semaine, et à 48 € le soir. Compter dans les 46 € à la carte. Un incontournable du circuit gastronomique bordelais, et l'un des rares restos en ville à proposer une authentique cuisine du Sud-Ouest, toujours à base de produits exceptionnels. Décor génial, rustique-chic, autour de la cheminée où grillent sanquettes et poulets fermiers. Et, devant la porte, le chas-

seur-voiturier... En fait, tout repose sur le patron qui sait parfaitement faire prendre cette mayonnaise populo-chic, au point qu'il a osé ouvrir en face une épicerie de quartier où les bourgeoises en *Kenzo* côtoient les immigrés du foyer Sonacotra tout proche. Du très grand art ! Certains s'en agacent et parlent de phénomène de mode. Sauf que ça fait vingt ans que ça dure. On vous l'a dit : incontournable...

|●| *Gravelier* (hors plan couleur par C1, 58) : 114, cours de Verdun. ☎ 05-56-48-17-15. 🍴 Fermé le

samedi et le dimanche, ainsi qu'en août. Menu à 22 € le midi ; autres menus à 26 et 34 €. À la carte, compter environ 40 €. Dans la nouvelle vague des restos bordelais, ce *Gravelier* s'est rapidement affirmé. Normal, serait-on tenté d'écrire, puisque la patronne est la fille de Troisgros. Son mari, Yves Gravelier, est en cuisine un chef original et créatif. Cadre sobre et contemporain, avec l'inévitable terrasse couverte, prix raisonnables, et de bien bonnes spécialités largement axées sur le poisson qui est de première qualité. Carte assez courte mais renouvelée souvent.

Où boire un verre ? Où écouter de la musique ?

Longtemps, Bordeaux s'est couchée de bonne heure. Mais la ville a désormais décidé de colorer ses nuits : bars et boîtes se multiplient, des quartiers un peu oubliés s'animent furieusement, et Bordeaux s'est dotée, avec le théâtre Barbey, d'une salle consacrée au rock et autres musiques électriques.

Pour tout savoir des concerts et autres événements nocturnes, procurez-vous (dans les bars, cinémas... ou à son bureau : 45, cours Pasteur) *Clubs et concerts,* petit agenda bimensuel (et gratuit !) des loisirs et des spectacles. Enfin, dernière précision, comme dans la plupart des grandes villes, à Bordeaux la vie nocturne est circonscrite à certains quartiers. Il y en a trois principalement, le *quartier Saint-Pierre,* où l'on commence la soirée, la *place de la Victoire* où on la poursuit jusque vers minuit, puis *quai de Paludate* où on la termine (là, quelques boîtes tournent toute la nuit).

Quartier Saint-Pierre *(plan couleur C2)*

C'est le vieux Bordeaux, quartier de plus en plus touristique mais avec un petit on-ne-sait-quoi qui nous le rend toujours sympathique. Peut-être justement l'ambiance de ses bars...

🍸 ♪ **Calle Ocho :** 24, rue des Piliers-de-Tutelle. ☎ 05-56-48-08-68. Ouvert de 17 h à 2 h. Fermé le dimanche. Branché Cuba et latino à fond, dans ce bar de soirée et de nuit on aime la salsa, le mambo et la samba, et les serveurs eux-mêmes travaillent en dansant, « shakant » frénétiquement les cocktails en rythme, tandis que partout jolies filles et beaux garçons boivent rhum ou ce qu'on voudra, causent et dansent aussi, même parfois sur les tables. Bref, on est serrés comme des sardines mais c'est vraiment la fête. Ambiance extra !

🍸 **Les Zazous :** 5, pl. Saint-Pierre. Fermé le dimanche. Petite *bodega* qui ne dit pas son nom, à la fois simple et originale, colorée et pourtant sobre, à l'atmosphère bohème. Ici, on lutte activement contre le stress : pas de téléphone, et en terrasse on trouve... des chaises longues ! Pas de bière, mais de bons vins au verre ou à la bouteille, bon marché. La patronne avoue avoir « un foutu caractère » (enquiquineurs, s'abstenir...). Et c'est tant mieux, car ses tapas maison (quand il y en a) en ont aussi, un sacré caractère.

🍸 **La Ccomtesse :** 25, rue du Parlement-Saint-Pierre. ☎ 05-56-51-03-07. Ouvert de 18 h à 2 h. Un petit lieu à l'atmosphère à la fois chic et décontractée, que cette *Ccomtesse* (avec deux « c », s'il vous plaît : en fait, la typographie est celle, reprise, de la rubrique de contrepèteries *L'Album de la Comtesse* du *Canard Enchaîné,* où les deux « c » forment une paire de fesses). La déco mélange allègrement styles et époques, avec pas mal d'images (dessins, tableaux) élégamment grivoises. Beaucoup d'habitués, de tous bords. Un endroit qu'on aime bien.

Place de la Victoire *(plan couleur C3)*

Au bout de la rue Sainte-Catherine, la grande artère piétonne de la ville, on passe la porte d'Aquitaine pour arriver sur la place de la Victoire, cœur de la vie étudiante à Bordeaux. Sur la place et aux abords immédiats, on ne compte pas moins d'une vingtaine de bars, fréquentés presque exclusivement par les étudiants (ils sont environ 70 000 à Bordeaux), tout au long de l'année universitaire. Mais c'est le jeudi que la foule a rendez-vous pour faire la fête. En effet, le « jeudi soir » est devenu une véritable institution bordelaise. C'est le dernier soir de sortie de la semaine pour tous les étudiants basques, landais, périgourdins, médocains (entre autres expatriés...), qui font leurs études à Bordeaux et qui, le lendemain soir, rentreront chez papa-maman pour le week-end. Certains jeudis soir, on compte plus de 7 000 personnes autour de la Victoire, venues trinquer jusqu'à 2 h, lorsque ferment les bars. Enfin, la Victoire est aussi le lieu d'après-match de football, où l'on fête les victoires (justement) de l'équipe des Girondins.

Un hic, malgré tout. Depuis quelque temps, la joyeuse fête étudiante dérape et draine pas mal de non-étudiants venus chercher une bonne fortune ou une bonne baston. Ouvrez l'œil !

Le Plana : sur la place, au nº 22. ☎ 05-56-91-73-23. Ouvert du lundi au vendredi de 7 h à 2 h, le samedi de 12 h à 2 h et le dimanche de 14 h à 2 h. C'est l'un des plus grands bars de la place (et la terrasse n'est pas en reste). Un de ceux dont la déco (sans excès) est la plus réussie. Enfin, un des plus animés. LE rendez-vous des étudiants depuis plus d'un demi-siècle.

Le Bar de la Victoire : on l'appelle plutôt le *BV*. Il jouxte *Le Plana*. ☎ 05-56-91-43-60. Ouvert tous les jours de 10 h à 2 h. Plus petit, donc la foule des grands (jeudis) soirs déborde allègrement sur le trottoir. Concerts le mercredi tous les 15 jours.

Encore quelques adresses dans le coin...

Le Café Populaire : 1, rue Kléber (à l'angle du passage Moreau). ☎ 05-56-94-39-06. Ouvert de 20 h à 2 h. Fermé le lundi, le dimanche et du 20 juillet environ à fin août. Bistrot à l'ancienne, populaire (facile !) et rempli d'antiquités des années 1950. Bref, une déco réussie et une bonne ambiance.

Alligator Café : 3, pl. du Général-Sarrail. ☎ 06-08-05-09-95. Ouvert de 9 h à 2 h. Fermé le dimanche. Bar ambiance pub tout en longueur, avec salle en sous-sol. Concerts parfois, rock, blues ou jazz (inconnus et pointures : Bill Evans y est passé), soirées à thème, retransmission de matchs... Quelques cocktails. Prix raisonnables. Terrasse l'été. Apéritif maison offert sur présentation du *GDR*.

Le Bœuf sur le Toit : 15, rue de Candale. ☎ 05-56-91-41-14. Ouvert tous les soirs jusqu'à 2 h. Pub chaleureux à la déco île tropicale, où se retrouvent la jeunesse *clean* et bien pensante et quelques quadras dans le même ton pour siffler un verre en écoutant de vieux airs de rock ou de jazz. Concerts les mercredi et jeudi soir (rock, funk, reggae, ska, etc.).

La Lune dans le Caniveau : 39, pl. des Capucins. ☎ 05-56-31-95-52. Ouvert du mercredi au samedi de 23 h à 5 h. Fermé les dimanche, lundi et mardi. Cadre intéressant (c'est un ancien théâtre). Accueille régulièrement concerts, spectacles de café-théâtre. Et l'entrée est la plupart du temps gratuite.

Autour du *marché des Capucins*,

la nuit, entre 1 h et 5 h, les camions tournent pour mettre en place les stands. Sur la place et aux environs immédiats, quelques **troquets.** Après les boîtes, c'est ici que les jeunes Bordelais viennent s'encanailler et manger une soupe à l'oignon. La faune est assez hétéroclite, l'ambiance alcoolisée et parfois un peu glauque.

Quai de Paludate *(hors plan couleur par D3)*

Sinistre de jour (des rues désertes qui longent des entrepôts désaffectés) mais sérieusement animé dès l'heure de l'apéro jusque très tard dans la nuit (ou très tôt dans la matinée !). C'est le quartier de la nuit bordelaise.

Le Living Room : 14, rue du Commerce. ☎ 05-56-85-71-85. Ouvert de minuit à 5 h. Fermé le dimanche. Le bar-dancing à la mode ces derniers temps, à la déco baroque assez réussie, pas désagréable en tout cas. Léger filtrage à l'entrée, mais ouvert à toutes et tous.

Ailleurs à Bordeaux

Bourbon Street : 18, rue Bourbon. ☎ 05-56-39-42-93. Ouvert de 21 h à 2 h. Fermé le lundi et le mardi, ainsi qu'en août. Dans le quartier des Chartrons. Bar à jazz (avec cette enseigne en hommage au grand Monk, on s'en doutait un peu). Concerts fréquents. Spacieux, genre loft. Pas très intime donc, mais avantage de cet inconvénient, de l'espace pour les musiciens comme pour le public. Programmation assez pointue. Apéritif maison offert sur présentation du *GDR*.

À voir

Nombreuses visites organisées en ville. Certaines sont gratuites, d'autres pas. En général, réductions enfants et étudiants. Bordeaux possède peu de traces de sa période médiévale, hormis quelques tracés de rues. Les XVIIIe et XIXe siècles ont marqué la ville. De cette époque, elle conserve plusieurs centaines de superbes édifices.
Mais avant toute chose, pour se mettre en jambes, pas de doute, il faut boire un petit coup.

La maison du Vin de Bordeaux *(plan couleur C1) :* 3, cours du 30-Juillet. ☎ 05-56-00-22-66. Fax : 05-56-00-22-82. Ouvert de 9 h à 17 h 30. Fermé les week-ends et jours fériés. S'occupe de la promotion des vins de Bordeaux et abrite l'École du Vin. Allez donc au fond de la salle pour admirer, de part et d'autre, deux beaux vitraux. Du 30 juin au 19 septembre, possibilité de se faire initier à la dégustation, du lundi au vendredi de 15 h à 17 h et le mercredi de 10 h à 12 h. Compter 20 € par personne. Réservation conseillée. Si vous vous prenez au jeu, le Conseil interprofessionnel du vin de Bordeaux (même adresse, même téléphone) organise des stages de 3 jours.

L'esplanade des Quinconces *(plan couleur C1) :* la plus grande place d'Europe (126 000 m²) doit son existence au démantèlement, sous la Restauration, du château Trompette, forteresse édifiée pour surveiller la ville et mater les velléités de rébellion des habitants. Cette gigantesque place, dont une partie est transformée en parking, est fermée côté quai par deux colonnes rostrales (ornées d'éperons de navires), à la gloire de la navigation et du commerce. De l'autre côté, le célèbre monument aux Girondins et ses fontaines. En bordure de l'esplanade, statues de Montaigne et Montesquieu, respectivement maire de la ville et membre du parlement de Bordeaux. En bas de la place, sur les quais, petit marché bio le jeudi entre 8 h et 13 h.

– Le monument aux Girondins et à la République : fontaine édifiée à la fin du XIXe siècle, chef-d'œuvre du style pompier. Le but de cet ensemble est de rendre gloire à ces enfants de la Révolution battus par les Montagnards, et prouver l'attachement de la ville à la République. Passons en revue ce monument, somme toute banal, qui, lorsqu'on en décrypte tous les symboles, permet d'avoir une approche intéressante de l'histoire du début du XXe siècle. Au sommet d'une colonne de 43 m, un génie de la Liberté brisant d'une main ses chaînes et tenant de l'autre les palmes de la Liberté. Au pied de la colonne, deux ensembles de chevaux en bronze symbolisant le Triomphe de la République et celui de la Concorde. Au départ, il devait y avoir des statues des Girondins, qu'on ne fit pas, par manque de moyens. Concernant les chevaux de la République, une petite anecdote. Ils avaient été déboulonnés par l'occupant pendant la dernière guerre et mis dans un train pour Angoulême. Ils disparurent. Quand on les retrouva, l'argent manquait pour reconstituer la fontaine. Pourtant, comme par un miraculeux hasard politique, les chevaux ressortirent et furent remis en place juste avant les élections municipales de 1983. Merci Chaban ! Des quatre chevaux, deux ont les pieds palmés et traversent les épreuves, la femme symbolisant la République. À gauche, le sceptre, symbole de la Royauté. Sous la République, un forgeron (le Travail) tend la main à la Justice. Le lion évoque la force publique (la Police). Autour, un groupe d'enfants rappelle l'École laïque tandis qu'un autre groupe d'enfants symbolise le Service militaire obligatoire. Dans l'eau, trois hommes : celui au masque représente le Mensonge, un autre avec ses oreilles de cochon indique le Stupre et la Luxure, et le dernier, placé dans une attitude honteuse, désigne l'Ignorance. La grande réussite de l'ensemble reste le groupe de chevaux fougueux. En revanche, le manque d'expression de la République est frappant : position statique, regard vide... Les trois vices, quant à eux, sont fort bien ciselés. Le sculpteur devait se sentir plus près de son sujet. En contournant la colonne, trois femmes : l'une d'elles représente Bordeaux, assise sur la corne d'abondance, avec de chaque côté deux autres femmes évoquant la Garonne et la Dordogne. Plus loin, le Triomphe de la Concorde : deux hommes, l'un des champs, l'autre des villes, fraternisent. Dans le genre pompier, il faut bien avouer que cette fontaine est une réussite. Pour preuve, c'est le monument le plus photographié de Bordeaux...

Les allées de Tourny *(plan couleur B1) :* l'intendant Tourny, homme de Louis XV et d'origine normande, n'était pas très apprécié à Bordeaux. Son objectif fut de faire passer la ville du Moyen Âge au nouvel urbanisme du XVIIIe siècle. Il ouvrit en 1745 ces larges allées plantées de tilleuls et fit élever un ensemble de maisons uniformes avec un rez-de-chaussée et un étage coiffé d'un comble à l'italienne. Les habitations ne devaient pas être trop élevées pour laisser passer d'éventuels boulets de canon venant du château Trompette. Plus tard, tout ce quartier sera surélevé.

L'église Notre-Dame *(plan couleur B2) :* la seule église totalement restaurée de la ville. Elle mérite un détour, surtout pour sa façade baroque de style jésuite, assez chargée, inspirée de l'église du Gesú à Rome. La jolie pierre blonde finement ciselée se pare ici de tous ses charmes. À l'intérieur, chaque chapelle est décorée de tableaux du XVIIIe siècle, d'un frère dominicain. Chaire et buffet d'orgue également œuvres d'un dominicain. Entourant le chœur, le baptistère et la corniche, belles grilles en fer forgé et repoussé. Intéressants confessionnaux de bois sculpté également.

Le cours de l'Intendance *(plan couleur B2) :* une des voies les plus importantes de la ville, l'axe élégant où s'étalent les commerces de luxe, s'opposant à la rue Sainte-Catherine, plus populaire. En le descendant, si on lève un peu la tête, on aperçoit de beaux ensembles architecturaux. Voir le passage Sarget.

🕯 *La rue Sainte-Catherine (plan couleur C2-3)* : percée par Tourny, c'est aujourd'hui une rue piétonne de 1,2 km et l'une des plus commerçantes de France. Le samedi après-midi, c'est noir de monde. Au croisement de la rue Saint-Rémi démarre la galerie bordelaise percée par Victor Louis. Tout ce quartier possède un côté populaire qui tranche avec le Triangle, espace délimité par les allées de Tourny, le cours de l'Intendance et le cours Clemenceau, véritable vitrine de la richesse bordelaise.

🕯🕯 *Le Grand Théâtre (plan couleur C1-2)* : pl. de la Comédie. Superbe ! Réalisé par l'architecte parisien Victor Louis sur ordre du duc de Richelieu à la fin du XVIIIe siècle, et considéré comme son chef-d'œuvre. Les architectes locaux étaient jaloux de cet homme de la grande ville, et un étrange combat s'instaura avec les responsables des édifices alentour, qui souhaitaient dépasser en hauteur l'œuvre de Louis. Long de 88 m, le péristyle de la façade, inspiré de l'Antiquité, est supporté par douze colonnes corinthiennes surmontées de neuf statues de muses ainsi que des déesses Junon, Vénus et Minerve. Galeries latérales à arcades entourées de pilastres. À voir encore, le vestibule, orné de colonnes doriques, le beau plafond à caissons, et l'escalier monumental que Garnier reprendra pour son Opéra de Paris. Mais l'intérieur n'est désormais accessible que si vous décidez d'y voir un spectacle ou sur réservation auprès de l'office de tourisme (visite payante). Pour la petite histoire, c'est d'ici que Victor Hugo lança l'idée d'États-Unis d'Europe lorsque le théâtre fut utilisé comme assemblée en 1871. Restauré en 1993.

🕯 Derrière le théâtre et jusqu'au fleuve s'étend un pâté d'immeubles du XVIIIe siècle, surnommé l'*îlot Louis,* du nom de l'architecte Victor Louis, le long du cours du Chapeau-Rouge, qui doit son nom à un cardinal qui fréquentait jadis les lieux. En le descendant, on découvre une série d'immeubles intéressants. Du côté gauche, de-ci de-là, des éléments néoclassiques : consoles, frontons triangulaires ou curvilignes, beaux balcons. Grande homogénéité de style. Le côté droit, dont il subsiste des édifices du XVIe siècle, présente moins de régularité. On aboutit sur les quais de la Garonne. En les longeant sur la droite, on rejoint la place de la Bourse.

🕯 *La place de la Bourse (plan couleur C2)* : la plus belle de Bordeaux par la cohérence de son architecture. Tout récemment restaurée et mise en lumière, splendide. Les voitures n'y ont plus du tout accès, ce qui redonne un peu de son charme à la place pavée. Elle fut édifiée au milieu du XVIIIe siècle sur l'ordre de Louis XV, et abritait la douane et la bourse maritime quand le port était le premier de France et le deuxième d'Europe.
À l'époque, la place était fermée par des grilles. Elle formait un balcon sur la Garonne, d'où l'on pouvait apercevoir la forêt de mâts des 250 navires qui mouillaient dans le fleuve et s'occupaient du commerce triangulaire : de Bordeaux partaient des lots de verroterie vers l'Afrique, qu'on échangeait contre des esclaves qui étaient eux-mêmes échangés aux Antilles contre café, coton et cacao. Ces produits étaient rapportés à Bordeaux puis réexportés vers les pays du Nord par le biais des Chartronnais. Comme à Nantes, ce commerce permit un afflux énorme de devises.
L'ensemble se caractérise par un style classique français d'une grande pureté. Rez-de-chaussée à arcades, clé de voûte à mascarons, petites fenêtres surmontées d'agrafes, toit à balustrades et combles brisés recouverts d'ardoises. Au centre, un pavillon surmonté d'un lanterneau de surveillance du trafic du fleuve. Aux angles, on devine encore les anciens noms de rue gravés dans la pierre : d'abord Royale, puis de la Liberté (pendant la Révolution) et enfin Ferdinand-Philippart. On entre dans le quartier Saint-Pierre.

BORDEAUX

BORDEAUX

🍴 *Le quartier Saint-Pierre :* entre la place de la Bourse et celle du Parlement. Boucher et Tourny, les intendants du roi, rasèrent l'ancienne muraille médiévale et aménagèrent tout le secteur. Un beau parcours où se succèdent les façades à balcons de fer forgé, les mascarons au-dessus des portes... En remontant la rue Ferdinand-Philippart, bordée de belles demeures Louis XV, on rejoint la place du Parlement, ancienne place du Marché-Royal. Très grande unité, jolies proportions, à la fois intimes et lumineuses. Maisons des XVIIIe et XIXe siècles. Voir à ce sujet :

■ *Bordeaux Monumental :* 28, rue des Argentiers. ☎ 05-56-48-04-24. ♿ Ouvert tous les jours. Gratuit (vitrine permanente du patrimoine). Installé au rez-de-chaussée d'un immeuble du XVIIIe siècle, non loin de la porte Cailhau, c'est un lieu qui « parle » de la ville, de ses monuments, de son histoire, de son avenir...

À côté s'étend un quartier aux ruelles exiguës qui ont conservé leur tracé médiéval. Elles ont échappé aux démolisseurs. Prendre la rue des Faussets. Au n° 7, belle façade de style Empire, à la corniche copieusement sculptée d'aigles. Au n° 12, jolie coupole ajourée.

🍴 *La place et l'église Saint-Pierre (plan couleur C2) :* l'église, restaurée en 1999, possède un beau portail gothique flamboyant du XIVe siècle et un clocher d'angle du XIXe siècle. L'intérieur présente de jolies voûtes du chœur et une pietà du XVIIe siècle. Plusieurs rues de ce secteur proposent de séduisantes curiosités architecturales pour qui sait ouvrir l'œil. En poursuivant cette balade déambulatoire, s'arranger (les rues sont parfois tortueuses !) pour gagner la porte Cailhau.

🍴 *La porte Cailhau (plan couleur C2) :* c'est l'une des deux portes épargnées par Tourny, qui a fait démolir toutes les autres. Elle fut bâtie à la gloire de Charles VIII. Édifiée à la fin du XVe siècle, elle marque le retour de la présence française. Elle a un peu l'allure d'un mini-château fort avec ses tourelles d'angle, son chemin de ronde et ses fenêtres à meneaux. Elle servait d'entrée au parlement de Bordeaux, aujourd'hui disparu. Non loin, rue de la Rousselle (n° 23) et à l'angle de l'impasse Fauré, vécut Michel de Montaigne, maire de Bordeaux de 1581 à 1585. Dans cette rue, plusieurs beaux édifices, il suffit de lever la tête. De la porte Cailhau, on peut voir le *pont de Pierre* inauguré en 1822. Ce fut le premier pont de la Garonne, qui allait permettre de rattacher la rive droite à la ville. Du pont, superbe vue sur la ville. Visite (payante) de la tour du 1er juin au 30 septembre de 15 h à 19 h. Pour se diriger vers la Grosse Cloche, emprunter la rue Saint-James. Nous entrons dans le quartier Saint-Éloi, l'un des plus médiévaux de la ville.

🍴 *La Grosse Cloche :* porte de la deuxième enceinte de la ville, construite en pleine période anglaise, au XIIIe siècle. Elle a récemment été entièrement restaurée et mise en lumière. Elle servait de beffroi à l'hôtel de ville. C'est elle qui apparaît sur les armes de la ville. De nouveau, on reconnaît cet aspect défensif avec son chemin de ronde, sa tour d'angle et sa grosse cloche évidemment, qui annonçait l'ouverture du ban des vendanges, les incendies... L'horloge date du XVIIIe siècle. À côté, l'église Saint-Éloi *(plan couleur C3).* Au XIIe siècle, marchands et tenanciers s'organisent en seigneurie, la commune jurée. Les jurats maires s'emparent du pouvoir, ce qui ne sera pas sans créer de nombreux problèmes avec le royaume.

🍴 *La place Saint-Michel (plan couleur D3) :* c'est la place la plus méditerranéenne de Bordeaux. Elle est à la fois très vivante et tranquille. La faune bigarrée et cosmopolite y parle « avè l'assent ». C'est le cœur d'un vieux quartier populaire, pittoresque, où le petit peuple bordelais se mêle aux Portugais, aux Espagnols et aux Maghrébins. On y trouve plein de chouettes petits restos (voir plus haut « Où manger ? Bon marché »). Cette place possède des proportions et une configuration assez originales. On peut y admirer quelques façades de toute beauté (levez le nez !).

– De nombreux marchés s'y tiennent. Le plus intéressant et le plus sympa est le *marché aux puces* du dimanche matin (toute l'année). Y aller entre 10 h et 13 h. Dans l'ensemble, les brocanteurs ne sont pas trop furieux sur les prix, et on peut y dénicher des affaires.

🎥🎥 *La basilique Saint-Michel (plan couleur D3) :* édifiée entre le XIVe et le XVIe siècle et aujourd'hui inscrite au patrimoine de l'Unesco. Elle présente une grande unité architecturale, d'un style gothique flamboyant. La flèche de son clocher isolé domine la ville, du haut de ses 114 m. L'église fut construite par les différentes corporations d'artisans qui la financèrent en partie. Plus tard, elle subit plusieurs remaniements. Ce qui frappe, c'est évidemment que le clocher soit séparé. En fait, le sol est tellement mou que le poids du clocher aurait pu faire tomber l'église. Les Bordelais en sont très fiers puisque c'est le plus haut monument du Sud-Ouest. Visite (payante) de la flèche du 1er juin au 30 septembre, tous les jours de 15 h à 19 h.

Autrefois, une crypte située sous le clocher abritait des corps momifiés, puisqu'en ce lieu se trouvait un ancien charnier. Ces curieux pensionnaires furent décrits par Théophile Gautier et Victor Hugo. L'intérieur de l'église est composé de larges bas-côtés et d'une nef très élancée. Les ferronneries des chapelles latérales furent réalisées par les forgerons de la rue des Faures. Dans la chapelle Sainte-Catherine, patronne des mariniers qui peuplaient autrefois le quartier, statue de sainte... Ursule, datant du XVe siècle et abritant sous son manteau une foule de petits personnages. Belle tribune d'orgue du XVIIIe siècle. La chaire, d'acajou et de panneaux de marbre, a belle allure. Dans la chapelle du Saint-Sépulcre, jolie mise au tombeau, haut-relief en pierre, de la fin du XVe siècle, et beau retable dans la chapelle Saint-Joseph.

🎥🎥 *La cathédrale Saint-André (plan couleur B2) :* également inscrite au patrimoine de l'Unesco. Édifice monumental qui doit son évidente majesté à ses vastes proportions et à l'espace dégagé sur lequel il est implanté. Sa partie la plus ancienne est la façade occidentale, aujourd'hui aveugle car elle s'appuyait autrefois sur d'autres édifices. Longue de 124 m et large de 44 m, elle fut élevée sur les ruines d'un édifice précédent aux XIe et XIIe siècles et subit de nombreuses transformations aux siècles suivants. Le chœur gothique et le transept sont plus tardifs. Considérée comme le chef-d'œuvre de la ville, elle ne possède pas une grande unité architecturale. Les contreforts et arcs-boutants que l'on voit tout autour ne sont pas décoratifs ; ils répondent simplement à des menaces d'écroulement de la nef. La Révolution la transforma en magasin à fourrage.

Sur la face nord, deux portails : le portail Nord évidemment, avec des sculptures évoquant la Cène, l'Ascension et le Triomphe du Christ surmontant le portail. À côté, sur la droite, le beau portail Royal, clou de la cathédrale, datant du XIIIe siècle. Exceptionnelle série de sculptures d'apôtres de chaque côté de la porte, la Résurrection et le Jugement dernier sur le tympan, le tout dans le pur style des grands ateliers d'Île-de-France. Sous les colonnades, une jolie brochette d'évêques.

À l'intérieur, nef très élancée. Beau chœur gothique entouré d'un déambulatoire occupé par de nombreuses chapelles. On verra encore de jolies grilles du XVIIIe siècle, une Vierge à l'Enfant, une chaire en acajou et marbre rouge, et, en contournant le déambulatoire, une jolie statue de sainte Anne et une Vierge du XVIe siècle. Sept chapelles abritent des éléments de sculpture notables. Sous la tribune d'orgue, bas-reliefs Renaissance.

Le trésor de la cathédrale présente une intéressante collection de tableaux des écoles italienne et espagnole et des enluminures des XIIe et XIVe siècles.

🎥 *La tour Pey Berland :* comme sa consœur Saint-Michel (voir plus haut), elle est séparée de l'église, pour les mêmes raisons. ☎ 05-56-81-26-25. Actuellement fermé au public (en travaux ; réouverture prévue début 2004).

Visite toute l'année : de juin à septembre tous les jours de 10 h à 18 h ; le reste de l'année, de 10 h à 12 h et de 14 h à 17 h, sauf le lundi et les jours fériés. Entrée : 4 €. Élevée au XVᵉ siècle, elle porte le nom de l'archevêque qui en commanda la construction. Superbement sculptée, elle fut vendue pendant la Révolution et transformée en fabrique de plomb de chasse. La flèche, arrachée par un ouragan au XVIIIᵉ siècle, est aujourd'hui coiffée par une statue de Notre-Dame d'Aquitaine. L'accès au sommet de la tour est possible et conseillé. Superbe vue sur la ville et les environs. Mise en lumière exceptionnelle.

🦌 **L'hôtel de ville** (plan couleur B2) : face à la cathédrale. Visite guidée le mercredi à 14 h 30 ; rendez-vous devant l'entrée. En 1771, l'archevêque-prince Ferdinand Maximilien Mériadec de Rohan décide de construire un nouvel archevêché, face à la cathédrale. Avec son portique fermant la cour d'honneur, et ses corps de bâtiments élégants, il constitue un bel exemple d'architecture Louis XVI. Superbe escalier de pierre. Depuis 1835, c'est l'hôtel de ville de Bordeaux.

🦌 **La basilique Saint-Seurin** (plan couleur A1) : pl. des Martyrs-de-la-Résistance. Ouvert toute l'année ; le lundi de 14 h 30 à 19 h, du mardi au samedi de 8 h 30 à 11 h 30 et de 14 h 30 à 19 h, et le dimanche de 8 h à 12 h et de 17 h 30 à 19 h. Inscrite au patrimoine de l'Unesco. Une des plus anciennes églises de Bordeaux, édifiée au XIᵉ siècle sur une crypte abritant une série de très beaux sarcophages des IVᵉ et VIᵉ siècles. La *nécropole* paléochrétienne se visite sur la place à droite de l'église, mais pas très souvent (conservation oblige) : uniquement du 1ᵉʳ juin au 30 septembre, tous les jours de 15 h à 19 h. Visite : 2,50 €. Un escalier permet l'accès à des salles funéraires gallo-romaines : 400 m² de fouilles archéologiques ont mis à nu sarcophages et amphores.

L'église elle-même, profondément remaniée au cours des siècles, présente un beau porche du XIᵉ siècle avec chapiteaux de style roman. En entrant, on est frappé par la largeur de l'église et son aspect bas. En fait, le sol fut surélevé et les colonnes renforcées, ce qui explique sa physionomie actuelle. Jolie voûte. Belle chapelle à gauche du chœur, et retable orné de 12 panneaux d'albâtre décrivant des scènes de la vie de la Vierge. À l'entrée du chœur, beau siège épiscopal en pierre, du XIVᵉ siècle. En face, superbe retable composé de 14 bas-reliefs d'albâtre sur la vie de saint Seurin. Stalles derrière le chœur avec des miséricordes extravagantes : un chien costumé en moine, un homme énorme portant son ventre dans une brouette, une grillade de langues... La crypte possède de beaux chapiteaux gallo-romains. Sarcophages des IVᵉ et VIᵉ siècles.

🦌 **Le palais Gallien** (plan couleur B1) : vestiges d'un amphithéâtre du IIIᵉ siècle, dont il ne subsiste que quelques travées et arcades. Chaînage traditionnel pierre et brique. Ce sont les seuls vestiges encore debout de l'antique Burdigala, mais visite non indispensable.

🦌 Pas loin, le petit **marché** de la place Delerme, quasiment plus en activité, mais témoignage de l'importance de la vie de quartier à Bordeaux dans le passé. C'est le dernier petit marché couvert du XIXᵉ siècle de la ville. Sa structure rappelle Baltard.

🦌 **Le jardin public** (plan couleur B1) : ferme à 21 h du 1ᵉʳ juin au 27 août, et à 20 h à partir du 28 août. Superbe. Aménagé au XIXᵉ siècle à l'anglaise : bosquets, plans d'eau, aires de jeux, collines, parterres fleuris, bouquets sculptés, petits ponts... Une balade du dimanche appréciée des Bordelais qui ne sont pas allés à Arcachon. Le jardin était surnommé « la Bourse du soir », car les riches négociants qui habitaient « le Pavé des Chartrons » (le cours Xavier-Arnozan) aimaient s'y promener. Abrite un castelet de Guignol, ouvert depuis 1853 (ce qui en fait le plus ancien de France à être encore en activité) et toujours tenu, depuis 6 générations, par la même famille, les Guérin. ☎ 05-56-51-37-33. Spectacle toute l'année à 15 h 30 les mercredi, samedi, dimanche, jours fériés et vacances scolaires. Le répertoire lyonnais y est joué. Également au parc Bordelais, à Caudéran. La même famille perpétue aussi la tradition des marionnettes à fils (spectacles à l'occasion de la fête foraine sur la place des Quinconces en mars et octobre).

🎭 *Le quartier des Chartrons :* situé au nord de Bordeaux, il tire son nom de l'implantation d'un couvent de chartreux dans un secteur marécageux assaini au XVIIᵉ siècle par les Hollandais. Le *cours Xavier-Arnozan* possède un ensemble d'hôtels du XVIIIᵉ siècle, anciennes demeures des négociants. Le côté impair (des nᵒˢ 63 à 27) présente un ensemble exceptionnel de balcons sur trompes et balustres à agrafes, et, plus généralement, de belles demeures Louis XVI.

L'histoire des Chartrons commence dès le Moyen Âge. À cette époque, les Bordelais devaient vendre leur vin au plus vite, car on ne savait pas encore le faire vieillir. Ainsi, pour protéger leurs productions, ils interdirent la navigation sur le fleuve avant Noël. Les vins du haut pays (Cahors, Gaillac...) devaient alors attendre dans le quartier des Chartrons que toute la récolte soit écoulée, auprès des Anglais et Hollandais, entre autres. Ce fut tout naturellement, donc, qu'au cours des siècles qui suivirent, ce quartier devint le lieu d'implantation des négociants de la Hanse qui dominèrent le marché vinicole pendant plusieurs siècles. Quartier anglo-saxon et protestant, on y trouvait même un temple, fermé depuis. Les Chartrons étaient le véritable centre de la ville anglaise, et aussi le port le plus important du royaume. Au XVIIIᵉ siècle, les riches négociants firent construire de superbes hôtels particuliers et de vastes entrepôts. Les fûts étaient directement roulés dans les navires et, le soir, marins et négociants, abolissant la lutte des classes, se retrouvaient dans les bars louches autour des prostituées. La navigation fluviale reculant, le quartier se vida peu à peu. Les hangars vides durent être bientôt détruits ou réhabilités en activités diverses.

Les Chartrons se sont transformés en zone d'habitation très calme, même si quelques cabarets glauques y ont élu domicile. La rue Notre-Dame est l'axe principal du secteur devenu « le village des Antiquaires ». Jolies maisons du XVIIIᵉ siècle et des dizaines de belles boutiques, chères en général, mais qui donnent de la vie au quartier. Au nᵒ 12, ancien temple protestant. Voir également la partie consacrée au musée des Chartrons dans la rubrique « Les Musées ».

🎭 *La Cité mondiale :* 20, parvis des Chartrons. ☎ 05-56-01-20-20. Construite par un des architectes vedettes de la ville, Monsieur Petuaud-Letang, la Cité est l'un des deux centres de congrès et d'affaires de Bordeaux, en centre-ville ; en périphérie, le Palais des congrès, dans le quartier du Lac, est le second centre de congrès et d'expositions recevant le tourisme d'affaires.

Les musées

🎭🎭 *Le musée d'Aquitaine* (plan couleur C3) : 20, cours Pasteur. ☎ 05-56-01-51-00. Fax : 05-56-44-24-36. ● musaq@mairie-bordeaux.fr ● ⚕ Ouvert de 11 h à 18 h. Fermé le lundi et les jours fériés. Collections permanentes : 4 € ; tarif réduit : 2,50 € ; collections permanentes et expositions temporaires : 5,50 € ; tarif réduit : 3 € ; gratuit pour les étudiants et les moins de 18 ans ; pour tous gratuit le 1ᵉʳ dimanche du mois. Réduction pour les adultes de plus de 65 ans, les groupes au-dessus de 10 personnes, les titulaires du passeport « bienvenue à Bordeaux ». Grand musée historique et ethnographique, axant ses collections sur la triple vocation de la région : agricole, maritime et commerciale. Belles et nombreuses pièces exposées, notamment pour les sections gallo-romaine et médiévale.

BORDEAUX

– *Au rez-de-chaussée :* présentation des fouilles archéologiques préhistoriques, protohistoriques et gallo-romaines. Nombreuses pierres polies, superbe *torque en or,* objets usuels et décoratifs divers et belle statuaire gallo-romaine (notable *Vénus de Lausse).* Puis sections Moyen Âge et Renaissance : chapiteaux sculptés, statues (beau *Saint Jacques,* bois peint). Gisant de Montaigne, avec cet épitaphe : « Qui que tu sois, qui voyant cette tombe et mon nom demande : Montaigne est-il donc mort ? Cesse de t'étonner. Corps, noblesse, félicité menteuse, dignité, crédits, jouets périssables de la fortune, rien de cela n'était mien. » À méditer. Voir aussi le *Cardinal de Sourdis,* par Le Bernin, qui ne savait faire que des chefs-d'œuvre. Mobilier et artisanat intéressants.

– *Au 1er étage :* Bordeaux et l'Aquitaine de 1715 à nos jours. Très belle section concernant la navigation avec maquettes de navires transportant le vin. Exemples de ferronnerie typique de Bordeaux : heurtoirs, grilles, serrures... Plus loin, une allée est consacrée au vignoble girondin. Vitrines montrant les différents types de terrains, les variétés de raisins, photos des parasites qui aiment la vigne, présentation de l'outillage et des instruments qui interviennent dans la culture et dans la vinification. Bonne synthèse pour le néophyte. On verra encore une section d'ostréiculture et une autre concernant la navigation fluviale avec d'autres maquettes de bateaux.

🥢 **Le musée des Beaux-Arts** *(plan couleur B2) :* 20, cours d'Albret. ☎ 05-56-10-20-56. Ouvert de 11 h à 18 h. Fermé le mardi et les jours fériés. Entrée : 4 € ; tarif réduit : 2,50 € ; 1,50 € supplémentaire lorsqu'il y a des expositions temporaires ; gratuit le 1er dimanche du mois. Beau musée installé dans les jardins du palais Rohan. Sans être exceptionnel, il présente les principales écoles européennes du XVe au XIXe siècle, avec de bons Italiens (une harmonieuse *Sainte Dorothée* de Paolo Caliari... dit Véronèse, un grand Titien sombre, ou, plus tardif, un *Embarquement des Galériens* très expressif, de Magnasco), quelques Flamands et Hollandais (petit Bruegel de Velours aux personnages à têtes de fous) et d'honorables romantiques anglais.

Dans une autre aile du palais, peinture française du XIXe siècle et du début XXe. Bonnard, Valtat, ou encore cet énorme et curieux *À chacun sa chimère* d'Henri Martin ; les Bordelais majeurs, Odilon Redon, fantastique, et Albert Marquet, aux paysages délicats... Quelques toiles de Matisse aussi. Une visite agréable, enrichie de fiches techniques à consulter en regard des œuvres (un document est remis aux enfants accompagnés de leurs parents, leur permettant d'accompagner activement leur découverte du musée).

Enfin, quelques sculptures jalonnent le musée, avec notamment des œuvres de Berruer, Rodin, Carpeaux et encore Rivière. La *galerie des Beaux-Arts,* face au musée, présente des expos temporaires.

🥢 **Le musée des Arts décoratifs** *(plan couleur B2) :* 39, rue Bouffard. ☎ 05-56-00-72-50. Ouvert de 14 h à 18 h ; expositions temporaires de 11 h à 18 h. Fermé le mardi et les jours fériés. Entrée : 4 € ; tarif réduit : 2,50 € ; ajouter 1,50 € pour voir aussi les expositions temporaires ; gratuit le 1er dimanche de chaque mois. Installé dans un superbe hôtel particulier de 1780, avec une jolie cour pavée sur laquelle donne le resto du musée (☎ 05-56-52-60-49). Sur deux niveaux, de beaux salons classiques présentent des collections de meubles, orfèvrerie, céramique et verrerie concernant surtout le XVIIIe siècle bordelais. Les collections du XIXe siècle sont présentées dans 4 petits salons du rez-de-chaussée autour du thème des derniers Bourbons, dont un portrait en pied, en biscuit de Sèvres, du duc de Bordeaux grandeur nature âgé de sept ans.

🥢 **Le musée national des Douanes** *(plan couleur C2) :* 1, pl. de la Bourse. ☎ 05-56-48-82-82. Fax : 05-56-48-82-88. Ouvert de 10 h à 18 h. Fermé le lundi. Entrée : 3 € ; réductions ; remise de 1,50 € sur présentation du *Guide* *du routard.* Visites guidées pour tout public sur réservation. Musée d'un excellent niveau. Partout des panneaux d'information synthétisent de manière très claire l'histoire des douanes et apportent un éclairage particulier sur différents aspects de ce métier de l'Antiquité à nos jours. Textes sur la position de Colbert face à l'import-export. « Il faut exporter et développer le commerce et l'industrie et surtaxer les biens venus de l'étranger. » Déjà la tentation du protectionnisme. Bonne documentation sur le véritable rôle de la ferme générale, sur l'élaboration des tarifs douaniers auxquels travaillèrent Necker et Trudaine. Cartes très parlantes des gabelles et des gravures d'époque évoquant les « barrières » où étaient perçus les droits. Mais aussi des caricatures, une collection de couvre-chefs et képis. Les vitrines d'instruments de mesure sont d'un complexe et d'un raffiné seulement égalé par l'ingéniosité des contrebandiers à contourner les lois. On y trouve même un jeu de contrebandier et quelques pipes à opium et narguilés. Les enfants se voient remettre un livret intitulé « Bonjour Petit Douanier », qui leur permet une découverte ludique du musée.

🕯 *Le Centre national Jean-Moulin (plan couleur B2) :* pl. Jean-Moulin. ☎ 05-56-79-66-00. Ouvert du mardi au vendredi de 11 h à 18 h et le week-end de 14 h à 18 h. Fermé le lundi et les jours fériés. Entrée gratuite. Musée de la Résistance et de la Déportation, voulu par Jacques Chaban-Delmas, longtemps maire de Bordeaux et grand résistant lui aussi. Le musée est dans l'ensemble assez brouillon mais pas inintéressant. Évocation de la Résistance par la présentation de matériel, radio, tracts et correspondances. Rappel de la propagande nazie.

Au *1er étage,* photos et maquettes sur le nazisme et la déportation. Une salle est consacrée aux œuvres de Jean-Jacques Morvan sur le thème *Nuit et Brouillard.*

Au *2e étage,* reconstitution du bureau de Jean Moulin, président du Conseil national de la Résistance. Présentation du petit bateau *S'ils te mordent,* voilier qui permit à certains résistants de traverser la Manche. Quelques toiles de Boissonnet réalisées lors de sa captivité.

🕯 *CAPC, musée d'Art contemporain de Bordeaux (plan couleur C1) :* 7, rue Ferrère, entrepôt Lainé. ☎ 05-56-00-81-50. ● capc@mairie-bordeaux.fr ● À la lisière du quartier des Chartrons. Ouvert de 11 h à 18 h (20 h le mercredi). Fermé le lundi et les jours fériés. Entrée : 5,50 € ; tarif réduit : 3,05 € ; gratuit le 1er dimanche du mois. Visites commentées le mercredi à 12 h 30, les samedi et dimanche à 16 h (seulement si nombre de visiteurs suffisant), ainsi que sur rendez-vous. On a bien fait de ne pas détruire ces superbes entrepôts du début du XIXe siècle, qui servaient au stockage en zone franche des denrées coloniales. Superbe double nef bordée de grands arcs de pierre et de brique.

Totalement réhabilités, les entrepôts représentent d'immenses volumes où des artistes nationaux et internationaux trouvent un fantastique tremplin pour leur travail. La grande salle évoque une cathédrale. Quatre programmes d'expositions par an y sont présentés. Plusieurs centaines de mètres carrés en un seul tenant permettent aux artistes de laisser totalement leur sens de la démesure s'exprimer. On y trouve principalement les courants artistiques majeurs des 30 dernières années : l'art minimal, l'art conceptuel, l'*arte povera,* etc. Des célébrités internationales y exposent régulièrement : Serra, Buren, Raynaud, Schnabel... Ce musée jouit, dans les milieux artistiques, d'une renommée internationale. À l'étage, d'autres espaces (galeries d'expos) aménagés de manière plus intime. La bibliothèque enchantera les amateurs.

On y trouve également un *atelier pour enfants* et une *librairie.* En parallèle fonctionne *Arc-en-rêve,* centre d'architecture et design. ☎ 05-56-52-78-36.

BORDEAUX

Ouvert de 11 h à 18 h (20 h les mercredi). Fermé le lundi et jours fériés. Le billet d'entrée pour le *CAPC* donne accès à *Arc-en-Rêve* et à la totalité du bâtiment.

|●| Au dernier étage (accès par la terrasse), le **Café du Musée,** au cadre original. ☎ 05-56-44-71-61. | Compter 16 €. Design des meubles d'Andrée Putman, c'est vous dire !

🍽 *Le musée des Vins :* 41, rue Borie. ☎ 05-57-87-50-60. • www.musee-des-chartrons.com • Ouvert du mardi au samedi de 10 h 30 à 17 h 30 et le 1er dimanche du mois de 11 h à 17 h. Fermé les jours fériés. Visite avec dégustation d'un vin, plein tarif : 5 € ; tarif réduit : 4 € ; gratuit pour les enfants de moins de 15 ans. Tarif réduit sur présentation du *GDR.* Visites et dégustations de groupes sur rendez-vous. Une part de la vie du quartier des Chartrons revit ici, *in situ,* dans un immeuble construit au XVIIIe siècle pour un négociant courtier royal (et qui appartient d'ailleurs toujours à une famille de négociants).
Hall d'entrée remarquable, avec un bel escalier Louis XV. Trois vastes caves voûtées (les seules de Bordeaux qui se visitent). Dans les étages, évocation des premières tentatives de commercialisation du vin en bouteilles : on y découvre un plancher (sol en bois souple pour éviter la casse des bouteilles) où les ouvriers procédaient au lavage, au capsulage ou à l'étiquetage à la planche. Le rendement était à l'époque de 400 bouteilles à l'heure (6 000 aujourd'hui). Un travail qui donnait soif : la consommation moyenne journalière de vin était de 6 litres pour un homme, 4 pour une femme ! Belle collection d'étiquettes de vin lithographiées du milieu du XIXe siècle. Et quelques intéressantes (sur le plan historique : on n'a pas goûté !) bouteilles, comme celle prise dans une gangue de nacre pour avoir séjourné trois siècles au fond de l'océan, sur les côtes du Surinam, ou ces vins « Retour des Indes » qui passaient quatre fois de suite l'équateur dans les cales d'un bateau (ce qu'on tenait à l'époque pour un efficace procédé de vieillissement accéléré).

🍽 *Le croiseur « Colbert » :* face au 60, quai des Chartrons. ☎ 05-56-44-96-11. Fax : 05-56-44-74-85. En avril, mai et septembre, ouvert du lundi au vendredi de 10 h à 18 h et les week-ends et jours fériés de 10 h à 19 h ; en juin, juillet et août, ouvert tous les jours de 10 h à 20 h ; d'octobre à mars, ouvert les mercredi, week-ends, jours fériés et vacances scolaires (zone C) de 10 h à 18 h. Fermé à Noël et au nouvel an. Entrée : 7,50 € ; réductions enfants. Tarif de groupe appliqué à nos lecteurs sur présentation du *GDR* (adultes : 6 € ; enfants : 4,50 €). Compter de 1 h 30 à 2 h de visite. Ce gros tas de ferraille fut construit dans les années 1950 et désarmé en 1991. Visite impressionnante : invraisemblable dédale de couloirs, d'escaliers métalliques abrupts, réseaux super complexes de câbles et de tuyaux, salle des machines comme une usine à gaz (en permanence, 15 mécanos pour la faire tourner, et des boulons de 58 partout !). Songez que ce vaisseau, haut de 12 étages, transporta jusqu'à 2 400 hommes ! Il y a tout, le salon de coiffure, le bloc opératoire, la boulange, et bien sûr les rampes lance-missiles, car, ne l'oublions pas, le *Colbert* fut d'abord un monstre marin terriblement dévastateur (potentiellement, car il n'a jamais combattu) et sophistiqué. Resto à proximité près du pont de la Garonne, ouvert midi et soir sur réservation.

🍽 *Vinorama :* 10, cours du Médoc. ☎ 05-56-39-39-20. Du 1er juillet au 31 août, ouvert du mardi au dimanche de 14 h à 18 h 30 ; du 1er septembre au 30 juin, du mardi au vendredi de 14 h à 18 h. Compter 5,40 € pour l'entrée plein tarif, 3,40 € pour les moins de 18 ans et les étudiants. Tableaux avec personnages de cire racontant l'histoire du vin de Bordeaux, de la période romaine au XIXe siècle. La fabrication du vin, le négoce, la tonnellerie, l'étiquetage, etc. Dégustation « historique » comprise (d'un vin romain, d'un vin du XIXᵉ siècle et d'un vin actuel). Bon, franchement, cette visite n'est pas indispensable, et c'est à notre avis un peu cher pour ce qu'on voit. Remise de 50 % sur présentation du *GDR*.

🏃 *La base sous-marine :* bd Alfred-Daney. ☎ 05-56-11-11-50. Fax : 05-56-39-94-45. Ouvert du mardi au dimanche de 14 h à 18 h (19 h d'avril à septembre). Entrée gratuite. Une ancienne base construite pendant la Seconde Guerre mondiale pour abriter des sous-marins allemands. Étrange et gigantesque : une superficie de 42 000 m², 600 000 m³ de béton... Génial toit de 5,60 m d'épaisseur qui a résisté aux bombardements américains. Ambiance assez délirante. En permanence, documents divers et bornes interactives expliquant la construction de la base sous-marine, son bombardement, etc. Petite collection de bateaux illustrant l'évolution de la plaisance. Mais la base est d'abord un centre culturel : expos temporaires et spectacles (art contemporain, théâtre, photographie...).

Découvrir Bordeaux autrement

➤ *Bordeaux en omnibus Belle Époque et Bordeaux en attelage :* l'été, ces anciens transports en commun circulent dans la ville et permettent de la découvrir plaisamment. Mais attention, c'est cher : 10 et 9,50 € pour 1 h environ. Est-ce que ça les vaut ? À vous de voir ! Départ à l'office de tourisme, où l'on vous précisera les horaires.

Manifestations

– *Les Épicuriales :* animations de rue pendant une quinzaine de jours en juin. Une fête dédiée aux plaisirs de la table, initiée en 1998 et qui a tout de suite connu un énorme succès. C'est vrai que c'est sympa, les allées de Tourny occupées par les stands de restaurateurs bordelais, où l'on se tape ici des huîtres, là des tapas, et où le vin coule à flot. Animations musicales également. Très agréable.

– *Vinexpo :* salon mondial des vins et spiritueux. Tous les deux ans (années impaires), 4 jours mi-juin, au parc des Expositions. L'événement « mahousse », où se réunissent exclusivement les professionnels du pinard, venus du monde entier. C'est bien simple, il n'y a plus une chambre de libre à 100 km à la ronde. Par cette manifestation, Bordeaux a vraiment assis sa notoriété de capitale mondiale du vin. Était-ce bien nécessaire ?

– *La fête du Fleuve :* en alternance avec *Bordeaux fête le vin,* fin juin (les années paires). Stands et animations vers les quais, et beaux navires à admirer.

– *Le conteur du Vieux Bordeaux :* tout l'été, une trentaine de dates, renseignements à l'office de tourisme. Au cours d'une balade en ville, découvrez les citations de personnages connus et reconnus qui, à travers leurs écrits, ont évoqué Bordeaux et les Bordelais.

➤ *DANS LES ENVIRONS DE BORDEAUX*

🏃 *La maison Le Corbusier :* cité Fruges, 33600 *Pessac.* ☎ 05-56-36-56-46. À la sortie de Pessac, en se dirigeant vers Pessac-Le-Monteil, route d'Arcachon. Ouvert le mercredi de 14 h à 18 h, le jeudi de 10 h à 12 h et de 14 h à 18 h, le vendredi de 14 h à 18 h, le samedi de 10 h à 12 h et de 14 h à 17 h, et le dimanche de 14 h à 18 h. Fermé les lundi et mardi. Gratuit. Une cité ouvrière, première réalisation (en 1926) de Le Corbusier. Une œuvre méconnue et inégalement entretenue. Petit musée. Visite guidée.

LE MÉDOC

À l'ouest de Bordeaux, le Médoc forme un triangle dont la partie orientale (le Médoc rouge) regarde l'estuaire, tandis que la partie occidentale (le Médoc bleu) est tournée vers la mer. À la pointe du triangle, le Verdon marque la limite entre l'estuaire et l'Océan. Les Romains appelaient la région *Meduli*, le pays au milieu des eaux.

Drôle de région où les pins commencent là où s'arrête la vigne. Vers l'estuaire, châteaux orgueilleux et vignobles exceptionnels ; vers l'Atlantique, campings, stations populaires et longues plages blondes. Tout ceci semble bien hétérogène, et pourtant... Les deux parties du Médoc ont un point en commun : le souci de la nature. Dans les deux cas, il s'agit de la préserver des atteintes de la civilisation. Aux plages sauvages de l'Océan largement colonisées par les naturistes du nord de l'Europe répondent les marais de l'estuaire où vivent les hérons. Aux terres calcaires des vignobles répondent les terres sableuses du pignada, qui fut à l'origine d'une vraie manne dans la région jusqu'aux années 1950 (qui dit pins dit exploitation du bois, mais aussi et surtout de la résine et de ses sous-produits, dont la térébenthine). D'ailleurs, la route principale de Bordeaux au Verdon, la N 215, marque la limite entre les deux Médocs et irrigue indifféremment Lacanau et Margaux, Hourtin et Saint-Estèphe.

Comment y aller ?

➤ **En voiture :** pour sortir de Bordeaux, prendre la barrière du Médoc qui ceint la ville, puis suivre les panneaux « Bruges, Eysines ». À Eysines, prendre à droite la D 2 en direction de Blanquefort et Pauillac. En route pour une chouette balade à travers les vignobles !

➤ **En bus :** le réseau *Trans-Gironde* au départ de Bordeaux-Saint-Jean propose plusieurs bus par jour pour Le Porge (ligne 701), Lacanau (ligne 702), Carcans-Maubuisson (ligne 702 puis 710), Hourtin (ligne 711), Le Verdon (ligne 712) et Pauillac (ligne 705).

LE MÉDOC ROUGE

De Bordeaux à Soulac, on traverse le fleuron des régions viticoles de France. Le Médoc est divisé en huit zones d'appellation d'origine contrôlée, sur un territoire d'à peine 80 km de long. Du sud au nord, on découvre le haut Médoc, Margaux, Moulis, Listrac, Saint-Julien, Pauillac, Saint-Estèphe, de nouveau le haut Médoc (région découpée en deux) et, tout au nord, le Médoc. Ce secteur est le plus riche en châteaux véritables, classiques ou plus récents, souvent du XIXe siècle. L'intérêt de cette route du Médoc est donc aussi architectural. Mais il faut savoir que nous sommes dans le domaine des très grands vins – du moins des plus chers. Et nombre de ces propriétés viticoles sont aujourd'hui de grosses affaires juteuses, que les groupes d'assurances, les banques et les investisseurs étrangers s'arrachent à prix d'or. Alors pour le côté bon vivant, convivial et populaire du bon vieux pinard, vous repasserez. En effet, lors des visites, on ne voit pas souvent le maître de chais, mais plutôt un étudiant, là pour les vacances, qui parfois n'y connaît pas grand-chose en vin. Si tant est qu'on puisse visiter... Dans tous les cas, mieux vaut réserver.

DE BORDEAUX À MARGAUX

Sitôt quitté Bordeaux, c'est un paysage de vigne. Les villages n'ont rien d'extraordinaire, mais une incursion sur les rives de la Garonne permet de découvrir de sympathiques petits ports.

LE PORT DE MACAU

Le genre de petit port typique que l'on retrouve tout au long des rives de la Gironde, si l'on ne craint pas de temps à autre de bifurquer sur les chemins perpendiculaires à la D 2 qui mènent au fleuve. On y découvre, comme à Macau, si l'on vient au bon moment (surtout le week-end), une chouette atmosphère de guinguette où les bourgeois viennent retrouver le peuple en mangeant des crevettes bien fraîches. À signaler que Macau fête en juin sa spécialité, le « macau », un artichaut de renom !

LE PORT D'ISSAN

À Issan, en prenant sur la droite, une petite route mène au port d'Issan, sur le bord de la Gironde. Jolie vue sur la vigne de Margaux.

Visite de châteaux viticoles

– **Château Giscours :** situé juste avant le village de Labarde. ☎ 05-57-97-09-09/20. Fax : 05-57-97-09-19. ⚒ Visite toutes les heures de 10 h à 12 h et de 14 h 30 à 17 h 30 l'été. Dégustation-visite à 6 € pour les groupes à partir de 10 personnes ; gratuit pour les individuels et les enfants. Très intéressante visite des chais de ce château situé dans un cadre admirable. Vaste parc boisé à la bordelaise et beau bâtiment du XIXᵉ siècle. Commentaires instructifs et pédagogiques. Le château Giscours produit d'excellents vins, parmi les meilleurs de l'appellation margaux. Repas animés par un œnologue, mais pour les groupes de plus de 10 personnes uniquement. Menus à partir de 69 €, vin compris bien sûr. Également 3 chambres d'hôte.
– **Château Palmer :** à Cantenac-Margaux. ☎ 05-57-88-72-72. Fax : 05-57-88-37-16. Ouvert du lundi au vendredi de 9 h à 11 h 30 et de 14 h 30 à 17 h. Sur réservation téléphonique de préférence. Grand cru classé en 1855. Une des plus vastes appellations du Médoc et un des châteaux les plus fréquentés : quelques milliers de visiteurs chaque année. Il n'empêche que l'accueil reste aimable et la visite intéressante (chais dotés d'une superbe charpente en bois).

MARGAUX (33460) 1 358 hab.

Petit village dont l'unique particularité est d'être une commune d'appellation d'un des meilleurs vignobles de France.

Adresse utile

ℹ️ *Maison de tourisme et du vin de Margaux :* sur la petite place de la Trémoille. ☎ 05-57-88-70-82. Du 2 juin au 5 octobre, ouvert tous les jours de 10 h à 19 h ; du 6 octobre au 1er juin, ouvert de 10 h à 12 h et de 14 h à 18 h, fermé le dimanche. On passera y prendre le *Guide Découverte Médoc,* qui répertorie les châteaux ouverts à la visite. Exposition et vente de tous les vins d'appellation margaux.

Visite de châteaux viticoles

– *Château Margaux :* ☎ 05-57-88-83-83. Fax : 05-57-88-31-32. Ouvert du lundi au vendredi de 10 h à 12 h et de 14 h à 16 h, uniquement sur rendez-vous téléphonique, en fonction des disponibilités, et avec confirmation par courrier. Fermé en août, pendant les vendanges, les week-ends et les jours fériés. « Premier grand cru classé », l'œnophile, tout comme le simple amateur, ne pourra que venir rendre hommage à ce grand vin parmi les grands, qui jouit d'un terroir particulièrement favorable.

– *Château Lascombes :* ☎ 05-57-88-70-66. Visite toute l'année, du lundi au jeudi de 8 h à 12 h et de 13 h 30 à 17 h 30, et le vendredi de 8 h à 12 h. Un 2e grand cru classé. Une exploitation gérée de main de maître. Très vieille cave. Un incontournable de la série limitée des 2e grands crus classés. Malheureusement, le château lui-même ne se visite pas.

MOULIS-EN-MÉDOC (33480) 1 383 hab.

Adorable petite commune à quelques kilomètres à l'ouest de Margaux, qui peut constituer une étape idéale pour rythmer votre traversée des vignobles. D'autant plus que nous avons dégoté quelques super adresses dans le coin. Dans le village, visitez la belle église romane du XIIe siècle, avec ses murs épais, sa grosse tourelle dotée d'un élégant escalier qui grimpe jusqu'au clocher. Sur le pourtour de la belle abside, modillons joliment sculptés. À remarquer encore, les chapiteaux sculptés d'animaux à l'intérieur de l'église.

Adresse utile

ℹ️ *Maison de tourisme et du vin de Moulis :* 1137, Le Bourg. ☎ 05-56-58-32-74. Fax : 05-56-58-13-84. Le long de la route, mais un peu caché. Parking en face. En juillet et août, ouvert tous les jours de 10 h à 13 h et de 14 h à 19 h (18 h le dimanche) ; hors saison, du lundi au vendredi de 10 h à 12 h 30 et de 14 h à 18 h. Initiation à la dégustation pour 6 € et, en été, propose chaque jour le « moulis du jour » à moins de 5 €. Accueil très sympa. La bonne adresse pour visiter les châteaux de l'appellation.

Où dormir ? Où manger dans les environs ?

🏠 *Chambres d'hôte Domaine de Carrat :* 33480 Castelnau-de-Médoc. ☎ et fax : 05-56-58-24-80. À quelques kilomètres de Moulis. Sortir de Castelnau par la N 215 en direction de Sainte-Hélène et, 500 m plus loin, prendre à droite le petit chemin (fléchage « Chambres d'hôte »).

Fermé à Noël. Chambres doubles avec douche et w.-c. ou bains de 48 à 55 €, petit dej' compris. En pleine nature, au cœur d'une vaste propriété boisée traversée par une petite rivière. Bucolique en diable. Et les bâtiments ont franchement beaucoup d'allure. N'était ce vaste hall d'entrée, difficile de croire qu'il s'agit d'anciennes écuries construites au XVIIe siècle. Trois chambres joliment arrangées, dans un style rustique. Deux d'entre elles communiquent et peuvent donc être utilisées comme suite. Pas de table d'hôte, mais cuisine à disposition.

🛏 |●| ***Chambres d'hôte au Domaine Les Sapins :*** au lieu-dit Bougeyran-Ouest, 33480 Castelnau-de-Médoc, sur la N 215. C'est fléché. ☎ 05-56-58-18-26. Fax : 05-56-58-28-45. ● www.domaine-les-sapins. com ● Compter, selon la saison, de 45 à 75 € pour 2, petit dej' compris (chaque chambre a un tarif différent) ; table d'hôte possible pour les résidents, sur réservation en juillet et août, et en juin et septembre le week-end uniquement. Repas à 25 €, avec médoc à volonté. Une bien belle demeure du début du XIXe siècle. Les 6 chambres (dont une suite, plus chère), à l'ancienne, ne manquent pas de charme et leurs fenêtres s'ouvrent sur un grand jardin. Elles sont toutes équipées de douche et w.-c. Un seul petit inconvénient, la N 215 n'est pas bien loin. À table, la cuisine de Nathalie se mange sans façon, comme à la maison, autour d'un vin choisi par Alain, qui est courtier... en vin, ça tombe bien ! Une bien bonne halte médocaine. Sur présentation du *GDR*, apéritif et digestif maison sont offerts, ainsi que le café.

|●| ***Café-restaurant du Lion d'Or :*** dans le petit village d'Arcins (33460), un peu au nord de Moulis par la D 2. ☎ 05-56-58-96-79. ✗ Fermé le lundi et le dimanche, ainsi qu'en juillet, et du 24 décembre au 1er janvier. Menu à 10,60 € sauf le samedi soir ; à la carte, compter dans les 27 €, vin compris. Le genre d'endroit où le patron n'hésite pas à dire son fait au touriste si celui-ci ne s'adapte pas à la maison. Car le *Lion d'Or* est une institution. Regardez les placards portant un nom de domaine : c'est là que les viticulteurs locaux mettent leurs meilleures bouteilles pour les boire en dégustant la cuisine de Jean-Paul Barbier, cuisine simple, de terroir (gibier en saison, poisson de l'estuaire), typiquement médocaine. On a un faible pour le petit menu ouvrier, qui ne craint pas de proposer entrée, plat, fromage, dessert et demi de vin de pays. Le plat du jour est à conseiller également : viande d'agneau rôti, tournedos, foie à l'anglaise ou simple omelette. Une halte sympa, et l'une des meilleures tables du Médoc.

Plus chic

🛏 ***Château de Foulon :*** à deux pas de Castelnau. ☎ 05-56-58-20-18. Fax : 05-56-58-23-43. ✗ Du village, prendre la D 1 puis tourner à gauche à la gendarmerie ; ensuite, c'est indiqué. Fermé entre Noël et le nouvel an. Chambre double avec lavabo ou douche à 70 €, avec bains à 80 €, et appartement à 95 €, petit dej' compris. M. et Mme de Baritault de Carpia vous accueilleront avec le respect dû à votre rang, routards de tous pays, dans leur belle demeure du XIXe siècle, entourée d'une vaste étendue boisée de... 50 ha, au bord du vignoble médocain. Au bout de la grande pelouse derrière le château, des cygnes (un peu vindicatifs !) se promènent sur le plan d'eau. Chambres à la déco d'un goût sûr, très maison de famille. Trois chambres doubles bien agréables, mais on a un faible pour le petit appartement (pour 4 personnes) divisé en 2 chambres doubles. Également un petit gîte joliment aménagé dans un ancien poulailler et loué à la semaine. Gentillesse de l'accueil, calme parfait. On croit rêver. N'accepte pas les cartes de paiement.

LE MÉDOC

À voir

🏃 *Le musée des Arts et Métiers de la vigne et du vin :* château Maucaillou, 33480 Moulis-en-Médoc. ☎ 05-56-58-01-23. Fax : 05-56-58-00-88. ● www.chateau-maucaillou.com ● 🍴 Ouvert tous les jours de 10 h à 12 h et de 14 h à 18 h ; en juillet et août, non-stop de 10 h à 19 h. Fermé le 1er janvier. Entrée : 6,86 €. Possibilité de table d'hôte au château : menu à 27,45 € sans les vins, et Maucaillou n'est pas vraiment bon marché. Dans de belles caves du XIXe siècle, un panorama complet du cycle vinicole et de nombreux objets et machines pittoresques comme ce pulvérisateur à traction animale, les pompes à main, les pressoirs (des pièces impressionnantes parfois), une superbe araire au soc en bois, les fossoirs, les arrache-souches, les machines à soufrer, les instruments du maître de chai. Plus tous les métiers liés au vin : la fabrication des bouteilles et des étiquettes, l'œnologie, etc.

LISTRAC   (33480)   1 868 hab.

Petit village médocain parmi tant d'autres. Jeter un coup d'œil à la belle église romane du XIIIe siècle, sur la petite place.

Où dormir ? Où manger ?

🏠 🍴 *L'Auberge Médocaine :* au centre du village, sur la route nationale (N 215). ☎ 05-56-58-08-86. Fax : 05-56-58-01-29. Fermé le vendredi, le dimanche soir hors saison et en janvier. Chambre double avec douche à 34 €, avec bains et w.-c. à 39 €. Menus de 10,50 € (à midi en semaine uniquement) à 35 €. Compter 30 € à la carte. C'est un peu par hasard qu'on s'est arrêté là, histoire de casser la croûte. Première surprise, l'agréable patio en retrait de la route ; la deuxième, c'est l'honnête petit menu à 10,50 € avec buffet d'entrées, plat du jour bien mitonné, dessert et vin compris ; enfin, le service, aimable. Soit une bonne halte dans un secteur qui n'en compte pas beaucoup. Quant aux chambres, simples et propres, certaines ont même un brin de charme avec leurs poutres apparentes. N'accepte pas les cartes de paiement. Café offert sur présentation du *GDR.*

PORT DE LAMARQUE   (33460)   962 hab.

Lamarque, avec son minuscule port, est le seul point de connexion entre les deux rives de la Gironde. Le bac transporte voitures et passagers de Lamarque à Blaye (voir le chapitre « La Haute Gironde »). Horaires variables suivant les saisons, mais dernier bac à 18 h 30. Renseignements : ☎ 05-57-42-04-49.

Où manger ?

🍴 Avant de prendre le bac, on peut rompre une petite faim à *L'Escale :* ☎ 05-56-58-92-21. Fermé le mardi et 15 jours en novembre. Menus de 10 à 22,85 €. Compter 25 € à la carte. Ce restaurant aux allures de paillote propose de bons produits de la mer à des prix abordables, avec des spécialités saisonnières : gibier, pibales, aloses... N'accepte pas les cartes de paiement. Apéritif offert à nos lecteurs sur présentation du *Guide du routard*.

➤ DANS LES ENVIRONS DE LAMARQUE

LE FORT-MÉDOC

Pas un village, non, mais une ancienne forteresse édifiée à la fin du XVIIᵉ siècle par Vauban en vue d'empêcher les Anglais d'attaquer Bordeaux. Trois édifices étaient censés protéger le fleuve : le fort Médoc, le fort de l'Isle (le fort Paté) et la citadelle de Blaye.

Située à 2 km de Cussac-le-Vieux, 32, av. Fort-Médoc. De mai à octobre, ouvert tous les jours de 9 h à 20 h ; de novembre à avril, ouvert de 10 h à 17 h 30 ou 18 h 30, fermé le lundi. ☎ 05-56-58-98-40. Entrée : 2,20 € pour les adultes, 1 € pour les enfants.

Longtemps laissé à l'abandon, le Fort-Médoc est en pleine restauration. Agréable visite le long de ses bâtiments, face à la citadelle de Blaye. Belle vue sur la Gironde. Superbe porte royale à fronton sculpté ; au-dessus, le Roi-Soleil évoquant Louis XIV. En flânant, on passe le corps de garde, l'ancienne poudrière avec sa voûte bien conservée, la chapelle avec ses deux arches, la boulangerie avec ses deux fours et la salle du chirurgien (en restauration). Dans le bâtiment de commandement, petit musée sur la vie à Cussac autrefois, actuellement en rénovation ; réouverture prévue début 2004.

ℹ️ Office de tourisme de Cussac-Fort-Médoc : 16, av. du Haut-Médoc, 33460 Cussac-Fort-Médoc. ☎ 05-56-58-91-30. Ouvert du lundi au vendredi de 10 h à 12 h 30 et de 14 h 30 à 18 h, et le samedi de 14 h à 17 h 30. Petit office assez sympa. Son plus ? La vente de vins des châteaux de la commune à prix doux.

LE CHÂTEAU DE LANESSAN

Une halte agréable dans ce domaine pour visiter le cuvier et les chais, mais surtout pour le petit *musée du Cheval :* ☎ 05-56-58-94-80. Visite guidée tous les jours sur rendez-vous, de 9 h 15 à 12 h et de 14 h à 18 h. Entrée : 5,35 € ; gratuit pour les moins de 18 ans.

Ce musée présente une intéressante collection de dix voitures hippomobiles rassemblées au début du XXᵉ siècle par un membre de la famille. Beaux modèles qui ont tous leurs spécificités, comme le coach anglais qui pouvait transporter quinze personnes, et le coupé carré de 1895 avec freins à tambour. Un coup d'œil amusé aux mangeoires en marbre et aux paillassons latéraux dans les boxes pour protéger la robe des chevaux.

Après la visite, un petit tour au cuvier et dans les chais, et petite dégustation. On produit ici trois châteaux : Lanessan, Lachesnaye et Saint-Gemme.

PAULLAC

(33250) 5 400 hab.

Petite ville moyennement intéressante, malgré ses quais qui constituent une balade agréable, surtout en fin d'après-midi quand on peut acheter les bichettes, d'excellentes crevettes que rapportent les pêcheurs. Cuisinées à l'anis, c'est un régal. En face, sur l'autre rive, se détachent les contours grisâtres de l'énorme centrale nucléaire de Braud. Pourtant, cette petite ville portuaire est connue au-delà de nos frontières par tous les œnophiles du monde. Normal, elle est la seule à compter sur sa commune trois premiers crus classés (Mouton-Rothschild, Latour et Lafite-Rothschild).

Adresse utile

Maison de tourisme et du vin de Pauillac : La Verrerie (au port). ☎ 05-56-59-03-08. Fax : 05-56-59-23-38. • tourismeetvindepauillac@wanadoo.fr • Ouvert tous les jours ; en juin, de 9 h 30 à 12 h 30 et de 14 h à 18 h 30 ; du 1er juillet au 15 septembre, de 9 h 30 à 19 h 30 ; du 16 septembre au 31 mai, de 9 h 30 à 12 h 30 et de 14 h à 18 h. Fermé le 1er janvier et le 25 décembre. Propose une foule d'activités et de services autour du vin : vente de vin (la plus importante vinothèque du Médoc et à prix châteaux), réservation (payante) pour les visites de châteaux viticoles, initiation à la dégustation. Promenades pédestres dans le vignoble, vidéo de 15 mn sur la région du Médoc.

Où dormir ? Où manger ?

Camping Les Gabarreys : route de la Rivière. ☎ 05-56-59-10-03. Fax : 05-56-73-30-68. • www.pauillac-medoc.com • À 1 km du centre, dans un endroit tranquille au bord de la Gironde. Fermé de mi-octobre à début avril. Forfait 2 personnes à 12 € en haute saison. Petit camping municipal aussi sympathique que le jeune homme qui le gère. Emplacements spacieux. Sanitaires nickel. Prix intéressants.

Hôtel de France et d'Angleterre : 3, quai Albert-Pichon. ☎ 05-56-59-01-20. Fax : 05-56-59-02-31. • www.hotelfranceangleterre.com • En hiver, fermé le lundi et le dimanche. Chambres doubles avec douches de 51 à 54 € et avec bains de 57 à 100 € selon l'équipement et la saison. Idéalement placé sur le quai, cet hôtel sort de quelques années de torpeur grâce à une nouvelle direction. Les plus belles chambres ont vue sur le port et l'estuaire. Elles ont été rénovées mais seront concurrencées dans les années qui viennent par les chambres du nouveau bâtiment, juste derrière, et qui arborera trois étoiles. Au resto, cuisine simple (menu à 15 €) et vins de Pauillac servis au verre. Menus de 18 à 36 €. Compter 45 € à la carte. Apéritif offert sur présentation du *Guide du routard*.

Où dormir ? Où manger dans les environs ?

C'est le moment ou jamais de profiter des chambres d'hôte dans les propriétés !

Chambres d'hôte Château Gugès : 29, rue de la Croix-des-Gunes, Cissac-Médoc. ☎ 05-56-59-58-04. Fax : 05-56-59-56-19. • www.chateau-guges.com • À 5 km de Pauillac par la D 205 puis la D 104 ; à Cissac, suivre le fléchage « Château Gugès ». Chambres doubles de 60 à 66 €, petit dej' inclus. Une maison bourgeoise du début du XIXe siècle, relevée de ses ruines dans les années 1960. Dès l'entrée, de superbes chais à barriques pour se mettre dans l'ambiance. Dans les étages, 5 chambres à l'ancienne : poutres, meubles de famille, baignoire à pattes de griffon... Gîte pour 4 personnes à 390 € la semaine. Et l'occasion de goûter (en compagnie de Philippe Gugès, maître de chai) les vins de la propriété. N'accepte pas les cartes de paiement. Sur présen- tation du *GDR,* une bouteille maison offerte à nos lecteurs.

Très chic

🏠 |●| *Château Cordeillan-Bages :* route des Châteaux. ☎ 05-56-59-24-24. Fax : 05-56-59-01-89. ● www. cordeillanbages.com ● ⚹ Fermé le lundi, le mardi midi et le samedi midi, ainsi que de mi-décembre à fin janvier. Chambres doubles de 132 à 256 €, petit dej' non compris. Menus de 50 à 85 €. Compter entre 65 et 100 € à la carte. Dans cette belle chartreuse du XVIIe siècle, face aux vignobles, on trouve une table, une vraie, que fréquentent les hommes d'affaires de la région et les touristes étrangers amoureux des bonnes choses. Tout est ici dédié au raffinement et à la délicatesse. Autour d'une cuisine parfaitement dosée, utilisant prioritairement les produits du terroir, on est certain de vivre un moment gastronomique grâce au talent du chef Thierry Marx. Poissons de l'estuaire et agneau de Pauillac sont ici finement travaillés, tout comme les huîtres, chaudes et accompagnées de noix et radis. Subtils desserts. Bref, de quoi se sentir complètement marxiste, avec un portefeuille de PDG ! La sélection de vins d'une extrême richesse et la carte rassemble les meilleurs parmi les meilleurs. Là, les prix s'envolent, bien sûr. Une bien belle adresse en Médoc pour les jours où l'on casse sa tirelire !

À voir

🚶 *Le petit musée d'Automates :* dans la rue piétonne qui fait face au port. ☎ 05-56-59-02-45. En juillet et août, ouvert tous les jours de 10 h 30 à 19 h ; en mai, juin et septembre, ouvert du mardi au samedi de 10 h à 12 h 30 et de 14 h 30 à 19 h, fermé les dimanche et lundi ; d'octobre à avril, ouvert les jeudi, vendredi et samedi, ainsi que les jours fériés, aux mêmes horaires, sur rendez-vous pour les groupes. Entrée : 2,50 € ; 2 € pour les enfants ; gratuit pour les enfants de moins d'un mètre ! Tout petit (vous vous en doutiez !), mais intéressante mise en scène d'animaux mécaniques.

➤ *DANS LES ENVIRONS DE PAUILLAC*

🚶 *L'église Saint-Pierre de Vertheuil (33250) :* ouvert tous les jours durant la période estivale, de 10 h à 12 h et de 14 h à 18 h. Belle église des XIe et XIIe siècles, d'art roman poitevin, qui subit quelques transformations au XVe siècle. Étonnante surtout pour ses trois nefs, sa voûte en berceau rampant, son déambulatoire et ses deux curieux clochers. Voûtes d'ogive du XVe siècle et chœur à nervures rayonnantes. Quelques chapiteaux sculptés intéressants, qui tranchent avec la simplicité du reste de l'église.
– Jouxtant cette église, l'*abbaye de Vertheuil,* datant du XIe siècle. Elle abrita une communauté de chanoines de l'ordre de Saint-Augustin. Dévastée par les guerres de Religion, elle fut reconstruite en 1792. Devenue aujourd'hui propriété de la commune de Vertheuil, elle est le cadre de nombreuses manifestations en été.

🚶 *La Maréchale :* un chenal au milieu des roseaux, un bateau que la marée basse fait pencher, deux, trois barques ballottées par le mascaret ; plus loin, postés sur la rive, les carrelets (cabanes de pêcheurs) avec leurs filets qui pendent. Rien de spécial, juste l'atmosphère typique d'un petit port de pêcheurs de pibales ou de lamproies des bords de Gironde.

Visite de châteaux viticoles

– **Château Mouton-Rothschild :** uniquement sur rendez-vous. ☎ 05-56-73-21-29. Visites guidées du lundi au vendredi de 9 h 30 à 11 h et de 14 h à 16 h (15 h le vendredi) ; du 1er avril au 30 octobre, mêmes horaires du lundi au vendredi, et le week-end, visites à 9 h 30, 11 h, 14 h et 15 h 30. Entrée : 5 € ; 13 € s'il y a dégustation ; possibilité de tarif de groupes. Durée : 1 h. Deuxième grand cru depuis 1855, il devint premier grand cru en 1973. La salle d'accueil est parée d'œuvres d'art ayant trait au vin : on y voit d'abord un diaporama. La visite du *grand chai* s'apparente un peu à la visite d'une banque (atavisme familial ?), l'atmosphère un peu paranoïaque est pesante. Remarquez, c'est tentant, tant de beaux flacons ! Le guide raconte l'histoire de l'achat du château et celle du baron Philippe. Superbe chai, bien sûr. Exceptionnelle collection d'étiquettes qui, depuis 1945, sont réalisées par les plus grands artistes : une véritable collection de toiles miniatures donc, où l'on reconnaît Delvaux, Picasso, Warhol, Steinberg, Cocteau, Dalí, Soulages, etc. Unique en son genre. Le chai, véritable « théâtre du vin » comme l'appelait le baron Philippe, est de toute beauté avec ses fûts de bois clair.

On termine la visite par le *musée,* créé en 1963. Remarquable collection d'objets et flacons en tout genre, provenant de tous pays et remontant loin dans le temps. De la Mésopotamie jusqu'à la fin du XVIIIe siècle, des coupes d'avant notre ère, une série de timbales finement ciselées, et de grandes tapisseries des XVIe et XVIIe siècles. La visite des caves est un grand moment. Les plus anciens flacons vieillissent derrière des grilles aux épais barreaux.

– **Château Lafite-Rothschild :** fermé de début août jusqu'aux vendanges (octobre inclus), ainsi que les week-ends et jours fériés. Visites individuelles et gratuites (dégustation comprise) du lundi au vendredi de 14 h à 15 h 30. Visite des installations techniques. Prendre rendez-vous au moins deux semaines à l'avance par courrier (Domaines Baron de Rothschild, 33250 Pauillac) ou par fax : 05-56-59-26-83. ● www.lafite.com ● Pas de vente directe.

– **Château Beychevelle :** sur la D 2, à Saint-Julien-de-Beychevelle, à 4 km au sud de Pauillac. ☎ 05-56-73-20-70. Possibilité de visite des chais de juin à septembre du lundi au samedi et d'octobre à mai du lundi au vendredi de 10 h à 17 h sur rendez-vous. Gratuit. Superbe parc. On se contentera de jeter un coup d'œil en passant à cette ancienne chartreuse qui ne se visite pas, mais qui possède un très beau fronton sculpté de guirlandes et de palmes du XVIIIe siècle. Ancienne seigneurie du Médoc, son nom provient du fait que les navires devaient « baisser la voile » en passant devant la demeure appartenant au duc d'Épernon.

– **Château Hanteillan :** 33250 Cissac. ☎ 05-56-59-35-31. ● www.château-hanteillan.com ● ✗ Sur la route de Pauillac-centre à Lesparre. Ouvert du lundi au jeudi de 9 h à 12 h et de 14 h à 18 h, et le vendredi matin. La propriétaire, Catherine Blasco, est adorable. Visite et possibilité d'achat de quelques bouteilles de ce cru bourgeois très abordable. Ce qui n'est pas désagréable !

– **Château Loudenne :** 33340 Saint-Yzans-de-Médoc. ☎ 05-56-73-17-80. Ouvert du lundi au vendredi de 9 h 30 à 12 h et de 14 h à 17 h ; les samedi et dimanche, d'avril à septembre sur rendez-vous. Entrée : 5 €. Une chartreuse rose du XVIIe siècle installée dans un site magnifique, en bord de Gironde. Beaux jardins à l'anglaise. Visite des chais et du cuvier de ce vin de prestige. Dégustation de vin de Médoc. Petit *musée du Vin :* expo permanente sur les Victoriens en Médoc.

Manifestations

– *Fête de l'Agneau de Pauillac :* un week-end en mai. Renseignements à la maison de tourisme : ☎ 05-56-59-03-08. L'agneau de Pauillac, élevé au lait, bénéficie d'une appellation d'origine contrôlée. Cette fête est l'un des temps forts du Médoc, avec une grosse animation. Restauration et buvettes à la bonne franquette, tonte d'agneaux, visite des « bergeries de l'agneau de Pauillac »...

– *Fête du Vin et de la Gastronomie en Médoc :* mi-juillet. Renseignements : ☎ 05-56-73-17-31.

SAINT-ESTÈPHE   (33180)

Le plus septentrional des grands terroirs médocains. Plus au nord commencent les plaines alluviales et marécageuses qui annoncent la Pointe de Grave. Ce village qui abrite des châteaux d'une valeur incalculable (5 grands crus classés) tire la plus grosse part de ses revenus de la raffinerie installée sur l'estuaire, car le statut fiscal des viticulteurs est tout simplement celui des paysans et ils ne payent quasiment pas d'impôts locaux ! Le maire du village est un de nos fidèles lecteurs et s'est mis en tête de faciliter l'accueil des routards. Il a construit, sur le port, une zone de parking gratuit pour camping-cars avec bornes européennes et prévoit pour cette année un super-camping à prix canons.

Adresse utile

🅘 *Maison du Vin de Saint-Estèphe :* pl. de l'Église. ☎ 05-56-59-30-59. Fax : 05-56-59-73-72. En été, ouvert du lundi au samedi de 10 h à 19 h ; hors saison, du lundi au vendredi de 10 h à 12 h 30 et de 13 h 30 à 17 h. Incontournable. Sur le territoire de la commune, il y a plus de grands crus classés (5) et de grands crus bourgeois (43) que de crus artisanaux et paysans (25). En été, du lundi au vendredi, dégustations commentées. Musée viticole à l'étage, ainsi que des expos de peinture.

Où dormir ? Où manger ?

🛏 *Chambres d'hôte Le Clos de Puyzac :* 8, route des Ormes-de-Pez. ☎ 05-56-59-35-28. Fax : 05-56-59-75-53. ● clos.puyzac@wanadoo.fr ● Dans le hameau de Pez. Fermé à Noël. Chambre double à 38 € avec douche commune et à 48 € avec douche et w.-c. privés, petit dej' compris. Des chambres convenables dans une maison bien au calme au fond d'un jardin. Très bon petit dej' : étonnant et large choix de confitures maison, cannelés... L'ambiance vraiment familiale, l'accueil authentique et chaleureux de Marie-Jo Fatin nous ont conquis. Elle pourra, par exemple, s'occuper de vos réservations pour les visites des châteaux alentour. Sur présentation du *GDR,* remise de 10 % sur le prix de la chambre à partir de 6 nuits.

🍴 *Le Peyrat :* 19, rue du Littoral. ☎ 05-56-59-71-43. 🍽 Au port. Fermé le dimanche (après-midi en saison), ainsi que la 2e quinzaine d'août et lors des fêtes de fin d'année. Menu à 11 € en semaine le midi et sur commande. Sinon, de 15 à 27,50 €. En fait, c'est le cœur du village, même si c'est au port. Patron jovial et cuisine simple (spécialité de soupe de légumes) avec tous les produits de la saison et du fleuve

LE MÉDOC

(anguilles, esturgeon, alose). Terrasse en été, géniale le soir quand le soleil se couche. Le genre d'auberge de village où on sait quand (et pourquoi) on entre mais jamais quand on

sort, tant l'ambiance est conviviale. C'est le patron qui organise la fête de l'Anguille, début juin, un des temps forts de Saint-Estèphe.

Où dormir? Où manger dans les environs?

🛏 |●| *Hôtel-restaurant du Midi :* à Saint-Sernin-de-Cadourne (33180). ☎ 05-56-59-30-49. Fax : 05-56-59-71-04. Fermé le lundi, le vendredi soir et le dimanche soir, ainsi que 10 jours à la Toussaint, 15 jours en février et 1 semaine fin août. Chambre double avec salle de bains à 29 €. Menu à 10 € midi et soir en semaine, autres menus de 22,10 à 40,40 €. Ce pourrait être une bonne petite auberge de village avec ses deux salles, l'une pour le « menu ouvrier », l'autre pour les clients « gastro », mais c'est mieux que ça. Bien sûr, la cuisine est largement basée sur les produits du terroir (de toute façon, il n'y en a pas d'autres), mais les cuissons bien maîtrisées, la qualité des produits les plus simples (piment d'Espelette et sel de Guérande) en font un bonheur pour les papilles. Sur présentation du *GDR*, 10 % sur le prix de la chambre d'octobre à avril.

🛏 |●| *Chambres d'hôte Le Moulin :* 5, route de Queyzans, à Saint-Yzans-de-Médoc (33340). ☎ 05-56-09-02-80. ● www.medoc.hote.free.fr ● Une semaine de congés en février et à la Toussaint. Chambres doubles à 58 €. Table d'hôte à 24 € (seulement le soir), vin inclus, sur réservation. Une longue et basse maison médocaine appuyée sur la tour du vieux moulin. Minuscule vignoble au bout du jardin. Grandes chambres joliment rénovées et décorées. Il faut dire que le proprio est à la fois collectionneur d'objets viticoles anciens, viticulteur et ancien restaurateur.

Bavard aussi, il raconte génialement la vie des hommes du vin, et l'histoire de son moulin avec lequel il vit une vraie histoire d'amour.

🛏 *Chambres d'hôte Le Souley :* à Vertheuil-Médoc (33180). ☎ 05-56-41-98-76. Fax : 05-56-41-94-87. Chambres doubles de 50 à 60 €. Ne pas confondre avec le château de Souley voisin, qui est un château viticole. Après quelques années de balades autour du monde, Jean-Pierre a posé ses valises dans la maison familiale. Les chambres, grandes et simples, portent la trace de ses années d'errance (photos, objets...), l'accueil est plus que sympa, l'ambiance cool et le jardin déstructuré. Menu à 19 € le soir. Bref, une adresse recommandable. Apéritif, café ou digestif maison offert sur présentation du *GDR*.

|●| *La Maison du Douanier :* port de Saint-Christoly-de-Médoc (33340). ☎ 05-56-41-35-25. ⚒ Fermé le mardi et du 4 janvier au 15 février. Menus de 20 à 53 €. Grande salle vitrée donnant sur la Gironde, comme une passerelle de navire, et décorée dans les tons bleu pastel comme il sied à un navire. Cuisine amusante et légère où les épices viennent accompagner les produits du terroir. Quelques audaces intéressantes. Mais, rassurez-vous, il y a des choses plus classiques sur cette carte qui change au gré des saisons. Et la terrasse est tellement douce, les soirs d'été. Également quelques chambres donnant sur la rivière.

À voir

🏛🏛 *L'église de Saint-Estèphe :* superbe. La seule église baroque de la Gironde. On prétend que, vue d'un bateau, elle a la forme d'une bouteille. Dedans, c'est une débauche de marbre et de ferronnerie (curieusement, peu de bois dorés). Allez voir le grand autel et son retable encadré de deux colonnes corinthiennes et surtout les grilles en fer forgé qui protègent les deux chapelles latérales.

Visite de châteaux viticoles

– **Château Beau Site :** à Saint-Estèphe. ☎ 05-56-59-30-50. Sur rendez-vous, du lundi au samedi de 8 h à 12 h et de 14 h à 18 h. Le joli château ne se visite pas, mais on est bien accueilli par M. Coureau, le représentant de M. Casteja. Un château peu connu, on ne se bouscule donc pas, mais le vin, lui, est connu. Excellent saint-estèphe.

– **Château Cos d'Estournel :** à Saint-Estèphe. ☎ 05-56-73-15-50. Ouvert du lundi au vendredi de 9 h à 11 h et de 14 h à 17 h (16 h 30 le vendredi), uniquement sur rendez-vous de janvier à décembre. Fermé en août et pendant les vendanges, ainsi que les week-ends et jours fériés. Sur la D 2, au détour d'un virage surgit ce château surprenant, déconcertant avec ses palmiers, ses pagodes et ses influences orientales (la porte provient, paraît-il, du palais du sultan de Zanzibar). Posé sur une colline (*cos* vient du gascon *caux* qui signifie « collines de cailloux ») qui domine tout le vignoble alentour. Visite des chais et des salles d'expo du musée de Cos, somptueux palais du vin.

LE MÉDOC BLEU

Sur cette longue plage, sauvage, ininterrompue sur près de 100 km, s'est souvent développé un tourisme familial, sans oublier le tourisme « cul-nu », fort apprécié des Nordiques (on considère généralement Montalivet comme la capitale européenne du naturisme). Lacanau est la vraie capitale du surf français, la seule station où le championnat du monde professionnel s'arrête chaque année (ce qui n'est pas le cas sur la côte basque).

Dans l'ensemble, cette côte reste extrêmement préservée, car les villes, toutes construites récemment, ne représentent en réalité qu'un pourcentage infime du littoral, et si l'on ne connaît pas beaucoup les endroits les plus sauvages, c'est qu'ils sont inaccessibles, tout simplement. La Côte d'Argent a donc de beaux jours devant elle. Mais l'Océan n'est pas tout. Ce qui rend aussi cette région intéressante, c'est la présence de ces superbes lacs où l'on peut sans danger pratiquer tous les sports nautiques. Beaucoup de campings au milieu des pins, des endroits sympas où l'on hésite sans cesse entre l'Océan et le lac. Et quand on hésite trop, on part dans la forêt faire une chouette virée à vélo ou on rejoint le Médoc rouge.

AVERTISSEMENT

La baignade sur cette côte, vivifiante, certes, grâce aux puissantes vagues, n'est pas sans danger. Mieux vaut choisir des plages surveillées et surtout respecter les consignes de sécurité (drapeau vert : tout va bien ; orange : attention ; rouge : baignade strictement interdite). Il y a en effet des noyades chaque année, et même de bons nageurs se font piéger.

LE MÉDOC

LE MÉDOC DU NORD

C'est en haut de la carte, mais ce n'est pas le Haut-Médoc qui, lui, est en bas ! Longues plaines humides, hérons, petits ports perdus, pas de plages, pas de vignes, mais quelques villages qui valent la peine.

Où dormir ? Où manger dans le coin ?

🛏 🍽 *Hôtel des Vieux Acacias :* 4, rue du Docteur-Doneche, 33340 Queyrac-Médoc. ☎ 05-56-59-80-63. Fax : 05-56-59-85-93. ● www.vieuxacacias.com ● 🍴 Fermé le dimanche soir hors saison et du 20 décembre au 5 janvier. Chambres doubles avec douche ou bains et TV de 42 à 51 € selon la saison. Celles du bâtiment neuf ont moins de charme, mais des baignoires. Au resto, menus de 12 et 18 € axés sur la tradition, style coq au vin du Médoc ou encore souris d'agneau au thym. Piscine et parking clos. Au cœur d'un joli petit village, un hôtel hyper calme, tranquille, cosy, qui a fait de l'accueil une vertu cardinale. Sourire, soleil et vins de qualité.

🍽 *La Table Tartine :* 46, rue Jean-Jacques-Rousseau, 33340 Lesparre-Médoc. ☎ 05-56-73-46-46. 🍴 Ouvert le midi, plus les vendredi et samedi soir. Fermé le dimanche. Menu du jour à 10,60 € (sauf le soir). Jolie salle décorée façon bistro avec buffet de grand-mère et petits carreaux aux fenêtres. Cuisine de bistro également, avec de jolis plats comme le lapin rôti et de grosses assiettes qui portent de jolis noms (l'assiette des filles d'en face, par exemple, avec ses tricandrilles et son pot-au-feu aux lentilles). Également des... tartines, mais au foie gras pour ne pas oublier qu'on est en Aquitaine. Accueil adorable, un vrai coup de cœur. Café ou digestif offert aux routards sur présentation du *GDR*.

🍽 *Chambres d'hôte Clos des Hirondelles :* 2, chemin de la Hille, à Noaillac, 33590 Jau-Dignac-Loirac. ☎ 05-56-73-97-25. Chambres doubles à 38 €, petit dej' compris. Jolies chambres aménagées au premier étage (en fait, sous les combles) d'une bâtisse du XVIIIe siècle. Murs de pierre et poutres apparentes pour amateurs de lieux qui ont une histoire. Très jolies salles de bain et jardin pour le petit dej'. Accueil sympa et calme assuré. Apéritif maison et café offerts sur présentation du *Guide du routard.*

🍽 *Guinguette La Petite Canau :* port de Saint-Vivien, 33590 Saint-Vivien-de-Médoc. ☎ 05-56-09-49-66. Accès : par la N 215 ; à Saint-Vivien, suivre la direction « Le port ». Ouvert le soir, du 20 juillet au 31 août. Fermé le lundi. Compter de 15 à 20 € à la carte. N'accepte pas les cartes de paiement. Une ferme aquacole, en bord d'estuaire. Des étangs sur les rives desquels nichent hérons et autres oiseaux aquatiques. Les bébés gambas pêchées au large de l'Afrique viennent grossir ici. Quoi de plus simple que d'en ramasser une épuisette et de les jeter dans une poêle pour votre plus grand plaisir ? Certitude de la gamba fraîche (ce n'est pratiquement jamais le cas).

À voir

🚶 *Le phare de Richard :* passe du Phare, 33590 Jau-Dignac-Loirac. ☎ 05-56-09-52-39. Sur la D 2 entre Saint-Vivien-de-Médoc et Valeyrac. De mars à la Toussaint, ouvert tous les jours sauf le mardi, de 14 h 30 à 18 h 30 (de 11 h à 19 h en juillet et août, y compris le mardi) ; de novembre à février, sur rendez-vous pour les groupes (minimum 10 personnes). Petit droit d'entrée : 1 €. Phare maçonné construit en 1843 et restauré depuis 1992, après être resté longtemps à l'abandon. Il abrite depuis 1993 un musée présentant l'estuaire, la navigation dans le coin, les phares en général... Exposition de cartes anciennes, de matériel de signalisation, oiseaux de l'estuaire naturalisés. Chouette vue depuis la plate-forme (18 m). Étape de randonnée terrestre et maritime (accostage au pied du phare à marée haute). Aire de pique-nique juste à côté.

LE VERDON ET LA POINTE DE GRAVE

Le Médoc tire la langue à l'Océan ! Un beau paysage : la Gironde s'offre à la mer, ouvrant le plus vaste estuaire de France. Sur l'autre rive pointe le clocher de l'église Notre-Dame de Royan.

Adresses utiles

目 *Office de tourisme du Verdon :* 2, rue des Frères-Tard, 33123 Le Verdon-sur-Mer. ☎ 05-56-09-61-78. Ouvert toute l'année ; en saison, de 9 h à 12 h et de 14 h à 18 h.

⚓ *Service maritime départemental « Bacs Gironde » :* ☎ 05-56-73-37-73. L'estuaire entre la pointe de Grave, Le Verdon et Royan se traverse en 30 mn. Le lieu d'embarquement s'appelle Port-Bloc. Tarif aller simple : 20 € pour la voiture et 3 € par personne.

À voir

🏃 *Le musée du Phare de Cordouan et des Phares et Balises – phare de Grave :* à la pointe de Grave. ☎ 05-56-09-61-78 (office de tourisme du Verdon-sur-Mer). En saison, ouvert tous les jours de 10 h à 12 h et de 14 h à 18 h ; en mai et juin, les jours fériés de 15 h à 18 h. Adultes : 2,50 €. Musée sur le phare de Cordouan, qu'on gagne depuis cette pointe de Grave, et sur les phares et balises de Gironde (maquettes de 6 phares). Également un topo sur la « poche du Médoc 1944-1945 ».

🏃🏃🏃 *Le phare de Cordouan :* départ de la pointe de Grave, (vedette *La Bohème II*, ☎ 05-56-09-62-93 ou 06-09-73-30-84). Visite d'avril à fin octobre. Durée : environ 3 h 30. Prix : 25 € ; enfants, 16 €. Doyen des phares français (érigé de 1584 à 1611), il est aussi le dernier à avoir un gardien, un vrai gardien de race humaine – espèce en voie d'extinction. Deuxième édifice à avoir été classé aux Monuments historiques (en 1862, avec Notre-Dame-de-Paris), il représente un travail colossal. La plate-forme de soubassement repose sur 2 000 pilotis, et il culmine à 60 m. Il faut dire que son architecte, Louis de Foix, n'était pas un débutant : il a aussi construit l'Escorial de Madrid et détourné le cours de l'Adour en creusant une nouvelle embouchure. Peur de rien, le mec !

SOULAC-SUR-MER   (33780)   2 819 hab.

Petite station balnéaire à la pointe du Médoc, coincée entre l'Océan et la Gironde. Un Arcachon modèle réduit, plus populaire et familial. Centre de pèlerinage depuis le milieu du XIVe siècle, Soulac possède une belle église classée au patrimoine de l'Unesco et a, dans l'ensemble, échappé au béton. Pas mal de charme, donc, avec ses croquignolettes villas début XXe, d'un éclectisme architectural toujours réjouissant, et un peu une atmosphère de village. Ne pas louper le minuscule casino, quasiment familial.

Adresses utiles

ℹ ***Office de tourisme :*** rue de la Plage. ☎ 05-56-09-86-61. Fax : 05-56-73-63-76. ● www.soulac.com ● Situé près du marché couvert, dans la seule rue piétonne. En juillet et août, ouvert tous les jours de 9 h à 19 h ; hors saison, ouvert de 10 h à 12 h 30 et de 15 h à 17 h 30, fermé le dimanche sauf en période de vacances scolaires. Visites guidées du village ancien et de la basilique du lundi au vendredi en juillet et août. Inscriptions à l'office de tourisme.

■ ***Location de vélos :*** *Cyclo'Star,* 9, rue Fernand-Laffargue. ☎ 05-56-09-71-38. Ouvert d'avril à septembre. Pour la location d'un vélo : de 30 à 40 € la semaine. Bonne qualité de service. La piste cyclable qui relie Soulac-les-Arros à la pointe de Grave est un excellent plan (10 km).

Où dormir ?

🏠 ***Hôtel Michelet :*** 1, rue Baguenard. ☎ 05-56-09-84-18. Fax : 05-56-73-65-25. 🍴 Fermé 4 semaines en janvier et 3 semaines en novembre. Chambres doubles de 41 à 70 € selon la saison, la taille de la chambre et la présence d'un balcon. Dans une villa balnéaire typique, pleine de charme. Accueil impeccable, plein d'attentions (les enfants ont même droit à de petits cadeaux). Chambres plaisantes et confortables, mais assez sonores. Huit d'entre elles disposent d'un balcon, 4 sont de plain-pied sur un petit jardin de sable. Et (on a failli oublier le principal) l'Océan est tout près (plage principale à 50 m). Confirmer la réservation et le prix par écrit. 10 % de remise sur le prix de la chambre sur présentation du *GDR,* sauf du 15 juin au 15 septembre.

Où manger ?

🍽 ***La Pile d'Assiettes :*** 10, rue Brémontier. ☎ 05-56-73-69-87. Ouvert de fin mars à début novembre. Menu du jour à 12 €. Autre menu à 14 et 23 €. Dans une grande salle claire décorée de pubs anciennes, une cuisine locale axée sur le poisson grillé. Sur l'ardoise, suggestions du marché. Le cuistot a l'air cool et fait juste ce qu'il faut pour que ce soit bon, simple et rapide. En été, service jusqu'à 23 h. Café offert sur présentation du *GDR.*

Où manger une glace ?

🍦 ***Judici :*** le glacier le plus populaire de la station. Un des points de passage obligés de la rue principale (qui, bien sûr, mène à la plage). Et vrai, les glaces, toutes maison, sont plutôt réussies. Crêpes et gaufres maison également.

À voir

🎋 ***La basilique Notre-Dame-de-la-Fin-des-Terres :*** la bien nommée, puisqu'elle fut cernée par les dunes et même complètement envahie par les sables au XVIIe siècle. Déblayée (le vent a donné un coup de main) puis restaurée au XIXe siècle, elle date du XIIe siècle (style roman poitevin) et est aujourd'hui inscrite au patrimoine de l'Unesco, comme pas mal d'autres églises sur la route de Saint-Jacques-de-Compostelle. Dans le chœur et l'abside, jolis chapiteaux historiés, inspirés de scènes de la Bible : le sacrifice d'Abraham, Daniel dans la fosse aux lions... Intéressants vitraux modernes (1954) qui évoquent l'Eucharistie et la Passion de Jésus.

DE SOULAC À MONTALIVET

La plage, rien que la plage, à l'infini...

L'AMÉLIE

Toute petite station à 2 km au sud de Soulac. Connue pour sa dune, moins spectaculaire que celle du Pyla. Mais le sentier de découverte qui la parcourt permet de mieux comprendre cet espace naturel toujours en mouvement (qui parvient à disloquer en quelques décennies de solides blockhaus). Et de découvrir flore (comme l'oyat) et faune propres au milieu dunaire.

LA DUNE DE GRAVES

Au Verdon-sur-Mer, à environ 5 km au nord de Soulac. Visite guidée avec un guide naturaliste du 15 juin au 15 septembre. Renseignements à l'office de tourisme de Soulac.

Où dormir ? Où manger ?

⚑ **Camping municipal Les Oyats :** à l'Amélie-les-Bains. ☎ 05-56-09-78-54. Fax : 05-56-09-95-16. ● cam pinglesoyats@wanadoo.fr ● ♿ Ouvert du 1er avril au 30 septembre. Emplacement pour deux de 12,40 à 15,50 €. Location de chalets pour 4 ou 6 personnes de 300 à 560 €, selon la saison. Camping à taille humaine (75 emplacements), bon marché, superbement placé dans la pinède à quelques mètres de la plage. Pas trop équipé (buvette, laverie) mais bien tenu. Remise de 10 % sur le prix de la location d'un chalet hors saison sur présentation du *GDR*.

🏠 |●| **Hôtel-restaurant des Pins :** à L'Amélie-les-Bains. ☎ 05-56-73- 27-27. Fax : 05-56-73-60-39. ● www. hotel-des-pins.com ● Fermé le lundi, le samedi midi et le dimanche soir hors saison, ainsi que du 15 novembre au 15 mars. Chambres doubles de 40 à 82 €. Demi-pension demandée du 14 juillet au 31 août. Menus de 16 à 28 €. À la carte, compter dans les 36 €. Chambres spacieuses de bon confort, soit au-dessus du resto, soit dans l'annexe de l'autre côté de la rue. Site tranquille par ailleurs. Spécialité de homard en vivier. Une remise de 10 % est offerte sur le prix de la chambre du 1er octobre au 31 mai (sauf week-ends de fêtes) aux porteurs du *GDR*.

LES PLAGES DE LA NÉGADE ET DU GURP

Deux plages (la première est naturiste) qui, pour peu qu'on s'éloigne un peu de leurs entrées (on s'adresse donc à ceux qu'un peu de marche ne décourage pas), cachent quelques endroits pas trop fréquentés (même en juillet et août). Ne pas oublier sa provision d'eau. Bordées de dunes à la sauvage végétation. Pour s'y rendre de Soulac, suivre la route côtière vers L'Amélie, puis la pointe de la Négade. Laisser la voiture et suivre le sentier côtier. Accès également par Le Gurp, 4 km plus au sud. L'endroit le plus sympa se situe à mi-chemin du Gurp et de La Négade.

VENDAYS-MONTALIVET (33930)

Petite station balnéaire au sud de Soulac (à 15 km), pas trop bétonnée, genre années 1960 (sauf la mairie de Vendays, du XVIIIe siècle), mais qui a l'avantage de n'être pas bien grande et de ne pas être encombrée de trop hauts immeubles, même en front de mer. Une des capitales du naturisme européen.

À noter, le marché qui s'y tient tous les matins, toute l'année. Modeste hors saison, il devient important l'été et compte alors plus d'une centaine de stands. Produits régionaux et curieuse spécialité d'artisanat africain. Très animé, avec buvettes et tout. Les touristes apprécient.

Adresse utile

ℹ️ Office de tourisme de Vendays-Montalivet : av. de l'Océan. ☎ 05-56-09-30-12. De juin à août, ouvert tous les jours de 9 h à 19 h ; en avril et octobre, du lundi au vendredi de 9 h 30 à 12 h et de 14 h à 17 h ; en mai et septembre, jusqu'à 18 h ; de novembre à mars, ouvert l'après-midi.

Où dormir ? Où manger ?

⋏ Centre Hélio-Marin Naturissimo : 46, av. de l'Europe. ☎ 05-56-73-26-70. Fax : 05-56-09-32-15. • www.chm-montalivet.com • Ouvert toute l'année. Pour 2 personnes avec voiture et tente, compter de 12 à 23 € selon la saison. Plus de 170 ha de pinèdes pour vous ébattre à Vendays-Montalivet. Possibilité de louer des bungalows (267 € la semaine pour 4 personnes en été) et des caravanes. Une adresse naturiste tonique en bord de plage.

🏠 |❍| Hôtel-restaurant de la Plage : front de mer. ☎ 05-56-09-31-13. Fax : 05-56-09-39-97. Chambres doubles de 31 à 58 € selon la saison. Menus de 15 à 30 €, le premier à midi seulement. Les chambres, avec douche et w.-c., bien qu'assez claires et grandes (surtout les plus chères, avec balcon et vue sur mer), sont dans l'ensemble d'un confort modeste – et donc un peu chères, mais on paye la proximité de la plage. Le restaurant propose une honnête cuisine de la mer, sans prétention mais correcte et copieuse.

Notons qu'il est ouvert à l'année, et familial : deux gages de régularité. Spécialité de fruits de mer, avec en premier prix une belle assiette à 23 €. Ambiance bon enfant et accueil sympa.

🏠 |❍| Hôtel de France : pl. de l'Église, à Vendays. ☎ 05-56-41-70-34. Fax : 05-56-41-74-33. Ouvert toute l'année. Fermé le mardi soir, le mercredi toute la journée et le dimanche soir ; l'été, ouvert tous les jours. Chambres doubles avec douche à 40 €. Menu du jour à 11 €. Autres menus de 15 à 36 €. C'est d'abord un resto et son jeune chef talentueux. Dans la petite salle décorée de multiples représentations du soleil, vous vous régalerez d'une cuisine légère faisant une large place aux épices douces qui viennent rehausser les produits du terroir comme cette pointe de cannelle dans le perdreau. Ambiance tranquille et additions provinciales, tout est doux ici, même les peintures des chambres. Café offert sur présentation du GDR.

LE LAC D'HOURTIN-CARCANS

L'Océan, les pins, un lac. Parce que c'en est un, même si l'on persiste à l'appeler « étang » ! C'est même, avec ses 5 700 ha, le plus grand de France !

Comment y aller ?

➤ *En bus de Bordeaux :* en été, 3 départs par jour de Bordeaux-Saint-Jean à Hourtin. Se renseigner sur les horaires à *Trans-Gironde :* ☎ 05-56-43-68-43.

HOURTIN (33990)

Station balnéaire familiale. En fait, trois stations en une : un gros bourg typique du Médoc (Hourtin), un port sur les rives du lac (Hourtin-Port) et un village au bord de l'Océan (Hourtin-Plage). Hourtin-Port a acquis une solide réputation dans l'accueil des enfants. Tout ici, ou presque, a été pensé pour eux, et le village a mérité le label *Station Kid*.
Parmi les réalisations les plus significatives :
– *la maison de la Petite Enfance :* ouvert du 1er juillet à fin août. Lieu d'accueil, halte-garderie pour les tout-petits (de 3 mois à 6 ans). Doublée par un autre espace ludique, *La Grange aux Jeux,* pour les 6-12 ans. Dans les deux cas, présence de monitrices et de puéricultrices.
– *L'île aux enfants :* espace de jeux librement ouvert aux 7-13 ans. Sous la surveillance des parents. Château fort en bois. Strictement interdit à tout véhicule à moteur.
– Enfin, l'office de tourisme édite un *guide des Kids* (gratuit) qui recense toutes les activités proposées aux enfants : Optimist, mini-tennis, catamaran enfant, poney, etc.

Adresse utile

🛈 *Office de tourisme :* pl. du Port. ☎ 05-56-09-19-00. Fax : 05-56-09-22-33. ● www.hourtin-medoc.com ● En juillet et août, ouvert tous les jours de 10 h à 13 h et de 14 h à 19 h ; de Pâques à fin juin et en septembre, tous les jours de 9 h à 12 h 30 et de 14 h 30 à 18 h ; d'octobre à Pâques, ouvert jusqu'à 17 h, fermé le dimanche. Au bord du lac. Sympa et compétent. Centralise toutes les infos sur les activités nautiques : écoles de voile, de surf, sports de glisse, char à voile, etc.

Où dormir ? Où manger ?

Pour dormir : villages-vacances, résidence hôtelière, hôtel, chambres d'hôte, internat UCPA, meublés et campings. Tous renseignements à l'office de tourisme.
Pour manger, plein de petits restos, pizzerias, crêperies ou guinguettes répartis dans tout le village, mais la plupart ne sont ouverts qu'en été.

⋏ *Aire naturelle de camping L'Acacia :* chez Mme et M. Rivetti. ☎ 05-56-73-80-80. À 5 km au sud d'Hourtin, à Sainte-Hélène-d'Hourtin. Route de Carcans, D 3. Ouvert de mi-avril à mi-octobre. Bon marché : compter 10,40 € pour 2. Également location de caravanes (environ 250 € la semaine). Camping superbement situé, en pleine campagne.

🏠 *Hôtel-résidence Les Pins :* à 300 m de l'office de tourisme, direction Contaut. ☎ 05-56-09-18-07. Fax : 05-56-09-20-72. Fermé en février. Chambres doubles à 45 €. Les chambres, claires, toutes neuves, sont situées dans une série de bungalows aux couleurs tendres bâtis en arc de cercle autour d'une pelouse. Chacune dispose d'une petite terrasse. Calme (la route est en impasse) et accueil sympa. Piscine. Remise de 10 % sur le prix de la chambre du 1er septembre au 30 janvier sur présentation du *GDR*.

À voir

🚶 *La rive du lac :* à 5 km d'Hourtin en direction de Carcans, route à droite, puis piste forestière. Encore sauvage, d'ailleurs classée espace naturel sensible. On vous conseille, pour découvrir flore et faune, la visite avec un guide naturaliste (gratuite de juillet à septembre, pratiquement tous les jours ; hors saison, sur rendez-vous et payante). Renseignements et inscriptions à l'office de tourisme d'Hourtin. Également des visites guidées de la lagune de Contaut (voir « Où faire une randonnée dans le coin ? »), où passe le chemin de Saint-Jacques-de-Compostelle, très en vogue ces derniers temps.

À faire

– Le lac est un espace privilégié pour la pratique du *nautisme* : dériveur, catamaran, planche à voile, fly-surf, etc. *Club de voile d'Hourtin* (au lieu-dit Piqueyrot) : ☎ 05-56-09-10-05. *Centre Nautique UCPA :* ☎ 05-56-09-20-69.

– Hourtin propose une foule d'autres *activités sportives ou de loisirs* : pêche (dans le lac ou en mer), kayak, surf, équitation, tennis, tir à l'arc, etc. Renseignements à l'office de tourisme. Sans oublier Hourtin-Plage et les balades dans la forêt de pins.

Où faire une randonnée dans le coin ?

➤ *De Contaut :* balade de 2 km, 45 mn aller et retour sans les arrêts. Circuit en boucle sur sentier à pilotis en partant de Contaut (4 km à l'est d'Hourtin-Plage sur la D 101). Balisage : panneaux. Entrée libre. Évitez de faire du bruit pour l'observation des oiseaux. Réf. : *Les Sentiers d'Émilie en Gironde,* éd. Randonnées Pyrénéennes. Carte IGN 1434 Ouest.

Étang ou lagune ? Le nord du lac d'Hourtin et de Carcans se transforme en paluds et marais au lieu-dit Contaut, où vous vous garez. Remarquez sur le bord de la route la réserve de pommes de pin pour le séchage des pignons. Commencez par prendre le chemin qui borde la lagune. Plus loin, un poste d'observation, sous la maison forestière, permet l'approche des nombreux oiseaux, dont le rutilant martin-pêcheur. Puis faites le tour de la lagune, sous les arbres, en empruntant le chemin construit sur pilotis qui surplombe sur 600 m le marais. Attention, les planches de bois humides sont parfois glissantes.

Certaines fougères et osmondes royales ont plus de 200 ans. La drosera carnivore pousse près des massettes à feuilles et les énormes touffes de carex donnent une impression de bayous en plein cœur de la Gascogne. Des panneaux expliquent la faune et la flore de cette réserve naturelle peu connue, délicieuse à fréquenter en été lorsque le soleil tape sur la plage toute proche.

CARCANS-MAUBUISSON *(33121)*

Là encore, plusieurs stations en une (c'est une manie ou quoi?). Sur l'Océan, Carcans-Plage n'a pas la réputation de Lacanau. À dire vrai, hors saison, l'activité reste celle d'un village (1 580 habitants pour les 2 stations). Mais l'été, c'est une agréable petite station dont les 15 km de plage de sable permettent à chacun de trouver sa place et même une solitude relative. Maubuisson, au sud du lac, offre plus de choix : le vélo, tous les sports nautiques à la base de plein air, tennis, équitation, etc. Un excellent endroit pour se refaire une santé. Détail pratique (puisqu'on parle de santé) : la pharmacie la plus proche est à Carcans-Ville (6 km), ainsi que les médecins (permanence toutefois en haute saison).

Adresses et info utiles

LE MÉDOC

🖹 **Office de tourisme :** dans la maison de la station à Maubuisson. ☎ 05-56-03-34-94. Fax : 05-56-03-43-76. ● www.carcans-maubuisson. com ● En juillet et août, ouvert tous les jours de 9 h à 19 h; d'octobre à mars, ouvert de 9 h à 12 h 30 et de 13 h 30 à 20 h, fermé le samedi après-midi et le dimanche; le reste de l'année, ouvert de 9 h à 12 h 30 et de 14 h à 18 h. Excellent accueil.

■ **Location de vélos :** *Service touristique,* route de l'Océan, à Maubuisson. ☎ 05-57-70-16-92. Ouvert de mi-juin à mi-septembre, de 9 h à 19 h. *Bicyc'loue,* dans la rue principale à Maubuisson. ☎ 05-56-03-43-23. Ouvert de Pâques à la Toussaint. Location également au *domaine de Bombannes,* ☎ 05-57-70-12-13, où l'on trouve une nouveauté : un parcours-aventure avec tyrolienne de 120 m, pont de singe, saut de Tarzan...

– **Marché :** à Maubuisson, le mercredi matin.

Où dormir? Où manger?

⚑ **Camping municipal de Carcans-Plage :** ☎ 05-56-03-41-44. À deux pas de la mer. Accès par la D 207, sur la rocade bordelaise (sortie 7). Direction Soulac-Le Verdon. Ouvert de début avril à fin septembre. Attention : pas de réservation. Selon la saison, compter de 15,50 à 22 € pour 2. Toutes les installations nécessaires et un emplacement assez génial. À 300 m de l'Océan et préservé du béton. Bonne ambiance.

|●| **La Grillade du Pouch :** 111, av. de Maubuisson, à Maubuisson. ☎ 05-56-03-47-50. Fermé le jeudi soir et le dimanche soir hors saison, ainsi que les 2e et 3e semaines de juin et de septembre et la 4e semaine de décembre. Menu à 10 €. À la carte, compter autour de 20 €. Petit resto sans prétention, cuisine familiale sympa. Spécialités médocaines, en particulier le bonnet à la médocaine, sorte de *haggis* local (ben oui,

la panse de vache farcie), les tripes, et le canard sous toutes ses formes. Quelques salades pour les végétariens. N'accepte pas les cartes de paiement. Café offert sur présentation du *GDR.*

|●| **Chez Heidi :** 13, av. des Dunes, Carcans-Plage (parking sud). ☎ 05-56-03-42-92. Ouvert les week-ends et jours fériés de Pâques au 14 juin, et tous les jours du 15 juin au 15 septembre. Compter autour de 15 € le repas. On y va pour la patronne (Heidi, bien sûr!), allemande d'origine, devenue figure locale. Et pour sa spécialité : le jambon à la broche, pommes au four, beurre persillé, à arroser d'une bière de Munich. Si vous trouvez ça trop lourd pour l'été, Heidi fait aussi de la choucroute, bien entendu. Ambiance extra. N'accepte pas les cartes de paiement. Kir Heidi ou schnaps offert sur présentation du *GDR.*

Où manger de bonnes glaces ?

᛭ *Le Salon de la Glace :* à Maubuisson, dans la rue principale. ☎ 05-56-03-30-80. Fermé du 15 septembre au 1er mars. Succulentes glaces en coupe ou en cornet (boutique adjacente). Une kyrielle de parfums au choix.

À voir

᛭ *Le musée des Arts et Traditions populaires :* à Maubuisson. ☎ 05-56-03-41-96. ᛭ Ouvert du 15 juin au 15 septembre, du lundi au vendredi de 15 h à 19 h. Entrée à 2,70 € au lieu de 3,50 € sur présentation du *GDR*. Topos et expos sur la région, où l'on apprend qu'autrefois la lande n'était qu'un vaste marais, et que ce n'est que sous Louis XVI qu'un certain Brémontier pensa à fixer la dune avec les oyats. Au siècle suivant, Chambrelent plante le pin maritime et fait creuser les fossés d'irrigation. Et voilà comment est née la plus grande forêt d'Europe. Pour info, sachez qu'un pin boit de 80 à 100 litres d'eau par jour ! Outillage agricole, intérieur médocain... Rétrospective sur les petits chemins de fer de la région. Expo sur les abeilles, sur la faune et sur la cuisine médocaine. Une petite visite pas désagréable.

À faire

– *Domaine des sports et de loisirs de Bombannes :* à 3 km de Maubuisson, sur la rive ouest du lac. ☎ 05-56-03-95-95. Stages de tennis, kayak, tir à l'arc, escalade, surf, trampoline, et même une école de cirque ! Espace aventure enfants (à partir de 6 ans). Mini-golf. Location à l'heure des courts de tennis, des voiliers et planches à voile. Activités nautiques. Camping pour groupes et individuels. Restaurant sur place. Parking payant pour les non-Girondins. Moralité : procurez-vous une plaque d'immatriculation 33...

➤ *Vélo :* 120 km de piste cyclable en forêt relient Maubuisson sur le lac de Carcans et le Moutchic sur le lac de Lacanau, avec possibilité d'un arrêt à la réserve naturelle du *Cousseau.* Superbe. La piste a des allures de montagnes russes ; elle débute au carrefour des Mimosas, D 207 à gauche en sortant de Maubuisson.

– Et planche à voile, dériveurs, catamaran, char à voile, parachute ascensionnel, surf, ski nautique, tennis, etc. Procurez-vous le *Guide pratique* auprès de l'office de tourisme.

LACANAU　　　　　(33680)　　　　　3 180 hab.

Distante d'à peine 53 km de la capitale d'Aquitaine, Lacanau, c'est un peu Bordeaux-Plage. Sauf aux alentours du 15 août, où la reine du surf européen devient la banlieue de l'Australie, la jumelle d'Honolulu ou la périphérie de Santa Barbara (Californie) pour l'étape française du championnat du monde. Ces jours-là, il est très difficile de bouger et totalement impossible de se loger à Lacanau. Même les emplacements de camping sont réservés 6 mois à l'avance. Si l'on évite cette période, Lacanau-Océan et, dans une moindre mesure, Lacanau-Ville restent bondées l'été. Bien sûr, au printemps et au cœur du sublime automne girondin, beaucoup moins de monde et tous ses charmes subsistent : la mer et la plage ; les balades à pied, à vélo, à cheval ; la nature souriante ; les voiliers sur l'étang... Et depuis peu, un tout nouveau casino.

Adresses utiles

ℹ️ Office de tourisme : pl. de l'Europe, Lacanau-Océan. ☎ 05-56-03-21-01. Fax : 05-56-03-11-89. Site étonnant sur Internet, avec vision de la plage en direct : ● www.lacanau.com ● Ouvert toute l'année : de 9 h à 19 h tous les jours en juillet et août ; du lundi au samedi de 9 h à 12 h et de 13 h à 17 h 30 de septembre à juin (ouvert le dimanche matin pendant les vacances scolaires). Efficacité garantie. Possibilité de réservation aérienne (départ de Bordeaux).

🚌 Cars Ouest Aquitain : ☎ 05-56-70-12-13.

■ Location de vélos : Locacycle, 11, av. de l'Europe, Lacanau-Océan. ☎ 05-56-26-30-99. Ouvert de fin mars à fin septembre. Autre location à l'année, à Lacanau-Océan : Garage Auberger, 15, av. de l'Europe. ☎ 05-56-03-19-35.

■ Location de surfs ou de body-boards : Mata-Hari Surf Shop, 2, rue Jules-Ferry. ☎ 05-56-03-13-01. Tenu par un surfeur de bon conseil (et sympa !). Surf City, résidence Casino, bd de la Plage. ☎ 05-56-03-12-56. Charme et professionnalisme.

■ Écoles de surf : Lacanau Surf Club-Maison de la Glisse, ☎ 05-56-26-38-84. Organisateur du Lacanau Pro. Association Surf sans frontières, ☎ 05-56-03-27-60. Prix très intéressants hors saison. Les Dauphins, ☎ 05-56-03-19-66. Eddy Kalano Surf school, ☎ 05-57-70-00-66.

■ Météo du surf : Océan Surf Report, 20, rue Pierre-Durand. ☎ 0892-681-360. Donne des infos sur la météo des plages et les conditions pour faire du surf... Utile !

■ Équitation : Club hippique de Lacanau-Lac, ☎ 05-56-03-52-74.

■ Laverie : pl. Charles-de-Gaulle, à Lacanau-Océan. ☎ 05-56-26-33-56.

Où dormir ? Où manger ?

Campings

⚕ **Camping du Tedey :** sur l'étang de Lacanau. ☎ 05-56-03-00-15. Fax : 05-56-03-01-90. ● www.le-tedey. com ● 🍴 Ouvert de fin avril à fin septembre. Compter 18 € l'emplacement standard pour 2. Réservation obligatoire en été. Très développé. Tous les accessoires et même plus. Petite restauration, douches, voile, bibliothèque, épicerie, volley-ball, pêche, etc.

⚕ **Camping Les Grands Pins :** un peu au nord de Lacanau-Océan. ☎ 05-56-03-20-77. Fax : 05-57-70-03-89. ● www.lesgrandspins.com ● 🍴 À 1 km au nord de Lacanau-Océan, à deux pas de la plage. Ouvert du 1er mai au 15 septembre. Selon la saison, de 23 à 33 € pour 2, avec voiture et tente, électricité comprise. Cadre super. Un 4 étoiles. Aménagements de qualité. Piscine. En juillet et août, hyper bondé. Réservation conseillée.

Bon marché

Les « hébergements collectifs pour jeunes », comme on dit ici, sont pris d'assaut par les surfeurs australiens ou californiens qui ont le dollar facile. En fait, on est en limite d'arnaque. Entre 15 et 20 € pour un lit superposé dans une chambre minuscule, au confort spartiate, c'est payer pour dormir dans des conditions que l'Armée n'oserait pas imposer aux bidasses. On a même vu 4 lits dans des sortes de bungalows de jardin type Castorama. Réfléchissez : à deux, ça vous coûte plus cher qu'une vraie chambre d'hôtel !

LE MÉDOC

🛏 |◉| *L'Auberge du Marin :* 4, rue du Lion. ☎ 05-56-03-26-87. Ouvert toute l'année. Resto à midi seulement. Chambres à partir de 28 €. Plat du jour à 7,60 €. Pas de quoi se détruire le budget. Une auberge simple à quelques pas de la plage, tenue par un patron dont le but est de vous nourrir de plats simples à bon marché : des moules, des escalopes, de bons plats en sauce. Toujours plein de monde, et on s'est même laissé dire que c'était la cantine des gendarmes du coin. Loue également des chambres toutes simples avec douche, w.-c. et TV. Mais là, il faut réserver impérativement l'été.

🛏 *Wave Trotter's Guesthouse :* av. Silvain-Marian. ☎ 05-56-03-13-01. Fax : 05-56-03-19-87. S'adresser à *Mata Hari surf shop* sur la plage. Fermé de novembre à mars. Nuitée de 12 à 18 € par personne. Sanitaires (et cuisine) communs à l'extérieur des chambres. *Guesthouse* ouverte par un surfeur local dans une petite villa typique et un peu déglinguée. L'ambiance rappel-

lera quelques souvenirs à ceux que la route a conduits jusqu'aux plages à vagues d'Asie. C'est en effet très cool ici, et le désordre règne. Confort rudimentaire. Mais si l'on s'accommode de ces inconvénients, l'adresse peut être sympa.

🛏 |◉| *Résidence A Plus – Restaurant L'Authentique :* route du Baganais. ☎ 05-56-03-91-00. Fax : 05-56-03-91-10. • www.aplus-lacanau. com • ✗ Ouvert de début mars à fin novembre. Chambres doubles de 62 à 112 € selon saison. Menu du jour à 20 €. Compter environ 30 € à la carte. Beau complexe 3 étoiles, installé un peu à l'écart de la ville, dans la pinède, et dédié à l'équitation. Chambres spacieuses et tout confort, piscine intérieure, jacuzzi, salle de gym, TV satellite. Piscine extérieure aussi, et, bien sûr, manège et écurie. Séjours de perfectionnement équestre, ou simples reprises, mais ce n'est pas obligatoire. Centre de balnéothérapie également. Le restaurant, *L'Authentique*, jouit d'une bonne réputation. Un apéritif offert sur présentation du *GDR*.

➤ DANS LES ENVIRONS DE LACANAU

🎋 *La réserve naturelle de l'étang de Cousseau :* située entre les deux grands étangs du Médoc, à 3 km de Lacanau-Océan. La réserve est ouverte gratuitement toute l'année, mais on ne peut s'y rendre qu'à vélo ou à pied. 13 km de sentiers balisés, au hasard desquels on peut croiser (avec un peu de chance) chevreuils, sangliers, rapaces divers, tortues, serpents et même des loutres, animaux sympas s'il en est. De toute façon, une belle balade. Possibilité de visite organisée, avec un guide naturaliste, du 15 juin au 15 septembre : du 15 au 30 juin, le dimanche de 9 h 30 à 13 h ; en juillet et août, tous les jours aux mêmes horaires, sauf le jeudi de 14 h 30 à 18 h ; du 1er au 15 septembre, le mercredi et le dimanche de 9 h 30 à 13 h. Inscriptions à l'office de tourisme de Lacanau ou de Carcans-Maubuisson.

LE PORGE   (33680)   1 850 hab.

Dernière station du Médoc avant Arcachon. Très familiale, très petite et très sympa. Peut-être la station la plus naturelle de ce Médoc bleu qui n'en manque pourtant pas. La plage se trouve à 11 km du village.

Adresses utiles

ⓘ *Office de tourisme :* pl. Saint-Seurin. ☎ 05-56-26-54-34. Fax : 05-56-26-59-48. • www.leporge.com • En saison, ouvert du lundi au samedi de 9 h à 19 h et le dimanche de 10 h à 13 h ; hors saison, du lundi au vendredi de 9 h à 12 h 30 et de 14 h à 17 h 30, et le samedi de 9 h à 12 h. Accueil très sympa.

■ *Station camping-cars :* av. de la Gare. Fonctionne avec des pièces de 1 €.

Où dormir ? Où manger ?

⌗ *Camping municipal de La Grigne :* av. de l'Océan. ☎ 05-56-26-54-88. Compter 9 € l'emplacement. Grand camping à deux pas de la plage, dans la pinède. Accueil sympa. Location de vélos.

|●| *La Vieille Auberge :* 15, av. de Bordeaux. ☎ 05-56-26-50-40. Fermé les mardi soir et mercredi hors saison, seulement le mercredi en saison, ainsi que du 15 novembre au 1er avril. Menu à 20 €. À la carte, compter environ 36 €. Une des bonnes tables de la région. Petite terrasse et salle coquette, d'une élégante sobriété. Grandes spécialités de la maison : la lamproie à la bordelaise, le feuilleté de noix de Saint-Jacques au beurre d'échalotes, ainsi que le foie gras de canard aux pommes. Gibier en saison et pas de crêpes, bien que le patron soit breton.

ARCACHON ET LE PAYS DE BUCH

Eh oui ! La ville importante, ici, c'est La Teste-de-Buch qui fut la capitale de Jean de Grailly, captal de Buch, personnage haut en couleur, fidèle aux Anglais jusqu'à la fin de la guerre de Cent Ans. Il fallut lui envoyer Du Guesclin pour le calmer. Et Arcachon ? Eh bien, Arcachon est un petit bout de lande déserte que La Teste-de-Buch vendit au XIXe siècle aux banquiers Pereire qui voulaient créer une station balnéaire. Certes, ça a pas mal marché, mais dans le coin on vous fera remarquer que le territoire de la ville est bien petit, bien récent et que l'Histoire...

ARCACHON   (33311)   11 850 hab.

> **Pour le plan d'Arcachon, voir le cahier couleur.**

Un peu la résidence secondaire des Bordelais. Ville sympathique et aérée où réside une population plutôt bourgeoise et fermée. Elle possède pourtant de nombreux atouts : le site tout d'abord, profitant à la fois de la forêt, de l'Océan et du bassin, et puis un climat serein, une atmosphère animée. Une ville d'été, insouciante et moderne, et une ville d'hiver, avec ses superbes villas au décor de bois, cachées dans les pins. Arcachon mérite une visite, ne serait-ce que pour découvrir sa superbe ville d'hiver. Malgré tout, la ville est moins snob qu'il n'y paraît : en fait, c'est le Bassin qui est chic, surtout le

Cap-Ferret et le Pyla où se trouvent les villas de week-end de la bourgeoisie bordelaise. Et puis c'est le point de départ pour d'incontournables excursions vers des sites uniques comme l'île aux Oiseaux, le banc d'Arguin, la dune du Pyla, Le Cap-Ferret et la visite des parcs ostréicoles.

UN MOT SUR LES HUÎTRES

Arcachon a toujours produit des huîtres. L'espèce cultivée aujourd'hui est l'huître japonaise : les portugaises qui avaient remplacé l'huître locale ont été détruites par une épidémie. Alors, on a fait venir d'autres immigrées pour assurer la continuité.

Un conseil : plutôt que de manger des huîtres au restaurant, allez dans les cabanes des ports du Bassin. L'office de tourisme vous donnera une carte fort bien faite avec l'indication des ostréiculteurs qui vendent directement leur production, leurs jours et heures d'ouverture. Certains peuvent même vous emmener visiter les parcs avec leurs pinasses. C'est moins cher qu'au resto (en général, 3 à 4 € la douzaine à emporter et 9 à 10 € la douzaine à déguster sur place, pâté et vin blanc inclus), plus frais et tellement plus sympa !

Un autre conseil : si l'on vous propose des « huîtres des 4 saisons », refusez. Ce sont des OGM, des huîtres stérilisées par une manip' génétique qui les rend triploïdes. Ces monstres ne sont donc pas laiteuses en été, ne maigrissent pas et sont parfaites au moment où il y a le plus de touristes dans les restos. Certains prétendent que c'est sans risque. Nous, on y voit une illustration de plus de la mal bouffe...

UN PEU D'HISTOIRE

Le manque d'authenticité de la ville s'explique par son histoire. En effet, ce n'est qu'au milieu du XIXe siècle que les frères Pereire, qui venaient de racheter la ligne de chemin de fer de Bordeaux à La Teste, décidèrent de créer une station balnéaire à Arcachon, hameau de La Teste. Ils achetèrent donc les terrains et bâtirent villas et casino. Très rapidement, les Parisiens et bourgeois de province se virent prescrire par leur médecin une cure de bon air dans la ville naissante.

Dès lors, Arcachon se para d'établissements de bains et de superbes demeures aux styles très différents, enfouies dans les pins. La ville reçut de riches tuberculeux et des artistes de renom, se forgeant ainsi une réputation qui ne devait plus la quitter. C'est à cette époque que la cité fut divisée par quartiers : la ville d'été, au tracé rectiligne, longeant le bord de l'eau, et la ville d'hiver, à l'abri du vent et de l'animation trépidante, sous la forêt de pins.

Adresses utiles

ℹ️ Office de tourisme (plan couleur C1) : esplanade Georges-Pompidou. ☎ 05-57-52-97-97. Fax : 05-57-52-97-77. ● www.arcachon.com ● En juillet et août, ouvert tous les jours de 9 h à 19 h ; en avril, mai, juin et septembre, ouvert du lundi au samedi de 9 h à 18 h 30 et le dimanche de 10 h à 13 h et de 14 h à 17 h ; en octobre et mars, du lundi au vendredi de 9 h à 18 h. Très bien documenté et personnel sympathique.

🚉 Gare SNCF (plan couleur C1) : bd du Général-Leclerc.

🚌 Bus : à la gare. Renseignements : Société des bus d'Arcachon. ☎ 05-57-72-45-00. Connexions régulières avec Pyla-sur-Mer, Pyla-Plage et le sud du Bassin.

■ Hôpital Jean-Hameau : ☎ 05-57-52-90-00.

■ Renseignements météo : ☎ 08-36-68-02-33.

■ Renseignements excursions mari-

times : Union des Bateliers d'Arcachon : ☎ 05-57-72-28-28 ; Arcachon Croisière Océan : ☎ 05-57-52-24-77 ; Digue Ouest (bateliers indépendants) : ☎ 06-08-16-32-25 ; Association des Marins Indépendants (AMI) : ☎ 06-60-02-09-02.

Où dormir ?

Arcachon n'est pas bon marché, essentiellement à cause de la faiblesse de l'offre hôtelière. N'hésitez pas à filer dans les villages autour du Bassin.

Camping

⚊ **Camping-club d'Arcachon** (Les Abatilles ; plan couleur A-B2) : à 2 km de l'office de tourisme. ☎ 05-56-83-24-15. Fax : 05-57-52-28-51. ● www.camping-arcachon.com ● ⚊ De la gare, passez par l'OT qui vous donnera un plan et vous indiquera la route. Pas de bus de la gare. Ouvert toute l'année. Compter 29,45 € pour deux en saison, jusqu'à moitié moins hors saison. Un petit resto (également ouvert toute l'année) avec un menu à 10 et 20 €. Environnement superbe dans une forêt de pins très calme et bien entretenue. Piscine. Malheureusement, en haute saison, propreté irrégulière des sanitaires. Endroits pour laver la vaisselle et laverie avec buanderie (2 machines à laver et un séchoir). Location de chalets pour 6 personnes de 630 à 690 € la semaine en été. Également mobile homes ou bungalows. Remise de 10 % hors saison sur présentation du *Guide du routard*.

De bon marché à prix moyens

⚊ **Chambres chez Mme Chaplaud** (plan couleur C1, 1) : 5, av. du Général-de-Gaulle. ☎ 05-56-83-42-92. Ouvert du 1er avril au 1er octobre. Chambres doubles de 25 à 31 € hors saison, de 37 à 40,50 € en haute saison. Possibilité de faire son petit dej'. Trois chambres dans une jolie petite maison du centre, avec jardin fleuri. La patronne est la responsable de l'association *Amis-chats*. Elle est connue pour avoir sauvé un grand nombre de chats à Arcachon. Mais c'est de chambres et pas de chats dont nous parlions : 3 chambres donc, avec douche et toilettes sur le palier ; une seule avec douche à l'intérieur. Excellent accueil, chat ch'est chur !

Plus chic

⚊ **Hôtel Les Mimosas** (plan couleur C1, 3) : 77 bis, av. de la République. ☎ 05-56-83-45-86. Fax : 05-56-22-53-40. Près de la place de Verdun. Fermé en janvier et février. De 40 à 61 € la double selon la période. Dans une bonne grosse maison arcachonnaise de la ville d'été. L'Océan n'est donc pas bien loin. Très bon accueil. Chambres propres et nettes, pas désagréables, et quelques-unes en annexe de plain-pied, façon motel. Un petit dej' par chambre offert sur présentation du *GDR* à partir de la 3e nuit, sauf entre novembre et Pâques.

⚊ **Hôtel Le Dauphin** (plan couleur C1, 4) : 7, av. Gounod. ☎ 05-56-83-02-89. Fax : 05-56-54-84-90. Chambres doubles de 45 à 72 €. Situé dans un quartier calme mais non loin du boulevard de la Plage. Jolie maison typique (superbe escalier) redécorée dans un style années 1960. La nouvelle direction a pris les choses en main et le confort s'améliore d'année en année. 50 chambres, un peu petites mais disposant de tout le confort : AC, bains, w.-c., TV (Canal +, satellite), téléphone. Piscine. 10 % de réduction sur le prix de la chambre sur présentation du *GDR*.

🛏 *Hôtel Marinette (plan couleur C2, 5)* : 15, allée José-Maria-de-Heredia. ☎ 05-56-83-06-67. Fax : 05-56-83-09-59. Fermé du 1er novembre au 15 mars. Selon la saison, doubles avec douche ou bains de 28 à 65 €. Grosse villa blanche et verte dans le calme de la ville d'hiver. Quartier résidentiel. Petit jardin et bosquets d'hortensias. Certaines chambres avec accès indépendant. Une adresse bien agréable, même si l'ameublement et la déco ont maintenant vieilli. Un petit dej' offert pour l'ensemble du séjour sur présentation du *GDR*.

🛏 *Hôtel La Pergola (plan couleur B1, 6)* : 40, cours Lamarque-de-Plaisance. ☎ 05-56-83-07-89. Fax : 05-56-83-14-21. Fermé de novembre à mars. Selon confort et saison, chambres doubles de 30 à 74 €. Central et bien tenu, et tout récemment rénové de manière plutôt mignonne. Un seul étage, immense, pour ces 20 chambres. On est en plein centre. Dommage que l'insonorisation n'existe pas (mis à part le double vitrage). Bon accueil.

Où manger ?

De bon marché à prix moyens

🍽 *La Plancha (plan couleur B1, 11)* : 17, rue Jehenne. ☎ 05-56-83-76-66. Fermé le mercredi midi (sauf pendant les vacances scolaires), les samedi et dimanche, ainsi que de mi-janvier à mi-février et la 1re semaine de novembre. Menus à 6,40, 8,80 et 10,50 € le midi ; à la carte, compter dans les 18,50 €. Une des meilleures adresses arcachonnaises bon marché, où la *salade plancha* (salade, tomates, morue, anchois marinés, moules, crevettes) suffit pour déjeuner, et où le *plateau plancha* (4 viandes grillées) vous gave pour la soirée. Tapas également, et morue, super merlu, *koskera*, comme dans tout « espagnol » qui se respecte. Attention, tables serrées et il n'y a pas cinquante. Clientèle serrée aussi, mais quelle ambiance !

🍽 *Le Pavillon d'Arguin (plan couleur C1, 13)* : 63, bd Général-Leclerc. ☎ 05-56-83-46-96. Fermé le lundi et le mardi hors saison, le lundi en saison. Menus à 16 et 23 € et menu-dégustation à 59 €, avec deux entrées, deux plats, fromage, dessert, vin et digestif inclus (ouf !). Dans la grande salle bleue et blanche, une équipe toute jeune qui se met en quatre pour vous servir vite et bien une cuisine légère et inventive où poisson et fruits de mer tiennent le haut du pavé. À propos de pavé, il y a aussi quelques viandes grillées. L'adresse qui monte à Arcachon. Un digestif maison offert sur présentation du *GDR*.

🍽 *Le Chipiron (plan couleur D1, 10)* : 69, bd Général-Chanzy. ☎ 05-57-52-06-33. Vers le port de plaisance. Fermé hors saison le lundi soir, le mardi soir, le mercredi et en janvier. Menu à 10,70 € à midi en semaine ; à la carte, compter dans les 25 €. Bistrot espagnol un peu à l'écart du flux touristique. Une petite salle à la déco passe-partout. Affiches de corrida et quelques jambons qui pendent au plafond pour la couleur locale. La cuisine va aussi à l'essentiel : *cazuelas,* poisson et viande grillés et, bien sûr, *chipirons a la plancha*. De bons petits plats copieux, authentiques et goûteux. Accueil amical, service gentil, clientèle d'habitués... bref, le genre de petite adresse où l'on se sent (et où l'on mange) bien. Sangria offerte sur présentation du *GDR*.

Un peu plus chic

🍽 *Chez Yvette (plan couleur C1, 14)* : 59, bd Général-Leclerc. ☎ 05-56-83-05-11. 🍴 Ouvert tous les jours. Menu à 16,50 €. Compter 30,50 € à la carte. Le grand classique arcachonnais. Au départ, Yvette et son mari sont à la fois ostréiculteurs et poissonniers. Alors, forcément, huîtres, coquillages et poisson sont de première fraîcheur. Tous les poissons de la criée se donnent rendez-vous sur la carte (sur laquelle on a bien aimé la distinction faite entre poisson sauvage et poisson d'élevage ; au moins, c'est clair). Yvette mène tout ça tambour battant et on comprend les raisons de son succès.

Où boire un verre ?

La Feria (plan couleur B1, **20**) : 9, rue Jehenne. ☎ 05-57-52-22-15. Ouvert tous les soirs de 22 h à 2 h. Fermé en janvier. Le bar de tous les débuts de soirée (si vous avez moins de 40 ans). Musique à fond, ambiance espagnole, toro Osborne au mur et *mojito* de bonne qualité. Pas trop cher. On s'y rencontre, on s'y fait le fond d'estomac, après quoi on va ailleurs.

L'Escorida (plan couleur B1, **21**) : 177, bd de la Plage. Ouvert de 23 h 30 au petit matin, tous les soirs d'avril à septembre et pendant les vacances scolaires. Hors saison, fermé les dimanche et lundi. Entrée : 10 €. La bonne boîte classique de station balnéaire, où les minots côtoient les quinquas qui veulent rajeunir. Musique généraliste (même des slows) et ambiance provinciale. Entrée gratuite sur présentation du *GDR*.

À voir

➢ **Balade dans la ville d'hiver :** visites guidées de la ville d'hiver les lundi, mercredi, vendredi et samedi d'avril à octobre. Visites à vélo également vers Pereire le mardi et vers l'Aiguillon le jeudi. Voir à l'office de tourisme. Les amoureux de romantisme et les romantiques amoureux seront ravis par cette promenade à travers les quartiers d'hiver de la ville, qui recèlent de petits bijoux d'architecture. C'est après que les frères Pereire eurent décidé de faire d'Arcachon une ville de bains qu'on dessina ce quartier aux allées sinueuses afin de briser l'élan du vent. De fait, il fait toujours 3 °C de plus ici que sur le bord de mer.

On construisit un casino de style mauresque dans le parc du même nom, puis les chalets virent le jour, reprenant tous dans leur décoration cette frise de dentelles de bois sur les toits et les balcons. Plutôt que chalets, on préféra appeler *villas* ces demeures pour aristocrates en vacances. À partir de 1870, de nombreux architectes de renom vinrent à Arcachon assouvir sans complexes quelques fantasmes architecturaux : maison coloniale, chalet suisse, style italien, château belvédère... Tous les styles sont représentés, mélangés avec bonheur ou pas... Suivez le guide !

Voici une des balades possibles, parmi tant d'autres. Au passage, vous verrez bien d'autres villas intéressantes que nous ne citons pas. Ouvrez l'œil.

– Départ de la place Roosevelt (où se trouve l'office de tourisme). Emprunter l'avenue Regnault, puis prendre l'escalier à gauche. Arrivée dans l'allée Rebsomen où apparaît la *villa Térésa* (n° 4), du XIXe siècle. On traverse ensuite le *parc mauresque* dont le nom évoque l'ancien casino de style mauresque qui s'y élevait. Les architectes de l'époque, pas prétentieux pour un sou, voulaient rappeler l'Alhambra de Grenade et la mosquée de Cordoue. Rien que ça ! Il fut détruit par le feu en 1977.

– Sortir par l'allée du Moulin-Rouge pour voir la *villa Toledo* (n° 7), grande bâtisse de brique et pans de bois, décorée de belles dentelles de boiseries ciselées. Avez-vous remarqué l'escalier sur la droite, dont la rampe externe est sculptée en trompe-l'œil simulant une courbe par la déformation des motifs décoratifs ? Au fait, l'*allée* s'appelle *du Moulin-Rouge* en hommage à Toulouse-Lautrec qui passait ses vacances à Arcachon. Une anecdote : ce cher Toulouse-Lautrec, qui avait une maison au bord de la plage, avait l'habitude de se baigner nu. Comme les voisins protestaient, pour se cacher, il construisit une palissade... qu'il peignit de dessins obscènes. Les gens qui, ensuite, rachetèrent la maison brûlèrent le tout ! Depuis, les héritiers n'ont plus assez de doigts pour se les mordre...

– Poursuivons par l'*allée Faust* pour aller voir la villa du même nom au n° 3. À travers les arbres, on l'aperçoit, sorte de mini-château fort où habita Gounod. L'œil averti aura d'ailleurs déjà remarqué la référence à Méphisto dans le masque situé au sommet du pignon. En face, l'*allée Marie-Christine* et une maison au n° 2 (à l'angle de l'allée Faust) où Marie-Christine de Habsbourg-Lorraine a séjourné. C'est ici qu'elle a rencontré son fiancé Alphonse XII. Reprendre l'allée Faust. À deux numéros de la villa Faust, la **villa Marguerite,** dans le style chalet suisse, entourée d'une végétation quasi tropicale. Au bout de l'allée, au croisement de l'allée Brémontier, la **villa Brémontier** (milieu du XIXe siècle), dont le style hésite entre le château fort et la pagode. En face, la **villa Graigcrostan,** dans le style « colonie des Indes ». Normal, c'est un Anglais qui la réalisa.

– S'engager dans l'*allée Docteur-Festal.* Au n° 4, **villa Monaco,** toute de brique vêtue, avec ses hautes cheminées. C'est ici que vécut incognito Alphonse XII sous le nom de Covadonga, en 1879. Retour par l'allée Pasteur... À l'angle avec l'allée Alexandre-Dumas, imposante **villa Alexandre-Dumas** justement, d'un style mi-mauresque mi-pagode avec ses élégantes fenêtres de brique et céramiques et son toit original. Alexandre Dumas passa par ici, sans pour autant habiter la maison.

– Prendre l'allée qui mène au petit monticule où se dresse un *observatoire :* tour métallique avec escalier en colimaçon réalisé par... Paul Regnault en 1863. Quand le ciel est clair, panorama complet sur tout le bassin, l'île aux Oiseaux avec ses deux cabanes « tchanquées ». Emprunter la passerelle à droite de l'observatoire, réalisée par Eiffel. Sur la gauche, descendre l'escalier et entrer dans le parc mauresque. Se diriger vers le balcon où est installé un des ascenseurs les plus sympas qui soient. Il permet de rejoindre la ville d'été sans fatigue. L'employé a couvert les parois de l'ascenseur de cartes postales anciennes. Sur certaines, l'ancien casino mauresque apparaît. Attention, montée et descente payantes, mais c'est presque donné ! Carte d'abonnement possible. Fonctionne tous les jours de 9 h à 12 h 40 et de 14 h 30 à 19 h. Étonnant.

🐟 *Le musée-aquarium (plan couleur C1) :* rue du Professeur-Jolyet. ☎ 05-56-83-33-32. Du 1er juin au 30 août, ouvert tous les jours de 9 h 30 à 12 h 30 et de 14 h à 20 h ; de mi-mars à début novembre, de 10 h à 12 h 30 et de 14 h à 19 h. Entrée : 4,30 € ; réductions. Petit aquarium présentant de beaux spécimens de poissons tropicaux et régionaux, de longues murènes au regard agressif et de placides tortues. À l'étage, salle consacrée à la zoologie (requins et dauphins naturalisés, vitrines de coquillages, squelettes de cétacés). Une belle collection d'oiseaux marins, une salle d'ostréiculture, ainsi qu'une petite section archéologique. Présentation claire et didactique. Tarif groupe (3,70 €) sur présentation du *GDR.*

➤ *Balade en bord de plage :* en longeant la côte vers le sud de la ville, on aboutit à un petit parking. De là, une allée piétonne surplombe la plage : 1,5 à 2 km de promenade le long de la mer.

➤ *Les plages :* bien sûr, on peut se baigner en plein centre-ville, mais la plus réputée est la *plage Pereire,* que l'on trouve en allant vers le sud en longeant l'eau. Surveillée sur toute sa longueur.

Excursions en bateau

Deux formules : standard ou à la carte. Standard : l'*UBA (Union des Bateliers Arcachonnais)*, l'*ACO (Arcachon Croisière Océan)* et l'*AMI (Association des Marins Indépendants)* organisent l'été plusieurs excursions très intéressantes sur le bassin. *Renseignements : UBA*, ☎ 05-57-72-28-28 ; *ACO*, ☎ 05-56-54-36-70 et 05-57-52-24-77 ; *AMI*, ☎ 06-60-02-09-02.

– *Le tour de l'île aux Oiseaux :* de mars à octobre, départ de la jetée Thiers *(UBA)* et de la jetée d'Eyrac *(ACO)* ; contacter aussi l'*AMI*. Prix : 12,50 € ; réductions pour les 4-12 ans. Durée : 2 h. L'île aux Oiseaux, c'est ce petit banc de terre au beau milieu du bassin avec deux maisons de bois sur pilotis où les ostréiculteurs font halte. On les appelle cabanes « tchanquées », car leurs pieds rappellent les tchanques, échasses des bergers landais. On passe par les villages du bord du bassin : Piquey, Piraillan, Le Canon, L'Herbe, La Vigne (voir plus loin « Le tour du Bassin d'Arcachon »).

– *Visite des parcs à huîtres :* de juin à septembre. Départ de la jetée Thiers *(UBA)*. Horaires dépendant des marées. Renseignements par téléphone. Prix : 10,50 €.

– *Journée au banc d'Arguin :* en juillet et en août, départ vers 11 h (1 h de voyage), retour à 17 h. Rendez-vous jetée Thiers *(UBA)* ou jetée d'Eyrac *(ACO)*. Prix : 15 € ; réductions pour les 4-12 ans. Départs également depuis le Mouleau (quartier sud-ouest d'Arcachon) et du Pyla. Une journée sympa sur ce banc de sable superbe, réserve naturelle d'oiseaux migrateurs. Apporter son pique-nique. Situé entre l'Océan et le bassin, le banc d'Arguin est un lieu idéal pour la nidification. Le banc modifie sans cesse sa forme sous l'effet de l'Océan et de l'apport de sable. Animaux interdits.

– *Traversée Arcachon – Le Cap-Ferret :* fonctionne toute l'année. ☎ 05-57-72-28-28. En juillet et août, traversée tous les jours, toutes les heures de 9 h à 13 h et toutes les demi-heures de 14 h à 19 h. En juin et septembre, toutes les heures seulement de 9 h à 12 h et de 14 h à 17 h 30.

– *Découverte de la dune et du littoral :* départ de la jetée Thiers tous les jours vers 15 h. Durée : 2 h 30. Prix : 13,50 €.

À la carte, contactez les bateliers indépendants de *Digue Ouest* (☎ 06-08-16-35-25), dites ce que vous voulez, ils vous feront un devis. Il s'agit de pinasses traditionnelles, donc groupes de 6 à 8 personnes maxi.

Manifestation

– *18 Heures à la voile d'Arcachon :* début juillet.

LA DUNE DU PYLA (33115)

Incongrue, superbe, pied de nez formidable à la végétation qui était censée fixer ce sable rebelle. Absolument unique en son genre, cette immense dune de forme rectangulaire s'étend sur 2,7 km de long et 500 m de large. 60 millions de tonnes de sable. Culminant à 117 m, c'est la plus haute d'Europe. Elle a 8 000 ans et aurait pris son temps pour se former, puisqu'au XVIIIe siècle elle n'en était qu'à un stade de gros pâté. Inexorablement, elle accumule le sable apporté par la mer et le vent, et dévore la forêt, bouleversant en un point précis le paysage côtier. Attention, elle avance de 1 à 4 m par an : ne pas se faire prendre de vitesse pendant la sieste !

Au fait, la dune est située sur la commune de La Teste (voir plus bas, « Le tour du bassin d'Arcachon »), mais il y a aussi une station Pyla-sur-Mer, et une autre, voisine, Pilat-Plage. Les orthographes varient donc (d'ailleurs, la dune elle-même est appelée du Pyla ou du Pilat, ça dépend ; de quoi ? on sait pas, mais ça dépend). Explication tout de même de ce mystère : c'était autrefois et depuis toujours la dune du Pilat (de « pile » : tas, entassement ; on dit d'ailleurs dans le pays « une pile de cons » quand ils sont nombreux !). Et c'est à la création de la station, au début du XXe siècle, qu'il a été décidé d'écrire Pyla, par snobisme, parce que ça faisait plus original et que ça se retiendrait mieux. En fait, aujourd'hui, le « y » s'impose de plus en plus chez les autochtones, tant pour les stations que la dune, et il n'y a plus guère que les cartographes, toujours un peu conservateurs, à soutenir le Pilat.

Adresses utiles

ⓘ *Syndicat d'initiative :* rond-point du Figuier, 33115 Pyla-sur-Mer. ☎ 05-56-54-02-22. ● www.pyla-sur-mer.com ● Ouvert toute l'année.

Plein d'infos sur le Pyla, mais aussi sur La Teste et Cazaux.
ⓘ *Point infos de la Dune / Pavillon d'accueil :* ☎ 05-56-22-12-85.

Où dormir ? Où manger ?

Campings

Nombreux campings qui s'enchaînent au sud de la dune, sur la route de Biscarrosse.

⚕ ⏹ *Camping La Dune :* route de Biscarrosse. ☎ 05-56-22-72-17. ● www.campingdeladune.fr ● ⚕ Ouvert du 25 avril au 26 septembre. Forfait deux personnes, voiture et tente : 23 € en haute saison et de 12 à 17 € le reste de l'année. Location de chalets et mobile homes pour 4 personnes (entre 280 et 580 € la semaine selon la saison). Restaurant avec un petit menu à 12 €. Entre la dune et la route. Niveau d'équipement irréprochable. Tennis, équitation, piscine (gratuite)... Seul inconvénient : l'accès à la plage direct est barré par la dune. Il faut donc la contourner pour prendre un petit bain. Attention, en pleine saison, de nombreux concerts sont souvent prévus ! Se renseigner. Apéritif maison offert sur présentation du *Guide du routard*.

⚕ *Pyla Camping :* à côté du précédent, mais mieux situé car en fin de dune. ☎ 05-56-22-74-56. Fax : 05-56-22-10-31. ⚕ Ouvert de Pâques au 30 septembre. En haute saison, compter 19,25 € pour 2. On peut facilement contourner la dune pour accéder à la plage. Dans un bel environnement de pins, aménagé de façon agréable avec de petites dénivellations. Emplacements suffisamment grands. Piscine.

De prix moyens à plus chic

⏢ *Hôtel Maminotte :* allée des Acacias, Pyla-sur-Mer. ☎ 05-57-72-05-05. Fax : 05-57-72-06-06. ⚕ Ouvert toute l'année. Chambres doubles de 40 à 85 €. Un petit hôtel (12 chambres seulement) que rien ne différencie des maisons d'habitation de ce quartier paisible, perdu dans les pins, à 300 m de l'Océan. Accueil aimable. Chambres pas désagréables et assez confortables. Certaines sont dotées de petits balcons. Pas bon marché en haute saison, mais la dune du Pyla est chic et, ici, l'accueil est sympa et l'ambiance familiale.

⏢ ⏹ *La Corniche :* 46, av. Louis-Gaume, Pilat-Plage. ☎ 05-56-22-72-11. Fax : 05-56-22-70-21. ● www.corniche-pyla.com ● Fermé le mercredi sauf en juillet et août, et de novembre à mi-avril. Blotti entre pins et massifs fleuris, non loin de la grande dune. Chambres à tous les prix :

38 € la double avec lavabo (une seule), 53 € avec douche et w.-c., 76 € avec bains. Menus à 15 et 23 €. Demi-pension recommandée en juillet et août, de 70 à 85 € par personne. Confirmez absolument votre réservation par fax. Certaines chambres ont leurs fenêtres au-dessus des cuisines et sont un peu bruyantes. Mais la situation, au bord de la dune, et la vue sont exceptionnelles : on descend à la plage à pied. Grande terrasse équipée de chaises longues et balancelles. Au resto, poisson et fruits de mer à l'honneur. Le service est impeccable et si l'adresse est un peu chère, elle vaut le coup. Dommage que l'accueil ne soit pas des plus chaleureux. N'accepte pas les cartes de paiement. Apéritif offert sur présentation du *GDR*.

🛏️ 🍴 *La Côte du Sud :* 4, av. du Figuier, Pyla-sur-Mer. ☎ 05-56-83-25-00. Fax : 05-56-83-24-13. ● www. cote-du-sud.fr ● Fermé en janvier et décembre. Selon confort et saison, chambres de 59 à 100 €. Menus à 19,50 et 25,30 €. À la carte, compter environ 28 €. La joyeuse façade jaune et bleue de ce discret hôtel (un seul étage) posé au bord de la plage évoque déjà les vacances ! Huit chambres confortables, à thème (marocaine, asiatique, etc.), avec mobilier et déco *ad hoc*. Toutes sauf une ont un balcon avec vue sur la mer ; l'asiatique est une chambre de luxe, vaste de 30 m², et c'est aussi, évidemment, la plus chère. TV. Très bon et agréable restaurant, avec une spécialité fameuse, le homard à la vanille et au sauternes. Accueil et service aimables. Terrasse extérieure au bord de l'eau. Une bonne adresse dans sa catégorie.

🍴 *Aux Deux Chênes :* 56, bd de l'Océan, Pyla-sur-Mer. ☎ 05-57-72-00-68. ♿ Fermé le lundi toute la journée et le dimanche soir, ainsi que de fin décembre à début février. Menus à 9, 13 et 20 €. À la carte, compter dans les 15 €. Un restaurant-pizzeria tout simple, où l'on est bien accueilli et où l'on trouve une cuisine correcte et assez bon marché pour la région. Des pizzas bien sûr, mais aussi aïoli de poisson, paella, escalopes de lotte à la persillade, et quelques desserts maison (bon clafoutis) qui se laissent manger agréablement. Kir offert sur présentation du *GDR*.

À faire

🚶🚶🚶 *Ascension de la dune :* puisque rien n'est gratuit ici-bas, il faut payer un droit de parking sauf en janvier, mars (semaine), octobre, novembre (semaine) et décembre. Compter 2,30 € la première heure, 3,05 € au-delà (sauf pour les cyclistes) pour laisser son véhicule et partir à l'ascension de ce gros château de sable. Un escalier facilite la tâche de Pâques à septembre. C'est au coucher du soleil qu'il faut venir. D'abord, la montée sera moins pénible ; ensuite, la vue n'en sera que plus belle. Les courageux dévalent la dune jusqu'à la mer. Sensation super, mais garder un peu d'énergie pour la remontée. Sinon, pour les plus individualistes (et ceux qui veulent économiser le parking, qui peuvent être les mêmes), il existe un itinéraire plus sauvage qui consiste à venir par le sud en prenant la D 218 (celle qui longe la côte à l'intérieur de la forêt des Landes) et à s'arrêter quand on aperçoit la petite route qui va vers la mer, à environ 1 km du camping *Le Petit Nice*. Commencer là l'escalade, c'est pas mal non plus.

🏊 *Se baigner* pardi ! Il y a d'abord la *plage du Petit Nice,* bien aménagée et surveillée, à 3 km de la dune, ainsi que la *plage de la Lagune,* où les naturistes peuvent aller (mais alors, baignade non surveillée). Plages récemment réensablées.

– *Balade à bicyclette :* piste cyclable qui relie Biscarrosse-Plage à La Teste ou Arcachon.

– *Deltaplane et parapente :* École Pyla Parapente, ☎ 05-56-22-15-02. Entre le 15 juin et le 15 septembre.

LE TOUR DU BASSIN D'ARCACHON

> **Pour le plan du bassin d'Arcachon, voir le cahier couleur.**

Un must. Petits ports de pêche, haltes gastronomiques, balade sur des sentiers oubliés... et puis Le Cap-Ferret face à la dune du Pyla. Le bassin, avec ses 85 km de pourtour et seulement 3 km de passe qui le connecte avec l'Océan, a permis le développement de l'ostréiculture et de petits villages charmants. À marée basse, les bateaux se reposent penchés sur la vase en attendant la prochaine marée. Vous entendrez parler de pinasses, nom donné au bateau local, autrefois uniquement construit en bois de pin, utilisé par les ostréiculteurs. Un bon plan : demander à l'office de tourisme d'Arcachon la carte de « La route de l'huître », avec plein d'adresses d'ostréiculteurs.

LA TESTE (33260 et 33115)

Immense commune qui possède en son sein la grande dune du Pyla (voir pages précédentes) mais aussi le lac de Cazaux. La Teste a par ailleurs un mignon petit port ostréicole avec ses typiques cabanes en bois.

Adresses utiles

⋔ Office de tourisme : pl. J.-Hameau. ☎ 05-56-54-63-14. Fax : 05-56-54-45-94. Ouvert du lundi au vendredi de 9 h à 12 h 30 et de 14 h à 18 h et le samedi de 9 h à 12 h et de 14 h à 17 h. L'été, également une **antenne place du Marché,** ouvert du lundi au samedi de 10 h à 13 h et de 15 h à 18 h, et le dimanche de 10 h à 13 h.

Où dormir ? Où manger ?

Prix moyens

🛏 ⦿⦿ Hôtel du Centre-restaurant Le Bistrot : 3, av. du Général-de-Gaulle. ☎ 05-57-15-11-11. Fax : 05-57-15-11-12. Fermé le dimanche hors saison. Doubles de 29 à 38 € selon la saison. Menu à 10 € à midi en semaine ; autres menus de 13 à 17 €. À la carte, compter dans les 22 €. Grosse bâtisse située dans le village. Les chambres, propres et pas trop chères, sont toutefois modestes (w.-c. sur le palier). L'équipement de certaines ne date pas d'hier, mais à ce prix-là, il ne faut pas s'attendre au *Lutetia* ! En dépannage, donc, d'autant que la route est bien proche. Terrasse-courette ombragée bien agréable, ou salle assez chaleureuse décorée d'images *British* et nouvelle salle plus spacieuse avec cheminée. Cuisine simple et copieuse, nature, avec notamment de grosses grillades accompagnées de vraies frites. Accueil et service souriants. Apéritif offert sur présentation du *GDR*.

⦿ Le Restaurant du Port : ☎ 05-56-54-64-81. Fermé le lundi soir sauf en saison, ainsi que du 4 novembre au 9 février. En arrivant à La Teste depuis Arcachon, prendre sur la gauche ; c'est tout de suite à droite sur la digue, face au port ostréicole. 1er menu à 16,50 € à midi en semaine ; autre menu à 27 €. L'affaire classique qui tourne bien, avec de nombreuses tables réparties sur 2 terrasses dont une à l'étage. Bonne adresse pour déguster casserons (petites seiches), poêlée de palourdes... Bref, poisson et fruits de mer à gogo et patron rigolo.

|●| **Le Reste-à-Terre :** 70, allée du Canelot. ☎ 05-56-54-60-10. Fermé le lundi, le mardi et le dimanche soir hors saison. Au fond du port (suivre les flèches). Un décor clean et clair, une grande salle, une terrasse donnant sur les bassins de décantation où folâtre une grosse tortue, et surtout une cuisine légère ; les poireaux dansent avec les loups et les asperges flirtent avec les coquilles Saint-Jacques. Prix raisonnables. Tous les ingrédients d'un succès mérité qui rend parfois le service un peu lent, mais vous avez le temps.

À voir

🍫 **La chocolaterie Les Gourmandises d'Aliénor :** av. du Parc-des-Expositions, 33260 La Teste. ☎ 05-56-54-10-83. ⚞ Fermé le dimanche. Cet atelier artisanal propose une visite guidée gratuite de la chocolaterie, suivie bien sûr d'une dégustation gratuite aussi. Exposition permanente sur l'histoire, la culture et la transformation du cacao. Vente de chocolats.

🐾 **Zoo du bassin d'Arcachon :** route de Cazaux. ☎ 05-56-54-71-44. Ouvert toute l'année. En saison, ouvert tous les jours de 10 h à 19 h. Visite : 9,50 € ; enfants : 8 €. 2 km de visite avec animaux exotiques et animaux de la ferme, ainsi qu'un parc de loisirs.

LA HUME (33470)

La Hume dépend de la commune de Gujan-Mestras. Sur de vastes terrains sous les pins, un parc de loisirs est implanté : une mini-ferme pour enfants, un *Aqualand,* un jardin botanique et un parc de loisirs avec des jeux pour enfants, le *Kid's Park* (île d'aventures). En arrivant à La Hume, prendre à gauche vers la D 652. C'est fléché.

À voir. À faire

🚶 **Le parc animalier La Coccinelle :** ☎ 05-56-66-30-41. ⚞ Ouvert aux environs du 30 mai jusqu'au 3 septembre ; jusqu'au 4 juillet, de 10 h à 18 h 30 ; après, de 10 h 30 à 19 h 30. Entrée : 7,70 € pour les adultes ; 6,20 € pour les enfants de 2 à 14 ans ; gratuit pour les moins de 2 ans. Une chouette initiative qui ravira les enfants puisqu'il s'agit d'un zoo d'animaux domestiques. Pas de lions féroces, ni de méchants rhinos, mais de doux agneaux, dindons, lapins, oies, chèvres et ânes gentils. À voir également, des animaux « insolites » : le baudet du Poitou, le porc laineux ou le chinchilla. Scènes attendrissantes des bambins qui donnent le biberon aux agneaux, aux porcelets et aux chevreaux. Éducatif, amusant, sympa et original. Spectacle de magie tous les jours en juillet et août (à 15 h 30, 16 h 30 et 17 h 30). Aire de jeux.

GUJAN-MESTRAS (33470)

Cette petite commune est un peu la capitale de l'huître. Il faut aller voir l'un des sept petits **ports ostréicoles** que l'on gagne par les chemins perpendiculaires à la rue de la Barbottière qui longe la voie ferrée. Le port de la Hume possède une belle plage bordée de tamaris et de pins francs, ainsi qu'un petit port de plaisance. Le port de Larros est aussi doté d'une belle plage. Allez flâner dans les parcs, vous faire expliquer la culture des huîtres. Vous ne trouverez les ostréiculteurs qu'à marée haute ; à marée basse, ils sont sur le bassin. Si vous venez tôt le matin, peut-être l'un d'eux vous proposera-t-il de l'accompagner.

ARCACHON ET LE PAYS DE BUCH

Rendre visite à la **Maison de l'Huître – Musée ostréicole :** au port de Larros. ☎ 05-56-66-23-71. Du 1er avril au 30 septembre, ouvert tous les jours de 10 h à 12 h 30 et de 14 h 30 à 18 h 30 ; du 1er octobre au 31 mars, du lundi au samedi de 10 h à 12 h 30 et de 14 h 30 à 18 h ; pour les groupes, toute l'année sur rendez-vous. Fermé du 23 décembre au 3 janvier. Entrée : 2,80 € ; réductions. Visite commentée avec projection de vidéo.

La légende du barbot

Au milieu du XIXe siècle, les vignes furent ravagées par ce qu'on définira plus tard comme le phylloxéra. À défaut d'accuser ces pucerons ravageurs, on montra du doigt les régiments de coccinelles qui s'abattirent au même moment sur les vignes. Des messes furent célébrées dans les vignobles pour exorciser le mal. Les habitants des communes voisines surnommèrent les habitants de Gujan les « barbots » (coccinelles en gascon).

Plus tard, on découvrit que ce n'était pas les coccinelles qui étaient responsables de la destruction du vignoble, mais les pucerons phylloxéras dont raffolaient les coccinelles. Il fallut donc avoir une bonne dose d'humour aux Gujanais pour finalement tirer parti de cette histoire en arborant ostensiblement, lors d'un match de rugby en 1922, un écusson représentant une coccinelle et faire entrer définitivement la légende du barbot dans les mœurs. On retrouve ce signe aujourd'hui sur les armes de la ville.

Adresses utiles

🔲 **Office de tourisme :** 19, av. de Lattre-de-Tassigny. ☎ 05-56-66-12-65. Fax : 05-56-22-01-41. ● otgujan @wanadoo.fr ● Du 16 juin au 15 septembre, ouvert du lundi au samedi de 8 h 30 à 12 h 30 et de 14 h à 18 h 30, et les dimanche et jours fériés (jusqu'au 31 août) de 9 h 30 à 12 h 30 ; hors saison, du lundi au samedi de 8 h 30 à 12 h et de 13 h 30 à 17 h 30, ainsi que les 4 premiers dimanches des vacances de Pâques et les lundis de Pâques et de Pentecôte.

🔲 **Point d'accueil au Parc de Loisirs** en juillet et août, de 14 h à 19 h.

Où manger ?

|●| **Le Bar de la Marine :** port de Larros. ☎ 05-56-66-40-00. 🍴 Ouvert tous les jours du 1er mars au 31 octobre. Fermé le dimanche du 1er novembre au 28 février. Menu à 9,50 € le midi, vin compris. Un bar-restaurant resté simple et populaire, où l'on trouve au menu la douzaine d'huîtres (10 €), le pâté de Chalosse et le pichet de blanc à prix doux. Petite salle lambrissée tout en longueur, filet de pêche aux murs et quelques habitués bien typés, tous plus ou moins ostréiculteurs, mais aussi quelques bourgeois cherchant le dépaysement. Le genre d'endroit qu'on aime bien. Patrons décontractés. Café offert sur présentation du GDR.

|●| **L'Escalumade :** 8, rue Pierre-Dignac. ☎ 05-56-66-02-30. Fermé le dimanche soir et le lundi hors saison, uniquement le lundi en saison ; congés du 6 au 20 janvier et du 6 au 27 octobre. Menus de 20,40 à 44,20 €. Petite salle mais vaste terrasse donnant sur le port ostréicole. Ici, le poisson est roi. Il est frais, venant du bassin tout proche, et juste grillé a la plancha comme il sied à une matière noble. Avec un petit blanc frais, c'est un régal. Mais le chef est aussi un bon saucier, et on peut se laisser tenter par des préparations plus sophistiquées. Un digestif maison offert sur présentation du GDR.

LE PARC ORNITHOLOGIQUE DU TEICH

Adresses utiles

■ **Maison de la Nature du Bassin d'Arcachon :** ☎ 05-56-22-80-93. Fax : 05-56-22-69-43. Ouvert toute l'année de 10 h à 18 h, 19 h ou 20 h, selon le mois (en fait, tant qu'il fait jour). Organise des sorties pour observer les oiseaux, des balades et des randonnées en kayak de mer sur le bassin d'Arcachon et en canoë sur la Leyre (label « Point kayak de mer »).

🛈 **Office de tourisme :** pl. Pierre-Dubernet. ☎ 05-56-22-80-46.

À voir

🦆 **Le parc :** du 15 avril au 30 juin, ouvert de 10 h à 19 h ; en juillet et août, jusqu'à 20 h ; le reste de l'année, jusqu'à 18 h. Entrée : 6,20 € ; tarif réduit de 5 à 14 ans : 4,45 €. Visites guidées par des naturalistes pendant les vacances scolaires (☎ 05-56-22-80-93). 🦆 Le parc ornithologique fait partie du Parc régional des Landes de Gascogne. Il est situé sur l'une des plus importantes voies migratoires d'Europe et délimité par le delta de la Leyre et la rive la plus sauvage du bassin d'Arcachon. Sur 120 ha, environ 260 espèces d'oiseaux peuvent être observées dans leur milieu naturel ; leur nombre varie selon les saisons. Certains spécimens ne viennent ici que quelque temps, comme les grèbes castagneux en hiver et les petits gravelots en été, alors que d'autres y séjournent à l'année comme les cygnes, hérons cendrés, spatules blanches...

Ce vaste milieu naturel se présente comme un splendide paysage de transition entre la forêt de pins maritimes et la lagune arcachonnaise : un milieu humide d'une exceptionnelle richesse naturelle, à découvrir sur un parcours de plus de 120 ha à travers différents moments forts. Le parcours s'achève en apothéose à l'embouchure de la Leyre à la lagune Claude Quancard où l'on peut admirer toutes sortes d'échassiers, chevaliers gambettes, chevaliers aboyeurs...

➤ Pour explorer le parc, 2 balades en boucle de longueurs différentes sont proposées : la première de 2 km (1 h) et l'autre de 6 km (3 h). Le parcours est fléché. La deuxième balade traverse toutes les zones ; elle est moins fréquentée, vous permet d'être tout à fait au calme, et de voir davantage d'animaux. Pour mieux voir, louer des jumelles à la caisse (3,10 €).

AUDENGE (33980)

Le village n'a rien de bien particulier, mais allez faire un tour vers le port plein de charme avec ses barques et petits voiliers pris dans la vase à marée basse. Et puis, on aime bien cet endroit pour sa piscine d'eau de mer en plein air, près de la jetée. Le bassin fut créé par un fou de natation qui décida de creuser cette piscine pour les gens de la commune. Le grand bassin bétonné aligne bien 50 m. À côté, un autre plus petit pour les enfants. Géniale cette idée de piscine dont l'eau se renouvelle avec la marée. Gratuite et ouverte à tous, il y a même un maître nageur en juillet et août. Un petit bain le soir, lorsque le soleil descend, hmm, que c'est bon !

Adresse utile

🛈 **Office de tourisme :** 24 ter, allée de Boissière. ☎ 05-56-26-95-97. ● of fice-tourisme-audenge@wanadoo.fr Hors saison, ouvert du lundi au vendredi de 9 h à 12 h 30 et de 14 h à 17 h 30, et le samedi de 9 h 30 à 12 h 30 ; en juillet et août, du lundi au samedi de 9 h à 13 h et de 15 h à 19 h, et les dimanche et jours fériés de 9 h 30 à 12 h.

Où dormir ? Où manger ?

🛏️ 🍴 *Le Relais Gascon :* 24, av. de Certes. ☎ 05-56-26-83-94. Fax : 05-56-26-95-11. À la sortie du village en direction d'Andernos, sur la droite de la chaussée. Fermé le dimanche hors saison. Chambre double à 30,50 €. Menu à 10 € sauf les dimanche et jours fériés, d'autres à 23 et 26 €. Pas évident de trouver un restaurant qui propose autre chose que des huîtres, et des huîtres, et encore des huîtres autour du bassin d'Arcachon. Eh bien, voici ! Ici, une authentique cuisine de terroir girondin, avec force canard, cou farci et foie gras, et rillettes d'oie. Patron jovial et qui, à l'évidence, mange chez lui. Également du poisson si l'on préfère, mais ce n'est pas le propos. Grande salle rustique et populaire, et pas mal d'habitués, des gens du pays, notamment pour le repas dominical. Propose aussi quelques chambres, simples, avec lavabo et bidet (douche et w.-c. sur le palier).

Où camper dans le coin ?

⛺ *Camping-caravaning du Coq Hardi :* 5, av. de la République, 33138 Cassy-Lanton (petite commune située entre Audenge et Andernos). ☎ 05-56-82-01-80. Fax : 05-56-82-16-11. ● www.campingcoqhardi.com ● Ouvert de début mai à mi-septembre. Compter environ 17 à 18 € pour 2 en haute saison. Camping familial, au bord du bassin, avec accès direct à la plage. Tout confort. Aire de jeux, animations, piscines... Grand espace réservé à chaque emplacement.

À voir

🌿 *Le domaine de Certes :* à la sortie nord d'Audenge, une pancarte sur la gauche indique le domaine, où l'on remarque le château (qui ne se visite pas). Ouvert à l'année. D'Audenge à Lanton, sur 14,5 km, un sentier en boucle traverse le domaine, espace naturel préservé de 300 ha. Propriété du Conservatoire du littoral et des rivages lacustres, c'est un lieu magique : marais, réservoirs à poissons, végétation typique (cotonnier, carotte sauvage, lavande de mer...) et riche faune avicole (foulques, colverts, cormorans, hérons, etc. : environ 200 espèces d'oiseaux vivent ou transitent ici). On peut soit faire la boucle entière (compter 4 h), soit en partie (3 km et une petite heure pour aller du château de Certes au Piquet, d'où l'on a une vue sur le domaine et tout le bassin). L'été, du 15 juin au 15 septembre, le matin, visite guidée par des naturalistes. Inscription à l'office de tourisme.

ANDERNOS-LES-BAINS (33510)

« Pays béni pour les esprits rêveurs et les corps endoloris », disait Sarah Bernhardt, une inconditionnelle de la région. C'est peut-être un peu exagéré aujourd'hui, mais si l'on oublie la rue principale, submergée en été par la circulation automobile, cette petite station balnéaire traditionnelle cache quelques gentils coins : la jetée la plus longue du bassin, la petite église Saint-Éloi, le typique port ostréicole, la pointe des Quinconces pour les amoureux de la nature. Jetez aussi un œil aux expos de la **maison Louis-David :** 14, av. Pasteur. ☎ 05-56-82-02-95. Entrée gratuite.

Chaque année en juillet, *festival de jazz.* Concerts gratuits dans les rues de la ville.

Adresses utiles

ⓘ *Office de tourisme :* esplanade du Broustic. ☎ 05-56-82-02-95. Fax : 05-56-82-14-29. • www.andernosles-bains.fr • En juillet et août, ouvert du lundi au samedi de 9 h 30 à 13 h et de 14 h 30 à 19 h, et les dimanche et jours fériés de 10 h à 13 h et de 15 h à 19 h ; hors saison, du lundi au samedi de 9 h 30 à 12 h 30 et de 15 h à 18 h, et les dimanche et jours fériés de 10 h à 12 h.

■ *Location de vélos :* Delort Sports/JSL Cycles, 125, bd de la République. ☎ 05-56-82-11-45. Et AB cycles, 22, av. du Port. ☎ 05-57-70-20-58.

■ *Où acheter de bonnes huîtres ?* Sur le port ostréicole, bien sûr (voir ci-dessous « Où dormir ? Où manger ? »).

Où dormir ? Où manger ?

Campings

⚊ |●| *Camping Les Arbousiers :* sur la route de Bordeaux, près de l'aérodrome. ☎ 05-56-82-12-46. Fax : 05-56-26-15-21. ॐ www.camping-les-arbousiers.fr • ॐ Dans une forêt de pins. Ouvert toute l'année. Forfait autour de 13 € en saison pour 2 personnes avec voiture et tente. C'est le camping le moins cher d'Andernos. Bien équipé. Sanitaires complets, téléphone, dépôt de pain, machine à laver le linge, aire de jeux, piscine, brasserie. Remise de 10 % sur l'emplacement sur présentation du *GDR*.

⚊ |●| *Camping-caravaning de Fontaine-Vieille :* 4, bd du Colonel-Wurtz. ☎ 05-56-82-01-67. Fax : 05-56-82-09-81. • www.fontaine-vieille.com • Situé tout près du bassin. Ouvert de début avril à fin septembre. Compter entre 13 et 20 € pour 2 avec l'emplacement plus un véhicule, selon la période. Resto avec un menu à 12 €, assez banal. Très bien équipé : piscine, machine à laver, aire de jeux. Pour les meilleurs emplacements, choisir le front de mer avec vue sur le bassin d'Arcachon.

Prix moyens

⌂ *Hôtel de la Côte d'Argent :* 180, bd de la République. ☎ 05-56-03-98-58. Fax : 05-56-03-98-68. ॐ À 300 m du centre-ville et de la plage. Attention, pas de permanence entre 13 h 30 et 17 h. Chambres doubles de 40 à 48 € selon confort et saison. Ce petit hôtel posé en bord de route est à l'évidence l'un des meilleurs rapports qualité-prix du bassin. Tout récemment refait avec soin et bon goût, il dispose d'une dizaine de chambres personnalisées et de bon confort (bains ou douche et w.-c., TV). La patronne s'y connaît en déco, ça se voit, et le petit patio fleuri où coule une fontaine est charmant aussi (deux chambres de plain-pied donnent dessus). Accueil souriant et

discret, et bon petit dej' (fruits, vrai jus d'orange). Une très bonne adresse.

⌂ *Chambres d'hôte Tornier :* 20, bd du Page. ☎ 05-56-82-47-14. Fax : 05-56-82-15-77. Chambres doubles à 50 €, petit dej' compris. Pas le meilleur rapport qualité-prix de la région, mais on a été séduit. Par quoi ? Par le petit jardin japonisant (le proprio est paysagiste et ça se sent), par les chambres installées dans des maisonnettes de pin, par la gentillesse de l'accueil, par l'odeur des fleurs et des confitures maison. Bon, c'est bien, quoi.

⌂ *Chambres d'hôte Malfère :* 10, bd de Verdun. ☎ 05-56-82-04-46. Fax : 05-56-82-04-46. • www.lesalbatros.com • Trois chambres doubles de 55 à 65 €, petit dej' compris ; réduction de 10 % sur un séjour de 4 nuitées et plus, hors juillet et août. Maison neuve dans une rue perpendiculaire à la grand'route et donc plutôt calme. On peut aimer ou pas la déco un peu trop surfaite (lustres à pampilles, rideaux froufroutants mais carreaux de Gironde). Pour certains, ce sera clean-chic ; pour d'autres, visite chez tante Adèle. Question d'âge, sans doute. N'accepte pas les cartes de paiement. Accueil chaleureux et 10 % de remise dès la 1ʳᵉ nuit (hors juillet et août) sur présentation du *GDR*.

|●| *Chez Éliette Jalade* : sur le port ostréicole. ☎ 05-56-82-16-77. Fermé le lundi hors saison et du 10 janvier au 7 février. Compter 18 € à la carte. Médaillée de bronze à la foire de Paris 1998 pour la qualité de ses huîtres, la maison en connaît (et en propose) un rayon, question coquillages. Mais c'est aussi une poissonnerie et un restaurant... de poisson ! Poisson à l'ardoise suivant la pêche du jour. Plateaux de fruits de mer de 17 à 36 €. Vous pouvez même choisir votre poisson dans les étals de la boutique. Jolie salle pour les jours gris et belle terrasse quand le soleil brille. Accueil sympa et courtois.

|●| *L'Esquirey* : sur le port ostréicole (n° 9). ☎ 05-56-82-22-15. Fermé le lundi et le mardi hors saison, le lundi midi en saison, ainsi qu'en janvier et décembre. Carte uniquement : compter dans les 23 €. Au bout de la digue sur le port de pêche, dans une cabane de pêcheur aménagée proprement. On y vient évidemment pour les fruits de mer, en particulier pour les coquillages farcis, mais aussi pour le poisson.

Où manger dans les environs ?

|●| *Le Platane* : port ostréicole de Taussat. ☎ 05-56-82-32-24. À 2 km au sud d'Andernos. Fermé le lundi midi, et du 30 septembre au 26 mars. À la carte, compter 26 €. Très belle situation en terrasse sur le bassin, dans le petit et charmant port ostréicole de Taussat. Bonnes spécialités de la mer. Service un peu débordé cependant, il y a du monde et ces jeunes gens, saisonniers, n'ont pas toujours la célérité requise – mais ils restent aimables, c'est tout de même l'essentiel. Apéritif maison offert à nos lecteurs sur présentation du *GDR*.

|●| *Les Fontaines* : port de plaisance de Taussat. ☎ 05-56-82-13-86. À 1 km au sud d'Andernos. Fermé le dimanche soir et le lundi hors saison, ainsi que 4 semaines en novembre et 1 semaine en février. Menus de 18 à 38 €. Compter environ 35 € à la carte. Jouxtant le port de plaisance, une maison moderne qui, pour être franc, ne dégage pas un charme fou. Mais elle ne s'intègre pas trop mal dans ce paysage typique du bassin d'Arcachon. Et pendant les douces soirées de printemps ou d'été, la terrasse se révèle finalement bien agréable pour apprécier une bien belle cuisine, aux envolées inspirées et à la fraîcheur évidente. Comme dans quelques autres restos du vignoble, on peut y apporter son vin, qui sera servi « avec toute l'attention qu'il mérite » (le patron est aussi président des sommeliers de la région). Une bonne adresse ! Apéritif maison offert sur présentation du *GDR*.

ARÈS (33740)

Adresse utile

▪ *Office de tourisme* : esplanade G.-Dartiguelongue. ☎ 05-56-60-18-07. Fax : 05-56-60-39-41. En juillet et août, ouvert du lundi au samedi de 9 h à 19 h et le dimanche de 10 h à 12 h et de 16 h à 19 h ; hors saison, mêmes horaires mais fermé le week-end.

Où dormir ? Où manger ?

⚊ *Camping Les Goélands :* à 200 m du bord du bassin. ☎ 05-56-82-55-64. Fax : 05-56-82-07-51. ● www.goe lands.com ● Fermé en janvier et décembre. Compter 15,50 € environ pour 2 avec une tente. En bord de route, mais le terrain s'étend en profondeur, il suffit alors de s'enfoncer dans le camping pour ne plus voir ni entendre les affreux véhicules à moteur.

🛏 |●| *Le Saint-Éloi :* 11, bd de l'Aérium. ☎ 05-56-60-20-46. Fax : 05-56-60-10-37. Fermé le lundi, le mercredi soir et le dimanche soir hors saison, le lundi midi en été, et 3 semaines en janvier. Doubles de 54 à 69 € selon le standing en basse saison et de 61 à 85 € en haute saison. Demi-pension de 112 à 143 € pour 2, demandée en juillet et août. Menus de 22 à 37 €. Entre pinède et plage (à 500 m), petit hôtel récemment rénové, aux chambres assez spacieuses et dotées d'une bonne literie. Le restaurant est l'une des bonnes adresses du bassin d'Arcachon. Dans une salle d'une élégance sobre, lumineuse et agrémentée de plantes vertes on déguste une bien fine cuisine. Bons vins aussi, et service aimable et compétent. Café offert aux lecteurs du *Guide du routard.*

LE GRAND CROHOT (33950)

En venant d'Arès et en arrivant sur Lège, après le pont du canal, à environ 4 km de Claouey, prenez à droite direction « Le Grand Crohot ». 6 km de forêt domaniale à traverser. Le Grand Crohot existe seulement l'été ; seul un garde forestier y habite à l'année. Plage océane de toute beauté, très courue en pleine saison (dur dur de trouver une place pour se garer !). À voir, les blockhaus joliment décorés de tags, façon banlieue. Au fait, qu'est-ce que c'est qu'un *crohot* ? Une langue de sable qui se déplace au gré des forts courants de l'Atlantique. Merci le *Routard.*

Où dormir ?

⚊ *Camping Brémontier :* ☎ 05-56-60-03-99. Ouvert du 15 mai au 15 septembre. Compter dans les 14,40 € par jour pour 2 personnes. Un camping bien tenu, aux blocs sanitaires propres et neufs. Cependant, en saison, l'accueil peut laisser à désirer, vu qu'il y a plus de campeurs que d'emplacements.

CLAOUEY (33950)

Sur la route de Cap-Ferret, nombreux campings sous les pins. Ce sont à peu près tous les mêmes, avec les mêmes prestations et des prix très voisins. Prenez le temps de visiter le village.

Adresses utiles

🄸 *Office de tourisme de Lège-Cap-Ferret :* 1, av. du Général-de-Gaulle. ☎ 05-56-03-94-49. Fax : 05-57-70-31-70. ● www.legecapferret. com ● En juillet et août, ouvert tous les jours de 9 h à 18 h 30 (pause le dimanche midi) ; hors saison, ouvert de 9 h à 12 h et de 14 h à 18 h, fermé le dimanche. Principal office de tourisme du secteur Lège-Cap-Ferret. Aimable et compétent.

■ *Location de vélos :* *Véloc,* sur la route départementale. ☎ 05-56-60-70-86. Nombreuses pistes cyclables dans les environs.

Où dormir ?

⌂ *Camping Les Embruns :* en pleine forêt, à Claouey. ☎ 05-56-60-70-76. Fax : 05-56-60-70-76. Fermé du 14 décembre à fin janvier. Prendre la route de Bordeaux, en direction du Cap-Ferret ; à Claouey, tourner à droite au rond-point. Compter dans les 15 € pour 2 avec tente et voiture. Un camping municipal très bien équipé, vaste et bien arrangé.

PIRAILLAN (33950)

Ravissant petit village ostréicole du début du XXᵉ siècle. D'ailleurs, tout le village est classé par la Commission nationale des Sites. Il faut laisser la voiture au parking et aller se balader à pied. Un régal !

Où dormir ?

⌂ *Camping du Truc Vert :* à 300 m de la plage surveillée. ☎ 05-56-60-89-55. Fax : 05-56-60-99-47. ● www.trucvert.com ● Ouvert de début mai à fin septembre. Compter 20 € pour 2 en haute saison, tente et véhicule compris. Resto et bar sur place. À l'extérieur du village. Énorme camping. Extrêmement bien équipé (c'est un 4 étoiles) mais plein à craquer l'été. Cela dit, très belle situation, sous une vaste forêt de pins. Location de surfs sur la plage.

Où acheter des huîtres sur le port ?

◈ *Sylvie Latrille :* cabane 57. ☎ 05-56-60-54-76 ou 06-13-29-87-60. Ouvert de 9 h à 21 h en saison ; sinon, sur rendez-vous. L'une des rares ostréicultrices du bassin est également biologiste de formation. Certes, elle sert des huîtres et elle peut vous emmener sur les parcs avec sa pinasse, mais elle vous parlera longuement et avec passion de la vie de l'huître et elle n'hésite pas à poser le microscope sur la table pour vous faire découvrir la vie intime du mollusque, ses bagarres avec le bigorneau perceur et sa sexualité changeante (l'huître est mâle une année et femelle l'année suivante !).

LE CANON

Bien pittoresque quartier du port ostréicole, aux étroites rues piétonnes et maisonnettes basses. Ne pas hésiter à s'y promener !

L'HERBE (33950)

Encore un superbe village avec son port minuscule. À L'Herbe, on peut voir une chapelle de style mauresque. Autrefois, une villa algérienne se dressait ici, qui fut détruite au milieu du XXᵉ siècle. Une adresse très sympa pour dormir, comme il n'en existe plus guère.

Où dormir ? Où manger ?

Prix moyens

▲ |●| *L'Hôtel de la Plage :* 1, rue des Marins. ☎ 05-56-60-50-15. Au bord du bassin. Fermé le lundi hors saison et en janvier. Chambres doubles à 40 €. Menus à 10 € le midi et à 16 € le soir. Un petit hôtel-resto rescapé du modernisme (chaque année, on se demande comment c'est encore possible...). Typique maison en bois juste au bord du bassin. Un téléphone qui fait « dring », de gros matelas à l'ancienne qui, la journée, prennent l'air sur les balcons. On a l'impression de se retrouver dans un film avec Gabin et Arletty. Huit chambres modestes, avec lavabo (douche sur le palier), mais sympathiques, dont quatre ouvrent leurs fenêtres sur le bassin. Bourgeois, touristes et ouvriers se retrouvent sur la petite terrasse le dimanche pour partager moules marinière ou daurade grillée. On mange ce qu'il y a, et comme la patronne n'en fait qu'à sa tête, on ne rouspète pas (d'ailleurs, les râleurs se font virer)... Un lieu inimitable qui se mérite et ne s'achète pas.

Plus chic

|●| *Le Restaurant :* rond-point de L'Herbe. ☎ 05-56-60-51-32. Fermé les lundi et mardi toute la journée et le dimanche soir hors saison, le lundi midi en juillet et août, ainsi que du 3 novembre au 28 janvier. Menus de 28 à 38 €. Compter 53 € à la carte. Cuisine au feu de bois dans la cheminée et devant les clients. Menus et carte du marché qui changent tous les 10 jours. Immanquable ! C'est le bâtiment pseudo-moderne le long de la grand'route. Heureusement, le cuisinier n'est pas l'architecte ! Cuisine simple et raffinée, axée sur des produits de haute qualité travaillés avec simplicité : ainsi le bœuf, tendre à souhait, est-il simplement grillé avec un jus au vieux banyuls. Sans conteste, la meilleure adresse gastronomique de la presqu'île. Réservation recommandée.

LE CAP-FERRET *(33970)*

L'endroit chic du bassin, où il est bon d'avoir sa résidence secondaire. Sous les pins se dissimulent de bien belles villas où séjournent quelques stars de l'écran, de la variétoche, de la téloche ou du design. Belmondo, Obispo, Bernard Montiel (oui ! oui !), Renaud ou Julien Clerc, tous se retrouvent ici, en toute simplicité. Le premier à avoir succombé au charme de l'endroit fut Jean Cocteau, qui s'y arrêta avec Radiguet. Le Cap-Ferret aurait pu devenir le Saint-Tropez du bassin, mais la petite station huppée a conservé un côté sauvage et, même s'il y a du monde l'été, on peut encore y trouver de petits coins paisibles. Très chouettes balades jusqu'à la pointe du cap au milieu des ondulations des dunes et face à celle du Pyla.

Adresses utiles

🄷 *Office de tourisme :* dans la rue qui fait face à la jetée Bélisaire, face à la gare de départ du tramway. ☎ et fax : 05-56-60-63-26. Bureau saisonnier ouvert du 1er juin au 30 septembre : en juin et septembre, ouvert tous les jours de 10 h à 13 h et de 15 h à 18 h ; en juillet et août, du lundi au samedi de 10 h à 19 h 30 et les dimanche et jours fériés de 10 h à 12 h 30 et de 15 h à 18 h 30.

■ *Location de vélos :* Locabeach, à l'embarcadère Bélisaire. ☎ 05-56-60-49-46. Ouvert en été.

Où dormir ?

De bon marché à prix moyens

🛏 *Auberge de jeunesse :* 87, av. de Bordeaux. ☎ 05-56-60-64-62. Ouvert du 1er juillet au 31 août. Nuitée à 7 € sous la tente ou en dortoir. Excentrée par rapport au débarcadère Bélisaire côté bassin, idéalement placée côté Océan. Une centaine de places prises d'assaut. Attention, carte FUAJ indispensable, et ils n'en délivrent pas sur place.

🛏 *Hôtel du Cap – Restaurant l'Arrimeur :* 58, av. de l'Océan. ☎ 05-56-60-60-60. Fax : 05-56-60-63-59. Entre l'Océan et le bassin. Fermé le dimanche soir d'octobre à fin juin, et en janvier. En basse saison, de 38,50 à 50,50 € la double avec douche ou bains et w.-c. ; en haute saison, de 62,80 à 88,80 €. Menus entre 9 et 15 €. Jolie maison à l'avenante façade bleue et blanche. Chambres rénovées, propres et fonctionnelles, avec TV, d'un très bon rapport qualité-prix pour Le Cap-Ferret. Au resto, poisson, grillades et quelques spécialités basques (le patron est basque). Pension et demi-pension à des prix attractifs également, mais pas obligatoires. Apéritif ainsi qu'un petit dej' par chambre et par nuit (hors juillet et août) offerts sur présentation du *GDR*.

🛏 *Chambres d'hôte chez Mme Pierrette Fortin :* 79, av. de l'Océan. ☎ et fax : 05-56-60-67-85. À 200 m de l'Océan et 700 m du bassin. Ouvert de début mai au 15 septembre. Chambres doubles de 61 à 90 €, selon saison et taille, petit dej' compris. Trois chambres (avec douche et w.-c.) dans un petit chalet en bois à peine perché et à peine à l'écart de la maison des proprios. Cuisine équipée à disposition. Pas de table d'hôte, mais M. et Mme Fortin, charmant couple de retraités collectionneurs de cactus, ont quelques bonnes tables dans leur carnet d'adresses. Un apéritif est offert sur présentation du *GDR*.

🛏 *Hôtel des Pins :* 23, rue des Fauvettes. ☎ 05-56-60-60-11. Fax : 05-56-60-67-41. Fermé le midi et du 11 novembre au 1er avril (sauf pour les groupes d'au moins 20 personnes). Chambres doubles de 41 à 71 €. Menus de 19 à 25 €. À la carte, compter environ 25 €. Dans un quartier paisible entre le bassin et l'Océan. Ravissante maison début XXe siècle derrière un jardinet extrêmement fleuri. Le temps semble n'avoir guère changé ce qui a bien dû être une pension de famille. Fausse impression, la déco de l'hôtel a été joliment refaite par un patron sympa, footballeur allemand, ancienne vedette des Girondins de Bordeaux et définitivement enraciné en Gironde. Pour un peu, si ce n'était un lieu vivant, on se croirait presque dans un décor. Chambres à l'unisson, toutes avec douche ou bains, claires et propres. Au resto, produits de la mer surtout. Digestif offert sur présentation du *GDR*.

De prix moyens à plus chic

🛏 *Hôtel La Frégate :* 32-34, av. de l'Océan. ☎ 05-56-60-41-62. Fax : 05-56-03-76-18. ● www.hotel-la-fregate.net ● ⚒ Fermé du 5 janvier au 1er février, ainsi que vers la Toussaint jusqu'au 26 décembre. Selon la saison, chambres doubles de 40 à 115 €. Appartements pour 4 personnes à 725 € la semaine. Idéalement située (entre bassin et Océan, à 300 m de l'arrivée de la pinasse en provenance d'Arcachon), cette *Frégate,* dont la barre est tenue par des propriétaires serviables, est simple mais bien « gouvernée ». Atout de taille, une piscine dont la propreté est aussi exemplaire que celle des chambres. Doubles avec douche ou bains, les plus belles avec un grand balcon-terrasse face à la piscine, et un niveau de confort trois étoiles (mais tarif assorti).

Beaucoup plus chic

⌂ **Hôtel La Maison du Bassin :** 5, rue des Pionniers. ☎ 05-56-60-60-63. Fax : 05-56-03-71-47. ● www.lamaisondubassin.com ● Dans le quartier des Pêcheurs. En mars, novembre et décembre, ouvert le week-end seulement. Fermé le mardi (sauf en juillet et août), ainsi qu'en janvier et février. Chambres doubles de 100 à 130 € selon la taille et la saison. L'été, ouvert exclusivement le soir ; sinon, ouvert le midi le samedi et le dimanche.

Menu à 38 €. Dans un quartier pittoresque, un hôtel de charme installé dans une superbe maison en bois, presque coloniale. Excellent accueil, déco léchée : chaque chambre a été pensée différemment, avec comme ligne conductrice un certain « esprit » du Cap-Ferret : détails marins, abondance de bois (le fameux pitchpin)... Atmosphère délicieusement intemporelle. Sans nul doute, l'adresse la plus chic-choc du Cap.

Où manger ?

De bon marché à prix moyens

|●| **Le Mascaret – Chez Yvan :** 17, rue des Goélands. ☎ 05-56-03-75-74. Près du phare. Fermé le mercredi, 15 jours en février et 15 jours en octobre. Menu à 20 €. Le resto des autochtones qui se foutent pas mal de voir la mer (ils l'ont toute l'année, eux !) mais qui sont attentifs à ce qui se passe dans leur assiette. Yvan est un sacré personnage, et comme il est secondé par sa femme, sa fille et son gendre qui sont pas mal non plus, l'ambiance certains soirs est à la grosse rigolade. Génial pour une soirée entre copains et si vous êtes prêts à rapprocher les tables. Quant aux assiettes, pas de souci, elles sont bien pleines de produits de saison cuisinés comme à la maison.

|●| **Pinasse Café :** 2 bis, av. de l'Océan. ☎ 05-56-03-77-87. Près du débarcadère. Fermé du 11 novembre au 1er mars. Menu à 15 € le midi ; sinon, menu à 23 €. Jolie maison du début du XXe siècle bleue et blanche, au décor 1900. Le genre resto de copains où l'ambiance fait passer l'addition. Rendez-vous d'une certaine jeunesse du Cap-Ferret. Service jeune et décontracté (ce qui ne nuit pas à son efficacité). Des musiques électroniques parfois énervantes (house, techno) agitent la terrasse, idéalement située face à l'Océan (et les parcs à huîtres) et à la dune du Pyla. De bons petits plats tout simples : poisson, fruits de mer, moules et viande grillée. Café offert à nos lecteurs sur présentation du GDR.

|●| **L'Escale :** 2, av. de l'Océan (jetée Bélisaire). ☎ 05-56-60-68-17. ♿ D'avril à mi-octobre et pendant les vacances scolaires, ouvert tous les jours ; le reste de l'année, ouvert les vendredi, samedi et dimanche. Fermé en décembre. Menus à 16 et 22 €. À la carte, compter environ 26 €. Une des institutions du Cap-Ferret. La ligne de tables en bord de bassin est l'une des plus recherchées, pour sa vue sur la dune du Pyla, de l'autre côté. Le soir, joyeuse animation sous le vélum et sur le plancher en bois. Coin très touristique, et la qualité du service peut s'en ressentir en haute saison. Atmosphère à la bonne franquette, surtout au comptoir à tapas extérieur. Les pêcheurs et ostréiculteurs du coin y ont encore leurs habitudes. Cuisine correcte : calamars grillés à l'espagnole, morue fraîche à l'aïoli... Brasserie à toute heure.

Plus chic

|●| **Chez Hortense :** à la pointe du Cap. ☎ 05-56-60-62-56. Face au bassin. Ouvert le week-end d'avril à juin, et tous les jours de juillet à septembre. Fermé d'octobre à mars. Compter autour de 30 € ou plus pour

un bon repas complet à la carte, arrosé d'un entre-deux-mers. Un classique du Cap. Décor de vraie cabane chic qui donne sur le soleil couchant. Le poisson et les fruits de mer sont à l'honneur. Leur prix va de pair avec leur qualité, immuable, même si le fiston d'Hortense règne désormais sur la maison.

Où boire un verre?

Le Tchanqué : bar de l'hôtel *La Maison du Bassin* (voir plus haut). Ouvert tous les jours sauf le mardi. Fermé en janvier et février. Atmosphère jazzy, assez B.C.B.G. La jeunesse dorée bordelaise vient y débuter la soirée, après quoi les parents les remplacent.

Où acheter du vin?

20/20 : 26, bd de la Plage. ☎ 05-56-60-68-83. Cyril et Bernard sont deux « caractères », comme disent les Anglais, deux caractériels, disent ceux qui ne les aiment pas. Leur boutique, c'est d'un côté un vieux rade où on remplit son cubi, de l'autre une vinothèque B.C.B.G. avec quelques super crus et des alcools haut de gamme. Une vraie auberge espagnole où l'on reçoit ce qu'on donne. Ils peuvent aussi bien vous entraîner dans une dégustation au long cours ou vous servir sans dire un mot. Ça dépend de vous ; mais quel savoir sur le vin !

À voir. À faire

➤ **Balade jusqu'à la pointe du Cap-Ferret :** face à la dune du Pyla. Petit sentier en lames de bois dit aussi « route du pétrole » (il y avait des puits ici jusqu'au début des années 1990), c'est un agréable chemin de découverte des dunes, « grises » ou « vives » selon la végétation. Visites guidées avec un naturaliste de mi-juin à mi-septembre. Même formule pour la visite de la réserve de Piraillan (voir plus haut). Renseignements à l'office de tourisme.

➤ **Ascension du phare :** vue superbe du sommet, qu'on atteint après avoir gravi plus de 258 marches. En juillet et août, tous les jours de 10 h à 19 h 30 ; en avril, mai, juin et septembre, tous les jours de 10 h à 12 h 30 et de 14 h à 18 h ; d'octobre à mars, du mercredi au dimanche de 14 h à 17 h. Compter 4,50 € la visite. D'une portée de 50 km grâce au système optique de Fresnel, construit en pur cristal de roche, le phare signale toutes les 30 secondes de son éclat rouge l'entrée du bassin d'Arcachon et ses passes, prévenant ainsi les bateaux du danger. Un nouvel aménagement : spectacle audiovisuel, galerie d'écrans (animations, cartes, photographies, images satellites)...

➤ **Tramway du Cap-Ferret :** à prendre à la jetée Bélisaire. Réservations : ☎ 05-56-60-62-57 ou 05-56-60-60-20. Cet adorable petit train relie la pointe du Cap-Ferret à l'Océan depuis 50 ans. Très agréable pour les enfants. Plusieurs rotations par jour tout l'été. Tarifs : 4,70 € l'aller-retour pour les adultes, 3,50 € pour les enfants de moins de 10 ans.

➤ **Excursion-détente au banc d'Arguin :** J.-J. Tallet, le *Seegritt*. ☎ 05-56-60-66-61. Rendez-vous à l'embarcadère Bélisaire à 12 h. Tarif : 12,50 € pour aller pique-niquer au large sur les bancs de sable de l'entrée du bassin ; réduction pour les 4-11 ans. Retour à 15 h ou 18 h 30. Pêche au requin du 1er juillet au 31 août de 6 h à 12 h. Tour du bassin en 2 h 30. Apporter la crème solaire, ça tape !

➤ *Les « 44 hectares » :* c'est l'une des particularités du Cap-Ferret, mais ça ne se visite pas ! Si, si, vous allez comprendre... Après le Second Empire, la IIIe République a privatisé avant la lettre une partie de la forêt domaniale des Landes. Ainsi, 44 ha furent-ils vendus au Cap-Ferret à prix modiques. Des propriétaires de grands crus achetèrent des parcelles, mais aussi des gens modestes. En tout, une centaine de maisons au style le plus souvent simple, sans prétention, dissimulées parmi les pins. Aujourd'hui, héritiers et successeurs défendent fermement leur exceptionnel mode de vie. D'abord pour conserver le côté familial des « 44 hectares », le côté champêtre aussi, puisque beaucoup de rues sont encore en terre (avec nids-de-poule entretenus soigneusement !). Ensuite, contre la boulimie des promoteurs toujours prêts à bétonner. Derniers ennemis, promeneurs et pique-niqueurs (surtout ceux en voiture) venus mater ces privilégiés, et le sable. Eh oui ! les dunes avancent.

LA HAUTE LANDE

Dernières vagues de pins avant les coteaux de Gironde, mais aussi terres riches de Villandraut et Bazas qui firent la fortune de la région jadis. On n'est pas encore en Gironde, on n'est plus tout à fait dans les Landes. Un truc rigolo : dans la région, plein de bistros s'appellent des « cercles » et sont gérés par des associations qui leur donnent un nom en rapport avec leur idéologie : Cercle de l'Avenir, Cercle du Progrès ou même Cercle Démocratique... On peut y faire de chouettes rencontres.

VILLANDRAUT (33730) 830 hab.

Un gros bourg assez dynamique, en haute lande girondine, qui est le centre d'une région riche en patrimoine historique. Château de Bertrand de Got, futur pape Clément V (le premier à avoir transporté le Saint-Siège à Avignon en 1309). Il recèle un certain nombre d'inventions dues au génie de son architecte.

Adresse et info utiles

Office de tourisme : 9, pl. du Général-de-Gaulle (place de la Mairie, BP 12). ☎ 05-56-25-31-39. Fax : 05-56-25-89-33. Ouvert de 9 h à 12 h et de 14 h à 18 h 30 en été (10 h à 13 h le dimanche), jusqu'à 17 h hors saison. Fermé le lundi en été, le lundi et le dimanche toute la journée hors saison.
– *Marché :* le jeudi matin.

Où dormir ? Où manger ?

Camping

⚔ *Camping municipal :* dans un petit bois pas loin du Ciron. ☎ 05-56-25-31-41 (mairie). Ouvert en juillet et août. Compter environ 7 € pour 2 personnes avec voiture et tente. 50 emplacements au maximum. Installations minimales. Eau chaude et douches. Renseignements sur les bons endroits de pêche.

Bon marché

🛏 |○| ***Hôtel de Goth :*** pl. Gambetta. ☎ 05-56-25-31-25. Fax : 05-56-25-30-59. Dans le centre. Fermé le lundi et le dimanche soir, sauf en juillet et août. Chambre double à partir de 29 € avec douche ou bains. Menu à 10,50 € ; autres menus à 19 et 27 €. Dans une jolie maison aux lumineux murs de pierre, l'hôtel de village comme on l'imagine. Chambres proprettes et bien tenues. Honnête cuisine de terroir : Saint-Jacques au sauternes, magret de canard entier aux pêches... Terrasse couverte sur la place aux beaux jours. Motards bienvenus (le patron est un fou de moto et connaît plein d'itinéraires sympas). Kir offert sur présentation du *GDR*.

🛏 ***Maison Labat :*** vallée du Ciron, près de la mairie et du château de Clément V. ☎ 05-56-25-87-57. Fax :
05-56-25-86-78. ● asso.adichats@wanadoo.fr ● ⚡ La nuit est à 9,60 € par personne en gestion libre. Tenu par une association de mise en valeur du patrimoine, qui restaure le château. Assure le séjour, la formation et le logement des enfants et des adultes (concerne plutôt les groupes). Hébergement confortable dans une vieille maison, récemment rénovée, en chambres de trois ou en dortoirs de 6 lits. Ateliers de taille de pierre, de relevé archéologique, traitement du mobilier archéo, classes-patrimoine pour les scolaires (agréées par l'Éducation nationale), chantiers de bénévoles en été, promenades le long du Ciron et découverte de la région. Des gens très sympas et souriants, mais ce n'est pas vraiment un hôtel. N'accepte pas les cartes de paiement.

Où dormir dans les environs ?

🛏 ***Chambres d'hôte Les jardins du Broy, chez Cathy et Guy Bonneaud :*** à Broy, 33113 Saint-Symphorien. ☎ 05-56-25-74-46. Fax : 05-56-65-70-84. Accès : à 16 km de Villandraut par la D3 direction Arcachon ; 7 km après Saint-Symphorien, tourner à gauche (fléchage). Compter 45 € la chambre pour 2, petit dej' compris. En plein parc naturel des Landes, donc en pleine forêt. Une maison de métayer qui accuse facilement un siècle (rassurez-vous, elle a été joliment rénovée). On a un faible pour la 2ᵉ chambre, indépendante (avec kitchenette), qui donne sur un petit jardin japonais. Les deux chambres sont homologuées par le *WWF*. Élégant parc (Guy Bonneaud est paysagiste et la maison possède des races anciennes d'animaux gascons : porcs, chèvres, ânes...). Egalement un gîte rural pour 4 personnes, bien équipé (360 à 410 € la semaine pour 4). N'accepte pas les cartes de paiement. Sur présentation du *GDR*, remise de 10 % sur le prix de la chambre à partir de 2 nuits hors saison et un apéritif, un café ou un digestif offert selon l'heure.

À voir. À faire

🚶 ***Le château :*** ouvert en avril, mai et juin de 14 h à 17 h 30 ; en juillet et août de 10 h à 19 h ; en septembre et octobre de 14 h à 17 h 30 ; le reste de l'année (sauf entre Noël et le nouvel an), sur rendez-vous : ☎ 05-56-25-87-57. Entrée : 3,20 €. Visite guidée. Édifié en 1305 par le pape Clément V comme palais pontifical, il servit quelques années de cour papale. Plan semblable à Roquetaillade. Noter les profonds fossés empierrés de 15 m de large. Cheminées médiévales, salles voûtées, cave... En cours de restauration (pour quelques années encore) et donc un peu brut, mais jolie visite.

– ***Canoë-kayak et VTT :*** navigation sur le Ciron. Contacter la base nautique de Villandraut. ☎ 05-56-25-86-13. Propose aussi des sorties VTT.

Manifestation

– **Les Journades de Villandraut :** la 2e quinzaine de juillet. Musique et théâtre avec quelques belles pointures (Jacques Weber, Guy Tréjean, Maxime Le Forestier, etc.).

➤ DANS LES ENVIRONS DE VILLANDRAUT

🎋 **La collégiale d'Uzeste** *(33730)* **:** à 5 km à l'est de Villandraut. ☎ 05-56-25-35-67. Accès libre, sauf le trésor (1,50 €). Visite guidée : 2,30 €. Une merveille gothique des XIIe et XIIIe siècles : triple nef, chœur et abside, déambulatoire et chapelles rayonnantes. Renferme le tombeau de Clément V. Vitraux fin XIXe de qualité.

– **Le Festival musical d'Uzeste :** vers le 15 août, une grande halte festive de l'été girondin. Il fallait oser organiser un festival dans ce hameau de 300 âmes (plus 2 : Bernadette Lafont et Jean Vautrin), perdu dans la lande ! Ce pari un peu fou, un fils d'Uzeste (ça s'entend à l'accent), le musicien Bernard Lubat, l'a réussi. Autour de *L'Estaminet*, le bistrot de son père, il a développé le plus atypique des festivals français. Jazz, blues, bossa... jusqu'au rap occitan : pendant 5 jours, toutes les musiques se télescopent, se baladent avec le public dans le village et la campagne alentour. On en redemande ! Renseignements à la mairie : ☎ 05-56-25-33-11 ; ou à la *maison du Festival :* ☎ 05-56-25-38-46.

🎋 **L'église de Préchac** *(33730)* **:** à 8 km au sud de Villandraut. Édifice roman du XIe siècle ; le clocher et les bas-côtés furent rajoutés au XVe siècle. Vaut le coup d'œil pour sa belle abside et ses vitraux.

🎋 **Le château de Cazeneuve :** à 12 km au sud de Villandraut ; direction Préchac puis à gauche par la D 9. ☎ et fax : 05-56-25-48-16. ● www.chateaudecazeneuve.com ● ⛄ (rez-de-chaussée). Ouvert de Pâques à la Toussaint les week-ends et jours fériés de 14 h à 18 h ; du 1er juin au 30 septembre, tous les jours de 14 h à 18 h, mais le parc est ouvert dès 11 h. Entrée : 7 € ; tarif préférentiel à 6,50 € sur présentation du *GDR* ; tarif réduit de 7 à 12 ans. À 4 km de Préchac, cette ancienne forteresse médiévale transformée au XVIIe siècle en un château de plaisance et d'apparat, en aplomb au-dessus du Ciron, fut le fief des ducs d'Albret, des rois de Navarre, du roi Henri IV et de la reine Margot. À visiter : les grandes caves médiévales souterraines où vieillissent de prestigieux vins de Bordeaux. Parmi les particularités du lieu : les salles troglodytiques sous la cour centrale... Beaux appartements royaux meublés d'époque, en particulier le salon de la reine et la chambre du roi... À découvrir.

🎋 **Bourideys** *(33113)* **:** à 13 km au sud-ouest de Villandraut, au cœur de la haute lande girondine, l'exotisme d'un hameau landais de 80 âmes. Adresse spéciale pour les amoureux de silence. L'*Auberge de la Haute Lande,* qui s'y trouve, est très convenable.

🎋 **Saint-Symphorien** *(33113)* **:** à 10 km à l'ouest de Villandraut. Étape spéciale de géographie romanesque, après la demeure de Malagar à Saint-Maixant (environs de Saint-Macaire), pour les fans (les ultras) de François Mauriac. Rendez-vous, en prenant la direction du stade municipal, jusqu'au chalet Jouhannet, villa style arcachonnais (qui ne se visite pas), où séjourna régulièrement durant les grandes vacances le petit François... Une balade littéraire dans le parc (en mauvais état) de cette demeure, bordée par la Hure, vous donnera peut-être l'impression de parcourir à nouveau les écrits autobiographiques de notre Nobel 1952.

🎋 **Belin-Beliet** *(33830)* **:** à une trentaine de kilomètres à l'ouest de Villandraut. Bien que girondine, cette bourgade située dans le Parc naturel régional des Landes est traitée au chapitre « Les Landes » (voir plus loin). Rando, canoë-kayak et belle église du Vieux Lugos.

LE PARC NATUREL RÉGIONAL DES LANDES DE GASCOGNE

La partie girondine du Parc naturel régional des Landes de Gascogne est celle du val de Leyre et de son delta. Le fleuve côtier présente ici son cours le plus large. Des bases de canoë proposent toutes sortes de balades ou de randonnées.

Sur le bassin d'Arcachon, le delta de la Leyre offre le meilleur de lui-même à ceux qui auront eu l'idée de quitter la route touristique du tour du bassin. Le sentier du littoral longe les petits ports ostréicoles et les marais endigués. Les oiseaux marins se laissent surprendre en toute discrétion sur le parc ornithologique du Teich. On peut même embarquer sur un kayak de mer et explorer ces chenaux et ces roselières inaccessibles aux autres embarcations et aux piétons.

Plus à l'est, vers la lande chère à François Mauriac, les lagunes, étendues d'eau sombres et peu profondes d'origine glaciaire telles qu'à Louchats ou Saint-Magne, laissent imaginer les paysages qui devaient précéder la plantation systématique des pins maritimes.

Voir également le chapitre « Les Landes ».

Adresses utiles

⌷ Maison du Parc naturel régional des Landes de Gascogne : 33, route de Bayonne, 33830 Belin-Beliet. ☎ 05-57-71-99-99 (siège) ou 05-58-08-31-31 (informations touristiques). Fax : 05-56-88-12-72. ● www.parc-landes-de-gascogne.fr ● Essentiellement pour des informations téléphoniques.

⌷ Centre du Graoux : 31, route du Graoux, 33830 Belin-Beliet. ☎ 05-57-71-99-29. Fax : 05-57-71-99-20. ● centre-graoux@parc-landes-degas cogne.fr ● De mai à octobre, ouvert tous les jours de 9 h à 12 h et de 14 h à 18 h ; de novembre à avril, du lundi au vendredi. Centre permanent de découverte de l'environnement du Parc, avec des animateurs, naturalistes et moniteurs proposant des sorties à thèmes, des balades en canoë sur la Leyre (le centre est labellisé « Point Canoë Nature »), etc. Le centre dispose également de gîtes de groupe (60 places dans des gîtes en bois en chambre de 2 ou 3 lits). Modes d'hébergement : gestion libre ou pension complète.

Où dormir ? Où manger dans le parc ?

⌂ Chambres d'hôte Clément : 1, rue du Stade, 33830 Belin-Beliet. ☎ et fax : 05-56-88-13-17. C'est la rue du stade Suzon, face à l'église de Beliet (ben oui, il y a deux stades et deux églises). Chambre double à 50 €, petit dej' compris. Une grande maison de bourgeois provincial, avec de belles chambres aux lits profonds et un jardin où fleurit le magnolia qui embaume la salle du petit déjeuner. Gîte pour 5 personnes à 420 € la semaine. C'est au bord de l'ancienne N 10, mais aujourd'hui les camions se font rares. Accueil très sympa.

⌂ ❙●❙ Le Café des Sports : 9, route de Bazas, à Hostens (33125). ☎ et fax : 05-56-88-55-43. Fermé tous les jours de 15 h à 17 h pour cause de sieste du patron. Ouvert tous les jours en été ; hors saison, fermé les vendredi soir, samedi midi et dimanche soir. Menu à 10 € le midi en semaine, vin et café compris ; sinon, de 14 à 27 €. Derrière le bar, le patron rigolard. Dans la grande salle, une solide clientèle d'habitués qui sait pourquoi elle vient : gibier en saison (et parfois hors saison...), tricandrilles, jambon de la ferme d'à côté. La patronne gère tout ça (patron inclus) avec une belle humeur gasconne. Et on vous en parle à 50 km à la ronde. Également des bungalows avec salle de bains à louer, à l'arrière, dans le jardin, pour 34 € la nuit. Tranquille... Kir maison offert sur présentation du *Guide du routard.*

🛏 |●| *Le Résinier :* route de Bayonne (N 10), 33114 Le Barp. ☎ 05-56-88-60-07. Passé la « frontière » du Parc naturel régional des Landes, une adresse indémodable depuis près de 40 ans. Restaurant fermé le dimanche soir, sauf en juillet et août. Congés annuels pendant les périodes de Noël et du nouvel an. Chambres doubles de 46 à 57 €. Menu à 16 € en semaine ; autres menus de 26 à 40 €. Petit hôtel-resto au cœur d'un village. Quelques chambres avec douche ou bains. Au resto, une franche cuisine de terroir : foie poêlé et feuillantine de jarret de veau, entre autres... Digestif offert sur présentation du *GDR.*

BAZAS

(33430)   4 788 hab.

Désormais, on ne passe plus obligatoirement au centre de cette ville riche d'histoire, nostalgique de son passé de sous-préfecture. Il existe maintenant une rocade extérieure pour descendre vers Pau et les Pyrénées. La ville y a gagné en calme et en authenticité, mais on aurait tort de ne pas s'y arrêter. Il faut absolument faire le détour jusqu'à la place de la Cathédrale et voir la *cathédrale* (XIIIe siècle) et son splendide triple portail. Voir aussi le petit *musée de la Vie bazadaise.* Renseignements à l'office de tourisme.
Le bœuf est ici objet de culte, la race bazadaise est célèbre pour sa viande et il faut assister à la grande *fête du Bœuf gras* (voir plus loin « Manifestations »).

Adresse utile

🛈 *Office de tourisme :* pl. de la Cathédrale. ☎ 05-56-25-25-84. Fax : 05-56-25-95-59. En saison, ouvert du lundi au samedi de 9 h à 12 h 30 et de 14 h à 18 h 30, et les dimanche et jours fériés de 15 h à 18 h 30 ; hors saison, ouvert du lundi au samedi de 9 h 30 à 12 h et de 14 h à 17 h 30, fermé le dimanche. Visite accompagnée (4 € par personne) du musée et de la cathédrale sur rendez-vous toute l'année.

Où dormir ? Où manger ?

Prix moyens

|●| *Le Restaurant des Remparts :* 49, pl. de la Cathédrale. ☎ 05-56-25-95-24. ⚒ Garez-vous près de la cathédrale ; un passage conduit à ce resto municipal, près de la mairie, superbement situé sur la brèche de Bazas, dominant le jardin du Sultan. Fermé le lundi et le dimanche soir, ainsi que les mardi, mercredi et jeudi soir de novembre à mai. Congés annuels : 15 jours en novembre et 15 jours en juin. Menu à 14 € le midi en semaine ; autres menus de 17 à 27 €. À la carte, compter dans les 30 €. Un cadre assez exceptionnel (si vous avez suivi nos conseils pour l'accès, vous le savez déjà), dont on profite aux beaux jours sur la ter-

rasse. La déco de la salle, très classique, joue la carte de la sobriété. Sûrement pour que rien ne vienne troubler votre tête-à-tête avec cette très inspirée cuisine de terroir. De

bons produits bien travaillés par les frères Decaux, Thierry au piano, Sébastien en salle. Café offert à nos lecteurs sur présentation du *GDR*.

Plus chic

🛏 *Chambres d'hôte chez Mme de Pontac :* hôtel de Pontac, 18, rue Arnaud-de-Pontac. ☎ 05-56-25-00-64 ou 06-16-73-05-43. Chambres doubles de 85 à 100 € selon la saison. L'adresse n'est pas un gag ! La proprio descend (pas en droite ligne quand même) du plus célèbre évêque de Bazas, qui habitait là et dont la rue porte le nom. Bon, vous savez où vous êtes, même si quelques tableaux modernes côtoient sur les murs les portraits de famille. Décor et meubles d'époque et accueil très courtois. Notre chambre préférée, c'est celle où dormit Marie d'Agoult (elle est aussi de la famille), romantique à souhait.

🛏 |●| *Domaine de Fompeyre :* route de Mont-de-Marsan. ☎ 05-56-25-98-00. Fax : 05-56-25-16-25. ● www.

domainedefompeyre.ue.st ● 🏃 À 800 m de la ville, sortie sud de Bazas, sur la D 932. Restaurant fermé le dimanche soir en hiver. Doubles avec bains et w.-c. de 72 à 145 € selon taille, standing et saison. Menus à 32 et 43 €. À la carte, compter autour de 70 €. Un décor quasi hollywoodien : parc de 4 ha (avec palmeraie), 2 piscines (l'une en plein air, l'autre couverte et chauffée pour nager à contre-courant !), tennis, bowling, etc. Bon confort trois étoiles (sèche-cheveux, coffre, TV satellite, jacuzzi, hammam, etc.). Au resto, terroir à l'honneur : homard balsamique, poêlée de foie de canard et service top. Génial pour un week-end en amoureux. Sur présentation du *GDR,* apéritif offert.

Où dormir ? Où manger dans les environs ?

L'occasion de se balader dans la « Gironde landaise ». Beaucoup moins touristique. Pour s'enivrer des bonnes odeurs de pinèdes...

🛏 |●| *Chambres et table d'hôte du Domaine de Londeix :* chez Sophie et Rémi de Montbron, Londeix, 33840 Captieux. ☎ 05-56-65-68-83. Fax : 05-56-65-61-27. ● sdemontbron@libertysurf.fr ● À 15 km au sud de Bazas par la D 932 (route de Mont-de-Marsan). Chambre double de 45 à 50 €, petit dej' compris. Repas à 16 €. Deux chambres spacieuses et de bon goût dans une bâtisse de caractère, ancienne ferme landaise retapée. Bains et w.-c., accès indépendant. Environnement calme (champ de maïs et forêt de pins, granges) et piscine pour les chaudes journées. Les proprios sont aussi éleveurs-cultivateurs, et vous servent à table des produits de la ferme. Également gîte pour 6 personnes à 915 € la semaine. Une

bonne adresse dans le secteur. N'accepte pas les cartes de paiement. Apéritif ou café offert sur présentation du *GDR,* ainsi qu'une remise de 10 % sur la chambre à partir de la 7e nuit.

🛏 |●| *Hôtel Cap des Landes :* à Captieux, rue principale, face à l'église. ☎ 05-56-65-64-93. 🏃 À 17 km au sud de Bazas, sur la D 932. Fermé le lundi et le dimanche après-midi, ainsi que du 11 novembre au 5 décembre. Double de 31 à 36 €. Menu à 11 € le midi en semaine ; autres menus à 15 €. Au cœur d'un bourg mais sur une route où, la nuit, passent quelques camions. Essayez donc d'obtenir une des chambres (simples mais acceptables) qui donnent sur l'arrière. Chambres refaites récemment, toutes avec TV. Ambiance gentiment familiale. Si l'hôtel est donc un rien bruyant, le resto est irréprochable. On est servi dans une petite salle pas loin du bar, ou dans une salle à la déco nettement tauromachique. La carte et les menus puisent leur inspiration dans les produits locaux : canard et salades gourmandes diverses, escalope de foie gras aux pommes et raisins frais... Un apéritif maison offert sur présentation du *GDR*.

|●| *L'Auberge Gasconne :* le bourg, 33840 Goualade. ☎ 05-56-65-81-77. 🚲 À 16 km au sud de Bazas, par la D 12. Le soir, sur réservation. Fermé le lundi et le dimanche soir, ainsi que du 16 août au 5 septembre. Le midi en semaine, menu à 10 €, vin et café compris ; compter dans les 18 € à la carte. Dans cette toundra sylvestre, on s'attend à une auberge un peu rustique où l'on viendrait à peine d'installer l'électricité (bien sûr, en face de la vieille église du village). Si l'église est bien là (et fort belle avec sa tourelle), en revanche l'auberge-bar-tabac se révèle pimpante, confortable et... climatisée. Heureuse clientèle d'habitués, routiers, équipes d'EDF, etc., qui ont fait leur cette adresse, pour sa bonne cuisine locale et ses prix d'avant-guerre. Bonnes vieilles recettes, robustes et copieuses, cuisine de bonne femme sans fard ni apprêt : grosses tranches de jambon de pays, salmis de palombe, confit de dindon, canard, porc, daube de marcassin, servis sur des nappes en tissu égayées de fleurs fraîches. Bon accueil en prime, sauf pour nos amis les bêtes : gentils toutous s'abstenir.

|●| *Le Ti Pont :* à Aillas (33124). ☎ 05-56-65-30-25. Fermé le lundi soir et le mardi. Menu du jour en semaine à 10 €, servi dans la salle du bar. Autres menus de 20 à 36 € servis dans la « grande salle ». On ne croyait pas que ça pouvait encore exister. Un bon resto de village, dans une maison sans charme, avec un patron qui décline toute la gamme de la nourriture locale sans oublier la poule au pot, les cèpes, la palombe en saison, et vous proposera un hamburger gascon au foie gras à faire mourir de honte tous les fast-foods d'Aquitaine.

À voir

🚶🚶 *La cathédrale :* inscrite au Patrimoine mondial ; c'est une pure merveille. Rebâtie par l'évêque Arnaud de Pontac après sa destruction par les huguenots. L'évêque a gardé un plan et une ornementation gothiques avec un triple portail en façade et une remarquable rosace. On y vénérait, paraît-il, le sang de saint Jean Baptiste (décapité à Jérusalem : le sang des saints ne sèche pas).

➤ *Balade dans la ville et dans les jardins :* ne pas rater le jardin médiéval reconstitué le long de la cathédrale. Voir aussi les remparts, très bien conservés, ainsi que la grande place en légère déclivité, qui, avec ses arcades et ses ruelles convergentes, a beaucoup de charme et un faux air toscan ou flamand (on hésite !) avec, en son centre, cette maison à pignons dite « de l'astronome ». Des artisans d'art se sont installés là : sculpteur, céramiste, bouquiniste, fabricant de vêtements de cuir, etc. Marché le samedi. Pratique en haute saison : le marché de nuit.

Manifestations

– *La fête du Bœuf gras :* en février, le jeudi précédant le carnaval. Très grosse fête locale, où le fleuron du pays, le bœuf bazadais, est dignement honoré. Typique et festif, à ne pas manquer si vous êtes dans le coin.
– *Les feux de la Saint-Jean :* le 23 juin au soir. Sur la place de la Cathédrale, 3 grands bûchers sont dressés. Spectaculaire.

LA HAUTE LANDE

➤ *DANS LES ENVIRONS DE BAZAS*

🍴 *Le château de Roquetaillade :* à Mazères (33210). ☎ 05-56-76-14-16.
Fax : 05-56-76-14-61. À 10 km au nord-ouest de Bazas. En juillet et août,
visite tous les jours de 10 h 30 à 19 h ; de Pâques à la Toussaint, l'après-
midi ; de la Toussaint à Pâques, l'après-midi les dimanche et jours fériés,
ainsi que pendant les vacances scolaires. Visite guidée : 6,50 € ; tarif réduit
(5,50 €) sur présentation du *GDR*, valable pour 2 personnes ; gratuit jusqu'à
6 ans. Imposant ensemble fortifié, possédant une longue histoire. Ce sont
d'abord deux châteaux érigés dans une même enceinte, le château Vieux du
XIIe siècle et le château Neuf du XIVe siècle. Ce dernier fut édifié par le cardinal de la Mothe, neveu du pape d'Avignon Clément V. D'ailleurs, pas loin de
là, le pape s'était fait construire un palais-forteresse à Villandraut, sa ville
natale. D'autres neveux édifièrent des ouvrages fortifiés dans la région,
qu'on appela les châteaux clémentins.
Le château Neuf se distingue par son énorme donjon central. Menacé de
démolition sous la Révolution, son proprio, Monsieur de Lansac, ouvrit sa
cave aux membres du comité révolutionnaire de Bazas venus commencer le
boulot. Résultat : seulement le haut d'une tour fut démantelé (bonne pub
pour le vin local !).
En 1864, la famille Mauvesin, nouveau proprio, fit appel à Viollet-le-Duc pour
rendre le château habitable. Le célèbre restaurateur de Carcassonne, Pier-
refonds, Notre-Dame de Paris, était alors au faîte de sa gloire. L'intérêt de
Roquetaillade est que c'est le seul exemple où Viollet-le-Duc intervint à la
fois sur l'architecture, la décoration intérieure et le mobilier. Le rêve pour un
homme pétri de médiévalisme, pouvant ainsi laisser libre cours à sa passion
(et passion de l'époque pour le style du Moyen Âge et le gothique). La
guerre de 1870 et le manque d'argent ne permirent pas l'achèvement total
du projet, mais, en l'état, ça reste un témoignage unique d'une rénovation
touchant tous les arts et corps de métiers. Son aspect kitsch s'en trouve
donc naturellement dépassé et prend même une place historique dans l'évolution de l'art. À certains égards, ces outrances décoratives n'annoncent-
elles pas l'Art nouveau ?
– *Façade extérieure :* Viollet-le-Duc procéda à des ouvertures de style
gothique et orna les murailles de mâchicoulis artistiques, mais l'essentiel de
l'allure XIVe siècle demeure.
– *Le grand escalier :* rien ne se perd, rien ne se crée ! L'escalier intérieur
aménagé dans le donjon est l'ancien projet pour l'Opéra de Paris. Ayant raté
le concours à l'époque, Viollet-le-Duc l'appliqua ici.
– *La salle à manger :* Viollet-le-Duc donna ici totalement libre cours à sa fantaisie. C'est même carrément du défoulement. Dans la chambre rose, noter
le rat sous les pieds de la Vierge.
– *La salle synodale :* au 1er étage. Différents projets pour la décoration expo-
sés. Cheminée Renaissance monumentale, datée de 1635.
– *Le grand salon :* cheminée Renaissance. Tapisseries flamandes du
XVIIe siècle.
– *La chambre du cardinal :* belle cheminée Renaissance là encore, lit espa-
gnol du XVIe siècle, portraits de cardinaux.
– *La chapelle Saint-Michel :* située dans le parc. Date du XIIe siècle. Décor
néogothique teinté d'orientalisme.
– En face de l'entrée du château, la *Métairie :* musée rural vivant. Pour les
Parisiens qui n'ont jamais vu une vraie vache, un vrai cochon ou un pigeon-
nier du XIIe siècle en activité. Amusera les enfants.
Restauration rapide sur place.

GRAVES ET SAUTERNAIS

Ce secteur compte 5 appellations : pessac-léognan et graves au nord, rouges moins réputés que d'autres bordeaux mais très fréquentables, puis les prestigieux blancs doux cérons, sauternes et barsac. Tout au sud, une zone de simple bordeaux. Mais, à part la vigne, pas grand-chose à voir, sauf le château de La Brède. Il est vrai qu'on est à proximité immédiate de la Haute Lande girondine, sa campagne verte et vallonnée, ses sites remarquables (Bazas, Uzeste, Roquetaillade...).

LA BRÈDE (33 650)

À 24 km du centre de Bordeaux, première sortie sur l'autoroute des Deux-Mers. La Brède, c'est un nom qui évoque quelque chose. Une vague réminiscence scolaire. Voyons... un Bordelais célèbre... Montaigne ? Mauriac ? Montesquieu !

À voir

🐾 *Le château :* ☎ 05-56-20-20-49. Du 1er juillet au 30 septembre, ouvert tous les après-midi sauf le mardi ; de Pâques au 30 juin de 14 h à 18 h ; et du 1er octobre au 11 novembre de 14 h à 17 h 30, le week-end et les jours fériés. Entrée : 6 € (divisibles : 2,30 € pour la visite libre du parc, 3,70 € pour la visite guidée du château). Montesquieu est né en 1689 et a passé la majeure partie de sa vie dans cette demeure, majestueuse certes, mais qui ne devait pas être facile à chauffer. La bibliothèque est réellement splendide, une grande salle voûtée, à l'acoustique extrêmement fine. La chambre de Montesquieu, laissée en l'état, permet à ses fans de verser une larme. Certains adulent Johnny ou Marilyn, d'autres vénèrent Charles Louis de Secondat, baron de Montesquieu. Amoureux des grands décors, vous serez déçus. Le mobilier n'est pas exceptionnel, mais il règne ici une atmosphère humaniste. Ça ne s'explique pas.
Dans ce parc magnifique, devant cette propriété si noble et belle, relisez *L'Esprit des lois,* ce n'est pas si difficile et ça en dit plus long sur la démocratie que bien des essais bâclés publiés aujourd'hui. Fin de l'intermède culturel.

🐾 *La Brède village :* ne mérite pas vraiment qu'on s'y attarde, malgré une église romane et un petit musée sympathique.

🐾 *Le jardin fruitier de La Brède :* propriété Feyteau, chemin de Mons (le chemin de Mons se prend au centre de La Brède). ☎ 05-56-20-22-29 ou 05-56-85-20-44. 🐾 On y rencontre une mordue des confitures (abricots, framboises, reines-claudes, fraises... il n'y a qu'à demander !) qui ose des combinaisons sublimes, comme le mariage divin de la fraise et du sauternes ou de l'orange, du citron et du lillet, l'apéritif de Bordeaux... On ne se refuse rien ! 80 variétés, dont des gelées de vin de sauternes spécial cuisine. Catherine Bernhard reçoit les gourmets de passage toute l'année, sur rendez-vous les mercredi, jeudi et vendredi après-midi. Dégustation gratuite et achat sur place possible. Également de bons conseils culinaires. Téléphonez : quand Catherine n'est pas là, vous serez quand même reçu, mais ce n'est pas pareil.

Visite de château viticole et plus encore...

– *Château Smith Haut Lafitte :* à Martillac, à quelques encablures de Léognan (à 5 km au nord de La Brède). ☎ 05-57-83-11-22. Ouvert tous les jours de 9 h à 12 h 30 et de 14 h à 18 h 30, mais prendre rendez-vous. Entrée : 6,50 € pour la visite et la dégustation de 2 vins ; gratuit pour les enfants. Nous avons reçu un accueil chaleureux et effectué une visite-dégustation très séduisante chez ce grand cru classé de graves. Beaucoup de charme dans ces lieux récemment rénovés. Tout à côté, un endroit d'exception :

🏠 |●| *Les Sources de Caudalie :* à Martillac (33650). ☎ 05-57-83-83-83. Fax : 05-57-83-83-84. ● www.sources-caudalie.com ● 🍴 La brasserie est ouverte tous les jours ; le restaurant gastronomique est fermé le lundi et le mardi. Chambres doubles de 185 à 215 €. Fauchés s'abstenir. Mais comment ne pas tomber sous le charme ? Tout est neuf, parc, jardin, grange... et on s'y laisse prendre. Luxe et distinction, valets de chambre en gilet, bagagistes, bref, le super grand jeu. La déco ? Somptueuse. Le calme ? Total. Petite rivière, chambres aménagées dans de petits bâtiments isolés qui affectent le look rural (mais sont climatisés), on se laisse porter. Le must de Caudalie, c'est la vinothérapie. Pour faire bref, sorte de thalasso où le vin remplace l'eau de mer. Se baigner dans le gros rouge permet de « lutter contre les radicaux libres responsables du vieillissement ». Enfin une bonne nouvelle ! Sauf qu'ici, c'est pas Vichy, la Sécu ne rembourse pas (de 578 à 726 € le week-end). Autre bonne nouvelle : pour le prix, vous économiserez les 6 € de la visite du château. Piscine.

➤ *DANS LES ENVIRONS DE LA BRÈDE*

🍴 *Podensac (33720) :* deux choses à retenir de ce petit village.

– La naissance en 1887 d'un apéritif qui revient à la mode, le *lillet,* assemblage de vins et de liqueurs de fruits. On peut visiter l'expo sur les pubs de la marque qui, dans les années 1900, se payait les meilleurs affichistes, et déguster, tous les jours, du 15 juin au 15 septembre de 10 h à 19 h.

– Un des sites d'observation remarquable du *mascaret,* phénomène naturel de cette vague déferlante à la bascule des marées, et qui remonte la Garonne. C'est carrément l'occasion de surfer ! Dates et horaires du phénomène disponibles à l'office de tourisme de Cadillac.

SAUTERNES
(33210)   601 hab.

Un petit village au milieu des vignes. Sur la place principale, rien ne bouge. Un peu plus loin, un ou deux restaurants. Le nom de Sauternes est l'un des plus connus de France. Pour vous dire : le site officiel de ce village de 600 habitants est visité par 1 000 internautes chaque semaine ! À Sauternes, ça les fait marrer et ça leur donne pas la grosse tête.

Adresses utiles

ℹ️ *Office de tourisme :* 11, rue Principale. ☎ 05-56-76-69-13. Fax : 05-57-31-00-67. ● www.sauternes.com ● En été, ouvert tous les jours sauf le dimanche, de 9 h 30 à 12 h 30 et de 14 h à 18 h ; hors saison, du mardi au samedi aux mêmes horaires. Organise les visites de caves et châteaux de l'appellation, pour les groupes comme pour les particuliers. Suite logique à votre visite de la région, puisque vous pouvez approvisionner votre cave de ce vin prestigieux. Location de vélos. Accueil chaleureux.

■ *La maison du Sauternes :* pl. de la Mairie. ☎ 05-56-76-69-83. Fax : 05-56-76-68-69. Hors saison, ouvert le lundi de 9 h à 12 h et de 14 h à 19 h, du mardi au samedi de 9 h à 19 h, et le dimanche de 10 h à 12 h et de 14 h à 19 h; en été, du lundi au vendredi de 9 h à 19 h et les samedi et dimanche de 10 h à 19 h. Vous pouvez y acheter des vins de tous les châteaux au même prix qu'à la propriété. Excellents conseils, et si vous êtes vraiment intéressé, vous pouvez rencontrer les viticulteurs. Organise régulièrement des dégustations.

☙ Deux autres boutiques de vin ont ouvert : la *cave du Sauternais,* pl. de la Mairie. ☎ 05-56-76-62-17, que l'on appelle ici « l'antiquaire du Sauternes », parce qu'on y trouve de vieilles bouteilles (« 20 ans d'âge ») ; la *cave des Lauréats,* pl. de l'Église, ☎ 05-56-76-67-89.

Où dormir ? Où manger ?

🛏 *Chambres d'hôte M.-C. Lavillenie :* 3, Parropis, domaine du Ciron. ☎ 05-56-76-60-17. Fax : 05-56-76-61-74. Du centre du bourg, allez vers Villandraut ; c'est fléché. Chambre double à 43 €, petit dej' compris. Jolie petite maison girondine fleurie. Les chambres sont grandes et claires, et l'accueil de Marie-Christine bien sympa. Si vous devenez copains, elle vous autorisera à essayer les chapeaux de sa collection. Piscine dans le jardin et possibilité d'utiliser le barbecue. C'est tout bon.

🍽 *Auberge Les Vignes :* à Sauternes même, pl. de l'Église. ☎ 05-56-76-60-06. ⚒ Fermé le mardi soir et le mercredi hors saison, ainsi que de mi-janvier à mi-février. Premier menu à 11 € en semaine ; menus suivants de 18 à 25,50 €. Nappes à carreaux et feu de bois garantis dans cette délicieuse petite auberge de campagne. Chaleureuse ambiance familiale. Vraie cuisine de terroir et de saison, goûteuse mais pas prétentieuse pour un sou, avec foie gras aux pommes, lapin ou cailles au sauternes, croustillant aux pommes et à l'Armagnac, spécialité de grillades sur sarments de vignes et une tarte feuilletée aux fruits passant du four à la table... Cave superbement sélectionnée mais pas donnée (avec toutefois 5 ou 6 bouteilles abordables).

🍽 *Restaurant Le Saprien :* 14, rue Principale. ☎ 05-56-76-60-87. Face à l'office de tourisme. Fermé le dimanche soir, le lundi et le mercredi soir, ainsi que pendant les vacances scolaires de février et de Noël. Menus de 25 à 38 €. À la carte, compter environ 40 €. Atmosphère un rien chic entre les épais murs de pierre de cette petite maison à l'entrée du village. La déco mêle avec bonheur moderne élégance et chaleureux éléments du passé. Ravissant petit salon de lecture et vaste terrasse, ouverte sur le vignoble. Au programme donc, logiquement : grillades aux sarments et dégustation de sauternes au verre. Mais *Le Saprien,* c'est aussi et surtout une habile cuisine de marché et de saison : alose, foie gras, filet mignon, toutes les douceurs de la Gironde... Café offert sur présentation du *GDR.*

Visite de château viticole

– *Château d'Yquem :* le célébrissime château d'Yquem ne se visite que sur demande (écrire 1 mois avant à Mme Lailheugue : château d'Yquem, 33210 Sauternes) et encore, pas sûr qu'elle soit acceptée. ☎ 05-57-98-07-07. Fax : 05-57-98-07-08. • info@chateau-yquem.fr • Dommage, car ce manoir du XVe siècle, aux beaux jardins, n'est pas piqué des vers, et son pinard se laisse boire facilement... avec modération bien sûr.

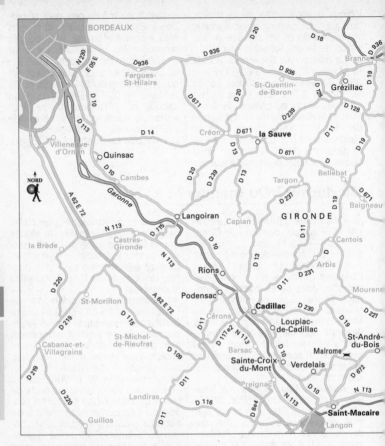

L'ENTRE-DEUX-MERS

L'« Inter duo Maria » désigne la partie de terre comprise entre la Dordogne et la Garonne remontée par les marées. Ce triangle de terre produit sous son nom des vins d'appellation de grande renommée, essentiellement des vins blancs secs très aromatiques. Quelques appellations méconnues également, qui valent le détour : côtes-de-bordeaux-saint-macaire (blanc doux), graves-de-vayres (rouge et blanc sec), sainte-foy-bordeaux (rouge et blanc doux).

Vallonné, l'Entre-Deux-Mers présente bien plus de variétés que les autres régions de la Gironde, et se distingue aussi par son très riche patrimoine architectural, avec notamment un superbe ensemble de bastides, cités médiévales très bien conservées.

Les côteaux qui plongent vers la Garonne ne sont pas très hauts mais forment quand même une ligne de crête qui permet de distinguer deux sous-régions, selon que les rivières coulent vers la Garonne ou la Dordogne (et, en plus, orientés différemment, leurs vins ne se ressemblent pas du tout).

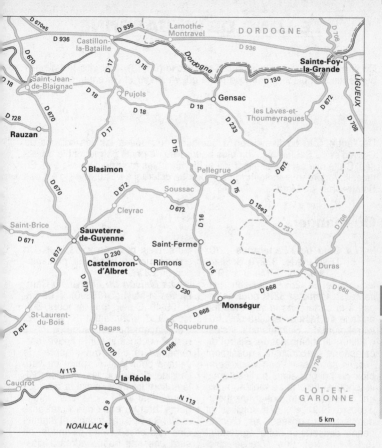

L'ENTRE-DEUX-MERS

Adresse utile

🄸 *Office de tourisme de l'Entre-Deux-Mers :* 4, rue Issartier, 33580 Monségur. ☎ 05-56-61-82-73. Fax : 05-56-61-89-13. ● www.entredeux mers.com ● Accueil du public du lundi au vendredi de 9 h à 12 h et de 14 h à 19 h; renseignements par téléphone ou par courrier et organisation de séjours à la carte.

Randonnées en Entre-Deux-Mers

Pour les randonneurs, se procurer les cartes-dépliants fort bien réalisées et numérotées de 1 à 6 : la Haute Lande girondine, le pays de Podensac, de Langon, de Saint-Macaire, le Haut Entre-Deux-Mers, etc. Informations complètes, adresses utiles, sites à ne pas manquer. Gratuites, en plus !

LE LONG DE LA GARONNE

On sort de Bordeaux par les quais rive droite (D 113). Très vite, les vilaines banlieues font place à une jolie route qui va longer la Garonne.

DE BORDEAUX À CADILLAC

De l'autre côté du fleuve, on a quelques échappées sur les collines du Graves et du Sauternais (voir plus haut). Peu de ponts permettent la traversée. Cette rive est assez escarpée et les vignobles regardent vers le sud. En face, ils regardent vers le nord (logique). La différence ? Sauternes n'est pas Sainte-Croix-du-Mont.

Où manger ?

|●| *Le Café de l'Espérance :* 10, rue de l'Esplanade, 33270 Bouliac. ☎ 05-56-20-52-16. ✕ Menu à 19 € le midi et à 25 € le soir (vin compris). Compter 32 € pour un repas à la carte sans le vin. Presque en face du fameux et ultra-chic hôtel-restaurant *Saint-James,* c'est d'ailleurs le même patron. Bistrot de campagne reconstitué quasiment « dans son jus » : bon vieux comptoir de bois, chaises paillées sous la tonnelle. Inscrits au tableau noir : un chouette petit buffet de hors-d'œuvre (9,91 €), des volailles et des viandes grillées, et d'engageants desserts en buffet également (6,10 €). Bref, une adresse chic-choc qui fait courir Bordeaux. D'ailleurs, c'est plein de jolies filles. Un apéritif maison offert sur présentation du *GDR*.

|●| *La Maison du Fleuve :* à Camblanes-et-Meynac (33360). ☎ 05-56-20-06-40. Ouvert tous les jours. Buffet à 9 €. Plats entre 10 et 20 €. L'emplacement est superbe : le resto est construit sur le fleuve, carrément. Grande terrasse abritée de velums pour jouir du point de vue. Cuisine simple où les viandes grillées sont joliment relevées d'épices (curry, safran...), desserts intelligents, bref, la patte des Amat père et fils. Service impeccable et attentif. Une fois passé l'effet de mode, ce sera une très bonne adresse classique.

À voir

🚶 *Langoiran (33550) :* petite bourgade lovée autour des ruines d'un château. Donjon massif du XIIIe siècle. L'église Saint-Pierre-ès-Liens présente une remarquable abside du XIIe siècle au riche décor.

🛈 *Office de tourisme :* 4, pl. du Docteur-Abaut. ☎ 05-56-67-56-18. Fax : 05-56-67-56-74. De juin à septembre, ouvert du lundi au samedi de 9 h à 18 h (17 h le samedi) ; d'octobre à mai, du lundi au vendredi de 9 h à 12 h et de 14 h à 18 h et le samedi de 9 h à 12 h.

🚶 *Rions (33410) :* petite cité fortifiée dont on peut encore voir les vestiges des éléments de défense, notamment la belle *porte du l'Hyan,* élevée au XIVe siècle, avec mâchicoulis et créneaux, ainsi que la tour du Guet. Au XIXe siècle, on surnommait la cité « la Carcassonne girondine ».

CADILLAC

(33410)   2 396 hab.

Une des plus belles bastides de l'Entre-Deux-Mers. Il faut absolument visiter, en plus du remarquable château ducal, les vieilles rues et l'église monumentale, ancienne collégiale du XVe siècle. Bon petit resto par ailleurs.

CADILLAC ET LA CADILLAC

Cadillac, ça ne vous rappelle rien ? Les grosses voitures américaines, évidemment. Eh bien ! saviez-vous que tous les guides affirment que le village a donné son nom à ces véhicules de la *General Motors* ? L'anecdote selon laquelle le fondateur de la ville de Detroit, Antoine Laumet, serait originaire de Cadillac est pourtant fausse. Le *GDR* rétablit la vérité (hourra, vive lui !).

Antoine Laumet, né en 1658 à Saint-Nicolas-de-la-Grave, partit pour le Canada après avoir emprunté un nouveau nom à une famille du Tarn-et-Garonne : Lamothe-Cadillac (rien à voir avec le village qui nous intéresse). Il fonda Detroit en 1701, et la *General Motors,* en l'honneur du fondateur de la ville (en 1902), donna le nom de Cadillac à une nouvelle série de voitures. Par une gymnastique un peu bizarre de l'histoire, on se mit à attribuer l'origine de son nom au village de Cadillac, alors qu'Antoine Laumet (Lamothe-Cadillac) n'y mit jamais les pieds. Félicitations, donc, aux gens de Cadillac qui réussirent à tirer la couverture de l'histoire à eux. Un jour peut-être, un descendant des Cadillac de Saint-Nicolas-de-la-Grave viendra crier la vérité. En attendant, chaque année se réunissent ici des propriétaires de Cadillac (le dernier week-end d'août), et il arrive que la *General Motors* vienne photographier ses véhicules avec le château en toile de fond !

Adresses utiles

⊞ *Office de tourisme du Cadilla-cais :* 9, pl. de la Libération. ☎ 05-56-62-12-92. Fax : 05-56-76-99-72. ● www.entredeuxmers.com/cadillac ● Ouvert toute l'année : en été, du lundi au samedi de 9 h 30 à 12 h 30 et de 13 h 30 à 19 h, ainsi que le dimanche de 9 h 30 à 12 h 30 et de 14 h à 19 h ; fermé le lundi hors saison. Visite commentée de la bastide sur rendez-vous (2,50 €).

■ *Maison des vins des Premières Côtes de Bordeaux et Cadillac :* La Closière. ☎ 05-57-98-19-20. Fax : 05-57-98-19-30. En été, ouvert tous les jours de 10 h à 12 h 30 et de 13 h 30 à 19 h ; hors saison, du lundi au vendredi de 9 h à 12 h 30 et de 14 h à 17 h 30. À la sortie du village direction Langon. Vend les vins de toutes les propriétés de la zone, organise des dégustations et des visites de châteaux.

Où dormir ?

⚕ *Camping intercommunal :* en bordure de Garonne. ☎ et fax : 05-56-62-72-98. Ouvert du 14 juin au 14 septembre. Compter autour de 12 € pour 2. Une trentaine d'emplacements. Piscine intercommunale payante à proximité, buvette et jeux pour les enfants.

Où manger ?

|●| *L'Entrée Jardin :* 27, av. du Pont. ☎ 05-56-76-96-96. Fermé en août et en décembre. Menu à 11 €, vin compris, à midi en semaine ;

autres menus de 21 à 31 €. À la carte, compter environ 35 €. Une agréable terrasse avec ses parasols et un intérieur clair et nappé de bleu. Cuisine simple et copieuse pour les premiers menus, mais plus sophisti-

quée ensuite avec des jus bien travaillés et des sauces aux vins (loupiac, sauternes ou xérès). On aime ce genre-là, c'est un vrai plaisir et on n'est pas volé. Service féminin rapide et souriant.

Où dormir dans les environs ?

⚏ *Camping à la ferme, M. Roger Galissaire :* 6, rue Sainte-Croix-du-Mont, 33410 Loupiac-de-Cadillac. ☎ 05-56-62-01-79. Ouvert de Pâques à mi-septembre. Pas cher : 9 € la nuit pour 2. Espace verdoyant et calme, autour d'une vraie ferme avec canards, porcs et poules. Douche chaude. Bon accueil. N'accepte pas les cartes de paiement.

⚏ *Camping de Hontanille :* à côté du lac de Laromet, à 3 km de Cadillac. ☎ 05-56-62-17-72 ; ou mairie de Laroque : ☎ 05-56-62-60-11. Ouvert de mi-juin à mi-septembre. Vraiment pas cher : 7 € par jour pour 2 adultes avec une tente. À 300 m au-dessus de la petite base de plein air, camping ombragé et calme. Baignade possible dans le petit lac, etc. À côté, petite guinguette avec spécialité d'escargots.

⚏ *Chambres d'hôte château Le Vert :* route d'Escoussans, 33760 Arbis. ☎ et fax : 05-56-23-91-49. Sur la D11 entre Targon et Cadillac. Prendre à gauche, quelques kilomètres avant Escoussans, un chemin agricole entre les vignes (fléché). Compter de 69 à 92 € pour 2, petit dej' compris. Élégant château du XIXe siècle, entouré d'un parc et isolé au milieu du vignoble. Martine et Claude Imhoff l'ont quasiment relevé de ses ruines. Excellent accueil, décontracté et sympa. Dans un bâtiment contigu datant du XVIe siècle, 3 très jolies chambres, aménagées avec goût, des idées et de l'humour. Que cache donc cette massive porte médiévale ? On vous laisse la surprise... Piscine. Cartes de paiement refusées.

Visite du château de Cadillac

Dans la bastide, dont il occupe environ un tiers de la superficie (intrusion unique et insolite d'un château d'importance au sein d'une cité médiévale). ☎ 05-56-62-69-58. Fax : 05-56-62-60-73. Du 1er juin au 30 septembre, ouvert tous les jours de 10 h à 18 h ; le reste de l'année, ouvert de 10 h à 12 h 30 et de 14 h à 17 h 30, fermé le lundi (sauf Pâques et Pentecôte). Entrée : 4,60 € avec ou sans visite guidée (si vous choisissez la visite libre, bon document de visite fourni). Gratuit jusqu'à 18 ans.

Le château des ducs d'Épernon mérite la visite, d'abord parce que c'est l'un des rares témoignages de l'architecture du XVIIe siècle en Gironde, et ensuite parce qu'il a également servi de prison.

Il fut élevé au début du XVIIe siècle en lieu et place d'un édifice féodal rasé pour la circonstance, par un mignon d'Henri III, Jean-Louis de Nogaret de Lavalette, devenu ensuite duc d'Épernon et personnage toujours très en vue sous Henri IV et Louis XIII. Henri III l'obligea d'ailleurs à se marier (horreur !) avec Marguerite de Foix-Candale, héritière richissime qui eut la bonne idée de mourir en couches assez vite, ce qui lui permit d'hériter. Puis Henri IV lui donna ordre de construire ce château afin de diminuer sa puissance en l'engageant dans des dépenses. Ce palais ducal est l'un des premiers exemples d'architecture à la française (style intermédiaire entre Renaissance et classique). Mais après la mort du deuxième et dernier duc d'Éper-non, il subit d'importantes démolitions (ailes, pavillons d'angle). Puis il fut transformé en 1822 en prison d'État pour femmes, précisément en « centrale de force et de correction », une des premières en France. Fin XIXe siècle, il devint « maison de préservation pour les jeunes filles » et enfin « maison d'éducation surveillée », pour jeunes filles toujours, qui fermera définitive-ment ses portes en 1952. Cent trente années de vie carcérale féminine, soit un panorama assez complet du monde pénitentiaire, puisque la prison, comme nous la connaissons encore aujourd'hui, est née avec la Révolu-tion française (autrefois, c'était le bagne ou la galère).

– *L'extérieur* est caractéristique des constructions de l'époque, avec une forme en U et un pavillon central en avant-corps. La façade est sobre et superbement équilibrée. L'entrée richement ornée est encadrée de niches.

– *L'intérieur* se singularise essentiellement par un magnifique ensemble de cheminées monumentales qui ornent chacune des salles des appartements royaux et ducaux. Elles sont toutes dans le style français avec des piédroits et une hotte richement sculptée, dans le goût maniériste d'alors. Superbes marbres. Les appartements ducaux présentent de beaux plafonds peints. Belles tapisseries : fragment de la tenture *La Bataille de La Rochelle,* une des 22 pièces tissées au château à la gloire d'Henri III. Depuis 2001 est exposée une tenture de l'*Histoire de Psyché,* en 4 pièces (1er quart du XVIIe siècle, atelier flamand). Au sous-sol, voûtes élégantes et remarquable escalier en vis sans noyau, chef-d'œuvre technique et esthétique.

– *Deux expos permanentes* présentent l'une le « Beau XVIIe », évocation en trois salles de l'histoire, l'architecture, le décor et les artistes et témoins du château de Cadillac au XVIIe siècle ; l'autre le XIXe siècle et la prison pour femmes par le biais d'une douzaine de panneaux. Cadillac retenait jusqu'à 500 pauvresses. C'est une poignante invitation à la réflexion sur la privation de liberté en général, et plus particulièrement celle de l'univers carcéral. À noter, la création ici, à Cadillac, par le père Lataste, de l'ordre de Béthanie, qui existe toujours et vient en aide aux détenues du monde entier. Enfin, depuis trois ans un couple de chats squatte le château : tout le village les a adoptés sous les noms de Jean-Louis et Marguerite !

Derrière le château entouré d'un fossé, beaux *jardins,* histoire de changer. Faites aussi un tour à l'*église du village* pour voir la *chapelle funéraire* des ducs d'Épernon. Jean-Louis (pas le chat), veuf et riche, commanda ce mau-solée à Pierre Biard, le plus grand sculpteur de l'époque, afin d'honorer la défunte Marguerite et de remercier le ciel. Bien le moins !

Manifestation

➤ **Balades en Cadillac :** le dernier week-end d'août. Une idée géniale. La ville invite tous les propriétaires de Cadillac (logés et nourris, essence payée), à condition qu'ils promènent dans le vignoble les habitants et les touristes de passage. Ce jour-là, seules les Cadillac ont le droit de circuler en ville. Spectacles de rue et concerts gratuits dans la ville.

➤ *DANS LES ENVIRONS DE CADILLAC*

🕯 **Sainte-Croix-du-Mont :** joli village perché sur un coteau dominant la Garonne. Son vin blanc doux est considéré comme un concurrent du sau-ternes, car il est également fait de raisins récoltés tardivement après un début de « pourriture noble ». Sous l'église, petite grotte où vous découvrirez que toute la colline est en fait un banc d'huîtres fossiles. En été, dans la grotte, dégustation de vins locaux afin de vous prouver la qualité des sainte-croix. Avec modération...

SAINT-MACAIRE   (33490)   1 660 hab.

Du nom d'un des grands évangélisateurs d'Aquitaine. La perle de la région. Un petit village fortifié sur un promontoire au-dessus de la Garonne. Saint-Macaire fit fortune grâce à son trafic fluvial mais subit évidemment les convoitises de l'ennemi. Les remparts sont une merveille d'équilibre, et la place du Mercadiou vaut le déplacement à elle seule.

C'est aussi une région de vins méconnus, comme le blanc d'appellation côtes-de-bordeaux-saint-macaire, parfois royal.

Nombreux vergers dans les environs, c'est même le berceau de la poire Williams, dont la réputation n'est plus à faire.

Adresses utiles

Maison du pays de Saint-Macaire : 8, rue du Canton. ☎ 05-56-63-32-14. Fax : 05-56-76-13-24. À droite de la porte de l'Horloge. Du 1er avril au 30 septembre, ouvert tous les jours de 10 h à 12 h 30 et de 14 h à 18 h (19 h le dimanche) ; hors saison, ouvert du mardi au samedi de 10 h à 12 h et de 14 h à 18 h. S'occupe de tout le canton. Très sympa et efficace. Plan-guide gratuit. En juillet et août, dégustation gratuite de vins du canton, ouais ! Et toute l'année, on vous conseillera de belles balades à faire le long de la Garonne.

Office macarien de tourisme : au prieuré. ☎ 05-56-63-34-52 (juillet et août) et 05-56-63-03-64 (mairie).

Où dormir ? Où manger ?

Quelques **chambres chez l'habitant :** téléphoner à la Maison du pays (voir ci-dessus).

Les Feuilles d'Acanthe : 5, rue de l'Église. ☎ et fax : 05-56-62-33-75. ● www.feuilles-dacanthe.fr ⚹ Fermé en janvier. Chambres doubles de 60 à 115 €. Tout nouveau, ravissant petit hôtel au remarquable rapport qualité-prix. Installé dans une maison du XVIe siècle, parfaitement rénové (pierres de taille et poutres apparentes), il propose de grandes chambres à la déco intelligente et aux salles de bains nickel. Jacuzzi, petite piscine. L'accueil est adorable. Pensez à réserver, car la maison a du succès et les 12 chambres sont vite occupées. Le resto-crêperie offre une cuisine locale simple et sans surprise à des prix très corrects.

L'Abricotier : ☎ 05-56-76-83-63. Fax : 05-56-76-28-51. Sortie Saint-Macaire, près de la N 113, allant de Langon à La Réole. Fermé le lundi et le mardi soir, et du 12 novembre au 12 décembre. Chambre double à 48 €, avec TV. Menus à 18, 25 et 35 €. À la carte, compter environ 40 €. Un resto qui aurait mérité de trouver place dans une maison typique de ce village, un des plus beaux de la région. Raté, il est presque en bord de nationale. Mais on a bien aimé la douillette petite salle donnant sur l'arrière et la terrasse (sans abricotier... les gelées l'ont tué), agréable aux beaux jours. En cuisine, le chef fait preuve d'une solide pratique et d'une belle imagination : les petits-gris aux pieds de porc confits, la noisette d'agneau à l'aïoli... Belle carte de vins de Bordeaux, évidemment. Une adresse pour se faire plaisir ! Dispose de quelques chambres avec douche et w.-c.

À voir

🍴 *L'enceinte et ses portes :* en se baladant à travers la ville, on trouve trois portes bien conservées des XIVᵉ et XVᵉ siècles. La porte de l'Horloge (dite aussi de Benauge), ancien beffroi de la ville, a le plus de caractère.

🍴 *La place du Mercadiou :* jolie place entourée de maisons de pierre jaunies avec arcades de différentes époques, belles demeures bourgeoises des XVᵉ et XVIᵉ siècles avec baies, fenêtres à meneaux, maison à pignon.

🍴 *L'église Saint-Sauveur :* au bord des remparts. Élevée du XIIᵉ au XIVᵉ siècle, elle ne constitue pas de réelle unité. Elle faisait partie d'un ancien prieuré bénédictin. Portail sculpté, dont le tympan est orné de personnages. Abside curieuse, en forme de pétales. Mais le must, ce sont les fresques du chœur, datées du XIVᵉ siècle, à peine restaurées, qui représentent des scènes du Nouveau Testament et de l'Apocalypse. Une vraie bande dessinée...

Manifestations

– *Foire du Mercadiou :* début juillet. Vide-greniers.
– *Visites guidées nocturnes théâtralisées :* une dizaine de fois en juillet et août.
– *Fête médiévale :* fin août. Troisième étape des fêtes médiévales (les 2 autres ont lieu plus tôt dans la saison, à Eymet et à Monflanquin).
– *Festival des Fifres de Garonne* à Saint-Pierre d'Aurillac. Fin juin. Festival international de musiques populaires axé sur le fifre, la flûte et instruments connexes (ça va jusqu'à la cornemuse et le txistu basque). Ouais, vous savez, ces musiques qui rendent fou !

➤ *DANS LES ENVIRONS DE SAINT-MACAIRE*

🍴 *Verdelais (33490) :* à 3 km au nord de Saint-Macaire. Basilique dédiée à la Vierge et tombe de Toulouse-Lautrec. Amusante confrontation... Encore que la basilique mérite le détour. Sanctuaire marial depuis près de dix siècles, elle est couverte d'ex-voto. Normal. Ici, les miracles sont réguliers (le dernier a eu lieu en 2000).

🍴 *Malagar, centre François Mauriac :* dans le haut Saint-Maixant, entre Saint-Macaire et Verdelais, sur la commune de Saint-Maixant. ☎ 05-57-98-17-16. Du 1ᵉʳ juin au 30 septembre, ouvert de 10 h à 12 h 30 et de 14 h à 18 h, fermé le mardi ; du 1ᵉʳ octobre au 31 mai, ouvert du mercredi au vendredi de 14 h à 17 h, les samedi, dimanche et jours fériés de 10 h à 12 h 30 et de 14 h à 18 h. Dernière admission une demi-heure avant la fermeture. Visite commentée uniquement : 5,50 € ; réductions ; une entrée à tarif réduit accordée à nos lecteurs sur présentation du *GDR*. Compter 1 h 30.
Dans le giron familial depuis 1843, le domaine de François Mauriac fut autrefois une propriété viticole de 14 ha (la partie « vignobles » est aujourd'hui privée). On visite les vestiges de cette époque, le chai rouge, autrefois consacré à la vinification du vin... rouge (Malagar produisait également du vin blanc). Il est aménagé maintenant en salle d'exposition et de conférence. La maison, au mobilier hétéroclite, et que l'on arpente avec un guide, déploie une atmosphère chaleureuse, source d'inspiration pour trois des romans de Mauriac (*Les Anges Noirs*, *La Chair et le sang* et *Nœud de vipères*) dans

lesquels sont dépeints le refuge girondin et l'affreux esprit bourgeois. Très bonne approche de l'homme derrière l'écrivain. Ne pas hésiter à effectuer une petite balade sur les traces de l'écrivain, dans le parc planté de cyprès ou au milieu des vergers.

🍴 *Le château Malromé :* à Saint-André-du-Bois (33490). ☎ 05-56-76-44-92. • www.malrome.com • À 6 km au nord-est de Saint-Macaire. Ouvert au public en juillet et en août tous les jours de 10 h 30 à 18 h ; en mai, juin et septembre, du mercredi au dimanche de 14 h 30 à 18 h ; en avril et octobre, les mercredi, samedi et dimanche aux mêmes horaires ; en novembre, décembre, février, mars, le dimanche de 14 h 30 à 17 h 30 et en janvier, sur rendez-vous et uniquement pour les groupes. Départ toutes les heures. Entrée : 5 € (comprend la visite guidée obligatoire) ; tarif groupe (4 €) pour nos lecteurs, sur présentation du *GDR* (3 € au lieu de 3,50 € pour les enfants de 10 à 17 ans et gratuit pour les moins de 10 ans). C'est le château où mourut Toulouse-Lautrec (1864-1901). C'était aussi sa résidence d'été, et sa mère y vivait. On y visite les appartements avant une dégustation des vins du château. Expositions en accès libre, espace brocante.

Visite de château viticole

– *Château La Rame :* à Sainte-Croix-du-Mont (33410). ☎ 05-56-62-01-50. ♿ (salle de dégustation). Tous les jours de 8 h à 12 h et de 13 h 30 à 19 h ; sur rendez-vous le week-end. Chouette point de vue sur la Garonne et château du XIXe siècle. Ici, le divin nectar sainte-croix-du-mont vous tend le goulot, ne ratez pas l'occase ! Médaille d'or au concours général agricole de Paris 2001.

LANGON (33210) 6 627 hab.

Langon, carrefour économique du Sud-Gironde, a réussi à conserver quelques traces architecturales de son passé (vestiges de Notre-Dame-du-Bourg, dont les chapiteaux sont exposés au musée du Cloître à New York, des maisons d'époque dans la rue piétonne...). La ville se développe entre la vigne et les pins. Festivals et manifestations à caractère commercial l'ont sortie de sa torpeur provinciale. Située dans la région des Graves, elle attire les amateurs de grands crus et de gastronomie. De bonnes tables à découvrir.

Adresse utile

🛈 *Office de tourisme :* 11, allée Jean-Jaurès. ☎ 05-56-63-68-00. Fax : 05-56-63-68-09. • office-du-tourisme-langon@wanadoo.fr • En juillet et août, ouvert du lundi au samedi de 9 h à 19 h et le dimanche de 10 h à 13 h ; hors saison, du lundi au samedi de 9 h à 12 h 30 et de 14 h à 18 h 30. Visites guidées du vignoble des Graves et du Sauternais pour groupes et individuels. Liste d'hébergements disponible.

Où dormir ? Où manger ?

🏠 |●| *Claude Darroze :* 95, cours du Général-Leclerc. ☎ 05-56-63-00-48. Fax : 05-56-63-41-15. • restaurant.darroze@wanadoo.fr • D'octobre à fin mai : fermé le dimanche soir et le lundi midi. Congés annuels du 8 au 23 janvier et du 15 octobre au 7 novembre (possibilité de changement à quelques jours près). Chambres doubles de 65 à 75 €. Menus de 40 à 70 €. C'est vrai, ce n'est pas une cantine. C'est plutôt un lieu mythique, une sorte de Lascaux de la gastronomie, puisque c'est la maison natale de Raymond Oliver. Et Claude Darroze est le successeur que l'ayatollah de la gastronomie classique s'était, lui-même, choisi. Étonnez-vous, après ça, de pénétrer dans un décor sobre et doux avec quelques références aux XVIIe (ah ! Vatel) et XVIIIe siècles (oh ! Carême) et de vous asseoir à une table strictement nappée. À lire la carte, même un Martien saurait en quelle saison on est : asperges au printemps (avec alose et lamproie), cèpes et gibier en automne. Seule reste immuable la grande création du maître : le filet de sole Claude Darroze cuisiné aux champignons et jus de viande. Quant aux chambres, elles obéissent à la même logique : grandes, claires et meublées de fauteuils cabriolet « en bois naturel », comme disent les antiquaires. Service à la hauteur. Terrasse en été. Apéritif maison offert sur présentation du *GDR*.

À voir. À faire

– *Marché traditionnel :* le vendredi et le dimanche matin. Arriver tôt, vers 8 h, c'est alors qu'on trouve la belle marchandise. Produits fermiers de premier choix.

➤ *Randonnées pédestres :* parcours fléché au départ du centre-ville, qui s'est donné un sérieux coup de jeune avec la réfection complète de la place principale. Une seule brasserie avec terrasse à proximité, mais un bar à vins dans la rue piétonne.

🕯 *L'église Saint-Gervais :* une œuvre de Zurbarán, découverte par hasard par un curé de la paroisse, y est exposée. Langon « la belle endormie » s'est réveillée avec une salle de spectacles où les musiques amplifiées sont les bienvenues.

Manifestations

– *Festival des Nuits atypiques :* le dernier week-end de juillet ou le 1er week-end d'août. Quatre jours et 4 nuits de musiques du monde dans un lieu magique : un parc en bord de Garonne, le parc des Vergers, qui cache une surprenante mosquée édifiée au début du XXe siècle, en souvenir des colonies. Cesaria Evora, Manu Dibango, Manu Chao, Ray Barretto, Noir Désir ou encore Yuri Buenaventura se sont produits dans ce festival hors du commun, dont la renommée dépasse largement le pays Gascon.
– *Foire au Vin, au Pain et au Fromage :* le 1er week-end de septembre. Comme son nom l'indique, une foire « spécial régime minceur », soutenue par la ligue anti-alcoolisme. Bref, on mange et on boit comme quatre, et Dave ou Michel Delpech poussent la chansonnette. Super ! Dégustation de produits locaux : notamment foie gras et sauternes pour pas cher. Ainsi que l'ensemble des vins d'Aquitaine et des crus et fromages étonnants.
– *Festival national des Danses et Rythmes du Monde :* chaque année, pour le 14 juillet, se produisent dans le parc des Vergers du Langon de nombreux groupes folkloriques venant du monde entier.

➤ *DANS LES ENVIRONS DE LANGON*

🕯 *L'Oseraie de l'Île :* à Barie (33190). ☎ et fax : 05-56-61-21-50. Un peu difficile à trouver. Prendre la route de Castets-en-Dorthe, puis suivre le fléchage. Ouvert toute l'année les lundi, jeudi, vendredi et samedi (ouvert le dimanche en mars, avril, novembre et décembre). Visite guidée à 10 h 30, 15 h et 16 h 30 ; les dimanche et jours fériés sur rendez-vous. Visite : 4,50 €. Mylène Joumes est osiéricultrice, comprenez qu'elle fait pousser des saules pour en couper les branches de l'année et préparer les tiges d'osier. Après la visite, vous saurez tout sur l'osier blanc et l'osier brun, la manière de couper, de refendre, de conserver, puis de vanner pour faire de jolis paniers mais aussi des nasses à lamproie ou des pièges à moineaux. La boutique offre quelques exemples de réalisations de modèles traditionnels de Gironde, mais ce n'est pas le débouché principal. L'osier est ce qu'on a trouvé de mieux depuis quelques siècles pour attacher les pieds de vigne et fermer les barriques de vin. Les grands crus ne veulent que ça, et surtout pas de plastique non biodégradable. Enfin une bonne nouvelle !

LA RÉOLE   (33190)   4 340 hab.

Bourgade animée, accrochée à flanc de collines au-dessus de la Garonne (difficile à voir pour ceux qui arrivent par la N 113), qui propose plusieurs monuments à visiter. L'activité économique de La Réole a de tout temps été liée au transport fluvial. Nombreux étaient les « gabarriers », bateliers qui s'occupaient d'exporter vins, fruits et légumes.

La ville fut fondée autour d'un monastère bénédictin vers le IXe siècle. Le nom de La Réole vient de *regula,* la règle ecclésiastique. Des enceintes successives protégèrent la ville au cours des siècles, mais elle subit de lourds dommages lors des guerres, étant située à la frontière franco-anglaise. Louis VIII y fit construire un château. Au XVIIIe siècle, la ville connut un grand essor, tout comme ses voisines des rives de la Garonne, grâce au commerce du vin.

Adresse utile

ℹ️ *Office de tourisme :* pl. Colonel-Bouché. ☎ 05-56-61-13-55. Fax : 05-56-71-25-40. ● www.entredeux mers.com ● Ouvert de 9 h à 12 h et de 15 h à 18 h. Fermé le lundi matin et le dimanche (après-midi seule-ment en été). Circuit pédestre de découverte de la ville. Plan disponible à l'office de tourisme. Promenades commentées sur la Garonne, à bord du *Régula,* en juillet et août.

Où dormir ?

⛺ *Camping municipal Le Rouergue :* route de Bazas. ☎ 05-56-61-04-03. Fax : 05-56-61-89-13. ⚒ Juste de l'autre côté du pont de fer, sur la gauche, au bord de la Garonne. Ouvert de mi-avril à mi-octobre. Compter 9 € pour 2 personnes avec voiture et tente. Petit espace tout en longueur, soigneusement entretenu. Sanitaires propres.

🏠 |●| *L'Auberge Réolaise :* 7, av. Gabriel-Chaigne (N 113, à quelques centaines de mètres du centre). ☎ et fax : 05-56-61-01-33. ⚒ Fermé le vendredi, ainsi que la 2e quinzaine de novembre. Doubles de 22 € (avec lavabo) à 32 € (avec douche et w.-c.). Menu à 11 € sauf le samedi soir ; autres menus de 14 à 25 €. À la carte, compter environ 25 €. Petit hôtel provincial typique offrant de petites chambres bien tenues. Bon accueil. Resto proposant une cuisine correcte. Quelques plats : gambas flambées, calamars à l'encre, lamproie à la bordelaise et anguilles...

Où manger?

|●| **Les Quat' Sauces :** 53, rue du Général-Leclerc. ☎ 05-56-71-22-99. Situé en face du parking des Jacobins. Ouvert tous les midis du mardi au samedi. Fermé en août et une semaine à Noël. Menu à 10 € tout à fait honnête, comprenant salade, fromage, dessert et vin, servi dans une salle proprette. À la carte, compter autour de 18 €. Plats faits maison. Apéritif maison offert sur présentation du *GDR*.

|●| **La Régula :** 31, rue André-Bénac (la grande rue piétonne). ☎ 05-56-61-13-52. Fermé le dimanche soir, le mardi soir, plus le mercredi hors saison, ainsi qu'une semaine en février et une semaine en novembre. Menus à 11 et 15 € le midi en semaine ; autres menus de 20 à 32 €. Grande salle au style contemporain assez plaisant et belle terrasse. Accueil fort aimable. En cuisine, dans le genre traditionnel, le chef se défend bien. Au programme : rosace de sole à la crème de cèpes, assiette de trois foies gras... Beau plateau de fromages. Attention, il est préférable de réserver à l'avance car c'est très souvent bondé. Un kir à la pêche ou un cocktail maison est offert à nos lecteurs sur présentation du *GDR*.

Plus chic

|●| **Restaurant Aux Fontaines :** 8, rue de Verdun. ☎ 05-56-61-15-25. Fermé le lundi sauf jours fériés, le mercredi soir hors saison, le dimanche soir, ainsi que la 2ᵉ quinzaine de février et du 11 au 27 novembre. Menus de 15 à 40 €. Dans une rue pentue, un resto qui fait l'unanimité dans la région. Normal, c'est l'un des meilleurs ! Deux grandes salles claires à la déco vaguement provençale installées dans une jolie maison bourgeoise. Excellent rapport qualité-prix des menus. Le premier, servi tous les jours, n'est pas ruineux et se révèle tout à fait bien. L'escalope de foie gras aux fruits de saison et le canard travaillé de toutes les façons sont les spécialités maison, tout comme les volailles et les œufs (délicieuses brouillades).

Où dormir? Où manger dans les environs?

⌂ |●| **Chambres d'hôte La Tuilerie :** chez Claire et Antoine Laborde, 33190 Noaillac. ☎ et fax : 05-56-71-05-51 ou ☎ 06-03-03-16-76. ● claire.laborde@libertysurf.fr ● ✗ Accès : prendre la D 9 direction Bazas, puis à gauche la D 119 direction Noaillac ; traverser le village et suivre le fléchage « Chambres d'hôte ». Fermé pendant les vacances scolaires de février et de Noël. Compter 55 € pour 2, petit dej' compris. Table d'hôte, sur réservation uniquement, à 22 € vin compris. *La Tuilerie* est une ferme du XIXᵉ siècle perchée sur une colline à l'écart du village. L'accueil de Claire est charmant, comme sa pointe d'accent anglais. Dans l'ancienne grange où séchait le tabac, coquettes chambres (toutes avec bains et w.-c.) en mezzanine autour de la vaste salle à manger. De la pierre, du bois, des tissus fleuris en veux-tu, en voilà ! Une vraie table d'hôte, massive et ronde, autour de laquelle tout le monde s'installe pour faire honneur aux plats préparés par Antoine (on vous précise au passage qu'il est prof de cuisine). Un endroit qu'on a bien aimé. Piscine. N'accepte pas les cartes de paiement. Un café offert sur présentation du *GDR*.

⌂ **Chambres d'hôte Domaine des Massiots :** 33190 Lamothe-Landerron. ☎ et fax : 05-56-61-71-76. ✗ De La Réole, prendre la N 113 direction Marmande ou l'autoroute des Deux-Mers A 62 ; au lieu-dit Massiots, sur la gauche, panneau « Chambres d'hôte ». Ouvert toute l'année. Chambres pour 2 à 44 €, petit dej' compris. Plutôt agréable, cette grande maison récente, tenue par une dame charmante et énergique. Six chambres tout confort avec bains et w.-c., meublées avec goût. Gîte pour 4 personnes à 406 € la semaine. Dans le jardin derrière, espace vert, piscine, barbecue. La proprio a même mis une cuisine tout équipée à la disposition des touristes qui veulent préparer leur popote. Seul inconvénient, la nationale passe juste devant la maison. Heureusement, les chambres donnent sur l'arrière. Un café offert à nos lecteurs sur présentation du *GDR*.

|●| *Le Moulin de Flaujargues :* à Barbanne (33190). ☎ 05-56-71-08-62. 🐎 Prendre la direction de l'aéroport. Fléché. Fermé le lundi et le dimanche soir, ainsi qu'en janvier et octobre. Menus de 23 à 40 € avec entrée, plat de poisson, plat de viande, fromage et dessert. Inutile de dire qu'on ne meurt pas de faim, d'autant que la cuisine est délicieuse et légère. Le cadre aussi vaut le coup avec la vigne vierge qui enlace les vieilles pierres, les vieux carrelages girondins au sol et la lumière douce qui rend les femmes si jolies. Accueil charmant d'un patron très cool. Apéritif maison offert sur présentation du *GDR*.

À voir. À faire

🚶 *L'église Saint-Pierre :* ancienne église bénédictine du début du XIIIe siècle. Elle a traversé les guerres de Religion avec beaucoup de difficultés, et la plupart des éléments datent du XVIIe siècle. À l'intérieur, une chaire et des vitraux colorés.

🚶 *Les bâtiments conventuels :* à côté de l'église. Transformés en édifices administratifs. En entrant par la porte principale, on découvre sur la droite un bel escalier monumental avec sa rampe en fer forgé et repoussé, le tout coiffé d'une coupole. Au bout du couloir, un autre escalier et un plafond de bois peint où saint Benoît apparaît en extase. Petit musée (se renseigner sur les horaires auprès de l'office de tourisme).

➤ *Balade à la recherche de vieilles bâtisses :* un plan de la ville avec un petit circuit des curiosités est distribué à l'office de tourisme. En remontant la rue Armand-Caduc, emprunter sur la droite la rue Peysseguin qui présente de belles maisons à colombages. On parvient à l'*ancien hôtel de ville* (qui se trouve en face de l'office de tourisme, belle demeure à colombages elle aussi), le plus vieux de France, construit vers 1200 à la demande de Richard Cœur de Lion et s'intégrant aux remparts. Il fut remanié au XIVe siècle. Édifice de style roman, fortifié, massif, qui présente meurtrières, pignons et mâchicoulis. L'un d'eux a servi ultérieurement à soutenir un balcon de style flamboyant. Sous les colonnades se tenait la grande halle. Admirer les massifs chapiteaux, aux styles différents. Les rues Blaise-Charlut et Jean-Delsol possèdent plusieurs belles maisons à pans de bois.

🚶 *Le Grand Musée :* route de Marmande (N 113). ☎ 05-56-61-29-25. Fax : 05-56-61-22-77. ● www.les-musees.com ● Dans une ancienne manufacture de tabac. En juillet et août, ouvert de 10 h à 18 h ; en avril, mai, juin et septembre, du mercredi au dimanche et les jours fériés de 14 h à 18 h ; en dehors de ces périodes, se renseigner. Fermeture annuelle du 1er au 15 janvier. Entrée : 9,50 € ; enfants : 5 €. Un espace regroupant une collection d'automobiles, un musée militaire, un musée ferroviaire et des machines agricoles. Dans un hall immense, plusieurs dizaines de superbes véhicules, de la De Dion-Bouton 1901 à la Pontiac Eight de 1951, en passant par les Packard, Bugatti, la Chevrolet Sedan (de 1930), la Peugeot 172 R Grand

Sport (de 1927) qui gagna tous les rallyes de l'époque, l'étrange Sima-Violet (de 1927) et, pour les amoureux des *Sixties,* la Ford Fairlane Galaxie 500... Pour les amateurs de poésie mécanique rurale, salle consacrée aux vieux tracteurs. Place importante accordée également aux machines à vapeur d'usines. Espace consacré aux véhicules militaires (chars, jeeps, et même des avions...). Compter 2 h par visite. Bien entendu, boutique et souvenirs divers.

➤ DANS LES ENVIRONS DE LA RÉOLE

🎏 **Le musée des Monuments en allumettes :** à Fontet, sur la base nautique, au sud-ouest de La Réole. ☎ 05-56-71-21-17 ou 05-56-61-25-83. Ouvert de 14 h 30 à 18 h ; le dimanche, de 15 h à 18 h 30. Entrée : 4 € ; 2,50 € pour les enfants. Pour les fanas des maquettes en allumettes. La reproduction de l'abbaye des bénédictins de La Réole nécessita 150 000 allumettes et la cathédrale de Reims (4 m de long et 2,40 m de haut)... 350 000. Réalisation répertoriée au *Livre Guinness des Records* ! Voir aussi la maquette d'une partie du château de Versailles, notamment le Palais des Glaces. On y trouve également une belle exposition d'outils agricoles de 1930 à 1950. Un travail entièrement effectué à la main, et une jolie collection d'étiquettes des bons crus du coin, ainsi que des minéraux et fossiles.

➤ **Randonnées dans le Réolais :** l'office de tourisme propose un dépliant avec une dizaine de boucles locales de 5 à 20 km. Entre autres, celle de Bramefain (de 3 h 30 environ) avec une rare croix d'oraison sur le chemin.

➤ **Balades en attelage :** au château Laroze, 33540 Saint-Martin-de-Lerm. ☎ 05-56-71-45-71. À 7 km de La Réole. Cours d'initiation également à la journée ou au week-end. Chambres d'hôte et possibilité de location de gîtes. Beau parc.

🎏 **Le château de Guilleragues :** à Saint-Sulpice-de-Guilleragues (33580). ☎ 05-56-61-64-59. ● chateau.guilleragues@libertysurf.fr ● À 11 km de la Réole en direction de Monségur. Après le village de la Violette, tourner à droite vers Saint-Sulpice. Ouvert de 10 h à 12 h et de 14 h à 19 h d'avril à octobre, de 14 h à 18 h de novembre à mars. Fermé le lundi. Visite pour les groupes toute l'année sur rendez-vous. Entrée : 4 €. Propriété pendant 3 siècles et jusqu'à 1794, de la famille de Lavergne (dont l'un des membres n'est autre que l'auteur des *Lettres de la Religieuse Portugaise*), le château fut partiellement incendié et démoli sur les ordres du conventionnel Lakanal, puis transformé en carrière de pierres. Il est aujourd'hui la propriété de M. et Mme Dallay, qui le restaurent depuis 1964, sans subventions ! Une entreprise à saluer et une visite sympa menée tambour battant par une jeune historienne : salle des gardes, cheminées anciennes, grandes salles ouvrant sur la campagne, l'oratoire du seigneur et même des souterrains ! Ça manque encore un peu de mobilier, mais quand on passe la belle porte Renaissance, on se sent facilement châtelain d'antan.

LE CŒUR DE L'ENTRE-DEUX-MERS

Doux coteaux descendant vers la Dordogne. On n'est plus vraiment en Bordelais mais déjà en Guyenne ou sur les terres de Jeanne d'Albret. Montaigne aussi vivait par ici. Bref, une terre très douce, humaniste, engageant à la flânerie.

L'ENTRE-DEUX-MERS

MONSÉGUR (33580) 1 454 hab.

Jolie bastide anglaise (XIIIe siècle) et site défensif dominant la vallée du Drot. Sa vaste place carrée est entourée de galeries couvertes et occupée en son centre par une halle Baltard. Gag : il arrive, et fréquemment, que des touristes et des groupes se pointent en demandant à voir le château (celui qui est en Ariège !).

Non loin de Monségur (4 km), aller jeter un œil au *château de Guilleragues* (voir plus haut) et à la *commanderie des Templiers* de Roquebrune (emplacement de la mairie et de l'église).

Adresse utile

ℹ *Office de tourisme :* 33, rue des Victimes. ☎ 05-56-61-89-40. Du 1er juin au 30 septembre, ouvert du mardi au vendredi de 9 h à 12 h et de 15 h à 18 h, et le week-end de 9 h à 12 h ; du 1er octobre au 31 mai, ouvert le mardi et le vendredi. Prendre le dépliant pour faire la visite de la bastide.

Où dormir ? Où manger ?

|●| *Restaurant Les Charmilles :* Le Puy, 1, prairie de Bidu. ☎ 05-56-61-68-91. ♿ Au pied de la bastide en direction de Sauternes. Ouvert tous les jours du 1er avril au 30 septembre. Menus de 15 à 30 €. En marge de la route, resto offrant une cuisine régionale de bonne facture : terrine de canard aux pruneaux et à l'armagnac, navarin d'agneau, crêpes fourrées aux poires caramélisées. Bon accueil de surcroît et terrasse l'été où glougloute une fontaine.

🏠 |●| *Restaurant Les Tilleuls :* 2, pl. des Tilleuls. ☎ 05-56-61-81-95. Ouvert le midi seulement. Fermé le samedi, le dimanche et les jours fériés. Chambre double à 32,50 €. Demi-pension à 26 € par personne, pension complète à 34 €. Menu ouvrier à 10 €. Point de chichis dans ce restaurant d'habitués, mais un copieux menu du jour. Chambres simples et bien tenues.

CASTELMORON-D'ALBRET (33540) 65 hab.

Comment ne pas se laisser tendrement séduire par le plus petit village de France, qui occupe modestement 4 ha ? Il ne possède aucune terre agricole. Perché sur un promontoire ceint de murailles, avec ses ruelles et ses maisons fleuries. Oh, rien à voir, simplement des odeurs à retenir, des impressions à capter. Une originalité, les balcons suspendus côté route et les génoises, bordures de toit caractéristiques.

Où manger ?

|●| *Chez Pierre :* au village. ☎ 05-56-71-63-02. Fermé le lundi. Menu à 10 € à midi en semaine ; sinon, menus de 15,50 à 20,50 €. À la carte, compter de 22 à 25 €. Une petite salle très cosy avec vue, pour certaines tables, sur un très joli coin de fleurs et de verdure en contrebas. Dans le jardin, un lavoir médiéval. Tables en terrasse également. Cuisine familiale traditionnelle et pas compliquée, genre anguilles à la persillade et aiguillettes de canard aux pêches. Et la spécialité du patron : les escargots à l'espagnole. Un régal ! Crêpes et galettes (sucrées, salées) également. Parfait pour une pause déjeuner ou pour admirer la collection de casquettes du patron...

Où dormir ? Où manger dans les environs ?

Manoir de James : route de Sainte-Colombe, 33580 Saint-Ferme. ☎ 05-56-61-69-75. Fax : 05-56-61-89-78. • www.manoir-de-james.com • De Saint-Ferme, suivre la D 127 vers Sainte-Colombe. Fermé de mi-décembre à mi-janvier. Compter 65 € pour 2, petit dej' compris. Vous découvrirez ce mignon petit manoir au milieu des arbres, loin d'une route (déjà peu fréquentée), dans cette délicieuse campagne de l'Entre-Deux-Mers. Charmant accueil de Nicole et Michel Dubois. Trois chambres meublées et décorées avec goût, et copieux petit dej' (ah, les succulentes confitures maison !). Pour chasser la fatigue du voyage, une piscine bien agréable. En juillet et août, réservation obligatoire car les proprios louent parfois leur manoir à la semaine (3 800 € la semaine pour jouer au châtelain, si ça vous tente). Cartes de paiement refusées. Apéritif maison offert à nos lecteurs sur présentation du *GDR*.

|●| Chambres d'hôte Dominique Lévy : Grand-Boucaud, à 1,5 km de Rimons (33580). ☎ 05-56-71-88-57. Fax : 05-56-61-43-77. • grandbou caud@free.fr • Bien indiqué de la D 127 ou sur la route venant de Castelmoron (la D 230). En venant de Rimons, juste après la scierie, 1re route à gauche. Fermé du 30 septembre au 1er janvier. Chambres à 58 € pour 2, petit dej' compris. Menus de 20 à 32 €. Prix moyen à la carte : 25 € environ. Une belle ferme, en pleine nature sauvage. Sur la route, il doit bien passer trois voitures et deux tracteurs par jour. Deux chambres seulement (à réserver d'avance, ça va de soi), alliant charme, espace et confort. Mais le must de Dominique, c'est sa cuisine. On vient de Bordeaux (et même de plus loin) pour goûter son pâté maison, le tourain, le poulet aux 40 gousses d'ail, les moules au pastis... Remarquables desserts. Également des menus végétariens, voire végétaliens ! Nul doute que d'autres recettes viendront enrichir la palette. Réservation indispensable. Accueil fort chaleureux, mais était-il besoin de le préciser ? N'accepte pas les cartes de paiement. Pour nos lecteurs, 10 % de réduction sur le prix de la chambre de début janvier à fin avril.

L'ENTRE-DEUX-MERS

➤ DANS LES ENVIRONS DE CASTELMORON-D'ALBRET

L'abbaye de Saint-Ferme : aux XIIe et XIIIe siècles, elle était resplendissante, située sur un chemin de Compostelle et dirigée par un abbé extrêmement puissant. Mais les guerres de Religion l'ont bien ruinée. L'abbaye bénédictine fortifiée se caractérise par la simplicité de son architecture, avant tout massive. On peut encore voir l'abbatiale, le cloître et les salles voûtées du XVIIe siècle. Les bâtiments conventuels sont aujourd'hui occupés par la mairie et par des particuliers.

Belle façade. Dans l'église, grande croisée de transept avec voûte sculptée. Plafond en berceau. Jolis chapiteaux historiés de style roman, d'une grande richesse de thèmes et d'une réelle finesse d'exécution. Entre autres choses, on reconnaît David tuant Goliath, Daniel et les lions, le Lavement des pieds et bien d'autres scènes de l'Ancien et du Nouveau Testament. À côté, jolie cour au rugueux pavement et élégante échauguette. Dans la tour, petit mais riche fonds artisanal, fort bien présenté.

Point d'information : esplanade de la Mairie. ☎ 05-56-61-69-92. Du 1er juin au 30 septembre, ouvert tous les jours sauf le mardi, de 10 h à 12 h et de 14 h à 19 h ; du 1er octobre au 31 mai, du mardi au samedi de 9 h à 12 h et de 14 h à 18 h. Fermé le 1er dimanche du mois. Location de VTT. Organise les visites guidées de l'abbaye : 3,05 €.

SAUVETERRE-DE-GUYENNE   (33540)   2000 hab.

Petit bourg caractérisé par sa bastide dont il subsiste quatre portes fortifiées. Entrée dans la vieille ville par la porte Saubotte. Bastide fondée en 1281 par le roi d'Angleterre Édouard Ier. Place centrale à couverts, chemin de ronde.

Adresses utiles

Office de tourisme et Maison du Vin du Sauveterrois : 2, rue Saint-Romain. ☎ 05-56-71-53-45. Fax : 05-56-71-62-24. ● www.sauve terre-de-guyenne.com ● En été, ouvert du mardi au dimanche de 10 h à 12 h et de 14 h à 19 h ; hors saison, ouvert jusqu'à 18 h 30 et fermé le dimanche. Location de vélos. Organise des dégustations de vin en été. Également vente de vin en vrac.

Où dormir ? Où manger ?

La Maison Noble : pl. de la République. ☎ 05-56-71-50-21. Ouvert tous les jours. Chambres doubles à environ 35 € avec douche et w.-c. (pour cause de travaux, les chambres ne seront disponibles que début 2004). La plupart donnent sur la place principale. Au resto, formule à 12 € avec plat du jour, buffet d'entrées et de desserts. Menu gastro à 16,50 € avec médaillon de foie gras de canard, confit de canard... et buffet de desserts également. Une de nos bonnes vieilles adresses, tant pour le gîte que le couvert, qui vient de changer de proprios (mais toujours le même chef aux fourneaux).

Visite de château viticole

– **Château Petit-Freylon :** 33760 Saint-Genis-du-Bois. ☎ 05-56-71-54-79. Sur rendez-vous (téléphoner pour visite). Fermé la 2e quinzaine d'août. Le palissage en forme de lyre (vignes de cette forme) de Michel Lagrange crée un microclimat au centre du pied de vigne, et le raisin capte ainsi le double du rayonnement solaire (équivalent à l'ensoleillement « d'entre Alger et Montpellier », *dixit* Monsieur Lagrange). Tel quel ! Résultat, 40 % de polyphénol en plus. Fruit de ce travail, la cuvée « Excellence Lyre » en bordeaux supérieur rouge. Un vrai dé... lyre ! Entre-deux-mers également.

➤ DANS LES ENVIRONS DE SAUVETERRE-DE-GUYENNE

L'église de Castelvieil : si vous passez par là, pourquoi ne pas jeter un coup d'œil au beau portail roman de cette église du XIIe siècle, aux étonnantes séries de voussures sculptées ? On y voit, entre autres, les Vices et les Vertus, curieusement toujours représentés les uns à côté des autres, laissant penser qu'ils ne sont pas si éloignés.

BLASIMON (33540)

Dans le fond d'une adorable vallée, au croisement de la D 17 et de la D 127, apparaissent les ruines de la gracieuse abbaye des XIIᵉ et XIIIᵉ siècles, qui a fait la renommée du village. Depuis trois ans, on y vient aussi pour sa base de loisirs, son lac, si frais en été, et son beau camping.

Adresse utile

Syndicat d'initiative (accueil touristique du lac) : au lac départemental. ☎ 05-56-71-59-62. Du 1ᵉʳ mai au 15 octobre, ouvert tous les jours ; le reste de l'année, sur rendez-vous. Fait également accueil pour le camping.

Où dormir ? Où manger dans le coin ?

Camping de Blasimon : s'adresser au syndicat d'initiative. Forfait 2 personnes à 11 €. 39 emplacements seulement. Tout neuf et équipement un peu minimum, mais ça devrait s'arranger avec le temps. Espace grillades avec barbecue très convivial.

Chambres d'hôte Domaine de Barrouil : à Ruch (33350). ☎ et fax : 05-57-40-59-12. ● m.ehrsam @sudouest.com ● Chambres doubles de 45 à 55 €, petit dej' inclus. Table d'hôte sur réservation à 19 €, vin compris. Jolie propriété intelligemment rénovée au milieu des vignes. Les chambres sont spacieuses et leurs fenêtres ouvrent sur la campagne environnante, le jardin de fleurs ou le verger. Calme assuré et accueil charmant des jeunes proprios qui sauront vous indiquer les balades à faire dans le coin. N'accepte pas les cartes de paiement.

Château de Sanse : à Sainte-Radegonde (33350). ☎ 05-57-56-41-10. Fax : 05-57-56-41-29. ● www.chateaudesanse.com ● Restaurant sur réservation. De mai à septembre, ouvert tous les jours ; d'octobre à avril, fermé tous les midis et les dimanche, lundi et mardi soir. Chambres doubles de 90 à 185 €. Au resto, menu à 26 €. Ne dites pas que c'est cher. Au contraire. Dormir dans un château du XVIIIᵉ siècle, superbement restauré, magnifiquement décoré (matériaux traditionnels et objets high-tech se marient avec bonheur) dans un parc de 5 ha, avec une piscine, être accueilli et servi comme vous le serez, et se régaler, le soir sur la terrasse, de la cuisine subtile du jeune chef béarnais, vous fera oublier l'addition. D'autant qu'avec 12 chambres, vous aurez l'impression justifiée de faire partie des *happy few*. Un coup de cœur.

À voir. À faire

Aire de baignade de Blasimon : à côté du village, pièce d'eau, espace vert, périmètre de baignade, buvette. Agréable pour un pique-nique.

L'abbaye de Blasimon : comme de nombreux édifices, elle allie les styles roman et gothique. Les bâtiments conventuels ont été restaurés. L'église reste étonnamment bien conservée. La partie la plus intéressante est sans doute la façade : portail à cinq voussures remarquablement sculptées. On y reconnaît les Vices et les Vertus, de très beaux entrelacs et une série d'animaux ciselés avec précision, le tout devant dater du XIIe siècle. La pierre, rongée par endroits, donne à certaines sculptures des formes romantiques, comme un château de sable poli par les vagues. Intérieur sobre. Visites guidées tous les jours sur rendez-vous. Renseignements au syndicat d'initiative.

RAUZAN (33420) 1 035 hab.

Dominant le village et la vallée, le **château des Duras,** forteresse construite du XIIIe au XVe siècle, se singularise par son majestueux donjon cylindrique haut de 31 m et percé de meurtrières. Du sommet, belle vue sur les environs, surtout quand la lumière est douce en fin d'après-midi. Fenêtres à meneaux. Le château se visite du mardi au dimanche pendant toute l'année (entrée : 3 €). Fermé le lundi. Renseignements à l'office de tourisme : ☎ 05-57-84-03-88. L'ascension du donjon est possible. Pas d'heures d'ouverture précises. Notez quelques jolies maisons autour du château, dont une décorée de sirènes sculptées du plus bel effet.

Où dormir ?

⏄ **Camping du Vieux-Château :** 6, rue Blabot. ☎ 05-57-84-15-38. Fax : 05-57-84-18-34. ● www.vieux-chateau.com ● ⏄ Situé en contrebas du village, à 500 m, en empruntant la D 123 ; pancarte sur la gauche ensuite. Fermé du 1er octobre au 1er avril. Compter dans les 12,50 € pour 2. Très beau camping familial et taille humaine et impeccablement tenu par un couple de Hollandais charmants. Calme, ombragé, dans un cadre verdoyant. Sanitaires nickel et petite piscine. Machine à laver. Mobile homes à louer également, de 142,50 à 411,50 € la semaine selon la saison. Un des meilleurs endroits du coin pour camper. Possibilité de louer des vélos.

À faire

⏄ **La grotte Célestine :** ☎ 05-57-84-08-69. Ouvert tous les jours en juillet et août, de 10 h à 12 h et de 14 h à 18 h. Fermé le lundi hors saison. Entrée adultes : 6,50 € ; enfants (de moins de 14 ans) : 5 €. Au centre du village. Vous pouvez vous offrir une balade de 45 mn (et moins de 300 m) le long de la rivière souterraine. Assez spectaculaire et un peu sportif. Les prix sont élevés car on vous prête l'équipement (casques, bottes, lampes frontales) et vous êtes accompagné par un spéléologue.

LA SAUVE-MAJEURE (33670)

Arrêt quasi obligatoire pour visiter cette abbaye, au milieu du petit village de La Sauve dont le nom proviendrait du latin *silva,* la forêt, nettoyée plus tard par les bénédictins. Cette superbe abbaye, perchée sur une colline, fut fondée au XIe siècle par saint Gérard de Corbie sur la base d'un oratoire antérieur. Très beau style qui mêle le roman et le gothique. En quelques siècles, elle devint très puissante et fut à l'origine d'abbayes-filles dans tout le Sud-

Ouest. Lentement mais sûrement, les guerres provoquèrent le déclin de l'abbaye, qui fut finalement « abandonnée » à la Révolution. Les bâtiments servirent alors de prison.

Où manger dans les environs ?

|●| *Le Lion d'Or :* 2, pl. de l'Église, à Targon ; à 7 km au sud-est de La Sauve. ☎ 05-56-23-90-23. Fermé le lundi (sauf fériés) et le dimanche soir. À midi, menu ouvrier à 10 € ; menus suivants de 15 à 30 €. À la carte, compter environ 20 €. Un restaurant qui ne paie pas de mine, mais où l'on vous conseille de faire une halte, si vous êtes dans les environs. Dans une atmosphère provinciale et décontractée, une vraie table, sans chichis, mais dont la réputation dépasse les limites du canton. Saine et copieuse cuisine, même dans les premiers menus : escargots à la provençale, grillades, grattons de canard ou andouillette... N'accepte pas les cartes de paiement. Un café offert sur présentation du *GDR*.

Visite de l'abbaye

– *Renseignements :* ☎ 05-56-23-01-55. Fax : 05-56-23-38-59. ● www.monum.fr ● Ouvert du mardi au dimanche ; de juin à septembre, de 10 h à 18 h ; d'octobre à mai, de 10 h 30 à 13 h et de 14 h à 17 h 30. Entrée : 4,60 € ; tarif réduit : 3,10 € ; gratuit pour les moins de 18 ans et les chômeurs. Demandez à l'accueil le petit guide de visite, bien utile, qui décrit les différents chapiteaux.

Sur une colline dégagée apparaissent les ruines majestueuses de l'abbaye. L'enveloppe extérieure de l'église et les voûtes du chœur et des chapelles sont bien conservées.

L'intérêt majeur de La Sauve-Majeure réside dans cette incroyable série de *chapiteaux* sculptés, très bien préservés, qui sont autant d'épisodes religieux racontés par coups de ciseau interposés. Les plus beaux sont situés dans le chœur et les absides du transept. Plusieurs sont simplement ornés de feuilles d'acanthe, fougères ou pommes de pin. D'autres présentent des corps de sirènes, centaures et visages monstrueux. Nombre d'entre eux symbolisent les récits des prophètes en vue de préserver l'homme de la tentation. Le catéchisme de pierre avait de quoi effrayer les ignorants par la force d'expression qui s'en dégage. On reconnaîtra Daniel dans la fosse aux lions, la Trahison de Dalila... La Décollation de saint Jean-Baptiste réussit la performance de mêler sur le même chapiteau 4 scènes et 11 personnages sans qu'il y ait confusion. Certains chapiteaux sont de véritables bestiaires (griffons, centaures...).

– Pour finir, ne pas manquer l'ascension au sommet du *clocher* qui offre une vue surprenante sur la région.

En fin de visite, *musée lapidaire* installé dans une salle joliment restaurée des bâtiments conventuels. Sculptures, morceaux de fresques, médaillons sculptés et fragments de colonnes trouvés lors des travaux de restauration. Jolie librairie et libraire archéologue super sympa, qui vous expliquera ce que vous n'auriez pas compris.

À faire

🍷 *La maison des vins de l'Entre-Deux-Mers :* juste à côté de l'abbaye (accès par la cour). ☎ 05-57-34-32-12. Fax : 05-57-34-32-38. ● www.vins-entre-deux-mers.com ● En saison, ouvert tous les jours de 10 h 30 à 18 h ; hors saison, du lundi au vendredi de 10 h 30 à 12 h et de 14 h à 17 h. Se propose de vous faire découvrir les vins du pays. Dégustation gratuite et vente, et bien bel endroit, joliment retapé. Un complément naturel à la visite de l'abbaye.

➤ DANS LES ENVIRONS DE LA SAUVE-MAJEURE

🦌 **Créon (33670) :** dans un joli vallon, à 3 km à l'ouest de La Sauve, une bastide d'origine anglaise, au demeurant sympathique, et qui possède une ravissante place carrée à arcades et bien du caractère. Particularité : on y trouve un cinéma pratiquant des prix bas, initiative d'habitants cinéphiles. À voir aussi, une papeterie artisanale. La famille Mathieu fabrique le papier à partir de fibres naturelles et y incorpore toutes sortes de fleurs et de végétaux. *Mathieu Créations,* domaine de Mouquet, à Créon. ☎ 05-56-23-25-66. Enfin, Créon est labellisée Cité-Vélo. Le syndicat d'initiative loue des vélos et vous aide à organiser vos balades dans la région.

🦌 **Oh ! Légumes Oubliés** *(Musée Gourmand) :* château de Belloc, 33670 Sadirac. ☎ 05-56-30-62-00. Fax : 05-56-30-60-30. • www.ohlegumesoublies. com • À environ 5 km à l'ouest de Créon. De mi-avril à mi-octobre, ouvert tous les jours de 14 h à 18 h. Entrée : 6,50 € pour les adultes et 5 € pour les enfants de moins de 16 ans (le prix comprend un « goûter », pour s'initier aux saveurs de ces légumes oubliés). Un génial moment dans ce potager-conservatoire qui lutte pour la protection des légumes anciens (crosnes, topinambours, sureau). Compter une bonne heure de balade avant que la cloche ne vous appelle pour le goûter où viennent défiler des saveurs anciennes (même pas oubliées, on ne les a jamais connues). Explications passionnantes, réminiscences des temps anciens, anecdotes, on se sent prêt à défendre ces oubliés, laissés pour compte de la société de consommation. Et puis, on passe à la boutique où on peut acheter confitures et moutardes, soupes et verjus... Plus pratique que d'aller cueillir soi-même des orties.

SAINTE-FOY-LA-GRANDE   (33220)   2 890 hab.

Aux confins du département, rive gauche de la Dordogne et à une vingtaine de kilomètres de Bergerac, la bastide de Sainte-Foy-la-Grande est la plus importante et l'une des mieux conservées de l'Entre-Deux-Mers. Promenade bien agréable dans l'ancienne cité, avec ses rues tirées au cordeau, bordées souvent de maisons à colombages, et la belle place à couverts. Ne pas hésiter à descendre jusqu'au port, qui fit la fortune de la ville au temps où les gabarriers descendaient par la Dordogne les vins du Périgord proche.

Adresses utiles

🄸 **Office de tourisme :** 102, rue de la République. ☎ 05-57-46-03-00. Fax : 05-57-46-16-62. • ot.sainte-foy-la-grande@wanadoo.fr • Hors saison, ouvert du lundi au samedi de 9 h 30 à 12 h 30 et de 14 h 30 à 17 h 30 ; en saison (du 14 juillet au 31 août), ouvert du lundi au samedi de 9 h 30 à 12 h 30 et de 14 h 30 à 18 h 30, et le dimanche matin. Salle d'expo permanente sur l'histoire de la ville. Musée de la préhistoire à l'étage.

■ **Maison des vins de Sainte-Foy-Bordeaux :** route de Bergerac, 33220 Pineuilh. ☎ 05-57-46-31-71. Fax : 05-57-46-41-34. Ouvert du lundi au samedi de 9 h à 13 h et de 14 h 30 à 18 h 30. Renseignements sur les châteaux de l'appellation et vente de vins locaux.

Où dormir ? Où manger ?

🛏 |O| *Le Grand Hôtel :* 117-119, rue de la République. ☎ 05-57-46-00-08. Fax : 05-57-46-50-70. • www.grandhotel-mce.com • Fermé le mercredi (midi seulement en juillet et août), le samedi midi, 2 semaines en février et 10 jours en novembre. Chambres doubles de 43 à 49 €. Menu à 11 € le midi en semaine. Autres menus de 15 à 35 €. Bon hôtel de province, bien classique, avec de grandes chambres (TV satellite) et une terrasse ensoleillée pour le petit dej'. Côté resto, même tendance avec de l'omelette aux truffes ou du délice de canard avec sa crème de foie gras. En cœur de ville, mais il y a un parking payant. 10 % de remise sur le prix de la chambre du 1er novembre à mi-avril.

|O| *Le Beau Zinc :* 38, bd Charles-Garraud. ☎ 05-57-46-47-69. Fermé le lundi soir et le dimanche hors saison, le dimanche midi seulement en été ; congés pour les vacances de Noël. Menu à 11 € le midi en semaine. Spécialité d'assiettes à base de pommes de terre à 9 € et cassolettes espagnoles pour 2-3 € avec de bien bonnes choses : chorizo, anchois, saucisse de Navarre... Un décor de pub un peu trop neuf. Pas grave. Beau choix de bières et accueil souriant.

|O| *Côté Bastide :* 8, rue Marceau. ☎ 05-57-46-14-02. 🍴 Fermé le lundi toute la journée et le dimanche soir. Formule à 15 € et menus de 16 à 26 €. Dans une petite maison d'une rue retirée, un mignon restaurant qui offre une carte courte mais pleine de saveurs légères. On y trouve toujours au moins un potage (crème de pois ou velouté de potirons aux huîtres), des grillades ou encore du foie gras poêlé. Classique aussi, la carte des desserts avec ses crêpes Suzette et toujours un dessert au chocolat (mousse, fondant). Bref, tout pour faire une bonne petite adresse qui marche bien.

Où dormir ? Où manger dans les environs ?

🛏 |O| *Hôtel-restaurant des Remparts :* 16, rue du Château, 33890 Gensac. ☎ 05-57-47-43-46. Fax : 05-57-47-46-76. 🍴 À 15 km à l'ouest de Sainte-Foy. Fermé le dimanche soir (sauf en juillet et août), le lundi (midi seulement en juillet et août) et le mardi midi, ainsi que de mi-novembre à début janvier. Compter de 50 à 55 € la double. Menus de 23 à 40 €. Dans un très beau village de l'Entre-Deux-Mers joliment restauré, un hôtel-restaurant de charme, installé dans l'ancien presbytère entièrement restauré. Chambres personnalisées, de bon confort, propres et charmantes. On est bien au calme, c'est idéal pour un week-end détente. Le restaurant propose une gastronomie classique avec des cuissons très soignées : daurade et langoustines poêlées, foie gras poêlé aux poires... Accueil souriant.

À voir

🏛 *La bastide :* un quadrillage de dix rues sur sept compose la bastide de Sainte-Foy-la-Grande. On s'arrêtera d'abord à l'office de tourisme, pour y piocher des infos et visiter le petit *musée d'archéologie* locale qui s'y trouve, pas inintéressant (et gratuit). Il est par ailleurs installé dans une belle maison ancienne à colombages ; on en verra de semblables rue Pasteur et rue des Frères-Reclus, ainsi que rue Victor-Hugo. La rue de la République est l'axe commerçant : elle passe par la place Gambetta, place à arcades bien conservée. Ne pas rater le marché du samedi matin, classé parmi les 100 plus beaux de France.

🕯 *Le musée de la Batellerie et la Maison du Fleuve :* à Port-Sainte-Foy. ☎ 05-53-61-30-50. Ouvert tous les jours en juillet et août, de 14 h à 18 h ; en mai, juin, septembre, octobre, fermé le lundi ; sinon, sur rendez-vous. Entrée : 3 €. Jolie petite exposition avec maquettes et dioramas sur le commerce du vin à Sainte-Foy et sur le rôle des hommes du fleuve qui amenaient aux négociants bordelais les vins de Dordogne. On a bien aimé les maquettes de gabarres, ces bateaux à fond plat communs à toute l'Aquitaine médiévale, mais aussi le petit musée de la tonnellerie et la boutique sur les vins du pays (élargi à la proche Dordogne). Organise également des balades en bateau sur le fleuve.

Manifestations

– *Les Musitinéraires :* dans le cadre de l'Été girondin, fin juillet-début août.
– *Foire aux Vins et aux Produits naturels :* début août.

Visite de château médiéval et viticole

– *Château Couronneau :* à Ligueux (33220). ☎ 05-57-41-26-55. 🕯 À 8 km au sud-est de Sainte-Foy. Du lundi au samedi de 9 h à 12 h et de 14 h à 19 h, visite gratuite sur rendez-vous. Dans un coin complètement perdu, vrai château féodal avec ses douves sèches et ses huit tours. L'endroit est sympa, le proprio, Christophe Piat, aussi. Propriété à culture agrobiologique. Golf à proximité.

LE LIBOURNAIS

Lalande-de-Pomerol, Pomerol, Saint-Émilion, Montagne-Saint-Émilion... Des noms qui font rêver même le buveur d'eau, tant l'attraction de ces grands jus dépasse l'entendement. Ils sont fort bons mais coûtent bonbon (ça rime !). Par économie, on pourra s'intéresser aux graves-de-vayres ou au côtes-de-castillon, plus démocratiques, ou faire quelques kilomètres pour découvrir les délicieuses côtes-de-bourg. Car il y a une unité profonde entre toutes ces terres d'outre-Dordogne, vallonnées, traversées par de douces rivières et fières d'un patrimoine architectural remarquable. Ce sont des terres de contact, avec le Périgord, avec les Charentes. La personnalité bordelaise y est moins marquée.

LIBOURNE (33500) 22 460 hab.

Grosse bourgade qui connut une importante prospérité commerciale, et posséda d'ailleurs la première chambre de commerce du département, avant Bordeaux, oui, parfaitement ! La ville prospéra notamment grâce au transport du vin sur la Dordogne. Au XIIIe siècle, une bastide est construite autour de la place centrale sous l'impulsion du souverain anglais Édouard Ier et de Jean de Grailly. Les travaux seront terminés par Roger de Leyburn. Aujourd'hui, quelques pans de muraille, la porte du Grand-Port et surtout la grande place Abel-Surchamp avec ses arcades sont les témoins de cette forte bastide. La ville est animée, mais du point de vue touristique éclipsée par Saint-Émilion, distante de seulement 8 km. Important marché les mardi, vendredi et dimanche matin.

Adresse utile

🄸 *Office de tourisme :* Le Carmel, 45, allée Robert-Boulin. ☎ 05-57-51-15-04. Fax : 05-57-25-00-58. • www.libourne-tourisme.com • Ouvert de 9 h 30 à 12 h 30 et de 14 h à 19 h 30 (18 h hors saison). Fermé le dimanche et les jours fériés.

Où manger ?

🍽 *Les démons de Bacchus :* 40, rue Fonneuve. ☎ 05-57-25-01-00. Dans une rue partant de la place Abel-Surchamp. Menus de 12,50 à 40 € ; à la carte, compter 30 €. Un restaurant et bar à vin où l'on peut s'arrêter prendre un verre, ou s'installer pour bien manger... ce qui n'empêche pas de bien boire ! Très joli cadre de pierre apparente, (c'est la plus vieille maison de Libourne), salle coquette à l'étage et agréable. Plats régionaux bien tournés : tricandilles, grillades aux sarments de vigne, tripes et boudin, omelette aux cèpes. On est dans le Sud-Ouest, quoi !

🍽 *Le Bistrot Chanzy :* 16, rue Chanzy (rue face à la gare). ☎ 05-57-51-84-26. Fermé le lundi soir, le samedi midi, le dimanche, ainsi que la 2e semaine de février et les 2e et 3e semaines d'août. Menus à 13,50 et 15 €. La carte change tous les mois. Une bien bonne surprise que ce petit resto, un peu excentré, près de la gare. Un cadre assez soft dans les tons pastel, un accueil tout aussi doux (comme les prix) et une cuisine de marché, sans chichis, bref, tout ce qu'on aime. Comme, en plus, la carte des vins est bien conçue (le patron est sommelier), ne boudons pas notre plaisir !

Où dormir ? Où manger dans les environs ?

🛏 *Chambres d'hôte chez Marie-Christine et Philippe Heftre :* 7, Le Baudou, 33230 Coutras. ☎ et fax : 05-57-49-16-33. • www.chateaulebaudou.com • À 1,2 km à l'est de Guîtres par la D 10 en direction de Coutras. Compter de 55 à 65 € la chambre double, petit dej' compris. La route passe au pied de la maison mais il doit y passer un demi-véhicule par nuit ! Trois chambres au calme donc, dans le ton de cette élégante maison du XIXe siècle en pierre et brique, et carrément immenses. Petit parc (4 ha quand même !). Les accueillants proprios, Marie-Christine et Philippe, ont installé dans une ancienne grange une piscine d'intérieur (chauffée du 1er mai au 1er novembre). Sur présentation du *GDR*, 10 % de remise sur le prix de la chambre sauf en juillet et août.

🛏 *Hôtel Henri IV :* pl. du 8-Mai, 33230 Coutras. ☎ 05-57-49-34-34. Fax : 05-57-49-20-72. • hotel-henriiv.gironde@wanadoo.fr • À 6 km à l'est de Guîtres. Doubles avec douche à 47 € et avec bains à 50 €. Dans le centre assez calme d'une bourgade située au confluent de deux rivières, l'Isle et la Dronne. Dans une belle maison girondine, non loin de la gare, des chambres très correctes, mansardées à l'étage.

🍽 *Le Bateau d'Émile :* à Penot, 33230 Abzac. ☎ 05-57-69-62-67. À 8 km au sud-est de Guîtres (à 2 km au sud de Coutras). Accès : sur la N 89 (direction Périgueux), un peu avant Saint-Médard-de-Guizières. Fermé le mardi soir et le mercredi, ainsi que pendant les vacances scolaires de février et de la Toussaint. Menus de 12 à 36 €. Compter environ 25 € à la carte. Une petite maison posée, en contrebas, au bord de la nationale. On pourrait passer sans la voir. Ce serait dommage pour la belle salle rustique et surtout l'adorable terrasse sur la berge de la rivière. L'endroit idéal pour goûter à une spécialité renommée de la maison : l'assiette du braconnier (anguilles, écrevisses, cuisses de grenouilles à la persillade et champignons, petits-gris, cèpes...). Cuisine de terroir de bonne réputation : aiguillettes de canard à l'orange, omelette aux cèpes... Café offert sur présentation du *GDR*.

|●| **Auberge de la Vieille Chapelle :** 4, La Chapelle, 33240 Lugon. ☎ 05-57-84-48-65. ⚒ Fermé le mardi et le mercredi, le dimanche soir, 15 jours en janvier et tout le mois de novembre. Menus de 17 à 36 €. Installé dans une vraie chapelle, murs de pierre et charpente ancienne. Sauf qu'une cheminée a été creusée dans un mur et une mezzanine installée à l'entrée. À la carte, toute la gamme de la tradition locale, de la poitrine de pigeon au riz au lait maison, le tout garanti produits bio. Accueil sympa, mais pas de terrasse à cause des levées de terre qui protègent des inondations. Et tout autour, quoi ? Des vignes, bien entendu. Apéritif maison offert sur présentation du *GDR*.

À voir

⚑ **La Grand-Place (place Abel Surchamp) :** joliment aménagée et bordée de maisons construites du XVIe au XIXe siècle.

⚑ **L'hôtel de ville :** sur l'un des côtés de la Grand-Place. Édifié au XVe siècle, mais entièrement restauré façon néo-gothique au début du XXe siècle. Bel escalier à l'intérieur. Au 1er étage, sculpture de marbre blanc de Falconnet, représentant la France embrassant le buste de Louis XV ! Au second, le *musée des Beaux-Arts et d'Archéologie*. Nombreuses œuvres de René Princeteau, ami de Toulouse-Lautrec, spécialiste de scènes animalières. Entrée gratuite.

⚑ **Le quai Souchet** offre une belle vue sur le grand pont de pierres (220 m) et ses neuf arches.

➤ DANS LES ENVIRONS DE LIBOURNE

⚑ **Fronsac (33126) :** à 4 km à l'est de Libourne. Connu pour ses vignobles et son fameux... fronsac, pardi !

ℹ **La maison du Pays fronsadais :** 1, Barrail de Tourenne, 33240 Saint-Germain-de-la-Rivière (à 10 km de Libourne, le long de la D 670). ☎ 05-57-84-40-18. Fax : 05-57-84-48-11. Ouvert toute l'année (en haute saison, du lundi au samedi de 9 h à 18 h). Cette maison est le véritable office de tourisme de ce petit pays de vignobles (pour info, Charlemagne était très accro du vin de Fronsac), truffé de vestiges préhistoriques. On y trouve une boutique de produits du terroir, une vinothèque et un petit resto doté d'une terrasse pour déjeuner face à l'étang.

⚑ **Le château de Vayres (33870) :** ☎ 05-57-84-96-58. À 8 km à l'ouest de Libourne, sur l'autre rive de la Dordogne. De Libourne, prendre la N 89 direction Bordeaux, sortie n° 7. Ouvert de Pâques à la Toussaint les dimanche et jours fériés de 14 h à 18 h ; du 1er juillet au 15 septembre, tous les jours de 14 h à 18 h. Entrée : 8,50 € ; réductions. Visites guidées à 15 h, 16 h et 17 h. Grand château ayant appartenu à Henri IV, aux allures de forteresse avec ses créneaux et ses douves. Réaménagé au XVIe siècle sur la base d'une demeure féodale. Bâtiments édifiés autour d'une cour et bordés de galeries.

Intérieur meublé. Belle façade du XVIIe siècle, avec un escalier à double révolution, menant à des jardins à la française qui bordent la Dordogne.

🚶 *Saint-Loubès (33450) :* Max Linder (1883-1925), la première vedette comique du cinéma français, est né dans un hameau voisin. Il fut le précurseur des grands burlesques américains, notamment de Charlie Chaplin. Gabriel Leuvielle (son vrai nom) repose au petit cimetière du lieu.

🚶 *Guîtres (33230) :* au nord de Libourne, à environ 15 km. L'*église* de Guîtres est une bien belle abbatiale de bénédictins, dont l'édification fut commencée au XIe siècle mais achevée seulement au XVe siècle. Vaste édifice de style saintongeais mais très restauré au XXe siècle. À noter surtout, le portail principal, du XIIIe siècle, ainsi que le chevet et ses absidioles.
– À voir aussi, dans le village, le *Musée ferroviaire* installé dans l'ancienne gare. ☎ 05-57-69-10-69. Réservations à la Maison de l'Isle, à Saint-Denis-de-Pile : ☎ 05-57-74-29-63.

SAINT-ÉMILION   (33330)   2 440 hab.

Cité de pierre fortifiée, perchée au milieu des coteaux en hémicycle d'un des plus nobles vignobles, à 8 km de Libourne. Si l'on ne craignait pas les formules à l'emporte-pièce, on parlerait d'« un bijou dans un écrin couleur rubis ». On retrouve ici tout ce qui fait le charme d'une cité médiévale à la française : ruelles pentues aux pavés incertains, remparts dévorés par la végétation, églises gothiques à la majestueuse architecture, places blotties au creux du village où il fait bon prendre le frais, cascade de toits rouges qui dévalent vers le vignoble... C'est en fin de journée que la ville se pare de toute sa majesté, quand le rouge enflamme la pierre, dore les coteaux... et quand les cars de touristes sont partis. Peu de gens séjournent en fait à Saint-Émilion. Beaucoup de monde dans la journée et puis le grand vide le soir. Un conseil donc, arrivez en fin d'après-midi, passez-y la nuit (si vous en avez les moyens) et partez à la découverte des monuments dès le petit matin, quand tout semble être là rien que pour vous. Si vous avez un petit creux, goûtez les délicieux macarons, spécialité de la ville.

UN PEU D'HISTOIRE

Une bien jolie histoire que celle d'Émilion, un ermite errant qui, au VIIIe siècle, trouva refuge dans une grotte de ce site, dans laquelle une source coulait. Il est rejoint par d'autres moines bénédictins, et une cité religieuse naît. Après son décès, on creusa dans la roche l'église monolithique, ainsi qu'un monastère autour duquel le village se développa, sous le nom de Saint-Émilion. Plus tard, de larges remparts, six portes et un donjon protégeront la ville.
En 1199, c'est Jean sans Terre qui lui donne véritablement le statut de ville, une organisation politique propre. Saint-Émilion devient une jurade, avec ses franchises, privilèges et libéralités. La qualité des vins, également surveillée, lui assure une grande renommée. Elle se pare aussi d'églises et de couvents, soutiens essentiels du pouvoir politique au Moyen Âge. La guerre de Cent Ans voit la cité osciller entre l'Angleterre et la France. La réputation de ses vins ne cesse de se développer. Patatras ! Les guerres de Religion ravagent ou endommagent la plupart des monuments. Pendant la Révolution, c'est la débâcle, la ville perd tous ses privilèges, la jurade est dissoute pour ne renaître sous une forme symbolique et honorifique qu'après la Seconde Guerre mondiale. C'est à Saint-Émilion qu'Élie Guadet, député girondin à la Convention, se réfugie avec six de ses compagnons. Ils seront retrouvés et exécutés à Bordeaux.

Aujourd'hui, la petite ville vit essentiellement de son vin. La jurade a repris du service, et la présentation des vins de l'année précédente fait l'objet d'une procession haute en couleur. Les membres se réunissent, parés de leurs robes rouges bordées d'hermine, dans le cloître de la collégiale. Le vin de chaque viticulteur est alors jugé pour recevoir ou non l'appellation contrôlée saint-émilion. On n'était pas là pour voir ça, mais nul doute que ces festivités doivent donner lieu à quelques abus en couleur !

Depuis le 1er décembre 1999, la juridiction de Saint-Émilion et de ses huit communes est classée au patrimoine mondial de l'Unesco. Son remarquable ensemble de paysages viticoles et de monuments historiques symbolise admirablement la région et permet de découvrir des sites qui ont su traverser le temps en gardant leur caractère d'origine.

Adresses utiles

Office de tourisme : pl. des Créneaux. ☎ 05-57-55-28-28. Fax : 05-57-55-28-29. ● www.saint-emilion-tourisme.com ● En plein centre, au pied du clocher. Ouvert tous les jours ; du 1er avril au 15 juin, de 9 h 30 à 12 h 30 et de 13 h 45 à 18 h 30 ; du 16 au 30 juin et du 1er au 15 septembre, de 9 h 30 à 19 h ; du 1er juillet au 31 août, de 9 h 30 à 20 h ; du 16 septembre au 31 octobre, de 9 h 30 à 12 h 30 et de 13 h 45 à 18 h 30 ; du 1er novembre au 31 mars, de 9 h 30 à 12 h 30 et de 13 h 45 à 18 h. Ouf ! A obtenu en 1996 sa quatrième étoile pour l'excellence de ses prestations. Remarquable matériel touristique et riche programme d'animations comme le Saint-Émilion souterrain ou la visite de nuit. Découverte des châteaux et grandes propriétés viticoles également. Prix de la visite des châteaux (de mi-mai à mi-septembre) : 9 €.

Maison du Vin : ☎ 05-57-55-50-55. Ouvert du lundi au samedi de 9 h 30 à 12 h 30 et de 14 h à 18 h 30, et le dimanche de 10 h à 12 h 30 et de 14 h 30 à 18 h 30 ; en août, ouvert de 10 h à 19 h. Superbe collection de grands crus et grands crus classés à vendre à des prix raisonnables.

✉ **Poste :** rue Guadet.

Gare SNCF : à 2 km du centre, en pleine campagne, gare de Saint-Émilion (ligne Bordeaux-Sarlat). ☎ 05-57-40-60-79. Gare de Libourne (ligne Bordeaux-Paris) à 8 km.

Cars : ☎ 05-57-40-60-79. Pour Libourne, au moins 2 aller-retour par jour (plus en saison : 5 ou 6) ; à partir de là, de nombreux cars pour Bordeaux.

Location de vélos et VTT : s'adresser à l'office de tourisme.

Où dormir ?

Dormir à Saint-Émilion coûte cher (sauf le camping). Mais pourquoi ne pas se payer cette petite folie ? On ne le regrettera pas.

Camping

Domaine de La Barbanne : route de Montagne. ☎ 05-57-24-75-80. Fax : 05-57-24-69-68. ● www.camping-saint-emilion.com ● Fermé du 20 septembre au 1er avril. Compter de 15 à 21 € pour 2 selon la saison. Très chouette camping à environ 3 km de Saint-Émilion, au milieu des vignobles. Petit étang à côté, tennis, piscine et mini-golf. Sanitaires très bien entretenus. Locations de mobile homes (260 à 550 € la semaine). Une formule intéressante de chalets en bois de 50 à 64 € pour 2, petit dej' inclus. Ne donne pas l'impression d'être bondé en été, mais conseillé de réserver (par courrier) en juillet et août quand même ! Une navette gratuite pour le village est proposée aux campeurs.

Sur présentation du *GDR*, un cadeau surprise offert à l'arrivée.

Prix moyens

🛏 *Chambres d'hôte du Logis de la Cadène :* 3, pl. du Marché-au-Bois. ☎ 05-57-24-71-40. Fax : 05-57-24-42-23. En plein centre-ville. Fermé le lundi toute la journée et le dimanche soir, ainsi qu'en janvier. S'adresser au restaurant du même nom. Compter 100 € la chambre double. Quatre chambres, avec salle de bains ou douche, ainsi qu'un gîte pour 5 personnes à 650 € la semaine. Ne manque pas de charme, et bien pratique pour visiter le village, vu que c'est en plein centre.

🛏 *Chambres d'hôte chez Mme Favard :* château Meylet, La Gomerie, 33330 Saint-Émilion. ☎ 05-57-24-68-85. Fax : 05-57-24-77-35. À 1,5 km du village. Suivre la D 243 (route de Libourne) ; pancarte à gauche, « Chambres d'hôte ». Compter de 45 à 53 € pour 2, petit dej' compris. Bien situé dans le vignoble. Bon accueil. Le proprio est un vigne-ron « bio » qui vous parlera avec plaisir de la viticulture et du vin. Chambres avec douche ou bains et w.-c. Salon et kitchenette à disposition. Prêt de vélos.

🛏 *Chambres d'hôte chez Claude Brieux :* château Millaud Montalabert, 33330 Saint-Émilion. ☎ 05-57-24-71-85. Fax : 05-57-24-62-78. Fermé du 15 janvier au 15 février. Prendre la D 243 (entre Saint-Émilion et Libourne), puis la D 245 direction Pomerol sur quelques centaines de mètres. À environ 3 km de Saint-Émilion, au milieu des vignes. Fermé en janvier. Chambres entre 52 et 55 € pour 2, copieux petit dej' compris. Maison ancienne joliment rénovée. Cinq chambres pour 2 à 4 personnes avec douche ou bains et w.-c. Cuisine, frigo, lave-linge à disposition. Cartes de paiement refusées.

– L'office de tourisme fournit la liste de nombreuses *locations meublées* dans les environs de Saint-Émilion.

Plus chic

🛏 *Au Logis des Remparts :* 18, rue Guadet. ☎ 05-57-24-70-43. Fax : 05-57-74-47-44. ● logis-des-remparts @wanadoo.fr ● Fermé de début décembre à fin janvier. Selon confort et saison, doubles avec douche et w.-c. ou bains de 70 à 150 €. Agréable hôtel 3 étoiles dans une demeure dont quelques indices trahissent l'ancienneté (un escalier de pierre, un jardin qui jouxte les remparts...). Les chambres, rénovées, ont de la personnalité. Aux beaux jours, on prend le petit dej' (copieux et excellent ; goûtez impérativement le cake !) sur une terrasse à l'élégant pavage ou dans le jardin. Jolie piscine. Parking privé dans une courette sur l'arrière.

🛏 *Auberge de la Commanderie :* rue des Cordeliers. ☎ 05-57-24-70-19. Fax : 05-57-74-44-53. ● www.aubergedelacommanderie.com ● Dans le haut de la vieille ville. Fermé du 15 décembre au 15 février. Selon confort et saison, de 60 à 75 € la double avec douche ou bains. C'était autrefois une commanderie (évidemment !) templière. Pendant la Révolution, les Girondins, en disgrâce, s'y sont cachés. Mais peu de traces subsistent aujourd'hui du riche passé de ce classique hôtel familial de bon confort. Chambres plutôt romantiques Si vous êtes nombreux ou si vous voulez plus d'intimité, demandez à dormir dans l'annexe qui se trouve juste en face (2 chambres et une salle de bains). Bonne adresse, mais les prix ont tendance à s'envoler (petit dej' hors de prix). Propose également un appartement pouvant accueillir 4 personnes (90 €). Bon accueil.

LE LIBOURNAIS

Où manger ?

S'il s'agit seulement de prendre un verre ou de grignoter une salade (et si vous supportez les pratiques à la limite du racolage de certains restaurateurs), posez-vous sur la place du Marché, au pied de la superbe église monolithique, dans l'une des nombreuses *brasseries.*

De prix moyens à plus chic

I●I **L'Envers du décor :** rue du Clocher. ☎ 05-57-74-48-31. ✗ Fermé les samedi et dimanche, ainsi que du 20 décembre au 17 janvier. Menus à 14,95 et 25 €. Au cœur du village, un bar à vin tenu par de véritables amoureux du vin. Des vins, devrait-on dire, car ici, pas de sectarisme, vous découvrirez un choix des meilleurs crus de tout l'Hexagone, sélectionnés avec passion et rigueur par Émilien le sommelier. Pour les accompagner, une excellente cuisine de brasserie, des salades d'une réjouissante fraîcheur et de bons fromages. Cadre plaisant, dommage toutefois que l'accueil et le service ne soient pas toujours à la hauteur en été quand la foule s'y presse, mais peut-on leur reprocher ? Vente de vin au verre et organisation de dégustations à l'aveugle.

I●I **Le Logis de la Cadène :** 3, pl. du Marché-au-Bois. ☎ 05-57-24-71-40. Dans une petite rue piétonne, non loin de l'église et de l'office de tourisme. Fermé le lundi, le dimanche soir et en janvier. Menu à 16 € le midi en semaine. Autre menu à 22 €. À la carte, compter au minimum 35 €. En terrasse sous la tonnelle et la vigne vierge, ou en salle (où se trouve une conviviale table d'hôte), on vous sert une cuisine girondine traditionnelle. Grillades sur sarments de vigne, lamproie à la bordelaise et salade de tricandille... Apéritif maison offert à nos lecteurs sur présentation du *Guide du routard.*

I●I **Le Tertre :** 5, rue Tertre-de-la-Tente. ☎ 05-57-74-46-33. Fermé le lundi hors saison, le mardi toute l'année, du 5 janvier à mi-février et un mois après le 11 novembre. Menu à 17 € le midi en semaine, puis de 22 à 65 €. Jolie petite salle au fond de laquelle dorment les bouteilles. Cuisine du terroir, avec de belles inventions comme cette soupe de foie gras au sauternes, mais traversée d'influences de l'Est. Normal, le patron est alsacien et il ne peut résister au plaisir de glisser un peu de raifort dans un plat. Et c'est toujours un régal !

Où déguster des macarons ?

– **Chez Mme Blanchez :** rue Guadet (à côté de la poste). ☎ 05-57-24-72-33. Fermé deux semaines fin janvier-début février et du 11 novembre à début décembre. Une institution qui produit des macarons de la même manière depuis 1620. Un délice, suave, parfumé. Ça vaut le coup de faire un peu la queue.

À voir

Hmm ! la merveilleuse visite que vous êtes en passe d'entreprendre. Pour en tirer toute la saveur sans être embêté par ces satanés touristes, faites un petit effort et levez-vous tôt. On a essayé de concocter un circuit cohérent, séparant les visites à faire seul des visites guidées, organisées par l'office de tourisme.

✗ **La rue Guadet :** empruntant tout naturellement cet axe principal de la ville, on tombe à droite sur la rue de la Cadène.

🐝 *La porte et la maison de la Cadène :* au début de cette ruelle pentue, une porte ogivale fortifiée, autrefois barrée par une chaîne (d'où le nom « cadène »), qui contrôlait le passage de la ville haute à la ville basse. Sur la gauche, une bien belle maison à pans de bois, du XVIe siècle. Belle vue depuis la porte, dans laquelle s'encadre la flèche de l'église monolithe.

🐝 *La place du Marché :* superbe, ensoleillée, pentue et pavée, avec au centre son tout petit acacia. Elle offre un angle de vue unique, exaltant la beauté de l'église monolithe avec ses baies romanes et sa flèche haute de 67 m. De là, on peut lire l'histoire de l'église à travers les siècles depuis sa partie souterraine du IXe siècle jusqu'à sa flèche de style gothique flamboyant du XVe siècle.

– *Visites guidées* de la grotte de l'Ermitage, de la chapelle de la Trinité, des catacombes et de l'église monolithe, organisées par l'office de tourisme, tous les jours, toutes les 45 mn de 10 h à 11 h 30 et de 14 h à 18 h 30. Durée : 45 mn. Prix : 5,50 €. Prendre les billets à l'office de tourisme avant. Les visites partent de là.

🐝🐝 *La grotte de l'Ermitage :* c'est ici que le bon saint Émilion se réfugia au VIIIe siècle. Ancien boulanger de son état, on dit qu'il distribuait du pain en douce aux pauvres. Quand il se fit prendre, le pain se changea en bois. C'était son premier miracle. Pour se faire un petit chez-lui confortable, il tailla sa grotte en forme de croix latine. Dans la paroi, on devine ce qui devait être son fauteuil, ainsi que la source d'eau courante qui lui servait à l'occasion de fonts baptismaux. On peut encore voir son lit, sa table... L'eau de la source est censée posséder quelques vertus.

🐝🐝 *La chapelle de la Trinité :* située au-dessus de la grotte, elle date du XIIIe siècle et fut édifiée par les moines augustins, comme abside à la mémoire de saint Émilion. Intéressante pour sa double croisée d'ogives qui convergent en une clef de voûte sculptée sur laquelle apparaît l'agneau symbolique. Entre chacune des nervures, vous apercevrez quelques reliefs de fresques du XIIIe siècle. Au centre, le Christ en majesté (dans les tons rouges), sur la droite une Vierge à l'Enfant (ocre et noir) et, encore à droite, un christ en croix. La chapelle a été entièrement rénovée, et les fresques apparaissent désormais « comme neuves ». La partie charpentée de la chapelle date de la Révolution, lorsque l'édifice fut transformé en tonnellerie. Au sol, on note encore un sarcophage du VIIIe siècle, une pierre tombale d'un chevalier (bouclier et épée) et deux cénotaphes trouvés sur la place du Clocher.

🐝 *Les catacombes :* face au flanc de la chapelle, entrée des catacombes du IXe siècle. Lorsque les locataires furent trop à l'étroit dans le cimetière, on utilisa cet ossuaire. On voit encore l'orifice par lequel on jetait les corps. Curieuse coupole monolithe taillée par les moines augustins, qui possède de non moins curieuses gravures représentant trois personnages se tendant les bras. Il s'agirait de trois morts-vivants (si, si) sortant de leurs tombes et évoquant la résurrection. Remarquez, vous n'êtes pas obligé de nous croire. On ne connaît pas la date d'exécution.
Cet ossuaire accueillit d'abord les moines du IXe siècle, puis reçut les notables bien plus tard, comme en témoignent les textes gravés sur certaines pierres tombales. L'une d'elles, du XIe siècle, indique que le mort souhaitait reposer entre saint Émilion et saint Valéry, patron des vignerons.

🐝🐝🐝 *L'église monolithe :* taillée par les bénédictins entre le IXe et le XIIe siècle, c'est la plus vaste église monolithe de France. Impressionnante et unique de par ses proportions et l'audace de l'entreprise. La nef était couverte de fresques qui ont été détruites par le dégagement de salpêtre naturel de la roche. D'ailleurs, l'église fut transformée en salpêtrière à la Révolution. Au-dessus du chœur, beau bas-relief sur lequel on distingue un ange jouant d'un instrument, au centre le Graal et, sur la gauche, un homme luttant contre un monstre. Dans le chœur, deux anges sculptés tétraptères (qui ont quatre ailes) symbolisant l'esprit créateur. Les deux petites ailes forment une auréole. Une des chapelles abrite un curieux autel sculpté du XVIIIᵉ siècle, sur lequel apparaissent deux serpents entrant dans un bocal (symbole de Mercure ?). Bizarre.

À côté, église toute simple avec sceau des Templiers.

🚶 **L'église collégiale :** entrée derrière la place des Créneaux, du côté de l'avenue de Verdun. Heures d'ouverture variables. Édifiée au XIIᵉ siècle, mais remaniée à de nombreuses reprises, ce qui explique ses éléments très disparates. Le portail ouest (à côté de la maison du Vin) présente de jolies arcades romanes ; sur le portail nord (du XIVᵉ siècle), tympan orné d'un Jugement dernier.

L'intérieur de l'église s'avère un peu confus. Malgré ses deux coupoles byzantines et la volée de croisée d'ogives, elle ne possède pas l'élégance attendue. Sur la paroi droite de la nef subsistent quelques fresques du XIIᵉ siècle avec, dans l'ordre d'apparition dans les médaillons, la Vierge et la légende de sainte Catherine, et un démon tentant une femme.

🚶 **Le cloître de la collégiale :** il n'y a plus de communication entre l'église et le cloître, il faut donc entrer par l'office de tourisme. Les horaires sont ceux de ce dernier. Le cloître est l'élément central d'un vaste monastère augustin du XIVᵉ siècle. Cloître gothique entouré d'une série de doubles colonnades tout en finesse, d'arcades romanes et gothiques.

🚶 **Le clocher :** sur la place du même nom, devant l'office de tourisme. Entrée : 1 €. Si c'est fermé, demander la clé à l'office de tourisme. Chouette grimpette au sommet d'où l'on domine tout le village, l'ensemble du cloître, la grande muraille et le vignoble. À ne pas manquer.

🚶 **Visite de Saint-Émilion de nuit :** vraiment insolite. De mi-juin à mi-septembre, à 22 h le mercredi en français, plus le jeudi en anglais en juillet et août. Durée : 1 h 30. Inscription à l'office de tourisme (par téléphone aussi). Tarif : 8 € ; réductions.

🚶 **Les remparts :** une balade autour des remparts de la cité en fin de journée ravira les romantiques. En démarrant la promenade depuis la collégiale, juste en face, on remarque une superbe maison du XVIᵉ siècle, fondue dans le rempart, avec son toit de tuiles, sous lequel court un chemin de ronde, créneaux, mâchicoulis et douves. Un assemblage d'une grande harmonie. Le circuit des remparts longe le vignoble, passe par la porte Brunet, et offre de beaux panoramas sur les coteaux.

🚶 **La grande muraille :** au bout de l'avenue de Verdun. Il nous semble familier, ce pan de mur aux fines arcades gothiques aveugles, fièrement dressées après avoir essuyé toutes les guerres de Religion. Il constituait autrefois le pan nord d'une église.

🚶 **Le cloître des Cordeliers :** rue des Cordeliers. Ouvert de 10 h à 12 h 30 et de 14 h à 18 h 30. Site privé où le proprio profite de la venue des touristes dans le cloître en ruine pour faire visiter ses caves de vin champagnisé. Vous faites ce que vous voulez, mais sachez au moins que le cloître et les caves sont deux choses séparées. Du cloître, il ne subsiste en fait que quelques colonnades romanes. À côté, les vestiges de l'église. La végétation a repris le dessus depuis longtemps, mais on devine encore les murs et les arcades aveugles. On retrouve le curieux bas-relief figurant deux serpents entrant dans un bocal, déjà représenté dans l'église monolithe.

🚶 **La tour du Roi :** du château prévu au XIIIᵉ siècle, seule cette grosse tour rectangulaire (donjon) fut construite. Du sommet, vue étonnante sur la région. Entrée : 1 €.

🐝 *Le Musée souterrain de la Poterie – Les Hospices de la Madeleine :*
21, rue André-Loiseau. ☎ 05-57-24-60-93. Fax : 05-57-55-51-61. ● www.
ceramique.com ● Ouvert tous les jours de 10 h à 19 h. Entrée : 4 € ; gratuit
pour les enfants. Une surprenante collection de poteries du gallo-romain à
nos jours, qui restitue le quotidien des anciens habitants du grand Sud-
Ouest. Elle est présentée dans le cadre magnifique des anciennes carrières.
On y verra des cruches et des pots, mais aussi des épis de faîtage, des
tuiles, bref, tout les objets issus de la glaise.

Manifestations

– *La Nuit du Patrimoine :* le 3e samedi de septembre. Un grand moment !
– *Les Grandes Heures de Saint-Émilion :* très beau programme musical
de mars à décembre dans les châteaux des grandes propriétés viticoles,
ainsi que dans certaines églises autour de Saint-Émilion. Renseignements à
l'office de tourisme.
– *La fête du Solstice :* à Saint-Sulpice-de-Faleyrens (à 6 km). Fin juin. Elle
coïncide avec le début de l'été : le solstice d'été (jour le plus long et nuit la
plus claire). Pour l'occasion, des danses sont organisées autour du feu de la
Saint-Jean ; groupe de jazz et bal. Le clou de la fête : le lâcher de bougies et
le défilé de voiliers illuminés sur la Dordogne. Renseignements à l'office de
tourisme de Saint-Émilion.
– *La Jurade :* le 3e dimanche de juin, jugement du vin nouveau, et le
3e dimanche de septembre, ban des vendanges.
– *Les Collégiales :* concerts dans l'église collégiale en juillet et août. Renseignements à l'office de tourisme.

Petite visite dans les vignobles

Un truc à savoir, quand même : bon nombre des plus grands châteaux, et
donc des crus les plus prestigieux (on ne vous apprend rien si l'on cite le
Château Cheval Blanc ou le Château Ausone) ont été dernièrement rache-
tés (pour cause de succession douloureuse) par de grands groupes financiers, qui considèrent ces acquisitions avant tout comme des investisse-
ments financiers. Cette série ne fait que commencer, et, outre l'économie
locale et familiale, remet en cause la transmission d'un précieux savoir-faire
de génération en génération. Bon, la visite peut commencer...

– *Visite des châteaux :* avec un conférencier qui saura enrichir la visite
d'anecdotes. Dégustation et commentaires, bien sûr. De mi-mai à mi-septembre, du lundi au samedi à 15 h 30 ; en juillet et août, du lundi au samedi à
14 h et 16 h 15. Réservation à l'office de tourisme. Visite : 9 €.

➤ *Circuits à vélo ou à pied* élaborés par le Conseil général de la Gironde.
Ne pas manquer de se procurer la carte où tous les points d'intérêt sont bien
détaillés et mis en valeur. Possibilité de location de vélos à l'office de tourisme.

– *Le clos de l'Église :* Lalande-de-Pomerol, 33500 Libourne. ☎ 05-57-51-
40-25. Fax : 05-57-74-17-13. À l'entrée du village (venant de Saint-Émilion).
Vous reconnaîtrez ses longs chais en bois. Marianne Berry aime sa vigne
d'amour fou et sait faire partager son enthousiasme. Ici, pas de désherbants
chimiques, et on cueille toujours à la main. Accueil éminemment chaleureux
en prime...

– *Château Gueyrosse et domaine Chante Alouette Cormeil :* à quelques
kilomètres de Saint-Émilion (sur Libourne, en fait). Faites-vous indiquer la
route. ☎ 05-57-51-02-63. Visite gratuite tous les jours sur rendez-vous. Très
agréable visite chez ce petit viticulteur dont les procédés de vinification sont
restés fidèles aux méthodes anciennes. Comptez 1 h. Possibilité d'acheter
des flacons.

➤ *DANS LES ENVIRONS DE SAINT-ÉMILION*

MONTAGNE (33570)

Village tranquille, à 4 km au nord de Saint-Émilion. On y fait aussi du vin, mais ce sont des vins DU Saint-Émilion et pas DE Saint-Émilion (appellation « montagne-saint-émilion »). Une nuance qui se compte en euros.

Adresse utile

■ *Maison des Vins du Saint-Émilion :* pl. de l'Église. ☎ 05-57-74-60-13. Ouvert du lundi au vendredi de 9 h à 12 h et de 14 h à 18 h ; en été, ouvert également le samedi de 10 h à 12 h 30 et de 14 h 30 à 19 h, et les dimanche et jours fériés de 11 h à 12 h 30 et de 14 h 30 à 19 h. Pour les vins de Montagne, Lussac et Puisseguin dont on vantera les mérites (avec dégustations). Organise des visites de châteaux.

Où dormir ?

🏠 *Chambres d'hôte Château Croix Beauséjour, chez M. et Mme Laporte :* Arriailh, dans le village de Montagne. ☎ 05-57-74-69-62. Fax : 05-57-74-59-21. Fermé du 15 août au 1er septembre. Trois chambres doubles de 34 à 47 €. Monsieur fait du vin et Madame apporte un soin tout particulier à ses chambres d'hôte, situées dans une ancienne maison de vignerons entièrement rénovée. La déco est simple, jolie et élégante à la fois. On se sent tout de suite bien dans cette maison très claire. Gros plus, une belle cuisine et une salle à manger-salon des plus agréables, à disposition. Vous l'aurez compris, une aubaine de rapport prestations-accueil-qualité-service. On serait bien resté plus longtemps. N'accepte pas les cartes de paiement. Un verre à dégustation gravé au nom du château offert à nos lecteurs sur présentation du *GDR*.

À voir

🦐 *L'écomusée du Libournais :* à côté de la mairie. ☎ 05-57-74-56-89. 🍽 Ouvert pendant les vacances scolaires tous les jours de 10 h à 18 h et du 1er mars au 30 novembre tous les week-ends et jours fériés. Entrée : 5,10 € ; 1,50 € de réduction pour la deuxième personne sur présentation du *GDR* ; gratuit pour les moins de 10 ans. Sympathique initiative de présentation des richesses et de l'histoire du Libournais : photos et documents anciens évoquent la batellerie, les carrières, l'architecture locale, et la vigne en particulier (instruments de viticulture, maison de bordier). Ateliers anciens reconstitués, vieux objets de la ferme, etc. Présentation habile et instructive. Animations à thème un week-end par mois. Espace audiovisuel, jardin ethnobotanique et sentier viticole d'environ 4 km au beau milieu de la vigne.

🦐 Ne pas manquer non plus les Trois Romanes, trois intéressantes églises. D'abord celle de *Saint-Martin* à *Montagne* (du XIIe siècle) avec un beau chevet à trois absides en cul de four. L'ensemble, clocher, transepts et absidioles, possède un harmonieux équilibre. À l'intérieur, superbe coupole nervée à la croisée de transept. À *Saint-Georges-de-Montagne,* elle date du XIe siècle et est bâtie sur des ruines romaines. À l'intérieur, abside plus étroite et plus basse que la nef s'ouvrant sur une immense arche en plein cintre. Porche à fronton triangulaire avec sculptures complètement usées qui lui confèrent une vénérable noblesse. Autour de l'abside, petites arches avec chapiteaux historiés ou à motifs végétaux. Enfin, *Notre-Dame-de-Parsac,* à *Parsac.*

LUSSAC *(33570)*

Adresse utile

Office de tourisme : 2, av. Gambetta. ☎ 05-57-74-50-35. Fax : 05-57-74-54-40. Près de l'église. Ouvert d'avril à octobre du lundi au samedi de 9 h 30 à 12 h 30 et de 14 h 30 à 18 h. Accueillant et compétent. Grand choix de chambres chez l'habitant. Organisation de séjours. Vente de vins de l'appellation du canton. Festival de courts-métrages en juin.

Où dormir ? Où manger dans le coin ?

Le château de Roques : 33570 Puisseguin. ☎ 05-57-74-55-69. Fax : 05-57-74-58-80. ● www.chateau-de-roques.com ● Sur la D 21, vers Saint-Médard ; c'est fléché. Fermé du 17 décembre au 1er février. Chambres doubles de 50 à 55 € avec douche ou bains et w.-c. Menu à 16 €. À la carte, compter autour de 27 €. C'est un château viticole. Visite (tous les jours) des superbes caves creusées dans la roche sous le château. S'est transformé, au cours du temps, en hôtel-restaurant. Chambres dans l'ensemble très spacieuses (et non dénuées de charme), mais il n'y en a que huit, pensez à réserver. Au restaurant, grillades sur sarments et foie gras de canard au cognac. Apéritif maison (pineau) offert sur présentation du *GDR*.

PETIT-PALAIS-ET-CORNEMPS *(33570)*

Sur la route de Saint-Médard-de-Guizières, petite halte dans ce village pour son *église* romane du XIIe siècle, plantée au milieu d'un échantillon de cimetière. Une des plus belles façades romanes de la région, offrant de jolies proportions, abondamment sculptée, élevée sur trois niveaux d'arcades aveugles polylobées. Le clou de la façade : l'archivolte sculptée d'oiseaux et de mammifères aux formes parfois étranges. De chaque côté de la voûte, notez les sculptures d'homme et de femme s'arrachant une flèche du pied. Entrez par la porte du flanc droit. À l'intérieur, quelques beaux chapiteaux.

CASTILLON-LA-BATAILLE   (33350)   3 160 hab.

Village célèbre pour sa bataille de 1453. Tombé aux mains des Anglais, le village fut repris par les troupes de Charles VII, qui mirent en déroute celles du général Talbot, marquant ainsi la fin de la période anglaise en Aquitaine.

Adresses utiles

Office de tourisme : allée Marcel-Paul. ☎ 05-57-40-27-58. Ouvert toute l'année du lundi au samedi de 9 h 30 à 12 h et de 14 h à 18 h.

■ **Maison des Vins des Côtes de Castillon :** 6, allée de la République. ☎ 05-57-40-00-88. Infos et vente de vins à prix châteaux.

LE LIBOURNAIS

Où dormir ? Où manger ?

� *Camping municipal Le Pelouse :* au bord de la Dordogne. ☎ 05-57-40-04-22. Compter 10 € environ pour 2 personnes avec voiture et tente, électricité comprise ; également un gîte pour 6 personnes (de 216 à 306 € la semaine selon la saison). Terrain assez dur mais au calme et sous les platanes.

🏠 *Chambres d'hôte du château de Lescaneaut :* à Saint-Magne-de-Castillon, 33350 Castillon. ☎ 05-57-40-21-08. Fax : 05-57-40-14-91. Situé à l'ouest de Castillon, par la D 123, direction Sainte-Terre. Embranchement en fourche (avec pancarte). Prendre à gauche. Fermé d'octobre à avril. Chambres à 57 ou 60 € pour 2, petit dej' compris. Dans une propriété viticole, au milieu d'un superbe jardin aux essences multiples avec le roucoulement des blanches tourterelles et un chat placide. À l'in-térieur, décoration somptueuse, salles de bains de haut vol et accueil raffiné. Un superbe rapport qualité-prix. Cartes de paiement refusées.

🍽 *La Bonne Auberge :* 12, rue du 8-mai-1945. ☎ 05-57-40-07-92. Fermé le lundi soir et le mardi hors saison, le mardi d'avril à octobre, ainsi que du 15 janvier au 10 février. Premier menu à 15 € servi midi et soir ; autres menus de 20 à 36 €. Dans une grande salle claire à la décoration assez dépouillée, une cuisine du terroir (terrine de foie gras, confit de canard, lamproie à la bordelaise...) préparée par un jeune chef talentueux. C'est simple comme une paupiette, parfumé comme un champignon, et tout est fait maison (sauf les glaces). Une halte agréable qui donne envie ensuite d'aller flâner dans les vignobles. Un kir maison est offert sur présentation du *GDR*.

Où dormir ? Où manger dans les environs ?

🏠 *Domaine des Plantes :* à Flaujagues (33350). ☎ 05-57-40-08-12. ● lesplantes@aol.com ● À 4 km au sud-est de Castillon par la D 15. Du centre du village, aller vers la rive gauche de la Dordogne. Chambres doubles de 40 à 54 €, petit dej' compris. C'est une grande maison de famille au cœur d'un parc fleuri de magnolias et de lagerstroemias, avec de belles chambres meublées à l'ancienne. La proprio vous recevra avec le sourire d'une tantine de province et vous chouchoutera de même. Apéritif maison offert sur présentation du *GDR*.

🍽 *Auberge Saint-Jean :* au pont, Saint-Jean-De-Blaignac (33420). ☎ 05-57-74-95-50. 🍴 À 8 km au sud-ouest de Castillon en suivant la Dordogne. Fermé le mardi soir, le mer-credi toute la journée et le dimanche soir, ainsi que la 2e quinzaine d'octobre. Formule à 23 €, puis menus de 28 à 46 €. Jean-Guy Berthier est un peu fada, comme on dit ici. Quand il crée une nouvelle carte, tous les deux mois, il choisit un thème : les fleurs, les rois de France, les châteaux, et il va dégoter quelques vieilles recettes (comme le beurre d'orties) ou en invente de nouvelles pour illustrer ce thème. Il est bon saucier et adore les cuissons, notamment les rôtis sur le foin : viandes ou poissons se chargent de senteurs végétales, un régal ! Bref, sur la terrasse qui domine la Dordogne, les papilles se dilatent et les pupilles se contractent. À quand la sieste ? Un café offert sur présentation du *GDR*.

Manifestation

– *La bataille de Castillon :* certains soirs de juillet et d'août, à 22 h 30, dans le village voisin de Belvès (33350). Dates et renseignements : ☎ 05-57-40-14-53. Prix : 13 à 18 € selon la place. Reconstitution grandiose en son et lumière de la bataille de 1453 (voir l'intro du village), avec plus de 500 acteurs.

LA HAUTE GIRONDE

La promenade de Blaye à Saint-André-de-Cubzac est bien agréable. On domine l'estuaire puis la Dordogne, on traverse de charmants villages... Côtes-de-blaye et côtes-de-bourg ont le mérite de n'être pas trop chers et pas moins bons que bien des cadors bordelais.

BLAYE
(33390)   4 920 hab.

Surtout connue pour sa belle citadelle, perchée à flanc de falaise, dominant la Gironde. Chantée par Ausone, Blaye se révèle une gentille petite ville calme et tranquille. Ce ne fut pas toujours le cas. Le Blayais produit un vin fort sympathique, coloré, puissant, fruité et rustique. Si vous voulez garder un « souvenir friandises » de Blaye, vous pourrez toujours essayer les *Praslines de Blaye,* célèbres et rivales de celles de Montargis, inventées d'ailleurs par le même cuisinier, celui du maréchal de Plessis-Praslin, en 1649.

UN PEU D'HISTOIRE

Depuis le paléolithique, la falaise de Blaye fut l'objet de convoitises. Gaulois et Romains s'y réfugièrent. Un castrum fut construit dès le IIIe siècle. Au VIIIe siècle, on y édifiait un château qui fut confié à Roland le Paladin, oui, oui, le neveu de Charlemagne et celui de la chanson. L'empereur vint d'ailleurs jusqu'ici pour chercher son neveu en vue d'une virée en Espagne contre les sarrasins. Une histoire qui se termina mal, si nos souvenirs sont bons. Le bon Charlemagne ramena tout de même le corps de son neveu à Blaye, mais on ne sait pas très bien où.

La citadelle fut plusieurs fois détruite puis reconstruite. Celle d'aujourd'hui fut commandée par Louis XIV et agrandie par Vauban pour contrôler l'estuaire et protéger Bordeaux contre l'étranger. En fait, la citadelle ne servit presque jamais, ou à peine. La duchesse de Berry, belle-fille de Charles X, y fut incarcérée pour avoir soulevé la Vendée afin d'établir son fils, le duc de Bordeaux, sur le trône. Louis-Philippe la fit emprisonner. En prison, elle donna naissance à une fille. Au début du XXe siècle, la citadelle fut désaffectée.

Adresses et info utiles

ℹ️ *Office de tourisme du canton de Blaye :* allées Marines. ☎ 05-57-42-12-09. Fax : 05-57-42-91-94. ● office detourisme.blaye@wanadoo.fr ● Ouvert du lundi au samedi de 9 h à 12 h 30 et de 14 h à 18 h, ainsi que le dimanche et jours fériés en avril, mai, juin et septembre de 14 h à 18 h. Également un office annexe dans la Citadelle, rue du 144e-R.I., seulement en juillet et août. ☎ 05-57-42-30-71. Accueil très sympa.

■ *Syndicat viticole :* Maison du Vin, 11, cours Vauban. ☎ 05-57-42-91-19. ● www.premieres-cotes-blaye. com ● Dans la grande rue au pied de la citadelle. Initiation à la dégustation en juillet et août les mardi, jeudi et vendredi à 16 h 45.

⚓ *Service maritime départemen-*

tal « *Bacs Gironde* » : ☎ 05-57-42-04-49. Pour tout savoir sur la traversée du Mississippi girondin entre *Blaye* et *Lamarque* (Médoc) ! 30 mn de vrai bonheur. Dernier départ à 18 h 30.
– *Marché :* les mercredi et samedi matin. Animation sympathique.

Où dormir ? Où manger ?

Camping

⋏ *Camping municipal :* à l'intérieur même de la citadelle. ☎ 05-57-42-00-20. Fax (mairie) : 05-57-42-68-69. Ouvert de mai à septembre. Tarifs bon marché, autour de 9,40 € l'emplacement pour 2. L'endroit est étonnant ; 42 emplacements sont réservés, face à la rivière, pour planter sa tente, au milieu de murs plusieurs fois centenaires. Sanitaires acceptables. Vraiment extra de se réveiller dans un tel site. Installation minimum, comme dans tout camping municipal qui se respecte.
⋏ Pour les camping-cars, une douzaine de châteaux viticoles offrent des *aires de stationnement* équipées et gratuites. Liste à demander à l'OT de Blaye.

Bon marché

|●| *Le Prémayac :* 25, rue Prémayac. ☎ 05-57-42-19-57. Dans la ville basse, la rue parallèle au boulevard principal. Fermé le lundi. À midi, menu à 10,70 € comprenant plat du jour, quart de vin et café ; autre menu à 14 € et menu du dimanche à 23 €, qui est également servi le soir en semaine. Un bon petit restaurant de cuisine régionale et de grillades aux sarments de vigne. Quelques tables en terrasse aux beaux jours, et pas mal d'habitués. L'os à moelle ou les tricandilles (attention, copieux et d'un goût bien particulier) se mangent avec plaisir, dans une ambiance plutôt populaire. Apéritif offert sur présentation du *Guide du routard.*

Prix moyens

🏠 |●| *Hôtel La Citadelle :* pl. d'Armes. ☎ 05-57-42-17-10. Fax : 05-57-42-10-34. ● info@hotel-la-citadelle.com ● Au cœur de la citadelle, admirablement situé. Chambres doubles de 54 à 66 €. Menu à 25 €. Vue superbe sur la Gironde depuis les chambres à numéro pair de l'étage, ce qui justifie le prix (le hic, c'est que les numéros impairs sont au même prix). Au restaurant, quelques spécialités locales : esturgeons, escargots, lamproies, asperges, servies en salle, mais aussi sur la terrasse dominant le fleuve. Apéritif maison offert à nos lecteurs sur présentation du *GDR.*

Plus chic

🏠 *Chambres d'hôte Villa Prémayac :* 13, rue Prémayac. ☎ 05-57-42-27-39. Fax : 05-57-42-69-09. Chambres doubles à 83 €, petit dej' compris. Au cœur de la vieille ville, dans un hôtel particulier du XVIIIe siècle, au fond d'un ravissant jardin plein de fleurs. Grandes chambres à la déco très simple mais chic, conforme à l'élégance des lieux. Grand salon pour le petit dej', entrée privative et accueil courtois. Une kitchenette-tisanière est mise à la disposition des hôtes.

Où dormir ? Où manger dans les environs ?

Camping

⚊ *Le Maine Blanc :* sur la D 22, à Saint-Christoly-de-Blaye (33920). ☎ 05-57-42-52-81. ⚊ De Blaye, à 15 km, sur la gauche, juste avant de rencontrer l'autoroute. Ouvert toute l'année. Compter 10 € pour 2. Très beau camping au calme, familial et en pleine forêt. Agencement coquet et bosquets fleuris. Sanitaires parfaits et bon accueil. Petite piscine. Location de bungalows, caravanes et mobile homes également.

De bon marché à prix moyens

⚊ |●| *L'Escale – Chez Olga :* à Cartelègue (33820). ☎ 05-57-64-71-18. À 12 km au nord de Blaye, au bord de la N 137. Chambres doubles à 30 €. Menus à 11 € le midi en semaine, puis de 13 à 30 €. Oh, qu'on a aimé cet ancien routier planté au bord de la nationale et tenu par le petit-fils d'Olga, qui a presque tout refait en gardant l'ambiance. Bon, les chambres sont simples et la route est proche. Mais le resto, avec son décor banal, nous a réservé quelques bonnes surprises. La cuisine d'abord, simple, savoureuse, qui décline les saisons, de l'asperge de printemps aux cèpes d'automne, avec des échappées sur le gibier ou la friture de Garonne. C'est le repaire d'un bon paquet de viticulteurs du coin, et si vous savez y faire, vous repartirez avec un beau carnet d'adresses et un paquet d'invitations à déguster.

⚊ |●| *Hôtel-restaurant La Renaissance :* 33390 Saint-Seurin-de-Cursac. ☎ 05-57-42-94-28. Fax : 05-57-42-32-81. ⚊ À 5 km au nordest de Blaye, sur la D 937 (route de Pons, Cognac ou Paris). Fermé les vendredi et dimanche soir. Chambre double à 38 €. Menu du jour à 15,50 € ; autres menus de 18,50 à 31,50 €. À la carte, compter environ 16 €. Une étape bien pratique et plutôt bon marché. Chambres fonctionnelles, avec douche et w.-c., TV, téléphone, bien tenues. Au restaurant, spécialité de poisson et belle cave de premières côtes-de-blaye. Dommage que l'établissement, chambres comme salle à manger, manque de charme. Un apéritif maison offert sur présentation du *GDR*.

⚊ |●| *L'Auberge du Petit Moulin :* à Saint-Caprais-de-Blaye. ☎ et fax : 05-57-32-67-21. ● aubergepetitmoulin@wanadoo.fr ● À 15 km de Blaye, route de Mirambeau (N 137). Fermé le lundi et du 1er octobre au 31 janvier. Doubles de 40 à 45 €. Demi-pension demandée à partir de 3 nuits. Menus de 10 à 25 €. En retrait, à droite de la nationale en allant vers le nord, un hôtel-restaurant plein de charme, aux 6 chambres élégantes, donnant sur un petit bois. C'est vraiment un cadre magnifique, reposant, fleuri. Le restaurant offre de copieux menus avec de belles pièces de viande grillées au feu de bois, le tout arrosé d'un délicieux côtes-de-blaye ou côtes-de-bourg. Piscine. Kir maison offert à nos lecteurs sur présentation du *GDR*.

⚊ |●| *Hôtel Les Platanes :* à Étauliers (33820). ☎ 05-57-64-70-42. Fax : 05-57-64-60-94. À 15 km au nord de Blaye par la N 137. Fermé le dimanche soir. Chambres doubles de 41 à 45 €. Menu du jour à 14 €, puis menus de 24 à 35 €. Un bon petit hôtel simple, à l'écart de la route, avec des chambres claires, pas trop grandes, et une cuisine du terroir sans mauvaises surprises. Une bonne halte sur cette route qui en manque un peu. À noter : Étauliers fait partie de la « Route de l'Asperge » et fête ce légume le 1er mai, tous les ans. Un apéritif maison offert sur présentation du *GDR*.

LA HAUTE GIRONDE

À voir

🐾 *La citadelle :* l'une des plus belles réalisations d'architecture militaire du XVIIᵉ siècle (voir la rubrique « Un peu d'histoire »). On ne peut pas la louper. Une des plus grandes de la vallée donnant sur la Gironde. Une vraie ville dans la ville, puisqu'elle s'étend sur 17 ha et possède tout un quartier d'habitations. Accès par la porte Dauphine ou par la porte Royale en voiture. On conseille d'abandonner le véhicule et de flâner au travers des ruines ou d'emprunter le parcours sportif !

Quand on entre par la porte Royale, sur la droite, vestiges du *château des Rudel,* dont il subsiste deux tours. Son nom vient de Jaufré Rudel, célèbre troubadour du XIIᵉ siècle, qui y naquit. Amoureux d'une lointaine princesse, il partit pour les croisades en 1147 et mourut dans les bras de sa belle Mélissinde de Tripoli, qu'il avait chantée toute sa vie, sans l'avoir jamais connue. Belle vue depuis le sommet de la tour des Rondes. Table d'orientation.

– *La tour de l'Éguillette,* surplombant la falaise, offre un large panorama. Et puis la place d'Armes (devant l'hôtel) et, non loin, la maison de la duchesse de Berry. Juste en face, la *Manutention* abrite le *conservatoire de l'Estuaire,* l'exposition archéologique « Blaye, 7 000 ans d'histoire » et le *musée de la Boulangerie.* L'expo est ouverte tous les après-midi d'avril à octobre, et le conservatoire ainsi que le musée le sont de juin à octobre, tous les après-midi également. Entrée : 2,50 € pour l'exposition archéologique seule et 5 € pour l'ensemble des visites ; visite guidée de la Citadelle : 4,60 € ; s'adresser à l'office de tourisme. À quelques pas, un quartier d'habitation abrite plusieurs échoppes d'artisans qui animent la citadelle et présentent leur production.

Manifestations

– *Marché aux vins :* fin janvier, dans la Citadelle.
– *Fleurs en citadelle :* fin avril, tous les 2 ans (années paires). Expositions, concours et ventes de fleurs en tout genre.
– *Musique en citadelle :* tous les ans, la 1ʳᵉ semaine d'août. Festival de musique, comme son nom l'indique.
– *Festival de Théâtre, Les Chantiers de Blaye :* la dernière semaine d'août.

➤ *DANS LES ENVIRONS DE BLAYE*

LA ROUTE DE LA CORNICHE

Itinéraire fleuri à ne pas omettre sur la D 669 E1. La route étroite en corniche longe les rives de la Gironde et de la Dordogne, serpente joliment jusqu'à Saint-André-de-Cubzac. Plusieurs petites étapes sympas, culturelles ou gastronomiques sur ce parcours méconnu, notamment Roque-de-Thau, Marmisson, Bayon, Pain-de-Sucre, entre fleuve et falaise calcaire. Dans la lumière des petits matins, la route basse de l'estuaire a un charme fou.

BOURG-SUR-GIRONDE (33710)

Encore un village tranquille, avec sa ville haute et son sublime petit port au bord de l'eau, d'où, autrefois, partaient les gabarres chargées de pierres calcaires. Vu de la terrasse panoramique au soleil couchant, il prend des airs de Toscane. Bourg-sur-Gironde, malgré son nom, n'est plus sur la Gironde, mais sur la Dordogne. L'accumulation d'alluvions au bec d'Ambès a en effet fait avancer la séparation des eaux. Une pensée émue pour Léo Lagrange, l'enfant de Bourg qui fut ministre des Sports du Front populaire. C'est pas les Chartrons, ici !

Adresses utiles

🔲 *Office de tourisme :* hôtel de la Jurade, sur la place centrale. ☎ 05-57-68-31-76. Fax : 05-57-68-30-25. Ouvert tous les jours (sauf le lundi hors période estivale) de 10 h à 12 h 30 et de 15 h à 19 h. Organise des journées thématiques et des visites de la ville et de ses musées.

■ *Maison des vins des côtes-de-bourg :* 1, pl. de l'Éperon. ☎ 05-57-94-80-20. Fax : 05-57-94-80-21. ● www.cotes-de-bourg.com ● Environ 300 châteaux dans cette appellation qui prend de plus en plus d'importance. Ici, on vous guidera et on pourra organiser votre visite du vignoble.

Où dormir ? Où manger ?

⚊ *Camping municipal de Bourg :* au bas de la ville, vers le mini-port. ☎ 05-57-68-40-06 (ou 04, mairie). Fax : 05-57-68-39-84. Ouvert de début mai à fin septembre. Compter environ 4,50 € pour 2. Bien au calme, coincé entre le pied des remparts et la Dordogne. Espace vert et ombragé. Installations minimales, comme le prix. Pour la réception, s'adresser à la piscine découverte, juste à côté.

⬛ *Hôtel Les Trois Lis :* 11, pl. de la Libération. ☎ 05-57-68-22-86. Fax : 05-57-68-31-10. ● www.les troislis.com ● Chambres doubles de 35 à 43,50 €. Sur la place centrale, en cœur de village, il vient d'être rénové. Chambres claires, assez grandes (TV) et jolies salles de bains. Accueil très sympa. Réservation recommandée, car il n'y a que 11 chambres. Un petit dej' offert par chambre et par nuit sur présentation du *GDR*.

⬛ *Chambres d'hôte Château de la Grave :* ☎ 05-57-68-41-49. Fax : 05-57-68-49-26. ● www.chateaudela grave.com ● Sortir de Bourg en direction de Blaye, prendre la 1re à droite direction Berson, puis la 2e à droite ; il ne reste plus ensuite qu'à suivre le fléchage ! Fermé en février et la dernière quinzaine d'août.

Compter de 60 à 76 € pour 2, selon la taille de la chambre, petit dej' compris. Dominant le paysage et flanqué de deux tourelles en pierre blanche, un vrai château, presque de conte de fées ! Il appartient à la famille de Valérie et Philippe Basse-reau depuis 1904. Excellent accueil. Trois chambres spacieuses, meublées à l'ancienne, avec sanitaires privés (l'une d'elles est en fait une suite, plus chère que les 2 autres chambres). Tout autour, 44 ha de vignes qui produisent un vin de qualité vendu sur place.

|●| *Le Troque-Sel :* 1, pl. Jeantet. ☎ 05-57-68-30-67. Fermé le lundi, le mardi soir et le dimanche soir. Menu à 11 € en semaine ; autres menus de 20 à 26 €. À la carte, compter environ 26 €. Restaurant non loin du centre du bourg, reconnu pour son poisson, pêché dans les rivières avoisinantes. Spécialités de cassolette d'anguille, lamproie à la bordelaise, esturgeon aux côtes-de-bourg, magret de canard au miel et clous de girofle. Superbe soupe de poisson. En fait, c'est mieux qu'un resto, c'est une auberge, un endroit où l'on ne vient pas que pour manger, mais pour vivre. Café offert sur présentation du *GDR*.

LA HAUTE GIRONDE

Où boire un verre?

🍸 *Le Café de la Halle :* 61, rue Valentin-Bernard. ☎ 06-03-30-82-13. Sur la place de la Halle. Fermé le dimanche après-midi. Le rendez-vous des jeunes et des moins jeunes.

L'endroit incontournable pour connaître les nouveautés locales. Dans un coin, piano et guitares assurent parfois des soirées chantantes animées.

Où dormir? Où manger dans les environs?

🛏 *Gîte du château Brulesécaille :* 33710 Tauriac. À 3 km à l'est de Bourg. ☎ 05-57-68-40-31. Fax : 05-57-68-21-27. ● www.brulesecaille. com ● Fermé la dernière quinzaine d'août. Location de 250 à 305 € la semaine. Hors saison, possibilité de location pour le week-end seulement. Jacques Rodet, viticulteur, tient ce *Gîte Bacchus* installé dans une maison ancienne restaurée. Capacité 6 à 8 personnes. Confort correct, et le plaisir du vin partagé (d'ailleurs, deux bouteilles offertes sur présentation du *GDR*). À propos, le nom vient de l'habitude que l'on avait de brûler les vieux piquets de vigne (les *sécailles* en patois local).

|●| *Aux Amis Réunis :* à Saint-Laurent-d'Arce (33240). ☎ 05-57-43-03-09. 🍴 À 6 km à l'est de Bourg, après les grottes de Pair-Non-Pair. Fermé le lundi soir et le dimanche soir. Menu à 10,15 € avec 3 entrées, 3 plats et 3 desserts au choix. Le genre de petit bistrot qu'on aime bien, calme et honnête, avec de grandes tables de bois et un menu court (normal, l'approvisionnement n'est pas simple dans ce village). Mais si vous désirez autre chose, tout est possible sur commande. Café offert sur présentation du *GDR*.

À voir

🍃 En fait, de l'ancien château de la citadelle on peut visiter les *jardins* plantés de magnolias et pistachiers, et également un souterrain cavalier qui menait de la citadelle au port, et la salle de garde attenante, datant du Moyen Âge, qui abritent aujourd'hui le *musée des Calèches.* Ouvert de début juin à mi-septembre tous les jours (sauf le mardi en juin) de 10 h à 13 h et de 14 h à 19 h. Entrée : 5 €. Une quarantaine de véhicules hippomobiles (fiacres, calèches, tilburys, etc.) dans un remarquable état de conservation. Également une belle collection de harnais, selles et accessoires de cocher. C'est joli mais un peu figé. Vous visiterez aussi les souterrains (belles colonnes de calcaire local) et les étonnantes cuves à pétrole construites par les Français, mais utilisées puis dynamitées par les Allemands pendant la Seconde Guerre mondiale. À l'origine, c'était ici la résidence d'été des archevêques de Bordeaux (le palais, pas les citernes !), qui, visiblement, n'avaient pas la vie trop dure. Du balcon, belle vue sur la Dordogne et le bec d'Ambès.

🍃 *Le musée de Bourg Maurice-Poignant :* dans le centre, juste à côté du porche de la ville. ☎ 05-57-68-42-48. Visite sur rendez-vous. Entrée : 2 € ; gratuit pour les enfants. Différents objets sont proposés pour retracer le passé de la ville de la préhistoire à nos jours.

Manifestation

– *Foire du Troque Sel :* le 1er dimanche de septembre, sur les quais. Une foire à l'ail et à l'oignon fondée par les rois d'Angleterre et toujours populaire.

➤ DANS LES ENVIRONS DE BOURG-SUR-GIRONDE

LES GROTTES DE PAIR-NON-PAIR

Dans le village de *Prignac-et-Marcamps.* Indications sur la gauche au niveau du panneau d'entrée du village. ☎ 05-57-68-33-40. Visite commentée à 10 h, 10 h 45, 11 h 30, 14 h 30, 15 h 30, 16 h 30 ; de juin à septembre, visites supplémentaires à 12 h 30, 13 h 30 et 17 h 30. Fermé le lundi. Entrée : 2,50 € ; gratuit pour les moins de 18 ans ; gratuit également le 1er dimanche de chaque mois d'octobre à mai. Réservation conseillée. Le nom de Pair-non-Pair proviendrait du nom de l'ancien propriétaire nommé « le Père Pénot » (toponymie : Pénot en ancien français : homophonie avec « pair »). Grotte préhistorique couverte de gravures vieilles de 30 000 ans.
Ne vous attendez pas aux grottes de Lascaux mais les gravures, même si elles sont moins impressionnantes, restent de tout premier intérêt. Parois couvertes de dessins qui se superposent étrangement. On les date de l'âge de la pierre taillée : bisons, mammouths, bouquetins et deux chevaux à tête retournée. Rappelons que ces gravures sont bien antérieures à celles de Lascaux. Les villageois n'en sont pas peu fiers !

LE CHÂTEAU DU BOUILH

☎ 05-57-43-01-45. Ouvert du 1er juillet au 1er octobre les jeudi, samedi, dimanche et jours fériés de 14 h 30 à 18 h 30 ; du 14 juillet au 15 août, ouvert tous les après-midi. Entrée : 5 € pour le château, 1 € pour le parc ; réductions ; gratuit pour les moins de 12 ans. Œuvre royale du XVIIIe siècle, conçu par l'architecte Victor Louis sur les bases d'un ancien manoir. Vaste demeure de style Louis XVI, dont seul un corps de bâtiment a été construit. Les communs forment un hémicycle derrière le château (c'est par là qu'on arrive). Le château est habité, et seules certaines parties sont visitables. Visite guidée de 40 mn de la chapelle néo-grecque et d'un certain nombre de pièces non habitées : escalier d'honneur, salle à manger et une cuisine équipée à l'ancienne.

SAINT-ANDRÉ-DE-CUBZAC *(33240)*

En passant dans la patrie de Jacques-Yves Cousteau, les amoureux d'églises visiteront cette église romane fortifiée de la fin du XIIIe siècle, avec meurtrière et mâchicoulis.

LA HAUTE GIRONDE

LE PÉRIGORD

CARTE D'IDENTITÉ

- **Superficie :** 9 060 km².
- **Population :** 388 385 habitants.
- **Préfecture :** Périgueux.
- **Sous-préfectures :** Bergerac, Nontron, Sarlat.
- **Activités économiques :** tourisme, gastronomie agroalimentaire (foie gras, vins de Bergerac).
- **Châteaux :** 1001 (rien que ça !).

Périgord, ancienne province, ancien nom de la Dordogne... Nom un peu magique, évoquant paysages merveilleux, douceur de vivre, chaudes tonalités de la nature, châteaux et légendaire gastronomie. Est-ce un hasard, quand on sait que cette région est à égale distance du Pôle et de l'Équateur, de la mer et de la montagne ? Modèle d'équilibre, non ?

Des causses âpres du Quercy jusqu'aux molles collines du Périgord, sillonnant entre des mamelons assombris de petits chênes, les vallées déroulent de nobles jardins, des potagers frangés de peupliers. À chaque méandre, on est observé par tout un peuple de bâtisses blondes et de pigeonniers, hissant leurs grands toits roux par-dessus les bosquets. Cette harmonieuse abondance de châteaux et d'églises fortes servit longtemps de ligne Maginot entre la France et l'Angleterre. Le Périgord incarne bien le pays de Cocagne. Enfin, est-ce un hasard si l'homme choisit d'y naître, puis d'y vivre, plus qu'en tout autre lieu ? Le citoyen de Cro-Magnon, les hommes du magdalénien vinrent ici pour les mêmes bonnes raisons que vous. Rien n'a changé ou si peu. En ouvrant les volets de votre gîte rural ou de l'adorable auberge qui vous accueille, comme eux, chaque jour, vous verrez « se lever les premiers matins de l'Humanité »...

Le Périgord se découpe grosso modo en quatre régions : les Périgord vert, blanc, noir et pourpre. Nous avons commencé notre itinéraire par les Périgord vert et blanc, terres très semblables, terres de landes, pâturages, forêts de châtaigniers, reliefs plutôt doux. Nous terminerons avec les Périgord noir et pourpre, qui assureront harmonieusement la transition vers l'Agenais.

Manifestation

– **La Félibrée :** tous les ans, le 1er dimanche de juillet, dans une ville différente du Périgord. Fête traditionnelle ancestrale dont l'origine est la sauvegarde de la langue d'oc. La ville qui accueille la fête se pare de milliers de fleurs. Les portes à l'entrée de la ville ainsi que des kilomètres de guirlandes au-dessus des rues, mais aussi vitrines, portes et fenêtres, arbres se couvrent de ces fleurs multicolores. Les Périgourdins ne manquent pas cet événement et viennent de tout le département assister aux démonstrations de moissons à l'ancienne, chants et danses folkloriques en superbes costumes, anciens métiers, messe en langue d'oc... Mais il ne faut surtout pas oublier de participer au grand banquet et à la cour d'amour qui s'ensuit. Le repas ou « taulade » est servi dans des assiettes spécialement décorées, devenant de véritables pièces de collection par la suite. Renseignements et réservations auprès de l'office de tourisme de la ville organisatrice.

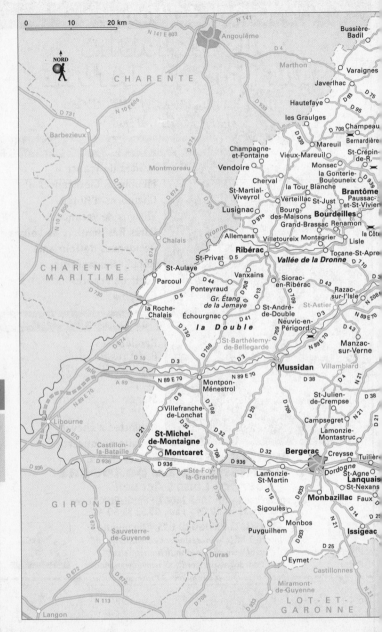

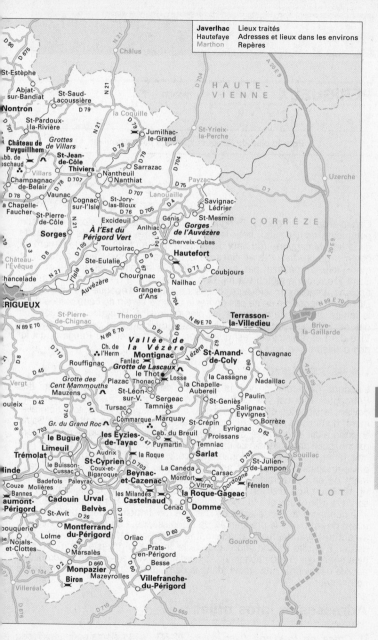

LE PÉRIGORD

LE PÉRIGORD VERT ET LE PÉRIGORD BLANC

PÉRIGUEUX   (24000)   32 300 hab.

> Pour le plan de Périgueux, voir le cahier couleur.

« La fidélité de mes citoyens fait ma force. »

Devise de Périgueux.

Capitale de la Dordogne, Périgueux, ville riche de son histoire et de son patrimoine architectural, nous entraîne dans une merveilleuse promenade de la tour Mataguerre (du haut de laquelle on peut contempler le panorama complet de la ville), des vestiges de la cité gallo-romaine à l'ancienne ville médiévale, en passant par le dédale des ruelles enchevêtrées du quartier Saint-Front, où le piéton est roi. Une succession de découvertes, quartiers anciens, venelles médiévales, hôtels de type et d'époque Renaissance... Dès lors, impossible de ne pas goûter le charme serein de cette balade dans le temps et l'espace qui livrera les clés de la ville. Périgueux possède l'un des secteurs sauvegardés les plus vastes de France et a reçu le label de Ville d'Art et d'Histoire. C'est une étape incontournable du Périgord, qui lui doit d'ailleurs son nom.

UN PEU D'HISTOIRE

L'époque gallo-romaine voit la fondation de la cité de Vesunna, cité des Pétrocores (qui ont par ailleurs donné leur nom au Périgord). Cette cité devient le siège du diocèse, au milieu du IVe siècle. C'est là, tout naturellement, dans cette cité des évêques et des comtes, que la cathédrale Saint-Étienne allait être édifiée au XIe siècle, dans un style typique du Périgord roman, celui des églises à coupoles. Parallèlement, un nouveau quartier prenait forme sur la colline dominant l'Isle : le Puy-Saint-Front. Ce quartier devient rapidement une ville active, dédiée au commerce. Il se dote également de sa cathédrale (Saint-Front). Les deux entités sont rivales, mais, en 1240, un Acte d'Union est signé sous l'égide de Saint Louis, donnant raison à la ville neuve et à la bourgeoisie qui la domine. Périgueux est né, la ville connaîtra les vicissitudes de l'histoire (peste noire, guerre de Cent Ans) avant de retrouver la prospérité à la Renaissance. Les guerres de Religion seront très meurtrières et conduiront la ville, marginalisée au profit de Bordeaux, à perdre de son importance (à la fin du XVIIIe siècle, on n'y compte plus guère que 5 000 habitants). Aujourd'hui, la ville a retrouvé la sérénité et espère développer ses atouts, dans le domaine de la culture et du tourisme notamment.

Adresses et infos utiles

🔲 *Office de tourisme* (plan couleur C2-3) : 26, pl. Francheville. ☎ 05-53-53-10-63. Fax : 05-53-09-02-50. ● tourisme.perigueux@perigord.tm.fr ● Ouvert toute l'année du lundi au samedi de 9 h à 13 h et de

14 h à 18 h ; les jours fériés, de 10 h à 13 h et de 14 h à 18 h. Fermé le dimanche. Et de mi-juin à mi-septembre, un point d'information installé sur la place André-Maurois, ouvert de 9 h à 22 h. Une équipe dynamique et souriante. Mention spéciale pour l'accueil.

■ *Comité départemental de tourisme :* 25, rue Wilson, BP 2063, 24002 Périgueux Cedex. ☎ 05-53-35-50-24. Fax : 05-53-09-51-41. ● www.perigord.tm.fr/tourisme/cdt

■ *Centre d'information jeunesse :* 1, av. d'Aquitaine. ☎ 05-53-53-52-81. Ouvert toute l'année du lundi au vendredi de 9 h à 12 h et de 14 h à 18 h.

■ *Gîtes de France :* mêmes coordonnées que le Comité départemental de tourisme. ● www.gites-de-france.fr ●

✉ *Poste* (plan couleur B2) *:* rue du 4-Septembre. Prolongement de la place André-Maurois.

■ *Taxis :* Allo Taxis Périgueux, 105, av. Georges-Pompidou. ☎ 05-53-09-09-09. Propose, en plus des courses, des excursions touristiques à la journée ou à la demi-journée.

🚉 *Gare SNCF* (plan couleur A1) *:* rue Denis-Papin. ☎ 08-92-35-35-35. Nombreux trains quotidiens pour Pa-

ris, Toulouse, Lyon, Sarlat, Limoges et Bordeaux.

🚌 *Bus :* à la gare. Principalement pour Sarlat, Montignac, Limoges, Ribérac, Brantôme et Bergerac. Plusieurs compagnies, pas d'information centralisée. *Péribus :* pl. Montaigne. ☎ 05-53-53-30-37. Transport urbain à Périgueux et dans son agglomération. *CFTA :* ☎ 05-53-08-43-13. Pour le reste du département. Correspondance TGV Angoulême-Paris par bus *CFTA*.

■ *Les visites-découvertes :* toute l'année, du lundi au samedi, visites découvertes de Périgueux par des guides conférenciers agréés par le ministère de la Culture : circuit gallo-romain (à 10 h 30, seulement l'été) et circuit médiéval-Renaissance (à 14 h 30 toute l'année, plus à 16 h en été). Compter 4,60 € pour les adultes ; réductions. Visites autour du thème des « clés » : les clés de l'histoire vous sont livrées, et les portes de sites privés insolites (habituellement fermés au public) vous sont ouvertes. Visite très intéressante, qui vous permet de découvrir Périgueux de l'intérieur. Balades aux flambeaux en juillet et en août. Renseignements à l'office de tourisme.

Où dormir ?

Campings

⛺ *Camping Barnabé :* 80, rue des Bains, 24750 Boulazac ; à 2 km à l'est de Périgueux, sur la route de Brive. ☎ 05-53-53-41-45. Fax : 05-53-54-16-62. Catégorie 2 étoiles. Ouvert toute l'année. Compter environ 11 € en saison pour 2 personnes avec voiture et tente. En bord de rivière. Beaucoup de charme. Ombragé. Remise de 10 % sur un sé-

jour à partir de 3 nuits et de 15 % à partir de 10 nuits hors saison (sauf sur les branchements électriques).

⛺ *Camping le Grand Dague :* à Atur (24750), au sud de Périgueux. ☎ 05-53-04-21-01. Catégorie 4 étoiles. Ouvert de Pâques à fin septembre. Compter 19 € en haute saison pour 2 personnes. Ombragé. Piscines et mini-golf.

Assez bon marché

🏨 *Hôtel du Midi* (et Terminus ; plan couleur A1, **10**) *:* 18-20, rue Denis-Papin. ☎ 05-53-53-41-06. Fax : 05-53-08-19-32. Fermé le samedi de début octobre à fin avril, et pendant

les vacances de Noël. Doubles de 29 € avec lavabo à 44 € avec bains et w.-c. Menus de 12,50 à 29 €. À la carte, compter dans les 20 €. Le petit hôtel de gare tel qu'on l'imagine.

Accueil charmant du jeune couple qui a entièrement rénové l'établissement. Atmosphère gentiment familiale. Chambres modernes, très propres, avec TV satellite. Préférez les chambres sur l'arrière, plus calmes et plus spacieuses. Cependant, celles de l'avant sont dotées de double vitrage. Salle à manger plutôt tranquille. Cuisine traditionnelle et plats de terroir : omelette aux truffes, magret caramélisé aux pommes et la spécialité de la maison : la tête de veau ravigote... Apéritif maison offert sur présentation du *GDR*.

🛏 *Hôtel Régina (plan couleur A1, 14)* : 14, rue Denis-Papin. ☎ 05-53-08-40-44. Fax : 05-53-54-72-44. En face de la gare. Double à 45 € en juillet et août, 42 € le reste de l'année. Petit dej' à 6 €. Un hôtel d'une quarantaine de chambres, un peu en dehors de la vieille ville. Pas de charme particulier, mais des chambres modernes, simples et très propres. Personnel jeune et dynamique.

🛏 *Hôtel des Barris (plan couleur D2, 13)* : 2, rue Pierre-Magne. ☎ 05-53-53-04-05. Chambres doubles de 32 à 51 €. Un tout petit hôtel simple mais très correct et bien placé au bord de l'Isle, au pied du pont donnant sur la vieille ville, que l'on peut atteindre sans problème à pied. Demander une chambre avec vue sur la cathédrale et la rivière. La rue est très bruyante, mais le double vitrage est efficace. Une agréable petite adresse. Dommage que le marron y soit roi. Accueil sympathique. Parking à deux pas. Remise de 10 % sur la chambre (de novembre à avril) sur présentation du *Guide du routard*.

De prix moyens à plus chic

🛏 *Hôtel-restaurant L'Univers (plan couleur C2, 11)* : 18, cours Montaigne et 3, rue Éguillerie. ☎ 05-53-53-34-79. Fax : 05-53-06-70-76. Fermé en mars. Restaurant fermé le lundi, le mercredi midi et le dimanche soir hors saison, le mardi midi en été. Chambres doubles à 45 €, avec douche et TV. Menus à 15 € (excepté le samedi soir), puis de 18 à 28 €. Hyper bien placé, à l'orée de la vieille ville. Pour être au calme, demandez à dormir côté rue piétonne. Chambres toutes rénovées et de bon confort. Bon resto dans le genre traditionnel, décoration agréable et grand choix de poisson à la carte. Service sous la tonnelle en été.

Où manger ?

De bon marché à prix moyens

🍽 *Le Gaulois (plan couleur C1, 26)* : 21, rue Combes-des-Dames. ☎ 05-53-53-20-87. Ouvert du lundi au vendredi de 12 h à 18 h. Formules snack (petite salle au fond) avec entrée, plat du jour et dessert à 8 et 9,50 €, ou formule resto avec des menus de 11 à 19 €. Voilà une institution de Périgueux ! La cuisine est simple, copieuse et à des prix défiant toute concurrence. Ici, tout le monde se mélange : avocats, profs, journalistes, ouvriers... dans une ambiance bon enfant et décontractée. Les clients, presque tous des habitués, se servent eux-mêmes derrière le comptoir et mettent leurs couverts ! C'est vrai qu'on se sent comme chez soi. Le matin, dès 7 h, on vous sert le « casse-croûte » (spécialité de la maison) : andouillette, œufs au jambon ou steak, arrosé d'un p'tit blanc... N'accepte pas les cartes de paiement. Un apéritif maison offert sur présentation du *Guide du routard*.

🍽 *La Picholine (plan couleur D2, 29)* : 6, rue du Puy-Limogeanne. ☎ 05-53-53-86-91. Fermé le lundi soir et le dimanche hors saison ;

congés annuels : la dernière quinzaine d'octobre. Menus de 9,50 à 21 €. Une adresse de spécialités provençales pour changer un peu de la tradition périgourdine. Belle décoration méridionale et cuisine authentique, agréable terrasse dans une petite ruelle calme et sans voitures. On trouvera bien sûr le traditionnel aïoli et des spécialités de viande camarguaise, le tout à des prix étonnants. À noter, une dégustation de 6 plats typiques et de bonne qualité servis en petites quantités, de l'entrée au dessert, sur une grande assiette. Les patrons ont un certain franc-parler, ça ne plaît pas forcément à tout le monde, mais on dira que c'est ce qui fait leur charme !

⦿ Au Bien Bon (*plan couleur C3, 20*) : 15, rue des Places (fait l'angle avec la rue Aubergerie). ☎ 05-53-09-69-91. Fermé les samedi midi, dimanche et lundi, ainsi qu'à la Toussaint et en février. À midi, formules à 10 et 14 €. Le soir, à l'ardoise, compter aux alentours de 20 €. Un resto qui porte bien son nom. Une cuisine périgourdine généreusement servie et très réussie. Végétariens, passez votre chemin, ici c'est le royaume de la tête de veau sauce gribiche, de l'andouillette, du boudin et du confit ! Très bon rapport qualité-prix. Terrasse qui donne sur la rue piétonne.

⦿ Au Petit Chef (*plan couleur C2, 23*) : 5, pl. du Coderc. ☎ 05-53-53-

16-03. Dans le centre, près du marché. Fermé le vendredi soir, le samedi soir et le dimanche en basse saison (sauf week-ends et jours fériés), ainsi qu'une semaine en février, une semaine en juin et une semaine en septembre. Première formule à 9,20 € le midi en semaine, puis autres menus de 11 à 21,50 €. À la carte, compter dans les 14 €. Pour son atmosphère, les jours de marché, quand marchands de primeurs et bouchers cassent la croûte sur les tables serrées autour du bar. Préférez la salle au 1er étage, qui présente un peu plus de charme. Plats immuables de bistrot. Bonnes charcuteries. N'accepte pas les cartes de paiement.

⦿ Au Bouchon (*plan couleur C-D2, 27*) : 12, rue de la Sagesse. ☎ 05-53-46-69-75. 🍴 Fermé le lundi et le dimanche. Service jusqu'à minuit le week-end. Menu à 14 € le midi en semaine. Autre menu à 17 €. Gentil petit bistrot en plein cœur de la vieille ville, avec une terrasse couverte et chauffée, agrémentée de plantes méridionales. Cuisine lyonnaise, comme son nom l'indique : harengs pommes tièdes, salade lyonnaise, délicieuse terrine de fonds d'artichauts et foie gras, andouillette AAAAA, filet de bœuf à la moelle et au vin rouge... Service décontracté et efficace. Café offert aux lecteurs du *GDR*.

– Voir aussi la rubrique « Où boire un verre ? ».

Plus chic

⦿ Hercule Poireau (*plan couleur D2, 21*) : 2, rue de la Nation. ☎ 05-53-08-90-76. Fermé le week-end et du 24 décembre au 2 janvier. Formule d'Hercule à 23 €, menus de 30 à 45 €. À la carte, compter facilement 38 €. Dans la belle salle voûtée de l'ancien octroi, une table élégante et un accueil remarquable. Quatre menus sont proposés, on se perd un peu devant cette profusion de plats, mais chacun peut finalement y trouver son bonheur. La carte des vins a la particularité de s'orienter autour de trois prix princi-

paux, le choix se faisant après en fonction de vos goûts uniquement. Beaucoup d'originalité et de recherche dans une cuisine mitonnée par un jeune chef ayant roulé sa bosse aux quatre coins de la France. Bel effort sur les garnitures et la décoration des assiettes, une très bonne table en résumé. *Hercule Poireau* a vu juste ! Apéritif maison offert sur présentation du *GDR*.

⦿ Le Clos Saint-Front (*plan couleur D2, 28*) : 5, rue de la Vertu. ☎ 05-53-46-78-58. Une deuxième entrée par la rue Saint-Front. Fermé le dimanche et le lundi, ainsi que la 1re quinzaine de février, la 1re semaine de juin et la dernière quinzaine d'octobre. Menu à 12 € le midi. Autres menus à 17 et 20 € avec entrée, plat, fromage et dessert. Une des plus agréables terrasses de la ville, dans un calme petit jardin. La salle du haut est intime, idéale pour un dîner en tête-à-tête. Cuisine inventive avec d'intéressants mélanges : éventail de magret de canard rôti aux baies et jus de cassis, canon d'agneau au foie gras et jus de truffe... Une bonne adresse que vous ne serez pas seul à connaître, il vaut mieux réserver, surtout le midi. Apéritif maison (le « gouyassous ») offert sur présentation du *GDR*.

|●| Restaurant Aux Berges de l'Isle *(plan couleur D2, 25)* : 2, rue Pierre-Magne. ☎ 05-53-09-51-50. Au pied du pont menant à la cathédrale. Fermé le lundi (ouverture sur commande), le samedi midi et le dimanche soir. Menu à 12,50 € le midi en semaine. Autres menus de 14 à 23 € selon la formule choisie (entrée + plat, plat + dessert ou bien les trois). Au bord de l'Isle, face à la cathédrale Saint-Front, un endroit bien agréable avec la seule terrasse au bord de l'eau de la ville. La cuisine est recherchée et la formule menu-carte est intéressante. Un certain nombre de vins servis au verre. Le patron, charmant, a une véritable passion pour son métier et saura vous la faire partager. Café offert sur présentation du *GDR*.

|●| Le 8 *(plan couleur D2, 24)* : 8, rue de la Clarté. ☎ 05-53-35-15-15. Fermé les dimanche et lundi, ainsi que du 1er février au 30 juin. Menus de 26 à 61 €. À la carte, compter dans les 45 €. Une table qui a su se forger une belle réputation. La petite salle (réservation conseillée) habillée de rouge respire le soleil. Comme la cuisine, qui brille dans le genre régional créatif. Les prix sont élevés tout de même. Une originalité, les plats de la carte peuvent être servis en demi-portion et à... moitié prix ! Parfait pour petits appétits ou les curieux désireux de s'offrir ainsi une dégustation entre assiette des deux foies gras, croustillant de canard... Petit jardin à l'arrière. Apéritif maison offert sur présentation du *GDR*.

Où dormir ? Où manger dans les environs ?

|●| La Charmille : 24420 Antonne. ☎ 05-53-06-00-45. Fax : 05-53-06-30-49. ● www.lacharmille.fr ● Sur la RN 21, direction Limoges, à la sortie d'Antonne, à 12 km de Périgueux. Fermé le vendredi midi de juillet à septembre, le lundi toute la journée et le dimanche soir d'octobre à juin. Chambres de 37 à 50 €. Charmant manoir recouvert de lierre. À l'intérieur, grande mezzanine en bois avec poutres apparentes, sur laquelle on prend son petit dej'. Les chambres, confortables, ont toutes été refaites. Préférer celles sur le jardin (les autres donnent sur la route, et le matin, ça circule !). Fait aussi resto (menu du jour à 14 €, intéressant). Service en terrasse aux beaux jours. Un petit accent sarde, une pincée d'humour relevé d'un maximum de gentillesse : c'est l'accueil que vous réservent les deux proprios, jamais avares de conseils sur les activités de leur belle région. Apéritif maison offert sur présentation du *GDR*.

|●| Le Château de Lalande – Restaurant Le Tilleul Cendré : La Lande, 24430 Razac-sur-l'Isle. ☎ 05-53-54-52-30. Fax : 05-53-07-46-67. ● chateau.lalande@libertysurf.fr ● À 12 km de Périgueux. Sur la D 3, direction Gravelle puis Saint-Astier. Fermé de début novembre à mi-mars. Restaurant fermé le mercredi midi. Chambres de 54 à 90 €, avec douche ou bains. Demi-pension demandée en haute saison ainsi que les grands week-ends : de 60 à 75 €. Menus de 25 à 48 €. Dans un parc de 3 ha au bord de l'Isle, un vrai luxe sans ostentation au charme un peu vieillot, accueil charmant. Presque toutes les chambres, agréablement meublées, donnent sur la rivière. De taille inégale, selon le prix, elles sont toutes calmes et douillettes. La cuisine résolument régionale devrait convenir à tous les palais exigeants. Belle piscine près de la rivière. Une étape à retenir pour se faire plaisir à un prix raisonnable. Apéritif maison offert sur présentation du GDR.

🏠 |●| *Le Pont de la Beauronne :* 4, route de Ribérac, 24650 Chancelade. ☎ 05-53-08-42-91. Fax : 05-53-03-97-63. Situé à 3 km de Périgueux (direction Angoulême), au croisement des D 710 et D 139. Fermé le lundi midi, le dimanche soir, pendant les vacances scolaires de février et du 20 septembre au 15 octobre. Chambres doubles de 25 € avec lavabo à 37 € avec bains et w.-c. Demi-pension à 38 €. Menus de 12 à 33 €. Face à un grand rond-point très passager : on a connu mieux comme emplacement et la maison ne dégage pas un charme fou. Mais les chambres sont correctes, bien tenues et à des prix intéressants pour la région. Essayez d'en obtenir une sur l'arrière et le jardin. Ambiance familiale et accueil charmant. Dans la salle à manger néo-rustique, cuisine toute simple, d'inspiration régionale. Apéritif maison offert sur présentation du GDR.

|●| *Restaurant Le Moulin du Golf :* à Marsac-sur-L'Isle (24430), route de Chancelade. ☎ 05-53-53-65-90. Ouvert toute l'année, tous les jours, mais uniquement le soir sur réservation. Menu à 12,50 €. À la carte, compter 25 € : une excellente côte de bœuf pour deux personnes et des produits frais du marché. Ici, ce n'est pas le « club house » branché : le golf est public et surplombé par des HLM, le contraste est d'ailleurs étonnant. Deux salles, dont une petite charmante au coin du feu. De jolies nappes en tissu et une clientèle d'habitués pour une ambiance familiale. Le foie gras poêlé aux pommes et l'omelette aux cèpes sont des grands moments de bonheur. Desserts maison délicieux. On en lécherait presque son assiette ! N'accepte pas les cartes de paiement. Apéritif maison offert sur présentation du GDR.

Où boire un verre ?

🍸 *La Vertu (plan couleur D2, 30) :* 11, rue de la Vertu. ☎ 05-53-53-20-75. Ouvert en saison, mais les dates sont très aléatoires. Un lieu qui a de la personnalité, tout comme sa patronne, Bernadette ! Bières et cocktails amusants (essayez le *Somport,* pour les jours un peu frais), vin au verre (vins bio également) et tapas. On peut aussi y manger, un peu à toute heure : assiettes-repas autour de 12 €. Petite terrasse fleurie sur une adorable placette ou sous la tonnelle. Loue aussi une chambre (18 € pour deux !).

🍸 *Café de la Place (plan couleur D2, 31) :* 7, pl. du Marché-au-Bois. ☎ 05-53-08-21-11. Déco de bistrot à l'ancienne, assez réussie, avouons-le. Toute la ville y passe, à un moment ou un autre : jeunes et moins jeunes, margeos et bourgeois. Très animé en soirée et populaire à midi pour ses plats du jour (qui ne nous ont pas franchement emballés...) et ses salades. Service très jeune et souriant. Compter entre 16 et 21 € pour un repas. Concerts hebdomadaires. Un apéritif maison offert sur présentation du GDR.

🍸 *Le Star Inn (plan couleur D2, 32) :* 17, rue Drapeaux. ☎ 05-53-08-56-83. Ouvert du lundi au samedi de 20 h à 1 h (2 h en été). Un véritable pub avec l'accent anglais. *Guinness* et *Kilkenny* à la pression, comme il se doit. Petites salles intimes, dont une avec une bibliothèque (dans la langue de Shakespeare) et bien sûr le jeu de fléchettes (concours le 2e mercredi du mois). Quiz tous les vendredis de 22 h à 23 h. *Happy hours* du lundi au jeudi de 20 h à 21 h (consommations à moitié prix).

🍸 *Le VIP (plan couleur D2, 33) :* 2 bis, rue Lanmary. ☎ 05-53-53-15-70. Fermé le lundi soir et le dimanche. Ouvert toute l'année. Grand bar branché, très central. Clientèle assez jeune. La déco est pour le moins surprenante : un écran géant avec grands prix de formule 1 ou mangas sur un mur en pierres apparentes, une grande verrière et des fauteuils en peau de léopard, et des masques africains à côté d'une hotte aspirante ! Le côté cave voûtée traditionnelle revisité par un décorateur *new generation* : assez hétéroclite et plutôt marrant. Concert une fois par mois (surtout l'été).

🍸 *La Guinguette Barnabé :* à 2 km de Périgueux sur la route de Brive.

À côté du camping *Barnabé*. L'endroit vaut déjà le coup d'œil (et on ne vous dit rien du mini-golf « hommage » aux grands monuments de la Dordogne !). Une institution locale (depuis 1936 de père en fils) à la déco d'origine. Pas vraiment de plage, mais un drôle de bac à poulie pour traverser la rivière. Super terrasse ombragée au bord de l'eau. Après-midi jazz de temps en temps.

Où sortir ?

🎵 *Le Privilège :* 223, route d'Angoulême. ☎ 05-53-53-70-18. Ouvert de 22 h 30 à 5 h les jeudi, vendredi, samedi et veilles de fêtes. Entrée : compter 10 €, consommation comprise. À 2 km de Périgueux en direction d'Angoulême, suivre l'Isle, premier rond-point après le stade. Musique généraliste, clientèle très variée et plutôt jeune. Animations régulièrement.

À voir

Deux quartiers distincts à visiter. La ville médiévale autour de Saint-Front et la ville gallo-romaine. Deux idées balade nature et historique à faire en famille (en direction de la cité gallo-romaine) vous sont proposées au départ de l'office de tourisme. Une de deux heures le long du canal, l'autre d'une demi-journée par un chemin forestier qui vous mène vers un cluzeau occupé dès l'époque préhistorique, en passant près d'un ancien hôpital du XIIe siècle.

Dans la ville médiévale

Le trajet dans la ville médiévale est jalonné de coquilles Saint-Jacques incrustées dans les pavés. Elles rappellent que Périgueux était une étape majeure sur la route de Saint-Jacques-de-Compostelle, et si vous les suivez, elles vous mèneront directement à la cathédrale Saint-Front.

🏛️🏛️ *La cathédrale Saint-Front* (plan couleur D2) : ouvert de 8 h à 12 h et de 14 h 30 à 19 h. Vision la plus pittoresque de la place de la Clautre. Elle dessine véritablement la silhouette de la ville, avec sa forêt de dômes à écailles. L'évêque Raoul de Couhé entreprit une des croisades en Orient, d'où l'inspiration grecque de l'architecture de la cathédrale. Construite au XIe siècle, agrandie au XIIe, elle ne possède pourtant guère plus que le clocher d'origine et la façade du XIe siècle sur la place de la Clautre. Elle fut restaurée au XIXe siècle par Paul Abadie. Elle servit de modèle au Sacré-Cœur à Paris. Douze des lanternons sont, évidemment, d'Abadie et servirent, aussi, de modèle. À l'intérieur, très beau retable baroque du XVIIe siècle (machine à pièces pour l'éclairage). À noter : les deux statues sculptées dans le bois qui encadrent le retable (l'ange Gabriel et la Vierge Marie) ont pris respectivement les traits de Louis XIII et Anne d'Autriche ! Gros travail de ciselage des colonnettes. Un surprenant Hercule en bois sculpté soutient la chaire de la cathédrale.

À droite de l'entrée, place de la Clautre, vous trouverez le cloître. Mélange des styles gothique et roman. Au centre, on voit la coupole qui, à l'origine, surmontait le clocher (accessible uniquement lors des visites-découverte de l'office de tourisme).

🏃🏃 **Le musée du Périgord** *(plan couleur D2)* **:** cours Tourny. ☎ 05-53-06-40-70. Fax : 05-53-06-40-71. Du 1er avril au 1er octobre, ouvert tous les jours de 11 h à 18 h ; du 2 octobre au 31 mars, du lundi au vendredi de 10 h à 17 h et le week-end de 13 h à 18 h. Fermé les mardi et jours fériés. Entrée : 3,50 € ; gratuit pour les moins de 18 ans. À noter : tous les jeudis entre 12 h 30 et 13 h, c'est la « pause-musée ». Une initiative intéressante qui permet de s'arrêter sur une œuvre en particulier et de la découvrir à travers les commentaires du guide. Un vrai musée comme jadis, avec ses parquets cirés qui grincent sous les pas ! Il présente néanmoins la deuxième collection de France de vestiges préhistoriques.

Très intéressante présentation d'archéologie et des beaux-arts, avec une section d'ethnographie non européenne (Afrique et Océanie). Riche section des îles pacifiques, Samoa, Nouvelles-Hébrides, Nouvelle-Calédonie. Quelques pièces curieuses comme ces sabres et lances à pointes de requin des îles Gilbert. Vestiges d'animaux préhistoriques. Section de zoologie. En peinture, tableaux du XVIe au XIXe siècle : œuvres de David de Heem, Oudry, Canaletto, Appian et d'artistes régionaux. D'autres pierres et vestiges gallo-romains dans le cloître. Pour les enfants, jeux de piste permettant une approche ludique du musée.

🏃 **Le Musée militaire du Périgord** *(plan couleur C2)* **:** 32, rue des Farges. ☎ 05-53-53-47-36. Du 1er avril au 30 septembre, ouvert de 10 h à 12 h et de 14 h à 18 h, fermé les dimanche et jours fériés ; du 1er octobre au 31 mars, ouvert uniquement les mercredi et samedi de 14 h à 18 h. Entrée : 3,50 € ; réductions. Musée privé présentant de nombreux documents et objets sur l'histoire militaire française et de la région en particulier. Présentation très dense, voire touffue, plus de 13 000 pièces ! On n'est pas forcé d'aimer tout, mais sur le plan historique, on y trouve toujours des infos, des détails, des documents insolites.

– *Au 1er étage :* la guerre 1914-1918, dessins émouvants des tranchées, souvenirs des généraux Bugeaud (député de la Dordogne), Daumesnil (natif de Périgueux) et de la période napoléonienne, etc. Expos temporaires par thèmes.

– *Au 2e étage :* souvenirs des guerres coloniales, armes africaines, uniformes, costumes mauresques. Témoignages sur la guerre d'Indochine avec documents rares comme ces tracts en français du Viêt-minh, d'autres en allemand pour les combattants d'outre-Rhin de la Légion étrangère. Sections consacrées à la Résistance, la Déportation, l'Épuration.

🏃🏃🏃 **Le quartier du Puy-Saint-Front :** c'est l'ancienne ville médiévale. Délicieuse promenade à pied dans l'histoire. Secteur désormais sauvegardé et l'un des plus pittoresques de France : hôtels particuliers, demeures Renaissance, ruelles aux tracés alambiqués, le tout empreint d'un charme douceureux. Impossible de tout décrire, en voici les plus beaux fleurons.

– **La tour Mataguerre** *(plan couleur C3)* **:** bon point de départ pour la balade. Dernière des 28 tours de l'enceinte des fortifications médiévales. Au n° 4 de la rue des Farges, maison du XIIe siècle où dormit Du Guesclin. Rue Aubergerie, hôtel d'Abzac de Ladouze (XVe siècle). Élégante bâtisse avec tour octogonale et tourelle à encorbellement.

– **La rue du Calvaire :** âpre et dure à gravir. Si vous passez par là, sachez qu'elle était empruntée par les condamnés au pilori, et pendant la Révolution, par ceux à qui on infligea la guillotine. Belles demeures aux nos 1, 3, 4. Au n° 7, une intéressante bâtisse de style Renaissance.

– **Le passage Daumesnil :** débute au n° 3 de la rue Limogeanne et débouche rue de la Miséricorde. Succession de passages et de petites places intérieures fort bien restaurés, très belles façades, fenêtres de tous les styles.

– *La rue Limogeanne* *(plan couleur D2)* : part de la place du Coderc (du latin *per cauda* qui signifie « pour paître », car on y faisait paître les bêtes au Moyen Âge). Rue commerçante et vivante, bordée d'élégants hôtels particuliers. Au n° 1 (à l'angle de la place), la demeure Lapeyre avec tourelle d'angle. À côté, au n° 3, superbe porte Renaissance avec fronton triangulaire orné de la salamandre de François Ier. Au n° 5, détailler la belle façade (fenêtre à meneaux, lucarnes, têtes d'hommes et d'animaux). Au n° 12, hôtel de Mérédieu. À l'intérieur, belle porte sculptée et tympan armorié.

– *La rue de la Sagesse* : mène à la charmante *place Saint-Louis.* Appelée aussi « rue de la soif » car c'est la rue des bars de Périgueux. Au n° 1, la *maison Lajoubertie,* proposant un superbe escalier Renaissance (fait partie des visites découvertes, programme disponible à l'office de tourisme). Probablement le plus beau de la ville : rampe à balustres, colonnes sculptées, plafonds ouvragés. Place Saint-Louis se tient chaque mercredi et samedi de mi-novembre à mi-mars un marché des foies gras. À l'angle de la place Saint-Louis et de la rue Éguillerie s'élève la « maison du Pâtissier », très belle demeure du XIVe siècle, remaniée au XVIe, avec tourelle à encorbellement. Voir la très belle porte à fronton en forme de conque.

– *La rue Notre-Dame* : là convergent de façon très œcuménique les rues de la Vertu, Saint-Joseph et... des Francs-Maçons, tandis que la *rue Judaïque* indique une importante présence de la communauté juive au Moyen Âge dans ce quartier.

– *La rue de la Constitution* *(plan couleur D2)* : élégants hôtels particuliers aux n°s 3 (porche en accolade) et 7 (à l'intérieur, puits avec coupole Renaissance). Rue du Plantier et rue Barbecane, nombreux beaux porches et hôtels particuliers. N'hésitez pas à traverser la rue Saint-Front pour découvrir une intéressante partie Renaissance.

– *La rue de l'Abreuvoir* : indique qu'elle menait à un abreuvoir médiéval. Pittoresque avec ses escaliers, ses nombreuses rigoles en gros pavés se ramifiant. Elle aboutit aux rues du Port-de-Graule et Marthe. Sombres, étroites, tortueuses, elles ont gardé quasiment intacte leur atmosphère moyenâgeuse.

– *La maison des Consuls* *(plan couleur D2)* : bd Georges-Saumande. Construite au XVe siècle. Une curiosité : édifiée en partie sur l'ancien rempart (dont on distingue les mâchicoulis). Belles lucarnes Renaissance. Au n° 17, la *maison Lambert* du XVIe siècle, aux élégantes galeries joliment décorées, fenêtres à meneaux et fines sculptures. Après l'avenue Daumesnil, allez admirer le vieux moulin à colombages et encorbellement, ancienne loge de guet, bâti sur un fragment de rempart.

Dans la ville gallo-romaine

🐾🐾 **Le quartier de la Cité** : c'est le plus ancien de Périgueux. Nombreux vestiges de la ville romaine, *Vesunna* (Vésone). Elle eut une vie relativement brève à cause des premières invasions barbares (275 apr. J.-C.). Parcours fort bien fléché.

– *L'amphithéâtre* *(plan couleur B2)* : édifié au Ier siècle. Il servit par la suite de carrière pour la construction des remparts, puis d'autres bâtiments de la ville. Malgré cela, les portions de voûtes et d'escaliers qui subsistent dans le jardin public qui épouse les anciens contours de l'édifice laissent deviner son ampleur passée (il fut l'un des plus vastes de la Gaule).

– *La porte Normande* *(plan couleur A3)* : avec vestiges du rempart élevé comme à la hâte pour résister aux invasions barbares. Noter les matériaux composites prélevés sur les monuments romains (entablements, linteaux, chapiteaux, etc.). Belle vue sur le château Barrière.

– *Le château Barrière* *(plan couleur A3)* : précédé d'une maison romane du XIIIe siècle. Tous deux s'appuient également sur les anciens remparts (gros blocs de pierre). Donjon datant du XIIᵉ siècle, assis sur une tour de l'enceinte gallo-romaine. Le corps principal du bâtiment date, lui, du XVᵉ siècle. Belle porte à arc en accolade.

– **Le temple de Vésone** *(hors plan couleur par A2) :* au milieu d'un agréable jardin, tour imposante du IIᵉ siècle. C'est la partie la plus sacrée, vestige d'un grand temple consacré à la divinité qui protégeait la ville. Superbe appareillage de pierre, entrecoupé de lignes de briques. Une brèche béante déchire tout un côté. Couvert autrefois de plaques de marbre (on peut voir encore des crochets).

– **Le Musée gallo-romain « la domus de Vésone »** *(hors plan couleur par A2) :* 20, rue du 26ᵉ RI-Parc de Vésone. ☎ 05-53-03-38-30. En juillet-août, ouvert tous les jours de 10 h à 19 h. Le reste de l'année, ouvert tous les jours, sauf le lundi, de 10 h à 12 h 30 et 14 h à 18 h (17 h 30 en février, mars, novembre et décembre). Entrée : 5,50 €. Réductions. Gratuite pour les enfants jusqu'à 5 ans. À côté du temple, on a découvert en 1959 les vestiges d'une villa gallo-romaine (ou *domus*), à l'occasion de la construction d'un immeuble. On a dénombré plus de cinquante pièces s'ordonnant autour d'un péristyle et d'un atrium, avec des fresques murales, etc. Ce nouveau musée, dont l'architecture a été confiée à Jean Nouvel, développe les différents aspects de la vie de l'époque sur ce site. On peut y observer les plus beaux vestiges de la ville antique : céramiques, bijoux, blocs sculptés, etc.

Du pont de chemin de fer, proche de la tour, on distingue d'autres vestiges de l'enceinte gallo-romaine, sur laquelle se bâtirent des maisons. Rue Romaine, restes des remparts également.

🔍 **L'église Saint-Étienne-de-la-Cité** *(plan couleur B3) :* édifiée aux XIᵉ et XIIᵉ siècles, cathédrale de Périgueux jusqu'en 1669. Lors d'une révolte protestante au XVIᵉ siècle, elle fut amputée de deux travées. Ça donne une curieuse façade où l'on distingue encore des amorces d'arches et de travées. À l'intérieur, volume imposant et architecture du plus pur roman. Immense retable en noyer sculpté de pampres. Fonts baptismaux du XIIᵉ siècle. Orgue de Carrouges. Table pascale des XIIᵉ et XIIIᵉ siècles, sur le mur sud, avec une inscription en latin : « Ici est la Pâque sans fin ni terme, quand ce sera fini, recommence ». Des trous permettaient d'insérer chaque année une fiche à l'endroit convenable. On espérait établir un calendrier perpétuel (de 1163 à 1253).

Manifestations

– **Carnaval :** en février ou mars.

– **Truffe d'argent :** en juillet et août. Concours de chant ouvert aux amateurs compositeurs-interprètes. Éliminatoires dans plusieurs quartiers de la ville. Finale en août.

– **Festival international du Mime Mimos :** la 1ʳᵉ quinzaine d'août. L'un des festivals consacrés à l'art du mime majeurs dans le monde.

– **Salon du Livre gourmand :** tous les 2 ans (années paires, donc en 2004) pendant une semaine mi-novembre.

– **Sinfonia :** festival de musique classique et baroque, sur 3 week-ends en septembre à Périgueux et dans les églises et châteaux alentour. Renseignements : ☎ 05-53-53-32-95.

– **Marchés de nuit :** en juillet et août.

– **Macadam Jazz :** les mardi en juillet et août. Concerts de jazz dans la rue.

– **Les marchés des saveurs :** Périgueux, capitale gourmande du Périgord, est réputée pour ses *marchés de gras :* oies et canards, magrets, truffes, foie gras... De mi-novembre à mi-mars, les mercredi et samedi matin sur la place Saint-Louis. Les *marchés fermiers* ont lieu toute l'année deux fois par semaine (mercredi et samedi) sur les places du Coderc, de la Clautre et de la Mairie. Également un marché nocturne le mercredi soir en été. Les mar-

PÉRIGUEUX

chés de Périgueux sont chaleureux, authentiques et hauts en couleur. En tendant l'oreille, on entendra les petits producteurs locaux s'échanger des nouvelles en patois. Ambiance marché de village.

Où acheter de bons produits régionaux?

Stéphane Malard : 8, rue de la Sagesse. ☎ 05-53-08-75-10. Ouvert de 6 h 30 à 12 h 30 et de 15 h 30 à 20 h, sauf le week-end. Cassoulet, confit, magret, foie gras... De l'oie ou du canard, au choix. Assez cher, mais la qualité ça se paye. Le dimanche matin, vous pourrez aussi les trouver sur le marché de la place Coderc. Possibilité de se faire expédier les produits.

La Ferme Périgourdine : 9, rue Limogeanne. ☎ 05-53-08-41-22. Ouvert tous les jours sauf le lundi. Les mardi, mercredi, vendredi, samedi et dimanche matin, ne les cherchez pas à la boutique, ils sont sur le marché de la place Coderc. Un excellent fromager, avec toutes les spécialités dont le fameux cabécou.

> ### DANS LES ENVIRONS DE PÉRIGUEUX

L'abbaye de Chancelade : à Chancelade. Quasiment à la sortie de Périgueux sur la route d'Angoulême. ☎ 05-53-04-86-87. Ouvert en juillet et août tous les jours de 14 h à 19 h ; en dehors de cette période, visite guidée sur demande pour les groupes. Entrée : 4 € ; réductions. Une ancienne abbaye admirablement restaurée et entretenue par M. et Mme Caignard, propriétaires passionnés depuis plus de 40 ans. Prospérité et revers de fortune se sont succédés au gré des vicissitudes de l'histoire, de l'installation des premiers moines en 1132 à la nationalisation de l'abbaye en 1790. Aujourd'hui, on déambule dans les différents bâtiments (cuvier, moulin...) et dans le grand jardin qui longe la Beauronne, guidé par un petit fascicule très bien fait.

LE RIBÉRACOIS

À l'ouest du Périgord vert, terre de transition entre le Périgord noir et les Charentes, une région doucement vallonée, offrant de bucoliques promenades en dehors des sentiers battus. Peu touristique donc, profitez-en. Contrastes géographiques : on passe allègrement de la Double (forêts, étangs, landes) aux plateaux calcaires. On y trouve les cluzeaux, ces salles souterraines creusées dans le calcaire crayeux au Moyen Âge et qui servirent de cachette aux moments durs de l'histoire. Les amoureux d'églises-forteresses romanes ou à coupoles y trouveront leur compte. Quant à ceux qui apprécient le charme et la bonne nourriture des fermes-auberges, ils seront comblés.

RIBÉRAC
(24600)   4 180 hab.

Petit chef-lieu d'arrondissement agréable et assez animé, point de départ de jolies balades. Arnaud Daniel, l'un des plus grands troubadours du Moyen Âge, y naquit. Ville de marchés. À visiter surtout pour celui du vendredi, le plus important du Périgord.

Adresses et infos utiles

ⓘ Office de tourisme : pl. Charles-de-Gaulle. ☎ 05-53-90-03-10. Fax : 05-53-91-35-13. ● www.riberac.fr ● Ouvert du lundi au vendredi de 9 h à 12 h et de 13 h 30 à 18 h 30 ; en juillet et en août, du lundi au samedi de 9 h à 19 h et le dimanche de 10 h à 13 h. Bon matériel touristique. Demander leur précieux dépliant sur les chambres d'hôte, auberges et campings à la ferme de la région. Accueil chaleureux et beaucoup de compétence.

✉ Poste : 20, rue du 26-Mars-1944.

■ Boutique SNCF : ☎ 05-53-90-26-82. Ouvert du lundi au vendredi de 9 h à 12 h et de 14 h à 17 h, et le samedi de 9 h à 12 h. N'hésitez pas à leur rendre visite, accueil charmant !

■ Centre culturel : 13, pl. Charles-de-Gaulle. ☎ 05-53-92-52-30. Fax : 05-53-92-52-31. Expos, spectacles, concerts. Réservation et vente sur place.

🚌🚆 Bus et trains : un bus circule de Ribérac à Angoulême, en passant par Mareuil, et permet la correspondance avec le TGV pour Paris ou avec la ligne express Périgueux-Angoulême à Mareuil. Renseignements et billets à l'office de tourisme de Ribérac.

Où dormir ?

Camping

⚊ Camping municipal de la Dronne : route d'Angoulême. ☎ 05-53-90-03-10 (office de tourisme de Ribérac). ☎ 05-53-90-50-08 (en saison). Fax : 05-53-91-35-13. ☖ Ouvert de début juin à mi-septembre. Camping 2 étoiles offrant une centaine d'emplacements. Agréable et prix modérés : compter environ 5,60 € pour 2 avec voiture et tente. De juin à septembre, base canoë-kayak et VTT. Service buanderie.

De prix moyens à plus chic

⌂ Hôtel de France : 3, rue Marc-Dufraisse. ☎ 05-53-90-00-61. Fax : 05-53-91-06-05. ● www.hoteldefranceriberac.com ● Très central, au-dessus de la place du Marché. Congés annuels les 3 dernières semaines de janvier et du 10 novembre au 15 décembre. Chambres doubles de 40 à 48 €. Menus à 16 et 23 €. À la carte, compter 26 €. Un ancien relais de poste dévoré par le lierre et un petit jardin fleuri. Les chambres, rénovées, sont décorées de manière soignée. Même les couloirs possèdent d'amusants trompe-l'œil. Dommage toutefois que la tenue des chambres soit irrégulière. Petit dej'-buffet. Salle à manger agrémentée d'une cheminée. La cuisine fait preuve d'imagination et d'une bonne qualité : foie gras mi-cuit, filet de turbot au velouté de foie... Sur présentation du GDR, remise de 10 % sur le prix de la chambre, sauf en juillet et août.

Où dormir dans les environs ?

⌂ Chambres d'hôte chez Mme Vincent : 47, rue André-Maurois, à La Borderie, 24600 Ribérac. ☎ 05-53-90-08-97. ☖ Prendre la direction de Montpon en sortant de Ribérac, puis au rond-point à droite, à l'entrée de La Borderie. Ouvert toute l'année. Double à 40 €. Belle maison fleurie très bien tenue, accueil chaleureux. Une chambre très romantique avec salle de bains superbe, l'autre est un véritable appartement : grand séjour avec cheminée (cuisine équipée), chambre et salle de bains à l'étage.

Grand jardin avec un petit pavillon pour les jours de pluie... Petit dej' copieux. Accès totalement indépendant. N'accepte pas les cartes de paiement. Café ou apéritif maison offert, ainsi qu'une remise de 10 % sur le prix de la chambre pour un long séjour, sur présentation du *GDR*.

🛏 *Chambres d'hôte chez Mme Debonnière :* La Borderie, 24600 Ribérac. ☎ 05-53-90-06-08. Prendre la direction de Montpon en sortant de Ribérac, puis au rond-point à droite. Double à 32 €, petit dej' compris. Pas de charme particulier, mais un calme absolu et un excellent accueil.

Où manger ? Où boire un verre ?

|●| *Le Chevillard :* Gayet, route de Saint-Aulaye-Bordeaux. ☎ 05-53-91-20-88. À 2 km de Ribérac. Service midi et soir jusqu'à 22 h. Fermé les lundi et mardi hors saison, ainsi qu'en janvier. Menu à 11 € le midi en semaine ; autres menus de 16 à 31 €. Resto installé dans une ancienne ferme, au milieu d'un vaste jardin. Salle à manger accueillante, d'un style rustique de bon goût. Le patron (un ancien VRP) y reçoit fort aimablement ses clients comme des amis. Profusion de plats, viandes grillées bien sûr (belle rôtisserie extérieure à côté de la terrasse), mais aussi un certain choix de poisson. Présent dans les menus, même celui du midi, un superbe buffet avec huîtres et fruits de mer aussi variés que frais, volailles fermières et très bonne viande. Le menu à 11 € comprend vin à volonté et café. Une adresse généreuse à souhait.

|●| *Le Vieux Frêne :* Les Deux-Ponts, à Villetoureix. ☎ 05-53-91-09-74. 🍴 À la sortie de la ville en direction d'Angoulême. Fermé le lundi, le mercredi soir sauf en juillet et août, ainsi qu'en octobre. Menu à 11 € le midi en semaine, puis d'autres de 18 à 21 €. Une adorable terrasse de verdure au bord de la rivière, mais également une agréable salle rustique où l'on vous servira des menus généreux. Beau buffet de hors-d'œuvre, fruits de mer le week-end. Spécialité de grillades de viande. Cuisine simple mais correcte : confit de canard, gigot, entrecôte grillée. Café offert sur présentation du *GDR*.

|●| *La Bergerie :* route d'Angoulême, à Villetoureix. ☎ 05-53-90-26-97. Fermé le mardi et le mercredi (sauf en saison), ainsi qu'en janvier. Menus à 9 et 11 € servis à midi en semaine, et autres menus de 17 à 23 €. Une immense charpente couvre une salle avec peu d'ouvertures (normal pour une bergerie !), mais aquariums et plantes vertes font vite oublier le manque de lumière. Terrasse aux beaux jours. Une cuisine qui sait allier finesse, originalité et générosité. Les amuse-bouche sont déjà tout un programme... L'accueil est à la hauteur. Quelques plats : foie gras aux pêches, filet de sandre... Café offert sur présentation du *GDR*.

🍸 *Café des Colonnes :* pl. Charles-de-Gaulle. ☎ 05-53-90-01-39. Si l'intérieur a été rénové, en revanche, l'établissement possède toujours sa pittoresque devanture. Rendez-vous favori des jeunes. Il fait aussi la joie des étrangers, qui y voient l'archétype du café à la française. N'accepte pas les cartes de paiement. Café offert sur présentation du *GDR*.

À voir

🌾 *Les marchés :* petit marché fermier le mardi matin place de la Liberté et le dimanche matin place du Relais, de mai à septembre. Marché nocturne en été. Marché traditionnel, toute l'année, le vendredi matin ; le plus grand du Périgord, il envahit tout le centre-ville. Sérieusement animé ! S'y ajoutent, du 15 novembre au 15 mars (salle polyvalente), un marché au gras fermier (oies, canards entiers, foies, paletots, magrets...) et un marché aux noix en novembre (pl. André-Pradeau).

🎣 *La collégiale Notre-Dame-de-Ribérac :* du XIIᵉ siècle et joliment restaurée (à ne pas confondre avec l'église voisine, moderne et sans intérêt). Sert aujourd'hui pour les concerts et expos d'art contemporain. Ouvert du 15 juin au 15 septembre tous les jours de 14 h à 19 h.

🎣 Nombreux autres exemples d'*églises à coupoles* du même genre dans les environs : à Siorac-en-Ribérac et à Bourg-du-Bost, elles sont dotées d'un système automatique qui déclenche la lumière et une musique sacrée dès qu'on y pénètre. À voir encore celles de Grand Brassac et de Saint-Martial-de-Viveyrol (voir également plus bas le chapitre « La Double »). Circuit disponible à l'office de tourisme.

Randonnées

Circuits pédestres, équestres ou VTT dans les environs.

➤ *Randonnées pédestres guidées :* en juillet et août. Calendrier à l'office de tourisme.

➤ *Nombreuses balades dans le Ribéracois :* à partir de Vendoire, Grésignac, Lusignac, Paussac et Saint-Vivien, Segonzac, Petit-Bersac. Circuit Allemans à 10 km de Ribérac : beau point de vue.

➤ *Circuits à VTT :* organisés par le centre VTT de Montagrier. ☎ 05-53-90-13-25. Ouvert toute l'année sauf pendant les fêtes de fin d'année. Descente le long de la Dronne, avec hébergement en chambres d'hôte. Sur place, gîte de 11 personnes (de 10 à 12 € par personne selon la saison). Location également de... VTT !

– *Visites de fermes accompagnées :* en juillet et août, le mardi et certains mercredis. Gratuit. Circuits en voiture particulière, visites commentées d'exploitations et d'élevages, dégustations. Possibilité de prolonger la visite par un goûter. Renseignements : ☎ 05-53-90-03-10.

Manifestations

– *Festival « Musiques et paroles en Ribéracois » :* en été. Jazz et musiques du monde, avec chaque année un programme varié autour d'une tête d'affiche... S'adresser au centre culturel, pl. Charles-de-Gaulle. ☎ 05-53-92-52-30.

– *Concert et animations musicales en terrasse :* au *café des Colonnes* et à *La Gavotte,* en juillet et août, en principe deux fois par semaine, le mardi et le dimanche. Se renseigner pour les horaires.

– *Carnaval du Ribéracois :* défilé de chars avec la participation de nombreuses communes du canton. Le 1ᵉʳ samedi de mars.

LA DOUBLE

Coincée entre les rivières Dronne et Isle, la région la moins connue du Périgord est pourtant bien intéressante. Paysages de landes, bois, marais et étangs, c'est une petite Sologne aux caractéristiques assez particulières. On y produit une belle volaille, une qualité de veau appelée « de Chalais », de délicieux foies gras et de la fraise. Les Doubleauds vécurent longtemps de la forêt qui recouvrait la région dans sa plus grande partie, et fournirent des bataillons d'artisans du feu : charbonniers, tonneliers, verriers, potiers et tuiliers. Et pourtant, il était dur d'y vivre. La malaria y frappa jusqu'au début du XXᵉ siècle. L'ouverture de routes, l'assèchement des marais insalubres, l'enrichissement des sols vainquirent le mal, mais n'empêchèrent pas le dépeuplement. Eugène Le Roy, l'auteur de *Jacquou le Croquant,* immortalisa la Double dans *L'Ennemi de la mort.*

Quelques familles anglaises, trouvant dans la Double à la fois humidité et soleil, commencent à retaper les vieilles fermes. Maisons en bois et torchis, dont il reste pas mal d'exemples à Saint-Laurent-des-Hommes, Échourgnac, Parcot, etc. Aujourd'hui, nos lecteurs les plus bucoliques et intrépides adoreront se perdre sur les petites routes quasiment sans pancartes, dans des paysages rugueux, frustes, désordonnés. Il faut savoir arrêter la voiture à l'entrée d'un chemin creux et partir à pied dans l'aube fraîche et brumeuse, à la découverte d'un monde mystérieux.

Où dormir? Où manger dans la Double?

Campings

△ À *La Roche-Chalais, camping municipal Les Gerbes :* ☎ 05-53-91-40-65. Ouvert de mi-avril à fin septembre. Compter 7,30 € pour 2 personnes avec voiture et tente. À *La Jemaye :* ☎ 05-53-90-09-61. Ouvert du 1er juillet au 31 août. Possibilité de baignades et de sports nautiques sur l'étang, location de VTT et de quads.

△ *Camping à la ferme La Petite Grange :* 24410 Saint-Aulaye. ☎ 05-45-98-54-28. Fax : 05-53-90-63-74. Fermé du 31 octobre au 1er avril. Compter environ 7,50 € pour 2 personnes avec voiture et tente. Un peu plus loin que les précédents. Emplacement agréable. Étang sur place pour la pêche et baignade aménagée sur la rivière. Snack et jeux. Gîte ou chambre d'hôte à louer également, à la semaine ou pour le week-end. N'accepte pas les cartes de paiement. Produit régional offert sur présentation du *GDR,* ainsi que l'apéritif maison, le café ou le digestif maison.

△ *Camping de la Plage :* 24410 Saint-Aulaye. Renseignements à la mairie : ☎ 05-53-90-62-20. ● mairie-staulaye@voilà.fr ● Prix raisonnables : 8,50 € par jour pour 2 personnes en haute saison. Emplacements en bord de rivière (la Dronne). On peut s'y baigner. Bien équipé.

△ *Camping Le Paradou :* 24410 Parcoul. ☎ 05-53-91-42-78. Fax : 05-53-90-49-92. ● www.leparadou24.fr ●
♿ Ouvert du 15 mai au 15 septembre : le samedi et le dimanche du week-end de Pâques au 14 juin ; tous les jours du 15 juin au 15 septembre. Compter 9 € pour 2 personnes en basse saison et 12 € en haute saison, avec voiture et tente. Possibilité de louer chalets et mobile homes à la semaine. Cafétéria. Piscine et parc de loisirs (tennis, toboggan aquatique... gratuits). Sur présentation du *GDR,* 8e nuit offerte ; pour 2 semaines, 3 jours supplémentaires offerts ; pour 3 semaines, une semaine supplémentaire.

De bon marché à prix moyens

🏠 *Gîtes ruraux et chambres chez l'habitant :* renseignements et réservations au syndicat d'initiative ou à la mairie de Ribérac.

🏠 |●| *Ferme-auberge chez Muriel et Michel Lissandreau :* D 5, Le Pauly, 24600 Vanxains. ☎ et fax : 05-53-90-17-26. Route de Saint-Aulaye. Ouvert toute l'année. Chambre double de 30,50 à 33,50 €, petit déj' compris. Menu à 13 € en semaine ;

autres menus de 17 à 26 €. En basse saison, réservation obligatoire. Grande salle à manger où vous dégusterez une honnête cuisine de campagne. Pour 17 €, vous aurez droit par exemple à potage, rillettes, purée de foie d'oie, confit de canard, salade, fromage, dessert, café et quart de vin. Chambres d'hôte agréables, avec douche. N'accepte pas les cartes de paiement.

À voir

VANXAINS *(24600)*

Église du plus pur roman, d'aspect massif. Fond du chœur tout plat, avec trois baies à petites colonnettes.

LE GRAND ÉTANG DE LA JEMAYE

Base de loisirs aménagée sur l'étang. Baignade, planche à voile, etc.

ÉCHOURGNAC *(24410)*

À 2 km à l'ouest, abbaye cistercienne **Notre-Dame-de-Bonne-Espérance,** monastère fondé en 1868 par des moines trappistes pour aider au développement de la région. Des religieuses leur succédèrent. Magasin où l'on peut acheter des fromages fabriqués par les religieuses : le *saint-hébion* et surtout la *trappe,* fameux dans le coin.

🚶 À découvrir également, la **ferme du Parcot,** située sur la route de Saint-Astier, sensibilisant tous les publics à la mutation du monde rural. Renseignements : ☎ 05-53-81-99-28. À partir du 1er mai, ouvert chaque dimanche après-midi de 14 h à 18 h ; en juillet et août, tous les après-midi sauf le lundi, mêmes horaires. Toute l'année sur rendez-vous pour les groupes. Entrée : 4 € ; réductions. Témoignage du patrimoine rural, cette maison de la Double (par ailleurs Monument historique) perpétue la mémoire de la vie agricole locale. Sentier de découverte éducatif. Le 1er jeudi d'août, randonnée musicale en soirée : balade sur le sentier jalonné de groupes de musiciens. En mai : journée des jardiniers (bourse d'échange de plants et de semences). Animations tout au long de l'année.

SAINT-ANDRÉ-DE-DOUBLE *(24190)*

Au cœur de la Double, village typique de la région. On n'y compte pas dix maisons, et la moitié sont vides. Petite église du XIIe siècle, sur une butte, avec un beau clocher fortifié.

SIORAC-DE-RIBÉRAC *(24600)*

Sur la route de Mussidan, village pittoresque proposant, lui aussi, un bel exemple d'église fortifiée. Clocher-donjon présentant une fenêtre sculptée en pointes de diamant. Lavoir typique. De la vallée, en contrebas, vue splendide sur le village.

PONTEYRAUD *(24410)*

Sur la route de Saint-Aulaye. Solide église romane à clocher à colombages.

LA LATIÈRE

Réputée pour sa foire à bestiaux en pleine campagne, du 30 avril au 1er mai, ainsi que celle du 10 septembre. La tradition remonterait au Moyen Âge, lorsque les brigands s'y réunissaient pour se partager le bétail et le butin volés. À voir pour son atmosphère haute en couleur.

SAINT-PRIVAT *(24410)*

Intéressant village à la frontière de la Double. L'une des plus jolies églises romanes du Périgord (XIe siècle). Façade ornée d'un porche aux élégantes voussures en plein cintre. Spectacle son et lumière autour du 15 août, mais il vaut mieux téléphoner avant. Renseignements à la mairie : ☎ 05-53-91-22-87.

🎥 *Le musée de l'Outil et de la Vie au village et le musée des Maquettes :* ☎ 05-53-91-22-87 (mairie). ♿ (partiellement). En juillet et août, ouvert tous les jours sauf le lundi, de 15 h à 18 h ; le reste de l'année, sur rendez-vous. Il est préférable de se faire confirmer les horaires par la mairie. Entrée : 2,50 € ; réductions.

– *Le musée de l'Outil et de la Vie au village :* sur le thème de la redécouverte de la rue d'un village avec ses commerçants et ses artisans, une remarquable exposition de plusieurs milliers d'objets et outils. Vivant, coloré, fourmillant de mille et un détails amusants, émouvants, insolites, familiers... Évocation des petits métiers de la Double : verrier, tonnelier, charpentier, etc. Souvenirs d'école et du conseil de révision, fêtes patronales. Reconstitution d'une épicerie de campagne. Vêtements, meubles paysans et tant d'autres choses.

– *Le musée des Maquettes :* reproductions de châteaux et de cathédrales (une quinzaine) exécutées en bois au 1/100 par un médecin ribéracois. Étonnant survol de notre patrimoine... À ne pas manquer !

SAINT-AULAYE *(24410)*

Charmant village abritant la bastide la plus au nord du département et certainement même de France. Église du XIe siècle avec belle façade classée de calcaire blanc, de style saintongeais. Sur la colline, beau château dans l'axe de l'église. En dessous, dans le terre-plein, « cluzeau-fosse commune » avec ossements. Vieux pont du VIIIe siècle.

Adresse et info utiles

ℹ️ *Syndicat d'initiative :* pl. Pasteur. ☎ et fax : 05-53-90-63-74. En juillet et août, ouvert du lundi au samedi de 10 h à 12 h 30 et de 14 h à 18 h, et le dimanche de 10 h à 12 h 30 ; le reste de l'année, mêmes horaires mais fermé le samedi après-midi et le dimanche. Plans, visites et circuits pédestres.

– *Marchés :* foire le dernier mardi de chaque mois, marché fermier tous les samedis matin, marché aux poissons le jeudi. Foire aux vins, fromages et produits régionaux le 2e samedi d'août en nocturne. Marché de Noël.

À voir. À faire

🍽 *Visites gratuites de fermes :* organisées tous les mardis après-midi en juillet et en août par les offices de tourisme et les syndicats d'initiative de Ribérac, Saint-Aulaye et Verteillac. Départ entre 15 h et 15 h 20 de Ribérac. Goûter à la ferme (6 € pour les adultes et 3 € pour les enfants) ou repas traditionnels (13,70 € pour les adultes et 6,90 € pour les enfants).

– Agréable *plan d'eau* pour les familles sur la Dronne. Environnement verdoyant, plages aménagées, jeux, initiation au kayak, etc.

🍽 *Le musée du Cognac et du Vin et le centre de la Forêt :* ☎ 05-53-90-81-33 (mairie). En juillet et août, ouvert tous les jours sauf le lundi, de 15 h à

17 h ; hors saison, ouvert le samedi, les autres jours sur réservation. Fermé en février. Entrée : 2,30 € ; réductions. Exposition de matériel vinicole, cuve et pressoir géant (la région de cognac est toute proche). Halle avec four à pain à l'ancienne. Dégustation.

➤ *Randonnées :* le syndicat d'initiative propose plusieurs sentiers pédestres, de 7 km environ chacun. Les randonnées sont guidées tous les mercredis en juillet et août. Départ devant le syndicat d'initiative à 18 h. Randonnées gratuites et casse-croûte (facultatif) payant.

Manifestations

– *Festival des Musiques épicées :* musique d'Amérique latine, le 1er week-end d'août.

– *Grandes eaux sur les terrasses du château :* spectacle de jeux d'eau, contes et récits historiques, musique et danses traditionnelles, feux d'artifice en juillet et août, certains vendredis et tous les dimanches.

➤ *DANS LES ENVIRONS DE LA DOUBLE*

🐾 *Le musée du Ver à soie :* magnanerie de Goumondie, 24320 Saint-Just. ☎ 05-53-90-73-60. ♿ Ouvert en mai, juin et septembre tous les après-midis, sauf le mardi, et en juillet et août tous les jours de 10 h 30 à 12 h et de 14 h 30 à 18 h. Entrée : 4 € ; 3 € pour les enfants, les étudiants et les lecteurs du *GDR*. Installé dans une ancienne magnanerie des XVe et XVIIe siècles. La région en comptait une trentaine, mais les coûts de la main-d'œuvre ont eu raison de cette activité. Le musée présente la totalité du travail au travers de vidéos, objets et élevage vivant à différents stades. Vente d'articles en soie de différents pays.

🐾 *Le musée du Costume et de l'Artisanat au XIXe siècle « La Mémoire des Greniers » :* 24350 Tocane-Saint-Apre. ☎ 05-53-90-82-27. Ouvert de mai à septembre le lundi de 10 h à 13 h et du mercredi au dimanche de 14 h 30 à 18 h 30. Entrée : 4 € ; réductions. Collection de vêtements de la campagne et de la ville, et costumes de fête du XIXe siècle. Accessoires divers.

🐾 *Le château de Neuvic :* à Neuvic-sur-l'Isle (entre Périgueux et Mussidan, sur la N 89). ☎ 05-53-80-86-65. Fermé du 31 octobre au 31 mars. Visites guidées du château à 15 h et 17 h hors saison et à 14 h 30, 16 h et 17 h 30 en juillet et août. Entrée : 5,50 € ; réductions. Tarif réduit sur présentation du *GDR* : 4,60 €. Le parc est ouvert matin et après-midi ; la visite est libre. Possibilité de repas au restaurant d'application sur réservation. Château du XVIe siècle modifié au XVIIIe, au bord de l'Isle. C'est en fait un centre d'accueil pour enfants et adolescents, mais il se visite : peintures murales Renaissance, évier en pierre sur trois niveaux – extrêmement rare –, meubles périgourdins traditionnels et... une foule d'anecdotes. Initiative intéressante : autour du château se développe un parc botanique de 6 ha (rassemblant plus de 1 200 espèces et variétés) où travaillent les hôtes du centre et des personnes en situation précaire. Jardin en fête le dernier dimanche d'avril et journée des plantes le 1er dimanche d'octobre.

MUSSIDAN   (24400)   2 890 hab.

Petite cité autrefois prospère et industrielle, elle semble aujourd'hui un peu endormie. Son histoire est marquée par une suite de sièges et de ravages, depuis les Vikings au IXe siècle, jusqu'à la Seconde Guerre mondiale où

52 habitants ont été fusillés par les Allemands. Vestiges d'un château fort rasé par Richelieu.

Adresses et infos utiles

ℹ *Office de tourisme :* ☎ et fax : 05-53-81-73-87. ● www.chezcom/ot mussidan ● En juillet et août, ouvert du lundi au samedi de 9 h à 12 h et de 14 h à 17 h 30. Hors saison, ouvert du lundi au vendredi de 9 h à 12 h (sauf le mercredi) et de 13 h 30 à 17 h 30, et le samedi de 9 h à 12 h.

■ *Mairie :* ☎ 05-53-81-04-07.
🚃 *Gare SNCF :* ☎ 05-53-81-00-31. Nombreux trains directs pour Bordeaux, Périgueux et Limoges.
– *Marchés :* le samedi matin, beaux produits fermiers. En juillet et août, marché fermier sous la halle, tous les jours sauf le lundi.

Où dormir ? Où manger ?

🏠 |●| *Hôtel du Midi :* 8, rue Villechanoux. ☎ 05-53-81-01-77. Fax : 05-53-82-90-14. Fermé le vendredi soir, le samedi soir et pendant les vacances scolaires de la Toussaint. Resto ouvert le soir seulement, et pour les résidents uniquement. Chambres doubles de 43 à 49 €. Menus à partir de 13 €. À la carte, compter dans les 35 €. Petite maison familiale tranquille à l'écart du centre. Chambres joliment meublées. Accueil très agréable. Bel appartement à l'étage à 78 €. Piscine. Cuisine régionale de bonne facture.

À voir

🚶🚶 *Le musée Voulgre (musée des Arts et Traditions populaires) :* 2, rue R.-Grassin. ☎ 05-53-81-23-55. **♿** (sauf 2 salles). De début juin à mi-septembre, ouvert de 9 h 30 à 12 h et de 14 h à 18 h ; le reste de l'année, le week-end et les jours fériés de 14 h à 18 h. Attention : les visites sont guidées et la dernière est à 17 h. Groupes sur rendez-vous uniquement, toute l'année (fermeture pour les individuels de décembre à fin février). Entrée : 3 € ; réductions. Compter 1 h 30 de visite. Musée d'une richesse extraordinaire. Cette fort belle demeure renferme des collections d'objets variés rassemblés par le docteur Voulgre, propriétaire et donateur des lieux.
La maison, d'une très belle architecture intérieure, est entièrement meublée (d'origine). Tous les objets de la vie courante du début du XXe siècle sont là, comme s'ils servaient encore tous les jours. Beaucoup de salles présentent des ateliers de métiers anciens avec leurs outils. La plus spectaculaire est celle consacrée à l'agriculture avec, en pièces maîtresses, une locomobile de 1927 en état de fonctionnement et un tracteur de 1920 avec des chenilles de char de la guerre de 1914-1918. Autres salles consacrées à la préhistoire, à la faune et à la flore de la région. Visite commentée aussi passionnée que passionnante. Dans le parc, bâtiments en bois typiques de la Double.

LA VALLÉE DE LA DRONNE ET LA CAMPAGNE DE RIBÉRAC À BRANTÔME

LUSIGNAC (24320)

À une dizaine de kilomètres au nord de Ribérac, petit bourg médiéval en dehors des sentiers battus et ayant conservé une belle unité architecturale.

Église fortifiée avec tour carrée à mâchicoulis. À côté, élégant château. En continuant tout droit après l'église, sortir du village pour la belle vue sur l'ensemble.

Où dormir ? Où manger dans les environs ?

🛏 |●| *Chambres d'hôte chez Michèle Pérol :* au bourg, 24600 Allemans. ☎ et fax : 05-53-90-08-19. ● michele.perol@wanadoo.fr ● À 6 km de Ribérac par la D 708 direction Angoulême, puis à gauche par la D 709. Chambre double avec douche à 40 €, petit dej' compris. Repas à 17 €, apéritif et vin compris. Dans une maison ancienne de caractère du XVIIIe siècle, avec jardin. Salon TV, coin lecture. Table d'hôte sur réservation. N'accepte pas les cartes de paiement. Apéritif maison offert sur présentation du *GDR* et un petit dej' offert sur la durée du séjour.

🛏 *La Meyfrenie, chez M. et Mme de La Ville :* 24320 Verteillac. ☎ 05-53-90-47-82. Fax : 05-53-90-38-00. Situé à la sortie de Verteillac quand on vient d'Angoulême, sur une hauteur. Ouvert toute l'année. Location à la semaine (ou au week-end), à partir de 780 € en basse saison et à 2 300 € en saison (pour 18 per-

sonnes, quand même !). Idéal pour réunir une famille nombreuse. Cet ancien repaire noble du XVe siècle, amoureusement restauré, fut longtemps entouré de vignobles. Pour notre bonheur, les anciens chais ont été reconvertis en gîte de vacances. Six chambres à 2 lits, 1 chambre à 6 lits, 2 salles de bains. Cuisine à disposition. Une halte sympathique et calme en Périgord blanc. Piscine. Les amoureux d'équitation seront ravis : 12 chevaux sont à leur disposition au centre équestre donnant sur la grande cour.

|●| *L'Arsenic Bar :* au bourg, 24600 Allemans. ☎ 05-53-90-04-72. Sur la place principale, face à l'église. Menus à 10 et 15 €. Sympathique petit resto populaire proposant un premier petit menu, servi tous les jours, avec soupe, deux entrées, plat copieux, fromage et dessert. Tenu par une famille jeune et accueillante. Apéritif maison offert sur présentation du *GDR*.

SAINT-MARTIAL-VIVEYROL (24320)

Pour son église fortifiée romane. Clocher-donjon. Vitraux comme des meurtrières.

Quelques kilomètres plus au nord, *Cherval* propose l'une des plus belles églises à dômes. Au moins quatre en enfilade.

Où dormir ? Où manger dans le coin ?

Chic

🛏 |●| *Hostellerie Les Aiguillons :* hameau de Beuil, 24320 Saint-Martial-Viveyrols. ☎ 05-53-91-07-55. Fax : 05-53-91-00-43. ● www.hostellerielesaiguillons.com ● ⚒ Ouvert tous les soirs, plus le dimanche midi sur réservation. Fermé de novembre à avril. Chambres de 41 à 91 €. Demi-pension à 76,50 €. Menus de 23 à 38 €. À la carte, compter envi-

ron 38 €. À l'orée d'un très joli hameau dominant la campagne, une ancienne ferme dont il ne restait que des ruines. Ce qui explique que l'endroit n'a plus grand-chose d'authentique (ce qui a fâché certains de nos lecteurs). Un certain luxe, mais un bon rapport qualité-prix pour la région. Chambres belles et confortables, surtout la suite (n° 8). Foie gras et spécialité de poisson à la carte. Belle piscine. Remise de 10 % sur le prix de la chambre en avril, mai, septembre et octobre sur présentation du guide.

VENDOIRE (24320)

Laissez-vous porter plus loin, par de petites routes de campagne, vers les ruines de l'ancienne église Saint-Jean de Grésignac du XIIIe siècle, qui surplombe la région, vers La Chapelle-Grésignac, vers l'adorable petit village de Vendoire qui vous proposera son église romane du XIIIe siècle aux colonnes à chapiteaux sculptés (façade saintongeaise), et son château du XVIIe siècle dont il faut entendre conter l'histoire.

🦑 **Les tourbières :** ☎ 05-53-90-79-56 (en saison). Du 1er mai au 30 septembre, ouvert tous les jours de 10 h à 19 h ; le reste de l'année, sur rendez-vous. Fermé en janvier et en décembre. Entrée : 3 € ; réductions. Tourbières aménagées, balade en barque, pêche à la ligne, maison de la Tourbière, etc. Petit resto et camping sur place. Visites guidées des sentiers.
Rejoignez *Champagne-et-Fontaine,* son église et son château, et enfin Mareuil.

MAREUIL (24340)

À 20 km au nord-ouest de Brantôme, sur la D 939 (route d'Angoulême). Château du XVe siècle, avec éléments Renaissance. Grosses tours rondes à mâchicoulis et donjon carré.

Adresse utile

🅸 *Syndicat d'initiative :* 4, rue des Écoles. ☎ 05-53-60-99-85. Fax : 05-53-60-31-97. • si.mareuil@perigord.tm.fr • Ouvert en avril et mai, du lundi au vendredi de 8 h à 12 h et de 13 h 30 à 17 h 30, et de juin à septembre de 9 h 30 à 12 h 30 et de 14 h 30 à 18 h. Hors saison, contacter la communauté de communes : ☎ 05-53-60-31-96.

Où dormir ? Où manger dans le coin ?

Campings

⚊ ⭗ *Camping des Graulges :* 24340 Les Graulges. ☎ 05-53-60-74-73. Ouvert de début juin à fin septembre. Compter environ 13,70 € pour 2 personnes aves tente et voiture. Centre de sports et de loisirs. Visites et randonnées organisées. Bar, resto. Piscine.

⚊ *Camping L'Étang Bleu :* 24340 Vieux-Mareuil. ☎ 05-53-60-92-70. Fax : 05-53-56-66-66. • www.letang bleu.com • ♿ Ouvert du 1er avril au 30 septembre. Compter environ 14,50 € pour 2 personnes avec tente et voiture. Grande piscine, snack, boutique, salle de jeux, sanitaires pour handicapés.

Prix moyens

🏠 ⭗ *Hôtel-restaurant Beauséjour :* 24340 Monsec, au bourg, sur la D 939. ☎ 05-53-60-92-45. Fax : 05-53-60-72-38. À une quinzaine de kilomètres au nord-ouest de Brantôme. Fermé le samedi en basse saison, ainsi qu'entre Noël et le 2 janvier. Double à 32 € avec douche et w.-c. Menu à 10 €, sauf le dimanche ; autres menus de 13 à 22 €. Bien qu'en bord d'une route très fréquentée, une excellente étape du Périgord vert. Accueil vraiment affable et cuisine de grande qualité, servie dans une plaisante salle à manger (avec vue panoramique sur le jardin). Belle gamme de menus, dans lesquels le terroir est souvent à la fête : saucisse de canard, omelette aux pleurotes... Le 1er menu (quart de vin compris) est déjà plus qu'honorable. Les autres sont irréprochables. Chambres toutes simples mais impeccables.

Plus chic

🛏 *Chambres d'hôte Les Pouyades :* 24320 Cherval. ☎ et fax : 05-53-91-02-96. Sur la D 708 entre Verteillac et Cherval ; accès fléché depuis la D 708. Ouvert toute l'année, sur réservation de novembre à mars. Doubles à 65 et 80 €, petit dej' compris. À l'abri derrière son parc, une ancienne chartreuse un peu rhabillée au XIXe siècle. Deux chambres à l'ancienne absolument charmantes. Accueil tout de gentillesse. N'accepte pas les cartes de paiement. Sur présentation de ce guide, remise de 10 % sur le prix de la chambre pour un séjour de 4 nuits minimum en pleine saison et du 1er septembre au 30 avril.

🛏 ▮◑▮ *Hostellerie-auberge de l'Étang Bleu :* à Vieux-Mareuil. ☎ 05-53-60-92-63. Fax : 05-53-56-33-20. ● www.perigord-hotel.com ● à 2 km du bourg, sur la D 93. Restaurant fermé le dimanche soir du 15 novembre au 30 avril. Doubles avec salle de bains de 53 à 56 € selon la saison. Demi-pension demandée en juillet et août : de 58 à 61 €. Menu à 17 € servi en semaine le midi ; menus suivants de 22,50 à 56 €. À la carte, compter environ 45 €. Hôtel-restaurant dans un grand parc en bordure d'un petit lac privé avec plage et possibilité de baignade. Chambres spacieuses, agréablement meublées, confortables et au calme le plus absolu. Celles donnant sur le lac possèdent une loggia. Œufs coque au petit dej', il est difficile de s'arracher de ce petit coin de paradis. Belle salle de restaurant ou terrasse au bord de l'eau. Bonne et généreuse cuisine : dos de saumon sauce aux cèpes, émincé de magret sauce morilles, mêlée de salades aux queues d'écrevisses... Remise de 10 % sur le prix de la chambre sur présentation du *Guide du routard.*

À voir

🍴 *Le château de Mareuil :* ☎ 06-87-18-06-04. 🌿 De mi-mars à mi-octobre, ouvert de 10 h à 12 h et de 14 h à 17 h, fermé le mardi et le dimanche matin (en juillet et août, ouvert de 10 h à 12 h 30 et de 14 h à 18 h, fermé le dimanche matin) ; de mi-octobre à fin novembre, ouvert de 14 h à 17 h, fermé le mardi ; de décembre à mi-mars, ouvert le dimanche après-midi de 14 h à 17 h, ouf ! Entrée : 4 € ; réductions. Visites guidées. Baronnie de Talleyrand. Chapelle gothique, prison, casemates. Jolies salles meublées XVIIIe et XIXe siècles. Donjon.

À voir. À faire dans la région

🍴 *Le château de Richemont :* à Saint-Crépin-de-Richemont. ☎ 05-53-05-72-81. Ouvert du 14 juillet au 31 août seulement. Le reste de l'année, sur rendez-vous pour les groupes. Entrée : autour de 3 €. Construit par Pierre de Bourdeilles (alias Brantôme) de 1564 à 1581. Celui-ci repose d'ailleurs dans la chapelle.

🍴🍴 *Le château de Bernardières :* à Champeaux. ☎ 02-47-46-18-73. Ouvert de juillet à mi-septembre, et lors des journées du Patrimoine, de 10 h à 12 h et de 14 h à 18 h, fermé le mardi. La visite est gratuite, mais l'association des amis du château vendent de petits objets souvenirs fabriqués par des bénévoles. Ancien château fort du XIIIe siècle qui connut ses heures de faste, mais la restauration est lente et difficile. La passion des propriétaires, les souterrains, la présentation historique et la très belle vue en font un endroit intéressant à visiter.

➤ **Randonnées :** GR 36 de Mareuil à La Rochebeaucourt, en passant par Saint-Pardoux, ainsi que le sentier de découverte du plateau d'Argentine qui se trouve entre Périgueux et Angoulême, La Rochebeaucourt et Argentine dans le Parc naturel régional Périgord-Limousin.

➤ **Circuits VTT et cyclos :** autour de Mareuil et tout le circuit des châteaux (une quinzaine) en une journée. 40 km. S'adresser au syndicat d'initiative.

– **Dégustation de foie gras et gavage des oies :** H. Boullier, Les Forgerons, 24340 Sainte-Croix-de-Mareuil. ☎ 05-53-60-72-31.

– **Conserverie de Mareuil :** chez *Maxime Bordas,* dans la rue Pierre-Degail.

🚶 **La Tour-Blanche :** pour son élégant manoir du début du XVIIe siècle trônant au milieu du village. Tour octogonale et belle porte Renaissance dans la cour.

– **Le musée des Records :** à La Tour-Blanche, dans le bourg. ☎ 05-53-91-11-98 (mairie) ou 05-53-91-09-44. Ouvert du 15 juin au 31 août tous les jours de 14 h 30 à 18 h. Entrée : 2,30 € ; réductions. Une vingtaine d'objets gigantesques : un sabot taillé dans un platane (plus de 3 m de long), un timbre démesuré fait avec de vrais timbres (40 000), une tuile géante de 1 m. *Festival des Records* en août tous les deux ans (les années paires, donc en 2004).

– **Le musée de la Ferblanterie :** à La Tour-Blanche, dans le bourg. ☎ et fax : 05-53-91-09-44. 🚶 Mêmes horaires et tarifs que le précédent. Hors saison, possibilité de visite sur rendez-vous. Une exposition regroupant plus de 1 000 objets en fer-blanc du XVIIIe siècle à nos jours ; un joyeux bric-à-brac amassé par un collectionneur passionné.

🚶 **Bourg-des-Maisons :** paisible village et église forteresse du XIe siècle avec clocher-mur. À l'intérieur pourtant, les deux coupoles donnent de la grâce à l'ensemble. Vestiges de peintures murales dans le chœur.

🚶 **Grand-Brassac** (24350) **:** à voir pour l'église Saint-Pierre-Saint-Paul. Clocher-donjon et créneaux. Remarquable portail avec une Nativité et l'Adoration des Mages (restes de polychromie). Cinq belles statues (dont saint Pierre et saint Paul) et grande finesse de la frise sur la voussure.

🏕 **Camping à la ferme :** M. Genestoux, Renamont, à 2 km du bourg. ☎ 05-53-03-54-50 ou 05-53-04-82-44. Ouvert de mi-mai à fin septembre. Compter 7,50 € pour 2 personnes avec tente et voiture. Huit emplacements. Excellents sanitaires. Guinguette où l'on peut se sustenter et écouter de la musique lors des douces soirées d'été. Au bord de la Dronne. Location de canoës.

🚶 **Montagrier** (24350) **:** intéressante église présentant un chevet du XIIe siècle, composé de cinq absidioles rayonnantes (plan tréflé très rare). Chapiteaux sculptés et chaire du XVIe siècle.

🏕 **Camping municipal Le Pré Sec :** Tocane-Saint-Apre. ☎ 05-53-90-40-60 ou 05-53-90-70-29 (mairie, hors saison). Fax : 05-53-90-25-03. 🚶 Ouvert de début mai à fin septembre. Compter 8,40 € pour 2 personnes avec voiture et tente. Très correct et au calme.

PAUSSAC ET SAINT-VIVIEN (24310)

Sur le causse de Paussac, à quelques kilomètres au nord-ouest de Bourdeilles. Grosse église romane fortifiée au XVe siècle. Côté calvaire, quatre
arches sculptées mais assez usées. Petit hameau de Saint-Vivien, dominé
par un castel (sur la route de Grand-Brassac).

BOURDEILLES   (24310)   800 hab.

Voici une très intéressante étape historique et architecturale. Sur son rocher,
un *château* domine fièrement le village. On a la plus belle vue du pont
gothique qui enjambe la Dronne, quand on arrive en contrebas à gauche.
Ses avant-becs (coupe-courant) lui ont permis de résister depuis le
Moyen Âge.
En fait, on trouve deux châteaux côte à côte : un médiéval et un Renaissance. À la frontière de la Guyenne anglaise et de la France, Bourdeilles fut,
bien sûr, l'enjeu de bien des combats. En 1259, la ville et le château avaient
été cédés par Saint Louis aux Anglais. Une partie de la famille refusa de
rejoindre les Plantagenêts et, avec le soutien de Philippe le Bel, fit construire
l'imposant donjon pour assurer une meilleure défense. Peine perdue, alors
que sa construction s'achevait, le château fut réinvesti par les Anglais.
En 1376, Du Guesclin s'en empara à nouveau.
Si une visite est en cours, en profiter pour grimper dans le donjon du château
médiéval, l'un des plus importants du Périgord (35 m de haut, murs épais de
2,40 m !). Rude montée dans l'étroit escalier à vis. D'en haut, panorama
remarquable sur le bourg, le château Renaissance et les environs.

Où dormir ? Où manger dans le coin ?

🛏 |●| *Le Moulin du Pont :* 24350
Lisle. ☎ 05-53-04-51-75. Fax : 05-
53-07-66-62. À 6 km de Bourdeilles,
sur la D 8 en direction de Ribérac.
Fermé de fin novembre au 1er mars.
Menus de 13 à 40 €. L'adresse vaut
surtout pour sa terrasse au-dessus
de la rivière. Goûter les écrevisses à
la nage, le foie gras maison très copieux et les truites provenant de la
pisciculture qui fait partie de la maison. Loue aussi des appartements
et des chambres à 30 € par nuit.
Café offert et remise de 10 % sur le
prix de la chambre de début octobre
à fin mai sur présentation du *GDR*.
🛏 |●| *Château de la Côte :* entre
Biras et Bourdeilles. ☎ 05-53-03-
70-11. Fax : 05-53-03-42-84. ● www.
chateaudelacote.com ● Congés annuels du 5 janvier au 15 mars et du
15 novembre au 26 décembre. Restaurant ouvert tous les midis sauf le
dimanche. Chambres doubles de 71
à 171 €. Demi-pension de 76 à
128 €. Menus de 29 à 50 €. Compter
dans les 40 € à la carte. Hôtel dans
un château dont les origines remontent au XVe siècle, perché sur les
hauteurs d'un immense parc. Piscine.
17 chambres avec poutres apparentes, toutes avec bains, w.-c. et TV.
Menus mettant à l'honneur les spécialités régionales (foie gras poêlé aux
pommes flambées au cognac, sauce
Madère...). Réservation recommandée. Apéritif maison offert sur présentation du *Guide du routard.*

La visite du château Renaissance

☎ et fax : 05-53-03-73-36. En avril, mai, juin, septembre et octobre, ouvert
de 10 h à 12 h 30 et de 14 h à 18 h, fermé le mardi ; en juillet et août, ouvert
de 10 h à 19 h, fermé le mardi ; hors saison, ouvert de 10 h à 12 h 30 et de

14 h à 17 h 30, fermé les mardi, vendredi et samedi. Fermé en janvier. Entrée : 5 € ; 3 € pour les enfants entre 6 et 12 ans.

– *Au rez-de-chaussée :* porte armoriée et belle *Dormition* allemande du XVIe siècle. Riche collection de coffres. *Mise au tombeau* bourguignonne, gisant de Jean de Chabannes (grande finesse d'exécution). Dans l'ancienne cuisine également, font baptismal et christ en bois du XVe siècle. Salle d'armes dans la salle à manger initiale. Plafond d'origine.

– *Au 1er étage :* splendides buffets Renaissance. Salon Doré, qui devait accueillir Catherine de Médicis, au magnifique plafond peint et décoré. Cheminées immenses. Très belles tapisseries.

– *Au 2e étage :* meubles médiévaux, lit à dais de tapisserie de style néogothique XIXe. Grande pièce avec le *lit espagnol* de la chambre de Charles Quint.

Vers Brantôme

Si vous vous dirigez désormais sur Brantôme, nous vous conseillons vivement la petite D 106 qui finasse, musarde entre la rivière et la haute falaise toute taraudée du causse de Paussac.

BRANTÔME (24310) 2 075 hab.

À 26 km au nord de Périgueux, en plein cœur du Périgord vert, une bourgade paisible et plaisante, construite dans un coude de la Dronne et surnommée pour cela « la Venise du Périgord ».

« BRANTÔME » : UN AVENTURIER HORS DU COMMUN !

Pierre de Bourdeille (dit « Brantôme »), cadet de la famille, devint prêtre, comme l'exigeait la tradition, et obtint en 1557 l'abbaye de Brantôme. Cependant, s'ennuyant quelque peu, il partit « faire du tourisme » en Italie avant d'accompagner la reine Marie Stuart dans les brumes écossaises. Y trouvant l'air trop humide, il revint quelque temps à la cour de Charles IX, puis guerroya pas mal contre les protestants pour le compte de François de Guise. En 1564, il rejoignit l'armée espagnole et se battit au Maroc. On le vit ensuite combattre les Turcs en Méditerranée (et aussi pirater quelque peu pour son propre compte). Quelques batailles en France aussi avant de demander un arrêt-maladie et de se retirer dans son abbaye... pour, dès que ça alla mieux, y préparer une expédition en Amérique latine. Bon, ça ne marcha pas ! Puis, en bisbille avec Henri III, il s'apprêtait à reprendre du service dans l'armée espagnole, quand une chute de cheval le rendit invalide. Il retourna alors quatre ans dans son abbaye ou dans son château de Richmont et se jeta à corps perdu dans l'écriture. Bref *come back* à la cour, avant de se retirer définitivement dans le Périgord. Il mourut en 1614, à l'âge de 74 ans, et laissa deux chefs-d'œuvre de la littérature : *Vies des hommes illustres et des grands capitaines* et, surtout, *Vies des dames galantes* (publiés après sa mort seulement), qui lui apportèrent une certaine gloire posthume. Œuvre délicieusement amorale, style enlevé, haut en couleur, témoignage unique sur cette époque.

Adresses et infos utiles

ⓘ *Syndicat d'initiative :* abbaye de Brantôme. ☎ et fax : 05-53-05-80- 52. ● www.ville-brantome.fr ● Ouvert toute l'année sauf en janvier ; tous les jours sauf le mardi d'octobre à mars, de 10 h à 12 h et de 14 h à 17 h, puis jusqu'à 18 h d'avril à juin et en septembre ; et tous les jours de 10 h à 19 h en juillet et août. Excellent accueil ! N'hésitez pas à passer les voir : ils sont étonnants de dynamisme. Renseignements sur la location de canoës, VTT, promenades en calèche et charrette. Balades agréables sur la Dronne. Organisent aussi des circuits à la ferme le mercredi en juillet et août.

🚌 *Navette Brantôme-Périgueux-Angoulême :* 3 fois par semaine, pour rejoindre le TGV vers Paris.

🛥 *Promenade en bateau :* embarquement au pavillon Renaissance. ☎ et fax : 05-53-04-74-71 ou ☎ 06-81-04-73-82. De mai à fin septembre, à 10 h et 11 h et toutes les heures de 14 h à 18 h. Tarif : 5,50 € ; réductions. Environ 40 mn de balade commentée au calme grâce à une propulsion électrique.

– *Marché fermier :* le mardi matin, en juillet et août.

– *Marché hebdomadaire :* toute l'année, le vendredi matin.

– *Marché aux noix :* le vendredi matin du 1er novembre au 15 décembre. Suivi du *marché certifié aux truffes* jusqu'à début février.

Où dormir ? Où manger ?

De bon marché à prix moyens

⚑ *Camping municipal de Peyrelevade :* av. A.-Maurois, sur la D 78, route de Thiviers, près du stade. ☎ 05-53-05-75-24. Fax : 05-53-05-75-24. Très bon accueil et pas cher (7,54 € la nuitée). En bord de rivière, avec un peu d'ombre. Installations correctes. Tennis à proximité. N'accepte pas les cartes de paiement.

🏠 *Chambres d'hôte chez M. et Mme Mérillou :* av. A.-Maurois. ☎ 05-53-05-74-04. Trois chambres doubles impeccables avec TV de 24,50 à 27 €. Chambre pour 3 ou 4 personnes à 30 €. Également gîte pour 2 personnes à 228 € la semaine. Petit dej' à 3,05 €. On le prend dans le jardin aux beaux jours. Excellent accueil. Cartes de paiement refusées.

🏠 |○| *Hôtel Versaveau :* 8, pl. Charles-de-Gaulle. ☎ et fax : 05-53-05-71-42. Bien situé, à 100 m de l'abbaye. Fermé le samedi (sauf en juillet et août) et les 3 premières semaines de novembre. Chambres doubles de 25 € avec lavabo à 40 € avec douche. Menus de 10 à 15 €. En bord de rivière, avec vue sur la ville. Hôtel un peu vieillot : moelleux matelas à l'ancienne, parquets cirés. Chambres côté rue un peu bruyantes. Elles sont toutes simples mais correctes. Repas très bon mar-

ché et correct : omelette aux cèpes, confit de canard. Terrasse en bord de rivière.

🏠 |○| *Hôtel de la Poste :* 33, rue Gambetta. ☎ et fax : 05-53-05-78-55. ⚒ En plein centre. Chambres doubles à 21,50 € avec lavabo, à 32 € avec douche et w.-c. Menu à 10 € en semaine ; autres menus de 13 à 26 €. Gentille cuisine à visées régionales (ris de veau sauce Périgueux, omelette aux cèpes...), servie dans une bien agréable salle à manger. Chambres simples mais bien tenues ; celles sur l'arrière sont au calme. Café offert sur présentation du *GDR*.

|○| *Au Fil de l'Eau :* 21, quai Bertin. ☎ 05-53-05-73-65. Fermé le mercredi, ainsi que du 15 octobre à début mai. Menus à 21 et 26 €. C'était autrefois un bistrot de pêcheurs. Plus de carte de pêche en vente derrière le comptoir, plus d'interminables discussions sur la taille des dernières prises, mais la déco très raffinée de cette adorable salle nage toujours dans cet univers. Il y a même une barque amarrée à côté de la sympathique petite terrasse sur les berges de la Dronne. Logiquement, on trouvera pas mal de poisson de rivière (truite, filet de perche...) et des plats de terroir. Cuisine pas bien compliquée mais bien

troussée : foie gras maison, magret de canard aux cèpes, sandre sauce Pécharmant... L'adresse est connue, il est prudent de réserver. Accueil gentil et service diligent. Cartes de paiement refusées. Digestif maison offert sur présentation du *GDR*.

|●| **Resto-Grill :** 40, rue Gambetta. ☎ 05-53-05-86-25. Fermé le mercredi. Menus de 14 à 19 €. À la carte, compter autour de 17 €. Bonne petite bouffe devant une grande cheminée. Grillades au feu de bois et spécialités périgourdines.

Couscous sur commande.

|●| **Pizzeria Le Vieux Four :** 7, rue Pierre-de-Mareuil. ☎ 05-53-05-74-16. ☒ Réservation conseillée. Du 1er juillet au 30 août, ouvert tous les jours. Fermé le lundi hors saison. Compter aux alentours de 15 à 20 € à la carte. Aménagé dans une maison troglodytique. Un resto qui se visite ! Un immense four à bois d'où sortent de magnifiques pizzas. Accueil chaleureux. Café offert sur présentation du *GDR*.

Où dormir ? Où manger dans les environs ?

🛏 |●| **Chambres d'hôte chez Colette et Bernard Magrin :** Le Coudert, 24310 La Gonterie-Boulouneix. ☎ 05-53-05-75-30. À 6 km au nordouest de Brantôme. Accès par la D 939. Bien fléché. Fermé le dimanche soir, en janvier et la 1re quinzaine de février. Trois très belles chambres (lit à baldaquin, grande salle de bains) à 45 € et d'autres à 42 €, petit dej' à 5,50 €. Compter 16 € le repas en table d'hôte. En pleine campagne, à l'orée du village, une gentille ferme couverte de lierre. Hôtesse absolument charmante. Croquignolet salon d'entrée. Petits chiens et chats ludiques à souhait. À deux pas, agréables petites randonnées. Très belle et très bonne table. Repas bien mitonnés à la demande. Et accueil fait de mille et une attentions. Cartes de paiement refusées.

🛏 **Chambres d'hôte Château de la Borie Saulnier :** 24530 Champagnac-de-Belair. ☎ 05-53-54-22-99. Fax : 05-53-08-53-78. ● www.perso-wanadoo.fr/chateaudelaboriesaulnier ● Sortir de Brantôme par la D 939 direction Angoulême, prendre la 1re à droite avant la station-service ; 3 km plus loin, chemin fléché sur la droite. Doubles à 75 et 79 €, petit dej'

compris. En pleine nature, un vrai château avec tourelles à clochetons pointus, cour intérieure. Pas mal d'allure, et M. et Mme Duseau s'échinent à lui en donner encore plus. Au hasard des longs couloirs de cette immense bâtisse, 5 chambres charmantes avec bibelots et souvenirs de famille. On s'y sent comme invité chez des amis. Grande piscine. Tennis pas loin. N'accepte pas les cartes de paiement. Sur présentation de ce guide, remise de 5 % sur le prix de la chambre.

🛏 **Chambres d'hôte, chez Marcelle Allemandou :** Belaygue, 24310 La Gonterie-Boulouneix. ☎ 05-53-05-83-16. ☒ Ouvert toute l'année. Compter de 30 à 40 € la chambre double avec douche et w.-c. Petit dej' en sus à 4 €. Sept chambres, certaines avec TV, dans un bâtiment qui donne sur la cour de la ferme. Gîte pour 4 personnes également, à 90 € la semaine. Sans aucun charme, mais des prix intéressants pour le coin. Jardin avec terrasse. Bon accueil. Pas de possibilité de repas. Lieu plus touristique et moins intime que le précédent. N'accepte pas les cartes de paiement.

Plus chic

🛏 |●| **Hostellerie Moulin du Roc :** 24530 Champagnac-de-Belair. ☎ 05-53-02-86-00. Fax : 05-53-54-21-31.

● www.moulinduroc.com ● Restaurant fermé les lundi et mardi, ainsi que du 1er janvier au 7 février.

Chambres de 110 à 150 €. Menu à 35 € à midi en semaine ; autre menu à 50 €. À la carte, compter dans les 60 €. Une des très grandes adresses du Périgord. Cadre idyllique, en bord de rivière. Vieux moulin superbement aménagé en hôtel. Décoration extrêmement recherchée. On n'a pas lésiné sur les meubles et les bibelots. Clientèle vraiment chicos. Chambres plutôt chères, mais on peut se faire plaisir sans (trop) se ruiner avec le menu servi à midi en semaine. Cuisine inventive sur la base des traditions périgourdines, à laquelle s'attelle le fils de la maison. Sur présentation du *GDR,* un apéritif maison est offert.

À voir

🎥🎥 *L'abbaye :* fondée par Charlemagne, détruite par les Normands, reconstruite aux XIe, XVe et XVIIIe siècles. De 1557 à 1614, Pierre de Bourdeille, dit Brantôme, en assura la direction et en fit l'une des plus riches de France. Le bâtiment conventuel principal abrite aujourd'hui la mairie et le musée. À l'intérieur, élégant escalier monumental du dortoir des moines, à la belle charpente en forme de carène de navire renversée, qui ne se visite plus mais accueille, de mai à septembre, de nombreuses expos à thème et le *musée Fernand Desmoulin.*
– Du 15 juin au 15 septembre, tous les jours, *visite guidée* du cloître, de l'église et du clocher. Tarif : 5 € pour les adultes, 2,50 € pour les enfants. Visite du parcours troglodytique et du musée Fernand Desmoulin toute l'année : tous les jours en juillet et août, fermé le mardi le reste de l'année. Entrée : 6 € ; réductions.
– Renseignements : ☎ 05-53-05-80-63. Pour chacune de ces 2 visites, tarif réduit (3 €) sur présentation du *GDR.*

🎥 *L'église :* maintes fois détruite, elle dut en plus subir une « lourde » restauration par Abadie au XIXe siècle (à l'époque, on devait trembler chaque fois qu'il touchait à une église !). On distingue pourtant encore le chœur de style gothique et les voûtes angevines. Des superbes chapiteaux romans, il n'en subsiste qu'un, transformé en bénitier. Au-dessus, bas-relief du XIIIe siècle figurant le *Massacre des Innocents.* Du cloître du XVe siècle, il reste une galerie à ogives et une petite salle capitulaire.

🎥🎥 *Le clocher :* séparé de l'église, c'est le plus vieux clocher de France. On y a, en effet, retrouvé des éléments wisigothiques et carolingiens. La plus grande partie date cependant du XIe siècle. Ce clocher à gables est de style roman limousin. Construit sur quatre étages en retrait les uns des autres, il servit de modèle à nombre d'églises du Limousin.

🎥 *Le parcours troglodytique :* « Du creusé au construit ». ☎ 05-53-05-80-63. 🎥 Du 1er juillet au 31 août, ouvert tous les jours de 10 h à 19 h ; hors saison, de 10 h à 12 h et de 14 h à 17 h, sauf le mardi. Fermé en janvier. Vestiges de la première abbaye dans le pied de la falaise avec la grotte du Jugement dernier. Le parcours comprend également la visite du musée Fernand Desmoulin, qui ne se visite pas en individuel.

🎥🎥 *Le musée Fernand Desmoulin :* ☎ 05-53-05-80-63. 🎥 Visite groupée avec celle du parcours troglodytique. Peintre originaire de la région (né à Javerlhac). Peu connu du public, alors qu'il était considéré comme un artiste officiel de la IIIe République, l'ensemble de son œuvre de graveur et de portraitiste est très intéressant. Contemporain et ami de Zola, Desmoulin était également un adepte d'Alan Kardec. Certaines de ses œuvres ont été réalisées lors de séances de spiritisme, dans un état second complet. Œuvres très fortes (faites pourtant dans l'obscurité totale), comme *Les Cheveux ondulés.* Portraitiste de grand talent, il eut pour modèles Alexandre Dumas fils, Renan, Edmond Rostand, Jules Ferry, Raymond Poincaré, le tsar Nicolas II, Pasteur, Liszt, etc. Ici, vous pourrez admirer, entre autres, un remarquable portrait de Victor Hugo.

🥄 *Le musée Rêve et Miniatures :* 8, rue Puyjoli. ☎ 05-53-35-29-00. Ouvert de mi-juillet à fin août, tous les jours de 11 h à 18 h. Entrée : 5,80 € ; à partir de 4 personnes ou sur présentation de ce guide : 5,20 € ; enfants de moins de 10 ans : 3 €. Ce musée reconstitue, dans leurs moindres détails, meubles et décors d'intérieur à travers différents styles et époques. Pour les enfants, habitations imaginaires et fantastiques d'animaux (demander le jeu-questionnaire). Recherche sérieuse d'authenticité et, évidemment, à l'origine, la passion d'une collectionneuse !

Manifestations

– *Fête patronale et commerciale de Saint-Sicaire :* le 1er week-end de mai.
– *Festival européen du Pain :* tous les 2 ans en été (années paires) durant 2 à 3 jours. Des boulangers de l'Europe entière réalisent leurs plus beaux pains en public.
S'adresser au syndicat d'initiative pour toute autre soirée, ainsi que pour le programme culturel.

LE NORD ET L'EST DU PÉRIGORD VERT

Pour ceux qui souhaitent aller au fond des choses. Ils n'y rencontreront pas les grandes foules, traverseront une campagne charmante, de sympathiques villages, et découvriront nombre de petites merveilles architecturales et insolites.

NONTRON   (24300)   3 645 hab.

Grosse bourgade rurale et commerçante, la plus importante du Périgord vert, sous-préfecture de la Dordogne. Sa réputation vient de sa tradition de coutellerie, qui remonte au XVe siècle. À découvrir. Il n'a pas (encore ?) le succès commercial de l'Opinel savoyard, ni du Laguiole de l'Aubrac... c'est le Nontron, couteau des bords du Bandiat, à la virole tournante en laiton, au manche en buis clair gravé d'un V renversé entouré de trois points. Signification de cette marque de fabrique ? Mystère... Il en existe de toutes tailles : les plus petits spécimens sont enfermés dans une coquille de noix, de noisette ou dans un noyau de cerise.
Une petite halte aussi pour les vieux remparts (du XIIIe siècle) et le panorama qu'ils offrent.
Nontron fait partie du Parc naturel régional Périgord-Limousin, créé en 1998, qui regroupe 78 communes en Dordogne et Haute-Vienne sur 18 000 km². Sauvegarde du patrimoine, mise en valeur des sites et faire connaître la région sont une partie des objectifs de ce parc. Renseignements à l'office de

tourisme de Nontron et au siège du Parc (mairie d'Abjat-sur-Bandiat) : ☎ 05-53-60-34-65. Fax : 05-53-60-39-13. ● www.parcs-naturelsregionaux.tm.fr/les parcs/pelia.html ● perilim.perigord@wanadoo.fr ●

Adresse utile

🛈 *Office de tourisme :* château, av. du Général-Leclerc. ☎ 05-53-56-25-50. Fax : 05-53-60-34-13. ● www. pays-nontronais.com ● En juin et septembre, ouvert le lundi de 14 h à 17 h et du mardi au samedi de 9 h à 12 h et de 14 h à 17 h ; en juillet et août, du lundi au samedi de 9 h à 12 h 30 et de 14 h à 18 h 30 et le dimanche de 9 h à 12 h 30 ; d'octobre à mai, le lundi de 14 h à 17 h, du mardi au vendredi de 9 h à 12 h et de 14 h à 17 h et le samedi de 9 h à 12 h.

Où dormir ? Où manger ?

Camping

⛺ *Camping municipal de Masvicontaux :* à l'entrée sud de la ville, sur la D 675. ☎ 05-53-56-02-04. ⚒ Près du stade. Ouvert de début juin à fin septembre. Pour 2 personnes avec voiture et tente, compter environ 7,50 €. Bonnes installations. Piscine. Pelouse. Quelques arbres. N'accepte pas les cartes de paiement.

Prix moyens

🛏 |◉| *Grand Hôtel Pelisson :* 3, pl. Alfred-Agard. ☎ 05-53-56-11-22. Fax : 05-53-56-59-94. ● grand-hotel-pelisson@wanadoo.fr ● ⚒ Chambres doubles de 44 à 53 €. Menus de 16 € (en semaine) à 46 €. À la carte, compter environ 28 €. En plein centre, un « Grand Hôtel » à la façade élégante mais un brin austère. Surprise : derrière se cachent un agréable jardin et une belle piscine. Chambres à l'ancienne, au calme sur l'arrière et à des prix raisonnables. Ambiance familiale (cela fait quelques générations que les Pelisson sont dans les murs) mais un peu compassée. Vaste salle à manger rustique et cossue à la jolie vaisselle (il y a une fabrique pas très loin) et terrasse sur le jardin. Cuisine de bonne réputation, de tradition et de terroir à prix relativement serrés. Sur présentation du *GDR,* remise de 10 % sur le prix de la chambre à partir de 2 nuits d'octobre à mai.

Où dormir ? Où manger dans les environs ?

Chic

🛏 |◉| *Hostellerie Saint-Jacques :* dans le bourg de Saint-Saud-Lacoussière (24470). ☎ 05-53-56-97-21. Fax : 05-53-56-91-33. ● www. hostellerie-st-jacques.com ● Au départ de Nontron, prendre la D 85 direction Limoges, puis la D 79. Fermé le lundi, le mardi midi et le dimanche soir hors saison ; les lundi, mardi et mercredi midi en été, ainsi que du 15 novembre au 1er mars. Chambres confortables, de 46 à 85 € selon le standing. Également 2 appartements pour 4 personnes à 123 €. Menus de 19,50 à 58 €. Très beau cadre de verdure, parc charmant avec piscine chauffée et tennis. Salle élégante nappée de jaune et bleu, la terrasse domine le parc. Vous pourrez profiter d'un vrai moment de détente, d'autant que la cuisine a fort bonne réputation...

À voir. À faire

🏃 *La Coutellerie nontronnaise :* 33, rue Carnot. ☎ 05-53-60-33-76. Dans le centre. ⚒ Ouvert du mardi au samedi de 9 h 15 à 12 h et de 14 h à 19 h ; en juillet et août, ouvert aussi le lundi de 10 h à 12 h et de 14 h à 18 h, ainsi que le dimanche de 10 h 30 à 12 h 30. Un très beau magasin tout en bois (dépendant de la dernière fabrique de couteaux) où, même si vous n'achetez rien, on vous expliquera avec une inextinguible amabilité toute l'histoire de ce couteau. En prime, un nouvel atelier vient d'ouvrir place Paul-Bert, où le visiteur peut suivre toutes les étapes de la fabrication. ☎ 05-53-56-01-55. Ouvert du lundi au vendredi de 9 h à 12 h et de 13 h 30 à 18 h 15 (arrêt de la fabrication à 17 h 30) et le samedi en juillet et août seulement (mais pas de fabrication ce jour-là). Visite gratuite.

🏃 Très belle *vue sur la vallée du Bandiat* de l'esplanade Paul-Bert et du viaduc.

🏃 Pittoresque *rue Antonin-Debidour* (prolongement de la place du Marronnier et de la rue de Périgueux) avec sa fontaine, ses maisons à colombages et ses vestiges de remparts.

Manifestations

– *Fête des Soufflets* (« *Soufflaculs* ») : le 1er week-end d'avril. Étrange et pittoresque fête remontant au Moyen Âge.
– *Le couteau en fête :* le 1er week-end d'août. Expo de la production des grandes régions de coutellerie (Nogent, Laguiole), reconstitution d'une forge, d'une ancienne fabrique de couteaux...
– *Expositions d'artisanat d'art :* toute l'année, différentes expos se succèdent au Pôle Expérimental des Métiers d'Art, place Paul-Bert, où plusieurs artisans de la région exposent et vendent leurs œuvres (☎ 05-53-60-74-17).
– *Marché africain :* le 1er week-end de juillet. Marché nocturne, repas et concert sur la place de la mairie.
– *Fête du cheval :* le 2e week-end de septembre. Tous les équidés à l'honneur.

➤ DANS LES ENVIRONS DE NONTRON

JAVERLHAC (24300)

Pour le pittoresque ensemble église romane du XIIe siècle (avec porche à sept voussures) et château du XVe (avec gros donjon et belle fenêtre Renaissance). Sentier longeant le Bandiat et menant aux anciennes forges. Au XVIIIe siècle, elles fondirent les canons et boulets de la marine basée à Rochefort.

À voir

🏃 *La chapelle Saint-Robert :* un petit coup d'aile en voiture pour cette très jolie église romane. Sortir de Javerlhac (vers Angoulême), puis petite route qui part à gauche (pancarte « Saint-Robert 3,1 km »). Au passage, on croise les forges. Ayant été construite en une seule fois, l'église a des proportions parfaites. Abside flanquée de deux absidioles, transept surmonté d'un clocher massif. Nef curieusement longue et étroite. Portail d'une grande sobriété ne tolérant que de petits chapiteaux sculptés. À l'intérieur, vieux dallage. Absidiole avec colonnettes et chapiteaux historiés.

VARAIGNES (24360)

Joli village de la « Dordogne limousine », bien décidé à ne pas mourir. Un peu plus de 400 habitants, disséminés en 32 hameaux ! Ils ont pris en charge sa restauration et sa mise en valeur (détermination récompensée par le premier prix national « chef-d'œuvre en péril »). Venant du sud, le village présente un profil harmonieux (même la cabine téléphonique se révèle dans le ton !). Les bâtiments ont été restaurés et ont repris vie : château, grange aux dîmes, halle, pigeonniers, lavoir, etc.

Adresse utile

ℹ️ Office de tourisme : ☎ et fax : 05-53-56-35-76. En été, ouvert du lundi au samedi de 9 h à 12 h et de 14 h à 18 h et le dimanche de 14 h à 18 h ; en basse saison, ouvert le lundi et du mercredi au samedi de 10 h à 12 h et de 14 h à 18 h, fermé le mardi et le dimanche. Dynamique, et accueil sympa.

Où dormir ? Où manger dans les environs ?

🗻 🏠 |●| **Ferme-auberge Aux Jaubertins :** Les Jaubertins, 24300 Hautefaye. ☎ et fax : 05-53-56-04-50. 🗻 À 8 km au sud de Varaignes. Bien fléché. Fermé le lundi et le mardi, ainsi que de mi-décembre à mi-mars. Excellents menus à 22 €, vin compris, et à 25 €. Camping à la ferme et ferme-auberge situés dans une nature délicieuse. Bons sanitaires et herbe bien tendre. Accueil sympathique. Repas sur réservation.

À voir. À faire

🕯 **Le château :** mêmes horaires (ou presque) que l'office de tourisme (se renseigner). Entrée : 3,80 € ; réductions. Achat des billets à l'office. Visite guidée (départ toutes les heures). Il permet d'avoir une bonne idée de l'évolution de l'architecture régionale. D'abord, l'architecture médiévale à vocation militaire avec son massif donjon du XIIIe siècle, puis le style gothique de la tour hexagonale du XVe siècle, enfin la belle façade de la cour intérieure du XVIe siècle et d'inspiration Renaissance italienne.
Aujourd'hui, le château abrite un **atelier-musée des Tisserands et de la Charentaise.** Vous pourrez filer des bobines sur un métier à tisser traditionnel, le jeudi après-midi en été. Mais vous fabriquerez surtout votre propre paire de charentaises, selon la technique du « cousu retourné », qui fit toute leur renommée. Exposition artisanale. Entrée à 2,30 € sur présentation du *Guide du routard.*

🕯 **La grotte de la mairie de Teyjat :** visite le samedi (en principe) sur réservation en juillet et août, de 10 h à 12 h et de 14 h à 18 h. ☎ 05-53-06-86-00 (Font-de-Gaume). 🗻 Quelques gravures du magdalénien, une cinquantaine de figures animalières (bisons, aurochs, ours...). Également un **espace muséographique** qui permet aux malheureux sans réservation de se faire une idée de ce qu'ils loupent. Renseignements : ☎ 05-53-56-47-73. 🗻 En juillet et août, ouvert tous les jours sauf le dimanche matin ; hors saison, ouvert l'après-midi, le mercredi, le samedi et le dimanche. Entrée : 3,80 € ; 2,30 € sur présentation du *GDR.*

LE PÉRIGORD VERT ET LE PÉRIGORD BLANC

Manifestations

– Nombreuses fêtes dont la *foire aux dindons* (le 11 novembre), le *marché des tisserands* (à la Pentecôte), etc. En juillet et août, tous les samedis, *soirée-brochettes* sous la halle ; tous les mardis, « *Tartifume* » (tartes cuites au feu de bois dans un four à l'ancienne) suivi d'un marché de producteurs du pays. *Fête des villages du haut Périgord* (Soudat, Varaignes, Etouars ou Teyjat) le 15 août, avec un thème différent chaque année, autour du tissage, de la préhistoire, des forges et canons, et de la nature.

BUSSIÈRE-BADIL *(24360)*

À quelques kilomètres au nord de Varaignes. Pour son église romane à trois nefs et son beau portail. Grande finesse décorative des trois voussures (feuillage exubérant et animaux fantastiques).

Où manger ?

|●| *Ferme-auberge des Forges de la Valade :* 24360 Busserolles. ☎ 05-53-56-57-63. Située à la « frontière », en marge de la D 699 (Montbron-Saint-Mathieu). Fermé les mardi et mercredi, et de mi-janvier à mi-février. Menus de 16,50 à 24,40 €. Réservation obligatoire. Cadre plaisant en bord de rivière. La cuisine a fort bonne réputation. Les volailles (élevées sur place évidemment) sont une des spécialités de la maison : pintade farcie sauce au pineau, magret grillé au feu de bois, pâtisseries maison... N'accepte pas les cartes de paiement. Café offert sur présentation du *GDR*.

SAINT-ESTÈPHE *(24360)*

À 7 km au nord de Nontron par la D88 vers Piégut/Pluviers. Voir le *Roc Branlant* et son chapelet du diable – imposant bloc de granit qui bouge sous la seule pression de la main –, l'église du XIIe siècle et le menhir de Fixard. Près du village, un grand et bel étang poissonneux, ombragé, où il fait bon piquer une tête. Un endroit encore intact, pas trop fréquenté.

Où manger ?

|●| *Café-restaurant Le Rétro :* chez G. Dutin, au centre du village, face à l'église. ☎ 05-53-56-83-24. ⚹ Fermé le lundi, sauf jours fériés. Ouvert à midi ; le soir, sur réservation. Menu rapide à 7,30 € le midi ; autres menus de 10,70 à 30,20 €. Une bonne adresse pour une cuisine régionale. Terrasse couverte. Un patron bonhomme dans une déco « layette ».
|●| *L'Auberge de Mérigaud :* à 2 km de l'étang, vers Piégut. ☎ 05-53-56-88-99. Fermé le lundi hors saison. Menu à 11 € servi le midi en semaine ; autres menus de 18 à 29,50 €. Les Oliver vous accueillent dans un resto qui affiche un goût certain pour les recettes du cru, confit et magret bien sûr, mais aussi foie gras au torchon... à apprécier dans deux petites salles à manger au décor raffiné. N'accepte pas les cartes de paiement. Apéritif maison offert sur présentation du *GDR*.

ABJAT-SUR-BANDIAT (24300)

À 14 km au nord-est de Nontron par la D 87. Charmant village, groupé autour de la place du temps jadis et de l'église Saint-André, toutes deux agréablement restaurées. Région de transition entre Périgord et Limousin, elle offre de nombreuses randonnées. Au cours de l'une d'entre elles, vous découvrirez peut-être sur un roc ou sur un tronc d'arbre l'une des *peintures sauvages* de Pierre Rapeau. Renseignements à la mairie, rue Principale. ☎ 05-53-56-81-08.

Où dormir ? Où manger ?

⚹ ▮●▮ *Camping Le Moulin de Mas-frolet :* ☎ et fax : 05-53-56-82-70. ⚹ En pleine nature, bien signalé, à 1,5 km du village d'Abjat. Ouvert de début juin à fin septembre. Compter 14,30 € pour 2 personnes avec voiture et tente, en haute saison. Tennis, piscine, épicerie, pizzeria et petit resto sur place. Possibilité de louer caravanes, mobile homes et chalets. Nombreuses activités (randonnées équestres, canoë) et animations. Étang tout proche pour pêcher. Toute l'Europe s'y retrouve (surtout des Hollandais).

▮ ▮●▮ *Hôtel-restaurant L'Entente Cordiale :* rue Principale. ☎ 05-53-56-81-01. ● ffcorkers@minitel.net ● Fermé le lundi après-midi et en janvier. Double à 25 € avec lavabo. Pe-tit dej' à 4,50 €. Menu à 10 € en semaine ; autres menus de 14 à 20 € ; à la carte, compter 18 €. Tenu par un pittoresque couple d'Anglais qu'on pourrait croire (n'était-ce l'accent) du coin (l'entente cordiale !). Leur bar-tabac-journaux est d'ailleurs l'un des points de ralliement de la région. Tout le monde s'y retrouve : les néo-ruraux britanniques comme les jeunes du canton. Les chambres sont sans prétention. Cuisine sans prétention non plus, périgourdine, anglaise, voire indienne ou chinoise (sur demande). Concours de pétanque et de quilles l'été, et siège de l'équipe française de « conquers » ! N'accepte pas les cartes de paiement. Digestif maison offert sur présentation du *GDR*.

LE CHÂTEAU DE PUYGUILHEM

Château d'État situé à 1 km au nord-ouest de Villars. ☎ et fax : 05-53-54-82-18. En juillet et août, ouvert de 10 h à 19 h ; se renseigner sur les horaires pour le reste de l'année. Fermé les lundi, vendredi et samedi en hiver, ainsi que les 25 décembre et 1er janvier. Entrée : 5 €.

Dans un bel environnement, c'est le château périgourdin se rapprochant le plus de la magnificence des châteaux de la Loire. D'ailleurs, il fut conçu comme château d'agrément et pas du tout comme château militaire. Édifié au XVIe siècle. Façades présentant un profil magnifique. Gros donjon féodal orné de 5 fenêtres et 2 lucarnes Renaissance et d'une tourelle octogonale. Façade surmontée de remarquables lucarnes ouvragées. Forêt de cheminées sur le toit à larges pentes. Escalier à vis sculpté. Dans la salle d'armes, belle cheminée Renaissance avec médaillons. Au 1er étage, riche ameublement. Beaucoup de clarté. Cheminées aux lignes sobres. En tout, neuf tapisseries des Flandres et d'Aubusson dans le château. Splendide cheminée dans la salle de réception, avec frise sculptée évoquant les travaux d'Hercule. Plafond à double caisson italien en pierre. Pièce avec la charpente en chêne d'origine. Derrière le château, belle allée de tilleuls classée et grand pigeonnier.

➤ DANS LES ENVIRONS DE PUYGUILHEM

L'ABBAYE DE BOSCHAUD

À 2 km de Puyguilhem. Ruines d'une ancienne abbaye cistercienne du XIIᵉ siècle. Située en pleine campagne, visite libre. Vestiges du cloître et de la salle capitulaire. Lignes très pures, c'est du roman d'une rigueur et d'une harmonie sans pareil.

LES GROTTES DE VILLARS (24530)

Entre Saint-Pardoux et Saint-Jean-de-Côle. ☎ 05-53-54-82-36. Ouvert d'avril à octobre, tous les jours ; en avril, mai, juin et septembre, de 10 h à 12 h et de 14 h à 19 h ; en juillet et août, de 10 h à 19 h ; en octobre, de 14 h à 18 h 30. Entrée : 6,50 € ; réductions ; 20 % de remise sur présentation de ce guide. Un couloir sinueux donne accès à des salles ornées de concrétions riches et variées. Peintures préhistoriques, datant du magdalénien ancien (17000 ans av. J.-C.), bouquetins, fresque de chevaux, scène du bison et du sorcier. Film vidéo-animation sur la géologie et la préhistoire. Nouveauté depuis 2003 : un son et lumière.

Où dormir ? Où manger ?

▲ *Chambres d'hôte chez Mme Marcelle Autier :* à Villars. ☎ 05-53-54-80-76. Fermé en septembre et de fin octobre à la Pentecôte. Réservation pour 2 nuits minimum. À partir de 38 € pour la chambre avec bains, petit dej' compris. Tenu par un aimable couple de retraités. Deux chambres toutes simples (parmi les premières à avoir ouvert en Périgord) qui donnent soit sur une ruelle tranquille, soit sur un jardin avec potager. Sur présentation du *GDR,* 10 % de remise à partir de la 3ᵉ nuit.

LA CHAPELLE-FAUCHER (24530)

Tout petit village perché. À découvrir depuis la D 3 pour saisir le bel ensemble formé par le château, le moulin, le pigeonnier, le lavoir, etc. Château qui brûla au début du XXᵉ siècle et dont il ne reste que les murs et les tours. Il fut le théâtre, en 1569, du massacre de 300 paysans par Coligny. L'église possède un portail avec une gracieuse Vierge Marie au-dessus. Noter, à la hauteur de la tête, une petite scène de lutteurs.

SAINT-JEAN-DE-CÔLE   (24800)   340 hab.

À une dizaine de kilomètres à l'ouest de Thiviers, sur la D 707. L'un des plus jolis villages du Périgord et de France. On y retrouve tout ce qu'on aime dans l'architecture rurale : maisons anciennes qui se serrent les unes contre les autres (à colombages ou avec de belles teintes ocre, vieilles tuiles brunes patinées), la grande place, sa halle, son église, son château, etc. Le tout formant un gracieux ensemble. Tout au bout de la rue principale, pittoresque pont médiéval à dos d'âne et abreuvoir des bêtes.

Adresse utile

Syndicat d'initiative : pl. du Château. ☎ et fax : 05-53-62-14-15. Ouvert toute l'année de 14 h à 18 h. Organise des visites guidées du village comprenant la visite de l'église, de l'extérieur de l'abbaye et de l'extérieur du château. Tous les jours à 11 h en juillet et août, sur rendez-vous hors saison ; 3 € (2 € supplémentaires pour la visite de l'abbaye).

Où dormir ? Où manger ?

Hôtel Saint-Jean : route de Nontron. ☎ et fax : 05-53-52-23-20. Fermé le dimanche et le lundi en basse saison. Chambre à 33,55 € avec douche et w.-c. Petit dej' à 4,60 €. Menu à 11 € à midi en semaine ; autres menus de 14,50 à 25 €. À la carte, compter dans les 22 €. Sympathique petit établissement. Au bord de la départementale, mais elle n'est pas trop passante la nuit. Joli jardin. Chambres classiques, confortables et méticuleusement tenues. La patronne concocte une cuisine régionale de qualité : terrine de foie gras de canard maison, noix de Saint-Jacques avec sa fricassée de cèpes, magret de canard à l'orange en persillade, truffée sauce Périgueux...

Où dormir ? Où manger dans les environs ?

Chambres d'hôte Doumarias : 24800 Saint-Pierre-de-Côle. ☎ et fax : 05-53-62-34-37. ● doumarias @aol.com ● Situé sur la D 78, entre Saint-Pierre-de-Côle et Saint-Jean-de-Côle. Fermé de mi-octobre à fin mars. Chambre à 48 €. Petit dej' à 6 €. Table d'hôte le soir, excepté le vendredi. En pleine campagne, sur une cour avec beaux arbres et vieux puits, une vaste demeure du XVIe siècle, adorablement meublée. Gîte pour 6 personnes à 1 067 € la semaine. Accueil affable. Chambres personnalisées. On en trouve même une sous les combles pour les romantiques ou lecteurs(trices) écrivant leurs mémoires. Tout cela respire une chaleureuse sérénité. Piscine. N'accepte pas les cartes de paiement.

L'Auberge Périgourdine : 24800 Vaunac. ☎ 05-53-55-05-41.

Au sud de Thiviers et Saint-Jean-de-Côle. Bien indiqué de la N 21. Au centre du village. Ouvert tous les jours, mais le restaurant ferme les vendredi soir et dimanche soir en basse saison, uniquement le dimanche soir en haute saison. Chambre de 24,60 à 28,10 €. Menus à 14,90 €, en semaine, et de 21,10 à 27,30 €. Chambres de style vieillot-campagnard, mais l'ensemble est fort bien tenu. Certaines ont de gros lits en cuivre. Salle de bains à l'extérieur. Au resto, cuisine très réputée. Dommage que l'immense salle (ne pas venir y chercher l'intimité) ne possède guère de charme. Heureusement, deux autres salles, plus petites, rendent l'atmosphère plus conviviale. Deux menus de spécialités intéressants. N'accepte pas les cartes de paiement. Café offert sur présentation du GDR.

À voir

L'église Saint-Jean-Baptiste : de style romano-byzantin. Elle fut édifiée au XIe siècle et présente un plan insolite : nef d'une seule travée et carrée, prolongée d'une abside avec chapelles rayonnantes. Chœur orné de boiseries et panneaux sculptés du XVIIe siècle. À gauche du chœur, statue de la Vierge en pierre polychrome du XVIIe siècle. Plus loin, Vierge à l'Enfant de 1617. Elle porte Jésus sur le bras gauche.

À l'extérieur, petits chapiteaux historiés. Détailler les corniches des chapelles rayonnantes et leurs modillons sculptés (animaux divers, oiseaux, masques, lutteurs, poses grotesques, etc.).

Ancien prieuré derrière l'église, avec vue sur le cloître. Chevet de l'église et vieille halle fusionnent de façon charmante.

Artisanat

◈ **La Grange du Potier :** ☎ 05-53-62-34-80. Ouvert de juin à septembre, tous les jours de 10 h 30 à 12 h 30 et de 14 h 30 à 19 h. Poterie, peinture, céramique à l'ancienne, sculptures... Des activités qui seront présentées devant vous. La Grange s'est recentrée depuis quelques temps sur la peinture (huiles, aquarelles, pastels...), c'est presque une galerie. Collection d'horloges en céramique. Chaque pièce est réalisée à la main et donc originale. Vaut le détour.

◈ **Galerie de la Dame Blanche :** ☎ 05-53-62-38-88. Ouvert de mai à fin septembre, tous les jours de 10 h à 19 h. Grand choix d'objets d'art. Chai à visiter.

THIVIERS   (24800)   3 625 hab.

Grosse bourgade commerçante. Rien de particulier à signaler, si ce n'est quelques maisons à colombages des XVe et XVIe siècles et quelques beaux marchés : toute l'année le samedi matin ; en été, « le panier fermier », petit marché de produits de la ferme, le mardi matin, place de l'Église ; le plus ancien marché au gras se tient tous les samedis de mi-novembre à mi-mars, de 8 h à 12 h, place Foch. Enfin, un petit *musée du Foie gras* ouvert toute l'année (renseignements à l'office de tourisme).

QUAND JEAN-PAUL SARTRE SENTAIT LA POUDRE !

Jean-Paul Sartre passa son enfance à Thiviers (jusqu'à l'âge de six ans), puis « Poulou » revint régulièrement pour les vacances scolaires chez ses grands-parents paternels. Il n'en garda pas un souvenir exceptionnel. Ambiance à la maison assez détestable. Son grand-père, personnage très dur, n'échangea aucun mot avec sa femme pendant près de quarante ans (ayant appris qu'elle n'aurait pas de dot !). Sartre évoqua Thiviers dans *Les Mots* en termes peu amènes et il n'y revint jamais. Une association des Amis de Jean-Paul Sartre se battit pourtant pour qu'une plaque fût apposée sur la maison familiale (en face de la Maison de la Presse). Les résistances des notables de la ville furent assez vives. Auparavant, ils avaient, bien entendu, refusé que le collège de la ville porte son nom (lui préférant Léonce Bourliaguet, un homme inconnu du grand public, et surtout moins sujet à polémique). Enfin, quand l'inauguration de la plaque put avoir lieu, le maire (quand même obligé d'être là !), peu enthousiaste, commença son discours (peut-être pensait-il aux prochaines élections ?) par cette phrase : « Sartre, on aime ou on n'aime pas... » C'était notre rubrique « Petits échos de la France profonde ».

Adresse utile

ⓘ Office de tourisme : pl. Foch. ☎ et fax : 05-53-55-12-50. ● ot.thiviers@wanadoo.fr ● Dans le centre. Ouvert de 10 h à 12 h et de 14 h à 18 h ; en juillet et août, de 9 h à 19 h sans interruption. Fermé le dimanche en basse saison. Bon accueil, conseils judicieux et du matériel touristique sur la région à rafler. Renseignements sur les randonnées pédestres à faire dans la région.

Où dormir ?

⚕ **Camping municipal Le Repaire :** sur la D 707, à 500 m de Thiviers. ☎ et fax : 05-53-52-69-75. Ouvert de début mai à fin septembre. 100 emplacements au milieu d'un parc verdoyant à 10 € la nuit pour 2 personnes. Également location d'un gîte pour 6 personnes. Calme. Trois étoiles. Piscine, tennis à proximité.

Où dormir ? Où manger dans les environs ?

🛏 |●| **Chambres d'hôte La Ferme de Laupilière :** lieu-dit Laupilière, 24800 Sarrazac. ☎ et fax : 05-53-62-52-57. ✗ Accès : de Thiviers, prendre la D 81 jusqu'à Sarrazac, puis la D 67 direction Dussac. Ouvert toute l'année ; en hiver, sur réservation. Pas de repas le samedi et le dimanche soir. Chambre double à 46 €, petit dej' compris. Demi-pension possible à 37 € par personne. Compter 14 € le repas en table d'hôte. Une exploitation agricole (bovins et céréales) au cœur d'une nature doucement vallonnée. Accueil authentique et cordial. Une grande chambre sous une impressionnante charpente à l'étage. Une autre plus petite au rez-de-chaussée... Également un gîte pour 4 personnes. Belle piscine. N'accepte pas les cartes de paiement. Apéritif offert sur présentation du GDR.

À voir

🦆 **Le musée de l'Oie et du Canard, maison du Foie gras :** à l'office de tourisme et mêmes horaires. ☎ 05-53-55-12-50. Entrée : 1,50 € ; réductions. Toutes les explications, panneaux, photos, etc., sur le processus de fabrication du foie gras, ainsi que des projections vidéo.

🦆 **L'église :** jeter un œil à l'intérieur pour les huit beaux chapiteaux à la croisée du transept. Grande finesse d'exécution. Quelques statues intéressantes : Ange et Vagabond (à droite en entrant) et Christ berger (à droite du chœur).
Derrière l'église, belle maison forte avec porte ouvragée, ainsi qu'un petit château avec tours poivrières. Maisons anciennes place des Trois-Coins et rue du Pont-Fermier. Vieilles ruelles autour de l'église.

Manifestations

– **Brocante professionnelle :** le dernier dimanche de juin.
– **La Nuit du Marché Saint-Laurent :** le samedi soir suivant la Saint-Laurent (autour du 10 août), grandes tablées à travers les rues, avec bal en musique.
– **Foire aux vins et délices de la table :** le 3e week-end d'août.

➤ *DANS LES ENVIRONS DE THIVIERS*

🍴 *Nantheuil (24800) :* petit village à 2 km de Thiviers. Dans l'église, beau retable doré de 1683, provenant d'un couvent de la région. Deux grosses arches gothiques bordent la nef de gauche. Chœur émouvant de simplicité, lignes harmonieuses.

🍴🍴 *Le château de Jumilhac :* à Jumilhac-le-Grand (24630). ☎ 05-53-52-42-97. À une vingtaine de kilomètres au nord-est de Thiviers. Visites guidées tous les jours du 1er juin à fin septembre de 10 h à 19 h, avec des visites nocturnes aux flambeaux le mardi de 21 h 30 à 23 h 30 (ainsi que le jeudi en juillet et août) ; en mi-saison, ouvert uniquement le week-end, de 14 h à 18 h 30 ; hors saison, ouvert le dimanche de 14 h 30 à 17 h 30, et tous les jours sur réservation. Visite en journée : 5,50 € ; réductions. En nocturne : 7 €. Dominant le vieux village, dans un site séduisant, un magnifique château qui vaut le déplacement. Beaucoup de fantaisie et d'originalité dans l'architecture : la plupart des pièces sont dissymétriques, jamais à angle droit. Sur le toit, forêt de tours, tourelles, cheminées de toutes formes et des faîtières uniques sous forme d'allégories représentant les pouvoirs d'un seigneur au XVIe siècle. À l'intérieur, belle chambre de la fileuse avec fresques. Voir aussi les jardins du XVIIe, sur le thème de l'or et de l'alchimie.
– *La galerie de l'Or :* sur la place du château. ☎ 05-53-52-55-43 (office de tourisme). De mi-juin à mi-septembre, ouvert tous les jours de 10 h à 12 h 30 (sauf le samedi) et de 14 h 30 à 18 h 30 ; le reste de l'année, pour les groupes sur réservation. Présentation d'une exploitation de l'époque gallo-romaine. Évolution de la recherche de l'or. Outils, objets, tableaux explicatifs.

SORGES
(24420)   1 145 hab.

À 20 km de Périgueux, c'est la capitale de la truffe. Ville étape et station verte de vacances. Ne pas manquer d'y visiter l'écomusée (maison de la Truffe et sentier des Truffières).

Adresses utiles

ℹ️ *Office de tourisme :* ☎ et fax : 05-53-46-71-43. ● www.sorges-en-perigord.com ● De mi-juin à fin septembre, ouvert tous les jours de 9 h 30 à 12 h 30 et de 14 h 30 à 18 h 30 ; de mi-novembre à début février, tous les jours sauf le lundi, de 14 h à 17 h ; de début février à mi-juin et de début octobre à mi-novembre, tous les jours sauf le lundi, de 10 h à 12 h et de 14 h à 17 h.

Très bon accueil. Circuits de randonnées pédestres et VTT. Organise également une visite guidée du sentier des Truffières, tous les mardi et jeudi en été à 15 h 30, et de l'écomusée à 14 h 30.
🚉 *Gares les plus proches :* Périgueux (☎ 05-53-06-21-15) et Thiviers (☎ 05-53-55-00-21).
🔲 *Piscine* municipale chauffée, ouverte de mi-juin à mi-septembre.

Où dormir ? Où manger ?

🛏️ 🍽️ *Auberge de la Truffe :* N 21, au bourg. ☎ 05-53-05-02-05. Fax : 05-39-05-39-27. ● www.auberge-de-la-truffe.com ● Ouvert toute l'année.

Fermé le lundi midi et le dimanche soir en hiver. Chambres de 47 à 51 €. Menu à 16 € en semaine ; autres menus de 23 à 52 €. Voici une bonne table de tradition. Service très aimable et efficace. Les petits menus sont très intéressants, buffet de hors-d'œuvre et plats du marché. À noter, une carte « foie gras » et une carte « truffes » ! Même si l'auberge est en bord de route, les chambres sont agréables, surtout celles qui donnent de plain-pied sur le jardin (nos 25 à 29). Beau petit dej'-buffet à 8,50 €. Piscine et sauna. Annexe très calme au centre du village, à l'*Hôtel de la Mairie* (en saison d'été uniquement). Chambres plaisantes donnant sur la campagne. S'adresser à l'*Auberge de la Truffe*. 10 % de réduction sur le prix de la chambre pour les lecteurs du *GDR*, excepté en juillet et août.

🏠 *Chambres d'hôte Domaine de Poux :* ☎ 05-53-05-02-02. En ve-nant de Thiviers, tourner à droite au centre de Sorges, puis continuer sur 1 km ; bien indiqué. Ouvert du 1er mai au 1er octobre. Chambre double avec petit dej' à 40 €. Remarquablement situé. Calme garanti. Grande demeure familiale couverte de lierre. Annie et Jacques Delaire reçoivent avec une courtoisie exquise et proposent même des visites touristiques à leurs clients. Belle cage d'escalier. Les chambres ont conservé les noms des enfants (aujourd'hui envolés !). On aime bien « Cécile » avec son lit Directoire. L'ensemble possède un certain charme intimiste. Pour famille, deux chambres « en suite » intéressantes, avec salle de bains. Possibilité de repas rapide. N'accepte pas les cartes de paiement.

Où dormir dans les environs ?

🏠 *Village-Vacances-Familles (VVF) :* 24420 Sorges. ☎ 05-53-05-02-52. Réservations : ☎ 0825-808-808. Fax : 05-53-05-38-79. 🍴 Fermé de la Toussaint à avril, sauf pendant les fêtes de fin d'année. Une cinquantaine d'agréables pavillons en du-plex, disponibles pour les familles. De 245 à 1 008 € le 3 pièces (par semaine), selon la saison.

⛺ *Camping :* voir plus loin, à Excideuil, « Où dormir ? Où manger dans la région ? ».

À voir

🎥🎥 *L'écomusée de la Truffe :* intéressante visite de la maison de la Truffe. ☎ 05-53-05-90-11. Mêmes horaires que l'office de tourisme. Entrée : 4 € ; réductions. Nombreux panneaux et montage audiovisuel pour tout connaître de cet étrange tubercule souterrain produit par les champignons ascomycètes. Brillat-Savarin disait qu'il était le « diamant noir de la cuisine ». Visite qui peut être prolongée par la promenade du *sentier de nature des Truffières* (1,5 et 3 km environ).

🎥 *L'église :* d'aspect massif. Mur-façade auquel on a ajouté un beau portail Renaissance. Construction en deux temps. Larges arches gothiques. Au fond, absidiole avec colonnes et chapiteaux sculptés.

À L'EST DU PÉRIGORD VERT

Frontalière du Limousin, une région au relief vallonné, parfois assez « montagneuse », avec de belles vallées sauvages peu pénétrées par le tourisme de masse (comme dans les gorges de l'Auvézère).

NANTHIAT *(24800)*

Paisible village s'ordonnant autour de son élégant château aux deux tours poivrières et girouettes chancelantes, et son église romane aux belles proportions. Devant l'église, un très rare calvaire-autel.

EXCIDEUIL *(24160)*

Pour son château forteresse qui surveillait le Limousin. Il fut assiégé de nombreuses fois, notamment par Richard Cœur de Lion. Édifié au XIe siècle sur une motte médiévale. Les deux énormes donjons jumeaux laissent deviner sa puissance passée. Belle porte d'entrée encadrée de tourelles et dont on voit encore les fentes du pont-levis. Visite libre. Église, ancien prieuré, possédant un intéressant portail flamboyant. Vieille ville agréable.

Adresses et infos utiles

Syndicat d'initiative : 1, pl. du Château. ☎ 05-53-62-95-56. Fax : 05-53-52-29-79. ● www.tourisme-vert.net ● D'avril à septembre, ouvert le lundi de 14 h 30 à 18 h 30, du mardi au vendredi de 9 h 30 à 12 h 30 et de 14 h 30 à 18 h 30 et le samedi de 9 h 30 à 12 h 30 ; hors saison, ouvert les mardi, jeudi et samedi de 10 h à 12 h et de 15 h à 17 h.

Car pour Périgueux : 3 liaisons par jour pendant les vacances scolaires, sauf les dimanche et jours fériés et 5 le reste du temps.

Piscine municipale : ouvert en juillet et en août.

– **Grand marché** le jeudi matin et **marché médiéval** organisé tous les 2 ans (années paires), en juillet ; les années impaires, c'est la **balada,** fête à l'ancienne, avec des vieux métiers, et des jeux de foire traditionnels.

LES GORGES DE L'AUVÉZÈRE

Démarrer l'itinéraire à Cherveix-Cubas, puis Génis, et prendre la direction du moulin de Pervendoux, Saint-Mesmin et Savignac-Lédrier (la D 704). D'abord, plateau ondulant, boisé et verdoyant. Gentil village de **Génis** avec sa place et sa fontaine.

Association Pays d'Auvézère : 24160 Génis. ☎ 05-53-52-48-32.

Pour tous renseignements sur les possibilités de randonnées dans la région.

Puis c'est la pittoresque descente dans les gorges jusqu'au moulin. Petites balades agréables tout autour. Et remontée vers Saint-Mesmin. Au passage, traversée de **Charoncles** au sommet d'une colline. Très joli hameau à l'architecture homogène de grosses et solides bâtisses dans le style local.

SAINT-MESMIN *(24270)*

Village mignon. Église romane.

On y trouve un **Relais-nature :** 6, rue des Mésanges, La Turcade, 24660 Notre-Dame-de-Sanilhac. ☎ et fax : 05-53-08-23-83. Installé dans un ancien presbytère. Accueil de groupes.

➤ Belle balade vers les *chutes de l'Auvézère*. Possibilité de pratiquer du canoë-kayak (renseignements au relais-nature).

SAVIGNAC-LÉDRIER *(24270)*

En contrebas du village, d'anciennes forges témoignent de l'activité industrielle passée. Le haut fourneau fonctionna de 1421 à 1930, l'énergie de l'eau servait à actionner les soufflets de la forge. Un début de rénovation est hélas interrompu depuis plusieurs années. Ne se visitent pas, mais on peut s'en approcher de très près, la balade en vaut la peine.
Au-dessus, le château du maître des forges (XVe siècle).

Où dormir ? Où manger dans la région ?

Campings

⋏ ⏐●⏐ *Camping du Clupeau :* venant de Cherveix-Cubas, à 500 m de la D 704, à 5 km avant Génis. ☎ et fax : 05-53-50-43-21. ⏐ Fermé une semaine en novembre et en décembre. Compter 8,10 € pour 2 personnes avec voiture et tente. À l'auberge, menus autour de 11 et 14 €. Agréablement situé en bord de rivière. Ombragé. Sanitaires corrects. Calme, plage et baignade. Possibi-lité de louer des canoës. Apéritif offert sur présentation du *GDR* et 10 % de réduction sur la location de canoës.
⋏ *Camping du Pont Rouge :* à Excideuil, au bord de la rivière Loue. ☎ 05-53-62-43-72. Ouvert en juillet et août. Hors saison, s'adresser à la mairie (☎ 05-53-55-31-05). Prix modiques. Agréable et ombragé.

De bon marché à prix moyens

🛏 *Hôtel Le Rustic :* 1, pl. du Champ-de-Foire, à Excideuil. ☎ 05-53-62-49-60. Fermé le lundi. Chambres doubles avec douche et w.-c. de 31 à 43 €. Petit dej' à 5 €. Chambres un peu petites mais agréables et bien tenues. Bon accueil. Remise de 10 % sur le prix de la chambre sur présentation du *GDR*.
⏐●⏐ *Ferme-auberge Chez Roche :* au lieu-dit Leyssartoux, à Saint-Jory-Lasbloux, entre Sorges et Excideuil, sur la D 74. ☎ 05-53-05-04-01. Menus à 17,50 et 19 €. Réservation obligatoire. Pas vraiment intime, mais on y mange bien et beaucoup. Menus de stricte orthodoxie périgourdine : tourin blanchi, foie gras mi-cuit, confit...

⏐●⏐ *La Crémaillère :* 24160 Anlhiac, sur la place. ☎ 05-53-52-48-66. ⏐ Fermé le lundi soir et le mardi soir, 15 jours avant les Rameaux, la dernière semaine de septembre et la 1re quinzaine d'octobre. Premier menu à 11 € sauf le dimanche midi, avec un buffet d'entrées ; autres menus de 13 à 20,60 €. Réservation conseillée. Impeccable menu périgourdin à 16,50 € pour les touristes qui n'auraient pas encore fait le tour des spécialités de la région... Bref, c'est l'archétype du bon petit resto de campagne accueillant. Deux terrasses : une sur la place et une avec vue sur le village. Café offert sur présentation du *GDR*.

LE CHÂTEAU DE HAUTEFORT   (24390)

Situé à 3 km de la D 704. Renseignements : ☎ 05-53-50-51-23. De début avril à fin juin, ouvert tous les jours de 10 h à 12 h et de 14 h à 18 h ; en juillet et août, de 9 h 30 à 19 h ; en février, mars, octobre et novembre de 14 h à 18 h, en septembre, de 10 h à 12 h et de 14 h à 18 h. Fermé en décembre et janvier. Entrée : 6,50 € ; réductions. Visite des parcs et jardins uniquement : 4 €. Majestueux et élégant, le château domine toute la campagne, fusionnant harmonieusement avec le village à ses pieds. Construit au XVIIe siècle, c'est l'un des plus beaux du Périgord. Longue façade encadrée de tours rondes à lanternons. Porte d'entrée encadrée (comme à Excideuil) de deux tourelles, avec fenêtre à meneaux et fentes du pont-levis. Très beaux jardins à la française, les seuls à être classés Monuments historiques en Aquitaine. Mais on prend vraiment la mesure de ces véritables tapisseries végétales depuis le chemin de ronde du château. Hautefort a brûlé en grande partie en 1968 (rien à voir avec les « événements », mais une cigarette mal éteinte...). Il a été reconstitué à l'identique. À voir : les arcades de la galerie du rez-de-chaussée, la chambre d'honneur, le salon des tapisseries, la charpente de la tour sud-ouest...

⚘ Sur la place principale, ancien hôpital de la même époque que le château qui abrite le syndicat d'initiative et un petit *musée de la Médecine*. ☎ 05-53-51-62-98 ou 05-53-50-40-27 (office de tourisme). En avril et mai, ouvert tous les jours de 10 h à 12 h et de 14 h à 18 h (10 h à 19 h les dimanche et jours fériés) ; de début juin à fin septembre, ouvert tous les jours de 10 h à 19 h. Entrée : 4,50 € ; réductions. Très intéressantes expos sur les grandes découvertes de la médecine. À voir notamment un coffret d'amputation du XVIIIe siècle, le bocal à sangsues (pour les saignées), les clystères à lavement, etc. Du coup, on apprécie à leur juste valeur les progrès de la médecine !

Où dormir ? Où manger ?

🏠 |●| *Auberge du Parc :* pl. Eugène-Leroy, 24390 Hautefort. ☎ 05-53-50-88-98. Fax : 05-53-51-61-72. Fermé le mercredi et le dimanche soir, ainsi que du 15 décembre au 15 mars. Chambres doubles à partir de 30,50 €. Menus à partir de 15 €. À la carte, compter environ 30 €. La petite auberge de charme de village. La maison est bien tenue, on sent qu'on y aime faire plaisir. Chambres simples mais correctes et bien entretenues. La table est de qualité et le choix est plus que varié. Plusieurs « menus poisson » sont également proposés.

Où dormir ? Où manger dans les environs ?

🏠 |●| *Hôtel-restaurant Les Tilleuls :* 24390 Badefols-D'Ans. ☎ 05-53-51-52-97. Fax : 05-53-51-50-08. Fermé le samedi midi en saison, le samedi toute la journée hors saison, ainsi que de Noël à fin janvier. Chambres doubles de 28,50 à 37 €. Demi-pension possible. Menus de 11,20 à 21 €. L'auberge de village telle qu'on l'imagine, chambres simples mais douillettes et au calme dans ce petit bourg qui s'endort avec le coucher du soleil. La salle est pleine de charme, à moins que vous ne préfériez la terrasse ombragée dans le jardin. Cuisine classique et généreuse préparée par la patronne. Accueil agréable. Apéritif maison offert sur présentation du *GDR*.

LE PÉRIGORD NOIR

Curieuse dénomination pour l'une des régions les plus lumineuses de France ! En fait, elle tire son nom de ses forêts qui conservent un aspect sombre une grande partie de l'année, dû à l'abondance d'arbres à feuillage persistant. Le Périgord noir, c'est grosso modo le sud-est de la Dordogne, la région comprise entre la Vézère et la Dordogne et leurs villages limitrophes. Châteaux et villages y trouvèrent tout naturellement leur nid. On y dénombre aussi beaucoup de grottes et sites archéologiques.

Entre Dordogne et Vézère, un réseau dense de minuscules routes de campagne mène à d'adorables villages aux toits couverts de lauzes, à de fameuses auberges et, en haute saison, permet de fuir agréablement les foules touristiques. C'est probablement en automne que cette région est la plus agréable, d'autant que la foule des touristes est réduite et que les prix retrouvent un niveau plus raisonnable. En pleine saison, leur niveau a en effet atteint la cote d'alerte.

SARLAT   (24200)   10 420 hab.

> **Pour le plan de Sarlat, voir le cahier couleur.**

Ville de France bénéficiant d'une des meilleures images : « Joyau médiéval superbe », « Plongée architecturale fantastique dans l'histoire », « Ville de charme et de caractère parmi les plus séduisantes de France », etc. Bon, c'est vrai tout cela. Il faut dire qu'on ne compte plus les films qui s'y tournent annuellement (il nous semblait bien que ses rues nous étaient familières !). À nous donc de nous mettre en scène. Moteur !

UN PEU D'HISTOIRE

Comme beaucoup de villes de province, la ville naquit autour d'une abbaye (une fois de plus, les moines savaient choisir leur site). Au XIVe siècle, au moment des guerres anglo-françaises, Sarlat fit le bon choix et s'en trouva récompensée par le roi Charles VII qui lui attribua moult droits, franchises et privilèges. Bourgeois et marchands de la ville, évêques et magistrats la couvrirent de nobles demeures. À la Révolution, Sarlat perdit son évêché, puis de son importance économique, et sombra dans une profonde léthargie. À l'écart des grands courants industriels, et le chemin de fer n'y arrivant qu'à la fin du XIXe siècle, la ville ne connut aucune évolution et cela fut sa chance (et la nôtre !). Seule exception : la trouée imbécile de la rue de la République, réalisée en 1837. Ainsi son patrimoine architectural nous arriva quasi intact, et une intelligente et habile restauration fit le reste.

Aujourd'hui, le succès de Sarlat se retourne même contre elle : en juillet et août, on fait du sur-place dans les rues. Un conseil donc : si vous le pouvez, venez plutôt avant (les mois de mai et juin se révèlent tout simplement délicieux !) ou à partir de septembre.

Adresses et infos utiles

ⓘ *Office de tourisme* *(plan couleur B2-3) :* rue Tourny, dans l'ancien évêché. ☎ 05-53-31-45-45. Fax : 05-53-59-19-44. ● www.ot-sarlat-perigord.fr ● Ouvert de 9 h (10 h le dimanche) à 12 h et de 14 h à 19 h (18 h le dimanche en saison) ; de mai à septembre, ouvert en continu. Fermé le dimanche hors saison. Compétent, efficace, bon matériel touristique sur la région. Visites-conférences sur la ville d'avril à septembre. Service de réservation et de locations (ligne directe : ☎ 05-53-31-45-40 et 41) et de chambres (☎ 05-53-31-45-43).

✉ *Poste* *(plan couleur A3) :* pl. du 14-Juillet. Ouvert du lundi au vendredi de 8 h 30 à 17 h 30 et le samedi matin.

■ *Taxis :* ☎ 05-53-59-39-65 ou 05-53-59-02-43.

🚂 *Gare SNCF :* av. de la Gare, route de Souillac. ☎ 05-53-59-00-21.

■ *Location de vélos : Chez Chapoulie,* 4, av. de Selves (route de Montignac). ☎ 05-53-59-06-11. *Peugeot-Cycle,* 36, av. Thiers. ☎ 05-53-28-51-87.

■ *Distillerie du Périgord :* pl. de la Liberté. ☎ 05-53-59-31-10. ● www.distillerie-perigord.com ● Ne pas manquer d'y faire emplette des fameuses guinettes, délicieuses griottes dénoyautées, semi-confites et macérées dans l'alcool. Et plein d'autres spécialités locales.

✈ *Aérodrome de Sarlat-Domme :* accès par Domme, puis 5 km au sud (indiqué). ☎ 05-53-28-32-95. Un must ! La visite aérienne de Sarlat et des cinq châteaux. Points de vue uniques, évidemment. Prix très abordable : 23 € le quart d'heure par personne.

– *Marchés :* le mercredi matin et le samedi toute la journée. Place de la Liberté et dans les rues alentour, c'est un beau spectacle et l'ambiance est garantie. Beaux produits régionaux. En été, l'accès relève de l'exploit et même une fois à pied, la bousculade est assurée ! Venir le plus tôt possible ou juste avant la fermeture. Marché couvert à l'ancienne église Sainte-Marie du 1er mai au 15 octobre tous les jours sauf le lundi, et le reste de l'année les mardi, mercredi et les week-ends.

Où dormir ?

Campings

⛺ *Les Terrasses du Périgord :* Le Pech d'Orance. ☎ 05-53-59-02-25. Fax : 05-53-59-16-48. ● www.terrasses-du-perigord.com ● ⛌ À 2,5 km de Sarlat. Du centre-ville, prendre la direction Proissans, Sainte-Nathalène. Ouvert du 1er mai au 21 septembre. Compter dans les 12 € en basse saison et dans les 15 € en haute saison pour 2 personnes avec voiture et tente. Gîte pour 6 personnes, de 230 à 585 € la semaine. Camping 3 étoiles posé sur un plateau, d'où un superbe panorama : on voit presque tout le Périgord ! En terrasses (eh oui !), dans un coin de nature intact. Bien ombragé. Accueil exceptionnellement chaleureux. Sanitaires nickel, chauffés en basse saison. Piscine, jeux et animations. Épicerie. Remise de 5 % sur l'emplacement sur présentation du *Guide du routard.*

⛺ *Les Périères :* route de Sainte-Nathalène. ☎ 05-53-59-05-84. Fax : 05-53-28-57-51. ● www.lesperieres.com ● ⛌ Prendre la direction de la préfecture, c'est à 2 km environ (D 47). Compter de 18,20 à 24,60 € selon la saison. À 1 km de Sarlat, superbe camping 4 étoiles dans un parc de 6 ha. Grands emplacements ombragés. Piscine, sauna, jacuzzi, tennis, jeux et bassin pour enfants. C'est cher évidemment, mais c'est le grand luxe. Gîte pour 5 personnes à louer. Une heure de tennis offerte sur présentation du *GDR.*

⛺ *Les Rivaux :* route des Eyzies.

☎ 05-53-59-04-41. ⚒ À 3 km de Sarlat. Suivre la D 47. Ouvert du 1er avril à début octobre. Compter dans les 10,50 € pour 2 personnes avec voiture et tente. Camping 2 étoiles. Simple, familial, pas trop cher et cadre agréable. N'accepte pas les cartes de paiement.

⚔ *Les Acacias :* au bourg de La Canéda. ☎ 05-53-31-08-50. Fax : 05-53-59-29-30. • www.acacias.fr • ⚒ À 4 km du centre. Fermé d'octobre à fin mars. Compter 12 € pour 2 avec voiture et tente. Camping 2 étoiles bien ombragé et calme. Piscine à l'ombre de l'ancienne commanderie des Templiers. Restauration sur place (menu à 12 €). Apéritif maison offert sur présentation du *GDR*.

Bon marché

▪ *Auberge de jeunesse (hors plan couleur par A1, 10) :* 77, av. de Selves. ☎ 05-53-59-47-59 et 05-53-30-21-27. Accueil des individuels sur réservation du 15 avril au 15 novembre de 18 h à 20 h. Fermé de décembre à mars, sauf pour les groupes. Première nuitée à 10 € par personne, puis 9 € à partir de la seconde. En dehors de cette période, souvent complet car des groupes y débarquent. Pas de couvre-feu. Pas loin du centre à pied, une aubaine ! 32 lits répartis en 3 dortoirs. Entretien à la charge des occupants. Possibilité de planter sa tente (6 € la 1re nuit, 5 € les nuits suivantes). Cuisine équipée à disposition. Propre.

Le cadre est sympa, mais les lits pas très larges. Réservez impérativement. N'accepte pas les cartes de paiement.

▪ *Hostellerie Marcel (hors plan couleur par A1, 12) :* 50, av. de Selves. ☎ 05-53-59-21-98. Fax : 05-53-30-27-77. À la sortie de Sarlat (direction Les Eyzies, Brive). Fermé le dimanche midi et du 15 novembre au 15 mars. Chambres doubles de 43 à 54 €. Petit dej' : 6,50 €. Sur une avenue assez bruyante, mais les chambres sont correctes et le rapport qualité-prix intéressant. Toutes sont équipées de TV. Canal + et chaînes satellite au salon. Apéritif maison offert sur présentation du *GDR*.

Chambres d'hôte

▪ *Manoir de Pechauriol :* à la sortie de Sarlat, direction Brive. ☎ 05-53-31-18-33. L'accueil se fait au « Parc », en face de la station-service. Chambres doubles de 30 à 39 € selon la saison. En retrait de la route, une grande demeure de charme. Accueil fort sympathique. Trois chambres de plain-pied, avec douche, w.-c. et TV, agréables et confortables (avec entrée indépendante). Petits studios aux alentours de 305 € la semaine. Remise de 10 % sur le prix de la chambre du 1er novembre au 1er avril.

▪ *Chambres d'hôte M. Toulemon (plan couleur B1, 17) :* 4, rue Magnanat. ☎ et fax : 05-53-31-26-60 ou ☎ 06-08-67-76-90. • www.toulemon.com • Ouvert toute l'année. Doubles à 35 et 45 € selon la saison, avec salle de bains, w.-c., entrée indépendante. Compter 6 € par personne supplémentaire (très intéressant à 4 ou 5). Très belle maison

classée du XVIIe en plein centre-ville, à deux pas de la place de la Liberté. Tout confort, belles chambres spacieuses. Les parquets sont d'époque. Petit jardin où l'on peut se reposer ou dîner, avec terrasse sur les vestiges des anciens remparts de la ville. Un très bel endroit pour profiter du marché du samedi, quasi inaccessible en été : il est à vos pieds. Cartes de paiement. Café, thé ou jus de fruits offert, lors de l'accueil, sur présentation du *GDR*.

▪ *Chambres d'hôte M. et Mme Lasfargue :* pont de Campagnac. ☎ 05-53-59-07-83. Sortie de Sarlat, direction Brive ; à la fourche (avec le garage Saint-Michel), prendre à gauche ; peu avant les grandes clôtures blanches cachées par la végétation, c'est à gauche. Ouvert de février à novembre. Chambre de 29 à 37 €, petit dej' à 5 €. Belle maison en pierre du pays sur la colline. Calme. Accueil discret. Deux chambres avec coin douche et sanitaires sur le palier, ainsi qu'à partir de janvier 2004, 2 nouvelles chambres avec douche et w.-c., dans une annexe. Piscine. N'accepte pas les cartes de paiement. Remise de 10 % sur le prix de la chambre sur présentation du *GDR*.

🛏 *Chambres d'hôte La Ferme de la Croix-d'Allon* : ☎ 05-53-59-08-44. Fax : 05-53-59-08-51. ⚒ Accès : de la place de la Bouquerie, suivre la direction Proissans ; c'est fléché à partir du carrefour de la Croix-d'Allon. Chambre double à 45 €, petit dej' compris. À 2 km de Sarlat, et pourtant c'est déjà la campagne. Au creux d'un vallon. Chambres d'hôte à la ferme. Agréables, toutes avec douche et w.-c. Petit dej' avec confiture maison et pain de campagne aux noix et aux raisins ! Kitchenette et barbecue à disposition. Accueil authentique et chaleureux.

🛏 *Le Pignol, Jean Sicard* : rue Louis-Arlet (à ne pas confondre avec le boulevard). ☎ 05-53-59-14-28. Chambres doubles de 30 à 32 €. À 150 m du centre-ville, dans une maison avec jardin. Deux chambres avec salle de bains. Un peu bruyant, dommage ! N'accepte pas les cartes de paiement. Apéritif maison ou café offert sur présentation du *GDR*.

– Une trentaine d'autres chambres d'hôte dans un rayon de 3 km. Liste à l'office de tourisme.

Prix moyens

🛏 *Hôtel Le Mas de Castel* : à Sudalissant. ☎ 05-53-59-02-59. Fax : 05-53-28-25-62. ● castalian@wanadoo.fr ● ⚒ Hameau situé à 2,5 km sur la route de Souillac. Bien fléché. Fermé du 11 novembre à début avril. Doubles de 46 à 65 €. Charmant hôtel de plain-pied, dans le style local (belle pierre blonde du pays, petite borie...), entouré de verdure. Chambres confortables, très plaisantes, voire reposantes (douce déco dans les tons pastel). Les n°s 2, 3, 4, 5 et 14 sont plus spacieuses et ont une terrasse ou un salon de jardin. Belle piscine pour oublier quelques instants la chaleur estivale du Sarladais. Pas de resto. L'endroit idéal pour un séjour à la campagne, à deux pas de Sarlat. Excellent accueil. Apéritif maison offert sur présentation du *GDR*.

🛏 |●| *Hôtel de la Couleuvrine* : 1, pl. de la Bouquerie. ☎ 05-53-59-27-80. Fax : 05-53-31-26-83. ● www.la-couleuvrine.com ● Fermé du 6 janvier au 9 février. Chambres doubles de 43 à 58 €. Logis de France installé dans la dernière tour d'angle défensive qui armait les enceintes de la ville au XIIIe siècle. Le chemin de ronde conserve une étrange vierge noire pré-romane décapitée par les Huguenots pendant les guerres de religion. Restauré par le père de l'actuelle directrice, l'établissement a beaucoup de cachet. Des chambres sont aménagées au sommet de la tour, entre les mâchicoulis. Très romanesque. Belle salle à manger avec cheminée de pierre du XVe. On y sert de bonnes spécialités régionales, comme les profiteroles d'escargots aux pleurotes, de l'esturgeon ou de la lamproie à la bordelaise (cher mais fameux). Menus à partir de 18,50 €. Copieux menus-enfants à 9 € avec des pommes de terre sarladaises (ça change des frites !).

🛏 *Hôtel des Récollets* (plan couleur A2, 11) : 4, rue Jean-Jacques-Rousseau. ☎ 05-53-31-36-00. Fax : 05-53-30-32-62. ● www.hotel-recollets-sarlat.com ● Doubles de 40 à 65 €. Petit dej' à 6 €. Demi-pension possible en partenariat avec le restaurant voisin *Le Quatre Saisons*. Dans une paisible et pittoresque ruelle piétonne. Loin du brouhaha touristique, cet hôtel a été idéalement aménagé dans l'ancien cloître du couvent des Récollets (XVIIe siècle). Accueil des plus charmants, atmosphère familiale (un père et son fils gèrent des concert de lieux). Les chambres ont été récemment rénovées. Certaines donnent sur la calme petite cour intérieure où l'on prend le petit dej' aux beaux jours ; le reste du temps, il est servi dans une belle salle voûtée. Toutes les chambres offrent le même calme, la rue piétonne étant peu fréquentée la nuit.

🛏 |●| **Hôtel-restaurant Saint-Albert et Hôtel Montaigne** (hors plan couleur par A3, 13) : pl. Pasteur et 11, rue Émile-Faure. ☎ 05-53-31-55-55. Fax : 05-53-59-19-99. Doubles de 48 à 56 €. Menus de 19 à 30 €. Bistrot avec plat du jour autour de 10 € à midi en semaine. Deux hôtels et un resto, à peine à l'écart du centre ancien. À l'hôtel Montaigne, derrière une façade bourgeoise du meilleur goût, se cachent de jolies chambres (on a un faible pour celles du dernier étage, aux poutres apparentes), à la déco moderne qui ne fâchera personne et très bien équipées. Et une terrasse sous véranda où l'on prend son petit dej'. De l'autre côté de la rue, c'est l'hôtel-restaurant Saint-Albert, avec ses chambres rénovées ; celles sur la rue sont équipées de double vitrage. Dans la vaste salle à manger se retrouvent de (très) vieux habitués et les gens qui comptent à Sarlat autour de plats immémoriaux (côte de bœuf, andouillette de canard) ou d'une stricte orthodoxie périgourdine (salade périgourdine, omelette aux cèpes, civet de canard aux extraits de noix...).

🛏 **Hôtel de Compostelle** (hors plan couleur par A1, 14) : 64-66, av. de Selves. ☎ 05-53-59-08-53. Fax : 05-53-30-31-65. ● www.hotelcompostelle-sarlat.com ● ⚒ Sur la route de Montignac-Brive. Fermé le dimanche midi et de mi-novembre à fin mars. Doubles de 50 à 61 €. Accueil aimable, chambres irréprochables, spacieuses et plaisantes. Certaines disposent d'un balcon avec véranda vitrée (mais sur la rue). D'autres, les plus calmes, donnent sur un jardin de poche, à l'arrière. Pour les familles, des petits appartements avec 2 chambres et une salle de bains. Café offert sur présentation du GDR.

🛏 **Hôtel La Pagézie** (hors plan couleur par A1, 19) : à Temniac. ☎ 05-53-59-31-73. Fax : 05-53-59-30-53. À 1,5 km au nord, sur les hauteurs de Sarlat ; suivre la direction du centre hospitalier. Fermé du 15 novembre au 15 mars. Doubles de 47 à 65 €. Petit dej' à 8,50 €. Demi-pension de 44 à 55,50 €. Menu à 18 €. Formule gastro à 26 €. On se sent un peu chez soi dans cette belle maison périgourdine. Les chambres sont simples mais toutes décorées différemment dans un genre très cosy. Vue imprenable sur la campagne et la grande piscine, en contrebas de l'hôtel. Calme garanti.

Plus chic

🛏 **Le Jardin en Douce** (plan couleur A3, 22) : 15, rue du Siège. ☎ 05-53-59-09-58. Maison d'hôte. Voir la rubrique « Où manger ? ».

🛏 **Hôtel-restaurant La Hoirie** (hors plan couleur par A3, 18) : rue Marcel-Cerdan. ☎ 05-53-59-05-62. Fax : 05-53-31-13-90. ● www.lahoirie.com ● À la sortie de la ville vers Souillac, très bien fléché. Fermé de mi-novembre à mi-mars. Restaurant ouvert le soir uniquement, excepté le mardi. Chambres doubles de 58 à 104 € en haute saison. Menus de 20 à 43 €. À la carte, compter autour de 50 €. Les patrons ont fait l'acquisition de cette superbe demeure dont les origines remontent au XIIIe siècle. Ils ont fort bien mis en valeur la blondeur des pierres. Les chambres sont spacieuses, toutes décorées avec goût et souci du moindre détail ; salles de bains lumineuses et très fonctionnelles. Les chambres les plus chères sont en fait des appartements très confortables. Grand parc agréable avec piscine, bronzage tranquille garanti ! La table n'est pas en reste, le premier menu est servi aussi le dimanche, ce qui est très rare. Tout est fait maison : pied de porc désossé farci au foie gras... l'accueil est excellent. Apéritif maison offert sur présentation du GDR.

🛏 **Hôtel-restaurant La Maison des Peyrat** : le lac de la Plane. ☎ 05-53-59-00-32. Fax : 05-53-28-56-56. ● www.maisondespeyrat.com ● À l'écart sur les hauteurs à l'est de la ville. Continuer environ 2 km après la gendarmerie ; bien indiqué. Ouvert d'avril à mi-novembre tous les jours. Doubles de 47,30 à 77,30 € selon la saison. Demi-pension possible. Menu unique à 17,80 € pour les clients de l'hôtel et le soir exclusivement. Repris et rénové, cet ancien ermitage du XVIIᵉ siècle est devenu un vrai petit hôtel de charme dans un environnement séduisant et très calme. Décoration soignée dans le respect des vieilles pierres, un original puits trône dans l'entrée. Chambres spacieuses et claires, très belles salles de bains. Piscine, accueil charmant. Café offert sur présentation du *GDR*.

🛏 *Hôtel de Selves* (hors plan couleur par A1, 16) : 93, av. de Selves. ☎ 05-53-31-50-00. Fax : 05-53-31-23-52. • www.selves-sarlat.com • ♿ À la sortie de la ville, direction Les Eyzies. Fermé de début janvier à début février. Chambres doubles de 68 à 94 €. Pas loin du centre. Accueil souriant. Bâtiments résolument modernes, agencés autour d'un jardin intérieur. Chambres au calme, tout confort (AC, coffre pour vos valeurs, minibar, TV satellite...). Piscine à ciel ouvert pour l'été, couverte et chauffée dès que le temps se gâte. Sauna. Certaines chambres possèdent une terrasse. Garage et parking. 10 % de remise sur le prix de la chambre sur présentation du *GDR* (sauf du 15 juillet au 31 août).

🛏 *Le Relais de la Moussidière :* Moussidière Basse. ☎ 05-53-28-28-74. Fax : 05-53-28-25-11. ♿ Du centre-ville, prendre direction Bergerac-Bordeaux ; après le rond-point, 1ʳᵉ route à gauche après le garage Citroën. Fermé de début novembre à Pâques. Chambres doubles de 100 à 110 €. Dans un parc paisible de 7 ha, une maison de caractère rénovée avec beaucoup de goût. A servi de lieu de tournage à *La Fille de d'Artagnan* et *La Rivière Espérance*. Accueil fort sympathique. Chambres confortables, fraîches, colorées... Grande piscine à flanc de coteau. Calme et sérénité garantis ! Apéritif maison offert sur présentation du *GDR*.

Où manger ?

De bon marché à prix moyens

|●| *Chez le Gaulois* (plan couleur B3, 24) : 1, rue de Tourny. ☎ 05-53-59-50-64. ♿ Fermé le lundi et le dimanche en basse saison ; congés annuels en décembre. Compter entre 9,50 et 15 €. Tartines copieuses et énormes salades à base de charcuterie et de fromages savoyards, corses et espagnols. Raclette. Le patron parle de ses jambons comme d'un bon vin, en analysant la moindre saveur. Petite salle avec pierres apparentes et terrasse qui donne sur la rue piétonne. Une ambiance chaleureuse comme on les aime. C'est simple, copieux, pas cher et délicieux... Réservez absolument, c'est souvent complet. Café offert sur présentation du *GDR*.

|●| *Le Jardin en Douce* (plan couleur A3, 22) : 15, rue du Siège. ☎ 05-53-59-09-58. Fermé le lundi en été et les lundi et mardi de mars à juin et d'octobre à décembre. Compter entre 10 et 15 € pour un déjeuner, seulement l'été. Table d'hôte le soir sur réservation : 25 €. Fait aussi salon de thé l'après-midi et chambres d'hôte (de 69 à 84 € la nuit). Dans une petite ruelle un peu à l'écart, vous entrez ici dans un havre de paix. L'intérieur est décoré avec beaucoup de goût. On resterait là des heures à siroter un thé en dégustant des pâtisseries maison fondantes et légères. Les propriétaires sont adorables et pleins d'attentions. Le midi, sous la glycine, vous apprécierez une cuisine originale et fraîche aux saveurs provençales (tarte au cabécou, salades...). Pour les chambres, il faut casser un peu sa tirelire, mais vous ne serez pas déçu : elles sont superbes. N'accepte pas les cartes de paiement. Café offert sur présentation du *GDR* le midi.

|●| *Le Grand Bleu* (hors plan couleur par A3, 20) : 43, av. de la Gare. ☎ 05-53-31-08-48. Fermé le lundi toute la journée et le samedi midi. Menus de 21 à 24 €. À la carte, compter environ 24 €. Un établissement spécialisé, on s'en serait douté, dans le poisson ! Beaux et bien pré-

SARLAT

parés, ils sont en plus à des prix raisonnables. Décoration fraîche et agréable, service charmant. Apéritif maison offert sur présentation du GDR.

|●| **Hôtel-restaurant Saint-Albert :** voir « Où dormir ? ».

|●| **Le Régent** (plan couleur B2, 23) : 6, pl. de la Liberté. ☎ 05-53-31-06-36. En face de la mairie. Fermé le soir hors saison ; congés annuels en janvier, février et décembre. Au rez-de-chaussée, Le Festival, bar-brasserie avec plat du jour et menus à midi en semaine à 12,50 €. Plat du jour à 8 €. À l'étage, resto un peu plus chic (et terrasse) avec menus de 15 à 19,50 €. À la carte, compter autour de 20 €. Cuisine de terroir avec des petits choux farcis au foie gras, coq au vin de Bergerac... L'endroit le plus touristique de Sarlat, mais régulier et sans mauvaises surprises.

De prix moyens à plus chic

|●| **Le Présidial** (plan couleur B2, 25) : 6, rue Landry. ☎ 05-53-28-92-47. À 80 m de la place de la Liberté, à droite derrière la mairie. Fermé le lundi midi et le dimanche, ainsi que du 15 novembre au 1er avril. Pas de réservation possible du 20 juillet au 25 août. Premier menu à 19 € à midi, autres menus à partir de 25 €. À la carte, compter de 38 à 46 €. Déjà connus de longue date de nos services pour les hauts faits de gastronomie commis dans cette ville, ils n'ont pas échappé à nos fins limiers ! Classé Monument historique, Le Présidial est une très belle maison, justice royale en 1552, nichée dans un grand jardin au calme au cœur de la vieille ville. Salle très élégante, terrasse sans aucun doute la plus belle de la ville. Passons aux choses sérieuses : le 1er menu présente déjà un beau rapport qualité-prix ; les autres proposent, au hasard, foie gras de canard maison (parfait), nid de tagliatelles et ris d'agneau au romarin, suprême de pigeonneau juste cuit comme il faut. On est sans nul doute à LA table de Sarlat. Carte des vins très complète à prix raisonnables.

|●| **Restaurant Criquettamu's** (plan couleur A1, 26) : 5, rue des Armes. ☎ 05-53-59-48-10. Fermé un jour par semaine sauf en juillet et août. Premier menu à 13 €, puis menus de 17 à 29 €. À la carte, compter autour de 25 €. Bon accueil et déco originale : le Criquettamu's a donné carte blanche à des peintres de la région, dont Monique Peytral (fac-similé Lascaux II), qui ont inventé des tables-toiles sur lesquelles il fait beau et bon manger. Menus autour du foie gras : éminçé de magret au foie gras et morilles, foie gras mi-cuit aux figues. Resto tenu par un couple super sympa. Petite terrasse intérieure.

Où dormir ? Où manger dans les environs ?

⌂ **Chambres d'hôte L'Arche, chez Jeannette et Marcel Deleplace :** Les Chanets, 24200 Proissans. ☎ 05-53-29-08-48. Fax : 05-53-29-69-01. ● www.arche.fr.fm ● À 5 km de Sarlat. Direction La Croix-d'Allon ; de là, direction Proissans, ensuite 1re à gauche vers Temniac, puis 1re à droite vers Caubesse ; de là, 2e à gauche vers Les Chanets. De Montignac, la D 704, puis direction Proissans ; de là, direction Sarlat, puis à droite. Tous ces détails pour que vous arriviez vraiment à bon port ! Fermé du 15 novembre au 15 février. Chambre double à 31 € avec bains et w.-c. Petit dej' à 4 €. C'est une délicieuse maison de pierre du XVIIe siècle dans un minuscule hameau au milieu de nulle part. On entendrait un papillon s'y poser. Adorablement aménagée. Une demi-douzaine de chambres de charme avec entrée indépendante. Excellent accueil en prime. Remise de 10 % sur le prix de la chambre à partir de 7 nuits sur présentation du GDR.

Plus chic

🛏 |O| *Hostellerie de Meysset :* au lieu-dit Argentouleau, à 3 km de Sarlat, route des Eyzies. ☎ 05-53-59-08-29. Fax : 05-53-28-47-61. Fermé le lundi midi et le mercredi midi, ainsi que de début novembre à fin avril. Chambres doubles de 59 à 82 €. Demi-pension, conseillée du 15 juillet au 15 août, à 68 € par personne. Menus de 20 à 45 €. Hôtel de caractère, au calme dans un grand parc. Chambres coquettes. Bonne cuisine, mais assez chère : escalope de foie gras déglacé au miel d'acacia, daube d'oie au pécharmant, soufflé chaud aux noix... Remise de 10 % sur le prix de la chambre, août et septembre exceptés, sur présentation du *Guide du routard.*

🛏 *Hôtel de la Ferme Lamy :* 24220 Meyrals. ☎ 05-53-29-62-46. Fax : 05-53-59-61-41. ● www.ferme-lamy.com ● 🍴 À une dizaine de kilomètres de Sarlat sur la route des Eyzies (D 47) à gauche, direction Meyrals (bien indiqué). Chambres de 95 à 200 € en été. Toute personne supplémentaire est facturée 20 €, même s'il s'agit d'un enfant en bas âge dont vous apportez le lit ; un peu rude... Ancienne ferme transformée en hôtel de charme. Ravissantes chambres, à la déco soignée jusque dans les salles de bains. Certaines sont climatisées, toutes ont un charme fou et un style différent. La plus chère est quasi hollywoodienne avec sa salle de bains (équipée d'un jacuzzi) au beau milieu de la pièce et sa massive cheminée. Petit dej' avec pain aux noix, brioche et confitures maison, servi aux beaux jours à l'ombre des tilleuls d'un jardin méticuleusement entretenu. Superbe piscine dominant un doux paysage de champs et de collines. Une remise de 10 % sur le prix de la chambre est offerte du 16 septembre au 14 juin sur présentation du *GDR.*

⚂ 🛏 |O| *Ferme-auberge Lo Gorissado :* 24200 Saint-André-d'Allas. ☎ 05-53-59-34-06. Fax : 05-53-31-08-60. À 6 km de Sarlat. Menus de 15 € (sauf le dimanche) à 18 €. Camping en pleine nature : 12,40 € pour 2, avec tente et voiture. 250 m² par emplacement : on ne se marche pas sur les pieds ! Location de gîtes à la semaine, ainsi que des chambres doubles à 39 €. Piscine. Le menu à 15 € change tous les jours (soupe, entrée, plat, fromage et dessert). Tous les produits sont frais, savoureux, et servis copieusement. Cuisine du Périgord, évidemment : civets, fricassée d'enchaud, foie gras poêlé... Un accueil plein de chaleur. Apéritif maison offert sur présentation du *GDR.*

Où boire un verre ?

🍸 *L'Hôtel de Gérard (plan couleur B1, 31) :* 1, passage de Gérard-du-Barry. ☎ 05-53-59-57-98. À deux pas derrière l'hôtel de ville. La cour Renaissance vaut la visite avec ses façades superbes, on y organise des expositions de peinture et sculpture, artisans d'art également. En été, gravissez quelques marches, vous allez vous retrouver au calme d'un jardin aux arbres superbes. On y fait bar, salon de thé mais aussi petite restauration. Un endroit de charme très reposant. Musiciens le week-end, ateliers et galeries d'artistes.

🍸 *Le Bataclan (plan couleur A2, 32) :* 31, rue de la République. ☎ 05-53-28-54-34. Le rendez-vous immuable de la jeunesse de Sarlat. Musique et déco sympas.

À voir

Garer sa voiture aux entrées de ville, place de la Grande-Rigaudie ou de la Petite-Rigaudie, et partir à pied. Si vous démarrez place de la Petite-Rigaudie, plongez dans la rue Peyrat. C'est déjà l'éblouissement... Et puis, commencez de très bonne heure (surtout en été), guettez les premiers rayons de soleil qui vont dorer la belle pierre ocre des maisons. Jouissez de cette atmosphère unique. Histoire plus émotion, le plus beau trek urbain du Sud-Ouest. À la nuit tombée, levez la tête, vous découvrirez une particularité : les lampadaires fonctionnent vraiment au gaz ! Il faudra y regarder à deux fois pour faire la différence avec l'électricité, si ce n'était ce léger petit sifflement. Par contre, ne cherchez pas l'allumeur de réverbères, tout est automatique.

🐾🐾🐾 *La rue des Consuls* *(plan couleur A1)* : elle concentre un maximum d'édifices magnifiques. Au n° 6, l'*hôtel Tapinois de Betou* : pousser la porte pour admirer le superbe escalier monumental à balustre du XVIIe siècle. Au n° 7, en face, l'*hôtel de Mirandole*, du XVe siècle. Curieuse fontaine médiévale aménagée dans une grotte et accessible par un petit escalier. Au coin de la rue, vaste « trompe d'angle ». Aux nos 8 et 10, *hôtel Selve de Plamon*. On peut suivre dans l'architecture la progression sociale des proprios ; trois styles dans la façade, plus une tour (échoppes sous arcs brisés au rez-de-chaussée, gothique rayonnant au 1er étage, fenêtres à meneaux au second). Si c'est ouvert, voir l'intérieur. Au n° 9, *hôtel de Vassal* avec échauguettes ; au n° 14, *hôtel Labrousse*. À l'entrée de la place du Marché-aux-Oies, *hôtel de Gisson* du XVIe siècle. Belle tour hexagonale au milieu. On ne compte plus le nombre de duels filmés sur la rampe Magnanat. Elle sert aussi de décor au festival de théâtre.

🐾 *L'ancienne église Sainte-Marie* *(plan couleur A-B1)* : édifiée à partir de 1365, elle connut un destin pitoyable. Entièrement pillée à la Révolution, amputée de son chevet en 1815 (ce qui permit cependant de révéler l'hôtel de Gisson), surmontée d'un clocher décoiffé, parasitée par des commerces tout autour. Présente quand même un fort beau toit de lauzes. Perspective très chouette sur la rue de la Liberté et la cathédrale. Le marché couvert s'y tient désormais.

🐾 *L'hôtel de Maleville* *(plan couleur A2)* : date du XVIe siècle. On y distingue une partie de style Renaissance italienne, l'autre française.

🐾 *Le passage Henri-de-Ségogne* : de l'hôtel de Maleville, des passages permettent l'accès à des cours intérieures et de détailler les façades arrière de nobles demeures. Remarquable travail de rénovation et de mise en valeur. Sortie à l'hôtel de La Boétie.

🐾🐾 *La cathédrale Saint-Sacerdos* *(plan couleur B2)* : souvent fermé entre 12 h et 14 h. Pour tout renseignement : ☎ 05-53-59-03-16. Commencée en 1504, achevée deux siècles et demi plus tard. Élégant clocher-porche et façade romane. Son narthex est la partie la plus ancienne. Intérieur d'une certaine ampleur et assez dépouillé, qui conserve le plan de l'église abbatiale précédente. Retables baroques du XVIIe siècle. Derrière le chœur, ce qui reste de l'église du XIVe siècle.

🐾🐾🐾 *La maison de La Boétie* : en face de la cathédrale s'élève l'un des chefs-d'œuvre de Sarlat. Construite en 1525 par le père d'Étienne de La Boétie, le grand ami de Montaigne et auteur du *Discours de la servitude volontaire*, composé à l'honneur de la liberté contre les tyrans. Trois étages de fenêtres Renaissance italienne et française finement ouvragées, toit couvert de lauzes et à très forte pente. Noter l'exubérant décor de la lucarne. Expos temporaires au rez-de-chaussée.

🐾🐾 *Les cours des Fontaines et des Chanoines, et la lanterne des morts* : accessibles par la rue Tourny *(plan couleur B3)*, deux très belles cours médiévales. De la cour des Chanoines, empruntez le passage qui mène sur le flanc de l'église et découvrez la chapelle des Pénitents-Bleus (ex-chapelle Saint-Benoît) qui fut le point de départ de la construction de l'abbaye et de Sarlat. Style roman très sobre. Ancien cimetière des chanoines dans un jardin en terrasses. Vieilles tombes en forme de sarcophages. L'ensemble est dominé par l'étrange lanterne des morts, dont l'origine reste très mystérieuse. Construite au XIIᵉ siècle, on ne sait à quoi correspondit son édification : mémorial pour fêter le passage de saint Bernard, lanterne des morts ou tout simplement chapelle funéraire ? Sortie rue Montaigne.

🥾🥾 *Le Présidial et ses alentours* (plan couleur B2) : emprunter la rue d'Albusse pour vous y rendre. Au passage, au n° 4, bel hôtel du général Fournier-Sarlovèze. Dans l'impasse de la Vieille-Poste, on aperçoit l'arrière du Présidial, devenu un restaurant. Au n° 1 de la rue de la Salamandre, l'hôtel de Grézel et son beau portail. Dans la rue, d'autres édifices intéressants des XVᵉ et XVIᵉ siècles. Au n° 6, rue du Présidial, hôtel de Génis. Au n° 6, rue Landry, le Présidial. En 1552, justice royale (sous Henri II). Fort bel immeuble au fond d'un jardin. Loggia surmontée d'un curieux lanternon (genre casque de condottiere monté sur pilotis). Enfin, dans la rue Fénelon on peut admirer moult belles choses : maisons à pignons et, au n° 16, l'hôtel de Salignac, au n° 13 un ancien couvent, au n° 6, un portail du XVIIᵉ siècle, ainsi qu'au n° 3 (dans la cour), l'hôtel Gérard du Barry, etc. Bon, passons maintenant dans un autre quartier et traversons la trouée de la République.

Quartier plus populaire, moins touristique. Prendre la *rue des Armes.* Au n° 2, l'hôtel de Ravilhon du XVᵉ siècle. Maisons à pans de bois, boutiques en ogive. Au n° 7, une belle maison du XVᵉ siècle. Continuer par la rue de la Charité, pour aboutir rue Jean-Jacques Rousseau.

🥾🥾 *La rue Jean-Jacques Rousseau* (plan couleur A2), pleine de charme, mène à la rue du Siège. À l'angle de la rue de La Boétie, abbaye Sainte-Claire, ancien hospice du XVIIᵉ siècle. *Rue du Siège,* vestige des anciens remparts, tour du Bourreau et hôtel de Cerval. Quelques pittoresques ruelles comme la *rue des Trois-Conils* (conil = lapin). *Rue Rousset,* on découvre une tour de guet du XVᵉ siècle avec mâchicoulis. *Place Liarsou,* splendide demeure à pans de bois.

Manifestations

– *La Ringueta :* le lundi de Pentecôte des années paires. Jeux traditionnels et repas périgourdins (réservation à l'office de tourisme).
– *Festival des Jeux du Théâtre de Sarlat :* fin juillet-début août. Renseignements : ☎ 05-53-31-10-83 ; ou à l'office de tourisme. Dans le décor exceptionnel de la ville. L'un des plus importants en France, Shakespeare, Molière, Cervantès, Camus... y sont mis en scène.
– *Festival de Cinéma :* début novembre.

➤ *DANS LES ENVIRONS DE SARLAT*

🥄 *Le moulin de la Tour :* à Sainte-Nathalène. ☎ 05-53-59-22-08. 🥾 À 9 km au nord-est de Sarlat par la D 47. Visite guidée : 4 €. Animaux non admis. Moulin à huile de noix du XVIᵉ siècle. Fabrication à l'ancienne le vendredi toute l'année, les mercredi et vendredi en avril, mai, juin et septembre, les lundi et mercredi de 9 h à 12 h et de 14 h à 19 h et le samedi après-midi en juillet et août. Fermé le dimanche. Vente d'huile de noix, noisette et amande.

🥾🥾 *Gorodka :* ☎ 05-53-31-02-00. Fax : 05-53-28-56-70. ● www. gorodka.com ● 🥾 À 4 km de Sarlat. Suivre le fléchage « Gorodka-Galerie Za ». Ouvert tous les jours. Du 1ᵉʳ juin au 30 septembre, de 10 h à 23 h ; hors saison, sur rendez-vous. Entrée : 7 € ; gratuit jusqu'à 12 ans. Peintre exposé à Paris, Milan, Vienne, Pierre Shasmoukine s'est installé ici, en pleine forêt, en 1970 avec son projet : « Gorodka ». Tout un programme qu'il vous expliquera. Et pour démarrer, une tente à deux places, une brouette (pour transporter l'eau!), une hachette, deux chèvres, un bouc... Pourtant va s'écrire, dans ce lieu perdu, une page de l'histoire des années 1970 : la découverte d'une agriculture « différente », la création d'un Institut rural d'information qui débouchera sur l'ouverture d'une des premières boutiques de gestion, l'édition du tome 4 du fameux *Catalogue des ressources...* Et parallèlement, si Pierre s'entend bien avec ses voisins, on notera une certaine méfiance des institutionnels. Une avalanche de problèmes et de blocages en parallèle avec ses actions et réalisations...

Pourtant, Pierre Shasmoukine est toujours là, Gorodka aussi. Parce qu'il a construit Gorodka, un vrai village de sculptures habitables dans l'espace, « anarchitecture » construite par l'artiste, où toujours passent, s'installent et exposent des artistes (Philippe Genty, la Mano Negra, dessins et peintures de Carolyn Carlson, au hasard...). Il y a trois galeries et le parcours de sculptures lumineuses dans la nature, bâties à partir de pièces métalliques de récupération, de néons (à découvrir aussi et surtout de nuit)... Les pièces sont évolutives et de nouvelles sont constamment installées. Pour les visiteurs, Pierre Shasmoukine a mis en place un système d'hébergement, chambres, sanitaires, mais aussi cuisine, et peut recevoir ainsi toute l'année ceux qui veulent séjourner dans ce pays à part. Provocateur (rien que ce papillon tatoué sur le visage...) mais chaleureux, Pierre Shasmoukine est à rencontrer. Et son village, Gorodka, somme de travail, de ténacité et de talent, est à visiter. Absolument.

QUITTER SARLAT

En train

➤ *Pour Bordeaux :* 3 à 5 trains directs quotidiens.
➤ *Pour Périgueux* *(via Le Buisson) :* 2 à 3 trains quotidiens.
➤ *Pour Paris* *(via Souillac) :* 3 à 4 trains quotidiens (via Brive et Limoges). Correspondance assurée par car de Sarlat (26 km de trajet). On peut aussi faire Sarlat-Libourne en *TER* et ensuite gagner Paris en *TGV*.

En car

➤ *Pour Périgueux :* CFTA, ☎ 05-53-59-01-48. Un car tous les matins (sauf le dimanche), et un supplémentaire le lundi.

En voiture

➤ *Pour Paris :* prendre l'autoroute A 20 qui arrive à Souillac, à une vingtaine de kilomètres à l'est de Sarlat.

DE SARLAT À SAINT-AMAND-DE-COLY (LE NORD-EST)

TEMNIAC

En marge de la D 704, à quelques kilomètres au nord de Sarlat. Pour la chapelle Notre-Dame, édifice roman aux lignes très pures.

SAINT-GENIÈS *(24590)*

Village de charme. L'arrivée par l'ouest (la D 48) procure une vue charmante de l'ensemble manoir, église et toits de lauzes typiques. Voir la petite chapelle du Cheylard, du XIVe siècle, et ses très intéressantes fresques. L'église du village présente, quant à elle, une belle tour octogonale et un porche intéressant.

⚴ *Camping La Bouquerie :* sur la D 704, entre Sarlat et Montignac. ☎ 05-53-28-98-22. Fax : 05-53-29-19-75. • www.les-campings.com/la-bouquerie • Ouvert de début avril à fin septembre. Compter dans les 21 € pour 2 personnes avec voiture et tente. Catégorie 4 étoiles. Restaurant, 3 piscines et tennis. Animations en juillet et août. Location de mobile homes à la semaine. N'accepte pas les cartes de paiement. Un très bon accueil et, en prime, un apéritif maison offert sur présentation du *GDR.*

SAINT-CRÉPIN-ET-CARLUCET *(24590)*

Le vieux Saint-Crépin est un beau village plein de charme dominé par le ravissant château de Lacypière, manoir du XVIe siècle, couvert de lauzes. Exposition de la restauration du château, pièces très joliment meublées. Église du XIIIe siècle.

SALIGNAC-EYVIGNES *(24590)*

Gentil village qui s'est lancé dans la remise en valeur de ses maisons traditionnelles (toits de lauzes et belle pierre jaune). Sur la place du Marché, pittoresque halle en pierre et noble demeure médiévale avec fenêtres gothiques (ancien couvent des croisés, du XIIIe siècle).

🛈 *Syndicat d'initiative :* ☎ 05-53-28-81-93. Fax : 05-53-28-85-26. • ot.salignac@perigord.tm.fr • En saison, ouvert du mardi au samedi de 10 h à 12 h et de 15 h à 17 h ; le reste de l'année, horaires légèrement différents.

Où dormir ? Où manger dans le coin ?

🏠 |●| *Hôtel-restaurant La Terrasse :* pl. de la Poste, 24590 Salignac-Eyvignes. ☎ 05-53-28-80-38. Fax : 05-53-28-99-67. • www.tourisme-sarlat.com • Resto fermé le midi (sauf samedi et dimanche), ainsi que les mercredi et dimanche en juillet, août et septembre, et de début novembre à fin mars. Chambres doubles de 44,80 à 70 € selon la saison. Petit dej' à 8 €. Menus de 16 à 25 €. Hôtel possédant un certain charme. Chambres agréables et confortables. Piscine et location de vélos. Location de petits gîtes modernes à la nuitée ou à la semaine. La 3e nuit est gratuite à condition de prendre au moins un repas sur la totalité du séjour, en avril et octobre, sur présentation du *GDR.*

🏠 *Chambres d'hôte Les Granges Hautes et La Grangette :* 24590 Saint-Crépin-et-Carlucet, à 9 km de Sarlat. ☎ 05-53-29-35-60. Fax : 05-53-28-81-17. • www.les-granges-hautes.fr • ⚴ Ouvert de début avril à début novembre. Chambres doubles de 53 à 72 €. Petit dej' à 6 €. Belle maison ancienne (XVIIIe-XIXe siècles) dans un superbe parc avec une grande piscine d'eau salée chauffée ! Calme assuré. Très belle décoration intérieure, chambres de charme, de styles différents, équipées de douche ou bains. À proximité, *La Grangette* : des studios avec petite cuisine et piscine à 72 €. Apéritif maison offert et 11e nuit gratuite sur présentation du *GDR.*

🛏 |●| *Hôtel-restaurant Coulier :* Laval de Jayac, 24590 Salignac-Eyvignes. ☎ 05-53-28-86-46. Fax : 05-53-28-26-33. ● www.hotelcoulier.com ● ♿ À 6 km au nord de Salignac. Fermé le samedi soir (hors saison) et du 10 novembre au 25 février. Chambres doubles de 38 à 52 €. Demi-pension conseillée en juillet et août, à 52 € par personne. Menus de 16 à 38 €. Environ 25 € à la carte. Dans la partie la moins peuplée et la plus campagne du Périgord noir, un hameau, plus qu'un village. Sur un tertre, à distance raisonnable de la route, une ancienne ferme en forme de U joliment aménagée. Dispersées au hasard du bâtiment, 15 chambres pas trop grandes mais coquettes, restaurées avec caractère dans le style périgourdin. Bon accueil. À table, vous trouverez, traités avec finesse, les produits qui font la réputation de la région : cassoulet maison (au premier menu), foie gras mi-cuit, brouillade de truffes et son escalope de foie gras... Sur présentation du GDR, remise de 10 % sur le prix de la chambre, sauf en juillet et août.

|●| *La Meynardie :* 24590 Paulin, sur la route d'Archignac. ☎ 05-53-28-85-98. Bien fléché de la route de Saint-Geniès. Fermé le mardi et le mercredi, sauf les jours fériés (uniquement le mercredi en juillet et août), ainsi que de début décembre à mi-février. Menu à 12,20 € à midi en semaine, autres menus de 19,10 à 45 €. À la carte, autour de 45 €. Recommandé de réserver (surtout le samedi soir et le dimanche midi). Ancienne propriété agricole, perdue en pleine campagne. Même restaurée, la salle à manger a conservé énormément de cachet : sol pavé, massive cheminée datant de 1603... Accueil courtois. Atmosphère un rien chic mais sans excès. Les deux premiers menus offrent un sérieux rapport qualité-prix. Cuisine de terroir mais pleine de créativité... Terrasse sous la treille, l'été. 17 ha de forêt de châtaigniers autour... pour digérer. N'accepte pas les cartes de paiement.

EYRIGNAC

Manoir et jardins à la française des XVIIe et XVIIIe siècles. ☎ 05-53-28-99-71. ♿ Ouvert toute l'année ; se renseigner pour connaître les horaires d'ouverture. Visite guidée (environ 1 h) : 7 €. Monument historique. Grand prix des jardins de France décerné par la Demeure historique. L'un des plus beaux jardins de France, tout près de Sarlat. Il fut créé au XVIIIe siècle par le contrôleur des monnaies de France, qui travaillait pour Louis XVI. Il a été recréé il y a 40 ans selon les dessins d'origine, puis transformé au XIXe siècle en parc à l'anglaise. Un bel exemple de l'art topiaire (l'art de sculpter les végétaux, enfin !), peuplé de végétaux persistants. Roseraie, bassins et vasques complètent cet ensemble.

SAINT-AMAND-DE-COLY (24290) 380 hab.

À quelques kilomètres de Montignac-Lascaux, village qui mérite absolument le détour pour son étonnante *église* fortifiée pendant la guerre de Cent Ans. Construite au XIIe siècle, l'abbaye est une masse impressionnante écrasant littéralement ce petit village de 380 habitants. Pendant les guerres de Religion, les huguenots s'y étaient réfugiés et résistèrent six jours sous le feu des canons. L'église possède toujours un bout de son enceinte, récemment rénové. Une haute baie romane allège l'ensemble opportunément. Les proportions intérieures sont tout aussi imposantes, avec cette nef unique d'une sobriété de lignes sans pareille. Coupole à la croisée du transept, haute de 20 m. Belle tonalité de la pierre. Au fond du chœur, trois baies romanes, massives et élégantes tout à la fois. Quelques très beaux chapiteaux sculptés, notamment celui où l'on distingue des hommes dévorés par des monstres.

Tout autour, le village présente une harmonieuse architecture avec ses maisons anciennes aux toits de lauzes (noter le très beau travail de construction des toits), le vieux puits, l'hôpital du XIVe siècle avec tour, clocheton et lavoir.

Adresse utile

🛈 **Point accueil-infos de l'abbaye :** ☎ 05-53-51-04-56. Ouvert en juillet et août de 10 h 30 à 12 h et de 15 h à 19 h, et en septembre, pendant les vacances scolaires de la Toussaint et de Pâques de 14 h à 18 h.

Où dormir ? Où manger ?

🛏 |●| **Hôtel-restaurant Le Gardette :** dans la rue principale. ☎ 05-53-51-68-50. Fax : 05-53-51-04-25. ● www.hotelgardette.free.fr ● Ouvert de Pâques au 1er octobre. Chambres doubles de 29 à 36 €. Menus de 15 à 22 €. À la carte, compter 20 €. Deux petites maisons de pierre blonde. Chambres modestes mais rénovées, tranquilles et à prix sages. On traverse la ruelle jusqu'au resto. Dans un coin de la salle, quelques toutes petites tables. Eh oui ! pendant l'année scolaire, la patronne fait cantine pour les enfants de l'école ! Salades diverses et plats du Sud-Ouest : omelette aux cèpes ou aux truffes, confit, magret. À l'occasion du festival de Musique classique (une période où la réservation est ici conseillée), le resto a créé une assiette spéciale pour marquer l'événement avec pâté maison, crudités et magret fumé. Ça a tellement bien marché qu'ils le servent maintenant toute l'année. Avis aux amateurs. Sur présentation du *GDR,* remise de 10 % sur le prix de la chambre, sauf en juillet et août.

À faire

– **Visite commentée de l'abbaye :** du 1er juillet au 15 septembre, à 11 h et 17 h ; du 15 au 30 septembre, à 17 h. Renseignements : ☎ 05-53-51-67-50 (mairie). ● www.saint-amand-de-coly.org ● Entrée : 3 €. Prix combiné (diaporama et visite) : 4 €.

– **Diaporama numérique :** de 18 mn, racontant l'histoire du village depuis le VIe siècle. Tous les jours du 1er juillet au 15 septembre, sur demande. Près de l'abbaye.

– **Fête du village :** le 15 août avec la messe Saint-Hubert à 11 h et le rallye des « trompes de chasse » de Bergerac.

– **Marché :** tous les mardis à partir de 18 h, en juillet et août, marché des producteurs de pays, avec différentes animations.

Où acheter des produits artisanaux ?

⚙ **Atelier artisanal de cuivre :** à l'entrée de Saint-Amand. ☎ 05-53-51-66-48. Alain Lagorsse, élu meilleur ouvrier de France, est un des rares qui travaillent encore le cuivre de manière artisanale. Chaudronnerie, restauration, dinanderie d'art... Alain travaille sur commande (il faut parfois attendre 6 mois), car tout est fait à la main (et au marteau...). Si vous n'avez pas les moyens d'acheter ces beaux objets (près de 500 € pour une batterie de 5 casseroles !), il vous expliquera, s'il n'est pas débordé, toutes les étapes de fabrication, de la simple feuille de cuivre à l'objet fini. Un passionné.

➤ *DANS LES ENVIRONS DE SAINT-AMAND-DE-COLY*

🗡 *Le château de la Grande-Filolie :* ne se visite pas, mais sa remarquable vue d'ensemble vaut un petit détour. Il présente une pittoresque combinaison de bâtiments dissemblables : tours, corps de logis, toits de formes variées.

🗡 *La Cassagne :* village typique de la région, avec une ravissante église romane au haut toit de lauzes. Presbytère du XVe siècle.

🗡 Pour ceux qui veulent tout voir : à *Nadaillac,* autour de l'église, quelques jolis exemples d'architecture rurale. À *Chavagnac,* église avec clocher-mur, chœur à coupole. Dans le village, toute seule, une grosse tour de guet avec mâchicoulis.

TERRASSON-LA VILLEDIEU (24120) 6 300 hab.

Agréable petite ville animée en bordure de la Vézère. La vieille ville est accrochée à flanc de colline, dominant le Pont-Vieux, de plus de 100 m de long, édifié au XIIe siècle. Six arches en plein cintre ou en ogive à hauteur décroissante.

Adresses et info utiles

🄸 *Office de tourisme :* rue Jean-Rouby. ☎ 05-53-50-37-56. Fax : 05-53-51-01-22. ● www.ville-terrasson.com ● En juillet et août, ouvert tous les jours de 9 h à 12 h et de 14 h à 19 h (17 h le dimanche) ; de septembre à juin, ouvert du lundi au samedi de 9 h à 12 h et de 14 h 30 à 17 h 30 (17 h le samedi).
✉ *Poste :* 4, av. Charles-de-Gaulle.
🚄 *SNCF :* nombreux trains pour Périgueux, trains pour Paris avec changement à Brive-La-Gaillarde.
– *Marché :* le jeudi matin.

À voir

🗡 *La vieille ville :* une belle promenade à travers les rues tortueuses et pentues vous mènera à l'église du XVe siècle. De la terrasse, très beau point de vue, au-delà des toits de la ville, sur la rivière et la campagne avoisinante.

🗡🗡 *Les jardins de l'Imaginaire :* ☎ 05-53-50-86-82. Fax : 05-53-50-55-61. ● imaginaire@ville-terrasson.com ● 🗡 Ouvert de début avril à mi-octobre ; visites guidées uniquement, en gros toutes les demi-heures entre 9 h 50 et 17 h 20 (18 h 10 en juillet et août), avec une interruption pour le déjeuner. Fermé le mardi sauf en juillet et août. Entrée : 5,50 € ; réductions ; gratuit pour les enfants de moins de 10 ans. Le billet est à 4,50 € pour les lecteurs du *GDR.* Vaste jardin contemporain dominant la ville. Superbe panorama dans les deux sens : des jardins sur la vieille ville et de la vieille ville sur les jardins (surtout de nuit). 6 ha en terrasses évoquent l'histoire des jardins de l'humanité en condensant des éléments qui leur sont communs : tunnel végétal, topiaires, roseraie... Très conceptuel. La visite guidée qui raconte mythes et légendes vous aidera à vous y retrouver.

Manifestations

– **Festival de l'Imaginaire :** ☎ 05-53-50-13-80 (Centre culturel). La 2e semaine de juillet, concerts, visites contées aux jardins de l'Imaginaire, animations de rue.
– **Spectacle son et lumière :** le 14 juillet.
– **Marché de Noël :** le 1er week-end de décembre.
– **Salon du livre des jardins :** le 4e week-end de mai.

Où acheter de bons produits fermiers?

⚙ **Chez la famille Sourbé :** à 5 km de Terrasson en allant vers Périgueux par la N 89 ; au lieu-dit La Galibe, tourner à gauche direction Le Bos. ☎ 05-53-51-35-73. Fax : 05-53-50-64-73. Vous trouverez une ferme traditionnelle. Succulents foies gras et confits d'oie et de canard faits maison.

MONTIGNAC   (24290)   3 100 hab.

Petite et charmante ville animée s'étalant nonchalamment le long de la Vézère. Maisons à encorbellements sur « pilotis », église, vestiges du château miroitant dans l'eau, composent une plaisante carte postale. En été, avec la proximité de Lascaux, atmosphère très commerçante, artisanale et touristique.

Adresse utile

🅸 **Office de tourisme :** pl. Bertran-de-Born. ☎ 05-53-51-82-60. Fax : 05-53-50-49-72. ● www.bienvenue-montignac.com ● Au rez-de-chaussée de l'ancien hôpital avec ses arcades et sa galerie. En juillet et août, ouvert tous les jours de 9 h à 19 h ; hors saison, ouvert de 10 h à 12 h et de 14 h à 17 h, fermé le dimanche. Ouvert les jours fériés.

Où dormir? Où manger?

Camping

⚊ **Camping Le Moulin de Bleufond :** av. Aristide-Briand. ☎ 05-53-51-83-95. Fax : 05-53-51-19-92. ● www.bleufond.com ● 🍴 Sur la D 65. Compter de 10,80 à 14,50 € selon la saison pour 2 personnes avec une voiture et une tente. Camping 3 étoiles. Piscine et aire de jeux pour enfants. Location de mobile homes. Remise de 10 % pour une semaine sur présentation du *GDR* (hors juillet et août).

Bon marché

🏠 |●| **Hôtel de la Grotte :** 63, rue du 4-Septembre. ☎ 05-53-51-80-48. Fax : 05-53-51-05-96. En plein centre. Compter entre 25 et 42 € pour une chambre double. Menus à 11 € à midi en semaine, puis de 16,50 à

20,50 €. Dans une vieille maison (ancien relais de poste devenu hôtel). Il est impératif de demander à dormir côté jardin ou vers la Vézère (chambres nos 6, 7, 8, 11, 12) et pas dans les chambres qui donnent sur le bar bruyant d'en face. Les chambres sont toutes décorées de manière différente, à des prix intéressants pour la ville. Au resto, millefeuille de cèpes et girolles, magret de canard farci aux champignons sauvages, etc. L'accueil pourrait être plus chaleureux. Apéritif maison offert sur présentation du *GDR*.

|●| *L'auberge de l'Oie Gourmande :* route de Lascaux, La Grande Béchade. ☎ 05-53-51-59-40. Prendre la route de Lascaux, puis 500 m à gauche, au milieu des champs. Fermé le lundi toute la journée et le dimanche soir hors saison, ainsi qu'en janvier et février. Menus à 14 et 22 €. Cuisine du Périgord fine et inventive à des prix très doux (le menu à 14 € est d'un excellent rapport qualité-prix). Un peu à l'écart de l'agitation touristique. Grande salle en pierre et tables en terrasse l'été. Goûtez l'aumônière de cabécou (subtil mélange sucré-salé) et les desserts : à tomber par terre ! Une bonne petite adresse, qui a su allier tradition et création. Service attentif.

Plus chic

▲ |●| *Hostellerie La Roseraie :* pl. d'Armes. ☎ 05-53-50-53-92. Fax : 05-53-51-02-23. ● www.laroseraie. fr.st ● Fermé du 10 novembre à Pâques. Le restaurant est fermé le midi hors saison, sauf week-ends et de la Toussaint à Pâques. Chambres doubles de 84 à 120 €. Demi-pension demandée en juillet et août, ainsi que les week-ends et jours fériés : de 75 à 130 € par personne. Menus de 20 à 40 €. Solide et élégante maison bourgeoise du XIXe siècle. Les chambres, exquises, sont toutes différentes et toutes avec bains. Escalier en bois, petits salons confortables. On s'y sent d'ailleurs beaucoup plus comme dans une maison d'hôte, voire dans une bonne vieille pension de famille (où l'on vous conserve votre bouteille de vin si vous ne l'avez pas terminée), que dans un 3 étoiles chic et choc. Petit parc clos de hauts murs. Et, cachée derrière la piscine, une petite roseraie (la voilà !). Mignonnette salle à manger et, pour les jours de soleil, délicieuse terrasse dans le jardin. Cuisine de terroir adroite et raffinée (pot-au-feu de canette aux petits légumes et crème au raifort...) et à des prix justifiés.

Où dormir ? Où manger dans les environs ?

▲ |●| *Hôtel-restaurant La Table du Terroir :* à Fougeras, 24290 La Chapelle-Aubareil. ☎ 05-53-50-72-14. Fax : 05-53-51-16-23. ☙ Pour vous y rendre, empruntez la route de Lascaux II ; pancartes sur la route. Ouvert midi et soir de mai à novembre, le midi seulement de décembre à avril. Fermé du 20 au 28 décembre. Chambres doubles de 46 à 61 €, selon la saison, petit dej' compris. Demi-pension demandée du 10 juillet à fin août, à 48 € par personne. Menus de 13,70 à 33 €. À la carte, compter environ 22 €. Autour d'une exploitation agricole, en pleine campagne, la famille Gibertie a érigé un véritable petit complexe touristique. Sur une colline, le restaurant est à 100 m de l'hôtel. Entre les deux, la piscine domine le paysage. Des constructions neuves mais de style périgourdin et qui s'intègrent bien dans le site. Chambres à tous les prix. Le restaurant prend malheureusement un côté usine en été, beaucoup (trop ?) de monde et des cars. Cuisine régionale à base de produits de la ferme. Possibilité de panier-repas. N'accepte pas les cartes de paiement. Sur présentation du *GDR*, apéritif maison offert.

🛏 ▮◖▮ *L'Auberge de la Licorne :* à Valojoulx, 24290 Montignac-Lascaux. ☎ et fax : 05-53-50-77-77. • www.licornelascaux.com • Fermé de début novembre à fin mai. Chambres d'hôte à 44 et 46 €. Table d'hôte pour les résidents seulement, avec un menu à 19 €. À quelques kilomètres de Lascaux, l'endroit nous ravit par son accueil chaleureux et son exceptionnelle tranquillité. Quelques vieilles maisons (les plus anciennes datent du XIIIe siècle). Chambres simples mais charmantes. Apéro maison offert sur présentation du *GDR*. N'accepte pas les cartes de paiement.

🛏 ▮◖▮ *Le Moulin de la Mailleraie :* à Valojoulx. ☎ et fax : 05-53-51-90-13 ou ☎ 06-72-11-53-91. ☒ Ouvert toute l'année, tous les jours, de préférence sur réservation. Quinze chambres simples mais très correctes à 31 €. Petit dej' copieux à 5 €. Demi-pension à 71 € pour 2 personnes, obligatoire de mai à août. Menu à 17 et 22 €. Une adresse simple et agréable, accueil charmant de Jacqueline Monribot qui œuvre aux fourneaux avec talent : foie gras, confit de canard, etc. Le menu à 17 € avec salade périgourdine, jambon grillé et ses cèpes à la crème, tarte Tatin, vin et café compris, est servi à toute heure ! Coin cheminée avec feu de bois en hiver. Accueil de cavaliers.

▮◖▮ *Restaurant à la ferme Le Bareil :* à La Chapelle-Aubareil (24290). ☎ 05-53-50-74-28. Fermé le lundi et du 10 octobre au 10 novembre. Menu à 12 € le midi en semaine ; autre menu à 21 € avec potage, entrée, plat, fromage et dessert. Sur réservation de préférence. Ici, même si l'on est voisin de Lascaux, on ne sacrifie pas au tourisme de masse. On reste même souvent entre Périgourdins pour faire honneur, dans la petite salle, aux recettes de toujours que Cathy Sardan prépare dans la cuisine familiale : aiguillettes aux girolles, magret, confit... Une adresse authentique et généreuse. Accueil à l'unisson. L'adresse est très connue, réservez assez longtemps à l'avance pour le week-end et l'été. N'accepte pas les cartes de paiement.

🛏 ▮◖▮ *Restaurant Bellevue :* à Regourdou, route de Lascaux II. ☎ 05-53-51-81-29. ☒ Passé la grotte, continuer jusqu'en haut de la colline. Ouvert à midi uniquement. Fermé le samedi, ainsi qu'une semaine en juin, une semaine en octobre et 3 semaines en décembre-janvier. Chambres doubles à 35 €. Menus à 10 € à midi, et de 13 à 22,50 €. Le dimanche midi, réservation conseillée. En pleine nature, tout à côté de la grotte de Lascaux (attention donc aux cars de touristes qui, cela arrive, prennent l'endroit d'assaut). Comme son enseigne l'indique, superbe panorama par les baies vitrées du resto et sur la terrasse. Honnête cuisine teintée de régionalisme bien compris à des prix très décents : confit de poule et enchaud garni, salade de gésiers, omelette aux cèpes. Accueil aimable. N'accepte pas les cartes de paiement.

Où boire un verre ? Où écouter de la musique ?

🍸 ♪ *Le Tourny :* 38, rue du 4-Septembre. ☎ 05-53-51-59-95. ☒ Ouvert de 7 h 30 à 2 h en semaine et jusqu'à 4 h le week-end. Architecture intéressante, déco postmoderne, bières et bons cocktails à prix légers, concerts gratuits (rock, jazz, blues, salsa...) et DJs en fin de semaine. Ambiance définitivement très sympa. Le genre d'endroit qu'on ne s'attendait pas du tout à trouver à Montignac mais qu'on a été ravi de découvrir ! Plat du jour, bonnes pâtisseries maison et café pour 7,70 € à midi, également le dimanche en saison. N'accepte pas les cartes de paiement. Café offert sur présentation du *GDR*.

🍸 *Le Flanagan's :* pl. des Omnibus. ☎ 05-53-51-12-84. Ouvert jusqu'à 2 h en été. Fermé le mardi et le mercredi en basse saison. Un pub où il y a souvent plus de monde en semaine que le week-end. On l'aime surtout pour sa terrasse sympa les pieds dans l'eau. Grignotage ou repas à midi. Possibilité de se restau- rer également le soir, avec des menus de 17 à 18 €. N'accepte pas les cartes de paiement. Café offert sur présentation du *GDR.*

À faire

– *Canoë-kayak sur la Vézère :* base de Montignac *(les 7 Rives),* au nouveau pont. ☎ 05-53-50-19-26. Ou *Kanoak,* derrière la mairie, en bas du vieux pont. ☎ 06-75-48-60-47. Ouvert en juillet et août seulement. Plus petite structure que le précédent.

Manifestations

– *Festival international du Folklore et de l'Amitié :* la 3e ou la 4e semaine de juillet. Renseignements à l'Amicale laïque : ☎ 05-53-50-14-00 (réservation) ou 05-53-51-86-88.
– *Exposition d'Art et d'Artisanat du monde :* en juillet et août, dans le centre culturel, rue principale. ☎ 05-53-51-86-88.
– *Festival musical du Périgord noir :* de fin juillet à mi-août. Musique classique de très bon niveau dans les églises de Saint-Léon-sur-Vézère, Saint-Amand-de-Coly, Saint-Geniès, Thenon... Renseignements : ☎ 05-53-51-95-17 ou 05-53-51-61-61 (réservation).
– *Fête des Inondés :* le 3e week-end d'août sur la place d'Armes. Bal et animations de rue.

LA GROTTE DE LASCAUX

Incroyables hasards ! En Palestine, en 1947, deux jeunes bergers bédouins cherchaient une chèvre perdue et, dans une grotte, découvrirent les extraordinaires manuscrits de la mer Morte.
Le 12 septembre 1940, quatre adolescents, à la recherche d'un chien, descendent dans une crevasse et tombent sur une grande salle couverte de peintures d'animaux. C'est la révélation d'une merveille archéologique et artistique : Lascaux, la « chapelle Sixtine de la préhistoire »... Dessins magnifiques, traits d'une vivacité exceptionnelle, couleurs d'une fraîcheur ahurissante. L'ensemble est daté d'environ 15 000 ans av. J.-C. Dans le sous-sol, les chercheurs découvrirent les pigments de base de la palette préhistorique : oxydes ferreux pour les ocres rouges et jaunes, bioxyde de manganèse pour le noir. Plus des dizaines de lampes à graisse en pierre. Ce n'est qu'en 1948 (à cause de la guerre) que les travaux d'aménagement de la grotte purent être terminés. Lascaux connut alors un énorme succès. Trop, puisque l'on s'aperçut, après une quinzaine d'années d'exploitation, que la visite de centaines de milliers de personnes avait bouleversé l'équilibre atmosphérique et le degré d'humidité de la grotte. De petites algues vertes commençaient à se répandre sur les parois, et le support rocheux se détériorait. La grotte fut alors fermée en 1963, et on s'attacha à traiter la roche et à reconstituer l'atmosphère initiale (aujourd'hui, les fresques sont sauvées et seuls les spécialistes, à raison de cinq groupes de cinq personnes par semaine, soit un groupe par jour, sont autorisés à visiter la grotte originale).

LE PÉRIGORD NOIR

À la fermeture de la grotte de Lascaux, on décida, pour ne pas priver le public d'un tel chef-d'œuvre, l'étude et la construction d'une réplique la plus exacte possible de Lascaux.

Lascaux II

La visite : ☎ 05-53-51-96-23 (billetterie). En juillet et août, la billetterie est ouverte de 9 h à 19 h; visites toutes les 10 mn jusqu'à 20 h 30 à cette même période; le reste de l'année, se renseigner pour les horaires d'ouverture. Attention, l'affluence est telle qu'en pleine saison, à partir de 14 h (et parfois même dès 11 h!), vous ne pouvez plus acheter de billet pour le jour même; vous l'aurez compris, mieux vaut arriver à l'ouverture ou acheter vos billets à l'avance. Entrée : 8 €; réductions. Possibilité d'acheter un billet jumelé pour le Thot pour 1 € de plus. Autre info importante : de Pâques à fin septembre, les billets s'achètent exclusivement sous les arcades de l'hôpital, au rez-de-chaussée, derrière l'office de tourisme, place Bertran-de-Born, à Montignac. En basse saison, achetez vos billets aux grottes directement.

À 200 m de la grotte initiale, on a fabriqué une gigantesque coque représentant exactement le volume et le relief des deux salles copiées. On utilisa bien entendu la photo pour les fresques, et surtout largement l'ordinateur pour le relevé précis du relief de deux des plus intéressantes salles, la Rotonde (celle des Taureaux) et le Diverticule axial (avec les chevaux). Un béton fut étudié, qui restitue exactement la texture et la couleur de la roche. Enfin, une artiste, Monique Peytral, utilisant les mêmes couleurs et les mêmes techniques que les peintres de la préhistoire, reconstitua scrupuleusement les fresques. Cela demanda 10 ans de travail. Lascaux II ouvrit en 1983. Résultat tout à fait extraordinaire, l'illusion est totale, la température et l'hygrométrie sont respectées, au point d'en oublier pratiquement la grotte originale. À l'émotion de se trouver devant une telle merveille artistique s'ajoute l'admiration de la prouesse technique.

Avant de pénétrer dans la grotte, présentation dans le sas de toute l'histoire de Lascaux. Puis accès à la *salle des Taureaux.* On y trouve tout d'abord un animal identifié plus ou moins à une licorne, puis un troupeau de superbes taureaux noirs (en fait, des aurochs). Ils semblent presque s'animer. En effet, les artistes de la préhistoire tirèrent parti de chaque relief de la roche, de chaque bosse ou aspérité pour mettre en valeur des parties de l'animal. C'est ainsi qu'une bosse bien ronde peut représenter une panse bien dodue ou un dos. En outre, l'utilisation de perspective, dite « tordue », donne encore plus l'illusion de la réalité et du mouvement (par exemple, tête ou corps de profil et cornes de trois quarts). L'un des taureaux mesure plus de 5 m.

Après la salle des Taureaux, vous pénétrerez dans l'étroit *Diverticule axial* où s'étalent de véritables compositions, comme la vache qui saute, le cheval tombant et la frise des petits chevaux. Pour finir, toute une série de graphismes (traits parallèles, rectangles, ponctuation, sortes de harpons, etc.) posent toujours des problèmes d'interprétation aux chercheurs.

Le musée privé de Regourdou : à 800 m au-dessus de Lascaux. ☎ 05-53-51-81-23. Ouvert toute l'année, tous les jours; en juillet et août, de 10 h à 19 h; de septembre à juin, de 11 h à 18 h. Entrée : 4,80 €; réductions. En 1957, Roger Constant, un agriculteur local, a découvert ici une des premières sépultures de l'humanité, datant de plus de 70 000 ans, entourée de squelettes d'ours. La visite en 4 parties, d'une durée de 40 mn, permet de voir le gisement après une présentation de l'homme de Cro-Magnon et de Néandertal. On va voir ensuite les cinq ours bruns vivant sur le site, avant de terminer par le musée. Une expo également sur l'outil à travers les âges.

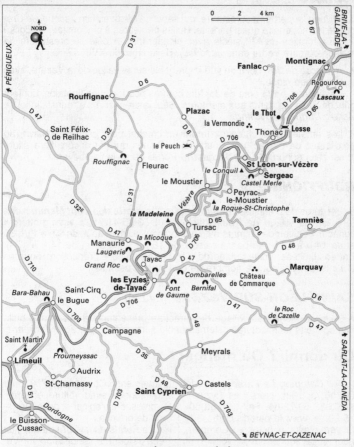

LA VALLÉE DE LA VÉZÈRE

LA VALLÉE DE LA VÉZÈRE

LE THOT

L'espace Cro-Magnon : ☎ 05-53-50-70-44. À 7 km de Lascaux, vers Thonac, un *musée-parc et centre de recherches et d'art préhistorique* tout à la fois. En juillet et août, ouvert tous les jours de 10 h à 19 h ; le reste de l'année, se renseigner pour les horaires d'ouverture. Entrée : 5 € ; réductions. Visite très intéressante. Reconstitution de scènes de la vie quotidienne. Exposition des différentes étapes de construction de Lascaux II, des thèmes dans l'art paléolithique, film, fac-similé de la scène du puits. Parc avec des animaux vivants qui rappellent les figures peintes. Modules d'art pariétal et de fouilles archéologiques.

FANLAC (24290)

Joli village, superbement restauré, qui servit de décor au film *Jacquou le Cro-quant*. Homogénéité quasi parfaite. Belles demeures à pignons aigus. Église romane fortifiée du XII° siècle avec clocher-mur. À côté, le presbytère (la maison du curé Bonal dans *Jacquou*). Belle croix du XVII° siècle.

🍴 À la *côte de Jor,* point de vue imprenable sur la vallée de la Vézère, avec aire de pique-nique.
– Disséminés sur la côte de Jor, six centres bouddhiques tibétains, qui font grincer quelques dents aux alentours. Seul le premier à s'être installé ici se visite : *Dagpo Kagyuling.*

🍴 Les amateurs de châteaux feront un crochet pour celui de *l'Herm* (au nord-ouest de Plazac, par Rouffignac). Ruines qui ont encore fière allure (c'est celui qui brûle dans *Jacquou*!). Portail de style flamboyant.

ROUFFIGNAC

🍴 Les férus de préhistoire rendront visite à la *grotte des Cent Mammouths* (à 5 km du village de Rouffignac). ☎ 05-53-05-41-71. ● www.grotterouf fignac.fr ● Ouvert de fin mars à fin octobre ; en juillet et août, de 9 h à 11 h 30 et de 14 h à 18 h ; en basse saison, de 10 h à 11 h 30 et de 14 h à 17 h. Entrées limitées. Visite guidée de 1 h. Entrée : 5,80 € ; réductions pour les enfants. On y découvre nombre de gravures et peintures.

SAINT-LÉON-SUR-VÉZÈRE (24290)

À 9 km de Montignac, village de caractère présentant, là aussi, une belle homogénéité architecturale. Remarquable surtout pour son *église romane.*

Où dormir ? Où manger ?

⛺ 🍽 *Camping Le Paradis :* sur la D 706, à 3 km (vers Les Eyzies). ☎ 05-53-50-72-64. Fax : 05-53-50-75-90. ● www.le-paradis.com ● 🚿 Ouvert d'avril à octobre. Compter, pour 2 personnes avec voiture et tente, de 17 à 24,30 € selon la saison. Un 4 étoiles. Bien sûr, confortable et assez cher. Possibilité de louer des mobile homes. Trois piscines, dont deux chauffées. Végétation luxuriante : il y a même des bananiers ! Location de vélos et de canoës-kayaks. Tennis. Et même une station-service. Grande qualité des prestations. Ambiance *Club Med.* Personnel en uniforme vert et rouge. Bien si vous parlez couramment le hollandais... Un verre de bienvenue offert à l'arrivée.
⛺ Petit *camping municipal :* juste en face de la mairie, à proximité de la Vézère. ☎ 05-53-50-73-16 (mairie) et 06-73-05-33-60 (juillet et août uniquement). Compter 4,87 € pour 2 personnes avec voiture et tente. S'adresser à l'épicerie pour les jetons de douche.
🏠 *Le Relais de la Côte de Jor :* Le Pech d'Honneur, Saint-Léon-sur-Vézère. ☎ 05-53-50-74-47. Fax : 05-53-51-16-22. ● relaisjor@online.fr ● À quelques kilomètres du bourg, suivre la côte de Jor ; bien indiqué. Fermé de la Toussaint à Pâques, sauf sur réservation. Chambres de 35 à 46 €. Prix intéressant pour 3 (54 €). Vue tout à fait exceptionnelle, grand calme. Les chambres sont de plain-pied ou avec grand balcon. Piscine. Ambiance familiale autour de Myriam et Christophe, deux jeunes hôteliers sympathiques.
🏠 *Chambres d'hôte Le Bonhomme :* Le Bonhomme, 24290 Saint-Léon-sur-Vézère. ☎ 05-53-51-19-49. Sur la départementale entre Montignac et Les Eyzies. De 35 à

40 € pour 2 selon la saison. Prix imbattable pour 4 : 50 € ! Chambre d'hôte agréable, avec vue sur la vallée et le château de Belcayre. Pour les randonneurs, le GR 36 passe au-dessus de la maison. L'accueil est simple et chaleureux. On se sent tout de suite à l'aise. Réservez longtemps à l'avance. N'accepte pas les cartes de paiement. Pour 6 nuitées consécutives, la 7e est offerte sur présentation du GDR.

À voir

🗨🗨 *L'église :* édifiée au XIIe siècle. Un des murs (côté rivière) s'appuie sur des vestiges romains. Le chevet, avec son abside flanquée d'absidioles rondes, sa tour carrée, ses toits en cône couverts de lauzes, se révèle un véritable chef-d'œuvre d'harmonie et d'équilibre. À l'intérieur, coupole dans le transept, piliers massifs, abside à arcades et colonnettes, chapiteaux à entrelacs et feuillages, vestiges de fresques. À gauche de la nef, Vierge en pierre de facture très primitive du XIe siècle.

🗨 Au gré des ruelles étroites, découvrez les châteaux : celui des *Clérans,* en bord de rivière, avec tours poivrières, mâchicoulis et fenêtres à meneaux. Dans le centre, le *château de la Salle* avec un donjon du XIe siècle.

🗨 Au cimetière, allez admirer la *chapelle expiatoire* gothique et, tout au fond, les *enfeus* (sépultures du XIIIe siècle dans le mur, qui ont aujourd'hui pratiquement disparu des cimetières).

🗨 *Le Parc de loisirs préhistorique du Conquil :* ☎ 05-53-51-29-03. Fax : 05-53-51-29-04. Ouvert en avril tous les jours de 10 h à 18 h, de mai à août tous les jours de 10 h à 19 h et en septembre le week-end de 10 h à 18 h. Entrée : 7,80 € ; réductions. Pour les visites guidées, prendre rendez-vous environ une semaine à l'avance. En visite libre ou guidée sur environ 8 ha de plaines, falaises et sous-bois. Ensemble d'abris sous roche aménagés et fortifiés de la préhistoire au Moyen Âge. Animations (initiation à la taille du silex, au lancer au propulseur, aux techniques d'allumage du feu, à l'art pariétal, énigmes...). Compter 3 h de visite.

🗨 *Le Château de Chabans :* côte de Jorc, 24290 Saint-Léon-sur-Vézère. ☎ 05-53-51-70-60. À 5 km de Saint-Léon. Entre Les Eyzies et Lascaut. En juillet et août, ouvert tous les jours de 14 h à 20 h ; en mai, juin et septembre, ouvert jusqu'à 19 h fermé le samedi. Dernière visite 1 h avant la fermeture. Entrée : 6,80 € ; réductions. Visite guidée de 1 h. Joli point de vue sur la vallée. Château datant du XIVe au XVIIe siècle, entièrement restauré (un peu trop d'ailleurs...). Intéressant mobilier du XVIe, vitraux, broderies et tapisseries. Visite libre des jardins et expos temporaires.

LE CHÂTEAU DE LOSSE

Près de Thonac, sur la D 706. ☎ et fax : 05-53-50-80-08. L'entrée comprend la visite non guidée des jardins, parc, douves et remparts, et la visite guidée de l'intérieur du château, ouvert de 10 h à 12 h 30 et de 13 h 30 à 17 h 30 de Pâques à fin septembre ; en juin, juillet et août, de 10 h à 19 h. Entrée : 5,40 € ; réductions. La visite du château et des jardins est gratuite pour les personnes handicapées, mais l'étage n'est pas accessible, soit 80 % de la visite possible. Visite guidée très intéressante. Mélange d'architecture médiévale défensive et d'éléments Renaissance. Importante collection de meubles et tapisseries des XVIe et XVIIe siècles... Beau panorama et belle promenade dans le parc sur les bords de la Vézère. Une très belle vue sur le château à ne pas manquer, de l'autre côté de la rivière, pont à Thonac.

🗨 Dans *Thonac,* église à grand clocher-mur.

Où dormir ? Où manger ?

🏠 |●| *Hôtel-restaurant Archambeau :* à Thonac. ☎ 05-53-50-73-78. Fax : 05-53-50-78-88. ● www.hotels.res tau-dordogne.org/archambeau ● ⚒ Fermé de mi-octobre à début février. Chambres confortables de 42 à 43 €. Petit dej' à 5,70 €. Menus de 12 à 25 €. Chambres au calme dans un bâtiment en retrait de la route. Vaste piscine (de l'autre côté de la départementale). Généreuse cuisine de région : salade de gésiers, confit de poule ou de canard, poule ou porc aux cèpes, etc. Terrasse ombragée. Café offert sur présentation du *GDR*.

🏠 |●| *Hôtel-restaurant du Parc :* route des Eyzies, à Thonac. ☎ 05-53-50-70-20. Fax : 05-53-50-24-93. ⚒ Fermé du 1er novembre à début avril. Restaurant uniquement le soir pour les demi-pensionnaires. Chambres de 40 à 47 € selon la saison, toutes équipées de salle de bains, w.-c., TV. Petit dej' à 5,80 €. Demi-pension de 40 à 45 € par personne. Agréable endroit au bord de la rivière. La partie hôtel est dans un bâtiment moderne sans grand charme, mais l'accueil des patrons compensent largement ce manque. Chambres grandes et très calmes, salles de bains spacieuses. Piscine. La cuisine est typiquement régionale. Belle terrasse.

SERGEAC (24290)

Petit village tout mignon, possédant une intéressante église romane fortifiée. Chapiteaux de facture très archaïque. À l'entrée du village, superbe croix de chemin du XVe siècle, dite « croix hosannière ».

Où dormir ? Où manger ?

🏠 |●| *Auberge de Castel-Merle :* ☎ 05-53-50-70-08. Fax : 05-53-50-76-25. Sur la D 65. Fermé le lundi toute la journée et le mardi midi (sauf pour les pensionnaires), ainsi que du 30 septembre au 1er avril. Demi-pension demandée en juillet et août. Chambres de 41 à 46 €. Menus à 15 € le midi et de 20 à 25 €. Bâti sur un rocher, en pleine nature, exceptionnel panorama sur la région, avec une boucle de la Vézère à vos pieds. Bon accueil. Plats régionaux : omelette aux truffes, civet de sanglier, magret de canard, bloc de foie gras, flognarde. Café offert sur présentation du *GDR*.

|●| *L'Auberge du Peyrol :* ☎ 05-53-50-72-91. ⚒ Sur la D 65, à mi-chemin de Montignac et des Eyzies.

Fermé le lundi (sauf en juillet et août) et de début décembre à fin février. En basse saison, ouvert le midi en semaine, les midi et soir le week-end. Menus de 12 à 34 €. Compter environ 25 € à la carte. Auberge à l'ancienne, en belle pierre du pays. Grande baie vitrée offrant un chouette panorama. Belle salle rustique avec une grande cheminée où sont fumés les magrets. Jeannine concocte des plats de campagne : foie d'oie pur, enchaud de porc confit... Au menu le plus cher, foie d'oie pur, omelette aux truffes, magret de canard sauce Périgueux, salade, fromage et dessert. Réservation conseillée. N'accepte pas les cartes de paiement. Apéritif maison offert sur présentation du *GDR*.

À voir

🐾🐾 ⚒ *Le site préhistorique de Castel-Merle :* à côté. ☎ 05-53-50-79-70. Fax : 05-53-50-74-79. Ouvert du 1er avril aux vacances de la Toussaint ; en juillet et août, de 10 h à 19 h ; hors saison, de 10 h à 12 h et de 14 h à 18 h.

Fermé le samedi sauf en juillet et août. Entrée : 5 € ; réductions. Animations intéressantes pour les enfants (taille du silex, lancer au propulseur, techniques du feu...).

LA CHAPELLE-AUBAREIL *(24290)*, TAMNIÈS *(24620)*, MARQUAY *(24620)*

Au bout de routes tranquilles, autant de délicieux villages de l'intérieur avec une architecture intéressante, de jolies églises et de remarquables auberges. Entre autres, *Marquay,* sur sa colline, présente une belle église du XIIe siècle fortifiée. Idéal pour résider, environnement calme et bucolique, très proche de Sarlat, des Eyzies et des sites du long de la Dordogne.
– *Tamniès* vous propose en juillet **Croque-Notes,** spectacle réunissant des groupes locaux. Concerts. Son et lumière le dimanche de spectacle.

LES CABANES DU BREUIL

Au lieu-dit Le Breuil, 24200 Saint-André-d'Allas. ☎ 06-80-72-38-59. ● www.cabanes-du-breuil.com ● De Pâques à la Toussaint, ouvert de 10 h à 12 h et de 14 h à 18 h (10 h à 19 h en été) ; de la Toussaint à Pâques, le week-end de 14 h à 17 h et sur réservation. Entrée : 3,50 € ; réductions. De Sarlat ou des Eyzies, suivre la D 47 jusqu'au carrefour dit « Benivès », tourner à la pancarte indiquant « Les cabanes de Puymartin » ou « Le château du Breuil ». Si l'on trouve parfois quelques cabanes de bergers en pierre sèche (bories) disséminées dans la campagne, il est extrêmement rare de découvrir des groupes aussi compacts et homogènes, épousant le terrain, se fondant dans le paysage. Au point que cet ensemble de bories, qui existe depuis 1449 (au moins !), fut classé. Leur origine reste mystérieuse. Probablement un héritage des habitations de la préhistoire, des tholos de la Méditerranée et des traditions de bergers. On retrouve leur trace à Gordes, comme en Sardaigne ou en Turquie, et on les appelle « clochans » en Irlande. Un chantier permanent (visible sur réservation) – y compris un mini-chantier où les enfants peuvent construire de mini-bories – permet d'étudier les techniques de construction en pierre sèche et leur évolution dans le temps. Visite guidée sur réservation très intéressante.

LE CHÂTEAU DE PUYMARTIN

Situé sur la D 47, à mi-chemin des Eyzies et de Sarlat. ☎ 05-53-59-29-97. Fax : 05-53-29-87-52. ● xdemontbron@wanadoo.fr ● Ouvert de Pâques à la Toussaint ; en juillet, tous les jours de 10 h à 12 h et de 14 h à 18 h 30 ; en août, tous les jours de 10 h à 18 h 30 ; hors saison, de 10 h à 12 h et de 14 h à 18 h. Entrée : 5,50 € ; réductions. Avec un peu de chance, vous ferez la visite avec le fils de la maison, enthousiasmé par son sujet. Et pour cause, cela fait cinq siècles que les siens vivent au château. À voir notamment : un cabinet mythologique du XVIIe siècle habillé de 8 panneaux (grisailles sur boiseries). Et on a failli oublier, ce château est hanté par une certaine Dame Blanche...

LE CHÂTEAU DE COMMARQUE

Les Eyzies-de-Tayac-Sireuil (24620). À environ 7 km des Eyzies, non loin du GR 6. ☎ 05-53-59-00-25. Accès par la D 47, puis un petit chemin (600 m entre le parking et le château). Ouvert d'avril à septembre, de 10 h à 19 h (18 h en avril, 20 h en juillet et août). Entrée : 5 € ; réductions ; gratuit pour les moins de 10 ans. Visites libres avec un fascicule. C'est le modèle même du château romantique à découvrir. Double enceinte et énorme donjon (double) des XIIe et XIIIe siècles. Belle frise de mâchicoulis, pont-levis, salles effondrées aux cheminées accrochées dans le vide, escalier à vis. La chambre romane s'ouvre sur la vallée par une baie à cinq colonnettes. Sur l'une des banquettes de pierre est gravé un échiquier. Et puis, de superbes dérives photographiques : dans une fenêtre gothique vient se cadrer le beau château de Laussel situé en face, sur l'autre flanc de la vallée. Devant le château, ruines de l'ancien village et de la chapelle. Grottes et cavités dans la falaise révélant l'existence d'un habitat troglodytique.

Où dormir ? Où manger entre Vézère et Dordogne ?

Campings et gîtes d'étape

△ 🏠 |◉| *Lo Cobano :* Le Breuil, 24200 Saint-André-d'Allas. ☎ 05-53-29-66-23. Fax : 05-53-59-34-20. Pour s'y rendre, voici la marche à suivre : depuis Sarlat, emprunter la D 47 sur 10 km (direction « Les Eyzies ») ; au lieu-dit Benives, tourner à droite (pancarte signalant « Marquay ») ; peu après, suivre la petite route indiquée par des pancartes avec bories stylisées ; on continue en zigzaguant, mais on ne peut plus se tromper. Camping : 5 € par personne. Chambres dans bungalow : 25 € avec douche et 40 € pour 3 personnes avec douche et kitchenette. Gîte dans une grande maison de pierre typique, 9 personnes en dortoir, 150 € la nuit, 550 € la semaine. Formule dans une maison plus petite à 500 €. Réserver car places limitées. À 150 m des célèbres bories de Saint-André-d'Allas. Tout autour, environnement de rêve, campagne intacte, propice aux belles randonnées. Crêperie et saladerie installée dans une borie. On peut planter sa tente dans la prairie voisine. Accueil chaleureux et très décontracté. Cartes de paiement refusées. Café ou apéritif maison offert sur présentation du *GDR*.

△ *Camping à la ferme, chez M. et Mme Marty :* Le Colombier, 24200 Castels. ☎ 05-53-29-26-29. Bien signalé de la route principale. Fermé de la Toussaint à Pâques. Compter 7 € pour 2 personnes avec voiture et tente. Tout petit hameau, avec d'anciennes maisons pleines de charme, aux toits de lauzes. Environnement riant. Bon accueil. Camping dans un pré velouté dominant le paysage. Gîte pour 4 à 6 personnes à 430 € la semaine. Très conseillé de réserver en haute saison (surtout de mi-juillet à mi-août).

△ *Camping à la ferme La Catie :* 24620 Tamniès. ☎ 05-53-29-68-78. Compter 10 € pour 2 personnes avec voiture et tente. Là aussi, assez chouette. Au bout d'une route : calme et tranquillité assurés. Grand pré au-dessus de la vallée. Deux blocs sanitaires. Produits frais de la ferme : œufs, lait, légumes... Apéritif maison offert sur présentation du *Guide du routard*.

△ |◉| *Le Moulin du Roch :* sur la D 47 (à peu près à mi-chemin de Sarlat et des Eyzies). ☎ 05-53-59-20-27. Fax : 05-53-59-20-95. • www.moulin-du-roch.com • ⚡ Camping ouvert de début mai à mi-septembre. Pour 2 personnes avec voiture et tente, compter de 13 à 23 € selon la saison. En juillet et août, conseillé de réserver. Camping 4 étoiles dans un grand parc de 7 ha. Tout le confort (tennis, piscine, complexe aquatique de 320 m², restaurant, bar, plats cuisinés, ateliers manuels, activités extérieures, etc.).

De bon marché à prix moyens

🏠 |◉| *Hôtel des Bories :* 24620 Marquay. ☎ 05-53-29-67-02. Fax : 05-53-29-64-15. • hotel.des.bories.@wana doo.fr • ⚡ À environ 12 km de Sarlat, par la D 47 sur 2 km, puis la D 6. Ouvert de Pâques à la Toussaint. Chambres doubles de 31 € avec douche et w.-c. à 60 € avec bains et w.-c. Petit dej' à 7,50 €. Dans un gentil village en dehors des sentiers battus, un hôtel de charme, très bien situé. Grand jardin, piscine et vue superbe. La chambre n° 32 possède un coin salon, avec cheminée et très belle vue sur la campagne, et une chambre attenante pour enfants. Bon accueil. Sur présentation du *GDR,* remise de 10 % sur le prix des chambres les plus chères en mars, avril, mai, juin et octobre. Resto à côté, à la cuisine réputée.

⚔ 🏠 *Ferme J.-C. Ampoulange :* la Croix-d'Alix, Marquay (24620). ☎ 05-53-29-67-45. Chambres d'hôte à 36 € pour 2, petit dej' compris. Chambres simples mais bien tenues. Camping à la ferme avec des prix imbattables. N'accepte pas les cartes de paiement.

🍽 *La Source :* au bourg, Tursac (24620). ☎ 05-53-06-98-00. À 6 km au nord-est des Eyzies, sur la route de Montignac. Fermé le samedi en basse saison et de novembre à mars. Avant Pâques et après septembre, il faut réserver le soir. Menus de 12 à 22 €. Honnête petite auberge de village, bien agréable. Salle rustique et, aux beaux jours, terrasse-jardin où coule une source (la voilà !). Jeunesse et créativité à la cuisine, moderne sans être nouvelle, sans oublier les spécialités du terroir. Également un menu végétarien. Ambiance agréable, accueil charmant. Café offert sur présentation du *Guide du routard.*

Plus chic

🏠 🍽 *Hôtel-restaurant Laborderie :* 24620 Tamniès. ☎ 05-53-29-68-59. Fax : 05-53-29-65-31. ● hotel.laborderie@worldonline.fr ● Fermé de la Toussaint à Pâques. Chambres de 28 € avec douche et w.-c. à 76 € avec bains, frigo, terrasse ou balcon. Petit dej' à 8 €. Menus de 19 à 42 €. Sur la paisible place centrale d'un bourg perché. Environnement assez exceptionnel, donc. Quelques chambres sont installées dans la maison, pleine d'allure avec son clocheton ; les autres, tout aussi agréables, se nichent dans une annexe, au milieu d'un parc ouvert sur la campagne environnante. Nos préférées, de plain-pied, donnent sur la piscine. Au resto, devenu l'un des points de passage obligés d'un Périgord pourtant riche en bonnes adresses, le chef décline avec talent et générosité les classiques périgourdins. Vaste et lumineuse salle à manger et terrasse.

LA ROQUE-SAINT-CHRISTOPHE

Vers Peyzac-le-Moustier, entre Les Eyzies et Montignac-Lascaux, colossale falaise surplombant la Vézère sur près de 1 km, véritable *forteresse troglodytique.* ☎ 05-53-50-70-45. ● www.roque-st-christophe.com ● Visite toute l'année, guidée ou non guidée. Ouvert de 10 h à 19 h en juillet et août (se présenter 45 mn à l'avance), de 10 h à 18 h en moyenne saison et de 11 h à 17 h l'hiver. Visite : 6 € ; réductions. Durée : 45 mn. C'est le plus grand ensemble troglodytique d'Europe, jusqu'à 1500 personnes ont sans doute logé là. Creusées sur plusieurs étages. La visite permet de se faire une idée du mode de vie dans ces habitations : citernes, fours, escaliers... permettent de savoir que La Roque était un lieu d'habitat constant. Reconstitution d'un conservatoire à machines de génie civil (notamment de treuils verticaux, horizontaux et à tambour) en hommage aux grands bâtisseurs médiévaux. La route, étroite à souhait, musarde en contrebas entre rivière et falaise. Noter les petits trous carrés dans la roche, où s'encastraient les poutres des maisons. Site habité depuis la préhistoire jusqu'au début de la Renaissance, où il fut démantelé sur ordre d'Henri III.

L'ABRI DE LA MADELEINE

Grand *site préhistorique,* juste après Tursac. ☎ 05-53-06-92-49.
● www.site-de-la-madeleine.com ● Traverser la Vézère au pont de Lespinasse. Bon fléchage routier. Parking, puis chemin menant au site. Ouvert
toute l'année, tous les jours ; en juillet et août, de 9 h 30 à 19 h 30 ; hors saison, de 10 h à 18 h. Entrée : 5 € ; 3 € pour les enfants de 6 à 12 ans ; tarif
« famille » : 16 €, quel que soit le nombre de personnes. Petit musée préhistorique à l'entrée, aire de pique-nique, terrasse, snack. Accès possible en
canoë depuis Saint-Léon-sur-Vézère ou Lespinasse. Les découvertes préhistoriques effectuées sur le site de La Madeleine donnèrent naissance au
terme « magdalénien » ; c'est donc ce que l'on appelle un site éponyme.
Cette époque va de 15 000 à 10 000 ans avant le présent (1955). Les
hommes préhistoriques y vécurent. Puis le site fut à nouveau habité, du
Moyen Âge à 1924. Visite du fort du village troglodytique, qui livre un bon
aperçu de la vie quotidienne d'un village rural et de ses aménagements à
l'époque médiévale. Animations pour les enfants. Chapelle des XIIe et
XVe siècles faisant corps avec la falaise.

🎭 Vers Les Eyzies, *Préhisto-Parc* mettant en scène des tranches de vie
de l'homme préhistorique : chasse, habitat, arts, etc. À Tursac, route de
Montignac. Renseignements : ☎ 05-53-50-73-19. Ouvert du 1er mars au
11 novembre, de 9 h 30 à 18 h 30 (19 h 30 en juillet, août et septembre).
Entrée : 5,50 € ; sur présentation du *GDR* : 4,50 € ; réduction. Prévoir 45 mn
minimum pour la visite ; un livret explicatif. Personnages et animaux reconstitués grandeur nature, à partir de recherches anthropologiques, dans un site
naturel important : scènes de la vie quotidienne. Ateliers interactifs avec
taille de silex, tir au propulseur, production du feu, etc.

LES EYZIES-DE-TAYAC-SIREUIL (24620) 928 hab.

À 20 km de Sarlat, la « petite capitale mondiale de la préhistoire ». C'est ici
que l'on découvrit le célèbre homme de Cro-Magnon. Le site très pittoresque
et l'impressionnante falaise en surplomb ont d'ailleurs plus d'intérêt que le
village lui-même. On y trouve quelques maisons troglodytiques. La configuration de la région fut favorable à une implantation durable des hommes.
Quittant les plaines du nord glacial, à la recherche de terres plus hospitalières, ils trouvèrent dans le coin abris dans les falaises, forêts denses et animaux à chasser. D'où la prolifération des sites préhistoriques dans un rayon
de 20 km. Henry Miller nota qu'en s'installant ici, l'homme démontrait un
grand sens de la beauté. Puis, la terre se réchauffant, ils partirent à nouveau
sous d'autres cieux encore plus hospitaliers.

Adresses utiles

ℹ *Office de tourisme :* 19, av. de la Préhistoire. ☎ 05-53-06-97-05. Fax : 05-53-06-90-79. ● www.leseyzies.com ● En juillet et août, ouvert du lundi au samedi de 9 h à 20 h et le dimanche de 9 h à 12 h et de 14 h à 18 h ; le reste de l'année, ouvert de 9 h à 12 h et de 14 h à 18 h (17 h le dimanche en avril, mai, juin et septembre). Ne pas manquer d'y de-mander la liste réactualisée de tous les sites de la région et leurs horaires, des nombreuses randonnées et locations de canoës-kayaks.

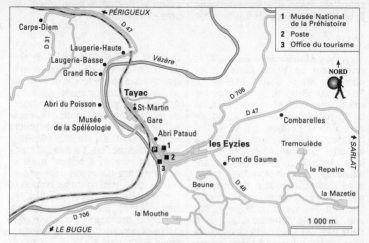

LES EYZIES-DE-TAYAC-SIREUIL

SNCF : 1 train quotidien pour Périgueux et Sarlat. Train pour Paris aussi (via Limoges).

Location de canoës : *Canoës Vallée Vézère,* 10, promenade de la Vézère. ☎ 05-53-05-10-11. Fax : 05-53-05-83-06. • www.canoevalleevezere.com • Ouvert du 1er avril au 15 octobre. Au pied du pont sur la Vézère, à gauche en quittant Les Eyzies. Dépose en minibus et descente libre de la Vézère de 2 h à la journée (possibilité de panier pique-nique). Accueil très agréable et matériel impeccable.

Où dormir ? Où manger ?

Camping

Camping La Rivière : sur la route de Périgueux. ☎ 05-53-06-97-14. Fax : 05-53-35-20-85. • www.campings-dordogne.com/la-riviere • À 10 mn à pied du centre-ville et tout près de la gare. Ouvert de début avril à fin octobre. Compter 16,20 € pour 2 personnes avec voiture et tente. Chambres également, de 30 à 35 €. Menus de 12 à 22 €. Camping 3 étoiles de taille raisonnable et joliment aménagé autour d'un ancien relais de poste du XVIe siècle, où se trouvent des chambres d'hôte. Sanitaires spacieux et impeccables. Piscine, bar-restaurant, bord de rivière aménagé pour la pêche ou le pique-nique, canoës, etc. Accueil très agréable. Apéritif maison offert sur présentation du *GDR*.

Prix moyens

Hôtel de France (auberge du Musée) : 1, rue du Moulin. ☎ 05-53-06-97-23. Fax : 05-53-06-90-97. Dans la rue menant au musée. Restaurant fermé de novembre à Pâques. Chambres de 57,60 à 67,60 €. Demi-pension conseillée du 2 au 15 août : de 54,60 à 59,60 € par personne. Menus de 12 à 37 €. À la carte, compter autour de 20 €. Deux établissements qui se font face, au pied de la falaise. À l'auberge, dans l'une des deux salles ou sous la tonnelle de glycine, cuisine traditionnelle et régionale. Quelques chambres à l'abri des solides murs de pierre de l'*Hôtel de France.* À quelques centaines de mètres, d'autres chambres dans une annexe, avec jardin et piscine (ouverte à tous les clients !). Apéritif maison offert sur présentation du *GDR*.

Plus chic

🛏 ⦿ *Le Moulin de la Beune et le restaurant Le Vieux Moulin :* au centre du village. ☎ 05-53-06-94-33. Fax : 05-53-06-98-06. Fermé les mardi, mercredi et samedi midi, et du 1er novembre au 1er avril. Chambres à 55 €. Petit dej' à 6,40 €. Menus de 22 à 45 €. Autour de 32 € à la carte. Situé en contrebas du village. Accueil courtois. Cuisine savoureuse et bien tournée, servie dans une salle où l'on découvre le mécanisme d'origine du moulin. L'été, on mange dans le jardin, sur une adorable terrasse. L'hôtel, à deux pas, est situé dans un bâtiment plus récent mais tout aussi calme. Chambres à la déco d'une sobriété exemplaire mais confortables et d'un bon rapport qualité-prix.

🛏 ⦿ *Hostellerie du Passeur :* pl. de la Mairie, en face du musée. ☎ 05-53-06-97-13. Fax : 05-53-06-91-63. • www.hostellerie-du-passeur.com • ⚒ (restaurant). Fermé le lundi et le mardi midi (sauf en juillet, août et septembre), ainsi que du 1er novembre à début mars. Chambres à partir de 62 €. Demi-pension conseillée en août et septembre : à partir de 60 € par personne. Menus de 18,50 à 45 €. Sur une place piétonne, en bordure de rivière. La note blanche des volets ajoute du charme aux vieux murs couverts de lierre. Accueil charmant et une prestation de qualité. Une belle maison cossue qui inspire confiance. Chambres fort joliment décorées, les plus récentes ont un charme fou. La salle à manger s'est refait une beauté dans le genre rustico-bourgeois. On y sert une cuisine traditionnelle d'inspiration régionale et de bonne facture. Bon rapport qualité-prix pour le 1er menu proposant par exemple : délice périgourdin au foie gras, lapin confit aux truffes sur lit de cèpes...

🛏 *Hôtel des Roches :* 15, av. de la Forge. ☎ 05-53-06-96-59. Fax : 05-53-06-95-54. • www.roches-les-eyzies.com • ⚒ Ouverture le 10 avril ; fermé à partir du 1er novembre. Chambres de 70 à 85 € selon la saison. Petit dej' à 8,50 €. Grand établissement construit dans la belle pierre du pays. Joliment situé au pied de la falaise, un peu en dehors du bourg, avec une grande pelouse et la piscine devant. Chambres confortables mais sans charme particulier. Accueil vraiment chaleureux.

Très chic

🛏 ⦿ *Le Centenaire :* rue principale (rocher de la Penne). ☎ 05-53-06-68-68. Fax : 05-53-06-92-41. • www.hotelducentenaire.fr • Fermé de début novembre à début avril. Restaurant fermé le lundi midi, le mardi midi, le mercredi midi et le vendredi midi. Chambres à partir de 138 €. Petit dej' à 17 €. Menus de 34 à 110 €. À la carte, compter entre 61 et 92 €. Ce genre d'adresse n'apparaît qu'exceptionnellement dans nos guides, mais il faut humblement reconnaître que c'est justement une adresse exceptionnelle. La tradition et l'inspiration régionales restent présentes et le choix des produits parmi les meilleurs de la région, voilà les ingrédients de base. Le repas ressemble à un feu d'artifice où chaque plat est un bouquet de saveurs intenses et subtiles à la fois. Que dire d'une « toute simple » salade d'asperges blanches et copeaux de foie gras ? Comment réussir à créer une « terrine chaude de cèpes, pointe d'ail et beaucoup de persil » aussi exceptionnelle, si simple *a priori,* mais jamais cèpes n'ont eu autant de goût, ni ne sont restés aussi moelleux... et l'esturgeon caramélisé, crème de maïs blanc au caviar de truffe... on en salive encore. Les vins, en vente dans une boutique à côté du restaurant, font la part belle aux crus de la région et sont sélectionnés par un remarquable sommelier qui saura vous conseiller avec compétence. Contrairement aux établissements de ce niveau, pas d'ambiance empesée, pas de serveur omniprésent derrière votre épaule. Accueil sincère, authentique et chaleureux, le service est parfait, discret et efficace. Le décor est du même niveau, beau, riche mais sans ostentation. Bien évidemment, il faudra dépenser une certaine somme, mais pour le prix de deux ou trois repas ordinaires, on a un vrai plaisir, cela vaut peut-être la peine de faire un effort? D'autant que le premier menu permet d'approcher le talent du chef. Les chambres sont d'un confort total, mais il faudra vraiment casser sa tirelire pour s'offrir les plus belles. Piscine.

Où dormir? Où manger dans les environs?

Campings

⚔ *Camping à la ferme du Pelou :* au Pelou, sur la route entre Montignac et Les Eyzies (D 706). ☎ 05-53-06-98-17. ⚒ Indiqué sur la droite à 3 km des Eyzies. Ouvert du 15 mars au 15 novembre. Compter 9,50 € pour 2. Petit camping familial propre et ombragé. Superbe point de vue et tranquillité garantie. Location de mobile homes et de gîtes. Piscine. Vraiment pas cher. N'accepte pas les cartes de paiement. 10 % de remise sur un emplacement camping sur présentation du *GDR.*

⚔ ❙●❙ *Camping Vézère-Périgord :* à 5 km des Eyzies, à Tursac. ☎ 05-53-06-96-31. Fax : 05-53-06-79-66. ● www.le-vezere-perigord.com ● ⚒ Fermé d'octobre à avril. Compter de 11 à 17 € pour 2 personnes avec voiture et tente. Très grand 3 étoiles, dans un parc boisé. Tout confort. Une grande piscine. Tennis. Location de mobile homes et de chalets. Resto et petite épicerie. Très familial. Accueil des plus chaleureux.

⚔ ❙●❙ *Camping Le Mas-de-Sireuil :* à 5 km sur la route de Sarlat (D 47), puis 2 km dans la campagne. ☎ 05-53-29-68-06. Fax : 05-53-31-12-73. ● www.mas-vacances.com ● ⚒ Compter 18,20 € pour 2 personnes avec tente et voiture. Quatre étoiles. Bien situé. Au calme. Piscine. Tennis. Parcours de santé. Possibilité de repas à la ferme-auberge *La Grange du Mas.* Menus de 14 à 30 € ; bon rapport qualité-prix. Café offert sur présentation du *GDR.*

De bon marché à prix moyens

❙●❙ *L'Auberge des Cinq Chênes :* Saint-Félix-de-Reilhac et Mortemart (24260). ☎ 05-53-03-20-76. À quelques kilomètres des Eyzies sur la route de Périgueux. Au fond d'un bois. Ouvert toute l'année, les weekends et jours fériés en basse saison, tous les jours en été. Mais il faut téléphoner de toute façon, car Rémy ouvre un peu quand il veut. Menus de 15 à 25 €. Moitié homme des bois, moitié paysan, Rémy a la passion des champignons. Après avoir bourlingué dans le monde entier, il est revenu dans son Périgord natal. Et comme il cuisinait pour ses copains (et ils sont nombreux), il s'est dit qu'il pouvait en faire profiter tout le monde. Motard, baroudeur au grand cœur, ex-soixante-huitard, escorté de son chien à trois pattes, Rémy vous concocte une cuisine simple mais copieuse, à base de champignons frais évidemment (potages, gibiers, omelettes...). Un sacré personnage, un peu bourru, qui, selon ses termes, « vit sa folie jusqu'au bout ». Authentique et nature. N'accepte pas les cartes de paiement. Apéritif maison offert sur présentation du *GDR.*

❙●❙ *La Métairie :* Beyssac, 24620 Les-Eyzies-de-Tayac-Sireuil. ☎ 05-53-29-65-32. Sur la route de Sarlat. Fermé le lundi, le mercredi midi et le dimanche soir hors saison ; le lundi et le mercredi midi en été ; congés annuels de mi-novembre à début février. Menus de 13 € (le midi en semaine) à 34 €. À la carte, compter environ 32 €. Très bel établissement aménagé dans les anciennes écuries du château voisin, dans un écrin de verdure. La cour en U, terrasse en été, est fort belle. La salle présente encore les mangeoires des chevaux, mais l'avoine est remplacée par une cuisine de haut niveau. Très belle décoration des plats et garnitures variées. Service efficace et souriant. Il est prudent de réserver. N'accepte pas les cartes de paiement. Café offert sur présentation du *GDR*.

🛏 |●| *Ferme-auberge La Taulado :* Sireuil-la-Genèbre, 24620 Les Eyzies-de-Tayac. ☎ 05-53-29-67-63. Fax : 05-53-59-64-42. ● www.auber geetfermeauberge.com ● À 5 km à l'est des Eyzies. Ouvert du 1er avril au 3 novembre. Menus de 12 à 31 €. Chambres doubles à 37 €. Petit dej' à 4 €. Demi-pension à 36 € par personne. Jolie ferme-auberge en pleine campagne. Assez connue dans la région pour le calme, l'accueil chaleureux et le cadre. Cuisine traditionnelle maison : foie gras, confit, magret, cèpes... Une ambiance familiale avec ses grandes tablées, en terrasse ou dans la salle à la charpente en bois.

🛏 |●| *L'Auberge de l'Étang Joli :* à quelques kilomètres du Bugue, sur la route des Eyzies ; indiqué sur la droite après Campagne. ☎ 05-53-35-29-87. Fax : 05-53-35-26-88. Ouvert toute l'année sur réservation. Menus à 16 et 25 €, avec potage, entrée, plat, fromage et dessert pour les deux menus. Demi-pension à 46 € par personne. Les chambres sont grandes et claires. Très calme. Cuisine traditionnelle du Périgord de bonne qualité. Isabelle a son franc-parler, mais elle s'inquiète toujours

du bien-être de ses clients. Elle organise des stages autour du foie gras où l'on apprend tout, de la découpe à la cuisson. Au resto, service un peu long et pas toujours très aimable, mais un très bon rapport qualité-prix tout de même pour cette petite auberge de campagne. Location de gîte pour 6 personnes à 382 € la semaine. Kir maison offert sur présentation du *GDR*.

🛏 *Chambres d'hôte Chez Lucette :* route des Eyzies, Campagne, 24260 Le Bugue. ☎ et fax : 05-53-07-41-68. Ouvert toute l'année. À quelques kilomètres à l'ouest des Eyzies. Chambres de 32 à 35 € avec douche et w.-c. Appartements et mobile homes : 50 et 54 €. Belle maison juste à la sortie du village. Au fond d'un très grand jardin fleuri. Chambres confortables. Nous avons eu un faible pour une borie joliment meublée (39 € la nuit), en plein milieu du parc. Dépaysement et calme garantis. Pas de petit dej', mais cafetière électrique dans les chambres. Cartes de paiement refusées.

|●| *La Maison de Martine :* le bourg, Campagne, 24260 Le Bugue. ☎ 05-53-03-51-88. ⚒ Fermé le jeudi (sauf juillet et août) et d'octobre à Pâques. Menu découverte à 20 € (avec apéro, plat, dessert, café et vin). Compter 18 € pour une bonne assiette-repas. Il faut le voir pour le croire ! Sans doute un des seuls endroits de la région où se restaurer en dehors des heures conventionnelles. Petite et adorable maison où l'on vous servira des salades, assiettes composées et tartines confectionnées avec les produits du terroir. De quoi satisfaire une honnête faim ! Une petite terrasse mignonnette et un intérieur de maison de poupée. Apéritif maison offert sur présentation du *GDR*.

À voir aux Eyzies

🎪🎪🎪 *Le Musée national de la Préhistoire :* ☎ 05-53-06-45-45. Fax : 05-53-06-45-55. ● www.leseyzies.com/musee-prehistoire ● En juillet et août, ouvert de 9 h 30 à 18 h 30 ; hors saison, de 9 h 30 à 12 h 30 et de 14 h à 17 h 30. Fermé le mardi sauf en juillet et août. Entrée : 4,50 € ; réductions. Tarif unique le dimanche : 3 €. Animation pour les enfants (voir « les Ateliers du Patrimoine » plus loin). Installé au pied de l'ancien château, le musée fait peau neuve à travers un projet d'extension de grande envergure digne de la capitale de la préhistoire. La nouvelle partie devrait ouvrir courant 2004.

– **Salle 1 :** la salle de l'industrie lithique retrace l'évolution de l'outillage en pierre depuis un million d'années.

– **Salle 2 :** cette salle présente l'évolution de l'art préhistorique grâce à une riche collection de blocs et plaques calcaires gravés et sculptés entre 30 000 et 12 000 ans av. J.-C.

– **Salle 3 :** présentation des acquisitions récentes du musée, ainsi qu'une collection de pierres taillées et outils de la préhistoire, pointes de flèches, etc. Témoins de l'apparition de « l'industrie de l'os » et de l'aiguille à chas, quelques bijoux en pierre. Également présentation d'ossements de mammifères et prédateurs du quaternaire.

– **Salle 4 :** différentes sépultures découvertes dans la région.

🍴🍴 **Le musée du site de l'abri Pataud :** 20, rue du Moyen-Âge. ☎ et fax : 05-53-06-92-46. • pataud@mnhn.fr • ♿ En juillet et août, ouvert tous les jours de 10 h à 19 h ; le reste de l'année, ouvert de 10 h à 12 h 30 et de 14 h à 17 h, fermé le lundi, le vendredi et le samedi. Pour les groupes, sur rendez-vous. Fermé en janvier. Entrée : 5 € ; réductions. Visite guidée, claire et très instructive. C'est peut-être le site à visiter en premier pour mieux comprendre tous les autres de la région. À voir, ne serait-ce que pour ce splendide bouquetin sculpté au plafond (18 000 ans d'âge). Site de fouilles où l'on se balade à travers 14 niveaux archéologiques (de 34 000 à 20 000 ans av. J.-C.). Évocation de la vie quotidienne et de l'environnement naturel des premiers *Homo Sapiens Sapiens*. Pour les groupes d'enfants, visites adaptées. Évitez d'arriver à la dernière minute, car on fait souvent passer les groupes en priorité. Accueil pas toujours très aimable.

🍴🍴 **L'église Saint-Martin-de-Tayac :** peu après la gare. Impressionnante église fortifiée, avec son mur-clocher, ses fenêtres-meurtrières, contreforts et tour sur le côté du chevet.

🍴🍴 **La grotte de Font-de-Gaume :** à la sortie des Eyzies, direction Sarlat. ☎ 05-53-06-86-00. • www.leseyzies.com/grottes-ornees • Ouvert toute l'année : de mi-mai à mi-septembre, de 9 h 30 à 17 h 30 ; de mi-septembre à mi-mai, de 9 h 30 à 12 h 30 et de 14 h à 17 h 30. Fermé le samedi et les 1er janvier, 1er mai, 1er et 11 novembre, 25 décembre. Réservation obligatoire plusieurs jours à l'avance. Entrée : 6,10 € ; réductions ; gratuit pour les moins de 18 ans. Peintures rupestres. Grande frise de bisons tout à fait remarquable. Constitue sans doute la plus belle grotte peinte de France après Lascaux. À visiter avant que l'on ne soit obligé de la fermer pour les mêmes raisons.

Autres sites archéologiques et préhistoriques

On en dénombre près d'une centaine dans la région. Bien entendu, ils ne se visitent pas tous. L'office de tourisme des Eyzies a opportunément édité une liste de tous les sites accessibles, avec les horaires d'ouverture.

🍴🍴 **Le gouffre de Proumeyssac :** « la cathédrale de cristal », à Audrix, 24260 Le Bugue. ☎ 05-53-07-27-47. Fax : 05-53-54-75-03. En novembre, décembre et février, ouvert de 14 h à 17 h ; en mars, avril, septembre et octobre, de 9 h 30 à 12 h et de 14 h à 17 h 30 ; en mai et juin, de 9 h 30 à 18 h 30 ; en juillet et août, de 9 h à 19 h. Fermé en janvier. Entrée : 7,30 € ; réductions pour les enfants et les étudiants. Beaucoup de monde, mais les environs sont très bien aménagés : parcours forestier, jeux pour enfants, joli parc, espace pique-nique.

Immense voûte souterraine avec de chouettes jeux de lumière, fontaines pétrifiantes, concrétions excentriques ou figuratives.

Visite d'une quarantaine de minutes, offrant une grande variété de points de vue. Son et lumière impressionnant. Option nacelle (deux fois plus chère) : ceux qui le désirent peuvent, comme au début du XXᵉ siècle, descendre dans le gouffre dans une nacelle, par groupe de 5. Certains jours, des animations, concerts et spectacles sont organisés.

🏃 **Les grottes du Roc de Cazelle :** route de Sarlat, Les Eyzies-de-Tayac. ☎ 05-53-59-46-09. ● www.leseyzies.com/roc-de-cazelle ● Ouvert tous les jours de l'année. En juillet et août, ouvert de 10 h à 20 h ; le reste de l'année, fermeture à 17 h, 18 h ou 19 h, se renseigner. Entrée : 5,60 € ; réductions. Compter 1 h de visite environ. Site habité depuis 12 000 ans et sans interruption jusqu'en 1966.
La visite des grottes et du site est ponctuée par des personnages reconstituant des scènes de la vie courante aux différentes époques, évocation de la faune et de la flore. Le site a été peuplé dès la préhistoire, aménagé en château fort au Moyen Âge, puis transformé en habitation civile. Visite libre, mais avec de nombreux tableaux d'explications pédagogiques. La promenade se termine par une maison entièrement taillée dans le roc, meublée et décorée comme au début du XXᵉ siècle.

🏃 **La grotte de Bara-Bahau :** 24260 Le Bugue. ☎ et fax : 05-53-07-44-58. ● grottedebarabahau@wanadoo.fr ● De février à juin, ouvert de 10 h à 12 h et de 14 h à 17 h 30 ; en juillet et août, de 9 h 30 à 19 h ; de septembre à décembre, de 10 h à 12 h et de 14 h à 17 h. Dernière visite une demi-heure avant la fermeture. Fermé en janvier. Entrée : 5 € ; réductions étudiants et groupes et demi-tarif pour les enfants. Grotte creusée dans des sédiments marins par une ancienne rivière souterraine. Un puits, pourtant profond de 14 m, n'a pas permis d'en explorer la totalité ! Gravures assez fines dans une roche tendre représentant un ours, des bisons, un bouquetin et des chevaux.

🏃 **La grotte des Combarelles :** entre Les Eyzies et Sarlat. ☎ 05-53-06-86-00. ♿ Visites adaptées pour non-voyants (pour toute visite spécialisée, ☎ 05-53-06-45-50 ou 05-53-06-97-72). Mêmes périodes et horaires d'ouverture que Font-de-Gaume. Entrée : 6,10 € ; réductions. Réservation obligatoire à Font-de-Gaume. Belle représentation de la faune magdalénienne, dont le fameux « Renne s'abreuvant ». Plus de 600 gravures.

🏃 **La grotte de Bernifal :** à Meyrals. ☎ 05-53-29-66-39. Ouvert en juillet et août de 9 h 30 à 18 h 30, et en septembre de 9 h 30 à 12 h 30 et de 14 h 30 à 18 h 30 ; hors saison, sur rendez-vous. Entrée : 5 € ; réductions. Grotte plus modeste que la précédente. Divers animaux, des mains, des représentations humaines, des signes ont été gravés ou peints sur ses parois à l'époque préhistorique. Elle est ornée de concrétions, stalactites et stalagmites.

🏃 **La grotte du Grand-Roc :** ☎ 05-53-06-92-70. Fax : 05-53-35-17-55. ● www.grandroc.com ● En juillet et août, ouvert de 9 h 30 à 19 h ; en basse saison, de 10 h à 18 h. Fermé du 11 novembre à début février, sauf vacances scolaires. Entrée : 6,50 € ; 3,50 € pour les 5 à 12 ans. Abondance de stalactites et de stalagmites. Site réputé pour sa grande variété de cristallisations.

🏃 **Le gisement de Laugerie-Basse :** ☎ 05-53-06-92-70. Mêmes horaires que la grotte du Grand-Roc. Entrée : 5 € ; 2,50 € pour les 5 à 12 ans. Billets jumelés avec la grotte du Grand-Roc : 8 € ; 4,50 € pour les enfants. Visite des abris préhistoriques à l'époque de Cro-Magnon.

🏃 **Le gisement de Laugerie-Haute :** à 500 m du vallon de Gorge d'Enfer. ☎ 05-53-06-86-00. Ouvert toute l'année : mêmes horaires qu'à Font-de-Gaume. Entrée : 2,50 € ; gratuit jusqu'à 18 ans. 10 000 ans d'occupation humaine. Visite avec conférencier sur demande. Réservation à Font-de-Gaume.

Même démarche pour la visite de l'*abri du Poisson,* situé dans le vallon de Gorge d'Enfer. On y voit la plus ancienne représentation de poisson connue (25 000 ans).

🍴 *Les Ateliers du Patrimoine :* renseignements et réservation, ☎ 05-53-06-45-50 ou 05-53-06-45-45. Animations pour les enfants. À *Laugerie-Haute :* un fac-similé de fouilles permet une approche ludique des méthodes de recherches employées sur le terrain par les préhistoriens. À *l'abri du Poisson :* peintures sur une paroi rocheuse utilisant les mêmes méthodes et colorants naturels qu'au paléolithique. Au *Musée national de Préhistoire,* les enfants réalisent des objets décorés avec des éléments naturels et les techniques de nos ancêtres.

🍴🍴 *Le musée de Spéléologie :* av. Laugerie, direction Périgueux. ☎ 05-53-06-97-15. Ouvert du 15 juin au 30 septembre du lundi au vendredi de 11 h à 18 h, sauf les jours fériés. Entrée : 3 € ; réductions. Intéressante évocation de l'histoire de la spéléologie ; il était bien normal de rendre hommage à ces courageux hommes sans qui la région aurait beaucoup perdu ! Photos, matériels, mannequins dans un site naturel superbe en surplomb de la rivière (70 m). Visite émouvante d'un restaurant troglodytique créé en 1860. À côté se trouve l'ancêtre de la chambre d'hôte, au-dessus du vide, où personne n'est plus allé depuis des décennies.

🍴🍴 *L'abri de Cap-Blanc :* à Marquay. ☎ 05-53-59-21-74. ● www.leseyzies.com/cap-blanc ● 🚶 Ouvert d'avril à octobre de 10 h à 12 h et de 14 h à 18 h (sans interruption de 10 h à 19 h en juillet et août). Entrée : 5,60 € ; réductions. Intéressantes sculptures préhistoriques (hauts et bas-reliefs de 20 cm d'épaisseur). Superbe frise de chevaux, la seule connue au monde. Site inscrit au patrimoine mondial de l'humanité par l'Unesco.

LE LONG DE LA DORDOGNE

LE BUGUE-SUR-VÉZÈRE   (24260)   2 825 hab.

Joli site au bord de la Vézère, la ville date essentiellement du XIXᵉ siècle, la vieille ville ayant été rasée à cette époque à cause d'un plan d'urbanisme plus que discutable. Il reste la grande rue, avec ses belles maisons et ses anciennes boutiques.

Adresses et infos utiles

ℹ️ *Office de tourisme :* porte de la Vézère. ☎ 05-53-07-20-48. Fax : 05-53-54-92-30. ● www.perigord.com/bugue ● De novembre à février, ouvert du lundi au samedi de 9 h 30 à 12 h 30 et de 14 h 30 à 18 h ; en mars, les mêmes jours, mais fermeture à 18 h 30 ; d'avril à juin, en septembre et octobre, du lundi au samedi de 9 h 30 à 12 h 30 et de 14 h 30 à 18 h 30, et le dimanche et les jours fériés de 10 h à 13 h ; en juillet et août, tous les jours de 9 h à 13 h et de 15 h à 19 h. Bureau SNCF. Renseignements et vente de billets.

🚉 *Gare SNCF :* pas de train direct pour Paris (passer par Limoges). Quatre pour Agen. Liaisons avec Bergerac, Périgueux, Sarlat par Le Buisson.

🚌 *Bus :* nombreuses dessertes dans toute la région par les transports *Rey.* ☎ 05-53-07-27-22.

– *Marché :* le mardi et le samedi matin. En juillet et août, *marché*

nocturne fermier le samedi à Audrix.
– *Fête de la Saint-Louis :* l'avant-dernier week-end d'août, avec animations et retraite aux flambeaux.

Où dormir ? Où manger ?

|●| *Restaurant L'Oustalou :* pl. de la Mairie. ☎ 05-53-07-66-63. Fermé le midi en semaine et d'octobre à mars. Quatre menus de 26 à 56 €. Petite carte brasserie le midi. Dans un splendide parc avec rivière et piscine, voilà une table élégante aux salles meublées à l'ancienne. Cuisine de très haut niveau, alliant le terroir et des influences exotiques rapportées par le chef, qui a travaillé aux quatre coins du monde. Excellent accueil. Terrasse.

Où dormir ? Où manger dans les environs ?

Camping

⨂ *Camping Le Brin d'Amour :* Saint Cirq, 24260 Le Bugue. ☎ et fax : 05-53-07-23-73. • www.campings-dordogne.com/brindamour • ⚒ Au Bugue, prendre la direction Périgueux puis, à la sortie de la ville, direction Rouffignac (D 32). Ouvert du 1er avril au 31 octobre. Compter 12,40 € en été pour 2 personnes avec voiture et tente. Locations à la semaine. Le camping jouit d'une vue panoramique sur toute la vallée. Les emplacements sont spacieux et ombragés (très boisé). Les sanitaires sont nickels. Chouette camping pour être au calme, en pleine nature. Snack. Café offert sur présentation du *GDR.*

Prix moyens

🏠 *Chambres d'hôte Jeandemai :* 24260 Audrix. ☎ 05-53-04-26-96. Fax : 05-53-07-67-96. • www.jeandemai.com • Ouvert de Pâques à la Toussaint. Compter 55 € pour une chambre double, petit dej' compris. Dans un superbe mas périgourdin dont les premières pierres datent du XVe siècle, avec une cour intérieure fleurie. Quatre chambres tout confort au décor raffiné et 2 gîtes (pour 4 à 5 personnes). Deux piscines et 20 ha de bois : une petite adresse de charme, au calme. N'accepte pas les cartes de paiement.

|●| *Auberge de la Vieille Cure :* au bourg, Saint-Chamassy, 24260 Le Bugue. ☎ 05-53-07-24-24. À 4 km au sud du Bugue par la D 31, en direction du Buisson-de-Cadouin. Fermé le lundi en été, le lundi et le dimanche soir hors saison, ainsi que de fin novembre à début mars. 1er menu à 20 € ; autres menus de 29,50 à 42 €. L'endroit est superbe. Niché dans un adorable petit village, cet établissement possède un charme fou. Vieux bâtiments très bien restaurés, avec une agréable terrasse, jardin. La cuisine est de haute volée et très variée : cuisses de grenouilles, grillades sur sarments, canard aux morilles... Table élégante. Accueil charmant. Personnel efficace et disponible.

À voir

🐟🐟 *L'aquarium du Périgord Noir :* ☎ 05-53-07-10-74. Fax : 05-53-07-69-07. • www.parc-aquarium.com • ⚒ Ouvert tous les jours du début des vacances de février à mi-novembre : en février, mars, octobre et novembre, de 10 h à 17 h ; en avril, mai, juin et septembre, de 10 h à 18 h ; en juillet et août, de 9 h à 19 h. Entrée : 8 € ; réductions. Un des plus grands aquariums privés d'Europe, une visite aussi agréable que passionnante. Très bel aménagement autour d'un jardin, quelques bassins à l'extérieur. Promenade au milieu des poissons et des cascades, plafonds de verre où l'eau ruisselle, bacs tactiles et nourrissage en plongée. Les bacs de poissons exotiques se trouvent dans des pavillons sur pilotis au milieu d'une végétation exubérante. Une visite à ne pas manquer. Nouveauté 2003 : « espace insectes » à découvrir.

🏃🏃🏃 *Le village du Bournat :* à 100 m de l'aquarium. ☎ 05-53-08-41-99. Fax : 05-53-08-42-01. Ouvert de 10 h à 19 h de début mai à fin septembre, de 10 h à 17 h le reste de l'année. Fermé de début janvier à mi-février et de mi-novembre à fin décembre. Entrée : 8,70 € en basse saison et 12 € en juillet et août ; réductions pour les enfants. Compter d'une bonne heure à 4 h de visite. Parking gratuit. Très intéressante reconstitution de la vie traditionnelle. Exposition et animation sur les métiers et traditions d'antan : le lavoir, le maréchal-ferrant, les battages, le boulanger, le moulin à huile de noix, le tonnelier, le moulin à vent, etc. Pour les enfants, petite fête foraine gratuite. Des artisans refont devant vous les gestes des métiers disparus. Les produits fabriqués sont en vente à l'accueil. Vous pourrez prendre place sur les bancs de l'école, plus vraie que nature.

🍴 Restauration de qualité possible sur place dans un bistrot au décor 1900, d'avril à mi-novembre.

🏃 *Les Jardins d'Arborie :* après l'aquarium. ☎ 05-53-08-42-74. Visites tous les jours de Pâques aux gelées, de 10 h à 12 h et de 14 h 30 à 18 h ; en été, de 9 h 45 à 19 h. Entrée : 5 € pour les adultes, 3 € pour les enfants. Visite-promenade dans un jardin où la flore des 5 continents est représentée : arbres, arbustes, cactus, légumes géants, bonsaïs... Toute la famille Lockert est passionnée par les plantes : faites attention, c'est contagieux ! La balade dans le jardin est agréable. Ce ne sont pas des professionnels, juste des collectionneurs passionnés. Prenez le temps de leur poser des questions, c'est vraiment là que réside l'intérêt de cette visite.

🏃🏃 *Le musée de Paléontologie et la maison de la Vie sauvage :* 9, rue de la République. ☎ 05-53-08-28-10. ● www.perigord.com/bugue ● ♿ Ouvert toute l'année. Entrée : 4 € ; réductions ; sur présentation du *GDR,* tarifs préférentiels : 3,50 € pour les adultes et 2,50 € pour les enfants. Remontez 700 millions d'années d'histoire grâce à une collection de fossiles de conservation exceptionnelle. Belle collection d'oiseaux naturalisés.

DOMME   (24250)   1 000 hab.

« Acropole du Périgord noir » à ne point manquer. C'est une bastide élevée en 1281, sur une falaise, par le roi de France Philippe III le Hardi contre la menace de « l'Anglois ». Pendant la guerre de Cent Ans, puis les guerres de Religion, la cité passera sans cesse d'un camp à l'autre.

Par la route de Groléjac, vous parvenez à la *porte des Tours,* la plus importante des trois portes de la ville. Les tours servirent de prisons aux templiers (sur les murs, graffiti de détenus).

Balade romantique entre les vieilles demeures de calcaire blond. Nombreux petits jardins fleuris cachés. Rue des Consuls, ancien hôtel de ville du XIIIe siècle. Place de la Halle s'élève l'hôtel du Gouverneur, du XVIe siècle, avec sa tourelle à encorbellement et son toit poivrière. Superbe halle avec ses piliers de pierre et son balcon de bois.

Adresse utile

ⓘ Office de tourisme : ☎ 05-53-31-71-00. Fax : 05-53-31-71-09. Ouvert toute l'année sauf en janvier ; en juillet et août, tous les jours de 10 h à 19 h ; du 11 novembre au 31 janvier, du lundi au samedi de 10 h à 12 h et de 14 h à 18 h ; du 1er février au 10 novembre, tous les jours, y compris les jours fériés, aux mêmes horaires. Visite commentée de la bastide. Création d'un office de la culture (organise des spectacles : chansons, théâtre...) : ☎ 05-53-29-01-91.

Où dormir ? Où manger ?

Prix moyens

🛏 Hôtel Les Quatre Vents : Les Quatre Vents, sur la D 46. ☎ 05-53-31-57-57. Fax : 05-53-31-57-59. ● www.hotel-les-quatre-vents.com ● ♿ Hôtel fermé de novembre à mars. Chambres à 32 € dans l'annexe et à 48 € dans l'hôtel, toutes avec douche et w.-c. Petit dej' à 5,50 €. Au pied de Domme. La maison, typiquement périgourdine, a du caractère. Dommage, donc, que les chambres modernes manquent de charme. Notre préférée est la « Monségur », dans une tour indépendante avec balcon et vue panoramique. Deux piscines. Bien confirmer la réservation par écrit. Accueil souriant.

🛏 |●| Nouvel Hôtel : rue Maleville et Grand-Rue (face à la place de la Halle). ☎ 05-53-28-36-81. Fax : 05-53-28-27-13. Dans le centre, à deux pas de l'église et du belvédère. Fermé de la Toussaint à Pâques. Restaurant ouvert tous les jours en saison, fermé le dimanche soir et le lundi hors saison. Chambres doubles de 42 à 65 €. Menus de 15 à 40 €. Jolie maison de pierre, idéalement située au cœur de cette superbe bastide. Second atout : des prix intéressants pour l'endroit. Chambres dans l'ensemble plutôt agréables. Excellent accueil. Cuisine régionale et spécialités.

🛏 Chambres d'hôte La Rochelaine, chez Nadine et Daniel Delpech : la porte del Bos (à la sortie de la ville vers Cénac). ☎ et fax : 05-53-28-58-55. ● nadinedelpech@hotmail.com ● Ouvert toute l'année. Six chambres agréables de 41 à 53 €, toutes avec douche ou bains. Petit dej' à 6 €. Belle demeure accrochée au rocher, vue panoramique. Parking. Piscine très isolée et beau jardin, petite cascade. Accueil agréable, anglais parlé. Réduction sur le prix de la chambre à partir de 2 nuits.

|●| La Poivrière : pl. de la Halle. ☎ 05-53-28-32-52. ♿ Fermé le mercredi soir. Menus de 13 à 31 €. Autour de 18 € à la carte. En plein centre, une adresse qui sait concilier l'afflux touristique et un rapport qualité-prix correct. Excellent foie gras. Terrasse face à la belle halle. Café offert sur présentation du *GDR*.

Plus chic

🛏 |●| Hôtel de l'Esplanade : rue du Pont-Carral. ☎ 05-53-28-31-41. Fax : 05-53-28-49-92. ● esplanade.domme@wanadoo.fr ● Fermé le lundi midi, le lundi soir de mars à mai, le mercredi midi, ainsi que du 11 novembre à fin février. Chambres de 64 à 128 € pour la suite. Menus de 30 à 80 €. À la carte, compter environ 66 €. L'un des hôtels-restaurants les plus réputés du Périgord. Domine superbement la Dordogne. Les chambres (dans l'hôtel ou dans les annexes (Maison de l'Évêque, Maison de l'Âne...), ont toutes leur particularité. Plaisante salle à manger et petite terrasse panoramique. Demandez bien sûr une table au plus près de la fenêtre. Apéritif maison offert sur présentation du *GDR*.

Où dormir ? Où manger dans les environs ?

🛏 *Chambres d'hôte La Touille, chez M. et Mme Barry :* route de l'Église, Cénac-et-Saint-Julien. ☎ et fax : 05-53-28-35-25 ou ☎ 06-70-32-66-08. ● ● www.sarlat-en-dordogne.com/latouille ● 🍴 Ouvert toute l'année. Deux chambres avec douche et w.-c. communs à 28 €, 2 chambres avec entrée indépendante, douche et w.-c. à 31 €. Petit dej' à 4 €. À peine à l'écart de ce petit village au pied de Domme, dans une villa récente. Tout confort et d'une propreté irréprochable. Ici, c'est l'accueil de M. et Mme Barry qui nous a séduits : ils sont chaleureux, attentifs, disponibles. Petit jardin et salons de jardin privatifs pour chaque chambre.

🍴 *Ferme-auberge Le Maraval, M. et Mme Éric Miane :* Cénac. Au stop à droite. ☎ 05-53-30-26-95. À 5 km au sud du bourg, direction Fumel/Cahors. Fermé du 1er octobre au 1er avril (réservation possible pour les groupes), les mardi et samedi midi de juillet et août, ainsi que certains autres jours pendant les travaux agricoles. Menus à partir de 15 €. Bon accueil et belle cuisine périgourdine. Plantureux premier menu avec soupe, terrine, crudités, confit de canard, salade, fromage, dessert, café et vin compris (si, si !). Autres menus copieux. Cadre plaisant et atmosphère familiale. Il est préférable de réserver.

À voir. À faire

🎭🎭 *Les grottes naturelles à concrétions :* pl. de la Halle. ☎ 05-53-31-71-00 (office de tourisme). Ouvert de 10 h à 19 h en juillet et août, de 10 h à 12 h et de 14 h à 18 h hors saison. Fermé en janvier et entre le 11 novembre et Noël. Entrée : 5,60 €. La plus grande grotte aménagée du Périgord noir. Longue galerie et plusieurs salles courant sous la ville jalonnées de concrétions diverses, stalactites, stalagmites, etc. Un ascenseur panoramique est aujourd'hui aménagé : il permet de remonter les grottes à flanc de falaise.

🎭🎭 *La terrasse de la Barre :* offre peut-être le plus beau panorama du Périgord. La vue s'étend sur toute la plaine alluviale et jusqu'à La Roque-Gageac. Prolongez votre plaisir par la promenade des falaises. À la porte del Bos, balade des remparts.

🎭 Intéressant petit *musée des Arts et Traditions populaires,* d'ethnographie et d'archéologie, place de la Halle, maison Garrigou. Ouvert d'avril à septembre, de 10 h 30 à 12 h 30 et de 14 h 30 à 18 h ; en juillet et août, toute la journée. Possibilité de visite pour les groupes toute l'année sur réservation au ☎ 05-53-31-71-00 (office de tourisme). Entrée : 2,90 € ; réductions. Belle visite sur la vie quotidienne des anciens. Nombreuses scènes reconstituées : apothicaire, cuisine, poste...

– *Petit train touristique :* visite de la bastide en saison, le reste de l'année sur réservation pour les groupes. ☎ 06-07-02-98-66.

Manifestation

– *Festival d'été des Arts :* le mercredi, en juillet et août, organisé par l'office de la culture.

➤ DANS LES ENVIRONS DE DOMME

🎭🎭 Tout à côté de Domme, voir l'*église* romane de *Cénac.* À l'intérieur, remarquables chapiteaux historiés reproduisant un curieux bestiaire.

– Possibilité de faire du *canoë* au départ du port de Domme-Cénac. Renseignements : *Randonnée-Dordogne,* ☎ 05-53-28-22-01. Fax : 05-53-28-23-89. Balade d'une dizaine de kilomètres, approche pittoresque des châteaux. Descente vers Beynac, puis remontée en bus ou randonnée libre de plusieurs jours et remontée en minibus.

🚶 En remontant la Dordogne vers le Quercy, admirer le *château de Montfort,* puis s'arrêter au joli village de *Carsac-Aillac* pour l'église et la variété de ses styles : chapiteaux aux coups de ciseau archaïque, abside romane, chapelles gothiques.

🚶🚶 Plus loin, dominant Sainte-Mondane, le fier *château de Fénelon.* ☎ 05-53-29-81-45. Fax : 05-53-29-88-99. 🚶 (pour les enceintes fortifiées mais pas dans le château). Ouvert tous les jours : de mars à juin, en septembre et octobre, de 10 h à 12 h et de 14 h à 18 h ; hors saison, horaires variables. Entrée : 6,50 €. Fénelon (1651-1715), l'auteur du célèbre *Télémaque* et du *Traité de l'éducation des filles* y naquit. Souvenirs du grand prélat-écrivain. Le château offre l'aspect d'une forteresse mêlant le caractère guerrier du Moyen Âge et l'esthétique de la Renaissance. Architecture unique : toit couvert de lauzes d'origine. Ensemble très joliment meublé, cheminée monumentale en noyer sculpté, classée Monument historique. Belle collection d'armes et armures. Un véritable voyage thématique à travers l'histoire du mobilier. Chaque salle présente un siècle, donc un style de meuble (et d'œuvre d'art).

LA ROQUE-GAGEAC   (24250)   460 hab.

Considéré comme l'un des plus beaux villages de France. D'une homogénéité quasi parfaite. Ses belles maisons aux toits bruns se serrent entre rivière et falaises, s'accrochent à leurs flancs. Les évêques de Sarlat, qui possédaient un goût très sûr, y avaient, bien entendu, une résidence secondaire (fort troglodytique que l'on peut visiter). Par beau temps, au soleil déclinant, le village s'illumine véritablement.
Au sommet, église du XVᵉ siècle, fusionnant avec la roche, enfouie dans une végétation quasi tropicale. Ce jardin exotique est en visite libre toute l'année ; vous y trouverez des bananiers, citronniers, grenadiers, etc. Les quais rappellent l'activité batelière de jadis. Petit manoir de Tarde, délicieuse gentilhommière périgourdine avec élégante tourelle. À l'entrée du village en venant de Beynac, château de la Malartrie, du XIXᵉ siècle mais édifié en style XVᵉ et respectant l'architecture locale.

Adresse et info utiles

🛈 *Point info :* sur le parking. ☎ 05-53-29-17-01. Fax : 05-53-31-24-48. ● www.la-roque-gageac.com ● Ouvert toute l'année.

– *Marché :* le vendredi de juin à septembre. Marché des producteurs de pays, de 9 h à 13 h, sur la place du village.

Où dormir ? Où manger ?

🏠 🍴 *La Belle Étoile :* rue principale. ☎ 05-53-29-51-44. Fax : 05-53-29-45-63. Restaurant fermé le lundi et le mercredi midi, et de début

novembre à fin mars. Chambres de 48 à 74 €. Menus à partir de 23 €. Hôtel de charme, cadre et décor en harmonie avec le village. Atmosphère inévitablement un peu chic. Chambres personnalisées, meublées avec goût. Certaines (n°s 1 à 6) offrent un beau point de vue sur le cours placide de la Dordogne, mais elles sont un peu bruyantes en pleine saison. Toutes possèdent une salle de bains. Élégante salle à manger et terrasse abritée sous une treille, en surplomb de la rivière. Cuisine qui excelle dans son registre très classique (même si elle s'autorise parfois quelques audaces « modernistes »).

Où dormir dans les environs ?

Camping

⚞ *Camping La Sagne :* à Vitrac. ☎ et fax : 05-53-31-00-96. ♿ Pour 2 personnes, avec voiture et tente, compter 7,70 € et environ 2 € de plus pour l'électricité. Camping 1 étoile. Au bord de l'eau. Base de canoës-kayaks. Ombragé. Gîte pour 4 personnes à louer également autour de 380 € la semaine. N'accepte pas les cartes de paiement.

Prix moyens

🛏 *Chambres d'hôte Les Bouygues :* 24250 La Roque-Gageac. ☎ 05-53-59-65-63. De La Roque, suivre le panneau vert « Chambres d'hôte ». Ouvert toute l'année. Chambre à 37 € pour 2, petit dej' compris. Les 2 chambres en annexe sont lumineuses et très agréables. Gentil accueil de Joëlle et Michel Menu, serviables et discrets. Pâtisserie et confiture maison. À disposition : une cuisine, des tables de jardin, une tonnelle et un barbecue. Un très bon rapport qualité-prix.

🛏 *Chambres d'hôte La Ferme Fleurie :* sur la D 703, à 4 km de La Roque-Gageac (vers Vitrac). ☎ 05-53-28-33-39. Fax : 05-53-28-29-61. ● www.perigord.com/la-ferme-fleurie ● Fermé de la Toussaint à Pâques. Chambre avec douche et w.-c. à 30 €, petit dej' compris. Vous pouvez aussi partager un gîte de 12 places avec une famille ou des amis pour 13 € la nuit par personne. Très intéressant. En pleine campagne. Excellent accueil et calme assuré. Jardin. Les pâtisseries maison de Martine Rivière sont succulentes. La ferme s'est enrichie d'un jardin (entrée payante mais offerte pour 2 personnes aux résidents sur présentation du *GDR*).

À faire

⛵ *Balade en bateau* (gabare) pour découvrir au fil de l'eau les cinq beaux châteaux du coin. Renseignements et réservations : ☎ 05-53-29-40-44. ● www.norbert.fr ● D'avril à la Toussaint, balade de 1 h ; départ toutes les heures entre 10 h et 18 h. D'octobre à novembre, descente à la journée avec repas à midi, pour les groupes et selon le niveau de l'eau.

– *Balades en canoë :* Canoë-Dordogne. ☎ 05-53-29-58-50. Fax : 05-53-29-38-92. ● www.canoe-dordogne.fr ● Descente libre vers Saint-Vincent-de-Cosse, puis remontée en bus. Randonnées d'une ou deux journées au départ de Carsac également (transfert en bus de La Roque).

– *Montgolfière du Périgord :* Clos Saint-Donat. À l'entrée de La Roque-Gageac en venant de Vitrac ou Cénac. ☎ 05-53-28-18-58. Fax : 05-53-28-89-34. Vols toute l'année sur réservation ; hors saison, uniquement le week-end. Décollage de La Roque. Vols de 1 h de 150 à 230 € selon l'option choisie. Un souvenir inoubliable. À l'atterrissage, remise de diplôme et coupe de mousseux pour fêter ça. Très pro.

– **Paint Ball :** La Roque-Gageac. Suivre les panneaux, c'est bien indiqué. ☎ 06-76-47-75-39. Du 1er juin au 30 septembre, ouvert tous les jours ; hors saison, le week-end, et en semaine sur réservation. Trois sessions par jours : à 10 h, 15 h et 18 h. Un terrain idéal, en pleine nature, pour découvrir ce sport encore peu connu. Pour s'offrir une bonne montée d'adrénaline, encadré par une équipe de professionnels.

LE CHÂTEAU DE CASTELNAUD

Imposante forteresse médiévale. ☎ 05-53-31-30-00. • www.castelnaud.com • Ouvert toute l'année ; en février, mars et du 1er octobre au 11 novembre, de 10 h à 18 h ; en avril, mai, juin et septembre, de 10 h à 19 h ; en juillet et août, de 9 h à 20 h ; du 12 novembre au 31 janvier, de 14 h à 17 h. Entrée : 6,40 € ; 3,20 € pour les 10-17 ans ; gratuit pour les moins de 10 ans ; réductions pour tous en juillet et août avant 13 h. Parking payant. Possibilité d'accéder par le bas du village, la montée est quelque peu difficile mais la vue et le village en valent la peine. Le château le plus visité du Midi de la France.

À l'intérieur, le *musée de la Guerre au Moyen Âge,* qui possède une rare collection de pièces authentiques : épées, pièces d'artillerie, tenues défensives, armes d'hast, ainsi que des reconstitutions spectaculaires de machines de siège et de pièces d'artillerie.

Édifié pour surveiller celui de Beynac, souvent occupé par les Anglais pendant la guerre de Cent Ans, le château perdit ensuite son rôle défensif, tomba quasi en ruine et servit de carrière de pierre au XIXe siècle. Aujourd'hui restauré. Fusion totale avec son village. Panorama sur la falaise, le château de Beynac, celui de Marqueyssac et La Roque-Gageac.

Jeux vidéo pédagogiques conçus spécialement et expliquant la défense médiévale (gratuit). Bibliothèque, librairie du Moyen Âge. Visites costumées et nocturnes (à 20 h 30) en semaine de mi-juillet à fin août (réserver). Animations médiévales l'été (avec maniement d'armes l'après-midi). Reconstitution d'une forge où l'on construisait des armures.

Où dormir ?

⚕ **Camping Lou Castel :** situé à Castelnaud-en-Périgord, à environ 3 km de Beynac. ☎ 05-53-29-89-24. Fax : 05-53-28-94-85. • www.loucastel.com • ⚕ Ouvert toute l'année pour les chalets et les gîtes. Pour 2 personnes avec voiture et tente, compter 14,90 €. À deux pas des châteaux de Castelnaud et de Beynac, un superbe camping 3 étoiles parfaitement au calme, en pleine verdure, très bien équipé. Emplacements spacieux, piscine, terrain de jeux pour enfants, volley, pétanque. Également location de nombreux mobile homes, chalets et gîtes, à la semaine. Remise de 5 % sur le prix de l'emplacement camping sur présentation du *GDR.*

> ➤ *DANS LES ENVIRONS DE CASTELNAUD*

🥜🥜 **L'écomusée de la noix :** ferme de Vielcroze, Castelnaud-la-Chapelle. ☎ 05-53-59-69-63. Accès par la route du château, puis bien fléché. Ouvert de Pâques à la Toussaint, tous les jours de 10 h à 19 h. Visite : 4 € ; entrée à 3,50 € sur présentation de ce guide ; réductions. Tableaux, photos, vidéo, tout pour vous expliquer la culture du noyer et tous ses dérivés. Belle exposition d'objets en rapport avec la noix, objets d'art... À l'extérieur, moulin à

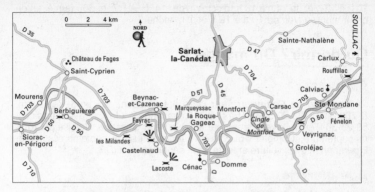

LA DORDOGNE DES GRANDS CHÂTEAUX

huile reconstitué, promenade dans une grande noyeraie avec possibilité de pique-nique. Également un atelier où l'on apprend à casser la coquille pour en extraire le cerneau.

🚶 *Le château des Milandes :* ☎ 05-53-59-31-21. • www.milandes.com • Ouvert de début avril à fin octobre, tous les jours ; en avril, mai, juin et septembre, de 10 h à 18 h ; en juillet et août, de 9 h 30 à 19 h ; et en octobre, de 10 h à 17 h 30. Entrée : 7,50 € ; réductions. Construit au XVe siècle comme demeure d'agrément par le seigneur de Castelnaud. À la transition des styles gothique et Renaissance, il a été cependant extrêmement restauré au XIXe siècle.

Acheté après la dernière guerre par Joséphine Baker, qui y installa son village du monde pour abriter des enfants abandonnés. Croulant sous les dettes, celle-ci dut cependant le revendre quelques années avant sa mort. À côté du château, jolie chapelle de style gothique flamboyant. La visite, au son des chansons de l'artiste, est émouvante pour ses fans. Présentations et scènes avec des personnages de cire. Dans les sous-sols du château, le musée de la fauconnerie a été remplacé par une exposition permanente sur Joséphine Baker, joliment rafraîchie en 2000 (l'expo, pas Joséphine !). Cependant, toujours des démonstrations de vols de rapaces, 1 à 4 animations par jour selon la saison. Restauration possible sur place.

BEYNAC-ET-CAZENAC (24220) 515 hab.

Là aussi, vieux village (classé parmi les plus beaux villages de France) présentant une remarquable homogénéité architecturale. Dominé par un château splendide, Beynac possède peut-être encore plus de charme que La Roque-Gageac (et c'est sûrement pour ça que Paul Éluard choisit d'y finir ses jours). Pour s'en convaincre, se rendre au château, grimper les ruelles aux énormes pavés entre de nobles demeures dont la belle pierre change sans cesse de couleur, suivant les caprices du soleil couchant...

Adresse utile

ℹ️ *Office de tourisme :* parking de la Balme. ☎ et fax : 05-53-29-43-08. | • www.perigord.tm.fr/beynac • D'avril à septembre, ouvert tous les jours de

10 h à 13 h et de 14 h à 18 h ; d'octobre à mars, ouvert de 10 h à 12 h et de 14 h à 17 h 30, fermé le dimanche.

Où dormir ? Où manger ?

Camping

⋏ *Camping Le Capeyrou :* sur la D 703. ☎ 05-53-29-54-95. Fax : 05-53-28-36-27. ⋇ Ouvert de mi-mai à mi-septembre. Compter 15 € pour 2 personnes avec voiture et tente en haute saison. En bord de rivière, camping 3 étoiles, avec piscines. Herbe et ombrage. Remise de 20 % en mai, juin et septembre sur présentation du *GDR*.

Bon marché

|●| *Le Café de la Rivière :* sur la route principale de Beynac. ☎ 05-53-28-35-49. Fermé le mercredi hors saison et du 1er décembre au 1er février. Menu à 15 €. À la carte, compter environ 18 €. Pour ceux qui n'en peuvent plus du confit : des plats végétariens ! Rien d'extraordinaire, mais une agréable terrasse qui surplombe la Dordogne. Une petite salle avec nappes à carreaux et un choix de plats à l'ardoise. Beaucoup d'Anglais (c'est la nationalité des patrons). Simple et sans prétention. On mange correctement pour pas cher. Également des chambres de 39 à 46 €. Une carafe de 50 cl de vin de Bergerac offerte par table et une remise de 10 % sur le prix de la chambre du 1er avril au 30 juin sur présentation du *GDR*.

▲ *Chambres d'hôte chez Mme Segeral :* Le Luc, 24220 Vezac. ☎ 05-53-29-52-83. Ouvert des Rameaux à la Toussaint. Chambres de 25 à 29 € selon la saison. Chambres toutes simples (avec douche, w.-c. sur le palier) mais sympas. Gîte pour 4 personnes de 300 à 430 € la semaine selon la saison. Pas de petit dej'. Cartes de paiement refusées. Apéritif maison ou digestif maison offert sur présentation du *GDR*.

De prix moyens à plus chic

▲ |●| *Hostellerie Maleville (hôtel Pontet) :* rue principale. ☎ 05-53-29-50-06. Fax : 05-53-28-28-52. ● www. hostellerie-maleville.com ● Fermé en janvier. Chambres de 45 à 46 €. Demi-pension de 45 à 50 € par personne. Menu à 12 € en semaine uniquement, et menus de 22,50 à 44 € (menu gastro). Une affaire de famille (déjà six générations de Maleville !). Chambres très classiques. Celles de l'hôtel *Pontet*, dans une petite rue du village, sont un peu vieillottes pour certaines. À la table : poulet au verjus, magret de canard grillé, écrevisses à l'ancienne, etc. Un peu cher quand même. Terrasse et plage au bord de la Dordogne. Apéritif maison offert sur présentation du *GDR*.

À voir. À faire

⚒ *Le parc archéologique :* ☎ 05-53-29-51-28 et 05-53-04-85-02. Le *parc* est ouvert du 1er juillet au 15 septembre de 10 h à 19 h ; le reste de l'année, sur rendez-vous. Fermé le samedi. Entrée : 5 € ; billet à 3,50 € pour les adultes et à 2,50 € pour les enfants sur présentation de ce guide. Reconstruction grandeur nature d'habitats du néolithique à l'âge de fer, avec leurs ateliers. Journées d'archéologie expérimentale chaque année à Pâques et ateliers pédagogiques le mercredi en été.

➤ *Promenades en bateau sur la Dordogne :* avec les gabares de Beynac. ☎ 05-53-28-51-15. Fax : 05-53-29-39-76. Tous les jours de début avril à fin octobre, de 10 h à 18 h. Départs toutes les 30 mn en été, toute les heures le reste de l'année ; téléphoner pour avoir les heures de départ. Durée : environ 50 mn. Tarif : 6 € ; réductions ; gratuit pour les moins de 12 ans le matin.

– *Les Causeries médiévales :* rue de l'Ancienne-Poste. ☎ 06-82-15-53-91. En saison, le matin sur rendez-vous, tous les après-midis et le vendredi à 21 h 15 ; le reste de l'année, sur rendez-vous uniquement. Prix : 4 € pour les adultes et 2,50 € pour les enfants. Odile Potier, ancienne guide du château de Beynac et passionnée d'histoire, organise des causeries historiques autour du fac-similé de la Tapisserie de Bayeux. C'est Odile elle-même qui en a tissé une partie avec des pigments naturels. L'histoire de France comme vous ne l'avez jamais entendue... Un véritable échange, une rencontre passionnante.

Où acheter du foie gras ?

⊛ *La Ferme du Pech Viel :* 24220 Beynac-Cazenac. ☎ 05-53-29-54-70. Suivre la direction Cazenac à la sortie de Beynac. Du canard sous toutes ses formes : foie gras, pâté de foie, confits, gésiers, grillons, etc. Compter 16 € pour 180 g de foie gras. Vous pouvez assister au gavage artisanal, tous les jours à partir de 18 h 30. Assez impressionnant. Fait aussi des casse-croûtes et des goûters sur demande.

Manifestations

– *Nuits musicales de Beynac-en-Périgord :* tout le mois d'août. Concerts de musique de chambre à l'église de Beynac ou dans les environs. Renseignements à l'office de tourisme.
– *Grande foire gauloise :* les 13, 14 et 15 août, au parc archéologique.

➤ DANS LES ENVIRONS DE BEYNAC

🐾 *Les jardins suspendus de Marqueyssac :* 24220 Vézac. ☎ 05-53-31-36-36. ● www.marqueyssac.com ● ⚹ (sauf dans certaines parties des jardins). Ouvert toute l'année, tous les jours ; en février, mars et du 1er octobre au 11 novembre, de 10 h à 18 h ; en avril, mai, juin et septembre, de 10 h à 19 h ; en juillet et août, de 9 h à 20 h ; du 12 novembre au 31 janvier, de 14 h à 17 h. Entrée : 5,60 € ; réductions ; gratuit pour les moins de 10 ans (billets jumelés avec Castelnaud). Autour d'un château XVIIIe siècle coiffé de lauzes, les jardins mêlant nature et massifs (150 000 buis taillés !), vasques, bassins, cascades et salons de verdure vous conduisent à un panorama superbe sur les châteaux environnants et les cingles de la Dordogne. Jardins dessinés par l'école de Le Nôtre, ils bénéficièrent d'une influence italienne à la fin du XIXe siècle. Ils furent ensuite laissés pratiquement à l'abandon. Il y a quelques années, une très importante restauration leur a redonné toute leur splendeur afin de permettre la visite du public. Plus de 6 km de promenade. Explications pédagogiques sur la faune et la flore, promenades gratuites en calèche... tous les jours d'avril à septembre et pendant les vacances scolaires, tous les dimanches d'octobre à mars. Espaces de jeux à l'ancienne. Dioramas du XIXe dans le pavillon de la Nature. Tous les jeudis soir de l'été, Marqueyssac aux chandelles.

SAINT-CYPRIEN (24220) 1 580 hab.

Grosse bourgade (très touristique en haute saison) présentant un bel ensemble de demeures de type salardais. Église romane de l'ordre des Augustins, fondée au VIIe siècle. Elle fut fortifiée au XIIe siècle, comme en témoigne son énorme clocher-donjon, ancienne tour de guet. Célèbre aussi pour ses orgues.

Adresse et infos utiles

Office de tourisme : pl. Charles-de-Gaulle. ☎ 05-53-30-36-09. Fax : 05-53-28-55-05. ● www.stcyprien-perigord.com ● Ouvert toute l'année. Organise des visites guidées de la ville en été.

– En juillet et août, **exposition** d'art contemporain dans la vieille ville, dans l'ancienne « justice de paix ».
– En juillet et août, **marchés nocturnes** le jeudi. Toute l'année : marché le dimanche matin dans le centre.

Où dormir ? Où manger ?

Hôtel-restaurant de la Terrasse : pl. Jean-Ladignac. ☎ 05-53-29-21-69. Fax : 05-53-29-60-88. ● www.hotel-laterrasse.com ● Ouvert du 1er mars au 1er décembre. Fermé le dimanche soir et le lundi hors saison. Chambres de 29 à 55,50 € selon standing et saison. Menu à 11 € à midi en semaine, et autres menus de 15 à 38 €. Demi-pension possible. Bon rapport qualité-prix et la tonnelle en surplomb de la route, couverte de vigne, a un charme délicieusement rétro. Chambres simples très correctes et agréables dans l'hôtel. Juste à côté, quelques-unes, très spacieuses, donnent de plain-pied sur un petit jardin. Bien équipées, avec grandes salles de bains, sèche-cheveux, TV. Calme assuré. La table n'est pas en reste, on y trouve par exemple un civet d'oie à l'ancienne : un régal. Apéritif maison offert sur présentation du *GDR*.

Où dormir ? Où manger dans les environs ?

Le Petit Chaperon Rouge : au lieu-dit Le Faval, 24220 Le Coux-et-Bigaroque. ☎ 05-53-29-37-79. Fax : 05-53-29-46-63. ● www.hotels-restau-dordogne.org/petit-chaperon-rouge ● Fermé les mardi et mercredi midi en hiver, ainsi qu'en novembre. Chambres de 24 € avec lavabo à 33 € avec bains et w.-c. Menus à 11 €, vin compris (en semaine seulement), et de 17 à 24 €. À la carte, compter autour de 25 €. Petite maison dans un cadre agréable : très belle vue et calme. Chambres simples mais spacieuses et bien tenues, au mobilier ancien. Cuisine régionale et tendance méridionale de bonne qualité : salade de caille au bacon et raisins, magret de canard à la gelée de pécharmant... Terrasse à l'ombre d'un grand tilleul. Accueil très agréable. Le week-end, animations et soirées à thèmes. Apéritif maison offert sur présentation du *Guide du routard*.

Le Chambellan : pl. de l'Église, 24220 Le Coux-et-Bigaroque. ☎ 05-53-29-90-11. Fax : 05-53-29-93-85. ● faugere.lechambellan@wanadoo.fr ● Fermé le lundi, sauf en juillet et août, et en février. Chambres doubles de 27 à 36 €. Une grande bâtisse en pierre jaune et aux volets bleus, avec une jolie cour intérieure fleurie. Un charme légèrement désuet. Propre et très calme. Des prix très, très intéressants, notamment pour les familles : 51 € pour cinq! Petit dej' sous la tonnelle (6 € par personne). Fait aussi resto. Un accueil à la hauteur du charme de l'endroit. Remise de 10 % sur le prix de la chambre du 1er septembre au 14 juillet.

|●| *Les Écuries de la Passée :* La Passée, route de Mouzens, 24220 Saint-Cyprien. ☎ 05-53-29-46-73. Fermé le dimanche soir et le lundi, sauf fériés et en juillet et août, ainsi que de novembre à mars. Menu à 15 € le midi en semaine, et de 20 à 45 €. Carte du jour et poisson selon arrivage. Une adresse incontournable, il est prudent de réserver l'été et le week-end. Ne cherchez plus les chevaux, les boxes servent de boutique de vin. Le restaurant est à l'étage. L'accueil est franc et généreux. Un patron comme on les aime; il est aussi l'auteur d'un livre de recettes. Une cuisine régionale, bien sûr, mais aussi une spécialité : les poissons de la Dordogne. Ils sont fournis tous les jours par la seule femme pêcheur professionnelle : « La Loutre ». Vous pourrez déguster des fritures de gardons, des brochets, de superbe truites... Un vrai bonheur. Menus copieux et variés, le tout accompagné d'un très beau choix de vins à prix raisonnables. N'accepte pas les cartes de paiement. À côté, même maison où sont servis salades et petits plats. Fermé le mercredi. Apéritif maison offert sur présentation du *GDR*.

BELVÈS (24170) 1 530 hab.

Gros village niché sur un éperon rocheux. Appelé « le village aux sept clochers ». Le nom trouverait son origine dans la tribu celte qui vivait dans le coin : les Bellovaques. Autre version : ça viendrait de *Bel* (le dieu Soleil) et de *vez* (le marais). À découvrir par les routes sud, D 710 et D 53.

Adresses et infos utiles

🄸 *Office de tourisme :* ☎ et fax : 05-53-29-10-20. ● www.perigord.com/belves ● Ouvert toute l'année; du 15 juin au 15 septembre, tous les jours de 10 h à 13 h et de 15 h à 19 h; hors saison, fermé le dimanche. Très dynamique et accueil extra, n'hésitez pas à leur rendre visite.
■ *Mairie :* ☎ 05-53-31-44-60.
🚊 *SNCF :* sur la ligne Paris-Agen, un train par jour pour la capitale.

☎ 05-53-29-00-22.
– *Marchés :* le samedi matin, marché labellisé « marché de France »; en juillet et août, marché de producteurs de pays le mercredi en fin d'après-midi et soirée sous la halle : grande tablée où vous vous installez pour manger après avoir acheté les produits sur place. Très convivial. Ouvert à tous et pour toutes les bourses.

Où dormir? Où manger?

Bon marché

🛏 |●| *Hôtel-restaurant Le Home :* 3, pl. de la Croix-des-Frères. ☎ 05-53-29-01-65. Fax : 05-53-59-46-99. Fermé le dimanche soir hors saison. Congés annuels en fin d'année. Chambres de 23 € avec lavabo à 37 € avec douche et w.-c. Menus de 10 à 26 €. À la carte, compter environ 22 €. Chambres classiques et simples mais très correctes. Bon rapport qualité-prix. Quelques spéciali-tés : civets, foie gras aux pommes... Très bon accueil.

De prix moyens à plus chic

🏠 |●| *Hôtel Le Belvédère :* 1, av. Paul-Crampel. ☎ 05-53-31-51-41. Fax : 05-53-31-51-42. ● www.belvedere-perigord.com ● 🍽 pour le restaurant. Fermé le lundi et du 15 octobre au 1er avril. Chambres doubles de 45 à 58 €. Menus à 15 et 20 €. Grosse maison bourgeoise (un ancien relais de poste), bien tenue, au cœur du village. Entièrement rénovée. Certaines chambres sont mansardées (attention à la chaleur l'été !).

Où dormir ? Où manger dans les environs ?

⛺ |●| *Camping les Nauves :* Le Bos-Rouge, 24170 Belvès. ☎ et fax : 05-53-29-12-64. ● campinglesnauves@hotmail.com ● 🍽 À 4 km, vers Monpazier. Ouvert de début avril à fin septembre. Compter environ 14,55 € pour 2 personnes avec voiture et tente. Trois étoiles. Sur une propriété de 40 ha, en marge de la forêt de Bessède. La campagne absolue. Très bon accueil. Confortable. Sanitaires impeccables. Location de mobile homes et de chalets. Bar-restaurant sur place, ainsi qu'une épicerie. Piscine. Jeux pour les enfants. Bien ombragé. Tennis et balades à cheval. Un des meilleurs campings du Périgord. Apéritif maison offert sur présentation du *GDR.*

À voir

🚶🚶 *La vieille halle :* du XVe siècle. Piliers de bois reposant sur des blocs de pierre. L'un d'entre eux servit de pilori jusqu'à la Révolution.

🚶🚶 *Vestiges d'habitats troglodytiques :* utilisés au Moyen Âge. Très bien conservé autour des remparts, l'ensemble est aujourd'hui entièrement souterrain. Visite guidée toute l'année très intéressante, avec évocation de la vie médiévale au quotidien. S'adresser à l'office de tourisme.

🚶🚶 *L'entrée du Castrum, rue Rubigan :* part de la place de la Halle. L'une des plus pittoresques de la ville.

🚶🚶 *La rue couverte :* entre les nos 27 et 29 de la rue Manchotte. Ruelle passant sous les maisons. Aspect d'origine, lattes et torchis.

🚶 *La rue des Filhols :* bel hôtel Bontemps, de style Renaissance. Portail complètement usé.

Manifestations

– *Grande Brocante :* le 1er dimanche de juillet.
– *Repas sous la halle :* le 14 juillet. Repas traditionnel suivi d'un bal. Réservation à l'office de tourisme.
– *Les 100 km de Belvès :* en avril. Belvès-Sarlat-Belvès en courant... et ils n'ont pas 20 h pour accomplir cet exploit. Ils sont fous, ces Belvésois !
– *Festival Bach :* en juillet. Concerts à l'église de Belvès.
– *Fête médiévale :* le 1er dimanche d'août. Costumes, troupes de chevalerie, animations musicales, artisanat médiéval. Des spectacles avec des animaux comme le loup, l'ours ou les aigles.
– *Meeting aérien :* le 15 août.

CADOUIN (24480) 2 115 hab.

Le village cache une remarquable abbaye cistercienne et une superbe église romane qui composent, avec les anciennes maisons alentour et les vieilles halles, un fort harmonieux ensemble.

Adresses utiles

Point Info : en face de l'abbaye. Ouvert toute l'année de 10 h à 12 h 30 et de 15 h à 19 h. Siège de l'association « Au fil du temps » : ☎ 05-53-57-62-64.

■ **Mairie :** ☎ 05-53-63-46-43.

Où dormir ? Où manger ?

Auberge de jeunesse : abbaye de Cadouin. ☎ 05-53-73-28-78. Fax : 05-53-73-28-79. • www.fuaj.org • Fermé de mi-décembre à début février. Accueil des individuels avec la carte des AJ (délivrable sur place). Nuitée à 13,50 € par personne en chambre collective de 2 à 6 lits (un peu plus cher en chambres de 1, 2 ou 3 lits). Petit dej' compris. Repas à 9 €. Un must, cette AJ ! Installé dans une partie de l'abbaye magnifiquement restaurée, parc attenant. Les chambres pour 1 ou 2 personnes sont les anciennes cellules, elles en ont gardé un côté monacal, avec moucharabieh donnant sur le cloître. Les autres sont agréables et spacieuses. Toutes possèdent salle de bains et w.-c. Possibilité de pique-nique, repas ou cuisine à disposition. Excellent accueil.

Restaurant de l'Abbaye : en face de l'abbaye (évidemment !). ☎ 05-53-63-40-93. Fax : 05-53-63-40-28. Fermé le lundi toute l'année. Quelques chambres à 35 € avec bains et w.-c. Menu à 12,50 € le midi en semaine, autres menus de 18,50 à 22 €. À la carte, compter environ 25 €. Une halte convenable et le charme d'une auberge de village, cheminée. Foie gras au torchon, tarte aux noix et chocolat... Café offert sur présentation du *GDR*.

Où dormir ? Où manger dans les environs ?

Camping

Camping La Grande Veyière : à Molières, à 5 km de Cadouin. ☎ 05-53-63-25-84. Fax : 05-53-63-18-25. • la-grande-veyiere@wanadoo.fr • Compter dans les 14 € pour 2 personnes avec voiture et tente. Grande propriété dans les pins, en pleine nature. Possibilité de location de mobile homes. Ombragé. Sanitaires impeccables. Piscines. Ambiance familiale. Jeux pour enfants et nombreuses autres activités. Accueil exceptionnel.

Plus chic

Chambres d'hôte Domaine des Farguettes : 24480 Paleyrac. ☎ et fax : 05-53-23-48-23. De Paleyrac, suivre le fléchage – discret – « Les Farguettes ». Chambres de 70 à 85 €, petit dej' compris. Table d'hôte sur réservation : repas à 18 €, vin compris, servi le soir uniquement. Pas évident à trouver, mais c'est un peu fait exprès pour jalousement préserver une tranquillité exceptionnelle. Élégant manoir du XVIIe siècle perché, loin de tout, sur une colline. La vue est assez sublime. 5 chambres plaisantes, dont deux suites. Piscine. Également des appartements remarquablement aménagés dans une ancienne grange. On dîne en terrasse. Ambiance un brin artiste. Apéritifs-concerts parfois. N'accepte pas les cartes de paiement. Apéritif maison offert sur présentation du *GDR,* ainsi que 10 % sur le prix de la chambre, hors juillet et août.

🍴 |◉| ***Auberge de la Salvétat :*** à 2,5 km de Cadouin (sur la D 54 vers Belvès). ☎ 05-53-63-42-79. Fax : 05-53-61-72-05. 🍴 Fermé le mercredi midi et de mi-novembre au 1er mars. Chambres de 71 à 76 €. Demi-pension (obligatoire de mai à septembre) de 68 à 70 € par personne. Menus de 23 à 38 €. Compter 35 € environ à la carte. Au calme, agréablement située en marge de la forêt de Bessède. Ferme très ancienne, fort bien rénovée. Très beau cadre. Grand jardin, piscine et activités sur place. Certaines chambres avec petit jardin privé donnent directement sur la campagne. Excellent accueil, mais service longuet.

À voir

🐾🐾 ***L'église :*** édifiée au XIIe siècle, elle présente une façade peu commune. Large et imposante, percée d'étroites baies romanes surmontées d'arcatures aveugles tout en lignes épurées. À l'intérieur, quasiment l'austérité cistercienne. Quelques vestiges de fresques. Vierge en pierre du XVe siècle, au sourire doux et « jocondien ».

🐾🐾🐾 ***L'abbaye :*** ☎ 05-53-63-36-28 ou 05-53-35-50-10 (siège de la Sémitour). 🍴 En juillet et août, ouvert de 10 h à 19 h ; se renseigner sur les horaires pour le reste de l'année. Fermé le mardi hors saison. Entrée : 5 € ; réductions. Son cloître se révèle être un véritable chef-d'œuvre.
Fondée en 1115, l'abbaye fut l'objet d'un important pèlerinage et eut l'honneur de la visite de Richard Cœur de Lion, Aliénor d'Aquitaine, Saint Louis et Blanche de Castille, Charles V, Rabelais, etc. C'est Louis XI qui lança la construction du cloître, véritable bande dessinée dans la pierre, de style gothique flamboyant.
Dans l'une des galeries, scènes sculptées montrant péchés et vertus : moines avec livres (la Connaissance), marchands se disputant une oie (l'Envie), musiciens (la Joie), etc. Chapiteaux des retombées de voûte richement ornés, festival fantastique de clés de voûte pendantes. Toutes différentes, il en reste 25 d'origine sur 95. Dais en gothique flamboyant, portes ouvragées. Piliers ornés de représentations bibliques (Job sur son fumier, Lazare chez le mauvais riche, etc.). Sol en galets du XVIIe siècle. Châsse en cuivre doré qui contenait le suaire de Cadouin. Superbes portes de la fin du XVe siècle. Clocher original entièrement en bois, du XIVe siècle, toits de bardeaux.

🐾🐾 ***La halle :*** noter la splendide charpente de bois en étoile, entièrement montée avec des chevilles.

🐾 ***Porte du XIIe siècle :*** donnant sur la place de l'abbaye, belle architecture.

🐾🐾 ***Le musée du Vélocipède :*** couvent de l'abbaye. ☎ 05-53-63-46-60. 🍴 Ouvert toute l'année, tous les jours de 10 h à 18 h. Entrée : 5 € ; réductions. Musée avec notice explicative. Musée étonnant, présentant la première collection du monde de vélocipèdes et leur histoire, de la draisienne à la petite reine... Belle mise en scène. Quelques objets exceptionnels : la draisienne de Victor Hugo, le vélocipède de Jules Verne, la bicyclette de Sadi-Carnot... À ne pas manquer.

Manifestations

– *Visites théâtrales aux flambeaux :* tous les mercredis soirs en juillet et août, à 21 h. Participation : 4,50 € ; gratuit pour les moins de 12 ans et sur présentation du *GDR*. Achat des billets sous la halle.
– *Marché-repas :* tous les lundis soirs sur la place, en saison. On mange sur place les produits achetés au marché. Bonne ambiance.
– *Sons et Lumières :* un en juillet et un en août. Renseignements au point info de tourisme. ☎ 05-53-57-52-64.

➤ DANS LES ENVIRONS DE CADOUIN

🕯🕯 *Molières :* l'une des plus petites bastides, d'origine anglaise. Quelques kilomètres à l'ouest de Cadouin. Présente toujours sa place carrée traditionnelle, mais un seul édifice à cornière, l'élégante maison Bayle. Dans la rue principale, église massive avec imposant clocher, construite dans le style gothique Plantagenêt. Dans l'un des coins du village, vestiges du château et du donjon au milieu.

🕯 *L'écomusée de la noix :* à Molières. ☎ 05-53-57-52-64. Ouvert en juillet et août seulement, du lundi au vendredi de 10 h à 12 h 30 et de 15 h à 18 h 30. Entrée : 4 € ; gratuit pour les moins de 12 ans. Circuit en famille sous forme de jeu de piste, au milieu des noyers. Pour tout savoir sur la noix : culture, savoir-faire et produits dérivés.

LIMEUIL (24510) 340 hab.

Ah, l'adorable petite cité ! À découvrir surtout depuis la D 31, en venant de Trémolat. Village fortifié, très fleuri, dominant le confluent de la Dordogne et de la Vézère. Il a conservé un charme, une intimité qui en font (surtout en dehors de juillet et août) une étape absolument délicieuse.
Sur le plan historique, sa place stratégique la transforma en témoin de tous les grands événements : conquête romaine, invasions barbares et normandes, règne des seigneurs, guerres de Cent Ans et de Religion, révoltes des Croquants (1594) et paysannes (1636), la Fronde, révocation de l'édit de Nantes (1685). En 1789, les bourgeois éclairés de Limeuil furent à l'origine du cahier de doléances du Périgord.

Adresse utile

🛈 *Point information :* dans le bourg. ☎ 05-53-63-38-90. ● www.limeuil-perigord.com ● Ouvert de début avril à mi-septembre ; en juillet et août, le lundi de 15 h 30 à 18 h 30, du mardi au vendredi de 10 h à 13 h et de 16 h à 18 h, le samedi de 15 h 30 à 18 h 30 et le dimanche de 10 h à 13 h et de 16 h 30 à 18 h ; horaires variables le reste de l'année : fermé le lundi et parfois le dimanche, se renseigner. Organise des visites guidées de la vieille ville aux flambeaux le jeudi à 21 h en juillet et août.

Où dormir ? Où manger ?

🏠 |🍴| *Hôtel-restaurant Isabeau de Limeuil :* rue du Port. ☎ 05-53-63-39-19. Fax : 05-53-63-39-50. Fermé le mercredi toute la journée hors saison, le mercredi midi en juillet et août, et de fin septembre au 1er mai. Chambres doubles à 32 € avec bains et w.-c. et à 25 € avec douche et w.-c. Menu à 10,90 € à midi ; autres menus de 15,40 à 30 €. Dans une pittoresque ruelle qui grimpe de la place du Port. Chambres un peu vieillottes mais pas dépourvues de charme, beau mobilier ancien. Certaines ont une belle vue. Au premier menu, buffet de hors-d'œuvre. Sinon : tourtière de volaille aux cèpes ou asperges (selon la saison)... Apéritif maison offert sur présentation du *GDR*.

Où dormir ? Où manger dans les environs ?

Camping

⛺ *Camping La Ferme de Perdigat :* Perdigat, à quelques kilomètres sur la route du Bugue (la D 31). ☎ et fax : 05-53-63-31-54. •www.perdigat.com• ♿ Ouvert toute l'année. Compter de 9 à 10,40 € pour 2 personnes avec voiture et tente. Location de caravanes, mobile homes et gîte. Coin agréable, bien isolé, en bord de Vézère. Location de canoës, piscine. N'accepte pas les cartes de paiement. Sur présentation du *GDR,* remise de 5 % sur le prix de la location de canoës.

Très chic

🏠 |🍴| *Hôtel du Manoir de Bellerive :* route de Siorac, Le Buisson-de-Cadouin. ☎ 05-53-22-16-16. Fax : 05-53-22-09-05. • www.belleriveho tel.com • Fermé en janvier et février. Chambres doubles de 105 à 230 €. Menus de 20 € en semaine à 60 €. Hôtel aménagé dans un manoir style Directoire du XIXe siècle (Napoléon III l'aurait fait construire pour l'une de ses maîtresses...). Chambres en accord avec le lieu (meubles anciens, lustres à pendeloques...) mais dotées d'un confort franchement moderne (AC, TV satellite, on se perd dans les salles de bains...). Petit dej' servi aux beaux jours sur une terrasse dominant la Dordogne. Au resto, cuisine bourgeoise. Grand parc, piscine, sauna... Sur présentation du *GDR,* remise de 5 % sur le prix de la chambre et apéritif maison offert.

Où boire un verre ?

🍸 *L'Ancre du Salut :* pl. du Port. ☎ 05-53-63-39-29. Ouvert de 8 h à 2 h du matin en juillet et août. Fermé le jeudi hors saison et une quinzaine de jours en janvier et novembre. Le seul bistrot de Limeuil : un lieu de vie pour le village. Agréable terrasse au bord de l'eau et petite salle en pierres apparentes. Fait aussi snack à midi (jusqu'à 15 h 30) et pâtisseries tout l'après-midi pour les petits creux. Accueil sympa. N'accepte pas les cartes de paiement.

À voir

🏛 Devant la porte de ville principale (menant aux mairie, poste, hôtels et restos) s'étend l'*ancien port,* vaste esplanade à la mesure de l'important trafic commercial et des activités de pêche de jadis. En face, au confluent, noter le curieux pont en équerre.

🎬🎬🎬 Balade pleine de charme dans la *vieille ville.* L'occasion de faire trempette dans une authentique atmosphère médiévale. Belle homogénéité architecturale des maisons bordant les remparts. Toits pittoresques. Monter la rue Principale jusqu'à la dernière porte de ville en ogive. Après la maison-porche, harmonieuse rangée d'habitations très basses.

🎬🎬 *L'église* du village, tout en haut, propose une jolie Vierge à l'Enfant au-dessus du porche. Sourire adorable et beau mouvement du corps.

🎬 *La chapelle Saint-Martin :* à 1 km du village, sur la route du Bugue. Ouvert de mai à octobre, tous les jours de 9 h à 19 h. Église romane très ancienne. Chœur en cul-de-four, vestiges de fresques, murs épais. Coupole à la croisée de transept, vénérable charpente avec galerie en bois, petits pavés ronds.

Où monter à cheval ?

■ *Ferme équestre de la Haute-Yerle :* Allès-sur-Dordogne. ☎ 05-53-63-35-85. Fax : 05-53-57-31-56. ● www.rando-equestre-hauteyerle. com ● Située au confluent de la Vézère et de la Dordogne. Ouvert toute l'année. Georges Fournier propose des circuits avec au choix : bivouacs, gîtes ou chambres d'hôte (autour de 31 €). Randonnées possibles d'une semaine en gîte.

Où acheter du foie gras ?

🦆 *Maison Arvouet :* av. des Sycomores, 24480 Le Buisson-de-Cadouin. ☎ 05-53-22-00-37. Fax : 05-53-22-48-03. Maison tenue de père en fils. Rigoureuse sélection des éleveurs et mise en conserve dans un respect d'hygiène parfait. Produits d'excellente qualité. Foie gras, confits, magrets séchés, saucisson de canard... Prix raisonnables. La maison adhère à une charte de qualité (Identification Géographique Protégée) garantissant la provenance (exclusivement du Périgord) et assurant une traçabilité absolue des produits. Une des meilleures adresses de la région.

TRÉMOLAT   (24510)   580 hab.

Village qui servit de décor au *Boucher* de Claude Chabrol (avec Jean Yanne) et qui rassemble donc tous les éléments de décor d'un film « provincial ». L'*église,* en particulier, ancienne abbatiale fortifiée. Aucune ouverture dans les murs, quelques meurtrières. En l'absence de château, la population s'y réfugia souvent. Clocher-donjon assez imposant de 25 m de haut. À l'intérieur, noter les trois coupoles de la nef et celle du transept, qui culmine à 17 m. Dans le cimetière, petite chapelle romane.

Du haut du Rocamadou, ne pas manquer de contempler le plus célèbre « cingle » de la Dordogne (un méandre, quoi !). C'est ici que son cours se révèle le plus indolent.

Trémolat est aussi fameux pour son *plan d'eau :* baignade, sports nautiques divers, camping.

Où manger ?

I●I *Le Bistrot d'en face :* sur la place. ☎ 05-53-22-80-69. ✗ Ouvert toute l'année, tous les jours. Menu à 11,90 € le midi en semaine. Autres menus à 18,50 et 25 €. Compter 25 € à la carte. Réservez impérativement (au moins la veille), car le bistrot est très réputé dans la région. Et il y a de quoi... Le proprio est aussi celui du *Vieux Logis* en face,

d'où le nom du restaurant ! Cuisine traditionnelle soignée : grattons de canard, pâté de poule aux noisettes, cuisse de poulet sautée à l'ail et au verjus, et des desserts maison extra (essayez la mousse au chocolat : on vous amène un plat entier !). Un excellent rapport qualité-prix. Service très pro. Digestif maison offert sur présentation du *GDR*.

Où dormir ? Où manger dans les environs ?

⚕ 🏠 I●I *Camping Les Bö-Bains :* Badefols-sur-Dordogne. ☎ 05-53-73-52-52. Fax : 05-53-73-52-55. ● www. bo-bains.com ● ✗ Compter de 15 à 27 € environ pour 2 personnes avec voiture et tente. En bordure de Dordogne. Camping 4 étoiles. Possède

également des chambres en chalets pour 4 à 6 personnes. Restauration sur place. Nombreux emplacements ombragés. Sanitaires impeccables. Piscine, billard, randonnées, pêche, canoë, quad...

LALINDE (24150) 3 040 hab.

Avec ses rues perpendiculaires, son plan particulier, la disposition de la place centrale, c'est une bastide. Fondée en 1267 par le roi d'Angleterre Henri III. Emplacement stratégique en bord de Dordogne à cause d'un gué. Bastide célèbre pour ses franchises. Un texte protégeait particulièrement les habitants contre le vol. Extrait : « Celui qui a volé de jour ou de nuit une chose valant deux sols ou en dessous, parcourra la ville avec l'objet volé attaché au cou, paiera une amende, etc. » On espère que ce n'était pas une enclume ! Les guerres ravagèrent la bastide, rares sont les vestiges. À l'entrée ouest, belle porte romane en pierre et brique rouge, coincée entre deux maisons. Croix du XIVᵉ siècle sur la place.

Où dormir ? Où manger ?

🏠 I●I *Hôtel-restaurant Le Périgord :* 1, pl. du 14-Juillet. ☎ 05-53-61-19-86. Fax : 05-53-61-27-49. Fermé le lundi toute la journée et le dimanche soir, ainsi que du 20 décembre environ au 10 janvier. Chambres de 47 à 86 €. Petit dej' à 7 €. Une annexe présente tout le confort : 3 chambres à partir de 70 €, avec minibar, parking privé et pis-

cine. Profusion de menus : de 16 € en semaine à 55 €. À la carte, compter autour de 30 €. Du plus simple plat régional au repas gastronomique aux mets variés. Pour Philippe Amagat, amateur de peinture, la cuisine est un art et les assiettes autant de tableaux. Un régal pour les yeux comme pour les papilles. Excellent accueil.

Plus chic

🏠 I●I *Hôtel-restaurant du Château :* 1, rue de la Tour. ☎ 05-53-61-01-82.

Fax : 05-53-24-74-60. Dans le centre. Hors saison, resto fermé le lundi toute la journée et le mardi midi ; en juillet et août, fermé le lundi midi et le mardi midi ; hôtel fermé le dimanche soir de février à mars. Congés annuels la 3e semaine de septembre et du 11 novembre au 14 février. Chambres de 49 à 152,50 €. Menus de 23,50 à 39 €. Demi-pension obligatoire d'avril à septembre : de 61 à 115 €. C'est un vrai petit château, avec tourelle à encorbellement, tours poivrières et balcon sur l'indolente Dordogne. Guy Gensou, qui en a refait tout le décor intérieur, règne en cuisine et accueille fort chaleureusement. Il personnalise habilement les plats du terroir et utilise de superbes produits frais. Salles paisibles et gentil service. Beau premier menu avec apéro offert. Spécialités de la maison : les viandes et volailles à la broche. Chambres confortables et chères (château oblige !), évitez les chambres les moins chères, petites, fenêtres exiguës et sans vue sur la rivière, mais la douceur des prix au restaurant n'exclut personne. D'ailleurs, parfois, des casques de motos dans l'entrée. Incongru ? Non, Guy Gensou est lui-même motard, et ses collègues de la route sont vraiment les bienvenus... Petite piscine surplombant la Dordogne. N'accepte pas les cartes de paiement. Sur présentation du *GDR*, remise de 10 % sur le prix de la chambre sauf en juillet et août.

À faire

– Stages et randonnées de *VTT* et de *canoë* à la carte, dans la région. Renseignements au *Centre VTT* de Lalinde, derrière la mairie, au bord du bassin : ☎ 05-53-24-12-31 ou 06-81-42-32-73. ● www.centre-nature-loisirs.fr.st ● Ouvert tous les jours de 9 h à 12 h et de 14 h à 18 h. Nombreuses formules (location simple, accompagnement par moniteur diplômé). Location de VTT à la demi-journée : 11 € ; journée : 16 €. Tarifs dégressifs pour plusieurs jours. VTC également. Le centre organise aussi des raids VTT-canoë, des séjours multi-activités et même des séjours sportifs à l'étranger.

LE PÉRIGORD POURPRE

Pourpre, *because* ses fameux vignobles, notamment ceux du Bergeracois. Des noms que vous connaissez : monbazillac, pécharmant, bergerac, montravel, etc. C'est aussi la région des bastides, ces villes fortifiées créées au XIIIe siècle par les souverains français et anglais pour attirer les habitants à leur cause et garantir leur sécurité. De part et d'autre, elles se ressemblent d'ailleurs : rues tirées au cordeau et à angle droit, remparts percés de portes, place centrale entourée de cornières et arcades. Monpazier est la plus belle et la plus célèbre d'entre elles.

LE VIGNOBLE

Le Périgord profite d'une très ancienne culture viticole, puisque les Romains avaient implanté la vigne dans la région, mais c'est au Moyen Âge qu'elle atteint son apogée. Ravagé, comme partout en France, par le phylloxéra à la fin du XIXe siècle, le vignoble couvre six fois moins de surface qu'auparavant, ce qui représente tout de même 12 500 hectares cultivés par 1 100 viticulteurs, dont la moitié sont réunis en 7 coopératives. La région est divisée en quatre appellations de rouge et rosé : bergerac, côtes-de-bergerac, pécharmant et bergerac rosé. Huit blancs, dont le célèbre monbazillac, mais aussi montravel, rosette, saussignac... Détrôné par son voisin bordelais, le vin de la région a longtemps souffert d'une réputation, hélas souvent méritée, de vin de second ordre. Depuis une dizaine d'années, les viticulteurs ont réagi, un peu poussés il faut l'avouer par des investisseurs étrangers (anglais, belges, hollandais...) flairant la bonne affaire d'un terrain encore bon marché et en apportant argent, patience et recherche des meilleures techniques. La plupart produisent aujourd'hui des vins de grande qualité, tout en restant à des prix abordables.

Le C.I.V.R.B. a mis en place une route des vins. Possibilité de visite de propriétés viticoles : promenade dans les vignes, visite des chais, dégustation, en compagnie du viticulteur. Départ et renseignements à la **maison des Vins-cloître des Récollets :** 1, rue des Récollets, 24100 Bergerac. ☎ 05-53-63-57-55. Lors d'une dégustation, nous avons remarqué quelques vins de très bonne qualité. Cette petite sélection est toute subjective et ne prétend en aucun cas à l'exhaustivité. Il existe bien d'autres bons bergerac, mais vous ne serez sans doute pas déçu par ces conseils. Lors de cette dégustation, nous avons également repéré un vin qui, bien que n'étant pas d'appellation bergerac, est presque voisin et mérite d'être signalé pour son excellent rapport qualité-prix. Les tarifs sont donnés à titre indicatif.

– **Château Tour des Gendres :** Les Gendres, 24240 Ribagnac. ☎ 05-53-57-12-43. Fax : 05-53-58-89-49. Ouvert du lundi au vendredi de 9 h à 12 h et de 14 h à 18 h ; le samedi, sur rendez-vous. Fermé pour les fêtes de fin d'année. Un excellent produit travaillé scrupuleusement, vieilli en partie en fût de chêne neuf. Premiers prix à 4,50 € ; une cuvée remarquable : la Gloire de mon Père, à 9 €, et une cuvée exceptionnelle, le Moulin des Dames, très tannique, boisée et concentrée, à 16 € en blanc et 23 € en rouge. Fait aussi location de gîtes (382 € la semaine).

– **Château La Jaubertie :** 24560 Colombier. ☎ 05-53-58-32-11. En juillet et août, ouvert tous les jours de 10 h à 17 h 30 (les dimanche et jours fériés, de 14 h à 17 h); le reste de l'année, ouvert du lundi au vendredi de 10 h 30 à 17 h 30 ou sur rendez-vous. Très belle qualité également, produite par ce vigneron anglais. Vins vieillis en fût de chêne. Premier prix à 5,80 €. Superbe réserve à 14,50 €. Médaille d'or du concours de Paris pour son blanc sec.

– **Château Laulerie :** vignoble Dubard, Le Gouyat, 24610 Saint-Méard-de-Gurçon. ☎ 05-53-82-48-31. Fruits rouges, tanins et beaucoup de finesse. Beau produit d'un bon rapport qualité-prix. Compter entre 4,20 et 12 €.

– **Cave coopérative de Bergerac – Le Fleix :** 70, bd de l'Entrepôt, 24100 Bergerac. ☎ 05-53-57-16-27. Fax : 05-53-24-57-47. Et 24130 Le Fleix. ☎ 05-53-24-64-32. Fax : 05-53-24-65-46. Une association de vignerons propose des vins de Bergerac de bonne qualité à prix intéressants.

– **Cave Julien de Savignac :** av. de la Libération, 24260 Le Bugue. ☎ 05-53-07-10-31. Fax : 05-53-07-16-41. ● www.julien-de-savignac.com ● Très professionnels, ces propriétaires-récoltants présentent un choix superbe, du petit vin en vrac à la plus prestigieuse bouteille de collection, de crus de la région mais aussi de toute la France. Le chai est climatisé. Conseils avisés, dégustations. Prix identiques à la propriété. Quelques produits du terroir également.

LE CHÂTEAU DE LANQUAIS

Édifice gothico-Renaissance. ☎ 05-53-61-24-24. Visite libre (avec notice explicative) ou guidée d'avril à novembre : en juillet et août, tous les jours de 10 h à 19 h ; en mai, juin et septembre, ouvert de 10 h 30 à 12 h et de 14 h 30 à 18 h 30, fermé le mardi ; en avril, octobre et novembre, ouvert seulement l'après-midi, fermé le mardi. Fermé de décembre à mars. Entrée : 7 € ; réductions ; billet à 5 € sur présentation de ce guide. Photos et films interdits à l'intérieur. On perçoit bien les deux périodes de construction : à droite, la partie XVe (grosse tour à mâchicoulis), à gauche l'élégante aile Renaissance dont le propriétaire avait l'ambition de faire une copie du Louvre ; rêve bien vite déçu, mais la façade n'est pas sans rappeler le célèbre palais. Assiégé par les armées protestantes en 1577, la façade présente encore la trace des boulets.

À l'intérieur de cette propriété privée, splendides cheminées Renaissance et ameublement Louis XIII. La visite est agréable, car les pièces sont aménagées comme si l'on vivait encore ici : la cuisine semble prête à préparer quelque banquet, tables dressées...

Un souterrain quittait le château, traversait le puits pour emprunter des abris préhistoriques avant de ressortir loin de là. (Ne se visite pas.)

Où dormir ? Où manger ?

🛏 **Chambres d'hôte au Château :** ☎ 05-53-61-24-24. Fax : 05-53-73-20-72. Fermé le mardi la journée (sauf en été) et du 15 novembre à fin mars. Deux chambres à 90 et 110 €. Un plaisir rare que de passer une nuit dans le château de Lanquais. Chambres immenses de 30 et 40 m^2 avec un mobilier d'époque, et libre à vous d'errer dans le reste de l'édifice à la recherche de quelque fantôme. N'accepte pas les cartes de paiement. Un petit dej' offert par personne sur présentation du *GDR*.

🍽 **Auberge des Marronniers :** Le Bourg, 24150 Lanquais. ☎ 05-53-24-93-78. Fermé le mercredi, le soir en hiver les lundi, mardi, jeudi et vendredi, du 25 février au 9 mars et du 13 au 26 octobre. À midi en semaine, menu à 11 €, vin et café compris. Autres menus de 14 à 28 €. Très simple mais agréable. Cuisine généreuse. Terrasse ombragée sous les... marronniers.

Où dormir ? Où manger dans les environs ?

🛏 **Gîte La Fouillouse :** à Saint-Nexans, 24520 Mouleydier. À 12 km du château de Lanquais et à 9 km de Bergerac. Sur la D 19 entre Saint-Aubin-de-Lanquais et Saint-Nexans (fléché « Hameau de la Fouillouse »). Ouvert toute l'année. Gîte rural installé dans un ancien chai loué à la nuit (31 €) ou à la semaine (183 €). Également une chambre d'hôte : 28 € pour 2. Petit dej' à 5 €. Sur un vallon, une maison ancienne traditionnelle, au calme.

🍽 **La Petite Auberge :** av. de Cahors, 24150 Couze-Saint-Front. ☎ 05-53-61-79-76. 🕯 Fermé le lundi, le samedi midi et le dimanche soir hors saison, seulement le lundi en été, 1 semaine en février et 2 semaines en novembre. Tout un éventail de menus de 15 à 35 €. Les enfants ne sont pas oubliés, avec un menu « mini-gastro » pour 10 €. Compter dans les 25 € à la carte. Au bord de l'eau, avec une terrasse particulièrement agréable, ce restaurant est posé là comme un bateau avec de l'eau de tous côtés, et même en dessous ! On a du mal à croire au hasard, quand on sait que le patron est un ancien maître d'hôtel du paquebot *France*. Cuisine bien tournée, copieuse et variée : magret de canard au sirop d'érable, poisson frais du marché.... Un brin d'originalité fait du bien dans une région un peu traditionaliste. Accueil très chaleureux. Une agréable adresse. Café offert sur présentation du *Guide du routard*.

À voir

⚑⚑ Dans le *village,* à côté de l'église, petite *halle* à colonnes de pierre. *Grange dîmière* du XVIᵉ siècle : lieu de musique baroque. Quelques belles demeures anciennes, dont la maison forte à la sortie, vers Couze (derrière l'*Auberge des Marronniers*). Petit plan d'eau aménagé à l'entrée du bourg.

➤ *DANS LES ENVIRONS DE LANQUAIS*

⚑⚑ *Couze-Saint-Front :* ses eaux, réputées pour leur pureté, attirèrent à partir du XVᵉ siècle les moulins à papier. Le village devint jusqu'au XIXᵉ siècle le plus gros centre de production de papier du Périgord. Vestiges de nombreux moulins au bord de la rivière.

– *L'écomusée du Papier :* moulin de la Rouzique, 24150 Couze-Saint-Front. ☎ 05-53-24-36-16. Visite d'avril à juin et de début septembre à mi-octobre de 14 h à 18 h 30 (dernière visite à 17 h 30), et en juillet et août de 10 h à 19 h (dernière visite à 18 h) ; le reste de l'année, sur rendez-vous. Entrée : 4,50 € ; réductions. Magnifique moulin du XVᵉ siècle, très patiemment restauré. Visites guidées avec démonstration de fabrication de papier sur d'impressionnantes machines d'époques différentes. Au premier étage, musée de papiers filigranés : pièces des XVᵉ et XVIᵉ siècles.

À 5 km environ, vers le sud (sur la D 660), pittoresque *château de Bannes* sur une colline.

⚑⚑⚑ Au sud et à l'est du Bergeracois, ne pas manquer *Issigeac, Beaumont, Monferrand, Monpazier, Biron* (décrits en fin de chapitre « Le Périgord »).

BERGERAC (24100) 27 200 hab.

> **Pour le plan de Bergerac, voir le cahier couleur.**

Troisième « capitale » du Périgord (après Périgueux et Sarlat). Ne pas manquer de l'inscrire sur l'itinéraire. Propose une vieille ville séduisante et son rythme indolent, calme, très provincial. À parcourir pour découvrir ses plus belles demeures à colombages, ses musées, et constater comment on peut rénover intelligemment un centre-ville.

Pendant la guerre de Cent Ans, la ville changea six fois de nationalité. Au XVIᵉ siècle, elle devint la capitale intellectuelle du protestantisme et s'opposa pendant plus d'un siècle au pouvoir central. Louis XIII fit démolir les remparts. Louis XIV entreprit des conversions de force. Des milliers d'habitants choisirent l'exil. Pourtant, jusqu'à la veille de 1789, Bergerac resta la ville la plus importante du Périgord. Aujourd'hui, elle est plutôt tournée vers Bordeaux que Périgueux. La poudrerie nationale, le vin et le tabac en sont les activités principales. Au fait, le fameux Cyrano n'était nullement de Bergerac (il naquit à Paris et ne vint jamais ici !), mais les habitants l'ont remercié de cette pub promotionnelle involontaire en lui élevant une statue.

Adresse utile

Office de tourisme (plan couleur B2) : 97, rue Neuve-d'Argenson. ☎ 05-53-57-03-11. Fax : 05-53-61-11-04. ● www.bergerac-tourisme.com ● En juillet et août, ouvert du lundi au samedi de 9 h 30 à 19 h 30 et le dimanche de 9 h 30 à 13 h et de 14 h 30 à 19 h 30 ; le reste de l'année, ouvert de 9 h 30 à 13 h et de 14 h à 19 h, fermé le dimanche. L'été, visites guidées de la vieille ville.

– **Antenne estivale :** en juillet et août, au cloître des récollets. Ouvert du lundi au samedi de 10 h 30 à 13 h et de 14 h 30 à 19 h 30.

Où dormir ?

Camping

Camping municipal de la Pelouse : 8 bis, rue Jean-Jacques-Rousseau. ☎ et fax : 05-53-57-06-67. ● www.bergerac-tourisme.com ● Ouvert toute l'année. Pour 2 personnes avec voiture et tente, compter 8,43 €. À 10 mn du centre-ville. Sur les rives de la Dordogne. Suffisamment ombragé.

Plutôt chic

Hôtel de France (plan couleur A1, 11) : 18, pl. Gambetta. ☎ 05-53-57-11-61. Fax : 05-53-61-25-70. Fermé en janvier. Chambres de 46 à 64 €. Petit dej'-buffet à 7,50 € hors saison et 10 € en saison. À quelques pas de la vieille ville, parking assuré en face de l'hôtel, accueil très agréable dans ce bel établissement tout récemment repris. Les chambres sont confortables et grandes, très bien équipées (Canal +, minibar, sèche-cheveux...). Celles sur la rue sont insonorisées et climatisées (petit supplément). Piscine.

Hôtel-restaurant La Flambée (hors plan couleur par B1, 12) : 153, av. Pasteur. ☎ 05-53-57-52-33. Fax : 05-53-61-07-57. ● www.laflambee.com ● À 2 km au nord de Bergerac, sur la N 21, direction Périgueux. Restaurant fermé le lundi soir, le samedi midi et le dimanche soir. Chambres de 57 à 66 € selon la saison, toutes avec bains. Menus de 16 à 31 €. Autour de 38 € à la carte. Non loin de la nationale mais au calme dans un grand parc avec piscine et tennis. Une vingtaine de chambres, classiques, réparties entre une grande et jolie demeure périgourdine et un pavillon d'été. Préférez celles côté parc, les autres sont trop bruyantes en été. Un des restos de prédilection de la bonne société bergeracoise pour sa salle cossue et sa cuisine (bourgeoise et de terroir) sans fausses notes. Agréable terrasse aux beaux jours. Soirées à thème en été. Bon accueil. Sur présentation du *GDR,* 10 % sur le prix de la chambre.

Où manger ?

De bon marché à prix moyens

La Blanche Hermine (plan couleur A2, 20) : pl. du Marché-Couvert. ☎ 05-53-57-63-42. Fermé le lundi et le dimanche, ainsi que du 15 août au 15 septembre. Compter 8 à 9 € pour un repas complet, servi avec le sourire, dans une atmosphère très sympa. Les vieux fans de folk s'en souviennent sûrement, *La Blanche Hermine,* c'est une chanson du Breton

Gilles Servat. Belle enseigne, donc, pour une crêperie que la jeunesse locale aime à fréquenter. Même si on écoute plutôt du blues et du jazz dans cette petite salle fraîche et plaisante ! Même si les excellentes galettes de blé noir portent des noms qui sont des invitations à tous les « ailleurs » : Cap-Vert, Si bémol, Provençale... La cuisine se fait aussi voyageuse. Nombreuses salades : *tzatziki, hoummous,* pamplemousse farci, *mafé...* et même une côte de porc « gothique » (épinards en branche avec sauce à l'abricot et moutarde). Prix fort modérés. Café offert sur présentation du *GDR.*

|●| *Le Poivre et Sel (plan couleur A3, 25)* : 11, rue de l'Ancien-Pont. ☎ 05-53-27-02-30. Menus de 15 à 40 €. À la carte, compter 30 €. En face du musée du Tabac, petit restaurant agréable avec terrasse sur une jolie petite place calme. Carte intéressante avec beaucoup de poisson (frais et bien cuisiné) : alose à la bordelaise, lamproie... Prix raisonnables et bon accueil.

|●| *La Sauvagine (plan couleur B1, 21)* : 18-20, rue Eugène-Le-Roy. ☎ 05-53-57-06-97. ⚴ Fermé le lundi, le mercredi soir et le dimanche soir, ainsi qu'une semaine en février et début juillet. En semaine, à midi, formule à 12,20 € ; menus de 18,90 à 40 €. Salle (climatisée) à la déco contemporaine plutôt réussie. Cuisine traditionnelle de bonne facture, qui ne sacrifie pas systématiquement aux standards périgourdins (et pour qui séjourne quelque temps ici, ça ressemble à une bonne nouvelle !). Poisson (lamproie par exemple, le Bordelais n'est pas loin), fruits de mer, gibier en saison, succulents desserts. Clientèle un peu chic, mais l'accueil reste à la simplicité. Apéritif maison offert sur présentation du *Guide du routard.*

|●| *La Treille (plan couleur A3, 22)* : 12, quai Salvette. ☎ 05-53-57-60-11. Face au port. Ouvert tous les jours en été. Fermé le mardi soir et le mercredi hors saison. Plat du jour à 10 € à midi en semaine ; menus de 19 à 26 €. Menus groupes. À la carte, compter autour de 23 €. Salle au 1er étage avec balcon dominant la Dordogne. Une des terrasses les plus agréables de la ville. Les places s'arrachent vite à midi. Bonne cuisine. Spécialités de la maison : le canard (magret au miel et vinaigre de framboise, par exemple) et le poisson (par exemple, le sandre au monbazillac). Kir offert sur présentation du *GDR.*

|●| *Le Sud (plan couleur A3, 23)* : 19, rue de l'Ancien-Pont. ☎ 05-53-27-26-81. Dans le centre. Fermé le dimanche (sauf le 1er dimanche du mois) et le lundi ; congés annuels en juin et 15 jours à Noël. Menu à 15 € le midi en semaine. Compter de 25 à 30 € pour un repas à la carte. Décor oriental (ça va de soi) et chaleureuse atmosphère pour une excellente cuisine marocaine. Portions copieuses. Goûter à la spécialité de la maison, les pastillas au poulet ou au pigeon. Poulet aux citrons confits, pied de veau à la marocaine et les classiques brochettes et couscous. Très bon rapport qualité-prix. Vins à prix acceptables. Dommage que la qualité soit irrégulière. Thé à la menthe offert sur présentation du *GDR.*

De prix moyens à plus chic

|●| *L'Imparfait (plan couleur A2-3, 27)* : 8, rue des Fontaines. ☎ 05-53-57-47-92. Ouvert tous les jours en saison. Fermé du 20 décembre à début février. Menus de 19 à 29 €. Superbe sélection de poissons, tous très bien accommodés. À midi, belle formule avec un vaste choix. Les autres menus, variés, sont assez chers, mais il y a peu de risques d'être déçu. Les homards, bretons s'il vous plaît, trônent dans le vivier. L'accueil est très agréable. La seule erreur de la maison, c'est de l'avoir baptisée *L'Imparfait.*

|●| *L'Enfance de Lard (plan couleur A2, 24)* : pl. Pélissière. ☎ 05-53-57-52-88. Central. Ouvert le soir seulement ; service tard. Fermé le mardi, ainsi que fin septembre.

Menu à 25 €. À la carte, compter dans les 25 à 30 €. Au 1er étage d'une maison du XIIe siècle, petite salle de charme vite remplie (impératif de réserver !). Atmosphère intime et chaleureuse. En fond sonore, une sélection raffinée d'airs d'opéra. Remarquable cuisine du Sud-Ouest. Ici, de la tradition, rien que de la tradition, ce qui n'empêche pas une certaine subtilité dans la préparation des plats. De belles viandes qui grillent sur des ceps de vigne dans la superbe cheminée, des pommes sarladaises fondantes, du foie gras de canard poêlé... généreusement servis. Carte chère, mais c'est mérité !

Où dormir ? Où manger dans les environs ?

🛏️ 🍴 *La ferme de la Rivière, chez Marie-Thérèse et Jean-Michel Archer :* route de Lanquais (D 37), 24520 Saint-Agne. ☎ et fax : 05-53-23-22-26. Ouvert du 1er avril au 20 septembre tous les soirs, sur réservation uniquement ; le midi, sur demande uniquement. Menu de 16 à 29 €. Une chambre d'hôte très agréable est disponible à 46 € ; demi-pension obligatoire d'avril au 20 septembre : 76,50 € par personne, petit dej' compris. La vieille ferme est particulièrement bien rénovée. Cadre agréable, vue sur la vallée, cuisine copieuse. Les produits régionaux (élevage et gavage de canard à la ferme) sont cuisinés avec recherche et talent. Visite de l'élevage et vente de produits. N'accepte pas les cartes de paiement. Apéritif et café offerts sur présentation du *GDR*.

🛏️ *Chambres d'hôte La Gentilhommière :* La Libertie, 24140 Campsegret. ☎ et fax : 05-53-61-87-94. À 15 km de Bergerac, direction Périgueux ; à l'église, tourner à droite : c'est à environ 1 km en dehors du village (fléché). Fermé du 1er octobre au 30 avril. Quatre chambres doubles à 42 € avec douche et w.-c., et 2 autres à 46 € avec bains et w.-c. Petit dej' à 5,50 €, pas exceptionnel. Belle propriété dans un océan de verdure, grande piscine, parc avec étang, oies et canards exotiques. Chambres bien équipées et très calmes. Tennis et équitation à proximité.

🛏️ *Chambres d'hôte Les Rocailles de La Fourtaunie :* 24520 Lamonzie-Montastruc. ☎ et fax : 05-53-58-20-16. ● rocaille@infonie.fr ● À 8 km de Bergerac, sur la N 21 direction Campsegret-Périgueux, petit chemin de pierre fléché. Fermé du 5 novembre au 15 mars. Chambres de 40 à 54 €, petit dej' compris. Toutes avec douche ou bains et w.-c., ainsi qu'un petit salon. Une ferme du XVIIe siècle perchée sur une colline à distance respectable de la nationale. Grande chambre de caractère, dominée par une impressionnante charpente. Piscine. Cuisine équipée et barbecue. Un gîte pour 6 personnes également. Bon accueil. N'accepte pas les cartes de paiement. Verre de bienvenue offert sur présentation du *GDR*.

🛏️ *Chambres d'hôte Les Mazeaux :* 24520 Lamonzie-Montastruc. ☎ 05-53-23-41-83. Fermé de début décembre à fin janvier. Quatre chambres avec bains et w.-c. à 40 €, petit dej' compris. Un grand jardin et la forêt tout autour. N'accepte pas les cartes de paiement. Apéritif offert sur présentation du *GDR* et remise de 10 % à nos lecteurs sur le prix de la chambre ainsi qu'un petit dej' offert par nuit et par personne, sauf en juillet et août.

🍴 *Ferme-auberge Grellier :* Le Monteil, 24680 Lamonzie-Saint-Martin. ☎ 05-53-24-07-59. À 8 km de Bergerac, sur la route de Bordeaux. Fermé le dimanche soir et les soirs des jours fériés, ainsi qu'en septembre. Menus de 16 à 28 €. Le dimanche ne sont servis que les menus à 23 et 28 €. Réserver. Belle salle. Au menu, par exemple : tourain à l'ail, salade de gésiers, caille sur canapé... vin et café compris. Dommage que le service soit irrégulier. N'accepte pas les cartes de paiement. Apéritif maison offert sur présentation du *GDR*.

Plus chic

🏠 |○| *Le Manoir du Grand Vignoble :* 24140 Saint-Julien-de-Crempse. ☎ 05-53-24-23-18. Fax : 05-53-24-20-89. ● www.manoirdugrandvignoble. com ● À 12 km de Bergerac par la N 21, puis la D 107. Fermé du 15 novembre au 31 mars. Chambres de 58 à 110 € selon la saison. Menus de 23 à 45 €. À la carte, compter dans les 38 €. Dans une belle campagne (où s'ébattent quelques chevaux, c'est aussi un centre équestre), un très distingué manoir du XVIIᵉ siècle. Adresse de luxe pour routards un tantinet fortunés. Malheureusement, les chambres sont situées dans des bâtiments plus récents et sont parfois très petites, beaucoup de différence entre elles. Les plus chères sont spacieuses et pleines de charme. Toutes sont cependant très bien équipées. Parc immense, tennis, piscine chauffée, centre de remise en forme. Sur présentation du *GDR,* remise de 10 % sur le prix de la chambre.

Où boire un verre ?

🍸 *Le Memphy's* (plan couleur B2, 30) : pl. Malbec. ☎ 05-53-57-88-97. Fermé le lundi et 15 jours en février. Ambiance jeune, choix de bières et cocktails. Musique variée. Animations musicales avec orchestre plusieurs fois par mois. Apéritif maison offert sur présentation du *GDR.*

À voir

🐾 Commencez la promenade sur l'*ancien port* (plan couleur A3 ; parking gratuit) où se dressait le château de Bergerac construit en 1088, marquant la fondation de la châtellenie. Il était flanqué de deux ports où des gabares apportaient les produits du haut pays et d'où l'on expédiait les vins de Bergerac vers l'Angleterre et l'Europe du Nord via le port de Bordeaux. Sur le vieux port, une gabare à l'ancienne a été mise à l'eau en septembre 2000, et on l'utilise lors d'événements ponctuels. Vous pouvez toujours y jeter un œil. À l'angle de la *rue du Port* (plan couleur A3), l'échelle des crues témoigne de l'impétuosité de la rivière avant la construction de barrages au début du XXᵉ siècle. Dans l'étroite *rue du Château* (plan couleur A3), un admirable pignon sur toit permettait de hisser des marchandises dans d'imposants greniers. Maison à colombages du XIIIᵉ siècle, puis immeubles Louis XIII *rue de l'Ancien-Pont.* On aperçoit de l'autre côté de la rivière la dernière pile du pont fortifié, détruit en 1783.

🐾🐾🐾 *La maison Peyrarède* (plan couleur A3) : à l'angle de la rue des Rois-de-France. Elle accueillit Louis XIII lors de pourparlers sur le protestantisme en Guyenne. C'est un élégant édifice, construit en 1603, exemple de transition entre les styles Renaissance et classique. On remarquera la splendide tourelle en encorbellement et la hardiesse du grand arc mouluré soutenant les deux étages.

– Elle abrite le *musée d'intérêt national du Tabac.* ☎ 05-53-63-04-13. Fax : 05-53-61-90-02. ✂ Ouvert du mardi au samedi de 10 h à 12 h et de 14 h à 18 h (17 h le samedi) et le dimanche de 14 h 30 à 18 h 30. Fermé le lundi. Entrée : 3 € ; réductions pour les groupes et les enfants de 10 à 17 ans ; gratuit pour les étudiants. Cadre intérieur assez remarquable. Tout sur l'histoire du tabac au travers des sociétés, depuis les Amérindiens du début de l'ère chrétienne. Nombreux documents, objets, peintures, gravures, estampes et témoignages insolites de son implantation en Afrique, en Asie et surtout en Europe.

– Une maison attenante à colombages, du XVᵉ siècle, accueille le ***musée de la Ville.*** Même billet et mêmes horaires. Petite section archéologique. Intéressante collection de silex. Vestiges d'une nécropole gallo-romaine. Objets de la vie quotidienne du XIᵉ au XIIIᵉ siècle. Faïences de Bergerac du XVIIIᵉ siècle. Plans et documents sur l'histoire de la ville. Expositions en été au rez-de-chaussée.

En sortant de ces musées, faites un détour dans la ***rue Saint-Clar*** *(plan couleur A-B3)* aux intéressantes maisons à colombages, et revenez vers la maison Peyrarède par un patio offrant une superbe vue sur la bâtisse.

Rue d'Albret, passez la ***place du Feu*** et son platane ancestral, haute maison gothique avec arcs en ogive et dernier étage à colombages.

🍴🍴 Place du Docteur-Cayla *(plan couleur A3)*, la ***maison des Vins de Bergerac*** se situe dans le ***cloître des Récollets.*** ☎ 05-53-63-57-55. Entrée libre. De début juin à fin août, ouvert tous les jours de 10 h à 19 h ; de février à avril et d'octobre à décembre, du mardi au samedi de 10 h 30 à 12 h 30 et de 14 h à 18 h. Fermé en janvier. Cet ensemble architectural singulier du XVIIᵉ siècle abrite le Conseil interprofessionnel des vins de la région de Bergerac, l'Institut national des appellations d'origine contrôlées, ainsi que le consulat de la Vinée de Bergerac. Dégustation pour les groupes. La cour intérieure aux murs de brique et de pierre est bordée de galeries des XVIᵉ et XVIIIᵉ siècles. Au centre, un paulownia centenaire étire sa frondaison vers le soleil. Quelques marches mènent aux caves voûtées où se trouve une vinothèque présentant le vignoble et la route des Vins de Bergerac au travers de 13 AOC et où se déroulent les cérémonies d'intronisation par les consuls de la Vinée.

Jouxtant le cloître, le ***temple protestant*** a été érigé dans l'ancienne chapelle des Récollets, elle-même construite au milieu du XVIIᵉ siècle et rachetée par les protestants après la Révolution.

🍴🍴 ***La place de la Myrpe*** *(plan couleur A3) :* la *statue de Cyrano* dresse sa silhouette entre deux alignements de bâtisses moyenâgeuses, des entrepôts à colombages à droite et d'anciennes maisons des ouvriers du port à gauche, composant une délicieuse place ombragée de généreux marronniers. Foire à la brocante chaque 1ᵉʳ dimanche du mois.

🍴🍴 Au fond de cette place, dans l'ancienne auberge du port aux colombages admirablement conservés, se trouve le ***Musée régional de la Batellerie*** *(plan couleur A3).* ☎ 05-53-57-80-92. Ouvert de 10 h à 12 h et de 14 h à 17 h 30. Fermé le lundi et le samedi après-midi. Ouvert le dimanche du 15 mars au 15 novembre de 14 h 30 à 18 h 30. Entrée : 1 € ; réductions ; gratuit pour les étudiants. Outils et techniques des tonneliers, pressoirs et machines agricoles, l'habitat vigneron. Au 2ᵉ étage, histoire du Bergerac maritime, vie des bateliers, techniques de pêche, fabrication des bateaux, maquettes, etc. Intéressantes photos de l'activité portuaire et navale vers 1900.

🍴🍴 ***La rue des Conférences*** *(plan couleur A2-3) :* c'est là que fut signée en 1577, à l'instigation du futur roi Henri IV, la *paix de Bergerac,* première ébauche de l'édit de Nantes. À l'ombre des clochers de l'église Saint-Jacques, la petite mission, construite au XVIIᵉ siècle, abrite le ***musée d'Art sacré.*** ☎ 05-53-57-33-21. Pendant les vacances de Pâques et en juillet et août, ouvert, en principe, les mardi, jeudi et dimanche de 15 h 30 à 18 h ; hors saison, sur rendez-vous uniquement. Entrée : 3 €. Objets liturgiques, reliquaires, pièces de l'époque gallo-romaine.

🍴🍴 Adorable ***place Pélissière*** *(plan couleur A2),* fort bien rénovée. Danses folkloriques tous les mardis soir en juillet et août. Moulin à eau du XVIᵉ siècle alimenté par un canal du XIIᵉ siècle. Fontaine Pélissière et agréables reposoirs sous les clochers de l'église Saint-Jacques, partie gothique et partie XVIIᵉ siècle. L'église, exemplairement restaurée, offre un havre de paix des plus harmonieux. Sculptures contemporaines en bois polychrome dans le chœur.

🍴 Dans la **rue Saint-James** (littéralement « Saint-Jacques », nom que nous ont emprunté les Anglais), intéressantes demeures du XVᵉ au XVIIIᵉ siècle, dont l'une est ornée de symboles francs-maçons et d'instruments de musique baroques en bas-relief.

🍴 **La rue des Fontaines** (plan couleur A2-3) : la Vieille Auberge a conservé ses arcades moulurées et ses chapiteaux du XIVᵉ siècle, ainsi qu'une baie ogivale donnant sur la rue Gaudra, où l'on aperçoit la chute d'eau qui alimentait le moulin de la ville, aujourd'hui disparu.

🍴 **La place du Marché-Couvert** (plan couleur A2) : tourelle d'angle et pignon de la maison où logèrent, le 8 août 1565, Charles IX et Catherine de Médicis. Marché primeur les mercredi et samedi matin.

🍴 Agréable **quartier piéton** entre la rue du Colonel-de-Chadois et la Grand-Rue.

🍴 Au bout de la Grand-Rue, **église Notre-Dame** (plan couleur A1), dans le pur style néo-gothique puisque construite par Dabadie au XIXᵉ siècle ; elle possède deux intéressants tableaux de la Renaissance italienne. Marchés fermiers autour de l'église les mercredi et samedi.

À faire

➤ **Balade sur la Dordogne en bateau :** à l'ancien port. ☎ 05-53-24-58-80. Tous les jours de Pâques à la Toussaint. Tarif : 6,50 €. Téléphoner pour les horaires. Belle promenade commentée de 1 h sur une gabare (réplique de bateaux des XVIIIᵉ et XIXᵉ siècles) au pied de la ville et dans une réserve ornithologique. L'été, dîners et déjeuners croisières sur la gabare à l'ancienne (sur réservation).

Manifestations

– **Été musical en Bergeracois :** la 1ʳᵉ quinzaine d'août. Musique classique dans le cloître des Récollets et dans tout le Bergeracois. Renseignements à l'office de tourisme.
– **Régates sur la Dordogne :** le 14 juillet (après-midi).
– **Table de Cyrano :** la semaine du 14 juillet. Fête gastronomique dans le vieux Bergerac.
– **Table de Roxane :** la semaine du 15 août, les années impaires ; fête gastronomique sur la place de la République.
– **Foire expo :** la dernière semaine d'août, tous les 2 ans (années paires) à Piquecailloux (direction Lalinde).
– **Animation folklorique :** tous les mardis soir en juillet et août, dans le vieux Bergerac.
– **Concerts de jazz :** tous les mercredis en juillet et août, à 18 h, dans le cloître des Récollets ; puis orchestre dans Bergerac à 21 h 30.
– **Semaine des Vendanges :** en octobre, animations traditionnelles, historiques, gastronomiques et symboliques de la culture du vin.

➤ **DANS LES ENVIRONS DE BERGERAC**

🍴🍴 **Le musée-aquarium de la Pêche et des Poissons :** 24100 Creysse. ☎ 05-53-23-20-45 (syndicat d'initiative). 🍴 Ouvert toute l'année, tous les jours de 10 h à 12 h et de 14 h à 18 h. Entrée : 5,40 € ; réductions. Tous les poissons présents dans la Dordogne sont représentés, quelques très beaux spécimens de carpes, brochets, silures, lamproies et esturgeons. Présentation de l'histoire de la pêche avec objets anciens, maquettes, tableaux et photos. Musée très pédagogique. À côté, espace préhistoire (berceau du silex) et balades gourmandes en gabares (possibilité de repas). Billets groupés pour l'ensemble des activités au syndicat d'initiative. ☎ 05-53-23-20-45. Ouvert tous les jours de 10 h à 12 h et de 14 h à 18 h. Les lecteurs du *GDR* auront droit à une visite offerte pour deux visites achetées.

🐟 *L'ascenseur à poissons :* au barrage de Tuilières. À 10 km à l'ouest de Bergerac en direction de Lalinde. Visite libre et gratuite. Conçu pour permettre aux poissons migrateurs de remonter la rivière, ce système capte les poissons au pied du barrage et les transporte 12 m plus haut dans un ascenseur. L'opération, financée par EDF, porte ses fruits : les poissons reviennent se reproduire aux sources de la Dordogne. On peut voir, à travers une vitre, le passage des poissons à chaque remontée de l'appareil. Visite à conseiller en mai-juin : paysage aquatique magnifique à cette période de l'année ! Écluses en cours de restauration.

🐟 *Les écluses de Tuilières :* un ancien canal permettait aux bateaux de franchir le barrage par le biais d'une succession d'écluses élevant le niveau de plus de 10 m. Bel ouvrage témoin de l'architecture industrielle du XIXe siècle.

MONBAZILLAC (24240) 1 045 hab.

Célèbre vignoble à 7 km au sud de Bergerac. Très beau *château* construit en 1550 suivant un plan rectangulaire régulier, avec quatre grosses tours à mâchicoulis. ☎ 05-53-61-52-52. En février, mars, novembre et décembre, ouvert de 10 h à 12 h et de 14 h à 17 h, fermé le lundi ; en avril, tous les jours de 10 h à 12 h et de 14 h à 18 h ; en mai et octobre, tous les jours de 10 h à 12 h 30 et de 14 h à 18 h ; en juin et septembre, tous les jours de 10 h à 19 h ; en juillet et août, tous les jours de 10 h à 19 h 30. Fermé en janvier. Entrée : 5,80 € ; réductions.
Architecture particulièrement remarquable avec sa superbe toiture (toits en cône et élégantes lucarnes à meneaux). Ayant franchi sans encombre toutes les vicissitudes de l'histoire, le château (chose rare) nous arrive aujourd'hui quasiment dans son état initial. Visite éclectique : quelques pièces d'origine du château comme le grand salon avec sa cheminée Renaissance. Une évocation de l'histoire du protestantisme dans la région. Salle consacrée à l'œuvre du caricaturiste Sem (auteur du dessin de la carte de chez *Maxim's,* qu'on connaît même si on n'y a jamais mangé). Et bien sûr (on est à Monbazillac), dans les caves du château, étonnant mur de bouteilles, histoire des « marques hollandaises » (la conséquence de la révocation de l'édit de Nantes sur les ventes de vin en Bergeracois). Dans la tour de la librairie, une grande bibliothèque avec des ouvrages anciens du XVIe au XIXe siècle. Dégustation de vin et possibilité d'achat au pavillon d'accueil. Superbe panorama sur le vignoble du petit kiosque du XVIIe siècle.

Tout autour s'étend le *vignoble* du célèbre cru. C'est un vin liquoreux de couleur jaune qui, comme le sauternes, se fabrique à partir de la « pourriture noble » qui apparaît sur les grains mûrs. Pour les meilleurs crus, la vendange s'effectue donc très tardivement, en plusieurs fois, grain par grain...

Où dormir ? Où manger ?

Prix moyens

🛏 *Chambres d'hôte Vieux Touron :* sur la route entre Monbazillac et le moulin de Malfourat. ☎ 05-53-58-21-16. Fax : 05-53-61-21-17. Compter 50 € la nuit pour 2, petit dej' compris. Gîte pour 4 à 5 personnes à 400 € la semaine (hors juillet et août). Très belle vue sur les vignobles et la vallée. Piscine. Liliane Gagnard propose aussi des stages d'œnologie allant de la simple initiation à une formation plus complète. Possibilité de groupes. Le domaine produit de très bons vins : bergerac rouge et blanc à partir de 4,50 €, monbazillac de très bonne qualité. Vieilles vignes de 60 ans ! Faible rendement, vendange méticuleuse des grains surmaturés. Compter 12 € pour un 1996, 8 € pour un 2000. Dégustation de vins de la propriété sur présentation du *GDR*.

Plus chic

🍴 *La Tour des Vents :* à côté du moulin de Malfourat. ☎ 05-53-58-30-10. Fermé le lundi (midi seulement en juillet et août), le dimanche soir, le mercredi soir hors saison, ainsi qu'en janvier. Menus de 15 € (en semaine) à 50 €. Menu végétarien. À la carte, compter autour de 34 €. Restaurant assez chic avec terrasse qui surplombe la région, vue exceptionnelle sur Bergerac et ses environs. Marie Rougier vous concocte une cuisine de très bon rapport qualité-prix. Goûter les ris de veau en cocotte lutée au jus de truffes... Vous pourrez aussi y voir une distraction rare : dans une salle attenante, le restaurant possède un étonnant limonaire. En principe, il joue tous les jours sauf le samedi soir et le dimanche après-midi. Dommage que l'accueil soit irrégulier. N'accepte pas les cartes de paiement.

SAINT-MICHEL-DE-MONTAIGNE (24230) 310 hab.

À une quarantaine de kilomètres à l'ouest de Bergerac. C'est dans une jolie et paisible campagne que nous vous convions à rencontrer Montaigne, célèbre penseur et auteur des immortels *Essais.* Il naquit et mourut au château (1533-1592). Son père était maire de Bordeaux. Lui-même entra au parlement de Bordeaux en 1557 et y rencontra celui qui devait devenir son meilleur ami : Étienne de La Boétie (voir, plus haut, le chapitre « Sarlat »). En 1572, année du massacre de la Saint-Barthélemy, il revint s'installer définitivement dans son château et se consacra à la rédaction des *Essais.* En 1581, il devint à son tour maire de Bordeaux. Trois ans plus tard, il reçut le futur Henri IV en son château. Jusqu'à sa mort, il ne cessera de « transformer » ses *Essais.*

🏰🏰🏰 *Le château et la tour de la « librairie » de Montaigne :* ☎ et fax : 05-53-58-63-93. En juillet et août, ouvert tous les jours de 10 h à 18 h 30 ; hors saison, du mercredi au dimanche de 10 h à 12 h et de 14 h à 18 h 30 (fermeture à 17 h 30 de janvier à mai, en novembre et en décembre). Fermeture annuelle du 3 janvier aux vacances scolaires de février. Visite commentée de la tour : 5 € ; réductions. Visite libre du parc : 2 €. Le château fut totalement détruit par un incendie au XIXe siècle et fut reconstruit dans un pastiche de Renaissance pas trop mal réussi (ne se visite pas). En revanche, par miracle, la tour de la « librairie » de Montaigne (sa salle de travail) et les trois ailes du château, dont la construction date du XIVe siècle, échappèrent aux flammes. On visite cette tour avec émotion et on se dit que Montaigne devait avoir la même vue qu'aujourd'hui, tant le site est préservé. Sur les poutres, Montaigne avait fait inscrire des maximes tirées du *Livre de l'ecclésiaste* ou d'auteurs de l'Antiquité ou encore le fruit de ses réflexions. Superbe coffre de voyage de l'écrivain. Vente de vins de la propriété à l'accueil.

Où dormir dans les environs ?

🏠 *Le château de Mondésir :* 24610 Villefranche-de-Lonchat. ☎ 05-53-80-87-77. Fax : 05-53-80-87-79. ● chateau-de-mondesir@mondesir.com ● Prendre la petite rue à gauche entre le cimetière et le terrain de foot. Compter 75 € pour 2, petit dej' compris en haute saison. C'est cher, mais c'est une adresse de charme. La partie la plus ancienne du château date du XIIIe siècle. Grande propriété avec tennis et piscine privés. Le dîner en table d'hôte est servi devant une immense cheminée ou dans le jardin, selon la saison. Chambres décorées avec beaucoup de goût, mobilier et parquet en bois. Beaucoup de cachet. Salle de musique et salon de lecture pour les amateurs. Gîte pour 6 personnes également.

MONTCARET (24230) 1 235 hab.

Tout à côté de Saint-Michel-de-Montaigne. Possibilité d'y visiter les ***vestiges d'une villa gallo-romaine avec ses thermes.*** Visite guidée (sur réservation pour les groupes) : ☎ 05-53-58-50-18. Ouvert toute l'année ; en juillet et août, de 9 h 30 à 13 h et de 14 h à 18 h 30 ; d'avril à juin et en septembre, de 9 h 30 à 12 h 30 et de 14 h à 18 h ; le reste de l'année, de 10 h à 12 h 30 et de 14 h à 16 h 30. Fermé les 1er janvier, 1er mai, 1er et 11 novembre et 25 décembre. Entrée : 4,60 € ; réductions ; gratuit pour les moins de 18 ans. Vestiges d'une villa de l'époque de l'Antiquité tardive, avec de superbes mosaïques très bien conservées et des thermes magnifiques. De plus, la visite est bien conçue : on vous donne à l'entrée une brochure qui vous guide à travers les vestiges à l'aide d'un tas d'explications passionnantes.

Dans les environs pousse le fameux vignoble de Montravel. C'est aussi dans la région qu'eut lieu la décisive bataille de Castillon (défaite des Anglais), qui mit fin à la guerre de Cent Ans.

Où dormir ? Où manger ?

🏠 |●| *Ferme de séjour Brigitte Fried, château Dame de Fonroque :* à Fonroque, accès fléché depuis le village. ☎ 05-53-58-65-83. Fax : 05-53-58-60-04. ● www.pays-de-bergerac.com ● ☒ (partiel). Fermé en janvier et en décembre. Pas de repas le dimanche. Chambre à 66 €. Menu à 20,50 € (variable suivant le contenu) le soir, uniquement pour les hôtes. Demi-pension à 77 € par personne. Massive demeure vigneronne du XIXe siècle au milieu d'un parc planté de séquoias et autres cèdres qui portent bien leur siècle d'existence. Très bon accueil. Cinq chambres spacieuses, très mignonnes et tout confort. Table d'hôte le soir sur réservation. Bonne cuisine familiale et régionale. Les menus changent selon les soirs. Le vin vient du domaine qui produit plusieurs AOC. Piscine astu- cieusement installée dans l'ancienne serre du jardin. Également un gîte.

➤ DANS LES ENVIRONS DE MONTCARET

🐾 **Villefranche-de-Lonchat :** petite bastide au nord de Montcaret. Quasi une « bastide-rue ». Voir l'église Sainte-Anne, édifiée en 1305. Nef unique avec de belles croisées d'ogives. Porche à quadruple voussure avec colonnettes et chapiteaux sculptés. Petit *musée d'histoire locale, d'art et traditions populaires* à la mairie. ☎ 05-53-80-77-25. Ouvert de mi-juin à mi-septembre, les mardi et jeudi de 10 h à 12 h et de 14 h à 17 h ; visite guidée sur rendez-vous le reste de l'année.

Au sud de Bergerac

🐾 **La base de loisirs du lac de Sigoulès-Pomport :** dans une campagne riante. ☎ 05-53-58-81-94. Toutes sortes d'activités aquatiques : pédalo, canoë, toboggan, pêche, trampolines, etc. Plage surveillée. Camping. Location de gîtes ou de mobile homes à la semaine, location de chalets, la *Sémitour.* ☎ 05-53-05-65-65.
À **Sigoulès :** fin juillet, foire aux vins. Tous renseignements à la mairie : ☎ 05-53-58-40-42.

🐾🐾 **Monbos :** petit village valant le détour pour son église du Xe siècle, l'une des plus anciennes du département. Abside en cul-de-four d'une blancheur immaculée. Colonnettes et chapiteaux de style très primitif sculptés dans le calcaire du pays. On distingue cependant des scènes de chasse (sonneur de trompe, cerf, chasseur, hibou, biche, lapin, etc.). Facture rudimentaire, mais tout ce dépouillement se révèle bien poétique et émouvant !

🐾 **Puyguilhem :** tout petit village en haut d'une colline. Ruines d'un château. Vaste panorama sur le vignoble.

🐾🐾 **Eymet :** jolie bastide à la frontière du département du Lot-et-Garonne. Créée par les Français pour faire face à toutes les bastides anglaises du coin. Prise par les Grands-Bretons, reprise par Du Guesclin, attaquée lors des guerres de Religion (Eymet opta pour la Réforme) ; la bastide subit pas mal de destructions. Cependant, il reste la place à arcades et ses nobles demeures à pignon. Noter les arches de forme et taille différentes, arcs brisés ou sur colonnes de pierre, pierre blanche et colombages avec remplage de brique, etc. Larges couverts. Vestiges imposants du château. Donjon carré du XIIIe siècle, appelé « tour des Anglais ». Quelques restes de muraille.
– Petit *musée* de la préhistoire et des traditions populaires dans le château. Pour les horaires d'ouverture, se renseigner à l'office de tourisme. Visite uniquement pour les groupes sur rendez-vous.

ℹ️ **Office de tourisme :** ☎ 05-53-23-74-95. Ouvert de début mai à fin septembre, du lundi au samedi de 10 h à 12 h 30 et de 14 h à 18 h 30 ; en juillet et août, permanence le dimanche, de 10 h à 12 h.

Où dormir ? Où manger dans les environs ?

🛏️ **La Petite Auberge :** 24500 Razac-d'Eymet. ☎ 05-53-24-69-27. Fax : 05-53-61-02-63. ● lparazmet@ aol.com ● 🍴 À 7 km au nord-est d'Eymet. Suivre la D 25, puis la C 2 ; de Bergerac, la D 933 puis la C 1.

Hôtel fermé du 1er novembre au 1er avril. Chambres de 39 à 46 €. Petit dej' à 6 €. Dans ce village de poche, tranquillité assurée. Deux tracteurs, un VRP égaré, la camionnette jaune canari de La Poste (et puis, vous, peut-être ?) passent dans la journée, et c'est bien tout... À sa lisière, une ferme qu'un couple d'Anglais a transformée en un charmant hôtel. Sept chambres seulement. À l'étage, chambres mansardées avec lavabo. Beaucoup plus plaisantes au rez-de-chaussée avec douche et w.-c., Également une suite. Salon haut de plafond, salle à manger accueillante. Exquise piscine. Possibilité de location de maisons équipées à côté (le « Poulailler » pour 4 personnes et la « Ferme » pour 6). Prix variant selon la saison.

▸ |●| *Les Vieilles Pierres :* au lieu-dit La Gillette, 24500 Eymet. ☎ 05-53-23-83-17. Fax : 05-53-27-87-14. ● vieilles-pierres@libertysurf.fr ● ✎ (une chambre). Un peu à l'écart du village, route de Marmande. Fermé le samedi midi et le dimanche soir hors période estivale, et 15 jours pendant les vacances scolaires de février et pendant celles de la Toussaint. Toutes les chambres, de 45 à 50 €, possèdent une salle de bains complète. Côté resto, menus de 10,50 à 34 €. À la carte, compter environ 30 €. Bâti autour d'anciens bâtiments du XVIIe siècle, petit hôtel en pleine verdure, chambres neuves (ou presque) et très bien entretenues, claires et bien équipées, autour d'un patio. Piscine, accueil souriant, table très correcte. Une bonne étape pour les amateurs de confort et de calme. Resto, pour déguster une bonne cuisine du terroir.

ISSIGEAC (24560) 630 hab.

Pittoresque village. À ne pas rater pour les amoureux de maisons anciennes. Faire le tour de la ville. Anciens éléments des remparts, maisons fortes (avec peu d'ouvertures sur l'extérieur). Dans les anciennes douves, des jardins... Voir le château des Évêques, les maisons de la Prévôté, de la Dîme, etc. Celle dite « des Têtes » (à l'angle des Grand-Rue et rue Cardenal) présente un colombage sculpté, notamment des têtes aux traits assez grossiers.
Belle église du XVIe siècle, mais intérieur reconstruit au XIXe. Seul le clocher-porche est d'origine ; c'est la partie la plus intéressante.
En face, l'ancienne halle aux grains.

Adresse utile

🅸 *Office de tourisme :* ☎ et fax : 05-53-58-79-62. ● www.issigeac.fr ● Ouvert toute l'année ; du 1er avril au 15 novembre, tous les jours sauf le lundi, de 10 h à 12 h 30 et de 15 h à 18 h ; le reste de l'année, ouvert du mardi au vendredi.

Où manger ?

|●| *Chez Alain :* tour de Ville. ☎ 05-53-58-77-88. ✎ À l'extérieur de la bastide, en face du château. Ouvert toute l'année, tous les jours. Menu à 11 et 14 € en semaine ; autres menus de 19 à 59 €. À la carte, autour de 35 €. Très élégante demeure entièrement rénovée, terrasse splendide autour d'une fontaine de village, salles décorées avec goût et raffinement. Cuisine d'inspiration classique, les plats sont traités avec finesse et originalité. Produits frais au gré des saisons. Les habitués de

la profusion des menus de la région trouveront peut-être les menus un peu courts. Néanmoins, la qualité est au rendez-vous et c'est bien là l'essentiel. Le patron, fort aimable, est souvent en salle, entouré d'un personnel féminin aussi agréable qu'efficace. Un café est offert sur présentation du *GDR*.

Où dormir dans les environs ?

🛏 *Chambres d'hôte chez Françoise et Gérard Boillin :* La Genèbre, 24560 Faux. ☎ 05-53-24-30-21. ● zeldon@club-internet.fr ● À 8 km d'Issigeac, en direction de Monsac par la D 22. Fermé pour les fêtes de fin d'année. Chambre à 53 €, petit dej' compris. Une jolie maison de caractère dans un nid de verdure et des chambres toutes neuves agréables. La « Lotus » nous a beaucoup plu avec son lit à baldaquin. Salle de bains et w.-c. indépendants. Jardin, piscine et jolie vue au calme. Possède également un gîte pour 4 personnes. Sur présentation du *GDR*, 10 % de réduction sur le prix de la chambre hors juillet et août.

Manifestations

– *Marché aux fleurs :* le 1er week-end de mai.
– *Foire aux paniers :* le 2e ou 3e week-end de juillet.
– *Courses hippiques :* début juin (Pentecôte).
– *Foire à la brocante :* début août. Plus de 50 exposants.
– *Expositions temporaires de peintures :* à la salle du Caveau. D'avril à septembre.

Se promener à cheval

■ *La Métairie du Roc :* à Faux, environ 8 km au nord d'Issigeac, en allant vers Lanquais. ☎ 05-53-24-32-57. Promenades et randonnées à cheval ou en roulotte. Gîte d'étape et camping à la ferme.

BEAUMONT-DU-PÉRIGORD (24440) 1 180 hab.

Ancienne bastide anglaise fondée en 1272 sur un « beau mont ». Bâtie en forme de H en souvenir du roi Henri III d'Angleterre. Bien que le bourg présente beaucoup moins d'homogénéité que Monpazier, il possède 43 maisons des XIIIe et XIVe siècles, la plupart classées. De plus, *Saint-Laurent-Saint-Front,* avec sa colossale église, mérite le détour. C'est l'une des plus belles églises fortifiées du Périgord.

Adresses utiles

🛈 *Office de tourisme :* place centrale. ☎ 05-53-22-39-12. Fax : 05-53-22-05-35. ● ot.beaumont@wanadoo.fr ● De mi-juin à mi-septembre, ouvert du lundi au samedi de 10 h à 13 h et de 15 h à 19 h, et le dimanche matin ; hors saison, du lundi au vendredi de 10 h à 13 h et de 15 h à 18 h, et le samedi matin. Bonne documentation sur la région et accueil très sympathique. En juillet et août, visites guidées de la bastide de Beaumont et de Molières sur demande, des villages de caractère des environs, circuit des églises romanes, ainsi qu'un circuit « portes ouvertes » à la ferme le mardi, etc. Brocantes en juin et août. Produits régionaux.

Ne pas manquer de faire ses emplettes de jambon fumé, tripes, ventre de veau, foies divers, chez **Daniel Delpech,** sur la place principale. Ses charcuteries sont renommées et les nombreux jambons qui pendent au plafond font saliver !

Quincaillerie Bariat : rue Foussal. ☎ 05-53-22-30-12. Une véritable institution beaumontaise. On y trouve de tout : d'un garde-manger à des sabots de bois, en passant par une girouette prête à poser sur le toit de votre maison. Ce serait étonnant que vous ressortiez les mains vides de cette caverne d'Ali Baba.

Où dormir ? Où manger dans les environs ?

🛏 |O| **Chambres d'hôte à la ferme, chez M. et Mme Laparre :** Le Tronc, à Labouquerie (24440). ☎ 05-53-22-40-22. À 3 km de Beaumont, route de Monpazier. Accès par la D 26 également. Ouvert toute l'année. Chambre à 33 € avec douche. Demi-pension à 56 € par couple. Menu à 11,50 €. Accueil vraiment sympathique. Bonne cuisine familiale et produits de la ferme. N'accepte pas les cartes de paiement. Digestif maison offert sur présentation du *GDR*.

🛏 **Chambres d'hôte chez Jacqueline Combes :** 24440 Saint-Avit-Senieur. ☎ 05-53-22-31-90. Fax : 05-53-22-48-76. ● combesclaude@aol.com ● À l'entrée du bourg, face à l'école. Chambre à 23 €. Possibilité de rajouter 1 à 2 lits supplémen-

taires dans les chambres (respectivement 28 et 32 €). Idéal pour les familles. Petit dej' à 4 €. Chambres toutes simples (les salles de bains sont communes à 2 chambres). Réservation conseillée.

🛏 **Ferme de séjour, chez Reine et Gilbert Marescassier :** Labouquerie, Petit Brassac, sur la D 660 entre Beaumont et Monpazier. ☎ et fax : 05-53-22-32-51. Chambre double à 40 €, petit dej' compris. Sur une exploitation agricole, une petite ferme du XIXe siècle et une maison d'aspect périgourdin. Trois chambres avec douche ou bains et w.-c. Gîte rural (location à la semaine). Table d'hôte sur réservation. N'accepte pas les cartes de paiement. Apéritif ou digestif maison offert sur présentation du *GDR*.

À voir. À faire

L'église Saint-Laurent-Saint-Front : construite au XIIIe siècle, de style gothique anglais, avec un chevet plat. Apparaît comme une véritable forteresse, avec ses quatre tours. Balustrade avec ravissante frise sculptée en dessous (masques, monstres, animaux fantastiques, représentation des quatre évangélistes, etc.). À l'entrée, le puits primitif permettait aux habitants réfugiés dans l'église en cas de siège de s'abreuver. Large nef avec seulement de petites chapelles en guise de transept. Au milieu à gauche, la chapelle Saint-Joseph est plus ancienne que l'église, comme en témoigne la voussure de la fenêtre en plein cintre. Petite piscine pour les ablutions rituelles des prêtres.

La place centrale : la halle a disparu au XIXe siècle ; malgré cela, la place a encore une belle allure avec des cornières sur trois côtés. La porte de Luzier, vestige des remparts, montre toujours la rainure de la herse. C'est la dernière des seize portes qui ouvraient la ville. Promenade à faire le long des remparts.

> ### DANS LES ENVIRONS DE BEAUMONT-DU-PÉRIGORD

🥾🥾 **L'allée couverte du Blanc :** à Nojals-et-Clottes (24440), au sud de Beaumont. Assez pittoresque. Un des plus beaux mégalithes de la région.

🥾🥾 **Saint-Avit-Senieur** *(24440) :* tout petit village médiéval dominé par son imposante église. Accès libre. En saison, visites guidées tous les jours sauf le lundi, à 15 h, 16 h, 17 h et 18 h. Départ de la halle, sur le côté droit de l'église. Elle faisait partie d'une importante abbaye du XIIᵉ siècle, dédiée à saint Avit et située sur le chemin de Saint-Jacques-de-Compostelle. La façade massive de l'église, sans aucune fioriture, comporte un beau porche rehaussé d'un balcon à redents. Architecture d'inspiration byzantine avec ses 3 coupoles. On est étonné par l'ampleur de la nef (52 x 18 m) et par sa hauteur (18 m aux clefs de voûte). L'église était entièrement décorée de peintures murales avec des entrelacs de rubans de couleur ocre et un motif floral à dominante rouge ou noire. Sur le côté droit de la nef, de grands décors représentant des tentures sont assez bien conservés. L'ensemble, qui vient de faire l'objet d'une restauration très réussie, a été classé Patrimoine mondial de l'Unesco. La disposition des bâtiments conventuels évoque les enclos paroissiaux bretons. On y visite, entre autres, l'ancien presbytère. Un festival d'orgues de barbarie y a lieu chaque année fin juin.

MONTFERRAND-DU-PÉRIGORD (24440) 180 hab.

Nous avons beaucoup d'affection pour ce village au charme curieux. De la D 26, il apparaît, niché dans la verdure, sur une colline. Longue rue en pente bordée de solides maisons paysannes du XVIᵉ au XVIIIᵉ siècle, à la ravissante teinte ocre. Superbe halle du XVIᵉ siècle. Ensemble d'une remarquable homogénéité architecturale. Peu de monde. L'impression d'évoluer dans un décor.

Belle demeure derrière le chevet de l'église, avec fenêtres en anse de panier ou à meneaux.

Sur le chemin menant au château (qui ne se visite pas), impressionnant donjon. D'autres maisons intéressantes avec lucarnes sculptées, meneaux travaillés. Toits traditionnels à quatre, voire huit pentes. Dans le cimetière, à environ 900 m du village, petite église romane du XIIᵉ siècle dédiée à saint Christophe, qui a conservé ses fresques d'origine. Sur la voûte, noter les représentations du soleil et de la lune, on les croirait contemporains.

Où dormir ? Où manger ?

🛏️ |●| *Hôtel-restaurant Lou Peyrol :* au lieu-dit La Barrière. ☎ et fax : 05-53-63-24-45. ● www.hotel-loupeyrol-dordogne.com ● En bas du village de Montferrand, sur la D 26. Ouvert de Pâques à fin septembre. Fermé le mercredi midi, sauf en juillet et août. Chambres à 35 € avec lavabo et à 42 € avec bains et w.-c. Menus de 14 à 28 €. À la carte, compter dès les 22 €. Joli petit hôtel-resto de campagne, posé au bord d'une route très peu fréquentée la nuit. Tenu par Sarah et Thierry, un couple franco-anglais très accueillant. Chambres simples mais agréables et très propres. Les nᵒˢ 7 et 8 offrent une gentille vue sur l'adorable village de Montferrand. Les nᵒˢ 5 et 6 restent fraîches, même en été. C'est une bonne table où l'on vous servira, par exemple, de champêtres omelettes aux cèpes, aux morilles ou bien encore aux girolles, un caneton de Barbarie rôti et, au dessert, un gâteau au chocolat et aux noix. De l'autre côté de la route, même maison, petit snack sympa.

Apéritif maison offert sur présentation du *GDR*.

🛏 |O| *Chambres d'hôte à la ferme de la Rivière :* ☎ 05-53-63-25-25. À 2 km de Montferrand, sur la D 26, entre Bouillac et Montferrand. Jolies petites chambres à 34 € pour 2, petit dej' compris. Compter 32 € par personne en demi-pension. Gîte également, de 250 à 540 € la semaine. Piscine. Apéritif maison offert sur présentation du *GDR*.

🛏 |O| *Chambres d'hôte chez Jacqueline Belgarric :* à Boulègue, 24440 Montferrand. ☎ et fax : 05-53-63-26-42. Accès par la D 26. Chambre à 38 € avec petit dej'. Table d'hôte à 14 €, vin compris. Demi-pension à 33 € par personne. Sur une colline, une charmante maison dans un calme et sympathique environnement. N'accepte pas les cartes de paiement. Café offert sur présentation du *GDR*.

MONPAZIER   (24540)   520 hab.

La plus belle bastide du Périgord (construite par Édouard Ier, roi d'Angleterre). Un miracle qu'elle ait réussi, depuis 1284, à traverser les vicissitudes de l'histoire sans changer une pierre. Place principale quasiment parfaite et qui servit de lieu de tournage à de nombreux films de cape et d'épée. Malgré le rythme irrégulier des arcades, maisons de mêmes dimensions (8 m de façade, 20 m de profondeur). Un faible espace entre elles servait de vide-ordures ou de coupe-feu (dommage qu'en saison cette place soit souvent défigurée par des brocantes, bodega et autres manifestations). Halle du XVIe siècle à la belle charpente de bois sous laquelle sont conservées trois anciennes mesures à grain.

Vers l'église, élégante maison du chapitre. Sur la façade de l'église, proclamation révolutionnaire : « Le peuple français reconnaît l'existence de l'Être Suprême ».

Adresse et infos utiles

ℹ️ *Office de tourisme :* ☎ 05-53-22-68-59. Fax : 05-53-74-30-08. • www.pays-des-bastides.com • Ouvert toute l'année : en avril, mai, juin et septembre, tous les jours de 10 h à 12 h 30 et de 14 h à 18 h 30 ; en juillet et août, de 10 h à 19 h ; d'octobre à mars, de 10 h à 12 h 30 et de 14 h 30 à 18 h (le dimanche et les jours fériés, de 14 h à 18 h seulement, toute la journée pendant les vacances scolaires). Visite guidée de la bastide en été tous les mardis et vendredis à 14 h 30 ; sur rendez-vous hors saison. Circuits de randonnée guidés ou non, et petite brochure en vente. Animations : fête des fleurs, brocantes, vide-greniers, fête du livre, bodega, métiers d'art en Bastide, théâtre et cinéma de plein air en saison. Sorties archéologiques.

– *Marché fermier :* le jeudi matin.
– *Grand marché aux cèpes :* sur la place principale, sous la halle en saison selon la pousse, tous les jours à 15 h. Pour les amateurs de champignons.
– *Foire :* le 3e jeudi de chaque mois, le 8 juillet et le 6 août.

Où dormir ? Où manger ?

🛏 |O| *Hôtel de Londres :* foirail Nord. ☎ 05-53-22-60-64. Fax : 05-53-22-61-98. • www.corupsis.com • À l'entrée de la bastide. Fermé exceptionnellement pendant 1 mois pour travaux du 10 janvier au 10 février 2004. Chambres de 35 à 40 €. 1er menu à 10 € à midi en semaine ; autres menus de 16,90 à 38,20 €. À la carte, compter environ 25 €.

Blaise Cendrars y a séjourné quand il écrivait *Rhum,* Stravinski y a dormi. C'est aujourd'hui un petit hôtel aux chambres classiques, toutes avec douche et w.-c. Resto traditionnel à petits prix. Au bar rempli d'habitués, on rencontre le patron, convivial et chaleureux, et... fondateur du *Corupsis.* Quézaco ? Le Comité pour la réhabilitation et l'usage du passé simple et de l'imparfait du subjonctif ! Croisade sérieuse ou blague de potache ? Le *Corupsis* tient un peu des deux. Kir offert sur présentation du *GDR.*

|●| *Restaurant de la Bastide :* 52, rue Saint-Jacques. ☎ 05-53-22-60-59. ⚒ Fermé le lundi hors saison, ainsi qu'en février. Menus de 13 à 43 €. À la carte, compter dans les 30 €. Grande salle traditionnelle. Cuisine classique faite avec des produits frais. Dommage que la gamme des menus soit aussi restreinte. Rien n'est proposé entre celui à 13 € et celui à 25 €. Spécialité maison : omelette du Curé. Apéritif maison offert sur présentation du *GDR.*

Où dormir ? Où manger dans les environs ?

|●| *Restaurant Les Peyrouliers :* 24540 Lolme ; entre Monpazier et Beaumont. ☎ 05-53-22-66-10. ⚒ Ouvert tous les jours sauf le mardi. Menus de 11,50 à 37 €. Compter 23 € à la carte. Bonne réputation dans la région. Salle à manger classique. Le chef, même s'il n'est pas de la région, a su faire sienne la cuisine périgourdine : entrecôte sauce foie gras, magret aux cèpes... Terrasse ombragée.

🏠 |●| *Ferme de séjour du bourg de Mazeyrolles :* 24550 Mazeyrolles. ☎ et fax : 05-53-29-93-38. Petit hameau perdu entre Monpazier et Villefranche (entre la D 660 et la D 710). Fermé du 15 octobre à Pâques. Chambre à 30 €. Petit dej' à 5 €. Demi-pension à 70 € par couple. Ravissante demeure périgourdine offrant de plaisantes chambres d'hôte. Possibilité de faire une balade en calèche ou de l'équitation. Visite de la ferme et des vergers. Repas en table d'hôte à 15 €. Apéro, digestif et café offerts sur présentation du *GDR.*

À voir

🎨 *L'atelier des Bastides :* ☎ 05-53-27-09-25. Ouvert de juin à septembre, tous les jours de 10 h à 12 h 30 et de 15 h à 18 h 30. Évocation sommaire de la vie de Jean Galmot, aventurier local dont la vie inspirera *Rhum* au grand Blaise Cendrars. Également quelques vestiges archéologiques et expositions diverses.

➤ DANS LES ENVIRONS DE MONPAZIER

🚶 *Marsalès (24540) :* à 2 km au nord de Monpazier. Jolie église édifiée au XIIe siècle en pierre grise. Style assez primitif. Clocher-mur.

VILLEFRANCHE-DU-PÉRIGORD (24550) 811 hab.

C'est la plus ancienne bastide du Périgord (1261). Créée par les Français (avec Domme, voir ce chapitre), elle surveillait l'*Anglois* de Monpazier, Beaumont et Molières. De plan longitudinal, avec trois rues parallèles aboutissant sur la place centrale. Superbe halle montée sur colonnes de pierre. Sur un des côtés, bel alignement de nobles demeures anciennes avec ses andrones (espaces pour empêcher la propagation des incendies). La bastide perdit ses murailles au XVIIIe siècle. Au hasard des rues, quelques maisons avec tourelles à encorbellement.

Ne pas manquer la *maison du Châtaignier, des Marrons et des Champignons :* à côté de l'office de tourisme (mêmes horaires, voir ci-dessous). Biologie et écologie du châtaignier, classification des champignons, histoire et industrie du bois de châtaignier. Sentier de nature du châtaignier de 30 mn environ (renseignements à l'office de tourisme).

Adresse et infos utiles

🄸 *Office de tourisme :* ☎ 05-53-29-98-37. Fax : 05-53-30-40-12. ● ot.villefranchepgd@perigord.tm.fr ● De juin à septembre, ouvert de 9 h 30 à 12 h 30 et de 15 h à 18 h, fermé le lundi après-midi et le dimanche ; hors saison, fermé également le mercredi.

– *Foire aux antiquités :* la 3e semaine d'août.
– *Marché aux cèpes et châtaignes :* tous les jours à 16 h (pour les cèpes) en saison, pareil pour les châtaignes mais le samedi matin.

Où dormir ? Où manger ?

🅧 *Camping la Bastide :* route de Cahors. ☎ 05-53-28-94-57. Fax : 05-53-29-47-95. ● www.camping-la-bastide.com ● Au sud de la ville. Ouvert de début avril à fin octobre. Compter 15 € pour 2 personnes avec voiture et tente. Un 2 étoiles. Terrasses ombragées. Bons sanitaires. Piscine. Location de VTT.

🛌 |◉| *La Petite Auberge :* Les Peyrouillères. ☎ 05-53-29-91-01. Fax : 05-53-28-88-10. À 800 m au sud du village. Bien indiqué. Fermé de fin novembre à fin février. Chambres de 43 à 50 €. Demi-pension possible. Menu à 15 € à midi en semaine ; autres menus de 20 à 35 €, et carte. Grande demeure dans le style du pays, perdue dans la campagne, au milieu d'un vaste jardin avec ses chaises longues bien tentantes. Chambres à la déco d'un bon goût certain. Au resto, cuisine de saison et de terroir (cèpes du Périgord, foie gras mi-cuit, magret à la liqueur de noix...). Terrasse très agréable en été. Piscine. Café offert sur présentation du *GDR*.

➤ DANS LES ENVIRONS DE VILLEFRANCHE-DU-PÉRIGORD

🎏🎏🎏 *Besse :* sur la D 57. Minuscule village de charme en pleine forêt, proposant rien moins que le... plus beau porche roman du Périgord (évidemment, un peu dégradé). Fronton triangulaire soutenu par des masques ou visages grotesques. Quatre chapiteaux historiés sur colonnettes à la remarquable facture. Porche à triple voussure. Personnages finement sculptés (anges, tentation d'Adam et Ève, saint Michel terrassant le dragon, etc.). À ne pas rater !

🎏🎏 *Prats-du-Périgord :* église de forme originale. Style roman fortifié. L'abside à l'extérieur (en forme de tour) est plus haute que le toit. Rare fantaisie architecturale. Château du XIVe siècle (ne se visite pas). À côté, *Orliac.* Intéressante église romane également et un beau pigeonnier.

LE CHÂTEAU DE BIRON

À 8 km au sud de Monpazier, l'un des plus beaux châteaux du Périgord (en tout cas le plus imposant). ☎ 05-53-63-13-39. En juillet et août, ouvert de 10 h à 19 h ; se renseigner pour les horaires le reste de l'année. Entrée : 5 € ; réductions. Visite guidée (de 45 mn à 1 h environ).

Le château surveille la région sur au moins 30 km. Construit au XIIe siècle, il appartint à la même famille (les Gontaut) jusqu'au XXe siècle (24 générations!). Tous les types d'architecture y cohabitent : du donjon du XIIe siècle aux bâtiments du XVIIIe, en passant par une chapelle Renaissance. Superbes cuisines voûtées. Spectaculaire charpente en forme de carène de bateau dans une partie en restauration. Les salles sont aménagées grâce aux décors du film *Les Visiteurs.* Tout est d'un réalisme saisissant et agrémente la visite : chambres, cuisine, salle de torture, échoppe du tisserand... Expos temporaires d'art contemporain en été, mais pas tous les ans. Quelques concerts en saison.

LE LOT-ET-GARONNE

CARTE D'IDENTITÉ

- **Superficie :** 5 384 km^2.
- **Population :** 305 380 habitants.
- **Préfecture :** Agen.
- **Sous-préfectures :** Villeneuve-sur-Lot et Marmande.
- **Activités économiques :** agriculture (les deux tiers de la superficie du département lui sont consacrés), industrie agroalimentaire et tourisme (notamment fluvial).
- **Forêts :** 127 000 ha.
- **Bastides :** 42 (dont Villeréal et Castillonnès).

Prolongement naturel du Périgord, le Lot-et-Garonne recoupe, grosso modo, les frontières de l'ancienne Guyenne (avec un zeste de Gascogne et une pincée de forêt landaise). Il s'offre aux amoureux du tourisme vert et, en général, à tous ceux qui fuient les concentrations touristiques et les atmosphères commerciales pesantes. Certes, il y a moins de châteaux qu'en Périgord, mais plus de bastides et au moins autant de bons lieux gastronomiques. Les bastides en Guyenne ressemblent beaucoup à leurs consœurs gasconnes ; parmi leurs traits communs : une halle pour le marché hebdomadaire ou la foire annuelle au centre du bourg, et des « couverts » (galeries marchandes sous arcades), appelés aussi cornières.

Le Lot-et-Garonne est la région agricole la plus riche du Sud-Ouest : il collectionne les premières places (pruneaux, tomates, melons, asperges, maïs, noisettes, etc.), et possède un vignoble varié et intéressant (côtes-de-duras et buzet notamment, dont les rouges AOC soutiennent sans... rougir la comparaison avec les prestigieux voisins bordelais, mais aussi les gouleyants côtes-de-brulhois et côtes-du-marmandais). Résultat, une qualité de vie et d'assiette, qu'on apprécie même aux tables les plus modestes. Difficile de mal manger dans le coin.

Alors certes, ce Lot-et-Garonne agricole souffre un peu, touristiquement parlant, du carcan imposé par ses grands voisins plus connus. Mais il n'est pas peu fier de dérouler des centaines de kilomètres de routes tranquilles de campagne vallonnée, dont certaines ne connaissent, le matin, que le râle étouffé du « bolide à 2 temps » jaune canari du facteur ! Le département s'enorgueillit également d'être une terre d'accueil. Les travaux des champs ont toujours attiré des bras, venus d'abord de provinces moins riches, et plus tard de pays étrangers. Italiens fuyant le fascisme, Espagnols exilés par la guerre civile, puis Maghrébins et même Vietnamiens dont une importante communauté vit à Sainte-Livrade, faisant cohabiter sur le marché les nems et le foie gras : tous ont ici trouvé une terre où l'on juge les travailleurs plus à leur courage qu'à leur faciès ou leur accent. Dans la rubrique des immigrés plus chic, Anglais et Hollandais, qui s'étaient installés dans le Sud-Ouest pour la tranquillité, fuient la Dordogne pour retrouver dans le Lot-et-Garonne la quiétude que l'engouement touristique périgourdin a, de leur point de vue, un peu gâché.

NB : nous avons découpé le département en plusieurs micro-régions, correspondant, en gros, à la segmentation touristique officielle.

Évidemment, comme toutes les frontières, elles sont sujettes à caution, avec des villes voisines en terme de kilométrage mais distantes de dizaines de pages dans ce guide. On vous fait confiance, vous vous en sortirez.

LE TOURISME FLUVIAL

Le Lot-et-Garonne possède l'un des plus beaux réseaux navigables de France, atout sur lequel il s'appuie pour « booster » son développement touristique. Il faut dire qu'avec ses deux cours d'eau éponymes – le Lot se jette dans la Garonne à Aiguillon, au cœur du département –, il dispose d'artères liquides de premier calibre, autour desquelles a existé, jusqu'au milieu du siècle dernier, une activité économique prospère (pêche, transport de voyageurs et marchandises...). En 1993, le Département a lancé une grande opération de remise en navigation de ses rivières, abandonnées par la batellerie depuis la Seconde Guerre mondiale, en raison de la concurrence de la route et du rail. Aujourd'hui, avec plus de 200 km de voies navigables, 34 écluses, une centaine de bateaux habitables loués par 7 compagnies, le tourisme fluvial est une activité importante pour le département.

Sur le Lot, un peu la Garonne, la Baïse et le canal de Garonne (prolongement du canal du Midi, avec lequel il forme le canal des Deux-Mers qui relie la Méditerranée à l'Atlantique), on redécouvre la douceur des rivières tranquilles où le temps donne l'impression de ralentir. Entre 6 et 10 km à l'heure, on vit au rythme des clochers, du chant des oiseaux, du passage des écluses, et on savoure le calme du cours lent de l'eau. Chaque route liquide possède son charme : le Lot, majestueux et spectaculaire, a creusé une vallée qui alterne les falaises et les grandes plaines. La Baïse, rivière sauvage et douce à la fois, noie son cours dans la verdure. Artificiel et rectiligne, donc plus tranquille à naviguer, le canal de Garonne ne manque pas de charme. Surtout, il enjambe le fleuve par le célèbre pont-canal d'Agen.

N'hésitez donc pas à louer quelques heures les gabarres ou bateaux électriques, ou à emprunter plusieurs jours les caravanes flottantes fort bien aménagées (cuisine, toilettes, salle de douche, plusieurs cabines, etc.) proposées par les compagnies de location, avec lesquelles vous pourrez faire escale dans les haltes nautiques, souvent au cœur des villages. On peut, bien sûr, embarquer des vélos (si vous n'en possédez pas, toutes les compagnies en louent). Seul inconvénient, c'est assez cher, surtout en plein été ; compter dans les 1 300 € la semaine pour 4 personnes. À propos de saison, celle de la navigation dure d'avril à octobre ; hors saison et vacances scolaires, les prix chutent alors de façon conséquente.

Dans la rubrique tourisme « au fil de l'eau », sachez aussi que les berges du Lot ont fait l'objet d'un balisage pour la randonnée à vélo. C'est la « Véloroute », 80 km de petites routes plates et tranquilles, entre Fumel et Aiguillon, qui permettent d'apprécier en toute quiétude villages, vergers et goujons qui frétillent... (brochure au CDT ou dans les offices de tourisme).

Adresse utile

🛈 **Comité départemental de tourisme (CDT) :** 4, rue André-Chénier, BP 158, 47005 Agen Cedex. ☎ 05-53-66-14-14. Fax : 05-53-68-25-42. ● www.lot-et-garonne.fr ● Ouvert du lundi au vendredi de 8 h 30 à 13 h et de 14 h à 18 h (17 h le vendredi).

Contacter le central de réservations (même numéro de téléphone que le CDT ; fax : 05-53-47-36-54. ● www.re sinfrance.com/lot-et-garonne ●) pour toute information sur les gîtes ruraux, les mini-croisières sur les rivières du département... Pour tout renseigne-

locations de vacances

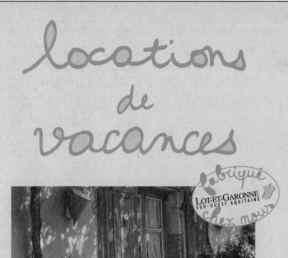

fabriqué chez nous

LOT-ET-GARONNE
SUD-OUEST AQUITAINE

CENTRALE DÉPARTEMENTALE DE RÉSERVATION

actour 47

Tél. : 05 53 66 14 14 / 05 53 66 11 82 / 05 53 66 10 54 - Fax : 05 53 47 36 54
Vous pouvez également réserver d'un simple clic

www.resinfrance.com/lot-et-garonne

Nous écrire, actour47sla@wanadoo.fr

DOCUMENTATION GRATUITE SUR DEMANDE

Comité départemental du tourisme

4, rue André Chénier - BP 158 - 47005 AGEN CEDEX
Tél. : 05 53 66 14 14 - Fax : 05 53 68 25 42

site internet : www.lot-et-garonne.fr

LOT-ET-GARONNE
SUD-OUEST AQUITAINE

PAYS PRODUCTEUR DE VACANCES

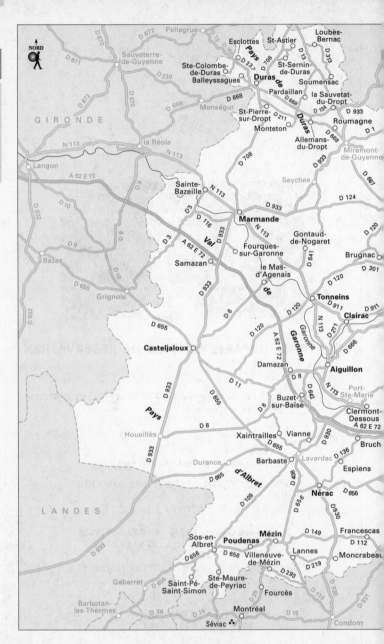

LE LOT-ET-GARONNE

ment spécifique sur les randonnées : *Antenne de la Randonnée,* BP 158, 47008 Agen Cedex. ☎ 05-53-48-03-41. ● www.cdrp47.asso.fr ● Personnel dynamique et de bon conseil. Le CDT est à l'initiative d'une dé-marche intéressante, associant tourisme et produits emblématiques du département, à travers le label « Pays producteur de vacances », que l'on retrouve sur la plupart des brochures.

AGEN   (47000)   32 180 hab.

Pour le plan d'Agen, voir le cahier couleur.

> « Tu me fais trouver pour le soir de ma vie
> Soleil de miel et chemin de velours.
> Je t'aimais bien avec ta belle Garonne
> Et le Gravier qui te sert de trne
> Et tes trois ponts, ton sol qui tant fleurit
> Qu'on le croirait jumeau du paradis... »
> (traduit de l'occitan).

Ainsi Jasmin, le poète d'Agen, exprimait-il son amour pour sa ville. Avec quelques bonnes raisons, car il y fait effectivement très bon vivre. Sur le plan architectural, harmonieuse fusion entre la brique et la pierre. Nombreuses demeures anciennes, du Moyen Âge au XIXᵉ siècle, fort bien restaurées, balisant d'intéressantes petites randonnées urbaines. Bon, avez-vous lacé vos Clarks ?...

Dans le rayon chaussures (et rangers principalement), Agen fut longtemps une ville de garnison avec, notamment, l'École des transmetteurs. La réorganisation de l'armée française et ses nombreux déménagements ont fait trembler la petite économie locale. Soulagement, la ville a récupéré l'École de l'Administration pénitentiaire. Mais Agen ne serait pas Agen sans les exploits de son célèbre club de rugby, le Sporting Union Agenais. Plusieurs fois champion de France – dernier titre en 1992, ça commence à faire long. –, la ville vibre toujours au rythme des charges de son pack d'avants et se souvient avec nostalgie des coups de gueule de son truculent ex-président de la Fédération française de Rugby, Albert Ferrasse. Dans un registre plus cérébral, la ville est aussi la patrie du philosophe Michel Serres. À mi-chemin entre Toulouse et Bordeaux, accueillant de nombreuses expositions et foires, Agen est bien à l'image des autres « capitales » du Sud-Ouest : épicurienne et un brin rebelle.

UN PEU D'HISTOIRE

Au IIᵉ siècle av. J.-C. existait déjà ici *Aginnum,* un oppidum celtique. De l'occupation romaine qui s'ensuivit, la ville ne conserva que de bons souvenirs (mais aucun monument). Elle n'échappa pas pour autant aux invasions barbares aux guerres franco-anglaises (la ville changea onze fois de mains !). Agen y gagna à chaque fois de nouvelles franchises et des privilèges, chaque occupant étant plus généreux que le précédent pour conserver sa fidélité (la ville était située sur l'axe stratégique de la Garonne). Agen était donc dirigée par des autorités locales (consuls, prud'hommes, jurats, etc.). Elle y acquit une certaine indépendance par rapport à tous les pouvoirs (royal, ecclésiastique...). Peut-être cela explique-t-il les traditions républicaines bien ancrées dans la région depuis le XIXᵉ siècle.

La Renaissance apporta également beaucoup à la ville (évêques, médecins et artistes italiens régnèrent intellectuellement sur Agen aux XVᵉ et XVIᵉ siècles). Les guerres de Religion, comme partout, laissèrent la ville meurtrie. En 1789, Agen s'était enrichie et couverte de beaux hôtels particuliers, grâce, en grande partie, aux manufactures de toile. La révolution industrielle porta cependant un coup à son activité. À la fin du XIXᵉ siècle, Agen termina sa mutation et devint définitivement un gros centre agricole et commerçant. Un Haussmann local (faut dire que le vrai baron fut sous-préfet de Nérac) perça alors la ville de larges avenues (Carnot, République). Heureusement, une bienheureuse restauration a permis de retrouver quelques rues montrant leurs maisons aux beaux appareillages de brique.

LE PRUNEAU D'AGEN

La prune arriva de Perse, viaDamas, rapportée par les croisés de la région, survivants de l'expédition de 1148. Une plaisanterie de l'époque racontait qu'ils ne l'avaient faite, finalement, que pour... des prunes ! Elle est probablement à l'origine de l'expression. La principale zone de récolte de prunes du département se trouve aujourd'hui non pas autour d'Agen, comme on pourrait le penser, mais bien dans la vallée du Lot et la région de Villeneuve. C'est également là que sont implantés quelques-uns des plus gros transformateurs (à Casseneuil, notamment). Le terme « pruneau d'Agen » souligne surtout le fait que la production était autrefois expédiée vers Bordeaux par la Garonne, via le port d'Agen... Il n'en reste pas moins qu'il s'agit bien de l'une des principales industries du Lot-et-Garonne, parmi les plus emblématiques. 20 000 personnes en vivent (plus quelques milliers de saisonniers). La prune d'Ente en est la variété principale (très bonne qualité de séchage). Son nom provient de l'*enture,* qui est le nom d'une greffe (assemblage de deux morceaux de bois dans le sens de la longueur). Production annuelle d'environ 30 000 tonnes. En plus des pruneaux secs bien connus, il existe quelques spécialités plus élaborées, comme les pruneaux au sirop, les pruneaux fourrés ou ceux à l'armagnac, la crème de pruneau, etc.

Vous apprendrez tout sur le fruit, son séchage et ses recettes au musée du Pruneau de Granges-sur-Lot (voir cette ville).

Voici une adresse pour les amateurs de pruneaux :

⚜ *La confiserie Boisson :* 20, rue Grande-Horloge. ☎ 05-53-66-20-61. Fax : 05-53-87-76-64. Ouvert du lundi au samedi de 9 h à 12 h et de 14 h à 19 h. Pour découvrir le pruneau depuis son origine dans une maison créée en 1835. Présente un bon petit diaporama sur la fabrication du pruneau. Excellent accueil et succulentes spécialités.

Adresses utiles

🛈 *Office de tourisme* (plan couleur C2, 1) : 107, bd Carnot, BP 237, 47006 Agen Cedex. ☎ 05-53-47-36-09. Fax : 05-53-47-29-98. ● www.ot-agen.org ● Du 1ᵉʳ juillet au 31 août, ouvert du lundi au samedi de 9 h à 19 h et le dimanche de 10 h à 12 h ; le reste de l'année, ouvert du lundi au samedi de 9 h à 12 h 30 et de 14 h à 18 h 30. Bonne documentation et visite de la ville sur demande.

🛈 *Comité départemental du tourisme* (CDT ; plan couleur B2, 2) : 4, rue André-Chénier, BP 158. ☎ 05-53-66-14-14. Fax : 05-53-68-25-42. ● www.lot-et-garonne.fr ●

▮ *Gîtes de France :* 11, rue des Droits-de-l'Homme. ☎ 05-53-47-80-87. Fax : 05-53-66-88-29. ● www.gites-de-France-47.com ●

✉ *Poste* (plan couleur C2) : bd Carnot, face à l'office de tourisme.

AGEN

■ *Taxis :* à la gare. ☎ 05-53-98-32-33 ou 05-53-66-39-14.

▩ *Gare SNCF (plan couleur C1) :* au bout du boulevard Carnot. En moyenne, 4 TGV quotidiens vers et depuis Paris (relié en 4 h). Signalons aux affamés paumés du dimanche soir que le buffet et son restaurant sont ouverts tous les jours, jusqu'au dernier train pour le premier, jusqu'à 22 h 30 pour le second. Menus à partir de 6,90 €. Ne vous marrez pas, ça peut dépanner. ☎ 05-53-66-09-40.

✈ *Aéroport Agen-la-Garenne (hors plan couleur par B2) :* à 3 km du centre-ville, en direction de Condom (à gauche au rond-point, juste après le pont de pierre sur la Garonne). ☎ 05-53-77-00-88. Trois vols par jour en semaine vers et depuis Paris assurés par *Air Littoral.*

■ *Hôpital Saint-Esprit :* sur la N 21 direction Villeneuve, Paris. ☎ 05-53-69-70-71.

Où dormir ?

De bon marché à prix moyens

▤ *Hôtel Régina (plan couleur C1, 3) :* 139, bd Carnot. ☎ 05-53-47-07-97. Fax : 05-53-95-69-51. En plein centre et non loin de la gare. Ouvert toute l'année. Chambres avec douche ou bains et w.-c. de 36 à 40 €. Petit dej' à 5 €. L'hôtel pas cher qu'on souhaite trouver en descendant du train. Géré par un couple d'un certain âge adorable, accompagné d'un toutou. L'hôtel a bénéficié d'une complète remise à neuf. L'ensemble respire le propre, avec des chambres vastes et claires, toutes différentes, très correctement équipées. Un petit côté pension de famille où l'on se soucie vraiment de la tranquillité des hôtes. En dépit du double vitrage, préférer les chambres sur l'arrière. Garage pour voitures.

▤ *Hôtel des Ambans (plan couleur C1, 1) :* 59, rue des Ambans. ☎ 05-53-66-28-60. Fax : 05-53-87-94-01. Fermé pendant le week-end de l'Ascension et pour les fêtes de fin d'année. Attention, la réception ferme le dimanche après-midi à 19 h et en semaine à 23 h. Chambres à 26 et 29 € avec douche et à 30,50 € avec douche et w.-c. Petit dej' à 4 €. Un petit hôtel 1 étoile tout simple, bien tenu et propre, avec tout de même la TV. Déco dépouillée dans les 8 chambres (sauf la 1re du rez-de-chaussée, étape préliminaire d'une réfection globale annoncée), mais les tarifs sont tellement attractifs qu'on ne vous privera pas de cette maison. Patronne vraiment gentille, qui vous accueillera comme un(e) ami(e). Un petit dej' offert par chambre sur présentation du *GDR.*

▤ *Hôtel des Isles (plan couleur A1, 2) :* 25, rue Baudin. ☎ 05-53-47-11-33. Fax : 05-53-66-19-25. Chambres doubles de 29 € avec douche et w.-c. à 32 € avec bains. Petit dej' à 4,50 €. Il y a de grandes chances pour que ce soit le propriétaire de cette jolie maison, organisée autour d'un puits de lumière central, qui vous accueille, son éternel cigarillo vissé au coin des lèvres. Malgré une nonchalance ambiante, on s'aperçoit vite que tout est bien orchestré. Les 10 chambres sont propres et bien tenues, et vous serez normalement au calme dans ce quartier résidentiel. Un hôtel sans étoile qui continue son petit bonhomme de chemin, indifférent aux modes et aux effets de style.

De prix moyens à plus chic

▤ *Atlantic Hôtel (hors plan couleur par D2, 5) :* 133, av. Jean-Jaurès. ☎ 05-53-96-16-56. Fax : 05-53-98-34-80. ✻ Un peu excentré, à 1,2 km du centre-ville, sur l'avenue qui part en direction de Toulouse et Montauban (la N 113). Fermé pendant les vacances de Noël. Chambres à 35 €

avec douche et de 45 à 48 € avec douche ou bains et w.-c. Petit dej' à 5,50 €. Le cadre n'est pas génial, en retrait de la route, derrière une station-service. L'architecture est typique des années 1970, mais les chambres sont spacieuses et calmes, équipées de TV satellite. De plus, la clim' permet d'ignorer la canicule. Et pour finir, la piscine ! On a un faible pour les six chambres donnant sur le jardin. Accueil vraiment cordial. 10 % de réduction et garage gratuit sur présentation du *GDR*.

🏛 **Hôtel-château des Jacobins** *(plan couleur B2, 6)* : 1 ter, pl. des Jacobins. ☎ 05-53-47-03-31. Fax : 05-53-47-02-80. Dans le centre. Ouvert toute l'année. Chambres de 81 à 104 €. Le portail ouvre sur une allée d'arbres séculaires, et on découvre cette belle demeure aristocratique couverte de lierre et vigne vierge. Comme dans un film de James Ivory, on s'attend à ce qu'un maître d'hôtel sorte pour vous accueillir. À l'intérieur, superbe ameublement. Salons cossus, chambres luxueuses. Tout est calme, serein, raffiné et de bon goût. Dommage que l'accueil soit toujours aussi inégal. Un petit ballotin de pruneaux fourrés d'Agen sur présentation du *GDR*.

Où manger ?

De bon marché à prix moyens

🍴 **Crêperie des Jacobins** *(plan couleur B2, 10)* : 3, pl. des Jacobins. ☎ 05-53-66-29-38. Juste en face de l'église des Jacobins. Fermé le lundi, le dimanche et une semaine fin février. Menu à 10 € avec café ou bolée de cidre, à midi seulement. Compter environ 15 € à la carte. Le décor de cette crêperie est plutôt avenant avec ses vieilles pierres, ses poutres et sa grande cheminée. Un grand choix de crêpes et de galettes, et des salades bien fraîches. Le changement de gérant – toujours un Breton ! – n'a en rien modifié la qualité des plats ni de l'accueil, toujours aussi chaleureux et amical.

🍴 **Les Mignardises** *(plan couleur D2, 11)* : 40, rue Camille-Desmoulins. ☎ 05-53-47-18-62. Fermé le lundi, le dimanche et 2 semaines en août. Quatre menus de 10,20 € (sauf les soirs du jeudi au samedi) à 24,40 €. Avant de découvrir cette maison, on pensait qu'un menu autour de 10 € avec de la soupe, une entrée, un plat et un dessert, cela n'existait plus. Bien sûr, ce n'est pas un grand gastro comme son illustre voisin, mais il fait tout de même bon s'asseoir sur les banquettes en moleskine bordeaux pour déguster une langue de bœuf sauce piquante, en humant les odeurs de terroir issues de la cuisine ! Attention, il y a toujours beaucoup de monde à l'heure du déjeuner. Ça vous étonne ? Apéritif maison offert sur présentation du *GDR*.

🍴 **L'Imprévu** *(plan couleur C2, 19)* : 7, rue Camille-Desmoulins. ☎ 05-53-66-39-31. Fermé le lundi soir et le dimanche, ainsi que la 1re semaine de septembre. Menus à 10,50 € (sauf les vendredi et samedi soir), 16 et 21 €. À la carte, compter environ 26 €. Tout le monde semble ici connaître le jeune patron, qui passe allègrement de table en table dans une ambiance bruyante et plutôt gaillarde. Cadre rustico-design pas tout à fait maîtrisé, que fait vite oublier une cuisine régionale franche, servie avec générosité. Excellent bar entier à l'huile d'olive. Dans les menus, le filet de sandre aux écrevisses côtoie avec bonheur les aiguillettes de canard à l'orange et le foie gras poêlé aux pêches. Bref, plus qu'un resto de copains, une adresse qui a su fidéliser en ville ceux qui savent ce que bien manger veut dire !

🍴 **L'Atelier** *(plan couleur C2, 12)* : 14, rue du Jeu-de-Paume. ☎ 05-53-87-89-22. Ouvert du lundi midi au vendredi soir. Fermé la 1re semaine de janvier. Formules de 16 à 24 € le midi et à 22 et 28 € le soir. À la carte, compter environ 35 €. Dans une petite rue du centre, un grand rendez-vous des Agenais, gai et vivant. Très belle salle dominée par les teintes orange (lors de notre passage), où officie un jeune couple de patrons virevoltants. Lui sait fort bien choisir et vendre ses vins ; elle prend toujours le temps de bien servir ses clients. Côté cuisine, pas mal de poisson mais, région oblige, une large place est laissée au canard. Apéritif maison offert sur présentation du *GDR*.

|●| **Chez Angèle** *(plan couleur C1, 14) :* 14, rue des Cornières. ☎ 05-53-66-60-24. Fermé le dimanche et lundi. Plats de 10 à 14,50 € ; desserts à 5 €. Restaurant agréable sous les arcades, qui abritent en saison une grande terrasse toujours fraîche. Beaucoup de monde à l'heure du déjeuner. Il faut dire que les plats, copieux, sont d'un excellent rapport qualité-prix. Si vous préférez un cadre plus intime, vous pourrez vous installer sous les poutres séculaires des deux salles, séparées par la cuisine ouverte où l'on voit le chef en action. Cuisine de terroir, à base de produits frais. Accueil discret et courtois. Bar-lounge confortable à l'étage les jeudi, vendredi et samedi de 21 h à 2 h.

|●| **Le Cauquil** *(plan couleur A2, 15) :* 9, av. du Général-de-Gaulle. ☎ 05-53-48-02-34. Fermé le samedi midi et le dimanche. Compter environ 20 € à la carte. À midi, plat du jour à 7,40 €. Vins de Buzet et Duras au verre. Voilà une bonne adresse pour les gourmets qui, une fois n'est pas coutume, ont une petite faim. Non pas que les portions soient chiches, bien au contraire. Mais ici, il n'y a pas de menu. Tout est sur l'ardoise. Donc, vous pourrez prendre une salade ou un plat sans que l'on vous regarde de travers. Il faut dire que l'ambiance est plutôt bon enfant. Les produits sont frais et bien préparés. Filet de rascasse au coulis de poivrons, croustillant de confit de canard aux échalotes, saumon grillé tapenade, tout est fait pour qu'on se lève de table heureux et ragaillardi. Beau carrelage blanc cassé au sol et briques apparentes. Service gentil et souriant. Café offert sur présentation du *GDR*.

De prix moyens à plus chic

|●| **Restaurant Le Nostradamus** *(hors plan couleur par A1, 16) :* 40, rue des Nitiobriges. ☎ 05-53-47-01-02. Un peu à l'extérieur d'Agen en allant vers Colayrac, prendre la direction Foulayronnes, à droite après le feu rouge ; ensuite, c'est fléché. Ouvert tous les soirs, sauf les lundi et dimanche, plus le dimanche midi. Menu à 20,50 €. À la carte, compter environ 35 €. Menu-enfants. L'origine du nom ? Le célèbre médium médiéval aurait vécu ici avec sa première femme, originaire du coin. Quoi qu'il en soit, c'est une ancienne ferme tout en bois, magnifiquement restaurée, qui remporte un franc succès auprès des Agenais. Il faut dire qu'on a vraiment l'impression de venir dîner à la campagne. L'été, la terrasse permet de manger à l'ombre des arbres et, si vous préférez le grand intérieur, l'alliance rustico-moderne de la déco vous séduira forcément. Ici, pas de surprise. Formule avec un buffet d'une vingtaine d'entrées et une dizaine de desserts. Entre les deux, quelques spécialités plutôt goûteuses : des cailles aux raisins, une canette à l'orange, du poulet au citron vert, du filet mignon de porc ou des viandes grillées dans la cheminée. Accueil jeune et cordial. Apéritif maison offert sur présentation du *Guide du routard*.

|●| **Las Aucos** *(plan couleur B1-2, 17) :* 35, rue Voltaire. ☎ 05-53-48-13-71. Fermé le lundi soir, le mardi et le samedi midi, ainsi qu'en janvier. Menus à 16 € (sauf le soir et les week-ends, à 24 et 39 €). Menu enfants. Dans une rue du quartier médiéval qui, les jeudi, vendredi et samedi soir de mai à septembre, se transforme en immense terrasse, un restaurant dédié à une trop rare déesse de la gastronomie régionale : l'oie (*las aucos* en occitan). Si le midi on sert vite fait mais bien fait des formules classiques, le soir, la bestiole exprime la délicatesse de sa chair par des préparations gentiment originales (cou farci aux herbes, jambon d'oie, côtelettes, etc.) qui flirtent avec la gastronomie. Déco simple mais ambiance agréable : murs en brique,

horloge comtoise et fond de musique classique. Belle et raisonnable sélection de vins. Très gentil accueil. Digestif maison offert sur présentation du *GDR*.

|●| *Restaurant Mariottat* (plan couleur B2, 18) : 25, rue Louis-Vivent. ☎ 05-53-77-99-77. Fermé le lundi, le samedi midi, le dimanche soir et une semaine en février. Menu à 18 € sauf samedi, dimanche et jours fériés ; autres menus de 27 à 49 €. Menu-enfants. À la carte, compter autour de 55 €. Éric et Christiane Mariottat sont installés à un coup d'aile des Jacobins, dans une très belle maison de maître entourée d'un parc où il fait bon manger. Du coup, ils ont conçu un peu la maison de leurs

rêves : ambiance chaleureuse, soin du détail et décor cossu, avec moulure, parquet et lustre impressionnant, propre à magnifier la cuisine du chef. Bien sûr, il continue à jouer avec toutes les ressources du canard, du foie au magret. Alain reste un passionné du terroir et des produits du marché. Tous les matins, il invente, il modifie ses recettes en fonction de ses emplettes. Dès lors, c'est un festival permanent, sans cesse renouvelé. Très belle carte des vins. De plus, les prix des premiers menus sont restés très raisonnables, et vous auriez bien tort de ne pas venir vous y régaler. Excellent accueil. Café offert sur présentation du *GDR*.

Où dormir? Où manger dans les environs?

Camping et hôtellerie de plein air

⚊ *Camping Le Moulin de Mellet :* 47450 Saint-Hilaire-de-Lusignan. ☎ 05-53-87-50-89. Fax : 05-53-47-13-41. ● www.camping-moulin-mellet.com ● Prendre la direction de Bordeaux (RN 113), puis à droite, vers Prayssas (D 107). En pleine campagne, à 8 km à l'ouest d'Agen. Ouvert de début avril à mi-octobre. Compter autour de 10 € pour 2 personnes avec voiture et tente. Des arbres, un petit ruisseau, un étang et des canards qui se promènent. Emplacements pour tentes et location de deux petits chalets équipés, loués à la semaine. Deux belles piscines

(une pour les grands, une pour les petits), un petit parc animalier et une aire de jeux pour enfants. Pas d'animations.

⌂ *Grand Bleu Château d'Allot :* 47550 Boé. ☎ et fax : 05-53-68-33-11. Central de réservations : ☎ 04-68-37-65-65. Route d'Auch, à 6 km au sud, sur la gauche juste avant de franchir la Garonne (en direction de Layrac). Ouvert d'avril à septembre. 60 cottages (capacités 6 personnes) à louer à la semaine dans le parc d'un château. Deux terrains de tennis, 3 piscines, lac aménagé avec plages et jeux.

De prix moyens à plus chic

⌂ |●| *Le Colombier de Touron :* 187, av. des Landes, 47310 Brax. ☎ 05-53-87-87-91. Fax : 05-53-87-82-37. ● www.le-colombier-du-touron. com ● À 5 km à l'ouest d'Agen, en passant le pont sur la Garonne en direction de Mont-de-Marsan (D 119). Hôtel et restaurant fermés le lundi et le dimanche soir. Neuf chambres parfaitement équipées, de 44 à 60 €. En semaine, à midi, une formule 2 plats à 18 €. Menus de 21 à 40 €. Un peu en retrait de la route, cette ancienne ferme transformée en hôtel

connut son heure de gloire, et reçut même la visite d'hôtes aussi prestigieux que le général de Gaulle. Puis l'affaire tomba dans l'oubli. En 1999, elle fut réanimée par une famille qui connaît le métier. Résultat : des chambres fort agréables, dont certaines donnent sur le parc (nos préférées) et possèdent un petit balcon. Côté cuisine, des plats de terroir et du poisson, exclusivement frais, généreusement préparés et servis dans une salle à manger largement ouverte sur le jardin. Tous les midis et tous les soirs, on peut donc jauger l'humeur du chef et s'en tirer avec une addition très raisonnable. Sur présentation du *GDR*, 10 % de réduction sur le prix de la chambre d'octobre à février.

🛏 |🍴| *Hôtel Le Prince Noir :* 47310 Sérignac-sur-Garonne. ☎ 05-53-68-74-30. Fax : 05-53-68-71-93. 🍴 Même direction que l'adresse précédente, mais continuer tout droit pendant encore 5 km sur la D 119. Fermé le dimanche soir. Doubles de 54 à 88 €. Petit dej' à 6,50 €. Menus de 17 à 30 €. Un bel hôtel installé dans un ancien couvent du XVIIe siècle, qui doit son nom au fils d'Édouard III, lieutenant général d'Aquitaine qui dévasta le Sud-Ouest durant la guerre de Cent Ans. On pénètre dans la cour par une tour-porche. Autour et à l'étage, des chambres confortables, toutes avec TV et Canal +. À la carte, de bonnes recettes du terroir préparées soigneusement. Piscine et tennis. Pensez à réserver : l'hôtel accueille régulièrement des séminaires ainsi que l'équipe de rugby d'Agen, qui vient ici se mettre au vert avant les matchs. Apéro offert sur présentation du *GDR*.

Où boire un verre ? Où sortir ?

🍸 *Cohibar Café (plan couleur A2, 20) :* 75, péristyle du Gravier (sur les jardins). ☎ 05-53-48-13-33. Ouvert le jeudi de 20 h à 3 h 30 et les vendredi et samedi de 22 h à 5 h. Consos alcoolisées autour de 4 €. Les « Cubains d'Agen » ont ouvert ce bar chaleureux pour laisser libre cours à leur passion latina. Photos de La Havane, posters du « Che » et leçon de salsa (le samedi à 20 h 30). Bonne ambiance, mobilier de récup' et musique forte. Punch offert aux lecteurs sur présentation du *GDR*.

🍸 *Le Colonial Café (plan couleur B2, 22) :* 10, av. du Général-de-Gaulle. ☎ 05-53-48-28-10. Ouvert de 8 h (9 h le samedi) à 1 h, voire 2 h en fin de semaine. Fermé le lundi et le dimanche. Sur le cours qui longe la Garonne, un grand café un peu design auquel on accède par quelques marches de métal. Un des rendez-vous des rugbymen, donc grosse ambiance les soirs de match. À midi, les employés du quartier y apprécient le plat du jour (8,50 €, quart de vin inclus).

🍸 *La Bodega (plan couleur B2, 24) :* 7 bis, pl. Jasmin. ☎ 05-53-48-26-83. Ouvert tous les jours sauf le dimanche. Un lieu de passage traditionnel pour tous les jeunes et moins jeunes de la ville. Comme son nom l'indique, ambiance tapas et « corridas » autour du grand bar central, sur fond de musique éclectique. Tables guéridon et salle à l'étage. Un endroit où l'on circule et où l'on peut aussi se restaurer (poisson, viande grillée *a la plancha*...). Parfois un peu bruyant.

🍸 ♪ *Le Saint-Barth (plan couleur A2, 25) :* 132, quai Baudin. ☎ 05-53-66-33-31. Ouvert du mercredi au samedi. Entrée payante. C'est toujours l'endroit où il faut être vu pour faire partie du Tout-Agen. La boîte mode dans le *mood,* assez intime malgré ses baies vitrées. Musique souk, latina et Caraïbes, avec quelques concessions obligées aux tubes du moment.

À voir

🎨🎨🎨 *Le Musée municipal des Beaux-Arts (plan couleur B2) :* à l'angle de la rue des Juifs et de la place du Docteur-Esquirol. ☎ 05-53-69-47-23. Ouvert de 10 h à 18 h (17 h du 1er octobre au 30 avril). Fermé le mardi, ainsi que le 1er dimanche du mois. Entrée : 3 € ; réductions. Un des plus beaux musées du Sud-Ouest, abrité dans pas moins de quatre superbes hôtels particuliers (d'Estrades, de Vaurs, Vergès et Monluc). Architecture et styles fusionnent pour donner un ensemble exceptionnel. Les collections couvrent presque toute l'histoire de l'art, de la préhistoire aux années 1960. Assez belle muséographie, même si la logique de l'enchaînement des salles peut sembler être un peu la pagaille. Impossible de tout énumérer ; voici donc les points forts du musée.

– À tout seigneur tout honneur, citons en tête les cinq chefs-d'œuvre de Goya : *Autoportrait, Scènes de caprices, Le Ballon, Portrait équestre de Ferdinand VII* et *Messe de relevailles*.

– Mosaïque des thermes d'Agen, sarcophages, antiquités romaines (dont la célèbre Vénus du Mas). Section mérovingienne.

– *Section archéologique :* collection de silex. Dans les anciennes prisons de la ville (brrr !), exposition de pierres, silex, ossements divers.
Magnifique escalier à vis de l'hôtel de Vaurs, menant à la *section peinture.* Toiles de l'école flamande, *Nature Morte* de De Heem (XVIIᵉ siècle), portraits attribués à Corneille de Lyon.

– Dans la *section XVIIᵉ siècle,* une huile sur toile du fils du Tintoret, retrouvée quasi par hasard dans une réserve du musée en 1997. Très abîmé, le tableau, dûment authentifié, a bénéficié d'une remarquable restauration. Collections de faïences, avec notamment une ancienne pharmacie. Céramiques peintes.

– *Peinture du XVIIIᵉ siècle :* Tête de jeune fille et *Portrait de jeune homme* de Greuze, puis, parmi les plus belles pièces du musée : *Jugement de Paris, Portrait du comte de Toulouse* de François de Troy (le fils de Louis XIV et de Madame de Montespan), *Natures mortes* d'Oudry.

– *Section XIXᵉ siècle :* Portrait de Charles Fourier de Courbet ; *Étang de Ville-d'Avray* de Corot, sans oublier *La Matinée de septembre* de Sisley.

– *Section XXᵉ siècle :* Musiciens à la campagne de Dufy. Salle consacrée à Roger Bissière, élève de Picasso. Nombreuses œuvres où l'on sent son influence. Puis Henri Lebasque qui lorgne du côté des impressionnistes, à mi-chemin entre Picasso, Renoir et les pointillistes. De Picabia, *Bord du Loing, Effet d'automne.*

– *Salle du Docteur-Esquirol :* l'une des plus riches. *Charles IX* et *Élisabeth d'Autriche* de Clouet, *Portrait en grisaille* de Van Dyck, superbe *Tête d'enfant* de Greuze. Belle collection d'objets asiatiques.

🎥 *Le théâtre municipal (plan couleur B2) :* ne manquez pas de jeter un œil à cette massive construction de 1906. Bâti en ciment armé, le théâtre fut l'un des premiers édifices incombustibles.

🎥🎥 *Notre-Dame-du-Bourg (plan couleur C2) :* rues Montesquieu et des Droits-de-l'Homme. Très belle chapelle en brique du XIIIᵉ siècle. Mur-clocher. Intérieur entièrement restauré. Voûte romane sur le côté décoré de médaillons. Jolis chapiteaux dans les bas-côtés.
Au nº 12, rue Montesquieu, *hôtel d'Escouloubre* du XVIIIᵉ siècle. Noble façade sur cour.

🎥🎥 *Le musée de la Résistance (plan couleur C2) :* 40, rue Montesquieu. ☎ 05-53-66-04-26. Ouvert de 14 h 30 à 18 h. Fermé le lundi et le dimanche. Gratuit. Une seule salle évoquant en objets, photos et documents les années noires. Sur des panneaux sont rassemblées les cartes de déportés de la région. Très émouvant.

🎥🎥 *La cathédrale Saint-Caprais (plan couleur C1) :* date en grande partie des XIᵉ et XIIᵉ siècles ; plutôt romane mais on peut noter quelques apports gothiques, notamment la tour de l'horloge, du XVIᵉ siècle. Dans la nef, clés de voûtes remarquables, comme celle représentant sainte Foy dans la première travée. Quelques beaux chapiteaux romans historiés. Remarquez ceux représentant sainte Foy et saint Caprais. Ils ont dû en faire des choses ici, ces deux-là ! Absides et absidioles composent un ensemble harmonieux. Chevet remarquable de pur style roman du XIIᵉ siècle, un des plus imposants du Sud-Ouest. Porche aux neuf voussures très fines. La décoration intérieure, des peintures très colorées du XIXᵉ siècle, contraste vivement avec la sobriété de l'extérieur. En saison estivale, comme un certain nombre de bâtiments agenais, la cathédrale est illuminée le soir. Juste derrière, caché par l'imposant porche du nᵒ 14 de la place Monseigneur-Pouzet, le **tombeau de Saint-Caprais** (IVᵉ siècle), l'un des plus anciens monuments d'Aquitaine, est malheureusement invisible pour les visiteurs. Non loin, on aperçoit le clocher en brique et pierre de l'**église Sainte-Foy.** Pas d'intérêt particulier, si ce n'est que sa nef fut déplacée pour permettre le percement du boulevard Carnot au XIXᵉ siècle.

🎋 À deux pas, rue des Augustins (et angle Arago), vous pourrez voir la **tour du Chapelet,** l'un des derniers vestiges de l'enceinte du XIᵉ siècle. Initialement tour de défense, elle servit au Moyen Âge de clocher au couvent des Bénédictines qui couvrait l'équivalent de plusieurs pâtés de maisons, avant d'être démantelé à la Révolution. Appareillage pierre et brique. Rue Floirac, parallèle à la précédente, l'**hôtel Amblard,** du XVIIIᵉ siècle.

Rue du Puits-du-Saumon, la **maison du Sénéchal,** l'une des plus belles bâtisses d'Agen. Édifiée au XIVᵉ siècle, avec quatre grandes fenêtres ouvragées.

La **rue des Cornières** et la **place des Laitiers,** bordées toutes deux d'arcades de différents aspects et époques, sont le cœur de la vie commerçante depuis le Moyen Âge. Dans la rue, on remarquera plusieurs maisons à colombages et, sur la place, la petite et contemporaine statue du pèlerin de Saint-Jacques, un des symboles de la ville. En face, le marché couvert, immonde sur le plan architectural mais bien approvisionné et sympa pour aller boire un café le matin (on y croise parfois des « figures » à la Maïté...). Les percées haussmanniennes du XIXᵉ siècle (boulevards Carnot et de la République) ont un peu bouleversé l'ordonnance médiévale de la ville, ramenant la vie commerçante autour de ces axes. D'intéressants immeubles Art déco furent édifiés. Signalons la façade de celui des *Nouvelles Galeries* (boulevard de la République), et au 92, bd Carnot, un mini-*Flat Iron,* comme à New York.

🎋🎋 À l'angle des rues Voltaire et Richard-Cœur-de-Lion, belle demeure penchée à pans de bois. À deux pas, **rue Beauville,** l'un des plus remarquables ensembles médiévaux de la ville, fort bien restauré : une série de splendides maisons à encorbellement, colombages et fin remplage de brique.

🎋🎋 **L'église des Jacobins** *(plan couleur B2)* : construction du XIIIᵉ siècle en brique. Ouvert l'été. Elle est la mémoire des grands événements de la ville. En 1279, Philippe le Hardi y restitua l'Agenais aux Anglais. En 1561, l'église devint le quartier général des huguenots, puis elle servit de prison sous la Terreur. Elle a été rénovée et possède à l'intérieur de très intéressantes fresques gothiques en trompe-l'œil, ainsi que des baies trilobées du XIVᵉ siècle. Expositions.

🎋 **Les jardins du Gravier** *(plan couleur A2)* : chantée par le poète Jasmin, cette grande esplanade sur les bords de la Garonne est l'une des promenades favorites des Agenais. Une jolie passerelle enjambe le fleuve. Pas mal de bars. Marché le samedi matin et parking les autres jours.

🎋 **La tour de la Poudre** *(plan couleur B2)* : vestige de l'enceinte du XVIᵉ siècle.

🎋 **Le pont-canal** *(plan couleur A1)* : accès piétons depuis le haut de l'avenue du Général-de-Gaulle. Construction singulière sur 23 arches, réalisée entre 1839 et 1843 pour permettre au canal de Garonne de la franchir (il n'est donc plus ici latéral, mais perpendiculaire !). Ce surprenant ouvrage, le 2ᵉ plus long de France après Briare, perd environ 2 000 m³ d'eau par an. On la voit suinter sur les piliers. Prendre l'escalier qui permet de grimper sur le chemin de halage pour avoir une vue rigolote de ce cours d'eau qui en traverse un autre. On trouve deux autres ponts semblables en France : à Bar-le-Duc et à Barberey. Celui d'Agen échappa de peu à la destruction lors de la grande crue de 1930. L'eau baissa subitement alors qu'était prise la décision de le faire sauter pour permettre aux troncs d'arbres qui buttaient sur les arches de passer. Ouf !

À faire

Promenades fluviales : sur *l'Agenais,* au départ du port de plaisance d'Agen (route de Villeneuve ; *hors plan couleur par D1*). ☎ 05-53-87-51-95. Sur un bateau-promenade de 11 m, promenade fluviale commentée de 1 h 30 qui permet d'aller au-delà du pont-canal d'Agen. De mi-juillet à mi-août, les lundi, mardi, mercredi et dimanche à 14 h 30 et 16 h 30 ; de début avril à mi-juillet et de mi-août à fin octobre, le dimanche à 15 h. Tarif pour les individuels : 6,10 € ; réductions et tarifs groupes. Sur réservation, au plus tard le jour même avant 12 h. Autre promenade d'1 h 30 avec croisière-repas sur le même bateau, depuis le port de Boé (à 6 km d'Agen, par la N 113 direction Toulouse).

– Location de bateaux habitables sans permis : *Locaboat Plaisance,* port de plaisance d'Agen. ☎ 05-53-66-00-74. Fax : 05-53-68-26-23.

Randonnée pédestre : en boucle au départ d'Agen. 5 km, 1 h 45 aller et retour sans les arrêts. Facile. Balisage : aucun, mais vous ne risquez pas de vous perdre. Réf. : *Le Lot-et-Garonne. Le Pays de l'Agenais, les chemins de découverte.* Éd FFRP. Carte IGN 1840 Est. Les bords du canal de la Garonne sont un lieu de balade incontournable pour les Agenais. Aménagement en espace vert, vue panoramique sur la ville d'Agen et les coteaux, passerelle piétonne, quatre écluses et les saules pleureurs, des chênes et des platanes sont au programme de ce circuit. D'Agen, prenez la direction de Bordeaux par la N 113. À la sortie de la ville et au sommet de la côte après le pont sur la Masse, vous apercevez sur la gauche les arches du pont-canal. Laissez votre voiture pour emprunter la rive droite du canal. Un panneau marque le passage du GR 652 ou chemin de Compostelle. Après avoir dépassé les arches du pont-canal, continuez le long du canal par l'ancien chemin de halage jusqu'à la 4e écluse où vous traverserez le pont. Le retour se fait par l'autre rive. Facile, non ?

Marchés et foires

– **Foire des Animaux gras :** le 2e lundi de décembre.
– **Foire aux Pruneaux :** à la mi-septembre. Renseignements : ☎ 05-53-69-47-37 ; ou à l'office de tourisme.
– **Marchés fermiers :** toute l'année, avec toute la production locale. Le mercredi et dimanche matin, place du Pin ; le samedi matin, esplanade du Gravier.
– **Marché biologique :** toute l'année, place des Laitiers, le samedi matin.

Culture

– **Centre culturel :** rue Ledru-Rollin. ☎ 05-53-66-54-92. Expos, animations, cinéma art et essai.
– **Théâtre Ducourneau :** pl. du Docteur-Esquirol. ☎ 05-53-66-26-60 (locations). Concerts, danse, humour, spectacles... Programmation éclectique et dynamique.

– **Théâtre du Jour et café littéraire** (hors plan couleur par D1, 23) : 21, rue Paulin-Régnier. ☎ 05-53-47-82-09. Il s'agit en fait d'une école de théâtre, animée par Pierre Debauche. Le mercredi à 19 h et le samedi à 23 h, café littéraire avec textes et chansons. Pierre Debauche s'occupe également de spectacles pour enfants (théâtre du Petit Jour, 13, rue Raspail ; ☎ 05-53-48-03-72) et organise deux *festivals* en juillet, celui des Bouts-de-Choux et un festival d'auteur, dans le cadre du Théâtre en plein air.

– **Le Florida** : 95, bd Carnot (tout proche de l'office de tourisme). ☎ 05-53-47-59-54. Cet ancien cinéma accueille un centre dédié à la musique amplifiée. Concerts de temps en temps (minimum deux par mois) et bar avec connexion Internet (du mardi au samedi de 9 h à 19 h).

➤ DANS LES ENVIRONS D'AGEN

➤ **Promenade sur la colline :** du pont-canal, on peut monter, à pied ou en voiture, sur le coteau de l'Ermitage, lieu de la première installation humaine du site. Jolie vue sur la ville. Il s'agissait dans les années 1950 du quartier résidentiel le plus recherché d'Agen.

🐾 **Les serres exotiques Végétales Visions :** 47450 Colayrac-Saint-Cirq. ☎ 05-53-67-07-77. ⚹ À 6 km à l'ouest d'Agen, sur la N 113, direction Bordeaux. Ouvert de 9 h à 12 h et de 14 h à 19 h. Fermé le lundi sauf en juillet et août, et du 15 au 30 janvier. Entrée : 4 € ; réductions ; tarif réduit sur présentation du *GDR*. Visite guidée (au même prix) quand il y a du monde. Un couple de paysagistes passionnés par les plantes rares et exotiques a aménagé une grande serre de 800 m², où prospèrent des variétés inconnues sous nos latitudes (citrons géants, plantes carnivores, céropégia, etc.). Beaucoup de plantes aromatiques qui réveillent le nez et une petite collection de bonsaïs. Voir aussi le pigeonnier hexagonal sur pilotis, qui accueille des expos. Visite intéressante (prévoir 1 h environ). Très agréable bar sous serre (et excellent cocktail maison !), expositions d'artistes. Bon accueil.

🌿 **Le parc Walibi Aquitaine :** château de Caudouin, 47310 Roquefort. ☎ 05-53-96-58-32. Fax : 05-53-96-58-47. À environ 3,5 km à l'ouest d'Agen, en franchissant la Garonne. Accès par la A 62 (Bordeaux-Toulouse), sortie n° 7 Agen. Ouvert de mi-avril à fin octobre, généralement de 10 h à 18 h (19 h, parfois 21 h et même 23 h en juillet et août) ; attention, en avril, mai, juin, septembre et octobre, le parc n'ouvre pas tous les jours, et principalement le week-end. Prix : 21,50 € (19,50 € par l'office de tourisme d'Agen) ; 16 € pour les enfants de 3 à 11 ans ; gratuit jusqu'à 2 ans. Parking payant. L'incontournable parc de loisirs pour occuper les bambins, avec sa vingtaine d'attractions (dans les airs, sur les eaux) et ses spectacles (otaries, cirque italien)... Au milieu du parc de 30 ha, un château du XVIIIe siècle abrite l'un des restaurants du parc.

LE PAYS AGENAIS – LE BRULHOIS

Au sud-est d'Agen, c'est une région de plateaux argilo-calcaires et de bas coteaux qui fleure bon la Gascogne. Terreau propice à la culture de la vigne, qui produit ici un bon petit vin : le côtes-de-brulhois. Déjà connu pendant la guerre de Cent Ans et apprécié des Templiers. Vin bien charpenté et de grand caractère, à la robe foncée (proche du cahors et du madiran). Il faut le conserver de 7 à 10 ans à température constante. Il accompagne fort bien gibier, viandes riches et fromages. En outre, prix extrêmement abordable. Il y a environ 150 producteurs répartis sur les 36 communes qui bénéficient de l'appellation VDQS (vin délimité de qualité supérieure). On peut en trouver aussi dans deux caves coopératives à Goulens et à Donzac, dans le Tarn-et-Garonne voisin.

LAYRAC (47390) 3 295 hab.

À une dizaine de kilomètres au sud d'Agen, voilà un village calme et bien agréable. Cette bourgade est construite sur une colline en surplomb du Gers, presque au confluent avec la Garonne. L'histoire de Layrac surgit au XIe siècle, lorsque l'église prieurale est donnée par la famille de Bruilhois à l'abbaye de Cluny. Le pape Urbain II passa même par là, en 1096. Voilà les seules et lointaines lettres de noblesse de ce village, qui cache en son sein de jolis vestiges d'architecture.

LE PAYS AGENAIS-LE BRUILHOIS

Adresse utile

■ **Office de tourisme :** rue du Docteur-Ollier, derrière la mairie. ☎ et fax : 05-53-66-51-53. De mi-juin à mi-septembre, ouvert le lundi de 15 h à 18 h 30, du mardi au vendredi de 9 h à 12 h 30 et de 15 h à 18 h 30, et le samedi de 9 h à 12 h 30, le reste de l'année, ouvert du lundi au vendredi de 8 h 30 à 12 h 30 et de 14 h à 17 h.

Où dormir ? Où manger ?

🛏 |◉| **Hôtel-restaurant La Terrasse :** pl. de la Mairie. ☎ 05-53-87-01-69. Fax : 05-53-87-14-13. En plein centre. Fermé le lundi et le dimanche soir. Double à 29 € avec douche et w.-c. Petit dej' à 5,40 €. Menu à 13 € le midi en semaine ; autres menus de 16,50 à 24,50 €. Hôtel plutôt sympathique, offrant des chambres correctes et simples. C'est surtout pour la cuisine qu'on se retrouve ici. Le chef joue avec les produits du terroir et prépare de bons plats simples et traditionnels. Une cuisine « bourgeoise », de première communion, un peu à l'image du lieu. Au fil de la carte, par exemple, la fricassée de lotte au curry taquine le magret de canard au poivre vert.

À voir au fil des ruelles

🎬🎬 Jolie **place Jean-Jaurès** avec ses vieilles maisons à arcades. À deux pas, passez sous le clocher-tour, dernier vestige de l'ancienne église démolie en 1791. Porche gothique. La partie supérieure, en brique rouge, est du XVIIIe siècle.

🎬🎬 **Place du Royal,** esplanade offrant un beau point de vue sur les vallées du Gers et de la Garonne. De là, vous obtiendrez également le meilleur coup d'œil sur le superbe chevet de l'**église Saint-Martin.** Ouvrage de style romano-byzantin du XIIe siècle, avec un dôme du XVIIIe siècle particulièrement hardi. Sur la façade principale, remarquables chapiteaux sculptés de monstres et démons imbriqués les uns dans les autres. À l'intérieur, retable de marbre et belle mosaïque (si c'est fermé, demandez la clef au prieuré d'à côté).

🎬 Reprendre la grande avenue (Massenet) jusqu'à la place de Salens. À deux pas, une pittoresque **fontaine** s'appuyant sur les vestiges des anciens remparts. Ensemble peu ordinaire : fontaine-bassin circulaire du XVIIe siècle, suivi de l'abreuvoir, puis du lavoir, récemment restauré. Dans le prolongement de l'avenue Massenet, étrange croix de chemin exprimant de nombreux symboles mystérieux.

🥾 Enfin, achever cette gentille balade dans le *vieux quartier,* fort bien restauré (rue de la Piche, rue des Sept-Sceaux). À côté, château du XIIIᵉ siècle, embelli au XVIIIᵉ siècle (ne se visite pas).

Manifestations

– *Carnaval :* en mars.
– *Layrac en fête :* bandas et groupes régionaux pendant 3 jours, vers le 20 mai.
– *Brocante :* le 1ᵉʳ dimanche de juillet.
– *Fête des Vendanges :* mi-septembre.

➤ DANS LES ENVIRONS DE LAYRAC

Jolies petites routes de campagne ondulantes, où l'on ne croise guère que les Clio de La Poste (eh oui, tout évolue !). Parfois aussi quelques 4L et tracteurs vieillissants...

🥾🥾🥾 *Moirax (47310) :* à ne pas manquer pour l'un des plus beaux prieurés romans de la région (XIᵉ siècle). Il apparaît comme un grand vaisseau rectangulaire. Remarquables façade et mur-clocher couvert. Délicates voussures ciselées du porche sur colonnettes. Noter la richesse décorative des baies sur le côté et au-dessus du porche. À l'intérieur, très intéressants chapiteaux où les animaux dominent : fauves, oiseaux, etc. On remarque aussi une scène de la Tentation et saint Michel terrassant le Dragon.

🥾🥾 *Estillac (47310) :* village fameux pour son beau château du XIIIᵉ siècle mais beaucoup modifié au XVIᵉ siècle. Pittoresques bastions avancés. Demeure du maréchal de France, Blaise de Montluc.

🥾 Dans le village voisin, à *Aubiac (47310),* belle église romane également. Architecture sévère, presque militaire. Plus loin, *Laplume (47310)* présente une intéressante église Renaissance avec une tour-clocher assez caractéristique.

🏠 |◑| *Le Château de Lassalle :* 47310 Laplume. ☎ 05-53-95-10-58. Fax : 05-53-95-13-01. À 5 km du village vers Astaffort, par la D 15 puis la D 268. ● www.chateaudelassalle.com ● Fermé le dimanche soir (sauf en saison) et à la clientèle individuelle du 15 janvier au 30 mars. Chambres de 99 à 211 €. Petit dej' à 14 €. Formule détente à midi à 20 € (plat, dessert, café) ; sinon, menus à partir de 34 €. Dans la rubrique « Très chic », cette ancienne ferme, maison de vacances d'un couple de Parisiens, fut transformée, à la faveur d'un changement radical de vie, en hôtel de charme. En pleine nature, au milieu d'un parc (avec, bien sûr, une piscine) et au fond d'une allée de chênes centenaires (avec, évidemment, un pigeonnier), une solide bâtisse prolongée par deux ailes (la « sud » a conservé ses parquets d'origine). Beaucoup de goût dans l'aménagement des chambres (surtout les plus chères, magnifiques) et plein d'objets chinés, de tableaux et de petites délicatesses. À table, une bonne dose de terroir (foie gras, truffe, canard, etc.) et une touche féminine qui fait chanter fruits et légumes. Une étape de charme et au calme, à condition qu'un séminaire de cadres stressés n'ait pas décidé d'y poser ses valises. Salle agréable pour fumer des havanes en buvant de l'armagnac. La grande vie, quoi. Sur présentation du *GDR,* 10 % de remise sur le prix de la chambre, ainsi qu'un petit dej' offert par chambre.

➤ *PLUS LOIN, À L'EST DE LAYRAC*

DUNES (82340)

Bastide de plan carré du XIIIe siècle. Place à cornières avec mairie à arcades. Sur l'un des côtés, superbe demeure à pans de bois et remplage de brique, chargée d'histoire. Bel appareillage de poutres et piliers en bois. Elle appartint aux seigneurs de Dunes, dont l'un, en 1574, compta parmi les nombreux amants de la reine Margot.

CAUDECOSTE (47220)

Le village, fondé au Xe siècle, doit son nom à sa position élevée. En effet, pour y arriver par le flanc nord, il faut gravir une pente assez raide qui a valu au village le nom de « Calda Costa ». Le bourg compte de nombreuses maisons à colombages (et quelques termites...). Pans de bois à potelets, colombages en croix de Saint-André, façades badigeonnées au lait de chaux ou en brique et pierre enduite, etc. À la belle saison, les marronniers ajoutent une note de verdure qui contraste bien dans le tableau. L'une des maisons près de la mairie possède encore un poste de guetteur sur le toit.

■ *Karting de Caudecoste-Agen Kart 47 :* au sud de Caudecoste en allant vers Astaffort (D 114). ☎ 05-53-87-31-42. Ouvert tous les jours sauf le mardi matin en été, le mardi toute la journée hors saison. Un circuit pour jouer les Fangio au ras du sol. Location et vente de karts. À partir de 6 ans pour les mini-karts (60 cm^3) et de 12 ans pour les 80 cm^3. Quads. Également des baptêmes en ULM. Mini-golf, étang de pêche, aire de *paint-ball,* café-restaurant...

ASTAFFORT (47220) 1 958 hab.

Cette petite ville du Brulhois, à l'extrême sud du département, possède un petit charme finalement assez commun. Mais elle vit naître Francis Cabrel, une des figures de proue de la chanson française, toujours très impliqué dans la vie locale (et on se permet de l'en féliciter). Ce bon Francis y organise, d'ailleurs, deux fois par an (mars et septembre), les « Rencontres des Voix du Sud », réunion de jeunes chanteurs qui proposent en fin de session un concert au public (renseignements à l'office de tourisme).

Adresses utiles

🄸 *Office de tourisme :* pl. de la Nation. ☎ 05-53-67-13-33 ou 05-53-67-10-06. ● www.astaffort.com ● Ouvert toute l'année du lundi au samedi de 9 h à 12 h et de 14 h à 18 h (17 h hors saison).

– Pour en savoir plus sur le Brulhois : ● www.brulhois.com ●
✼ Signalons également à Astaffort une *fabrique de jouets en bois* animée par les époux Weber (*La Clotte,* ☎ 05-53-67-10-87).

Où dormir ? Où manger ?

🛏 |●| *Hôtel Le Square-restaurant Michel Latrille :* 5, pl. de la Craste. ☎ 05-53-47-20-40. Fax : 05-53-47-10-38. ● www.latrille.com ● 🍴 En plein centre. Hôtel fermé le dimanche soir, sauf en juillet et août. Restaurant fermé le lundi, le mardi midi et le dimanche soir, ainsi que 1 semaine en mai, 3 semaines en novembre. Chambres doubles de 62 à 120 €. Petit dej' à 10 €. Menus à 22 € (sauf les week-ends et jours fériés), 34 et 52 €. Ambiance provençale, décor égayé de couleurs chaudes dans cette très belle auberge (subtils éclairages jaune et bleu dans la salle de restaurant). Chambres très confortables, toutes personnalisées, à l'harmonie étudiée. Michel Latrille, qui régala longtemps les Agenais, officie avec talent en cuisine, dans un restaurant appartenant à Francis Cabrel (c'est d'ailleurs Mariette, l'épouse du chanteur, qui a réalisé la décoration des chambres). Vous y retrouverez son grand savoir-faire et son goût pour les beaux produits. À ne pas rater : le parmentier de confit de canard au

jus de thym, ainsi que son célèbre moelleux au chocolat. Jolie terrasse. Excellent accueil et café offert à nos lecteurs sur présentation du *GDR*.

🛏 |●| ***Une Auberge en Gascogne :*** 9, faubourg Corné. ☎ 05-53-67-10-27. Fax : 05-53-67-10-22. ● www.une-auberge-en-gascogne.com ● ⚒ Fermé le mercredi, le jeudi midi et le dimanche soir hors saison ; congés annuels en novembre. Chambres à 44 €. Petit dej' à 7 €. Possibilité de demi-pension. Menus de 23 à 55 €. Dans une grosse maison de village, une belle adresse. Chambres aux couleurs gaies, bien équipées. À table, une cuisine respectant le terroir, mais avec quelques touches extrarégionales (filet de bar de l'Atlantique doré sur la peau, copeaux de foie gras relevé d'huile d'olive de Nyons). Service diligent et souriant. Apéritif maison et un petit dej' par chambre offerts sur présentation du *GDR*.

LE PAYS DE SERRES

Dans le triangle formé par le Lot et la Garonne s'étend le pays de Serres, une région splendide, une campagne à l'état brut, au doux relief sans monotonie. Nombreux villages hors du temps, randonnées délicieuses. Ce relief particulier porte le nom de « Serres », du nom de ces crêtes étroites et allongées entre deux vallées, et non, comme le croient souvent les touristes, à cause des serres de culture qui aident à la croissance des primeurs. On dit aussi que cette région est « en feuille de persil ». Peu de villes importantes dans ce coin, mais des bastides installées sur des collines et des successions de coteaux qui forment les paysages les plus caractéristiques du département.

PUYMIROL   (47270)   870 hab.

Puymirol était le siège de grandes foires dès le XIIe siècle. Et pour lutter contre les prétentions du roi de France, Raymond VII, comte de Toulouse, fonde la « ville nouvelle » en 1246, qui se confond vite avec la cité existante. D'emblée, l'aînée des bastides du pays d'Agen a une vocation militaire. Un château la défendait et une enceinte, détruite sur ordre de Louis XIII, renforçait les défenses naturelles du site. Le village est très plaisant, alignant de belles et riches maisons anciennes du XVe siècle et des hôtels particuliers des XVIIe et XVIIIe siècles, la ville étant restée un centre commercial important jusqu'au XIXe siècle. Place principale à cornières. À côté, ancienne halle aux grains. L'église, détruite par les guerres de Religion, fut reconstruite au

même endroit et présente encore un beau porche du XIII° siècle à larges et profondes voussures. L'intérieur, en revanche, ne présente aucun intérêt.
En outre, Puymirol est un peu la tête de pont de la gastronomie du département puisqu'il abrite le restaurant de Michel Trama, l'un des meilleurs chefs du pays.

– *Fête locale :* le dernier ou l'avant-dernier week-end d'août.
– *Marché aux fleurs :* le 1er mai. Autour du muguet, une symphonie florale.

Où dormir? Où manger?

☒ 🏠 *Camping municipal, gîtes ruraux et communaux, chambres* *d'hôte :* renseignements, ☎ 05-53-95-32-10 (mairie).

LE PAYS DE SERRES

Très chic

🏠 |◑| *L'Aubergade et les Loges de l'Aubergade :* 52, rue Royale. ☎ 05-53-95-31-46. Fax : 05-53-95-33-80. ● www.aubergade.com ● 🕭. Fermé le lundi, le mardi midi et le dimanche soir hors saison, le lundi midi uniquement en haute saison; congés annuels pendant les vacances scolaires de février. Réservation obligatoire. De 168 à 267 € la chambre et 19 € le petit dej'. Menus à 54 et 130 €. C'est l'ancienne résidence des comtes de Toulouse, qui date du XIII° siècle. Décoration intérieure largement influencée par la Toscane, exquise de douceur, lumineuse et fraîche. Équilibre parfait entre la pierre nue, les tableaux et objets d'art. Superbe petit cloître, récemment aménagé en terrasse de restaurant. Les 11 chambres sont, bien sûr, somptueuses et pourvues de tous les raffinements possibles.

Évidemment c'est cher, voire très cher, mais si vous avez envie de casser votre tirelire, vous ferez un repas inoubliable. Michel Trama utilise les meilleurs produits du terroir, comme la poitrine de caneton cuit à l'os, sauce au thé vert, ou le mille-feuille de céleri-rave au foie gras chaud poêlé au vinaigre balsamique (lors de notre passage), qui bouleverseront vos papilles. Le charme opère très vite au travers de toutes ces saveurs connues mais sans cesse relevées d'une pointe d'exotisme. Et puis, avec la larme de chocolat (toujours) aux griottines, on frôle le septième ciel! Une cuisine d'une grande inventivité, donc. Sinon, service un peu rapide et sans esbroufe mais mené avec gentillesse et compétence. On vous offrira l'apéritif maison sur présentation du *GDR.*

➤ *DANS LES ENVIRONS DE PUYMIROL*

CLERMONT-SOUBIRAN *(47270)*

Tout petit village paisible au sommet d'une colline. Au nord, vue remarquable sur un panorama de monts veloutés de prés et forêts. En revanche, en regardant vers l'est, on tombe inévitablement sur l'abominable centrale atomique de Golfech (la commission des sites n'a pas dû être prévenue!). Tout en haut, église à mur-clocher et petit château privé.

🎔🎔 Au passage, visite intéressante au *château de la Bastide* (dans la montée vers le village). ☎ 05-53-87-41-02. Ouvert de juillet à septembre de 13 h à 19 h ou sur rendez-vous. Propriétaire-récoltant assurant la vente et la dégustation. Situé sur un éperon rocheux. Là aussi, belle vue. Vous y trouverez un tout petit *musée du Vin et de la Tonnellerie,* agrémenté de devinettes sur les senteurs. L'occasion de déguster de bons côtes-de-brulhois !

La visite vaut surtout par les commentaires de Catherine, car son vin, c'est sa vie : la doctrine de la maison est d'ailleurs « Mieux vaut boire le vin d'ici que l'eau de-là » ! Bon accueil.

SAINT-MAURIN   (47270)   452 hab.

Là aussi, village hors du temps, qui doit son nom à un martyr venu se réfugier ici auprès d'un ermite et finalement décapité à Lectoure. Il est à l'origine de nombreux miracles. Beaucoup de charme. Pittoresque place centrale avec ses maisons à colombages, la halle du XVIIe siècle, le vieux puits, les vestiges de l'abbaye, la mairie qui occupe une tour à mâchicoulis.
– *Piscine* municipale.
– *Fête du Printemps :* le week-end après Pâques.

À voir

Le musée de l'Abbaye : en juillet et août, ouvert tous les jours sauf le mardi, de 15 h à 19 h ; également sur rendez-vous, téléphoner à l'office de tourisme des coteaux de Beauville : ☎ 05-53-47-63-06 ; ou à la mairie de Saint-Maurin (le matin) : ☎ 05-53-95-31-25. Entrée : 2 € ; gratuit pour les moins de 12 ans. Le musée bénéficie de commentaires trilingues, français, anglais, occitan. Tarif réduit (soit 1,20 €) sur présentation du *GDR*. Un musée ethnographique réalisé par les habitants, qui ont ratissé partout pour récupérer les objets de la vie quotidienne. Installé dans les caves de l'abbaye, dont un film retrace l'histoire. Nombreux objets anciens : « chèvre » du charpentier, vieux tour à bois, joug de dressage, outils agricoles divers, ustensiles domestiques, pompe à incendie à bras, etc. À noter que des tombes de moines datant du XIIIe siècle y ont été découvertes. Une salle retraçant la vie familiale est aménagée dans le donjon. Remarquer le curieux sèche-layette. À voir et à encourager résolument !

À côté, dans la chapelle Saint-Benoît, *maquette de l'abbaye* qui fut vendue comme bien national en 1796 et servit de carrière de pierre. Banal mais triste. Dès le VIe siècle existait un lieu de culte dédié à saint Maurin. L'église abbatiale fut consacrée en 1097 (c'est écrit dessus) et plusieurs fois détruite : lors de la croisade contre les albigeois, par les Anglais au XIVe siècle et plus tard par les huguenots.
Une curiosité : la maison qui s'est nichée dans le chœur de l'abbatiale. Un film en images virtuelles présente le projet de sauvegarde des bâtiments de l'abbaye par les Monuments historiques.

L'église Saint-Martin-d'Anglars : date du XIIIe siècle, incendiée par le Prince Noir, reconstruite au XVIe. Intéressant mobilier intérieur : autel en bois sculpté du XVIIe siècle ; quatre panneaux en guirlande, provenant de l'abbaye, ont été transformés en Sainte Table très ancienne.

BEAUVILLE   (47470)   571 hab.

La bastide apparaît, de la route de Laroque-Timbaut, accrochée à son promontoire. Elle semble même fusionner avec la roche. Place centrale à arcades et plusieurs maisons à colombages. Église du XIVe avec clocher-porche. Belle porte Renaissance. Le château (privé) a été restauré. Essayez de passer à Beauville le dimanche pour le marché fermier (de juin à septembre).

Où dormir ? Où manger ?

Camping

⚕ ❙●❙ **Base de loisirs Les Deux Lacs :** à la sortie de Beauville vers Bourg-de-Visa, après le château d'eau. ☎ 05-53-95-45-41. Fax : 05-53-95-45-31. ● www.camping.les 2lacs.com ● Fermé de mi-décembre à mi-janvier. Pour 2 personnes avec voiture et tente, compter selon la période entre 11,25 et 15,15 €. Très joli parc de 22 ha, parcouru de collines boisées. Baignade super, canotage, kayak, pédalo, randonnées pédestres organisées. Lac accueillant les pêcheurs, avec carpes et brochets. Accès à la base de loisirs pour les non-campeurs : 2 € (enfants de 5 à 10 ans : 1,50 €). Restaurant en juillet et août et bar-snack de juin à septembre. Camping très agréable. Location de mobile homes, de caravanes et de tentes. Également un gîte, de 215 à 410 € la semaine. Apéritif offert sur présentation du *GDR*.

De bon marché à prix moyens

🛏 ❙●❙ **Hôtel-restaurant du Midi :** sous les « couverts » de la place centrale. ☎ 05-53-95-41-18. Fax : 05-53-95-47-12. Fermé le lundi soir, ainsi que le 1er week-end de janvier et la 1re quinzaine de septembre. Chambres à 17 € avec lavabo et 23 € avec douche et w.-c. sur palier. Petit dej' à 4 €. Menus à 12 € (sauf le dimanche midi) et à 19 €. Hôtel rudimentaire (mais à ce prix-là...) dans une maison typique, bien tenue, un peu comme chez mamie, avec papier peint à fleurs et une salle à manger que les nostalgiques des années 1970 apprécieront (belle terrasse en été). Dommage que la qualité des chambres laisse un peu à désirer, malgré une literie récente. Deux chambres, la n° 6 et la n° 7, donnent sur la vallée (beau coucher de soleil en prime), et toutes sont fort simples. Bonne cuisine de famille. Dès le second menu, potage, hors-d'œuvre, poule au pot farcie, côte d'agneau grillée, fromage et dessert. Mais ça tourne, un autre jour ce sera civet de sanglier, pintade rôtie, sole meunière... Simple et sans chichis !

❙●❙ Également, sur cette même place, un petit *café-crêperie-salades.*

LAROQUE-TIMBAUT (47340) 1 362 hab.

À voir pour sa vieille halle à charpente de bois du XIVe siècle, montée sur quelques piliers de pierre bien usés, ses maisons anciennes et, surtout, pour une pittoresque et courte promenade dans la rue du Lô. Passer sous la tour de l'Horloge et suivre l'étroite ruelle musardant entre demeures très basses et rochers. Carte postale médiévale intacte (si l'on fait abstraction du château, qui doit être postérieur). À un premier embranchement, possibilité de continuer dans la campagne ou, à droite, de regagner le centre. Dans les environs, pas mal de choses à faire et de bonnes adresses.

Où dormir ? Où manger dans le coin ?

🛏 ❙●❙ **Chambres d'hôte Jean Delaneuville :** à Pechon-Haut, 47340 Saint-Antoine-de-Ficalba. ☎ et fax : 05-53-41-71-59. À 1 km de Saint-Antoine, tournez à hauteur de la station-service vers Penne-d'Agenais. Fermé du 15 novembre au 15 mars. Une seule chambre confortable à 43 € pour 2, petit dej' compris. Fait également table d'hôte avec un menu à 12 €. Spécialités régionales, genre confit aux pommes de terre sarladaises et magret aux airelles. Bon accueil. Les très gentils proprios s'intéressent à l'histoire locale, et notamment aux chemins de Compostelle. D'ailleurs, les pèlerins de Saint-Jacques se verront offrir une remise de 10 à 15 %.

🛏 |●| *Chambres du Domaine du Bernou :* 47340 La Croix-Blanche. ☎ et fax : 05-53-68-88-37 ou ☎ 06-17-36-50-32. ● jean-pascal.michez @wanadoo.fr ● À 8 km environ à l'ouest de Laroque-Timbaud, accès par une petite route ; sinon, fléché depuis la N 21, entre Agen et Villeneuve. Ouvert toute l'année, mais l'hiver, mieux vaut téléphoner. Chambres luxueuses à 60 € pour 2, petit dej' compris. Table d'hôte à 10 € le midi et 20 € le soir. Sophie et Jean-Pascal ont fui leur Belgique natale avec leurs trois enfants pour venir se retirer loin du monde, dans cette superbe propriété de 25 ha où ils élèvent des chevaux. Ils ont aussi créé des chambres dans la maison de maître (non-fumeurs !) du XVIIIe siècle, perdue dans son parc. En fait, 1 chambre et 2 suites pouvant accueillir 4 ou 5 personnes (ajoutez environ 15 € par personne supplémentaire). Beaux volumes, magnifique parquet, équipement impeccable, rénovation intelligente, calme absolu :

un vrai bonheur de dormir ici. Une dépendance a aussi été aménagée : 4 chambres supplémentaires, monacales mais ouvertes sur la verdure, partageant une salle de bains. On est à peu près sûr d'y passer des vacances de rêve entre la piscine, les pique-niques qu'organise Sophie vers les grottes du parc et les « boums » improvisées dans le cabanon. Un endroit idéal pour des vacances au vert et en famille (on peut même faire garder ses mouflets pour un dîner en amoureux). Comme vous vous en doutez, excellent accueil. Apéritif et café offerts, ainsi que 10 % de réduction sur le prix de la chambre hors saison (minimum 2 nuits) sur présentation du *GDR*.

|●| *Le Roquentin :* à l'entrée de Laroque-Timbaut. ☎ 05-53-95-78-78. Fermé le lundi, le jeudi soir et le dimanche soir. Fermé la 1re semaine de juillet et 1 semaine en octobre. Menus à 10 et 15 € le midi en semaine, sauf jours fériés ; autres menus de 19 à 34 €. Maison récente agrémentée d'une déco printanière à dominante provençale. La cuisine du chef a su conquérir une belle réputation dans la région. Il travaille de bons produits qu'il prépare dans la tradition du Sud-Ouest : cuisse de canard confite, désossé de pigeonneau sur lit de cèpes, etc. Jolie carte des vins où l'on trouve un beau cahors Clos La Coutale 1999 et un buzet Baron d'Ardeuil 1998. Les amateurs apprécieront, les néophytes découvriront !

➤ *DANS LES ENVIRONS DE LAROQUE-TIMBAUT*

HAUTEFAGE-LA-TOUR *(47340)*

À 5 km au nord de Laroque. Petit village qui possède une étonnante et impressionnante tour hexagonale de style Renaissance. Elle écrase tout le bourg. Belles fenêtres à meneaux. Église du XVIe siècle, proposant un élégant porche Renaissance. Porte avec « pointes ».

|●| *Relais de la Rovère :* dans le centre de Hautefage-la-Tour. ☎ 05-53-49-32-32. 1er menu à 9,90 €, quart de vin compris, servi à midi du lundi au samedi ; autres menus de 13,80 à 27,50 €. La grande spécialité du chef, c'est le foie gras de canard frais aux fruits, qu'il sert avec le sourire.

FRESPECH (47140)

Minuscule village, nouvelle bonne surprise. Tout est concentré autour de l'adorable église romane. L'une des chapelles possède un toit « en écailles de poisson ». Nobles demeures avec fenêtres à meneaux, tourelles, vestiges des remparts, anciennes portes de ville. Beaucoup de charme et de caractère. Hors saison, quand il n'y a pas un chat, on rêve à Ridley Scott y tournant une scène de *Duellistes* et on prie pour qu'il n'y réalise jamais la suite de *Blade Runner*. On l'ignore souvent, mais le catharisme est né dans ce coin, avant d'être repoussé plus au sud-est par Simon de Montfort, et d'y finir lors du siège de Montségur de sinistre mémoire.

🏃🏃 **Le musée du Foie gras Souleilles :** fléché depuis Frespech, en direction de Massoulès. ☎ 05-53-41-23-24. Fax : 05-53-41-31-90. ♿ Hors saison, ouvert tous les jours de 15 h à 19 h ; de mi-juin à mi-septembre, tous les jours de 10 h à 19 h. Fermé en janvier. Entrée : 4 € ; 50 % de réduction sur présentation du *GDR*. Visite commentée, d'environ 1 h 30, de l'élevage (ils sont mignons, les canetons), du musée installé dans une grange et des cuisines. Possibilité d'assister au gavage des canards, chaque jour vers 18 h 30. Évidemment, dégustation et vente des produits de la ferme. Une manière intelligente d'acheter du foie gras, ce délice vieux de 4 500 ans. Quelques anecdotes au passage : les Romains gavaient les oies aux figues, d'où dérive le nom de foie. Même si les canards (les oies n'occupent plus que 5 à 10 % du marché : leur foie est trop cher) ingurgitent un kilo de maïs par jour la semaine précédant leur abattage, cette pratique découle de leur mode de vie dans la nature. En effet, en liberté, les canards se gavent avant d'entamer leur migration. Vous apprendrez tout un tas d'autres choses lors de cette intéressante visite. Sachez que les foies gras vendus ici sont excellents, en particulier ceux issus de bêtes gavées aux figues à la mode romaine. Petit sentier botanique et jeu de l'oie géant pour les enfants. Marché paysan tous les vendredis en juillet et août, de 9 h à 14 h, dans le verger de pruniers. De temps en temps, il se déroule aussi le dimanche dans l'une ou l'autre des exploitations « partenaires ». Se renseigner auprès du musée pour avoir des précisions.

En marge de celui-ci, le proprio, moustachu, sympathique, cultivé et défenseur de la langue occitane (et as du marketing !), a ouvert un restaurant dans les remparts du village de Frespech :

🍴 **Taulejada :** ☎ 05-53-48-18-18. En juillet et août, ouvert tous les jours midi et soir, sauf le vendredi midi ; hors saison, du mercredi au dimanche uniquement le midi. Assiettes gastronomiques avec foie gras de 12 à 39 € et menu complet à 23 €. Le proprio y organise en juillet et août des démonstrations de cuisine-découverte (du mercredi au dimanche à 18 h), des visites du village aux flambeaux (du mercredi au dimanche, à la tombée de la nuit), ainsi que des visites diurnes (du mercredi au dimanche, à partir de 16 h). Également une exposition sur le catharisme en agenais, ouverte tous les jours en juillet et août de 10 h (16 h le vendredi) à 19 h. Un passeport (6 €) permet de cumuler visite du musée et du village, expo cathare et démonstration de cuisine.

CASTELLA (47340)

Rien de spécial dans ce hameau situé à l'ouest de la N 21, si ce n'est que sur son territoire se trouvent de belles grottes.

🏃 Les amateurs découvriront d'abord les **grottes de Lastournelle** à Sainte-Colombe (au nord-ouest de Castella). ☎ 05-53-40-08-09. En juillet et août, ouvert tous les jours de 10 h à 12 h et de 14 h à 19 h ; hors saison, le week-end, les jours fériés et sur rendez-vous. Entrée : 5 € ; réductions. Nombreuses concrétions de calcite (belle salle des Colonnes, entre autres).

🎥🎥 ***Les grottes de Fontirou :*** à l'est de Castella, bien fléchées. ☎ 05-53-40-15-29 ou 05-53-41-73-97. À 12 km au sud de Villeneuve-sur-Lot, sur la route d'Agen. En juillet et août, ouvert tous les jours de 10 h à 12 h 30 et de 14 h à 18 h ; de Pâques aux 15 juin, les dimanche, jours fériés et pendant les vacances de 14 h à 17 h 30 ; du 15 au 30 juin et du 1er au 15 septembre, tous les jours de 14 h à 17 h 30. Entrée : 5,50 € ; réductions. Le site appartient à Marie et André Petit, deux véritables passionnés. André a acheté ces grottes, découvertes en 1905, il y a quelques années. Elles comportent aujourd'hui 7 salles (dont certaines découvertes par le proprio). C'est dans l'une d'elles qu'il a mise à nu une dent de *Machairodus* (comprenez tigre à dents de sabre). Une visite super en pleine chaleur, pour les 14 °C qui y règnent en permanence.

MONTPEZAT   (47360)

Trône sur sa colline. C'est à 2 km, à Saint-Sardos, que débuta la guerre de Cent Ans. En effet, en 1323, des moines pro-Français voulurent construire une bastide. Le seigneur de Montpezat, pro-Anglais, les en empêcha et les envoya *ad patres*. Le roi Charles IV dépêcha alors une armée pour riposter. Et c'est comme cela que s'écrit l'histoire...

À voir. À faire

Depuis le moulin à vent restauré, vaste panorama sur la région.

🎥 À deux coudées de Montpezat, romantique petite ***église Saint-Jean*** datant du XIIe siècle. Ouvert de mi-juin à mi-septembre le dimanche de 15 h à 18 h 30. À l'intérieur, jolis chapiteaux ornementés (feuillage, entrelacs, palmettes, etc.). Gros travail de restauration par l'association des Amis des vieilles pierres de Montpezat (pour visiter hors horaires, contacter M. Carles au ☎ 05-53-95-04-42). Parfois des expositions en juillet et en août.

– ***Base d'ULM Saint-Exupéry :*** fléché depuis Montpezat. ☎ 05-53-95-08-81. La plus grande d'Europe, paraît-il ! Balades au-dessus de la vallée du Lot. Baptême de 10 mn : 25 €. Si vous n'avez pas le vertige, ne vous privez pas de cette expérience, pilotée par des gens tout ce qu'il y a de sérieux. On vous recommande, parmi les différentes catégories d'ULM, d'essayer le « pendulaire », une espèce de moto ailée que Mad Max n'aurait pas reniée. Restaurant.

➤ ***Randonnée pédestre :*** 8 km, 2 h 45 aller et retour sans les arrêts. Facile. Balisage jaune. Réf. : *PR en Agenais,* éd. CDRP Lot-et-Garonne, FFRP. Carte IGN 1839 Ouest.
Abbaye, pigeonniers et moulin ou les collines de la campagne agenaise, au pays de Serres. Pas de quoi faire une guerre pendant cent ans.
De Montpezat, prenez la direction de Saint-Médard jusqu'à la ferme Talabot. Laissez votre voiture à l'embranchement et continuez à pied en suivant le balisage jaune du chemin PR. Il se dirige vers le pigeonnier du Grand Mouligné, longe un autre pigeonnier et arrive à travers champ à l'église de Saint-Médard. Vous laissez la grande boucle du sentier qui passe par Floirac. À la sortie est de Saint-Médard, un autre pigeonnier marque le raccourci du retour direct par Pérignac. Vous arrivez ainsi à une ferme, puis vous descendez vers le nord-est. Un moulin à vent en ruine marque la hauteur du « pech ». Le chemin rallie le hameau de Pérignac et les restes d'une abbaye cistercienne florissante au XIIe siècle. En face de l'église de Pérignac, un chemin herbeux descend vers le nord-ouest et contourne les fermes de

Jammes et de l'Espinous. À gauche, par les bois et les champs, vous rattrapez la petite route venant de Pech-d'Ancou. Prenez, là encore, à gauche pour retrouver votre voiture. Les plus courageux feront ce périple en boucle au départ de Montpezat même, en revenant par Pech-d'Ancou et l'église romane de Saint-Jean (11 km).

LA VALLÉE DU LOT

Doit-on encore présenter cette célèbre vallée et sa majestueuse rivière qui vient terminer son cours dans la Garonne après Aiguillon ? Le Lot est sans doute l'une des plus belles rivières de France, en grande partie navigable. Variété des paysages, beauté des sites, richesse architecturale : votre périple dans le Lot-et-Garonne longera forcément le Lot. On espère que vous apprécierez cette région autant que la prune d'Ente (celle qui donne le pruneau) qui, rapportée par les croisés, a trouvé sa Terre promise en cette vallée.

Nous commencerons notre périple par Villeneuve, une sorte de capitale régionale, avant de partir dans le sens du courant, puis de remonter en amont.

VILLENEUVE-SUR-LOT   (47300)   24 134 hab.

> Pour le plan de Villeneuve-sur-Lot, voir le cahier couleur.

> « Miroir calme du Lot semblable à de l'eau morte,
> Reflets sur les plafonds des fentes des volets,
> Mystère des foyers dont s'entr'ouvre la porte,
> Voix de l'écluse et voix de l'eau sur les galets. »
>
> Jacques Raphael-Leygues, ancien ambassadeur et maire de Villeneuve.
> *Reflets des Heures Vives*, éd. Stock.

Ancienne bastide – la plus grande du département – fondée en 1251 au bord du Lot par Alphonse de Poitiers, frère de Saint Louis, comte de Toulouse. Il fallut moins de 15 ans pour la construire. Elle présente toujours son plan régulier à damiers, occasion d'une belle balade dans l'architecture et l'histoire. Capitale de la prune, Villeneuve est aussi une importante cité commerciale, possédant un centre animé, piéton et très bien restauré.

Adresses et infos utiles

ℹ Office de tourisme *(plan couleur B1)* **:** 47, rue de Paris. ☎ 05-53-36-17-30. Fax : 05-53-49-42-98. • www.ville-villeneuve-sur-lot.fr • Du

1er juillet au 31 août, ouvert du lundi au samedi de 9 h à 19 h et le dimanche de 10 h à 13 h ; hors saison, ouvert du lundi au samedi de 9 h à

12 h et de 14 h à 18 h, fermé le dimanche. Une équipe super sympa, qui prodigue des tas d'infos.

🚂 **Gare SNCF** (plan couleur A2) : au bout de l'avenue Lazare-Carnot. En fait, les trains n'y viennent plus, mais une dizaine de cars quotidiens font la navette entre Agen et Villeneuve.

– **Marchés :** tous les mardis et samedis, place Lafayette (plan couleur B1) et sous la halle au bord du Lot. Le mercredi, marché bio place d'Aquitaine. En juillet et en août, tous les vendredis après-midi (à partir de 17 h), marché des producteurs du pays, place La Fayette.

Où dormir ?

Camping

⛺ **Camping municipal du Rooy :** sur la N 21, à 1,5 km du centre. ☎ 05-53-70-24-18. Ouvert de mi-avril à fin septembre. Compter 6,55 € pour 2 personnes avec voiture et tente. Ombragé.

Prix moyens

🛏 **Hôtel Les Platanes** (plan couleur A-B1, 1) : 40, bd de la Marine. ☎ 05-53-40-11-40. Fax : 05-53-70-71-95. Fermé pendant les vacances de Noël. Le restaurant est également fermé le samedi soir et le dimanche. Doubles avec douche et w.-c. de 39 à 43 €. Petit dej' à 5,50 €. Menus à 14 € (quart de vin compris) et 24 €. Une jeune équipe gère depuis quatre ans ce petit hôtel agréable, à quelques pas du centre-ville piéton. L'accueillante patronne a redonné vie et couleur à un établissement qui ronronnait et vieillissait (la rénovation des chambres se poursuit à bon rythme, voir notamment les n°s 4, 9, 14 et 17). Au rez-de-chaussée, un bar-restaurant (lui aussi rénové) où l'on sert également de grandes assiettes salades-repas. Apéritif offert sur présentation du GDR.

🛏 **Hôtel La Résidence** (plan couleur A2, 2) : 17, av. Lazare-Carnot. ☎ 05-53-40-17-03. Fax : 05-53-01-57-34. Fermé 15 jours de Noël à début janvier. Doubles à 25 € avec lavabo et de 39 à 46 € avec douche ou bains et w.-c. Petit dej' à 5 €. Dans un quartier très tranquille, près de l'ancienne gare. Petit hôtel tout mignonnet qui a beaucoup de caractère. La façade rose aux volets verts donne le ton. Et dès l'entrée, où trône une stalle d'église, on est attiré par le jardin au bout du couloir (où l'on peut prendre le petit dej' lorsqu'il fait beau). Chambres à la décoration fraîche et de bon goût, idéales pour ceux qui aiment la simplicité et le calme (en particulier celles situées dans le bâtiment après le jardin). Remise de 10 % sur le prix de la chambre à partir de 2 nuits consécutives hors juillet et août sur présentation du GDR.

Où dormir dans les environs ?

Chic

🛏 **Hôtel des Chênes** (hors plan couleur par A2, 3) : au lieu-dit Bel-Air, Pujols. ☎ 05-53-49-04-55. Fax : 05-53-49-22-74. ● www.hoteldeschenes.com ● À 5 km au sud de Villeneuve. Doubles de 57 à 68 €. Petit dej' à 7,40 €. Un hôtel moderne, juste à côté du restaurant La Toque Blanche (les deux maisons n'ont aucun autre lien). Très belles chambres, parfaitement équipées et toutes décorées de façon différente, donnant sur le village médiéval. Certaines ont une terrasse privative (supplément : 8,50 €). Tout seul sur le flanc de la vallée, calme assuré. Belle petite piscine pour tromper la canicule estivale. Très bon accueil de la propriétaire. Confirmer les réservations par écrit. Apéritif maison ou café offert sur présentation du *GDR*.

Où manger ?

|●| *Restaurant Chez Câline* (plan couleur A1, **11**) *:* 2, rue Notre-Dame. ☎ 05-53-70-42-08. Ouvert en principe tous les jours sauf le mercredi et le dimanche hors saison. Menus à 13,50 et 20,50 €, sourire compris. D'entrée de jeu, on est dans le bain : la cueillette des champignons est interdite dans le restaurant ! Il y a du Lewis Carroll dans l'esprit du patron. Il est plein d'humour, et cela transparaît largement dans sa maison. Déjà, il faut savoir que Câline, c'est le cocker. Pour ce qui est du contenu de l'assiette, on calme le jeu, encore que ! Confit de canard aux pommes sarladaises, filets de saumon à l'oseille, soupe de cerises à la menthe... Et un menu, « Le n'importe quoi », servi « dans la limite du disponible et du raisonnable »... Minuscule mais fort agréable balcon (deux tables seulement, rajouter 10 % au prix...) dominant le Lot. Réservation conseillée (surtout pour le balcon).

|●| *L'Oustal* (plan couleur B1, **12**) : 24, rue de la Convention. ☎ 05-53-41-49-44. ✗ Dans le centre piéton. Fermé le mardi soir, le dimanche soir (toute la journée en hiver), 1 semaine en février, 1 semaine en avril et 2 semaines en octobre. Formule déjeuner en semaine (sauf jours fériés) à 12 €, café et vin compris. Menus de 15 à 26 €, dont un « basque » à 20 €. Un petit restaurant de spécialités basques, tenu par un jeune couple fort sympathique. Patron rigolo, fan de rugby et de pelote, comme tout le monde en « Basquerie ». La cuisine est semi-ouverte sur la salle. Parmi les menus, on vous recommande celui laissant justement la part belle aux produits venus de l'Euskadi. Superbes émincés de chipirons aux piments d'Espelette et fromage de brebis servi, selon la tradition, accompagné de confiture de cerises. Cuisine agréable et légèrement entreprenante. Décoration classique et conviviale, avec chistera et billets de matchs de rugby accrochés au mur. Café offert sur présentation du *Guide du routard.*

Où manger dans les environs ?

Chic

|●| *Restaurant La Toque Blanche* (hors plan couleur par A2, **13**) : tout à côté de l'*Hôtel des Chênes,* face à la cité médiévale de Pujols. ☎ 05-53-49-00-30. ● www.la-toque-blanche. com ● ✗ À 5 km au sud de Villeneuve. Fermé le lundi, le mardi midi et le dimanche soir, ainsi que du 16 au 24 février et du 21 juin au 6 juillet. Menu à 23 € midi et soir en semaine (servi avant 13 h 15 et 21 h) ; autres menus de 34 à 69 €. Une table de grande réputation menée par Bernard Lebrun, où l'on déguste des plats savoureux dans un décor superbe. Cadre plutôt classe et terrasse couverte très agréable surplombant la vallée. Œufs pochés périgourdine, ris de veau braisé au vin jaune et morilles, millefeuille de foie gras de canard poêlé aux pommes fruits, morue fraîche rôtie parfumée au chorizo, dôme pujolais aux pruneaux et glace à la cannelle, etc. Bien sûr, la qualité, ça se paie. Eh oui, c'est pas donné ! Apéritif maison offert sur présentation du *GDR.*

|●| Signalons aussi le restaurant *Lou Calel,* propriété de *La Toque Blanche,* dans le village de Pujols, à 1 km. ☎ 05-53-70-46-14. Fermé le mardi soir, le mercredi et le jeudi midi, ainsi que quelques jours en octobre. En semaine, midi et soir,

menu à 13 €. Autres menus de 20 à 34 €. Nous ne l'avons pas testé, mais les nouveaux gérants semblaient bien s'inscrire dans la filiation de la « maison mère », avec une cuisine toutefois plus simple et abordable, donnant la part belle aux plats du marché. Magnifique terrasse avec vue sur Villeneuve et la vallée. En saison, bar-salon de thé et vente de produits régionaux.

À voir. À faire

– **Visite guidée de la ville :** départ de l'office de tourisme. Compter environ 1 h 30. Réservation obligatoire.

🚶🚶 **La tour de Pujols** (plan couleur A2) **:** porte de ville et vestige des anciens remparts. Sous l'arche, on note la rainure de l'ancienne herse. Au sommet, poste de guet. La rue de Pujols mène ensuite au Pont-Vieux. À droite, chapelle des Pénitents-Blancs, du XVIIe siècle. À l'intérieur, plafond caréné en bois incrusté de verrerie et collection de bâtons de procession. À gauche du Pont-Vieux, la rue Saint-Étienne mène à l'église du même nom et à la belle maison de Marguerite de Valois.

🚶🚶 **Le Pont-Vieux** (pont des Cieutat ; plan couleur A1) **:** construit par les Anglais au XIIIe siècle, il est contemporain du pont Valentré à Cahors. La grande arche remplaça en 1642 les petites, emportées par une crue. Charmante carte postale formée avec la mignonne « chapelle du Bout-du-Pont » en encorbellement. Il était surmonté de trois tours défensives qui furent détruites au XVIIe siècle.

🚶 **La place Lafayette** (plan couleur B1) **:** c'est la place centrale, entourée de cornières (arcades) de tailles différentes et de demeures des XVIIe et XVIIIe siècles. Deux belles maisons à colombages. Marché coloré les mardi et samedi.

🚶🚶 **L'église Sainte-Catherine** (plan couleur B1) **:** elle remplaça au début du XXe siècle l'ancienne église dont la voûte menaçait de s'écrouler. Style romano-byzantin assez original. Étonnant effet « rouge » de la brique. À l'intérieur, splendides vitraux du XVe siècle provenant de l'édifice antérieur. Immense clocher de 55 m et 300 marches, le repère de la ville.

🚶🚶 **Les maisons anciennes :** à l'angle des rues de la Convention et Parmentier (plan couleur B1), superbe demeure à pans de bois et poutres porteuses sculptées (ancienne viguerie ou palais de justice, de 1264). Au n° 47, rue de Paris (office de tourisme), maison du XIIIe siècle avec fenêtres à meneaux et jolies façades à croisillons de bois. Au coin, une statuette de sainte Catherine d'Alexandrie.

🚶 **La tour de Paris** (plan couleur B1) **:** elle s'appelait « porte de Monflanquin ». Pierre jusqu'à 10 m, brique pour le reste. Survivante, comme la tour de Pujols, des quatre portes de ville et des murailles démolies à la fin du XVIIIe siècle. Visite de l'intérieur (le corps de garde, la geôle où l'on enfermait le boulanger qui avait raté son pain !).

🚶 **Le musée de Gajac** (plan couleur B2) **:** 2, rue des Jardins. ☎ 05-53-40-48-00. En saison, ouvert tous les jours de 10 h à 12 h et de 14 h à 18 h ; le reste de l'année, les après-midis de 14 h à 18 h (sauf les mardi et jours fériés). Entrée : 1 € ; gratuit pour les enfants moins de 7 ans. Musée d'art et d'histoire. Expositions temporaires à caractère historique et artistique.

🚶 **Le Haras national** (plan couleur A2) **:** 12, rue de Bordeaux. ☎ 05-53-70-00-91. Ouvert toute l'année du lundi au vendredi de 14 h à 17 h ; sur rendez-vous pour les groupes et les visites accompagnées. Entrée gratuite. En visiteur libre, vous découvrirez les écuries, l'atelier de sellerie, la maréchalerie et les voitures hippomobiles. Un des fiefs des races arabe et anglo-arabe.

Manifestations

– **Festival du Rire :** 3 ou 4 jours début juillet. Spectacles rigolos au théâtre, avec humoristes de renom. ☎ 05-53-40-04-53. *A priori,* on ne s'y ennuie pas.
– **Festival Jazz en Villeneuvois :** 3 jours aux alentours du 14 juillet. Plusieurs concerts chaque jour, en général sur les berges du Lot. Programmation ambitieuse, mêlant les écoles locales et les stars du jazz. Renseignements : ☎ 05-53-36-70-16, ou à l'office de tourisme.
– **Salon Horizon Vert :** le 1er week-end d'octobre. Produits bio et écologie. Renseignements : ☎ 05-53-40-10-10 ou à l'office de tourisme.

➤ *DANS LES ENVIRONS DE VILLENEUVE-SUR-LOT*

LA VALLÉE DU LOT

🎬🎬🎬 **Pujols (47300) :** beau village médiéval, à 3 km au sud de Villeneuve, sur un promontoire dominant la vallée du Lot. Cette position stratégique lui valut d'abriter un oppidum celte, un castrum romain, une ville gallo-romaine, de voir passer Vandales, Wisigoths, Sarrasins, Normands avant de devenir albigeoise. Pujols paya très cher cette dernière adhésion, et la ville fut quasiment rayée de la carte.
C'est en grande partie pour reloger ses habitants que fut créée, par le comte de Toulouse, la bastide « Villa Nova de Poujol » (Villeneuve-sur-Lot). Pujols se refortifia pendant la guerre de Cent Ans. Elle nous arrive aujourd'hui quasiment inchangée.
– Arrivée par une belle porte de ville en ogive, percée dans la tour-clocher de l'*église Saint-Nicolas.* À l'intérieur, belles voûtes d'ogive et intéressant mobilier religieux.
– À l'extérieur, vieille **halle** en bois (tous les dimanches matin, marché fermier). La rue principale (tout le village vient d'être entièrement repavé), forme avec ses maisons à pans de bois et son pittoresque puits, une saisissante carte postale médiévale.
– **L'église Sainte-Foy** possède de remarquables fresques du XVe siècle. Tour à l'ouest, vestige de l'ancien château. Table d'orientation pour le panorama.
Aux beaux jours, beaucoup d'artistes exposent. Également quelques brocanteurs.
🅸 Petit **office de tourisme** devant la halle en saison. ☎ 05-53-36-78-69.

🚶 **Les ruines gallo-romaines d'Eysses :** à 2 km de Villeneuve, sur la route de Monflanquin. Site d'Excissum du Ier siècle. Exposition d'objets de la vie quotidienne. Renseignements : ☎ 05-53-70-65-19. Ouvert en juillet et août de 14 h 30 à 18 h 30.

LA VALLÉE DU LOT, EN AVAL DE VILLENEUVE

SAINTE-LIVRADE   (47110)   6 222 hab.

Tranquille petite ville commerçante. Voir l'église paroissiale pour son chevet du plus pur roman. Il présente un remarquable appareillage de pierre à l'exquise ornementation. Cette harmonieuse architecture contraste, bien sûr, avec le reste de l'église, construction en brique beaucoup plus tardive et assez lourde. Près de l'entrée, petite chapelle avec un beau gisant de marbre.

Dans la ville, très haute tour de brique, appelée tour de Richard-Cœur-de-Lion, vestige des anciens remparts.

Une importante communauté vietnamienne s'est installée ici, et vit en bonne intelligence avec la population. D'ailleurs, au marché, les *nems* cohabitent pacifiquement avec le foie gras.

Où dormir ? Où manger ?

🛏️ 🍴 *Le Midi :* 1, rue Malfourat. ☎ 05-53-01-00-32. Fax : 05-53-49-43-97. ● www.hotel-le-midi-logis-de-france.fr ● Dans la rue principale, à côté de la mairie. Fermé le dimanche soir et le lundi, et de Noël à fin janvier. Double à 46 ou 49 € avec douche ou bains et w.-c. Petit dej' à 5 €. Menus de 12,50 € (le midi en semaine) à 17 €. À la carte, compter 25 € environ. Un 2 étoiles proposant 12 chambres simples, dans une maison de province assez typique de la région. Repris il y a peu par un jeune Parisien et sa mère, très sympathiques ; des projets de rénovation sont à l'étude. Ce ne sera pas du luxe, tant la décoration du hall d'accueil comme de la salle à manger manquent cruellement de gaieté. Bonne cuisine traditionnelle, un brin inventive : filets de cabillaud au Noilly Prat (excellents), hachis parmentier de canard... Excellent sens de l'accueil. Une adresse qui devrait bien mûrir...

➤ DANS LES ENVIRONS DE SAINTE-LIVRADE

CASSENEUIL (47440)

À 6 km de Sainte-Livrade et 10 km de Villeneuve. Le village fut longtemps considéré comme la résidence d'été de Charlemagne... à tort. En revanche, les cathares y avaient établi une de leurs bases, démantelée par Simon de Montfort au XIIIᵉ siècle. À voir pour sa pittoresque rangée de maisons à balcon-galerie en à-pic sur la rivière. Intéressante église du XIIᵉ siècle en brique. À l'intérieur (si fermée, s'adresser au syndicat d'initiative), belles fresques du XVᵉ siècle, véritable bande dessinée à l'intention des paroissiens, sur laquelle on trouve d'étonnantes représentations, des philosophes Sénèque et Platon, tenant des phylactères. Le village a été rénové et les bords de la Lède, réaménagés, sont très agréables. C'est à Casseneuil que se trouve également le plus gros conditionneur de pruneaux du département, *France Prune* (boutique de vente).

ℹ️ *Syndicat d'initiative :* à la mairie. ☎ 05-53-41-07-92. Location, à la semaine, d'une trentaine de jolis gîtes communaux.

MONCLAR (47380)

Petite bastide perchée sur une haute colline fondée par le frère de Saint Louis au XIIIᵉ siècle, qui pâtit un peu de son épouvantable château d'eau. Toutefois, l'un des plus beaux panoramas de la région. Église du XVᵉ siècle, gothique tardif.

Où dormir? Où manger?

🛏 |●| *Chambres d'hôte La Seiglal :* au lieu-dit La Seiglal. ☎ 05-53-41-81-30. Fax : 05-53-41-85-10. À 2 km de Monclar, en pleine nature. De Sainte-Livrade, accès par la D 667. Ouvert toute l'année. Chambre à 55 € pour deux, petit dej' compris. Table d'hôte à 15,25 €. Demi-pension possible. Petit manoir de campagne du XIXᵉ siècle. Bon accueil. Déco intérieure « vieille province » plaisante et reposante. Très belles chambres « Simone » et « Geneviève » au 2ᵉ étage, aux tonalités plus modernes. Cuisine familiale et bons produits de la ferme. Pour les séjours, mise à disposition de réfrigérateur, réchaud, vélos, etc. Piscine. 10 % sur le prix de la chambre en avril et mai sur présentation du *GDR*.

|●| *Le Relais :* rue du 11-Novembre. ☎ 05-53-49-44-74. Fermé le lundi et le dimanche soir, ainsi que la 2ᵉ quinzaine de septembre. Menu du jour à 11 € le midi en semaine ; autres menus de 13 à 23 €. Les gens du pays s'y pressent le dimanche et les jours fériés pour se repaître d'une cuisine simple et copieuse. Dans un décor rustique avec une belle terrasse sur la vallée, on s'installe agréablement pour un déjeuner qui peut s'éterniser, un peu comme ces repas de communion d'autrefois. Cuisine régionale, avec quelques envolées vers la mer (filet de sandre aux tomates séchées, saumon farci aux crevettes). Service prévenant. Café offert sur présentation du *GDR*.

CASTELMORON-SUR-LOT (47260) 1 703 hab.

Grâce à un barrage, le Lot se transforme en un vaste et agréable plan d'eau. Une curiosité : du pont, noter cette mairie installée dans une grande villa de style mauresque, le château Solar, fantasme au temps passé de l'épouse d'un ancien ambassadeur en Syrie. Autre curiosité, Castelmoron possède la plus haute écluse du département (10 m).

Adresse utile

🛈 Petit *syndicat d'initiative :* face à l'église. ☎ 05-53-84-90-36 (mairie). Ouvert du 15 juin au 15 septembre, tous les jours.

Où dormir? Où manger dans le coin?

🛏 |●| *Les Rives du Plantié :* sur la D 13, entre Castelmoron et Le Temple (47110), et domicilié sur cette dernière commune. ☎ 05-53-79-86-86. Fax : 05-53-79-86-85. Restaurant fermé le lundi, le samedi midi et le dimanche soir. Congés au début du mois de novembre. Doubles, selon la taille, de 58 à 64 € en basse saison et de 61 à 67 € en haute saison. Petit dej' à 9 €. Formule à 15 € le midi en semaine

(hors jours fériés) ; autres menus à 25 et 41 €. Ce très bel établissement est géré par des jeunes gens pleins de courage et, sans doute, de talent. Ancienne propriété bourgeoise, dont la maison et les dépendances ont été aménagées en hôtel-restaurant. Autour, un parc planté d'arbres centenaires, avec piscine, tennis et jeux d'enfant, qui descend doucement vers le Lot. On peut donc y arriver en bateau ! Les chambres, spacieuses et bien équipées, pâtissent d'une décoration un peu banale, réalisée avant l'arrivée des propriétaires actuels. Heureusement, la vue sur le parc la fait oublier. À table, une cuisine personnalisée à base de produits de terroir, dans laquelle se glissent des influences extrarégionales (mignon de lapereau au lard et thym citronné, duo de turbot et chapon rôtis, etc.) Apéritif offert sur présentation du *GDR*.

> ➤ *DANS LES ENVIRONS DE CASTELMORON-SUR-LOT*

FONGRAVE *(47260)*

Ne pas manquer de s'arrêter dans ce joli village au bord du Lot pour y admirer son église. Ouvert la plupart du temps (sinon, demander la clef à Mauricette, tout le monde la connaît). À l'extérieur, architecture insignifiante, mais à l'intérieur, quelle merveille ! Un magnifique retable, chef-d'œuvre de bois sculpté. Imposant et dégageant équilibre et harmonie dans les volumes, tout à la fois. Bas-relief *(L'Adoration des mages)* et colonnes torsadées ciselées.

LE TEMPLE-SUR-LOT *(47110)*

Ancienne commanderie des Templiers entourée de bassins, datant du XVe siècle. Élégant édifice de brique rouge aux tours rondes et carrées. Belles fenêtres à meneaux. Belle restauration, où la patine du temps fait peu à peu son chemin.

🍴 *Le Jardin des Nénuphars Latour-Marliac :* derrière la mairie annexe. ☎ 05-53-01-08-05. • www.latour-marliac.fr • ⚒ Ouvert du 15 mars au 30 septembre, tous les jours de 10 h à 18 h. Entrée : 4 € de mai à septembre, 2,50 € en basse saison ; réductions ; gratuit pour les moins de 12 ans. Une entrée gratuite par couple ou par famille sur présentation du *GDR*. Cette première pépinière de nénuphars du monde doit son existence à M. Bory Latour-Marliac qui, au XIXe siècle, « domestiqua » la plante aquatique. Bassins remplis de fleurs d'eau, lotus et nénuphars géants. Jardin, bambouseraie, serre exotique et petit musée. Y aller de préférence entre mai et septembre (période de floraison) et avant 17 h, car après, les fleurs de nymphéa se referment ! Claude Monet se fournissait ici en nénuphars, pour son jardin de Giverny. Boutique, aire de jeux pour les enfants.

BRUGNAC *(47260)*

À une dizaine de kilomètres au nord de Castelmoron (donc pas au bord du Lot), le village ne présente pas grand intérêt, même si les collines verdoyantes alentour sont fort plaisantes. On fera tout de même le crochet pour aller voir le Chaudron Magique.

🍴 *Le Chaudron Magique :* entre Miramont et Sainte-Livrade, bien fléché depuis la D 667. ☎ 05-53-88-80-77. • www.chaudronmagique.fr • ⚒ Visite guidée toute l'année à 15 h et l'été non-stop de 10 h à 19 h. À partir de 5,50 € pour les adultes et de 4,50 € pour les enfants, jusqu'à 12 € selon les animations choisies. Petit cadeau à l'accueil sur présentation du *GDR*. Passez voir Marie-Pascale et Martin Lavoyer qui, en pleine nature, tiennent une ferme d'élevage de 200 chèvres, mais aussi tout un tas d'autres animaux dont les enfants raffolent. De février à octobre, on peut même nourrir les chevreaux au biberon, traire les chèvres et fabriquer son fromage et son pain (à emporter). Il est également possible de manger sur place l'été. Marie-Pascale vous expliquera comment elle teint elle-même le mohair dans ces fameux chaudrons. Pour une visite plus « philosophique » sur la chaîne écologique, demandez à Martin. Film-vidéo concernant l'élevage des chèvres et vente de produits. Des fêtes ponctuent l'année (fête des Biberons le 3e week-end de mars, de la tonte le 3e week-end de novembre, concerts de musique classique l'été, etc.). Super accueil. Gîte rural sur place (capacité 10 personnes).

GRANGES-SUR-LOT (47260)

🎬🎬 **Au Pruneau Gourmand – atelier-musée :** domaine du Gabach, bien indiqué, au bord du Lot, près d'un ponton. ☎ 05-53-84-00-69. Fax : 05-53-84-03-83. 🍴 Ouvert du lundi au samedi de 9 h à 12 h et de 14 h à 19 h (18 h 30 hors saison), et les dimanche et jours fériés de 15 h à 19 h. Fermé le 1er janvier, du 15 au 31 janvier et le 25 décembre. Entrée : 3,30 €. Labyrinthe de maïs (ouvert de juillet à mi-septembre) : 3,80 €. Ticket groupé musée et labyrinthe : 5,50 € ; réductions. Dans la ferme prunicole moderne de la famille Bérino-Martinet, la visite commence par la projection d'un film retraçant l'activité de l'entreprise, se poursuit par la découverte des salles d'exposition présentant l'historique du pruneau, du Moyen Âge (lorsque la prune d'Ente fut rapportée de Damas en 1150) jusqu'à nos jours. La salle la plus intéressante est celle qui présente l'évolution des modes de séchage au fil du temps. À noter qu'il fallait autrefois 100 kg de bois pour sécher 100 kg de prunes, qui passent une trentaine d'heures à 70 °C. À côté du musée se trouve un labyrinthe de maïs, véritable parcours-découverte à la recherche du « Pruneau Perdu ».
Sur présentation de votre *GDR,* une crème de pruneau vous sera offerte, et plein d'autres excellentes spécialités vous seront vendues (on a adoré les « Prunandises »).

LA VALLÉE DU LOT

CLAIRAC   (47320)   2 654 hab.

Siège d'une abbaye bénédictine remise par Henri IV au chapitre de Saint-Jean-de-Latran. Du coup, les présidents de la République sont encore chanoines de Latran. Il paraît que les moines d'ici furent les premiers à faire sécher des prunes. Montesquieu aimait l'atmosphère des lieux et il y puisa de l'inspiration pour ses *Lettres persanes.* Moins connu, Clairac est également la patrie de Théophile de Viau (1590-1626), poète satirique et libertin. Quelques vestiges de l'abbaye : la tour d'enceinte, les murs et les caves voûtées. Belles maisons à pans de bois du XVe siècle. Clairac est aujourd'hui un petit bourg animé.

Adresse utile

🅸 **Office de tourisme :** 18, rue Gambetta. ☎ 05-53-88-71-59. ● www.clairac.com ● Hors saison, ouvert du lundi au vendredi de 9 h à 12 h et de 14 h à 18 h (ainsi que le samedi, mêmes horaires, de mi-avril à fin juin et de mi-septembre à fin octobre) ; de début juillet à mi-septembre, ouvert du lundi au samedi de 10 h à 19 h et le dimanche de 9 h à 13 h. Bon accueil. Location de VTT.

Où dormir ? Où manger ?

🏠 |●| **Chambres d'hôte Le Caussinat :** Le Caussinat. ☎ et fax : 05-53-84-22-11. Entre Clairac et Granges-sur-Lot. Fermé de fin novembre à mi-mars. Doubles de 39 à 48 €, petit dej' compris. Table d'hôte à 14 €. Dans un château du XVIIIᵉ siècle, Aimé et Gisèle Massias proposent de spacieuses chambres meublées à l'ancienne. On peut aussi savourer, le soir, leur cuisine familiale préparée avec les produits de la ferme. Piscine. Bon accueil. Également un gîte rural, à 325 € la semaine, en juillet et août.

I●I L'Écuelle d'Or : 22, rue Porte-Pinte. ☎ 05-53-88-19-78. Dans le centre de Clairac, à deux pas des musées. Fermé le lundi, le samedi midi, le dimanche soir, 1 semaine en février et en novembre. Menu de midi à 14 € (deux plats), sauf le week-end ; menus suivants de 17 à 47 €. Maison typique de village, en brique rustique et poutres de chêne, avec une double salle, dont l'une, plus ancienne, possède une agréable cheminée. On y travaille, avec un doigté largement reconnu, des produits frais. Juste pour prendre un exemple dans une carte qui tourne souvent, le pavé de saumon et asperges de Fargues-sur-Ourbise. Tout est fait maison, y compris le pain. Et pour les amoureux de la tradition, on trouve tout de même du confit à la carte. Accueil très sympathique, ce qui ne gâche rien. Apéritif maison offert sur présentation du GDR.

À voir

🎎🎎 L'abbaye des Automates : ☎ 05-53-79-34-81. Ouvert tous les jours la 1ʳᵉ semaine de janvier et de début février à fin octobre de 10 h à 18 h (19 h en juillet et août), le mercredi, samedi, dimanche et jours fériés en novembre et décembre. Fermé les trois dernières semaines de janvier.
Entrée : 8 € pour l'abbaye des Automates et 10 € pour les trois sites (Automates, musée du Train et Forêt Magique) ; réductions enfants. 150 automates grandeur nature retracent la vie quotidienne des moines qui vivaient dans cette abbaye entièrement rénovée. De salle en salle, on les découvre en train de cuisiner, de travailler, de faire leur vin, de prier, etc. Au sous-sol, les oubliettes et son famélique prisonnier glacent le sang (on exagère un peu). La visite se fait sans guide : on déclenche soi-même, à l'aide d'un interrupteur, le commentaire sonore de chaque salle, ce qui permet d'aller à son rythme. L'étage supérieur est consacré aux personnalités ayant séjourné à Clairac (le pape Clément V, Montesquieu...). En prime, belle vue sur le Lot. Les enfants vont adorer, surtout si vous jumelez cette visite avec celle du **musée du Train** (juste à côté ; mêmes horaires) qui retrace un siècle d'histoire ferroviaire au travers de miniatures et d'objets. À l'étage, impressionnant circuit avec un gadget : une caméra embarquée dans une loco.
Une centaine de mètres plus loin, les plus petits n'échapperont pas à **la Forêt Magique,** un décor où des lutins gesticulent comme dans une vitrine de Noël. À ce propos, une nouvelle animation, **le Village du Père Noël,** permet de s'immerger sans retenue dans l'univers onirique des personnages du célèbre homme à barbe.

AIGUILLON   (47190)   4 435 hab.

Agréable petite station de vacances possédant une plage sur le Lot. On y trouve un château du XVIIIᵉ siècle (l'actuel lycée Stendhal ; ne se visite pas, sauf si vous devez passer le bac) et quelques vieilles demeures à colombages, dans le petit quartier médiéval autour des rues du Colonel-Denfert (à deux pas de la place Clemenceau), Sabatté et de la place Lunac. Beaux spécimens de façades. C'est à Aiguillon que le Lot termine sa course, en se jetant dans la Garonne. Un chemin herbeux entre le Lot et une propriété privée permet de rejoindre le confluent mythique, à pied. Ainsi, vous pourrez donc affirmer, selon l'expression locale, que vous êtes allé « à Garonne ».

Adresse utile

🄸 *Office de tourisme du Confluent :* 14, pl. du 14-Juillet. ☎ 05-53-79-62-58. Fax : 05-53-84-41-17. ● tourisme.aiguillon@wanadoo.fr ● Dans le centre. Ouvert le lundi de 14 h 30 à 18 h 30, du mardi au vendredi de 9 h à 12 h et de 14 h 30 à 18 h 30, et le samedi de 9 h à 12 h ; en juillet et août, ouvert également le lundi matin et le samedi après-midi.

Où dormir ? Où manger ?

🛏 |●| *Hôtel-restaurant La Terrasse de l'Étoile :* 8, cours Alsace-Lorraine. ☎ 05-53-79-64-64. Fax : 05-53-79-46-48. ⚹ Dans une rue semi-piétonne du centre-ville. Chambres doubles à 48 et 52 €. Petit dej' à 5 €. Menu à 12 €, sauf les week-ends et jours fériés ; autres menus de 15 à 24 €. Demi-pension à 41 €. Superbe petit hôtel en pierre blanche et brique, proposant 18 chambres, toutes différentes et plutôt charmantes, dans un style un peu provençal (lits en fer, meubles rustiques). Mention particulière aux 4 chambres du 2e étage, aménagées dans un ancien grenier (murs en brique apparente). Trois salles de restaurant séparées (toujours des vilaines chaises en plastique...) et terrasse sur la piscine au cœur du village. Parmi les plats, on a retenu des filets de rouget au cidre (excellents), du foie gras de canard au torchon et aux pruneaux (belle synthèse régionale !) et un aileron de raie à la moutarde ancienne. Très bons vins régionaux, notamment un petit tariquet (blanc) mi-sec, mi-liquoreux. Accueil charmant. Apéritif offert sur présentation du *GDR*.

🛏 |●| *Chambres d'hôte Clos Muneau :* 28, rue Victor-Hugo. ☎ 05-53-79-59-84. Fax : 05-53-79-59-83. ● www.clos-muneau.com ● Non loin du centre. Double à 50 €, petit dej' compris. Table d'hôte sur réservation à 19 €. Difficile d'imaginer où l'on va tomber en poussant la porte bleue de cette jolie maison de ville. On découvre une maison fort bien tenue avec son jardin très calme, agrémenté d'une mare aux canards et d'une jolie piscine. À l'étage, deux chambres agréablement meublées et bien équipées. Au-dessus, un vaste espace (avec même une table de ping-pong) dessert deux autres chambres. Remise de 10 % sur présentation du *GDR*.

Où dormir ? Où manger dans les environs ?

Camping

⚕ *Camping du lac de Damazan « A. Tou. Vert » :* lieu-dit Gabaston (47160), à quelques kilomètres à l'ouest d'Aiguillon. ☎ 05-53-79-42-98. Fax : 05-53-79-26-92. Ouvert de mi-juin à mi-septembre. Compter de 7 à 7,60 € environ pour 2 personnes avec voiture et tente. Très bien situé et ombragé. Complexe touristique avec pédalos, pêche, mini-golf, tennis. Location de VTT. Également des bungalows.

Prix moyens

🛏 |●| *Chambres d'hôte Le Baraillot :* à 4 km d'Aiguillon, en direction de Villeneuve-sur-Lot (prendre à droite dans le village de Sainte-Radegonde). ☎ et fax : 05-53-88-29-92. ● www.le-baraillot.com ● Fermé de début novembre à fin février. Chambres de 57 à 61 € selon la taille ; suite de 75 à 110 € pour 4 personnes. Demi-pension obligatoire en juillet et août. Table d'hôte à 18 €. À l'écart de l'agitation du monde, un bel ensemble de bâtiments du XVIIe siècle dans un parc de 4 ha. Quatre chambres et une suite, toutes dans la maison de maître. Celles donnant sur le parc, les plus chères et les plus grandes, sont superbes. Mobilier un peu disparate, avec quelques kitscheries réjouissantes. La suite du dernier niveau, avec petit salon et immense salle de bains, peut accueillir confortablement 4 personnes. Outre la grande piscine, nombreuses activités possibles : ping-pong, jeux de plein air, etc. Accueil cordial et grand calme. Café offert sur présentation du *GDR*.

Manifestations

– **Foire du Printemps :** soit fin mars, soit début mai.
– **Festival de Jazz d'Aiguillon :** tous les ans fin juillet ou début août. Principalement place de la Mairie, mais aussi dans les environs, des concerts et bœufs de bon niveau. Renseignements : ☎ 05-53-88-20-20.

➤ *DANS LES ENVIRONS D'AIGUILLON*

🍴 Vers Nicole, monter au **Pech-de-Berre :** superbe vue sur le confluent du Lot et de la Garonne. Ne vous arrêtez pas à la croix, mais marchez un peu sur le plateau, à la recherche du meilleur panorama.

DAMAZAN (47160)

À 5 km à l'ouest d'Aiguillon. À l'orée de la forêt landaise, sympathique village à place carrée, au centre de laquelle trône la mairie surmontant une halle. Jolies façades aux tons pastel, rehaussées par des volets de couleurs vives et deux maisons à colombages. Belle image de restauration réussie, exhalant une impression de France tranquille et immuable.

CLERMONT-DESSOUS (47130)

Petit village à 15 km d'Aiguillon, sur la route d'Agen. De ce site, Stendhal a écrit qu'il lui rappelait les plus beaux paysages de l'Italie... Il fut déserté dans les années 1950. Grâce à l'aide de nombreux bénévoles et de ses habitants, il a repris vie. De jolies maisons restaurées, les vestiges d'un vieux château (éclairé la nuit) et surtout une superbe église romane du XIIe siècle. De plus, vous bénéficierez d'un magnifique panorama sur la Garonne (encore plus grandiose si vous montez dans le clocher de l'église).

LA VALLÉE DU LOT,
EN AMONT DE VILLENEUVE

PENNE-D'AGENAIS   (47140)   2 402 hab.

Village médiéval haut perché. Construit, selon la tradition, par Richard Cœur de Lion, il est dominé par Notre-Dame-de-Peyragude (derrière celle-ci, une table d'orientation d'où vous aurez une vue magnifique sur la région et la vallée du Lot). Belle porte de ville. Bien entendu, garer le véhicule et partir à

pied à l'assaut des ruelles bordées de splendides demeures aux archi-
tectures assez variées. Maisons de pierre, à colombages ou de brique (voir
notamment la magnifique mairie). Ensemble plein de charme. De nombreux
artisans d'art et galeries y ont élu domicile. Atmosphère inévitablement touristique en haute saison.

Adresse utile

🖹 **Syndicat d'initiative :** rue du 14-
Juillet, après la porte de ville. ☎ 05-
53-41-37-80. Fax : 05-53-41-40-86.
Ouvert toute l'année. Pas mal de

matériel touristique sur la région, les
campings, gîtes d'étape, gîtes ruraux et communaux.

Où dormir ? Où manger ?

🏠 |●| **Restaurant-chambres d'hôte
L'Air du Temps :** lieu-dit Mounet.
☎ 05-53-41-41-34. Fax : 05-53-40-
89-58. Au rond-point en bas du
vieux village. Fermé le lundi, le dimanche soir, 1 semaine en janvier et
en novembre. Chambres à 43 €, petit dej' inclus. Formule déjeuner à
12,20 € du mardi au vendredi (hors
jours fériés), quart de vin de Buzet
inclus. Autres menus à 21 et 32 €.
Pendant que son mari travaille à Paris, Martine Harasymczuk gère avec
discrétion et efficacité cette ancienne ferme, restaurée dans un
style néo-rustique des plus réussis.
Trois chambres ont été aménagées
dans la vieille grange, et offrent une
belle vue sur la vallée. Restaurant et
terrasse agréables, séparés par un
avant-toit traditionnel de belle facture. Cuisine entreprenante, qui marie tradition (assiette de foie gras de
canard) et audaces modernistes
(tartare de bar aux poires, terrine de

truite de mer aux épinards...). Service qui pourrait gagner en diligence.
Bon accueil.

|●| **La Maison sur la Place :** 10,
pl. Gambetta (celle où l'on gare sa
voiture avant d'attaquer le village).
☎ 05-53-01-29-18. 🕭 Fermé le dimanche et le lundi, ainsi que 15 jours
en mars et 3 semaines en octobre.
Menu à 22 €. À la carte, compter
dans les 32 €. Une maison de ville
d'apparence discrète, rénovée avec
goût par un couple fort accueillant.
Terriblement design dans la déco,
l'ambiance et le mobilier, et gentiment inventive dans la cuisine. Saveurs délicates renouvelant le terroir, et quelques beaux poissons. La
carte tourne très souvent. Belle carte
des vins. À l'arrière de la maison, jolie terrasse sur une placette. À côté,
boutique qui vend les mêmes objets
de décoration que ceux du restaurant.

TOURNON-D'AGENAIS (47370) 770 hab.

À une quinzaine de kilomètres à l'est de Penne. Site extrêmement pittoresque. Petite bastide accrochée à une haute colline. Fondée par
Alphonse de Poitiers en 1270, elle fut rattachée à l'Angleterre en 1318 avant
d'être démantelée par Richelieu quelques siècles plus tard. Gentille place
centrale avec sa mairie à arcades et ses blanches maisons anciennes. Quelques demeures du XIIIe siècle comme la *maison de l'Abescat*, rue de l'École.
Curiosité : un étonnant *cadran lunaire* du XVIIe siècle sur le clocheton en
bois du beffroi. Du jardin public, beau point de vue. Chouette balade également autour des remparts, offrant d'autres panoramas. Tournon se révèle
une étape agréable, calme et reposante (et assez prisée l'été), agrémentée
d'une base nautique pour pêcher.

Adresse et infos utiles

▮ *Syndicat d'initiative :* sur la place centrale, en face de l'hôtel de ville. ☎ 05-53-40-75-82. Fax : 05-53-49-15-29. Ouvert les lundi, mardi, jeudi et vendredi de 15 h à 17 h. Organise, sur réservation, des visites guidées de la ville en haute saison, en général le vendredi après-midi. Bonne documentation.
– L'été, un *marché nocturne* se tient tous les vendredis. Le 1er mai, important *marché aux fleurs.*
– *Foire à la Tourtière* le 15 août et *fête des Rosières* fin août.

Où dormir ? Où manger ?

🛏 À *la base nautique du Camp Beau,* location de bungalows. ☎ 05-53-40-70-19 (mairie).

🛏 |●| *Hôtel Les Voyageurs :* route de Cahors, extra-muros, sur un rond-point en bas de la colline. ☎ 05-53-40-70-28. Fax : 05-53-70-28-85. ● www.logisdefrance47.com ● Cet ancien relais de diligence est au carrefour des routes pour Villeneuve, Fumel et Agen. Fermé le vendredi soir et le samedi sauf en haute saison ; congés annuels 3 semaines en novembre. Chambres de 25 € avec lavabo, à 38 € avec douche, w.-c. et TV. Petit dej' à 5 €. Menus à 11 € (midi et soir en semaine), 15 et 20 €. Menu végétarien à 17 €. Cuisine familiale de bonne tenue, et pour autant plutôt légère pour cette région. Grande salle à manger et terrasse où une clientèle locale se régale de tourte de canard aux saveurs de pruneaux, de croustillant de loup au jus de poisson à l'aneth, de roulé de filet d'agneau et sa farce au romarin... Des recettes de terroir, simples et goûteuses.

Achats

🏺 Passez voir la *boutique de Pascal Lacroix :* dans la ville haute. ☎ 05-53-40-77-51. Fermé le samedi sauf d'avril à septembre, ainsi qu'en février. Il expose ses superbes poteries, grès et porcelaines. Un style très fin et original.

🏺 *Le Vin du Tsar :* cave à Thézac, à 4 km au nord-est de Tournon. ☎ 05-53-40-72-76. Ouvert toute l'année, du lundi au samedi de 9 h 15 à 12 h 15 et de 14 h à 18 h, et le dimanche de 14 h à 18 h ; en juillet et août, ouvert jusqu'à 19 h. Aux confins du Quercy, un vin qui doit sa réputation à une commande passée naguère par le tsar Nicolas II de Russie, influencé par le président Armand Fallières, bon VRP de sa région. Petit vignoble d'à peine 40 ha. Vins rouges légers et gouleyants.

FUMEL   (47500)   5 637 hab.

Fumel fut largement disputée par les Anglais et les Français aux XIVe et XVe siècles. Au XVIe siècle, les habitants en colère envahirent le château pour tuer le duc local. Révolutionnaires deux siècles avant l'heure ! Mais le maréchal de Montluc organisa une expédition punitive et fit raser le 1er étage de toutes les maisons. Les forges et fonderies, créées en 1847, employaient il y a 28 ans (juste avant la crise) plus de 2 700 personnes. Aujourd'hui, l'usine SADEFA est au bord du dépôt de bilan. Sinon, la ville ne possède pas d'intérêt particulier (sauf pendant le festival de Fumel-Bonaguil, voir « Le château de Bonaguil. Manifestation »), mais ne ratez pas la splendide église prieurale de Monsempron (à 2 km de Fumel).

Adresse utile

ⓘ *Office de tourisme :* pl. Georges-Escande (non loin du château). ☎ 05-53-71-13-70. Fax : 05-53-71-40-91. Ouvert du lundi au vendredi de 9 h à 12 h et de 14 h 30 à 18 h, et le sa- medi de 9 h à 12 h et de 15 h à 17 h ; en juillet et août, ouvert jusqu'à 18 h 30, ainsi que le dimanche matin. Bon accueil et pas mal de matériel touristique sur toute la région.

Où dormir ? Où manger ?

⚐ *Camping Les Catalpas :* Condat. ☎ 05-53-71-11-99. Fax : 05-53-71-36-69. ⚒ Sortie est de la ville, sur la route de Cahors (D 911). Ouvert toute l'année. Compter 13 € pour 2, avec voiture et tente. Au bord du Lot. Pêche. Aire de jeux et piscine aux dimensions impressionnantes.

⌂ ⦿ *Hôtel Kyriad :* pl. de l'Église. ☎ 05-53-40-93-93. Fax : 05-53-71-27-94. ⚒ Ouvert toute l'année. Double à 49 €. Petit dej' à 6,50 €. Menus de 12 € (sauf le dimanche) à 20 €. Moderne et sans beaucoup d'âme. Chambres confortables. Restaurant proposant une cuisine correcte, mais surtout une formidable terrasse dominant le Lot et sa vallée. Piscine. Pas vraiment dans nos habitudes de recommander un hôtel de chaîne, mais à défaut d'autre chose...

À voir. À faire

⚑ *Le château de Fumel :* abrite aujourd'hui la mairie (ne se visite pas). Reconstruction du XVIIe siècle de style classique, avec balustrade de pierre. Accès libre aux très belles terrasses du château jusqu'à 20 h (22 h en été). Panorama sur le Lot, assez encaissé à cet endroit. Dans une niche de pierre, un petit renard (souvenir des chasses à courre qu'on pratiquait ici) semble aux aguets.

➤ *Promenades en gabare* (bateau à fond plat) *:* pour découvrir la vallée du Lot. Départ à l'embarcadère au bord du Lot, d'avril à novembre. En saison, jusqu'à 4 départs par jour ; hors saison, sur réservation. Renseignements à l'office de tourisme.

➤ *DANS LES ENVIRONS DE FUMEL*

⚑⚑⚑ *L'église de Monsempron (47500) :* à 2 km de Fumel. En direction de Villeneuve-sur-Lot (la D 911), puis à droite. Bien fléché. Prendre la rue de la Gare, puis franchir le passage à niveau. Église romane superbement proportionnée. À ne pas manquer ! Sur la façade, curieuse tourelle ronde. Son porche a été très remanié. En revanche, celui de côté présente des voussures délicatement ciselées. Chevet absolument remarquable avec ses absidioles qui se superposent. Massif clocher carré à la croisée de transept. À l'intérieur, chœur gothique à pans coupés, ajouté au XVIe siècle. Une bonne occasion de constater toute la différence entre les deux styles architecturaux. Contourner l'église pour aller voir, côté vallée, l'élégant édifice Renaissance (nombreuses expos). Belles fenêtres à meneaux.

– À 100 m, une maison du bourg possède une tour ronde surmontée d'une coquille Saint-Jacques sculptée. Ne pas manquer non plus le portail d'accès d'un ancien couvent (sur la gauche juste avant l'église), avec ses inscriptions gravées « couvent » et « entrée des classes ».

– Tâchez de venir à Monsempron-Libos le jeudi matin pour le marché, l'un des plus grands du département.

LE HAUT AGENAIS-PÉRIGORD

Cette région un peu artificielle, au nord du département, englobe l'extrémité méridionale du Périgord, un bout de la Guyenne et la partie septentrionale de l'Agenais. Moins domestiquée et cultivée que l'ensemble du Lot-et-Garonne, elle conserve de nombreuses forêts, des collines boisées, et privilégie la polyculture plutôt que les grandes mono-exploitations. C'est aussi la terre des bastides et des châteaux, avec, pour commencer, l'un des plus célèbres et impressionnants du sud de la Loire.

LE CHÂTEAU DE BONAGUIL (47500)

Dans un site exceptionnel, à la frontière du haut Agenais et du Quercy, l'un des plus beaux exemples d'architecture militaire des XVe et XVIe siècles. L'orgueilleux baron Berenger de Roquefeuil, qui le fit édifier suite à de nombreuses attaques menées aussi bien par les Anglais que par ses propres gens, avait déclaré : « J'élèverai un château que ni mes vilains ne pourront prendre, ni les Anglais s'ils ont l'audace d'y revenir, voire même les plus puissants soldats du roi de France ! ». Le fait est que sa forteresse un peu anachronique ne fut jamais assiégée. Tant mieux pour lui et surtout pour nous, puisque Bonaguil rayonne encore aujourd'hui presque comme au premier jour. C'est aussi le lieu d'un important festival de théâtre en août (voir plus loin). Dans la montée vers le château, quelques *brocantes* et une *librairie* spécialisée dans le Moyen Âge.

– *Renseignements* : ☎ 05-53-71-90-33. Ouvert tous les jours ; en avril et mai, de 10 h 30 à 13 h et de 14 h 30 à 17 h 30 ; en février, mars, septembre, octobre et novembre, de 11 h à 13 h et de 14 h 30 à 17 h 30 (17 h en automne et dès 10 h 30 en septembre) et dès 10 h en juin, juillet et août, de 10 h à 18 h. Fermé en janvier et décembre, sauf pendant les vacances scolaires de Noël. Entrée : 4,50 € ; réduction pour les moins de 16 ans ; sur présentation du *GDR,* application du tarif de groupe (3,50 €). Visites commentées toute l'année ; en haute saison, à 10 h, 11 h, 14 h, 15 h, 16 h et 17 h ; durée : 1 h 30. Illuminations chaque soir de juin à septembre jusqu'à minuit. À la mi-juillet, embrasement du château.

Pas moins de treize tours et tourelles, édifiées sur un promontoire rocheux (une « bonne aiguille », qui a donné Bonaguil). Le donjon repose sur les structures d'un château du XIIIe siècle, lui-même élevé au-dessus d'une ancienne grotte. Notez que, côté extérieur, il possède la forme d'une proue de navire pour ne pas laisser prise aux boulets ennemis. Grandes cheminées suspendues dans le vide. Certaines salles présentent des voûtes en étoile. Nombreux escaliers, recoins et souterrains (sous le château, grande galerie naturelle). À côté de l'entrée principale, l'ancienne chapelle seigneuriale, devenue église du village.

Randonnée

➢ **Bonaguil** est situé sur le GR 36 de Lacapelle-Biron à Touzac. De Fumel, possibilité de gagner Bonaguil par un sentier de pays (balisé en jaune et vert). À Condat, se diriger vers Esquibat, puis prendre un chemin vers Boussac (par Larché et Le Brugal). Traversée de la D 673, puis chemin à travers bois pour Le Bessou et La Combescure.

Manifestations

– **Festival de Théâtre de Bonaguil-Fumel :** une semaine environ, en général début août. S'adresser à l'office de tourisme de Fumel (☎ 05-53-71-13-70) ou à la maison du Festival : ☎ 05-53-71-17-17. Un des plus importants festivals de théâtre en Aquitaine, attirant des acteurs connus (Hossein, Brialy, Huster, Weber, etc.). Un ou deux spectacles chaque soir, au pied du château ou dans le théâtre de la Nature de Fumel.
– **Les Médiévales :** 3 jours de fête à la mi-juin, avec spectacles et animations à Bonaguil et à Fumel. Troubadours, jongleurs, combats médiévaux, artisans, défilé dans les rues de Fumel, etc.

➤ DANS LES ENVIRONS DE BONAGUIL

🎥🎥 **Le domaine des Ardailloux :** au hameau de Tourret, à Soturac (46700, donc enclave du Lot). ☎ 05-53-71-30-45. ✗ À portée de flèche de Bonaguil, et d'ailleurs fléché depuis la route qui y monte. Ouvert toute l'année du lundi au vendredi de 10 h à 12 h et de 14 h à 18 h ; en été, ouvert également le samedi et le dimanche. Au-delà du domaine viticole, qui produit un curieux et intéressant « vin d'opale » (un blanc moelleux), le propriétaire, passionné par les oiseaux (et accessoirement par les Ferrari), entretient un étonnant petit musée d'ornithologie. Belle muséographie qui met en valeur une impressionnante collection d'oiseaux empaillés, dans un bâtiment inspiré des séchoirs à tabac. Tout cela est gratuit. Autour, plusieurs sentiers balisés (panneaux explicatifs) à travers les vignes.

SAUVETERRE-LA-LÉMANCE (47500) 639 hab.

Centre de villégiature aux marches du Quercy, posé sur un site préhistorique qui a donné son nom à la première période du mésolithique : le sauveterrien. Ça ne sert à rien de le savoir, mais on est content de vous le dire ! Tous les alentours (Bonaguil, Montcabrier) se révèlent une magnifique région de bois, forêts et pâturages dévalant de hautes collines et offrant un treillis de petites routes adorables. Paysage vraiment débordant de plénitude et sérénité. Au village, peut-être croiserez-vous le garde champêtre moustachu, sa casquette réglementaire éternellement vissée sur la tête ! Seul point noir : à l'entrée de Sauveterre, une usine de chaux laisse parfois échapper quelques puants relents (ne dramatisons tout de même pas).

Où dormir ? Où manger ?

🛏 🍴 **Hôtel du Centre :** dans le bourg, après le passage à niveau et la mairie. ☎ 05-53-40-65-45. Fax : 05-53-40-68-59. Fermé en janvier et février. Double à 27 € avec lavabo. Petit dej' à 5 €. Menu du jour à 10 € (quart de vin et café inclus) ; autres menus de 12 à 40 €. Très bon accueil. Chambres simples et prix très raisonnables. Bonne cuisine, servie dans une salle rustique ainsi que dans un agréable jardin clos, en été. Menus proposant des plats traditionnels dans le genre civet de cuisse de canard au vin de Cahors, filet de sandre ou épaule d'agneau, ainsi qu'une étonnante Tatin de foie gras. Goûteux et sans chichis. Apéritif maison offert sur présentation du GDR.

Où dormir ? Où manger dans les environs ?

Campings

△ *Camping Moulin de Périé :* à 3 km de Sauveterre en direction de Loubejac, dans la vallée du Sendroux. ☎ 05-53-40-67-26. Fax : 05-53-40-62-46. ● www.camping-moulin-perie.com ● ⚔ Ouvert de début mai à mi-septembre. Compter, en haute saison, 20 € pour 2 personnes avec voiture et tente. Beau 4 étoiles qui s'étend autour d'un vieux moulin. 125 places bien ombragées. Piscines et plan d'eau pour la baignade. Location de chalets, tentes-bungalows et mobile homes. Évidemment, ce n'est pas donné. Idéal pour les familles. Pot d'accueil sur présentation du *GDR*.

△ *Camping Moulin de Laborde :* situé près de Montcabrier (46700), dans la vallée de la Thèze. ☎ 05-65-24-62-06. Fax : 05-65-36-51-33. ● www.moulindelaborde.com ● ⚔ Ouvert du 1er mai au 15 septembre. Selon la saison, compter de 12,60 à 18 € pour 2 personnes avec voiture et tente. Là aussi, vieux moulin dans un environnement très agréable, et camping confortable avec piscine et jeux pour enfants.

Bon marché

🏠 |○| *Chambres d'hôte chez Odette et Roger Lemozy :* à Mérigou, 46700 Montcabrier. ☎ et fax : 05-65-36-53-43. Sur réservation. Chambres d'hôte à 27 € pour 2, petit dej' compris. Également table d'hôte le soir : menu à 11 € avec apéritif (celui à base de feuilles de cerises, un régal !) et café. Une petite incursion en Quercy pour vous indiquer cette superbe adresse. Située à 3 km de la « frontière », sur la D 68 (entre Sauveterre et Montcabrier). Ferme sur une colline boisée, totalement à l'écart du monde. Environnement de rêve pour les amoureux de la nature. Odette et Roger prodiguent une hospitalité hors pair et proposent leurs chambres d'hôte à la ferme. Ils ont aussi deux splendides et confortables gîtes ruraux dans des maisons de caractère (un « petit » pour 4 personnes au moins, en pleine campagne, et un plus grand avec 4 chambres, dans le hameau), de 305 à 915 € la semaine selon la saison et le nombre de personnes. Piscine près du grand gîte (utilisable par l'autre aussi). Du 15 octobre au 15 mai, « week-ends foie gras ».

Prix moyens

🏠 *Domaine de Gavaudun :* à Vezou, au-dessous de Gavaudun (47150), sur la vallée de la Lède. ☎ 05-53-36-21-90. Fax : 05-53-36-21-85. ● www.domaine-de-gavaudun.com ● ⚔ Fermé de début novembre à fin février ; hôtel ouvert uniquement de début juin à fin septembre. Doubles à 30 et 45 € selon la saison. Dans un site isolé, un endroit plutôt centre de vacances avec piscine, tennis, équitation (club à proximité), louant des chambres à la nuit ou des gîtes à la semaine (de 200 à 1 000 €, selon la période et le niveau de confort). Chambres correctes dans un cadre très agréable et au grand calme. Sur présentation du *GDR*, 10 % de remise sur le prix de la chambre.

🏠 |○| *Le Moulin de Saint-Avit :* à la sortie et en contrebas de Saint-Avit, sur la commune de Gavaudun (47150). ☎ 05-53-49-38-81. Fax : 05-53-41-12-25. ● www.moulindesaintavit.fr ● ⚔ Hors saison, chambre double avec terrasse à 60 €, petit dej' inclus ; en juillet et août, uniquement formule gîtes, de 1 000 à 1 600 € la semaine. Un couple de

Belges a repris récemment ce très beau moulin, sur un bras glougloutant de la mignonne rivière Lède. Chambres charmantes (sols entièrement refaits), parfaitement équipées et bien tenues, avec accès par de petites passerelles en bois au terrain de 5 ha et à la grande piscine. Enclos avec poneys, ânes, biquettes... Alentour, plus de 100 km de chemins balisés. Vue imprenable sur le village médiéval de Saint-Avit au-dessus. Gageons que nos amis du plat pays sauront faire fructifier cet endroit magnifique. Café offert sur présentation du *GDR*.

À voir

🔧 **Le château des Rois-Ducs** *(demeure privée, ne se visite pas)* **:** fièrement perché sur un éperon, édifié aux XIIIe et XVe siècles, ceinturé de hautes murailles et couronné de trois tours imposantes, Sauveterre était un château anglais. Autour, très joli hameau.

🔧 Le petit **Musée de préhistoire mésolithique L. Coulonges :** au rez-de-chaussée de la mairie. ☎ 05-53-40-73-03. Fax : 05-53-40-63-86. ● musee.sauveterre-la-lemance@wanadoo.fr ● En juillet et août, ouvert du mardi au samedi de 9 h 30 à 12 h et de 14 h 30 à 18 h 30, et le dimanche de 14 h 30 à 18 h 30 ; le reste de l'année, du mardi au vendredi de 9 h 30 à 12 h et de 14 h 30 à 18 h (18 h 30 d'avril à juin, en septembre et octobre) et les samedi et dimanche de 14 h 30 à 18 h 30. Fermé le lundi, 2 semaines en juin après la Pentecôte, 1 semaine en novembre et pendant les fêtes de Noël. Entrée : 2,30 € ; réductions. On y voit les résultats des recherches effectuées dans les gisements de Sauveterre et des environs. Le musée organise tous les ans, un dimanche d'avril, *Les Sauveterriales,* parcours ludique préhistorique le long de la rivière Lémance.

➤ *DANS LES ENVIRONS DE SAUVETERRE-LA-LÉMANCE*

🔧 **Saint-Front-sur-Lémance** *(47500) :* belle église fortifiée du XIe siècle, remaniée au XVIe. Tour crénelée et joli retable en pierre sculptée. Également belle mairie attenante, avec arcades et tour. Prendre la route de Blanquefort vers Łacapelle-Biron. C'est une superbe promenade qui vaut le détour.

LA VALLÉE DE LA LÈDE

Une micro-région attachante, dans une vallée creusée par une toute petite rivière. Les jolies collines boisées sont le prétexte à de nombreuses randonnées dans la verdure.

🔧 **Lacapelle-Biron** *(47150) :* ce village est né de la lassitude du marquis de Biron qui, au XVIIIe siècle, ne pouvait plus supporter le bruit du marché qui se tenait au pied de son château (dans la Dordogne voisine). Les marchands vinrent donc s'installer ici. Le marché se tient toujours le lundi après-midi. Important centre de randonnée. Gîte d'étape et aire de camping.

À voir. À faire

– **Parc-En-Ciel :** parcours acrobatique dans les arbres. Moulin de Courrance. À 700 m de Lacapelle, en direction de Gavaudun. ☎ 05-53-71-84-58. Ouvert en juillet et août tous les jours de 9 h à 20 h, en septembre et octobre de 10 h à 18 h, et du 1er avril à fin juin uniquement les week-ends, jours fériés et vacances scolaires. Entrée : 4 €. Cinq parcours et 90 ateliers pour « s'envoyer en l'air », en toute sécurité. Pique-nique, aire de jeux, lac... Prudent de réserver.

🦌 *Saint-Avit (47150) :* hameau avec une seule rue et une intéressante église fortifiée. Belles demeures médiévales, dont la maison natale de Bernard Palissy. Un intéressant *musée* (☎ 05-53-40-98-22 ; de mai à octobre, ouvert tous les jours sauf le mardi ; le reste du temps, seulement le dimanche et pendant les vacances scolaires, l'après-midi) évoque la vie du célèbre potier émailleur du XVIe siècle et présente des céramiques contemporaines. Fréquentes expositions.

– *Foire de la Poterie :* le 2e dimanche d'août.

🦌 *Gavaudun (47150) :* petit village pittoresque, protégé par une falaise habitée depuis la préhistoire. Énorme tour du XIIIe siècle, accessible en été ; le reste du temps, sur rendez-vous (☎ 05-53-95-62-04). Église romane aux chapiteaux historiés. Nombreuses possibilités d'activités nature. Se renseigner auprès de Nature Évasion (☎ 05-53-40-83-55) : escalade, spéléo, VTT...

MONFLANQUIN
(47150)   2341 hab.

Perchée sur une colline, l'une des plus belles bastides du Lot-et-Garonne. Fondée en 1256, elle a conservé intégralement le plan initial. Très jolie place centrale entourée d'arcades. L'église, quant à elle, présente une imposante façade fortifiée avec un porche gothique complètement usé qui, à certains endroits, fut consolidé par du béton sacrilège. Mur-clocher percé de trois baies. Monflanquin préserve son précieux héritage médiéval par de délirantes animations et la présence du guide Janouille (voir plus loin).

Adresse et info utiles

🛈 *Office de tourisme :* pl. des Arcades. ☎ 05-53-36-40-19. Fax : 05-53-36-42-91. ● www.cc-monflanquinois.fr ● En saison, ouvert du lundi au samedi de 10 h à 12 h 30 et de 14 h 30 à 18 h, et le dimanche de 15 h à 18 h ; horaires plus restreints hors saison, se renseigner. Bien documenté sur toute la région. On peut y obtenir un plan, très bien fait, pour visiter la bastide tout seul. La maison du tourisme abrite aussi le musée des Bastides.

– *Marché :* le jeudi.

Où dormir ? Où manger dans les environs ?

🏠 |●| *Ferme-auberge du Bossu :* à 2,5 km, sur la route de Savignac (D 253). ☎ et fax : 05-53-36-40-61. Ouvert de Pâques à fin septembre. Le restaurant n'est ouvert que le dimanche et jours fériés à midi de Pâques au 15 juin ; du 15 juin au 30 septembre, ouvert du mardi midi au dimanche midi. Pension complète à 51 €. Chambre à 37 € et petit déj à 5 €. Repas de 20 à 30 €. Les 7 chambres sont équipées de douche et de w.-c. Un salon de détente est mis à la disposition des hôtes, ainsi qu'un espace jeux pour les enfants. Ça fait 28 ans qu'au restaurant, on sert une authentique cuisine du terroir, préparée avec les produits de la ferme. Toutes les spécialités du Haut Agenais-Périgord sont déclinées dans les 3 menus et sur la carte : tourte au foie gras, magret farci aux cèpes, galantine de poule sauce champignons, confit, médaillon de cou farci sauce morilles... Si vous voulez prolonger la cure à domicile vous pouvez acheter tous ces produits maison. Bon appétit ! Apéritif maison offert sur présentation du *GDR*.

🏠 |●| *Chambres d'hôte La Renarde :* 47150 La Sauvetat-sur-

Lède. ☎ et fax : 05-53-41-90-34. À 6 km sur la route de Villeneuve-sur-Lot. Fermé en décembre. Trois chambres doubles avec lavabo ou douche, et w.-c., de 30 à 35 €, petit dej' compris. Mme Denise Coufignal, lot-et-garonnaise bon teint, est très sympa. Dans une maison indépendante, elle propose 2 chambres avec lavabo et une chambre avec petite salle de bains. Si vous ne craignez pas de partager une salle de

bains, préférez l'une des deux premières chambres, nettement plus spacieuses. Terrasse plein sud. Denise et Pierre, son mari, jonglent avec entrain entre les tâches de la ferme et les services rendus à leurs clients. Possibilité de dîner (tourtière renommée) pour 11 €, vin compris. Également un gîte, à l'écart, entre 245 et 275 € la semaine selon la période.

À voir. À faire

🎭 *Le musée des Bastides :* à l'étage de l'office de tourisme. Mêmes horaires et téléphone. ⚒ Entrée : 3 € ; gratuit jusqu'à 12 ans. Un espace très moderne pour expliquer la genèse, l'histoire et l'architecture des bastides. Muséographie assez réussie, laissant une large place à l'interactivité : jeux et animation pour les enfants, commentaires sonores, etc. Panneaux explicatifs français et anglais bien faits. Visites guidées et plusieurs animations en été.

➤ *Visite de la ville avec Janouille :* en juillet et août, du lundi au jeudi à 18 h ; visite aux flambeaux les mardi et jeudi à 21 h 30 ; hors saison, sur réservation pour les groupes. Renseignements à l'office de tourisme. Durée : 1 h 15. Prix : 2,50 € en journée, 3,50 € en soirée. On l'entend arriver de loin, le Janouille, avec ses clochettes aux basques et ses nippes moyenâgeuses. Fils bâtard d'Henri IV, le délirant Janouille, qui s'est inventé une vie au XVe siècle, vous fera découvrir Monflanquin avec humour et plein d'anecdotes.

– *Monform :* route de Cancon. ☎ 05-53-49-85-85. Ouvert tous les jours. Espace de remise en forme avec piscine, hammam, sauna, salle de musculation...

Manifestations

– *Atelier d'artistes Pollen :* prépare des pièces et des expositions d'art contemporain ; toute l'année.
– *Foire aux vins et aux fromages :* chaque année, le 8 mai.
– *Festival de Piquemil :* chaque année fin juillet. Pièces de théâtre inspirées de la tragédie.
– *Les médiévales :* 3 jours autour du week-end du 15 août. Si vous passez dans le coin à cette période, débrouillez-vous pour y être. Tout le village (et même certains touristes) participe, se déguise, et vit pendant trois jours comme il y a cinq siècles ! Des cochons et des poules courent dans les rues, des troubadours chantent et dansent et des vilains dorment même dehors ! Assez délirant. Le tout se termine par un gigantesque banquet. Renseignements à l'office de tourisme.

VILLERÉAL (47210) 1 245 hab.

Bastide fondée en 1267 par Alphonse de Poitiers, et gros bourg agricole où l'on cultive notamment des céréales, des prunes et du tabac. Sur la place principale, toujours très animée, très belle halle du XIVe siècle sur piliers de bois. Intéressante église fortifiée présentant une façade originale. Porche gothique à voussures aux lignes harmonieuses et clocher à galerie. Quelques vieilles demeures pittoresques (rue Saint-Roch), qui attirent beaucoup de visiteurs venus d'Angleterre. L'une des plus vivantes bastides du département.

– Lac sympa avec *baignade* et quelques animations estivales (bodega, meetings hippiques en août, fête du cheval le dernier dimanche de septembre, etc.). Renseignements à l'office de tourisme.

Adresse et info utiles

Office de tourisme : pl. de La Halle. ☎ 05-53-36-09-65. Fax : 05-53-36-63-58. ● www.aavie.com/villereal ● Du 15 juin au 15 septembre, ouvert tous les jours de 9 h à 12 h et de 14 h à 19 h, sauf le dimanche après-midi ; du 15 septembre au 15 juin, ouvert de 9 h à 12 h et de 14 h à 17 h, fermé le lundi matin, le dimanche et les jours fériés. Bien documenté et compétent. Possibilités de randonnées à vélo, à VTT ou pédestres. Se renseigner. Visite guidée de la bastide du 15 juin au 15 septembre, les mardi et jeudi à 18 h.

– **Marchés :** le samedi matin toute l'année (sous la halle et les autres places du village), ainsi que le mercredi en juillet et en août ; le lundi soir en juillet et en août se déroule aussi un marché des producteurs locaux.

Où dormir ? Où manger ?

Campings

△ **Complexe touristique du lac de Pesquie :** au bord du lac. ☎ 05-53-36-05-63. Fax : 05-53-36-09-55. Ouvert de début avril à fin septembre. Compter dans les 12 € pour 2 personnes avec voiture et tente en haute saison. Adhésion à l'association obligatoire pour tout séjour (15 €). Des bungalows en dur et en toile (la tente du riche !) et 16 mobile homes à la semaine (à partir de mai). Nombreuses animations en juillet et août, réalisées par une équipe de jeunes enthousiastes, dont certains appartiennent à une troupe d'acteurs amateurs joliment nommée « Mets Ta Morphose ». Délires assurés. Évidemment, possibilité de baignade à deux pas (prêt de pédalos, canoës...). Excellent accueil. Apéritif, café ou digestif offert sur présentation du *GDR*.

△ **Camping du château de Fonrives :** route de Bergerac. ☎ 05-53-36-63-38. Fax : 05-53-36-09-98. Ouvert de mi-avril à fin octobre.

Compter 23 € pour 2 personnes, une tente et une voiture en haute saison. Un très beau camping 4 étoiles, récemment repris, au milieu d'un parc de 20 ha avec un château entouré de douves et un lac. Location à la semaine de mobile homes, bungalows en toile et chalets, de 168 à 671 € selon le niveau de confort et la période. Nombreux projets d'aménagements : nouveau bar-restaurant, grande piscine « haricot »... Beau cadre et piscine à verrière s'ouvrant l'été.

△ |●| **Camping Les Ormes :** à Saint-Étienne-de-Villeréal. ☎ 05-53-36-60-26. Fax : 05-53-36-69-90. ● www.CampingLesOrmes.com ● Ouvert de fin mai à fin septembre. Récemment repris par de jeunes Hollandais. 20 ha de terrain. Pour 2 personnes avec voiture et tente, autour de 17 €. Très confortable. Possibilité de prendre des repas (resto, pizzeria). Piscine, tennis et lac. Calme et grands espaces. Location de chalets entièrement équipés, intelligemment disséminés dans le domaine. Pour 4 à 6 personnes : de 250 à 560 € suivant saison. Égale-

ment un insolite mini-chalet Tournesol (qu'on peut orienter en suivant le soleil). Boisson de bienvenue offerte sur présentation du *GDR*.

Prix modérés

🏠 |◉| *Hôtel de l'Europe :* 1, rue Jean-Moulin. ☎ 05-53-36-00-35. Non loin de l'église. Fermé le dimanche soir. Chambres correctes à prix modérés : 32 € avec douche, 38 € avec douche et w.-c., 45 € avec bains. Petit dej' : 6 €. Menu à 11 € le midi en semaine ; autres menus de 19 à 38 €. Le restaurant a vu

défiler des générations de familles pour les communions et les traditionnels déjeuners dominicaux à base d'omelette aux cèpes ou aux truffes, de magret ou de confit de canard, et de ris de veau. Cuisine simple, bien charpentée et sans surprise. Apéritif maison offert sur présentation du *GDR*.

Où dormir ? Où manger dans les environs ?

🏠 |◉| *Auberge du Moulin de Labique :* 47210 Saint-Eutrope-de-Born. ☎ 05-53-01-63-90. Fax : 05-53-01-73-17. ● www.moulin-de-labique.fr ● De Villeréal, emprunter la D 676 sur 3 km, puis la D 153 vers Beauregard. Le moulin est entre Born et Saint-Vivien. Chambres toute l'année sur réservation. Double à 88 €, petit dej' compris ; suite avec cuisine à 135 €, pouvant être louée à la semaine. Restaurant ouvert le soir et le dimanche midi d'avril à octobre. Menu à 30 € à choisir sur la carte. En retrait de la route, voilà un petit coin de paradis de 25 ha. Excusez du peu ! Ce moulin, situé au milieu des prairies douces et des cours d'eau du haut Agenais, date du XVIIIe siècle. Pour dormir, 3 cham-

bres et 2 suites familiales toutes meublées avec goût et raffinement. Meubles anciens, couleurs fraîches et calme assuré. Au restaurant doté d'une belle cheminée, une ambiance délicate et assez *british*. Menus avec de très bons potages pleins d'originalité et des plats alliant simplicité des saveurs et fraîcheur des produits. En saison, les asperges valent le déplacement. Par beau temps, la terrasse sous une tonnelle s'avère bien agréable. Piscine. Le patron possède aussi des poneys qu'il vous montrera et vous fera volontiers monter ; il a également la passion des canards (il en élève plus d'une dizaine d'espèces). Apéritif maison ou café offert sur présentation du *GDR*.

À voir

🎭 *La maison de Campagne :* pl. Jean-Moulin, face à l'église. ☎ 05-53-36-65-14. Théoriquement, ouvert tous les jours en juillet et août, de 10 h à 12 h et de 15 h à 18 h ; le reste de l'année, du lundi au vendredi de 10 h à 12 h et de 14 h à 17 h. Entrée : 3 € ; réductions. En plein village, cet espace ludique et tout en bois fut créé à l'initiative des chasseurs du département, soucieux de la protection de l'environnement... et sans doute de leur popularité. La campagne, la nature, les herbes, les fleurs, les animaux... C'est un peu tout le patrimoine naturel du Lot-et-Garonne qui s'étale sous vos yeux dans une muséographie claire, interactive et moderne. Animations pour groupes (enfants et adultes). Vous pourrez poursuivre la visite en vous rendant près du lac du Brayssou. On y a aménagé un sentier de découverte de la faune et de la flore. Un beau prétexte pour aller se remplir les poumons d'air bien pur.

CASTILLONNÈS (47330) 1 354 hab.

À 13 km à l'ouest de Villeréal, une autre bastide intéressante. Elle eut le même fondateur, qui n'était autre que le frère de Saint Louis. Édifiée sur une colline. Petite ville calme, propice à la promenade. Vestiges de remparts et de portes du XIVe siècle construits par le roi d'Angleterre. Ruelles possédant un charme vieillot. Agréable place principale avec son ancienne maison abbatiale restaurée, ses cornières, sa maison à double pignon et clocheton pittoresques. Rue du Petit-Paris, belle demeure du XVIIIe siècle. Dans l'église, intéressant retable en bois doré du XVIIe siècle, ainsi que quelques belles toiles de la même époque. Autour de Castillonnès, nombreux éleveurs de chevaux. Parfois, des courses hippiques.

Adresse et info utiles

Office de tourisme : pl. des Cornières. ☎ 05-53-36-87-44. ● www.castillonnestourisme.com ● Ouvert toute l'année du lundi au vendredi de 9 h à 12 h et de 14 h à 18 h, et le samedi matin ; en juillet et août, ouvert également le samedi après-midi.
– **Marché :** le mardi matin dans tout le village.

Où dormir ? Où manger ?

Hôtel-restaurant des Remparts : 26-28, rue de la Paix. ☎ 05-53-49-55-85. Fax : 05-53-49-55-89. En plein centre. Resto fermé le dimanche soir et le lundi, sauf en été. Congés annuels en janvier et les 3 dernières semaines de novembre. Doubles de 37 à 50,50 €. Petit dej' à 6 €. Formule à 12,20 € le midi en semaine, sauf les jours fériés ; autres menus de 15,20 à 40 €. Une belle grosse maison de pierre au cœur du village, où l'on a pris soin de conserver les beaux volumes lors de son aménagement en hôtel. Chambres spacieuses donc, aux tons pastel assez reposants, avec de curieuses salles de bains biscornues. Celles qui donnent sur la nationale sont équipées de double vitrage. À table, une cuisine traditionnelle et régionale sans grande surprise mais réussie. Très bon pain. Apéritif maison offert sur présentation du *GDR*.

Où dormir ? Où manger dans les environs ?

Ferme de séjour du Bois de Mercier : 47330 Douzains. ☎ 05-53-36-81-97. Fax : 05-53-36-71-10. À 7 km au sud-ouest de Castillonnès. Fermé une semaine en octobre. Réservation recommandée. Doubles de 39 à 42 €. Possibilité de dîner pour 14 €. Charmante petite ferme (pratiquant un peu de culture bio) au bord d'un étang, en pleine nature, où M. et Mme Bousquet vous accueilleront avec beaucoup de prévenance. Ils offrent à leurs hôtes de très jolies chambres d'une propreté irréprochable. On propose aussi un gîte rural (de 286 à 392 € la semaine) et un petit camping (forfait, pour 2 personnes avec voiture et tente, à 6,70 €). Bonnes spécialités rustiques, issues (dans leur majorité) de l'agriculture biologique. Civet de canard, potage à l'ortie, poule au pot, volailles à l'étouffée. Vous y trouverez également toutes sortes de spécialités à base de pruneaux, et Denise vous expliquera tout sur cette gourmandise typique du Sud-Ouest. Sur présentation du *GDR*, remise de 10 % sur le prix de la chambre pour un séjour d'une semaine, sauf en juin, juillet et août.

À faire

➢ *La promenade de la Mouthe :* vue sur la vallée du Dropt, à ne pas manquer.

➢ *Randonnées équestres et en roulottes : Cheval Voyages,* à Lougratte (9 km au sud). ☎ 05-53-01-66-02. ● www.cheval-voyages.com ● Non loin d'un lac.

LAUZUN   (47410)   791 hab.

Patrie du célèbre maréchal de France qui naquit en 1632 au château du village. Grand courtisan, ambitieux, intrigant, bien que son favori, il eut aussi quelques bisbilles avec Louis XIV (petit séjour à la Bastille). La Grande Mademoiselle, nièce du roi et plus beau parti de France, tomba amoureuse de lui. Cela valut à Madame de Sévigné une de ses lettres les plus fameuses. Rappelez-vous : « C'est la chose la plus étonnante, la plus surprenante, la plus miraculeuse, la plus inouïe, la plus incroyable, la plus digne d'envie... » En 1695, à l'âge de 62 ans, il se remaria avec une gamine de 15 ans qui pensait bien faire rapidement une jeune, riche et jolie veuve. Pas de chance, Lauzun mourut à 90 ans !

Où dormir dans le coin ?

🛏 *Chambres d'hôte, moulin de la Philippe :* à la sortie de Miramont-de-Guyenne vers Duras, à 10 km à l'ouest de Lauzun. ☎ et fax : 05-53-93-34-13. Ouvert toute l'année. Compter 53 € la nuit, petit dej' compris. Adorable moulin restauré, sur la Dourdaine. Guy Sure, qui fut décorateur avant de devenir assureur, a aménagé, avec un souci du détail qui fait mouche, 2 chambres d'hôte à l'étage (une avec balcon). Style néo-rustique très réussi, tonalités chaudes, éclairages tamisés... Agréable terrasse. Et pour couronner le tout, un parc au bord de l'eau, pour se laisser bercer par le glouglou de la rivière... Très bon accueil.

À voir

🍴 *Le château :* visite tous les jours de début juillet à mi-août ; le reste de l'année, sur rendez-vous, uniquement pour les groupes (renseignements au ☎ 05-53-94-18-89). Splendide aile Renaissance et cheminées monumentales du XVIe siècle.

🍴 *L'église :* beau retable du XVIIe siècle provenant du couvent des Récollets et devant d'autel en bois sculpté. Ensemble peu commun, avec les quatre colonnes torsadées séparées du retable et l'arche ornementée qui les relie. Chaire du XVIIe siècle superbement sculptée également.
En face de l'église (et à côté de la poste), curieuse demeure à cariatides.

LE PAYS DE DURAS

Guerres oubliées, douceur de vivre... Une des régions les plus séduisantes et les plus agréables à vivre du Sud-Ouest. Situé au nord du département, avec ses reliefs paisibles, ses douces collines, ses villages charmants, ses émouvantes églises romanes aux vieilles pierres blanchies par le temps, voilà un pays qui donne envie de poser son sac pendant un moment. Au Xe siècle, cette terre était recouverte par des bois, et ce sont les moines de Conques et de Sarlat qui se mirent à la défricher. Bien sûr, cette région fut au cœur des batailles opposant Français et Anglais avant et pendant la guerre de Cent Ans. Les gens de Duras prirent fait et cause pour l'Albion. Du coup, on envoya Du Guesclin pour ruiner le château et la région. Ce qu'il fit avec une conscience toute militaire. Pardonné par Louis XI, le seigneur de Duras put reconstruire son château. Un siècle de paix et de travail s'écoula avant les terribles méfaits générés par les guerres de Religion. Il faudra attendre 1715 et la mort de Louis XIV pour que le pays connaisse une ère de prospérité sans précédent grâce au vin. Car c'est une terre de vignes, où l'on produisait à l'époque un nectar généreux qui plaisait aux Anglais, aux Hollandais (ils sont revenus depuis !), aux Bretons et aux Belges. Et puis la Révolution arriva, et c'est le vin qui en fut la première victime. Le château fut détruit et le pays ruiné.

UNE TERRE DE VIN

Clément V, le premier pape d'Avignon, l'appréciait déjà. En 1937, le vin du Duras retrouve ses lettres de noblesse avec une appellation d'origine contrôlée (AOC). Et depuis plus de 60 ans, le côtes-de-duras a réussi à garder son âme, blotti au savoureux voisinage du Périgord, du Quercy et du Bordelais. Sur à peine 2 000 ha, « le plus secret des grands terroirs » produit des blancs, des rouges et des rosés à partir de sauvignon, de sémillon, de muscadelle, de malbec et de mauzac. Les blancs sont légers et fruités ; les rouges, plus fringants quand ils sont jeunes, peuvent s'épanouir après quelques années. Les gens de Duras sont attachés à leur terre qui donne ce vin presque millénaire. Ici, selon la formule consacrée, on fait un métier, pas des affaires. Avec à peine 100 000 hl, ce vin est rare, il se mérite. Et quand on l'a goûté, on l'adopte !

DURAS   (47120)   1 241 hab.

La petite capitale du pays de Duras. À propos, on dit que Marguerite « Sublime, forcément sublime », qui passa une partie de son enfance à Pardaillan, un village voisin, choisit son nom de plume en souvenir des moments heureux passés dans cette région. C'est donc une ancienne ville forte édifiée sur un promontoire, avec un superbe château en figure de proue.

Adresses et infos utiles

ⓘ Office de tourisme : 14, bd Jean-Brisseau. ☎ 05-53-83-63-06. Fax : 05-53-76-04-36. ● www.pays deduras.com ● De mi-juin à mi-septembre, ouvert tous les jours de 10 h à 12 h et de 14 h à 19 h (le dimanche, uniquement l'après-midi à partir de 15 h) ; de mi-septembre à mi-juin, ouvert du lundi au vendredi de 9 h à 12 h et de 14 h à 18 h, fermé les week-ends et jours fériés. Plein d'informations sur toute la région. Réservation de locations de vacances (☎ 05-53-94-76-94). Dégustation-vente de vin.

■ Association des randonneurs du pays de Duras : renseignements auprès de M. Pierre Bireaud (☎ 05-53-83-73-14).

– **Marché :** le lundi matin.

– **Marché fermier :** le jeudi matin en été et le samedi matin toute l'année.

Où dormir ? Où manger ?

Campings

⚵ *Camping municipal Le Château :* ☎ 05-53-83-70-18. Fax : 05-53-83-65-20. ⚵ Ouvert du 1er juillet au 31 août. Compter environ 7 € pour 2 personnes avec voiture et tente. Correct. 20 emplacements dans un cadre magnifique au pied du château de Duras.

⚵ *Camping à la ferme et Parc résidentiel Le Cabri :* route de Savignac, Malherbe, à 800 m de Duras. ☎ 05-53-83-81-03. Fax : 05-53-83-08-91. ⚵ Parc ouvert de début avril à fin octobre, camping ouvert de début juin à fin septembre. Compter 10,50 € pour 2 personnes avec voiture et tente. Location de mobile homes. Location de chalets (dont certains en bois, spacieux et confortables) : entre 420 et 490 € la semaine en juillet et août, pour 4 personnes ; de 190 à 252 € hors saison. Possibilité de location à la nuit hors saison (de 29 à 49 € pour 2 personnes). Piscine. Fromage de chèvre offert à nos campeurs... euh, lecteurs, sur présentation du *GDR*.

Prix moyens

🏠 |●| *Hostellerie des Ducs :* bd Jean-Brisseau. ☎ 05-53-83-74-58. Fax : 05-53-83-75-03. ● www.hostellerieducs-duras.com ● Restaurant fermé les dimanche soir et lundi d'octobre à juin ; de juillet à septembre, fermé le lundi midi. Doubles de 51 € (avec douche et w.-c.) à 88 € avec bains, certaines climatisées. Petit dej' à 9 €. Formule à 14,50 € le midi en semaine, verre de vin (du duras, bien sûr !) et café compris ; autres menus de 25 à 51 €. Dans un lieu calme, deux belles demeures mitoyennes – un ancien couvent – abritent la plus prestigieuse adresse de la région. Terrasses agréables, belle piscine et grand jardin fleuri. Chaleureuse salle à manger où l'on sert une cuisine extrêmement renommée. Le chef utilise les beaux produits frais du Lot-et-Garonne pour préparer une délicieuse cuisine bourgeoise. Quelques spécialités : terrine de foie gras de canard aux tomates séchées, alose de Garonne à la crème d'oseille, gaufre de canard du Sud-Ouest au fumet de vin AOC duras, omelette aux asperges du pays et fines herbes. Chambres confortables mais à la déco un peu décevante par rapport au cadre. On a un faible pour les nos 16, 17 et 18. La no 7 bénéficie d'une terrasse avec vue. Possibilité de demi-pension. Personnel attentionné. Réservation quasi obligatoire en saison. Remise de 10 % sur le prix de la chambre (sauf en août et septembre) sur présentation du *GDR*.

Où dormir dans les environs ?

Camping

⚵ *Camping à la ferme chez M. Mondin :* Le Barrail, Saint-Sernin, 47120 Duras. ☎ 05-53-94-77-72. Ouvert du 15 juin au 15 septembre. Compter 7,50 € l'emplacement pour 2 personnes avec voiture et tente. Terrain herbeux et ombragé. Vente de vin local. D'ailleurs, une bouteille de côtes-de-duras offerte sur présentation du *GDR*.

Gîtes et chambres d'hôte

🏠 *Gîtes chez M. et Mme Fautras :* au lieu-dit Fonpra. ☎ 05-53-94-72-94 ou 06-86-16-25-10. Fax : 05-53-93-21-39. À 8 km de Duras en allant sur Sainte-Foy-la-Grande. Deux gîtes pour 6 à 8 personnes de 400 à 838 € la semaine de mai à octobre ; hors saison, ces deux demeures splendides sont éventuellement louées en chambres d'hôte, compter environ 15 € par personne. Ne pas manquer cette adresse vieille pierre exceptionnelle. Un endroit raffiné et chaleureux, extrêmement confortable. Question service, c'est super. Côté sport, si elle est dans les parages, votre hôtesse Marie-Noëlle vous initiera au jet-ski sur le plan d'eau du domaine. Et comme elle possède une entreprise qui fabrique des remorques pour chevaux, il est possible d'en monter (des chevaux, pas des remorques !). Côté découvertes, elle connaît les environs comme sa poche, n'hésitez pas à l'interroger.

À voir

♦♦♦ Le château de Duras : ☎ 05-53-83-77-32. Ouvert toute l'année. En juillet et août, de 10 h à 19 h ; en juin et septembre, mêmes horaires mais fermeture de 12 h 30 à 14 h ; en mars, avril, mai et octobre, de 10 h à 12 h et de 14 h à 18 h ; le reste de l'année, ouvert uniquement les week-ends et pendant les vacances scolaires (toutes zones), de 10 h à 12 h et de 14 h à 18 h. Entrée : 4,30 € ; réductions. Clôture de la billetterie : 1 h avant la fermeture. Visites guidées plusieurs fois par jour en juillet et août ; le reste de l'année, se renseigner.

Sa construction débuta en 1308, sur l'emplacement d'une première place forte. Très imposant dès le départ, vu l'importance stratégique de la région (à la frontière de la Guyenne anglaise). En outre, le château de Duras appartint aux plus puissantes familles du Sud-Ouest (les Goth, puis les Durfort pro-Anglais). Du Guesclin s'en empara en 1389. Jeanne d'Albret (la mère d'Henri IV) en fit son QG pendant les guerres de Religion contre les troupes de la catholique Catherine de Médicis. Au XVIIe siècle, il perdit ce caractère guerrier (et quelques tours) et fut transformé en château d'agrément. La Révolution apporta, bien sûr, son lot de destructions (dernières tours tronquées). Après une période de lente décadence, la municipalité acquit pour une somme symbolique un château presque en ruine en 1969. Un extraordinaire travail de restauration fut alors mené pendant 20 ans (les photos du château avant travaux en témoignent).

Dans la tour nord-ouest, oratoire avec plancher d'origine et voûte en étoile. Au sous-sol, visite de l'ancienne glacière en brique, musée archéologique et collection ethnographique. Les mardi et jeudi en juillet et août (de 14 h à 18 h), démonstration de l'atelier de forge médiéval, avec forgeron en costume d'époque. Salle des jugements à la voûte originale. Visite de la prison. Douves immenses, puits superbe, grande cuisine et sous-sols. Étonnante *salle des Secrets*, avec une acoustique qui permet de se murmurer des choses en toute discrétion d'un coin à l'autre de la pièce. La cour intérieure, rénovée, présente de superbes menuiseries. Bref, une rencontre avec les fantômes des grands seigneurs de Duras. À ne pas manquer !

– *Exposition d'artistes de la région :* en juillet et août, dans la salle des charpentes, dont le plafond est en forme de carène de frégate renversée.

♦♦♦ Le musée-conservatoire du Parchemin et de l'Enluminure : rue des Eyzins, derrière l'*Hostellerie des Ducs.* ☎ 05-53-20-75-55. ♿ Ouvert d'avril à septembre tous les jours de 15 h à 18 h ; en juillet et août, ouvert également le matin de 11 h à 13 h (prudent de téléphoner). Hors saison, uniquement pour les groupes de plus de 15 personnes. Entrée : 6 € ; réductions. Compter 1 h minimum de visite. Petit musée sous la forme d'un atelier d'artiste original et passionnant (et quasiment unique : il n'y a plus que deux ateliers en France qui fabriquent des parchemins et un seul musée-conservatoire !), fondé et tenu par deux mordus : Anne-Marie et Jean-Pierre Nicolini, parcheminiers. Ici, on vous montrera comment se fabrique un parchemin, depuis le traitement des peaux à la chaux jusqu'à l'enluminure. À propos, sachez que le vélin se fabrique avec la peau d'un veau mort-né. Toutes ces techniques anciennes sont superbement exposées, ainsi que les matières magnifiques qui servent à fabriquer un livre médiéval.

Par ailleurs, vous pourrez acheter des parchemins, que ce soit des copies d'œuvres anciennes ou des créations originales de Jean-Pierre, dont certaines sont très amusantes (les chansons des Beatles en gothique, ça vaut le déplacement!). Ici furent fabriqués les parchemins du film *Jeanne d'Arc*, de Luc Besson. Enfin, pour les mordus, stages de calligraphie, enluminure et pose de feuille d'or.

🎥 *La rue Jauffret :* rue principale qui mène à une pittoresque place à cornières, puis à la tour de l'Horloge, ancienne porte de ville fortifiée. De-ci, de-là, vieilles demeures des XVIIe et XVIIIe siècles. Juste à côté, place de la Résistance, *Jennifer Weller,* fabricant de vitraux (☎ 05-53-93-72-51).

À faire

➤ *Randonnées pédestres :* quelques circuits balisés. Balades accompagnées au départ du lac de Castelgaillard ou de Saint-Sernin en juillet et août. Renseignements à l'office de tourisme de Saint-Sernin (☎ 05-53-94-77-63). Vente de topoguides.

– *Visite des caves de Duras :* cave coopérative *Berticot*. ☎ 05-53-83-75-47. À la sortie de Duras vers Sainte-Foy-la-Grande. Ouvert du lundi au samedi de 8 h à 12 h et de 14 h à 18 h (19 h en juillet et août) et le dimanche de 10 h à 12 h 30 (de 15 h à 19 h en juillet et août). Vous trouverez une belle salle d'accueil et d'intéressantes explications. Vins vieillis en fût de chêne. Chez *G. Geoffroy* (en direction d'Allemans-du-Dropt), découvrez un des meilleurs sauvignons blancs locaux. Nombreux autres producteurs dans tout le pays de Duras.

– *Visite d'une station de séchage de pruneaux,* où l'on trouve de délicieux pruneaux (notamment au chocolat) : *M. et Mme Guinguet,* lieu-dit Les Cavales, à Duras. ☎ 05-53-83-72-47. Hors saison, ouvert du lundi au vendredi de 8 h à 12 h et de 14 h à 18 h ; en juillet et août, du lundi au vendredi de 9 h à 12 h 30 et de 15 h à 19 h. Visite gratuite tous les mardi et vendredi à 11 h. Production de pruneaux. Accueil charmant. Voir également chez *A. et D. Larroumagne,* au domaine de Baignac, à Baleyssagues (47120). ☎ 05-53-83-77-59. Accueil jovial.

Où monter à cheval dans la région ?

■ *Les Écuries du Dropt :* à Banarge, Saint-Pierre-sur-Dropt. ☎ 05-53-83-84-14. Fermé le lundi. Beaux chevaux et poneys. Cours à l'heure, forfait découverte pour les enfants, stages, promenades... Bon encadrement et installations impeccables.

Manifestations

– Ne pas manquer les apparitions de la *troupe du Parvis,* qui a plus de 25 ans d'existence, regroupant des acteurs amateurs du pays. Pièces de théâtre (un atelier fabrique et loue les costumes), chorale, et tous les ans fin juillet, un grand spectacle à thème au château (cirque moderne, scènes historiques...), où des acteurs professionnels viennent épauler les amateurs. Talent et humour garantis. Renseignements : ☎ 05-53-83-49-16.

Toute l'année, initiatives ponctuelles permettant de découvrir l'âme du pays et la chaleur de l'accueil :

– *Journées fermes ouvertes :* en principe, le mercredi en juillet et août. Pour tout savoir de la culture des produits de terroir (l'occasion de goûter aux meilleurs AOC).

– *Fête de la Madeleine :* pendant 4 jours autour du 3e week-end de juillet. Fête foraine réputée, paraît-il, jusqu'à Mont-de-Marsan ! *Bandas,* foire aux vins, grand feu d'artifice au château... Renseignements : M. Guignard (président du comité des fêtes), ☎ 05-53-83-85-89.

– *Fête des vins et Montgolfiades :* le 2e week-end d'août, à Duras et alentour.

– *Grande foire à la brocante :* le 15 août, sur la place du Château. Si vous arrivez de bonne heure, l'occasion de repartir avec l'armoire paysanne de vos rêves !

– *Ban des vendanges :* mi-septembre. Le doyen des vignerons donne le départ de la cueillette. Renseignements : ☎ 05-53-20-20-70.

– *Journée médiévale de Duras :* fin août, dans le cadre des Journées médiévales de la vallée du Dropt. ☎ 05-53-73-19-44 ou office de tourisme de Duras. Marché médiéval, parade dans le village, fauconnerie au château, spectacles de magie...

Achats

⚜ *Ferme Les Bertins :* à Saint-Astier-de-Duras. ☎ 05-53-94-77-34. Fax : 05-53-94-76-64. À 10 km de Duras ; proche de la D 13. Ouvert toute l'année. Vend foie gras et conserves, ainsi que du vin (rouge et blanc moelleux) produit à la ferme. Dans le coin, vous en rencontrerez beaucoup d'autres.

LE CIRCUIT DES VILLAGES EN PAYS DE DURAS

SAINTE-COLOMBE-DE-DURAS *(47120)*

À la frontière de l'Entre-Deux-Mers. Église du XIIIe siècle avec un portail original (et rare) dit « à clé pendante » et entouré de fines colonnes géminées.

ESCLOTTES *(47120)*

Tout petit village au nord-ouest de Duras, proposant l'une des plus anciennes églises romanes de la région (1076). Remarquables chapiteaux historiés, très beau portail à voussures, calvaire complètement usé. Devant le cimetière, un vieux pigeonnier.

– Quelques *viticulteurs* à visiter : MM. Dreux, château des Savignattes (bon accueil, font aussi du miel et sèchent eux-mêmes leurs pruneaux), *Mariotto, domaine de la Chêneraie...*

SAINT-SERNIN-DE-DURAS *(47120)*

Charmant village joliment fleuri, un des plus mignons du coin. Église totalement couverte de vigne vierge.

– *Fête de l'Agneau :* en avril.

SAINT-ASTIER *(47120)*

Beaucoup de voisins d'outre-Manche ont choisi d'y habiter. Ruines du château de Puychagut.

LOUBÈS-BERNAC (47120)

Village on ne peut plus paisible, situé sur une colline, avec belle vue garantie sur la plaine. Vieux lavoir rural. Imposant château de Théobon (XVIe siècle), ancienne propriété de la famille Talleyrand (ne se visite pas).

SOUMENSAC (47120)

Séduisant village. Vestiges de l'enceinte du XIIIe siècle. Église d'intérieur roman à nef unique. Vins blancs du coin particulièrement appréciés. Très beau panorama sur la région depuis le chemin de ronde.

PARDAILLAN (47120)

Village dans lequel Marguerite Duras séjourna durant son enfance. Nostalgique, elle évoque les doux paysages des environs dans *Les Impudents* (1942), son premier roman. La demeure où elle vécut est malheureusement en ruine, noyée sous les ronces. Vestiges du château du XIIIe siècle au « vieux bourg ».
– **Fêtes des Tavernes :** pendant 3 jours, mi-août.

LA SAUVETAT-DU-DROPT (47800)

Ancienne bastide qui fut le témoin en 1637 de l'horrible massacre de 1 500 croquants. Église intéressante, avec chœur du XIIe siècle. Pittoresques pont du XIIIe siècle et pigeonnier. Dans la rue principale, élégante maison Renaissance.

Où dormir ? Où manger dans les environs ?

â lel **Chambres d'hôte chez Mme Palu :** La Croix, 47800 Moustier. Sur la route d'Allemans-du-Dropt (D 134 et D 668). ☎ 05-53-20-21-87. Fax : 05-53-20-26-33. Ouvert toute l'année. Cinq chambres confortables et bien équipées à 45 € pour 2, petit dej' compris. Table d'hôte le soir à 15 €. Possibilité de demi-pension. Piscine. Excellent accueil de M. et Mme Palu, agriculteurs joviaux.

â lel **Chambres d'hôte chez M. et Mme Aurélien :** à Fremauret, 47800 Roumagne. ☎ 05-53-93-24-65. Sur la D 668, peu après Roumagne (en direction de Duras) ; en retrait de la route. Fermé en septembre. Compter 55 € pour une chambre double, petit dej' compris. Table d'hôte à 15 € avec des charcuteries maison et quelques belles pièces de gibier en saison, vin compris. Dans un superbe environnement paisible et fleuri, une charmante maison de caractère. Grande chambre d'hôte à l'étage, avec petit salon au rez-de-chaussée, envahi de poupées. Également 2 gîtes à proximité, dans une ancienne maison rénovée, avec piscine. Apéritif maison offert à nos lecteurs sur présentation du *Guide du routard*.

ALLEMANS-DU-DROPT (47800)

Ce village doit son nom aux envahisseurs germaniques du VIe siècle, les Alamans. Nul doute que bien avant les Anglais et les Hollandais, ils succombèrent au charme de la région. Pourtant, ils ne connaissaient pas (et pour cause) les *fresques* splendides du XVe siècle de l'église du village. Véritables bandes dessinées à l'usage des paysans illettrés de l'époque. On observe d'abord *La Cène*, puis *La Crucifixion*, *La Mise au tombeau*, *La Résurrection* et *Le Jugement dernier*. Avec Saint Michel arrachant les âmes au diable, ces fresques dégagent une philosophie toute simple : ceux qui vivent sont ceux qui luttent. *L'Enfer*, la plus belle, a une curiosité : dans les hottes des diables, rien que des femmes et des curés ! Un interrupteur se trouve sur le pilier gauche. On est prié de faire un petit don, et un mot amusant est adressé aux pilleurs de tronc. Le chœur, formant un arc en fer à cheval, révèle une influence arabe.

Dans le village, vous trouverez encore les *vieilles halles* et le pont, ancienne écluse, ainsi qu'un splendide *pigeonnier* sur piliers de pierre à la sortie du village, sur la route de Monteton.

Adresse utile

ℹ️ Syndicat d'initiative : ☎ et fax : 05-53-20-25-59. Ouvert toute l'an- née, horaires variables. Disponible et sympathique.

Où dormir ? Où manger ?

⚊ **Camping municipal :** prairie Haute, en bordure de rivière. ☎ 05-53-83-85-34 ou 05-53-20-23-37 (mairie). Fax : 05-53-20-68-91. Ouvert de Pâques à fin octobre. Confortable. Compter 5 € l'emplacement et 1 € par personne. Location de canoës.

⚊ ⚊ 🍴 **L'Étape Gasconne :** pl. de la Mairie. ☎ 05-53-20-23-55. Fax : 05-53-93-51-42. ● www.letapegasconne-hotel.com ● D'octobre à Pâques, fermé les vendredi soir, samedi midi et dimanche soir ; en saison, fermé le samedi midi seulement. Doubles de 41 à 58 €. Menus à 10,90 € (à midi, sauf le dimanche), 14,50 et 24 €. Plaisant hôtel de village. Belles chambres, surtout celles avec terrasse du 1er étage et celles, plus grandes, situées dans la maison à côté. La plupart sont climatisées. Une adresse conventionnelle et réputée dans la région. Salle de restaurant à la déco plutôt surannée, comme on peut l'attendre dans ce genre d'établissement. Cuisine de tradition et de qualité : confit de canard, gigot d'agneau, poulet sauté aux olives, coq au vin. Belle piscine. Très bon accueil. Petit dej' offert sur présentation du *GDR*.

MONTETON (47120)

À 3 km d'Allemans. Pour l'une des plus intéressantes églises romanes de la région. Perchée sur une butte, dans un site charmant. De la terrasse sous la halle, on embrasse tout l'horizon. L'église échappa, on ne sait comment, aux destructions huguenotes. Simplicité et harmonie des lignes (contreforts dans l'église, belle astuce de l'architecte). À l'intérieur : grande qualité de la pierre, jolis chapiteaux sculptés, nef rythmée par d'élégantes voûtes, grand équilibre des volumes. Noter le vieux mécanisme d'horlogerie au fond.

Vieux château édifié en 1713 sur les structures d'une forteresse médiévale. Très endommagé par le temps, il est en cours de réhabilitation. Il abrite également une table d'hôte.

Où dormir ? Où manger ?

⚊ ⚊ 🍴 **La table d'hôte du château de Monteton :** ☎ 05-53-20-24-40. Ouvert toute l'année, mais prudent de téléphoner. Menu à 13 €, tout compris. Dans le château, assez ruiné, qui accueille des séminaires et des stages alternatifs, belle salle de restaurant rustique. Cuisine de campagne très correcte, servie avec le sourire et une certaine nonchalance plutôt sympathique. Logement possible, dans une vingtaine de chambres au confort très rudimentaire (compter environ 32 € pour 2). Apéritif maison offert sur présentation du *GDR*.

Où dormir ? Où manger dans les environs ?

🛏 |●| *Chambres d'hôte du manoir de Lévignac, M. et Mme Cloete :* 47800 Saint-Pierre-sur-Dropt. ☎ 05-53-83-68-11. Fax : 05-53-93-98-63. À 7 km de Monteton par la D 211. À la sortie du bourg. Chambres doubles de 50 à 75 € selon la saison, petit dej' inclus. Table d'hôte le soir sur réservation avec un menu à 20 €, vin compris. Très beau manoir du XVIIIe siècle, plein de charme, au milieu d'un écrin de verdure de 4 ha. À l'intérieur, 4 chambres avec salon, salle de bains et w.-c. Attention, c'est plutôt la classe : meubles anciens, tentures, vieilles pierres, etc. La vie de château, quoi ! Deux chambres peuvent être louées en gîte, de 500 à 800 € la semaine, selon la période. Apéritif maison offert aux lecteurs sur présentation du *GDR*.

LE VAL DE GARONNE

Après que le Lot l'a rejointe, la Garonne, énorme fleuve, va serpenter jusqu'à l'estuaire de la Gironde. Mais avant de passer au pied de quelques grands crus du Bordelais, elle va, plus modestement, irriguer les coteaux du Marmandais, et surtout les cultures maraîchères du département. Le Val de Garonne en Lot-et-Garonne, c'est le paradis de la fraise, de l'asperge, de la tomate. Alors, certes, les immenses serres qui émaillent le paysage n'en font pas la région la plus charmante du département, mais y aller à la saison des asperges – graciles et délicates petites pousses vertes –, c'est un peu causer avec Dieu.

MARMANDE   (47200)   18 103 hab.

Bien que son nom soit parfois suivi de l'épithète « la Jolie », la capitale de la tomate se révèle une aimable petite ville de province sans attraits particuliers, mais avec des prétentions modernistes désastreuses. Place Clemenceau, entourée de quelques bâtiments modernes sans grâce, mobilier urbain vraiment médiocre, qui ne met pas en valeur la belle fontaine des Romains.

Adresse utile

🄸 *Office de tourisme :* dans un kiosque sur le boulevard Gambetta, non loin de la gare. ☎ 05-53-64-44-44. Fax : 05-53-20-17-19. ● ot. marmande@wanadoo.fr ● Hors saison, ouvert du mardi au samedi de 9 h 30 à 12 h et de 14 h à 17 h 30 (17 h le samedi) ; en juillet et août, du lundi au samedi de 9 h à 19 h.

Où dormir ? Où manger ?

Très peu d'adresses vraiment sympas, mais voici quand même notre sélection.

Prix moyens

🛏 *Europ'Hôtel :* 1, pl. de la Couronne. ☎ 05-53-20-93-93. Fax : 05-53-64-46-31. ● www.europ-hotel-marmande.com ● Dans le centre, quasi en face de l'office de tourisme. Fermé la dernière semaine de décembre. Doubles à 47 €. Petit dej' à 5,50 €. Le soir, menu à 11,50 € pour les résidents, servi en semaine. Hôtel assez conventionnel mais bien tenu, sis dans un drôle de bâtiment arrondi. 21 chambres relativement calmes (évitez quand même celles qui donnent sur la place), un peu tristes (sauf la n° 17 et la n° 20, rénovées) mais correctes, avec TV et téléphone. Accueil agréable des nouveaux propriétaires, pleins de bonne volonté, qui ont entrepris de rafraîchir l'établissement. Un petit dej' par chambre offert sur présentation du *GDR*.

🛏 |●| *Auberge Le Lion d'Or :* 1, rue de la République. ☎ 05-53-64-21-30. Fax : 05-53-64-77-39. À proximité de la vieille ville. Ouvert toute l'année. Fermé le vendredi soir d'octobre à mars. Doubles de 40 à 60 €, selon la saison et le niveau de confort. Menus de 12 à 38 €. C'est un peu l'archétype des hôtels classiques de sous-préfecture, un peu pension de famille, qui voient défiler des générations de VRP et les habitués du dimanche. Décor kitsch et plutôt désuet. 39 chambres correctes et bien équipées (TV satellite et Canal +), la plupart refaites récemment (malgré tout, certaines ont encore cet éclairage au néon en tête de lit, insupportable). Bonne cuisine traditionnelle, comme le cassoulet de confit de canard, l'omelette aux truffes, l'escalope de foie gras poêlée au sauternes... Service un peu empesé et académique. 10 % sur le prix de la chambre le samedi et le dimanche, hors juillet et août.

Où dormir ? Où manger dans les environs ?

🛏 |●| *Chambres d'hôte du Château de Cantet :* 47250 Samazan. ☎ 05-53-20-60-60. Fax : 05-53-89-63-53. À 9 km au sud de Marmande, en allant vers Casteljaloux par la D 933. Fermé du 15 décembre au 15 janvier. Deux chambres à 55 et 68 € ; une suite pour 4 personnes à 98 €. Petit dej' compris. Table d'hôte à 22 €, boissons comprises. Un peu en retrait de la passante départementale, un joli manoir très bien restauré et entretenu, propriété d'une dame accueillante et pieuse (crucifix ou image sainte au-dessus de chaque lit). Chambres fort agréables, au charme plutôt « vieille province », équipées de tout le confort moderne. L'été, c'est souvent complet, mais hors saison, vous pourrez profiter de cette belle demeure, de son parc et de ses équipements (piscine, billard, tennis, etc.).

|●| *Restaurant l'Escale :* à la halte nautique de Fourques-sur-Garonne (47200). ☎ 05-53-93-60-11. ⚓ Sur le canal, à 6 km au sud de Marmande par la D 933. Fermé le lundi, le mercredi soir et le dimanche soir. Menu à 19 € le midi en semaine ; 4 autres menus de 24 à 59 €, vin compris dans le dernier. Une jolie maison qui borde le canal. On a conservé dans la salle les sols anciens (tomettes et parquets), et surtout la cheminée où grillent les tricandilles (du ventre de porc) et le poisson frais. Cuisine régionale donc, avec une large place faite aux produits de la pêche (filet de rascasse au coulis de poivron doux, blanquette de lotte aux fruits de

mer...), aux légumes (délicieuses asperges en saison) et aux fruits, dont la célèbre tomate de Marmande. Agréable terrasse sur l'eau.

Même si les portions vous paraissent un peu chiches, vous n'aurez pas faim en sortant. Apéritif offert sur présentation du *GDR*.

À voir. À faire

– *Visites commentées de la ville :* sur réservation, toute l'année. S'adresser à l'office de tourisme.

🚶 *La chapelle Saint-Benoît :* rue de la Libération. Ouvert en été ; hors saison, s'adresser à l'office de tourisme : ☎ 05-53-64-44-44. Portail du XVIIᵉ siècle. Beau plafond peint.

🚶 Quelques *maisons* anciennes rue de l'Hirondelle et rue Labat (au n° 35 notamment). Voir aussi la tour du Passeur (XIVᵉ siècle), supposée abriter le batelier lorsque la Garonne venait battre autrefois les flancs de la ville.

🚶🚶 *L'église Notre-Dame :* sa visite est digne d'intérêt. Une belle rosace dans la façade. À gauche de l'entrée, *Mise au tombeau* de style « baroque ». Retable en bois sculpté du XVIIIᵉ siècle, figurant saint Benoît dans le désert. Noter, dans le côté droit, le démon qui essaie de piquer la marmite de nourriture qui lui est destinée. Décoration exubérante.
Sur le côté, accès aux vestiges du beau cloître Renaissance.

🚶 *Le musée municipal Albert-Marzelles :* rue Abel-Boyé. ☎ 05-53-64-42-04. 🚶 Ouvert du mardi au vendredi de 15 h à 18 h, le samedi de 10 h à 12 h et de 15 h à 18 h, et un dimanche par mois (sauf en juin, juillet et août) de 15 h à 18 h. Fermé le lundi. Entrée gratuite. Collections permanentes et expos temporaires de peinture et de sculpture.

Fêtes et manifestations culturelles

– *Brocante :* le 2ᵉ dimanche de chaque mois, toute l'année. Sur l'esplanade de Maré, à côté de l'église Notre-Dame.
– *Garorock :* début avril. Festival de rock.
– *Printemps musical du Marmandais :* de début avril à début juin. Concerts classiques, à Marmande et dans les environs.
– *Fête des fleurs et de la fraise :* pendant 2 jours à la mi-mai.
– *Marché nocturne avec animation musicale :* 2 fois par mois en juillet et août.
– *Concours hippique national :* 3 jours autour du 14 juillet.
– *Grass-track international :* le 13 juillet. Course de motos.
– *Festival lyrique et musical de Marmande :* en été ; en général, la 2ᵉ quinzaine d'août. Se renseigner à l'office de tourisme pour les lieux et les dates.
– *Festival du Cheval de trait :* le dernier dimanche d'août ou début septembre.
– *Fête de la Tomate :* chaque année début août.

➤ DANS LES ENVIRONS DE MARMANDE

– *Promenade en gabare :* renseignements et départ à la maison de tourisme du Val de Garonne, pont des Sables, 47200 Fourques-sur-Garonne (au sud de Marmande, sur la D 933). ☎ 05-53-89-25-59. Fax : 05-53-93-28-03. En juillet et août, ouvert tous les jours de 10 h à 18 h ; hors saison, du lundi au vendredi de 9 h à 12 h et de 14 h à 18 h. Bon accueil et bien documenté. En juillet et août, petites balades de 1 h 30, avec 1 à 2 départs quotidiens. Promenade spectacle le mercredi soir et repas le dimanche midi. Animations et découverte du terroir en cours de promenade. Équipe dynamique et accueillante. De début mars à fin juin et de début septembre à fin octobre, sur réservation uniquement, en fonction des départs de groupes.

– **Location de bateaux :** *Émeraude Navigation,* Pont-des-Sables, 47200 Fourques-sur-Garonne. Départs sur le quai en face de la maison du tourisme Val de Garonne. ☎ 05-53-64-46-86. Ouvert de Pâques à fin octobre (uniquement le week-end hors juillet et août). Locations de bateaux promenades (journée, demi-journée) et de bateaux fluviaux (week-end, semaine...).

🎥 **Le Musée archéologique André-Larroderie :** pl. René-Sanson, 47180 Sainte-Bazeille. ☎ 06-85-23-60-52 ou 05-53-94-40-28 (mairie). À 6 km de Marmande. Ouvert toute l'année sur rendez-vous le dimanche de 14 h 30 à 18 h ; du 1er juillet au 31 août, tous les jours sauf le mardi, de 14 h 30 à 18 h 30. Entrée : 2 € ; réductions. Petit mais intéressant musée de village qui présente l'histoire du Marmandais (de la préhistoire au XVIIe siècle) au travers d'objets de fouilles archéologiques. Visites et animations (poterie...), groupes enfants et adultes.

➤ De Pont-des-Sables, prendre la direction de Meilhan-sur-Garonne par la D 143, puis la D 116. Route agréable, qui longe le canal de Garonne. Écluses, petits ponts étroits... Bucolique et champêtre à souhait.

COUTHURES-SUR-GARONNE *(47180)*

À 10 km à l'ouest de Marmande, le village typique des bords de Garonne. Ici, on sent battre le pouls du fleuve et on mesure combien, puissant et impétueux, il dicte sa loi aux habitants. Émouvante grande place de la Calle, en pente douce vers Garonne. Crues fréquentes, dont les cotes ont été matérialisées sur le mur de l'église. Dans le village réside le dernier pêcheur professionnel du département : « Les Saveurs de Garonne », famille Gautier (☎ 05-53-93-79-37). Bien sûr, on peut y acheter du poisson (anguilles, lamproies...).

MEILHAN-SUR-GARONNE *(47180)*

À 5 km de Couthures, autre village tranquille, perché au-dessus du fleuve et du canal de Garonne. De la place du Tertre, vue très étendue sur toute la plaine. Le méandre de Meilhan abrite la dernière frayère d'esturgeons du fleuve. Jusqu'au début du XXe siècle, le village était une escale importante pour le bateau qui assurait la liaison voyageurs entre Bordeaux et Agen. Sur le canal, agréable halte nautique.

ENTRE MARMANDE ET TONNEINS

GONTAUD-DE-NOGARET *(47400)*

À une dizaine de kilomètres au sud-est de Marmande (sur la D 299). À l'origine, il y avait deux communes : Gontaud et Saint-Pierre-de-Nogaret, siège d'un prieuré de bénédictins fondé en 1135 par Vital de Gontaud. Les deux communes ont fusionné en 1965. Belle église. Façade du XIIIe siècle et chapiteaux historiés. Sur la place principale, halle ancienne en bois, avec une sorte de pavillon de bois très rigolo. À côté, ruines d'un château du XVIe siècle, dont il subsiste une tour octogonale. Dans le coin, sur les hauteurs, plusieurs moulins assez ruinés. Celui de Gibra a été toutefois restauré.

LE MAS-D'AGENAIS (47430)

Petite cité paisible, ancienne ville romaine. On y trouva la célèbre *Vénus du Mas* (aujourd'hui au musée d'Agen). Sur la place de l'Église, halle au blé très ancienne.

🅸 *Syndicat d'initiative :* ☎ 05-53-89-50-58. Ouvert de mi-juin à fin septembre. Location de 10 gîtes communaux (renseignements et réservations en mairie : ☎ 05-53-89-50-37).

🎋🎋 *L'église Saint-Vincent :* ouvert de 8 h à 12 h et de 14 h à 19 h. Splendide. À ne pas rater. Édifiée au IXe siècle à la demande de Charlemagne. Très belle voûte en plein cintre de la nef. Remarquables stalles du XVIIe siècle. Sarcophage de marbre décoré de chevrons. À gauche du chœur, intéressante Vierge à l'Enfant du XVIIe siècle. Mais la colossale surprise vient du magnifique... Rembrandt, le *Christ en croix*. Il date de 1631 et faisait partie d'un chemin de croix commandé par un riche seigneur (six autres tableaux de la même série sont à la pinacothèque de Munich, c'est tout dire !). Pour mieux admirer l'extraordinaire expression du Christ expirant, se munir de jetons (2 € ; 1 € sur présentation du *GDR*) pour la lumière, disponibles dans les boutiques proches de l'église et au syndicat d'initiative.

🎋 Entre Le Mas-d'Agenais, Tonneins et Aiguillon, la route coupe parfois le *canal de Garonne,* livrant de-ci, de-là, de jolis points de vue sur ses berges ombragées et sereines. Dans le paysage, de superbes hangars en planches de bois foncé, anciens séchoirs à tabac. Les maisons, de leur côté, se font plus basses et les toits s'allongent : signes avant-coureurs que l'architecture landaise n'est pas loin.

– À Lagruère, sur la minuscule D 234, entre Le Mas-d'Agenais et Tonneins, très agréable *halte nautique,* avec crêperie, location de canoës, jeux pour enfants... Terrain de camping vraiment pas cher. Renseignements : ☎ 05-53-89-58-12.

TONNEINS

(47400)   9 438 hab.

Posée au bord de la Garonne, l'ex-capitale de la célèbre « Gaulduche » panse ses plaies. La manufacture de cigarettes, principale usine du coin, a fermé en 2000, laissant l'emploi local sur le carreau. Nos lecteurs s'en noircissant les bronches ne manqueront pas de verser une larme sur le bâtiment, dont on n'a pas encore décidé de l'avenir. Ce sont des moines qui, en 1556, rapportèrent du Brésil les graines du tabac. Elles s'acclimatèrent fort bien dans la région, et en 1726 fut créée la manufacture royale du tabac. Même si on ne transforme plus le tabac à Tonneins, la ville possède toujours un centre de battage.

Adresse utile

🅸 *Office de tourisme :* 3, bd Charles-de-Gaulle. ☎ 05-53-79-22-79. Fax : 05-53-79-39-94. ● office-tourisme-tonneins@wanadoo.fr ● Dans la rue principale. Ouvert du lundi au vendredi de 9 h à 12 h et de 14 h à 18 h et le samedi du 9 h à 12 h ; en juillet et août, ouvert également le samedi après-midi.

Où dormir ? Où manger ?

Camping

⟟ *Camping municipal :* sur la N 113 (en direction d'Agen). ☎ 05-53-79-02-28. Fax : 05-53-79-83-01. Ouvert de début juin à fin septembre. 32 emplacements, gardés nuit et jour. Compter autour de 7 € pour 2 personnes avec voiture et tente.

Chic

🏠 |●| *Côté Garonne :* 36, cours de l'Yser. ☎ 05-53-84-34-34. Fax : 05-53-84-31-31. ● www.cotegaronne. com ● 🍴 Ouvert tous les jours. Chambres doubles de 70 à 86 €. Petit dej' à 8 €. Menus de 12 € (en semaine) à 39 €. La rue est banale (la ville aussi d'ailleurs), mais quand on pénètre dans cette belle maison, on change un peu de monde. Cet antre du bon goût, qui domine majestueusement la Garonne, fait cohabiter le design et la tradition. Chambres luxueuses, très confortables, avec vue unique sur le fleuve (certaines avec balcon). Au restaurant, après une période difficile, Christian Papillon a réaménagé totalement sa carte. Oubliée la haute gastronomie, place à une cuisine de terroir plus simple et abordable (magret de canard grillé, daurade à la crème de poivron, suprême de dinde aux amandes et citrons...). Nous n'avons pu tester, mais gageons que ce grand chef n'aura rien perdu de son tour de main. Le décor n'ayant pas changé, ce sera l'occasion de se restaurer pour un prix raisonnable dans un cadre magnifique (trois belles salles, toutes différentes). 10 % de réduction sur la nuit offerts à nos lecteurs sur présentation du *GDR.*

À voir. À faire

🚶 Promenade sympa sur les *vieux quais* de la Garonne. En bas de la place du Château, *maison du Passeur,* seule maison antérieure au XVIIᵉ siècle. Visite guidée de la ville tous les vendredis matin en juillet et août (renseignements à l'office de tourisme).

🚶🚶 *L'espace A Garonna :* 20, quai de la Barre. ☎ 05-53-79-22-79 (office de tourisme). En bord de Garonne, à l'emplacement de l'ancien port. Ouvert aux individuels en juillet et août sur demande et pour les groupes hors saison. Entrée : 1,60 € ; 1 € sur présentation du *GDR.* Cette ancienne manufacture royale des tabacs datant de 1726, et dont la fermeture remonte à 1872, accueille un espace évoquant la navigation sur la Garonne : crues, halage, bateaux, etc. À l'étage, démonstration de fabrication de corde pour les groupes. Il faut dire qu'avec le tabac (qui employa jusqu'à 1 200 ouvriers), la corderie fut la grande industrie du port de Tonneins. En 1860, on comptait 42 ateliers où travaillaient 700 cordiers. Il n'en reste aucun.

➤ Possibilité de *descendre la Garonne en canoë-kayak :* Club canoë-kayak, 22, quai de la Barre. ☎ 05-53-84-52-22. Du 1ᵉʳ juillet à fin août, de 10 h à 12 h et de 14 h à 18 h (horaires plus étendus en fonction des excursions), réservation conseillée ; hors saison, sur réservation uniquement.

LE PAYS D'ALBRET

Les grandes transhumances touristiques ont quelque peu épargné le pays d'Albret. Du coup, cet endroit est encore d'une totale tranquillité. À la frontière des Landes et du Gers, les odeurs de pins se mêlent aux fragrances d'armagnac. Les collines, plus douces qu'au nord du département, et les nombreux châteaux gardent en mémoire les chevauchées d'Henri IV, qui appréciait le pays (et, selon sa réputation de « Vert Galant », ses paysannes). Délicieusement traversé par le Gers, la Gélise et surtout la Baïse, rivière sauvage mais navigable, le pays d'Albret possède un charme joyeux (illustré par les menteurs de Montcrabeau) et, pour tout dire, gascon.

NÉRAC (47600) 7 451 hab.

Grosse bourgade s'ordonnant autour de son château et de la rivière Baïse. Il fut la résidence de la famille d'Albret, l'une des plus importantes du Sud-Ouest. De Nérac, Marguerite d'Angoulême, sœur de François Ier, reine de Navarre, propagea l'humanisme en Aquitaine (elle accueillit Calvin, Clément Marot, etc.). Plus tard, Jeanne d'Albret, mère d'Henri IV, favorisa l'expansion du protestantisme. Au XIXe siècle, Nérac accueillit une autre célébrité : le baron Haussmann en fut sous-préfet. Rappelons que, pour sa part, il promulgua une idée assez radicale de l'urbanisme.

Adresses et info utiles

Maison de tourisme : 7, av. Montenard. ☎ 05-53-65-27-75. Fax : 05-53-65-97-48. En juillet et août, ouvert du lundi au samedi de 9 h à 13 h et de 14 h à 19 h, les dimanche et jours fériés de 10 h à 12 h 30 et de 15 h à 17 h 30 ; hors saison, ouvert du mardi au samedi de 9 h à 12 h et de 14 h à 18 h, ainsi que le dimanche de 10 h à 12 h et de 15 h à 17 h en mai, juin et septembre. Accueil agréable et bonne documentation.

Port nautique : au cœur du village et au pied du château. ☎ 05-53-65-66-66. Ouvert d'avril à octobre.
– **Marché :** le samedi matin.

Où dormir ? Où manger ?

Hôtel Henri IV : 4, pl. du Général-Leclerc. ☎ 05-53-65-00-63. Fax : 05-53-97-59-88. À côté de La Poste. Ouvert toute l'année. Chambres doubles de 35 à 42 €. Oh, bien sûr, ce n'est ni le *Ritz* ni le *Carlton*. Juste un charmant petit hôtel 2 étoiles, fort bien tenu par une patronne adorable. Onze chambres, colorées et gaies, avec ou sans toilettes. Mention particulière pour la n° 4, vaste et claire. Petit dej' (5 €) pris sur une table rustique, dans une belle salle en grosse pierre. Un petit dej' par personne offert sur présentation du *GDR*.

Chambres d'hôte du Domaine du Cauze : ☎ et fax : 05-53-65-54-44. ● www.domaineducauze.com ● À 2 km à la sortie de Nérac, en direction d'Agen par la route des camions. Chambre double à 52 €, petit dej' compris (49 € à partir de 3 nuits). Table d'hôte à midi (sauf juillet et août) et à 24 € le soir, boissons et café compris. Grosse ferme dans l'étable de laquelle ont été aménagées des chambres confortables et bien équipées, mais où l'on déplorera tout de même l'emploi de matériaux peu nobles (mobilier tout-venant, lino, etc.). Toutefois, l'accueil est excellent et la table de qualité. Et puis, il y a le plaisir de se retrouver dans la vaste piscine en pleine nature. Salon TV avec billard, de belles dimensions (la salle, la télé et le billard).

Aux Délices du Roy : 7, rue du Château. ☎ 05-53-65-81-12. Fermé le mercredi. Menus de 16 à 60 €. Dans une petite salle joliment mise en valeur par une peinture à l'éponge, une cuisine séduisante a fidélisé ici de nombreux habitués. Tradition, alliances subtiles et produits de grande qualité forment, en effet, un trio gagnant qui nous laisse encore dans la bouche des saveurs agréables. Voici quelques plats pour saliver : escargot à l'andouille de Vire et au chou croquant, magret entier au miel, et une large place laissée au poisson ; crustacés en saison. Clin d'œil méditerranéen avec un thon à la provençale. Accueil poli et dévoué. Apéro maison offert à nos lecteurs sur présentation du *GDR*.

|●| *La Cheminée :* 28, allée du Centre. ☎ 05-53-65-18-88. Dans le centre, bien sûr. Fermé le mercredi et le dimanche soir hors saison, le mercredi et le dimanche midi en été. En semaine, formule duo avec plat et dessert à 9 €. Autres menus de 10 à 25 €. Un restaurant tenu par l'ancien chef de l'*hôtel d'Albret*. Cadre rustique avec cheminée. Nous n'avons pu tester cette adresse de cuisine régionale traditionnelle (foie gras aux figues, magret de canard grillé à la confiture d'oignons...), mais des sources concordantes nous en ont dit le plus grand bien. Café offert sur présentation du *GDR*.

Où manger plus chic dans les environs ?

|●| *Le Relais de la Hire :* 47600 Francescas. ☎ 05-53-65-41-59. À 10 km de Nérac. Fermé le lundi, le dimanche soir et la semaine de la Toussaint. Menus à 23, 31 et 53 €. Cette gentilhommière du XVIIIe siècle séduit le passant dès la rue, avec son jardin de plantes aromatiques. Jean-Noël Prabonne, après avoir travaillé avec Robuchon, hanté les cuisines du *Ritz* et dirigé celles du *Carlton,* s'est installé dans son pays de Gascogne. Il attache un soin particulier à choisir ses produits chez les gens de la région. Talent, grande maîtrise des préparations, saveurs subtiles et parfois superbes innovations signées avec des fleurs, vous serez totalement sous le charme. Les menus sont des moments de fête inoubliables. Au choix : artichauts de l'Albret soufflés au foie gras, dos de sandre en croûte de fines herbes, jeune pigeonneau rôti au foie gras, morilles aux raviolis et fricassée d'asperges, cochon de lait braisé au gingembre, croustade du pays aux pommes et armagnac...Un véritable festival de goûts dans un décor charmant et raffiné, prolongé par une terrasse de rêve. Bon accueil de Mme Prabonne et service attentionné. Jeux pour les enfants afin que les parents mangent tranquillement, et apéritif offert sur présentation du *GDR*.

Où manger de bons chocolats ?

◉ *Chocolaterie artisanale La Cigale :* 2, rue Calvin. ☎ 05-53-65-15-73. Un des meilleurs chocolatiers de la région Aquitaine. Vu qu'on en est aux douceurs, signalons qu'autour de Nérac on trouve de nombreux producteurs d'armagnac.

À voir

🎨🎨 *Le château-musée :* au cœur de la cité historique, bel édifice Renaissance dont il ne reste qu'une aile sur les quatre initiales, et possédant une élégante galerie extérieure à colonnes torsadées. Le château fut bâti, dit-on, avec les pierres des églises et monastères lorsque fut proscrit le catholicisme. La mère d'Henri IV y passa pratiquement toute sa vie. Henri IV s'y réfugia avec la reine Margot après la Saint-Barthélemy, jusqu'en 1588.

– *Visite du musée :* ☎ 05-53-65-21-11. ☂ Du 1ᵉʳ octobre au 31 mai, ouvert de 10 h à 12 h et de 14 h à 18 h ; du 1ᵉʳ juin au 30 septembre, de 10 h à 12 h et de 14 h à 19 h. Fermé le lundi. Entrée : 4 € ; réductions. Visites commentées en juillet et août pour les individuels. Au 1ᵉʳ étage, exposition consacrée à Henri IV et à la famille d'Albret. Quelques beaux meubles, peintures de la période Henri IV, tapisserie des Gobelins, deux marines intéressantes à la manière de Turner. Au rez-de-chaussée : sous les voûtes en étoile, jolies gravures, petite section archéologique présentant les sites majeurs de l'Albret, depuis le néolithique jusqu'au Moyen Âge. Au-delà de la porte basse, outils de la période gallo-romaine, bijoux, quelques sculptures.

⚑ *L'église Saint-Nicolas :* de style néo-classique XVIIIᵉ. Façade froide qui rappelle l'église Saint-Sulpice à Paris. Nef très large. L'ensemble des vitraux de la nef, du chœur, des chapelles latérales et de la porte d'entrée sont d'une grande richesse (réalisés dans la seconde moitié du XIXᵉ siècle). Ils sont classés au patrimoine, tout comme les fresques qui ornent les murs du chœur (1856).

⚑⚑ Vers le vieux pont du XVIᵉ siècle, maisons anciennes à galerie. Vestiges d'un palais et vieux moulin. Jolie photo assurée depuis le quai de la Baïse. Traversée du pont pour la rue Sully (hôtel de Sully du XVIᵉ siècle). À droite, le long de la rue Séderie, s'étend l'ancien quartier des tanneurs.

⚑ *Le parc de la Garenne :* à l'entrée du Pont-Neuf. Très beau parc (ancien domaine royal) s'étendant sur 2 km le long de la Baïse, où, en son temps, la reine Margot aimait se balader. Haltes fort agréables sur les bancs abrités par des mini-grottes naturelles. Buvette l'été. Émouvante statue de *Fleurette Noyée.* Cette jeune fille du jardinier, lutinée puis délaissée par le Vert Galant, se noya dans la Baïse, dit-on, de désespoir... C'est de cette liaison à l'issue tragique que proviendrait, dit-on ici, l'expression « conter Fleurette ».

⚑ De l'autre côté de la rue, toujours le long de la Baïse, plusieurs *bars-hôtels-restaurants* où il est bien agréable de boire un verre.

À faire

➢ *Balade en bateau :* à bord du coutrillon (sorte de grosse gabare) le *Prince Henry.* ☎ 05-53-65-66-66. Du 1ᵉʳ avril au 31 octobre. Prix : 7 € ; réductions. Visite d'environ 1 h sur la rivière Baïse, avec passage d'écluse. Quatre sorties quotidiennes en haute saison (réservation recommandée). Location de gabares à la journée ou à la demi-journée, auprès d'*Aquitaine-Navigation,* ☎ 05-53-84-72-50.

– *Vélo en pays d'Albret :* 6 circuits vélos balisés sur de petites routes, entre 75 et 100 km chacun. Découverte du vignoble de Buzet, des Landes de Gascogne, du Ténarèze... Brochures en vente à l'office de tourisme de Nérac.

– *Club hippique :* sur la route de Francescas. ☎ 05-53-65-33-62 et 05-53-65-84-91. Poneys et chevaux. Promenades en été. Réservation indispensable.

Fêtes et manifestations

– *Fête de Mai :* la 1ʳᵉ semaine du joli mois. Fête foraine, vaches landaises, *bandas,* bodega, etc.

– *Floralie :* le 2ᵉ dimanche de mai. Marché aux fleurs.

– *Marché nocturne de Fleurette :* en été, le mardi à partir de 16 h, à l'entrée du parc de la Garenne.

– *Fête du Grand Nérac :* le 3ᵉ week-end de juillet. Course de vaches landaises et vide-grenier.

LE PAYS D'ALBRET

– **Fête des Vins de Buzet :** la 2ᵉ semaine d'août.
– **Festival de Musique en Albret :** concerts de musique classique essentiellement en juillet et en août, dans tout le pays d'Albret.

➤ DANS LES ENVIRONS DE NÉRAC

AU NORD DE NÉRAC

Barbaste (47230)

Au nord de Nérac, sur la Gélise, un superbe moulin fortifié du XIIIᵉ siècle, le plus grand en Europe à cette époque, excusez du peu. Noter les quatre tours qui ne sont pas à la même hauteur : on raconte qu'elles représentent les quatre filles du meunier, qui étaient de taille différente (et surtout qui n'avaient pas le même âge). Le moulin à eau fut un temps transformé en usine de liège. Suite à son incendie (en 1937), la charpente en bois laissa place à du béton. L'association des Amis du Moulin des Tours s'occupe de le faire visiter (du mercredi au dimanche d'avril à mi-octobre, le dimanche après-midi et durant les vacances scolaires hors saison ; se renseigner sur les horaires : ☎ 05-53-65-09-37). Gratuit, mais dons acceptés.
Devant s'étend un pont roman de dix arches, du XIIᵉ siècle, non moins remarquable.

Où dormir ?

⚹ **Camping-caravaning La Pinède :** à 1,6 km du bourg, en direction du hameau de Cauderoue. ☎ 05-53-65-51-83. Ouvert du 15 juin au 15 septembre. Compter dans les 6,50 € pour 2 personnes avec voiture et tente. Dans la forêt. Correct. Location de caravanes et bungalows de toile. 10 % sur le prix de la nuit à nos lecteurs, sur présentation du *GDR.*

À voir

⚞ **Le Château Imaginaire :** juste à côté du moulin fortifié. ☎ 05-53-97-25-15. ● www.château-imaginaire.com ● Ouvert de 10 h à 19 h de début juillet à fin septembre (nocturnes les mardi et vendredi), de 10 h à 12 h et de 14 h à 18 h de début avril à fin juin, de 14 h à 18 h en octobre et pendant les vacances scolaires. Entrée : 8 € ; réductions. Un nouveau musée pour réveiller l'imaginaire... Elfes, lutins, farfadets, sympathiques et bienveillants, jalonnent un parcours réalisé dans l'ancienne maison du meunier, où surgissent également hologrammes, marionnettes virtuelles et images en relief. Insolite.

Vianne (47230)

Bastide ayant conservé quasiment intacts ses 1 250 m de remparts et quatre belles portes de ville situées aux quatre points cardinaux. On aperçoit encore les grosses rainures laissant passer la herse. L'une des portes compose avec l'église un charmant ensemble. Dans celle-ci, nef remarquable de simplicité, avec ses cinq travées surmontées d'une voûte en plein cintre. Un grave incendie au milieu du XVIIIᵉ siècle entraîna le réaménagement de la bastide, qui y perdit malheureusement sa halle centrale. Vianne est aussi célèbre pour son industrie de verrerie. Impulsée par un brasseur alsacien, qui trouva ici dans les années 1920 les conditions favorables pour produire des bouteilles, elle attira ensuite de nombreux maîtres verriers, venus de toute l'Europe. Vianne compta ainsi jusqu'à 22 nationalités différentes ! 14 sont encore présentes aujourd'hui, qui se réunissent chaque année en juin lors de la journée des Nations. Beaucoup d'artisans ont fait souche dans le village et proposent leur production à la vente.

À la sortie de Vianne, pont suspendu datant de 1830, construit par des particuliers qui faisaient payer autrefois un droit de passage...

Adresse et infos utiles

Office de tourisme : pl. des Marronniers. ☎ 05-53-65-29-54. Ouvert toute l'année du mardi au samedi de 9 h à 12 h et de 14 h à 17 h (dès 8 h et jusqu'à 18 h de début juin à fin septembre). Fermé le dimanche, sauf l'été en certaines occasions, et le lundi.

– **Marché artisanal nocturne :** de juin à septembre, tous les vendredi soir, avec repas servis sur la place. Super ambiance.

– **Journée des Nations :** tous les ans, le dernier dimanche de juin. Des Viannais préparent sur la place des repas de leur pays d'origine. Stands, animations...

À voir

– **Nombreux artisans :** graveurs sur cristal, atelier du cuir, vitrailliste, faïencerie, etc. Prenons la peine d'indiquer M. Gallo, un souffleur de verre qu'on peut voir travailler dans l'ancienne gare. Très impressionnant et prix raisonnables. ☎ 05-53-97-50-49.

– **Verrerie de Vianne :** ☎ 05-53-97-65-40. Magasin ouvert toute l'année, du lundi au samedi (se renseigner pour les horaires). Visites d'usine le matin en semaine, par groupe de 6 personnes minimum. Entrée : 3 €.

Xaintrailles *(47230)*

Au sommet du village, un beau château privé avec tourelles d'angle, fenêtres à meneaux, gros donjon crénelé. George Sand, qui avait très brièvement épousé un noble du coin, y aurait dormi un soir d'orage... Chouette panorama sur les environs.

🍃 Pas loin, **Montgaillard** propose aussi les ruines encore imposantes d'un château. Église du XIVe siècle, reliée à la muraille par une arche.

Buzet-sur-Baïse *(47160)*

Un charmant petit village, capitale du vin de Buzet et de la navigation sur la Baïse, avec son port nautique et sa double écluse. Château en haut d'une haute colline dominant les vallées du Lot, de la Garonne et de la Baïse (privé, ne se visite pas). Superbe vue sur la région.

Où manger ?

Auberge du Goujon qui Frétille : rue Gambetta (au parvis de l'église). ☎ 05-53-84-26-51. Fermé les mardi soir et mercredi. À la carte exclusivement, compter de 15 à 45 €. Ici, pas de menu, tout est à l'ardoise.

Malgré un nom mutin, on se retrouve dans un cadre sage et assez réduit pour déguster une bonne cuisine, à base de produits frais. Viande de bœuf d'aquitaine ou Montbéliard, légumes des petits producteurs locaux alimentent une carte où le poisson sauvage tient une bonne place. De quoi satisfaire les appétits les plus exigeants. Carte des vins dominée évidemment par les buzet. Café offert sur présentation du *GDR*.

À faire

⌐ *Balade en gabare* (bateau traditionnel) sur la Baïse canalisée. Embarquement au port nautique. Renseignements : *Aquitaine Navigation,* ☎ 05-53-84-72-50. ● www.aquitaine-navigation.com ● Organise aussi la location de bateaux de plaisance sans permis pour la journée, et de vedettes fluviales habitables pour le week-end et la semaine, de fin mars à fin octobre (les prix fondent hors vacances scolaires).

– *Visite des chais de vieillissement :* aux Vignerons de Buzet. ☎ 05-53-84-74-30. Ouvert du lundi au samedi de 9 h à 12 h (12 h 30 en été) et de 14 h à 18 h (19 h en été). Visites en juillet et août à 10 h 30 et 16 h, hors saison sur rendez-vous. Gratuit. Dégustation et vente de vins. Vous êtes au cœur du Buzet, un carré de coteaux sur les bords de la Garonne, produisant un bon vin AOC (rouge à 85 %). Connu depuis le Moyen Âge, c'est un vin proche du bordeaux (mêmes cépages, mais terroir différent). Ici, on attache beaucoup d'importance au vieillissement. La coopérative locale possède près de 5 000 barriques. La particularité de ce vignoble réside dans l'importance de sa coopérative, puisque 95 % de la production passent par elle. Les vignerons possèdent tout de même 16 domaines et châteaux. Ce vin puissant et classique tout à la fois s'entend, bien entendu, merveilleusement avec les magrets et lapins aux pruneaux de la région.

Espiens et Bruch *(47600 et 47130)*

D'abord passer à *Espiens,* tout petit village sur une haute colline, pour son beau panorama circulaire. Anciennes ruines d'un château du XIIIe siècle. *Bruch* est un ancien village fortifié avec une tour commandant la rue principale à chaque bout.

AU SUD DE NÉRAC

Moncrabeau *(47600)*

À 12 km au sud de Nérac (et à 35 km d'Agen). À Moncrabeau, tout le monde ment de manière plus ou moins flagrante. Pas étonnant, c'est ici que siège l'*académie des Menteurs,* créée au XVIIIe siècle. Selon la légende, les paysans cultivaient la menthe au XVIe siècle. Ils étaient donc des « mentheurs ». Les feuilles de menthe étaient stockées dans une « mentherie ». Et cela se savait dans les environs. Moncrabeau jouissait à l'époque d'une réputation qui montait jusqu'à Paris, puisque le bon roi Henri IV, qui rendait visite à son ami et vassal le baron de Ricles, se vantait de venir ici « boire la menthe forte qui me réconforte ». En 1736, une invasion d'insectes, sans doute des sauterelles, ruina la région, mais personne ne voulut croire à la déconvenue des mentheurs qui devinrent du coup des menteurs. Voici l'un des (men) songes qui émaillent le circuit fléché des mensonges : plaques dans tout le village. On a adoré l'histoire de Fujiyo Lapuce, informaticien du roi Louis XVI, et la vue sur Gibraltar (par temps clair). Chaque année, le 1er dimanche d'août, on continue à élire le roi des menteurs. Un village adorable et très fleuri ; et ça, c'est vrai.

Adresses utiles

■ Syndicat d'initiative : ☎ 05-53-97-24-50. À côté de la poste. Ouvert en saison. Abrite un petit musée de la Grimace. Boîte aux lettres...

Hors saison, renseignements au ☎ 05-53-65-10-34.
■ Mairie : ☎ 05-53-65-42-11.

Où dormir ? Où manger ?

⚕ **Camping Le Mouliat :** en bas du village, au bord de la Baïse. ☎ 05-53-65-43-28 ou 06-08-26-30-40. Ouvert uniquement de fin mai à mi-septembre. Compter entre 6,25 et 7,10 € pour 2 personnes avec une tente et une voiture. Bon confort. Location de caravanes. Piscine. Bar, snack.

🛏 |●| **Hôtel Le Phare :** pl. de la Mairie. ☎ 05-53-65-42-08. Fax : 05-53-97-04-87.●www.lephare47.com● ♿ (pour le restaurant). Dans le bourg. Fermé le lundi, le dimanche soir, en mars et en octobre. Chambres de 44 à 64 €. Petit dej' à 5,50 €.

Menus de 20 à 33 €. Huit chambres agréables et calmes, avec de grandes salles de bains (les n°s 5, 7 et 8 sont nos préférées). Restaurant réputé. Quelques plats : les filets de daurade à la compote d'oignons, le magret de canard grillé à la vinaigrette d'herbes, les côtelettes d'agneau à la fleur de thym, etc. Beaux desserts. Ambiance familiale et très bon accueil. Le phare ? Il se trouve au-dessus de l'hôtel et il servait, il y a encore peu de temps, lorsque la mer arrivait jusqu'ici ou presque. Digestif offert sur présentation du *GDR*.

À voir

LE PAYS D'ALBRET

⚑ **L'église :** avec portail du XIIIᵉ siècle, clocher original à 3 cloches et plateforme en bois.

⚑ Pas loin, sur la route Nérac-Condom, **château de Pomarède** (XVIIᵉ siècle). Ouvert au public du 14 juillet à mi-septembre. Hors saison, visite sur rendez-vous, ☎ 05-53-65-43-01. Entrée : 3 € ; gratuit pour les moins de 18 ans.

À voir dans les environs

⚑ **Francescas :** à 8 km de Moncrabeau. Voir l'élégante église, au portail du XIVᵉ siècle. Joli fronton avec fines colonnettes de pierre, bordé d'une tour carrée à pans élargis. À l'intérieur, magnifique plafond en bois dont les poutres sont ornées d'inscriptions latines. Grands tableaux de saints autour de la nef.

MÉZIN   (47170)   1 513 hab.

Au cœur d'une région doucement vallonnée, autrefois couverte de chênes-lièges, baignée par la Gélise et l'Auzoue. Quelques pins annoncent aussi les Landes. Ancienne capitale du bouchon de liège, les grandes forêts de chênes n'ont pu être préservées. Déjà, au plus fort de l'industrie du bouchon, le liège provenait en majeure partie d'Algérie, du Portugal et de Corse (région de Porto-Vecchio). À propos de bouchon, Mézin, c'est déjà le pays de l'armagnac. Mézin s'étage sur une colline découvrant la forêt landaise au loin. Ce village vit naître Armand Fallières, qui fut président de la République de 1906 à 1913.

Adresse et info utiles

Office de tourisme : pl. Armand-Fallières (place principale), derrière l'église. ☎ 05-53-65-77-46. • www. mezintourisme.com • En saison, ouvert du mardi au vendredi de 9 h à 12 h et de 14 h à 18 h, le samedi de 10 h à 12 h et de 15 h à 17 h, et le dimanche de 10 h à 12 h ; hors saison, horaires plus restreints. Bon accueil et bien documenté sur toute la région, notamment sur les balades.
– **Location de vélos, VTT et canoës :** se renseigner auprès de l'office de tourisme (uniquement pendant les vacances scolaires).

Où dormir ? Où manger ?

Une dizaine de jolis **gîtes et chalets communaux** en bois ou en dur, à louer : de 265 à 322 € la semaine en juillet et août, de 152 à 179 € en juin et septembre, et de 112 à 133 € en basse saison. Renseignements à l'office de tourisme. Réservations à *Actour 47 :* ☎ 05-53-66-14-14. Fax : 05-53-68-52-42.

▤ ⏹ **Le Relais de Gascogne :** au bout de la rue Maurice-Rontin. ☎ 05-53-65-79-88. Fax : 05-53-65-12-42. Hors saison, fermé les vendredi soir, samedi midi et dimanche soir. Congés annuels 1 semaine en février et fin décembre. Double à 41,95 €. Petit dej' à 5,20 €. Menu à 9,95 € le midi en semaine ; autres menus à 15 et 20 €. Vous ne pouvez pas manquer cette maison aux volets bleus, à l'entrée du village en venant de Nérac. Un jeune couple venu du Nord est aux commandes de cette ancienne adresse. Il a entrepris de redonner aux chambres un peu de lustre et de gaieté, ce dont elles avaient bien besoin. Celles à grand lit, en particulier, ont été joliment rafraîchies, dans de belles tonalités provençales. Toutes sont bien équipées, avec même un fort utile double vitrage côté route. Cuisine régionale, avec de bons, simples et francs produits du terroir. Apéritif maison offert sur présentation du *Guide du routard*.

À voir. À faire

▨▨ Belle architecture de l'**église Saint-Jean-Baptiste** qui possède un chœur et des absidioles du XIIIe siècle, tandis que la façade est du XIVe siècle. À l'intérieur (à gauche du chœur), une intéressante statue de pèlerin du XVIIIe siècle.

▨ Les vestiges de **remparts** et la **porte Anglaise,** lieu où les Anglais rendirent les clés de la ville à la fin de la guerre de Cent Ans.

▨▨ **Le musée du Bouchon et du Liège :** dans le centre. ☎ 05-53-65-68-16. ⏹ De juin à septembre, ouvert tous les jours sauf le lundi matin et le dimanche matin, de 10 h à 12 h 30 et de 14 h à 19 h ; en novembre et décembre, ouvert uniquement pendant les vacances scolaires des académies d'Aquitaine et de Midi-Pyrénées, tous les jours sauf le lundi, de 14 h à 18 h 30 ; de février à mai et en octobre, ouvert tous les jours sauf le lundi, de 14 h à 18 h 30. Fermé en janvier. Entrée : 3,50 € ; gratuit jusqu'à 18 ans. Intéressant petit musée, mis en valeur de façon fort réussie, où l'on suit l'histoire d'une famille de bouchonniers de 1906 à nos jours. Il faut dire qu'au début du XXe siècle, 1 500 personnes sur 2 700 habitants travaillaient le bouchon. Première salle qui rend hommage au président Armand Fallières (né à

Mézin, *bis repetita*). Puis balade dans une forêt de chênes-lièges. Visite d'ateliers de bouchonniers (début du XXᵉ siècle, années 1930, de nos jours). Embarquement, au port de Lavardac, des tonneaux et des sacs de bouchons en partance pour Bordeaux. Vidéo évoquant l'histoire du liège. Objets insolites en liège (chapeaux coloniaux, chaussures) disposés dans les compartiments d'un placard.

– *La base de loisirs de Lislebonne :* sur la route de Réaup. ☎ 05-53-65-65-28 ou 05-53-97-15-20 (hors saison). Ouvert en été. Lac où la baignade est surveillée et fort plaisante. Rendez-vous des familles du coin. Hébergement en chalets, camping...

Randonnées

➤ Dans cette région très propice à la marche, de belles randonnées vous sont offertes, à commencer par le tracé du GR 654, le chemin de Saint-Jacques-de-Compostelle. L'office de tourisme propose, et en est le point de départ, plusieurs itinéraires de 8 à 18 km, balisés en jaune et bleu. Se munir de la carte IGN au 1/25 000 (Mézin-Montréal) et demander la documentation à l'office de tourisme (topoguide en vente).

➤ *DANS LES ENVIRONS DE MÉZIN*

🍴 Visite intéressante à *la ferme de Gagnet,* typiquement gasconne. ☎ 05-53-65-73-76 ou 06-82-36-19-82. Tout près de Mézin. Visite tous les jours. Vente de foie gras, d'armagnac et du célèbre floc (voir les « Généralités »). Découverte du milieu rural « à la carte », visite de l'exploitation et de la conserverie. Sur réservation.

🍴 *Le domaine de Cazeaux :* 47170 Lannes. ☎ 05-53-65-73-03. À 6 km de Mézin. Visite du chai et superbe alambic tout en cuivre, dont les différentes parties sont jointées avec de la farine (et non du caoutchouc). Vente de vin, armagnac et floc. Précision : l'armagnac sort blanc de l'alambic et prend sa belle couleur dorée en vieillissant au moins 4 ans dans un fût de chêne.

POUDENAS (47170) 254 hab.

Joli village dominé par un élégant château. Vieux pont et ancien moulin rénové. Pittoresque ancien relais de poste du XVIᵉ siècle avec grande galerie en bois, où Henri IV avait coutume de s'arrêter, sur le chemin de Nérac. Sur la route de Mézin, ne manquez pas le beau pigeonnier sur la droite (et à gauche en venant de Mézin, ben oui !), à l'entrée de ce village.

Où dormir ? Où manger dans les environs ?

🏠 🍴 *Ferme-auberge du Boué :* 47170 Sainte-Maure-de-Peyriac. ☎ 05-53-65-63-94. Fax : 05-53-65-41-80. ⚡ À quelques kilomètres au sud-ouest de Poudenas, par une petite route à droite avant d'arriver à Sainte-Maure-de-Peyriac. Bien indiqué. Fermé de novembre à Pâques

pour les repas (sauf groupes, sur réservation). Fermé le lundi toute la journée et le dimanche soir. Réservation conseillée. Menu complet à 14 € sauf le dimanche ; autres menus à 18,50 et 24 €. Cinq gîtes de 300 à 395 € la semaine, en haute saison. Hors saison, possibilité de louer à la nuit ou pour le week-end. Le dimanche midi, atmosphère extra. Dans une paisible campagne, découvrez cette adorable auberge à la ferme. Jehanne et Jean-François Boitard (« le roi du Canard ») prodiguent un très chouette accueil. Confortables gîtes comprenant séjour, chambre, coin cuisine et salle de bains. Cadre chaleureux, arrangé avec cœur. Superbe salon (grande cheminée, larges fauteuils, piano) et salle à manger aux grosses tables de bois. Qualité et quantité sont au rendez-vous. Parmi les plats : cassoulet au confit d'oie, magret de canard façon chien rouge, foie gras poêlé flambé à l'armagnac, sauce aux airelles (hmm !), etc. Bien entendu, une majorité des produits viennent de la ferme (et possibilité d'acheter leurs bonnes conserves). Les rillettes ont même été primées. Piscine, ping-pong. Étang où l'on peut pêcher, délicieux sous-bois (en saison, on y trouve de gros cèpes).

■ |●| **Hôtel-restaurant Le Postillon :** pl. Emmanuel-Delbousquet, 47170 Sos-en-Albret. ☎ 05-53-65-60-27. ♿ Ouvert tous les jours. Congés annuels en février. Chambres à 28 € avec lavabo ou douche. Menus à 9 €, le midi en semaine, puis à 15 et 20 €. Dans ce village tranquille, voilà une adresse comme on n'en trouve plus beaucoup en France. Voyez plutôt ce qu'on sert dans le premier menu : potage, omelettes aux lardons, faux-filet grillé, fromage ou glace. Et dans le « plus cher », vous avez droit aux écrevisses fraîches à la gasconne, au magret de canard grillé aux pêches, aux manchons de canard confits... En somme, vous pénétrez dans une maison que n'aurait pas reniée Gargantua. Seuls reproches : la décoration de la salle, triste au possible, et les chambres rudimentaires, avec w.-c. sur le palier. Apéritif maison offert à nos lecteurs sur présentation du GDR.

■ **Chambres d'hôte chez Christiane Lhuillier :** à l'entrée de Poudenas (4 km de Mézin), sur la D 656. ☎ et fax : 05-53-65-79-08. ● christy.lhuillier@gofornet.com ● Ouvert de mars à la Toussaint. Dans une maison aux volets rouges, 3 chambres simples (bains et w.-c. indépendants) à 24 €, petit dej' inclus. TV satellite dans le salon. Bateau pour ramer sur la Gélise. Très bon accueil. Pour les lecteurs qui séjourneront ici une semaine : 10 % de remise sur le prix de la chambre et un petit dej' par personne et par chambre offerts sur présentation du GDR.

■ **Chambres d'hôte du lieu-dit Jean-Brunet :** ☎ 05-53-65-07-70. Fléché depuis Villeneuve-de-Mézin, après le cimetière. Chambre double à 39 €, petit dej' compris. Jolie ferme paumée dans la campagne, retapée par un couple métropolo-réunionnais très accueillant. Trois chambres (dont une suite) décorées avec fantaisie (souvenirs de voyage, bric et broc hétéroclite, plein de bouquins) qui dégagent une certaine gaieté colorée. Autour et au calme, un jardin aménagé avec une volière, un potager, une fontaine et deux chiens aussi gentils que leurs maîtres. 10 % sur le prix de la chambre sur présentation du GDR.

|●| **Restaurant Les Deux Gourmands :** rue principale, 47170 Sainte-Maure-de-Peyriac. ☎ 05-53-65-61-00. À 7 km de Poudenas. Ouvert toute l'année, à midi uniquement. Fermé le samedi. Très conseillé de réserver pour le dimanche. Menu tout compris à 10 € en semaine ; autres menus à 23 et 26 €. Le midi en semaine, c'est une adresse un peu comme les autres, sauf que, peut-être, la nourriture y est meilleure. En tout cas, elle est copieusement servie (soupe, terrine, omelette, et ça, ce sont les entrées). Dans la salle à manger rustique se retrouvent VRP, ouvriers et employés des silos d'en face, et touristes égarés. Mais le dimanche midi, c'est une autre affaire, une affaire de gastronomes. Le chef, qui a travaillé au Ritz et Chez Lasserre et son associé se font plaisir. Grande, grande cuisine, à ne surtout pas rater. Pour les gens du coin (mais ils le savent déjà), nos deux gourmands assurent un service traiteur. Excellent accueil.

À voir

🚶🚶 *Le château :* ☎ 05-53-65-78-86 et 05-53-65-70-53. ♨ Ouvert de mi-juillet à fin août tous les jours sauf le lundi, de 15 h à 18 h ; pour les groupes, ouvert tous les jours de l'année sur rendez-vous. Entrée : 4 € ; gratuit pour les moins de 18 ans. Visites guidées. Très belle bâtisse surplombant la forêt landaise et la vallée de la Gélise. Construit au XIIIe siècle par les seigneurs de Poudenas, alors au service d'Édouard Ier Plantagenêt. Au XVIe siècle, on ajouta à la façade d'élégantes galeries à l'italienne. Cour intérieure avec une très belle balustrade. Visite guidée (et un peu rapide) de quelques pièces au riche mobilier, notamment des meubles italiens du XVIIIe siècle ou en ébène marqueté d'ivoire, un buffet du XVIe siècle, des cartons de tapisserie, un parquet à la française, etc. De la terrasse, splendide panorama.

Où monter à cheval dans les environs ?

■ *Centre hippique :* ferme équestre du Petit Galopin, au lieu-dit Serres, 47170 Lannes. ☎ 05-53-65-89-02 et 06-73-82-37-14. Ouvert toute l'année sur réservation. Promenades à la journée, randonnées à la demande. Leçons également, à 15 € la séance d'environ 1 h, pour les plus de 12 ans.

➤ *DANS LES ENVIRONS DE POUDENAS*

🚶🚶 *Villeneuve-de-Mézin (47170) :* pittoresque petit village avec sa jolie église fortifiée du XIIe siècle (uniquement des meurtrières), ainsi que les vestiges d'un château médiéval (remparts, tourelles rondes et fenêtres à meneaux). L'intérieur de l'église, toujours affecté par l'humidité ambiante, révèle dans la partie droite quelques fresques du XIIe siècle. Pour avoir les clés, adressez-vous à l'épicerie-boulangerie en face.

🚶 *Saint-Pé-Saint-Simon (47170) :* aux confins du Gers et des Landes, ce village possède une remarquable église romane du XIIe siècle. Sur le côté, la tour servait d'abri aux pèlerins de Saint-Jacques-de-Compostelle.

🚶🚶 *Fourcès (32250) :* petite incursion dans le Gers pour cette adorable petite bastide. Baignée par l'Auzoue et ses nénuphars. Construite par les Anglais au XIIIe siècle. Forme circulaire particulièrement rare. Place principale entourée de maisons anciennes à arcades de pierre ou en bois. Belle porte de ville, tour carrée portant un clocheton.
– Marché aux fleurs le dernier dimanche d'avril. Superbe.

🚶 *Montréal (32250) :* sur un promontoire, une des premières bastides de Gascogne. Vestiges des remparts et porte fortifiée.

🚶🚶🚶 *Villa gallo-romaine de Séviac :* à une dizaine de kilomètres au sud de Fourcès, en direction de Bretagne-d'Armagnac. ☎ 05-62-29-48-57. Fax : 05-62-29-48-43. ● www.seviac-villa.fr ● ♨ Ouvert de début mars à fin novembre de 10 h à 12 h et de 14 h à 18 h ; en juillet et août, de 10 h à 19 h. Entrée : 4 € ; gratuit pour les enfants de moins de 12 ans. Ensemble exceptionnel de plus de trente tapis de mosaïques au dessin géométrique élaboré. Celle de la piscine possède des motifs allant en diminuant pour donner des effets de perspective. Deux cours-jardins bordées de galeries à colonnes de marbre. Dans les pièces habitées et les thermes, il y avait le chauffage par le sol ! Feuillet d'explication mis à la disposition des visiteurs. Certaines pièces trouvées ici sont visibles au musée de l'office de tourisme de Montréal.

🏠 *Gîte d'étape* de 13 lits en deux dortoirs, sur le site. Nuitée à 8 €, visite du site comprise.

CASTELJALOUX   (47700)   4 900 hab.

Cette petite ville de l'Albret, d'origine très ancienne, est un trait d'union entre les forêts des Landes et la vallée de la Garonne. On trouve, dans plusieurs rues, quelques belles maisons à colombages du XVᵉ siècle. Allez jeter un coup d'œil à la mairie, jadis commanderie des Templiers, et à la maison dite du Roy, où siège l'office de tourisme. Autre demeure remarquable, le château du Sendat (à quelques kilomètres à l'est de la ville, sur la D 11) appartient à la famille Lemoine, propriétaire du journal *Sud-Ouest*. Ne se visite pas.

Casteljaloux se targue d'être le berceau des Cadets de Gascogne, rendus célèbres par le *Cyrano* d'Edmond Rostand. Weber et Huster, qui incarnèrent tous deux le héros à la péninsule nasale, ont d'ailleurs été intronisés (et le gros Gégé, il veut pas ?).

Adresse et info utiles

ⓘ *Office de tourisme :* pl. du Roy. ☎ 05-53-93-00-00. Fax : 05-53-20-74-32. • www.casteljaloux.com • Ouvert du lundi au samedi de 9 h à 12 h et de 14 h à 18 h ; en juillet et août, fermeture à 19 h et ouvert également le dimanche de 9 h à 12 h.
– *Marchés :* les mardi et samedi matin.

Où dormir ? Où manger ?

Camping

⚊ |●| *Complexe touristique de Clarens – camping et location de chalets :* sur la route de Mont-de-Marsan (D 933). ☎ 05-53-93-07-45. Fax : 05-53-93-93-09. Camping ouvert de début avril à fin septembre. Compter 13,30 € pour 2 personnes avec voiture et tente en haute saison. Une belle pièce d'eau et une forêt de pins. L'endroit nous semble une bonne idée de halte sur la route des vacances. Baignade, pédalos, pêche, location de vélos, tennis, golf... Restauration possible.

De bon marché à prix moyens

⚊ |●| *Hôtel des Cordeliers :* 1, rue des Cordeliers. ☎ 05-53-93-02-19. Fax : 05-53-93-55-48. Restaurant le lundi midi, le vendredi soir et le dimanche. Chambres doubles de 45 à 48 €. Petit dej' à 6,50 €. Demi-pension possible. Menu à 12 € le midi du mardi au vendredi. Autres menus de 16 à 25 €. M. et Mme Leteurtre, patrons normands « exilés » en terre gasconne, n'ont qu'une obsession : que leurs clients se sentent bien. Et ça se voit ! Chambres très confortables, la plupart rénovées avec une belle moquette aux couleurs profondes, décoration à l'influence provençale, pain et croissants chauds au petit dej' : certains clients VRP n'hésitent pas à faire un long détour pour venir ici, sûrs d'y trouver une qualité et un sens de l'hospitalité supérieurs à la moyenne. Nous n'avons pu tester la cuisine, à forte connotation régionale, mais gageons qu'elle s'inscrit aussi dans la philosophie d'un établissement qui sait ce que recevoir veut dire.

⚊ |●| *Hôtel-restaurant Le Cassissier :* pl. Jean-Jaurès (à côté de la poste). ☎ 05-53-93-03-38. Fax : 05-

53-93-28-92. Fermé le lundi, le vendredi soir et le dimanche soir ; congés annuels mi-février, mi-avril et fin octobre. Doubles à 39 €, certaines avec un velux, d'autres avec une fenêtre. Petit dej' à 6 €. Menu à 10,50 € le midi en semaine. Autres menus de 15 à 38 €. Grandes salades et assiettes gourmandes l'été. Bonne maison de village, aussi conviviale dans l'accueil que dans l'assiette, et qui fait d'ailleurs régulièrement le plein. Le chef, originaire de Bourgogne, n'a pas eu peur de bousculer un peu le terroir local en important quelques préparations issues du sien. Les chambres, correctement équipées et bien tenues, manquent un peu de charme, en particulier les salles de bains. Sur présentation du *GDR*, apéritif maison offert.

🏠 |●| *La Vieille Auberge :* 11, rue Posterne. ☎ 05-53-93-01-36. Fax :

05-53-93-18-89. 🍴 Fermé les mardi soir et mercredi hors saison, le dimanche soir toute l'année, 1 semaine pendant les vacances de février et 2 semaines fin juin et fin novembre. Menus de 18,30 à 38,10 €. Dans l'une des plus vieilles rues de la ville, le chef a donné à son auberge une connotation résolument terroir. On jouit d'un festival de saveurs gasconnes au travers de produits savamment choisis en fonction de la saison (asperges au printemps). Les prix des menus pourront paraître *a priori* élevés, mais du point de vue rapport qualité-prix, c'est très raisonnable. Salle dans de belles tonalités de jaune, avec des meubles anciens de style. Service classieux, manquant juste d'un peu de chaleur. 3 chambres sommaires mais vastes peuvent être louées, en dépannage (environ 38 €). Café offert sur présentation du *GDR*.

Fêtes et manifestations

– *Les Cadets d'Argent :* fin juillet. Festival de la jeune chanson française.
– *Fête du Chien et de la Chasse :* le dernier dimanche d'août. Beaucoup d'animations autour de ces deux thèmes. Précisons d'ailleurs que, pendant la période de la chasse à la palombe (la fièvre bleue, en octobre), les rues sont vides... et les forêts dangereuses.

À faire

– *Bains de Casteljaloux :* La Bartère, à 400 m du centre-ville. ☎ 05-53-20-59-00. Espace thermoludique ouvert tous les jours de 10 h à 20 h (nocturnes le vendredi et le samedi jusqu'à 22 h). Entrée (forfait 2 h) : 13 € ; réductions. Appartements de 40 à 50 € la nuit. Un centre thermal et de remise en forme ouvert depuis l'été 2002, avec sauna, hammam, jacuzzi, bain japonais... Moderne et bien équipé.

LES LANDES

....

CARTE D'IDENTITÉ

- **Superficie :** 9 360 km².
- **Population :** 322 900 habitants.
- **Préfecture :** Mont-de-Marsan.
- **Sous-préfecture :** Dax.
- **Activités économiques :** agriculture (maïs), sylviculture (1re forêt cultivée d'Europe), industrie (bois, aéronautique), tourisme, thermalisme.

Forêts de pins d'un côté, longues et belles plages bordant l'Océan de l'autre, les Landes se résument pour beaucoup à ces deux « facettes », bien réelles, mais qui pourtant en cachent beaucoup d'autres. Ajoutons-y les « maisons landaises » à colombages, les « courses landaises » synonymes de fêtes et de jeux, ou encore la célèbre et délicieuse « salade landaise » garnie des bons produits du cru. C'est qu'ici, on sait vivre, et agréablement. Un climat océanique plaisant caresse le département toute l'année, même si parfois quelques pics de chaleur se font sentir en été jusqu'à l'intérieur du pays... et qui annoncent qu'il est temps d'aller à l'Océan. Pris entre le Bordelais, le Gers et le Pays basque, jamais à plus d'1 h de l'Océan (avec une centaine de kilomètres, voici la plus longue plage d'Europe !), cette terre de surf (Hossegor, Biscarrosse...), de thermes (Dax, première ville de France, Eugénie-les-Bains...) et de balades à vélo est aussi le pays de fêtes (ferias, festivals), de rugby et de gastronomie. On découvrira que les impressionnantes lignes droites traversant les étendues de pins se transforment, vers le sud, en pays d'Armagnac ou de Chalosse, en un relief vallonné séduisant faisant face aux Pyrénées. Plus surprenant encore, vous traverserez en pays d'Orthe la deuxième région kiwicole (c'est comme ça qu'on dit !) de France avec plus de 300 producteurs, bordée par l'Adour, ce fleuve long de plus de 300 km oublié des manuels scolaires. Mais les Landes, ce sont aussi une dizaine de lacs, étape des oiseaux migrant vers l'Afrique, des cours d'eau qui bordent la côte, des villages-bastides en Bas-Armagnac et, plus au nord, le Parc naturel régional des Landes de Gascogne qui occupent plus de 70 % des 9 360 km² du département. En Chalosse, où les arènes remplacent les stades de foot, on prend conscience de la place de la tauromachie. Ces arènes restent d'ailleurs les derniers bâtiments publics construits en bois dans le Sud-Ouest. Et pour être complet, ce département, le 2e plus grand du pays après la Gironde, si propice aux épicuriens, ne le serait pas complètement sans ses breuvages : les plus grands armagnacs y ont souche et les vins du cru (tursan, chalosse, vins des sables) gagnent à être connus. Bienvenue dans les Landes !

UNE FORÊT PAS SI VIEILLE QUE ÇA !

Il y a encore un peu plus de deux siècles, cette région n'était que peu boisée et vivait au rythme des aléas de l'Océan et du sable marin qui gagnait du terrain sur les terres. L'homme est donc venu y mettre son grain de sel. Effectivement, jadis, comme les dunes avançaient de 15 à 20 m par an,

L'océan, la forêt, les grands lacs, la gastronomie...
dans les Landes, terre de nature et de traditions, chaque jour qui passe est
un jour différent.

Venez pour un week-end,
vous reviendrez
pour plusieurs semaines

Les Landes
C'EST TOUT NATUREL !

Quelle que soit la durée de votre séjour, hôtels, locations, clévacances,
gîtes ruraux, chambres d'hôtes et campings vous attendent et vous
accueillent avec en toile de fond la légendaire hospitalité du Sud-Ouest.

Pour recevoir une documentation complète sur vos vacances dans les Landes,
appelez le : **05 58 06 89 89**

CDT Landes , BP 407, 40012 Mont de Marsan cedex - fax. 05 58 06 90 90
www. tourismelandes.com - E-mail:cdt.landes@wanadoo.fr

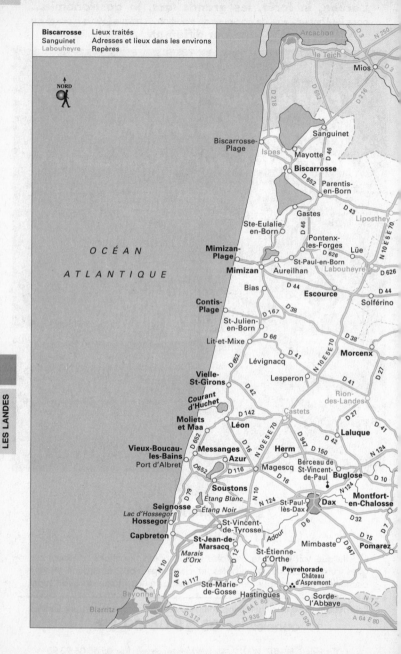

LES LANDES

Biscarrosse	Lieux traités
Sanguinet	Adresses et lieux dans les environs
Labouheyre	Repères

NORD

OCÉAN
ATLANTIQUE

Arcachon
le Teich
Mios
Sanguinet
Biscarrosse-Plage
Ispes
Mayotte
Biscarrosse
Parentis-en-Born
Gastes
Liposthey
Ste-Eulalie-en-Born
Pontenx-les-Forges
Lüe
Mimizan-Plage
St-Paul-en-Born
Mimizan
Aureilhan
Labouheyre
Bias
Escource
Solférino
Contis-Plage
St-Julien-en-Born
Lit-et-Mixe
Lévignacq
Morcenx
Vielle-St-Girons
Lesperon
Rion-des-Landes
Courant d'Huchet
Castets
Moliets et Maa
Léon
Laluque
Vieux-Boucau-les-Bains
Messanges
Herm
Port d'Albret
Azur
Magescq
Berceau de St-Vincent-de-Paul
Buglose
Soustons
Étang Blanc
Montfort-en-Chalosse
Seignosse
Étang Noir
St-Paul-lès-Dax
Dax
Lac d'Hossegor
Hossegor
St-Vincent-de-Tyrosse
Capbreton
Mimbaste
Pomarez
St-Jean-de-Marsacq
St-Étienne-d'Orthe
Marais d'Orx
Adour
Peyrehorade
Château d'Aspremont
Bayonne
Ste-Marie-de-Gosse
Hastingues
Sorde-l'Abbaye
Biarritz

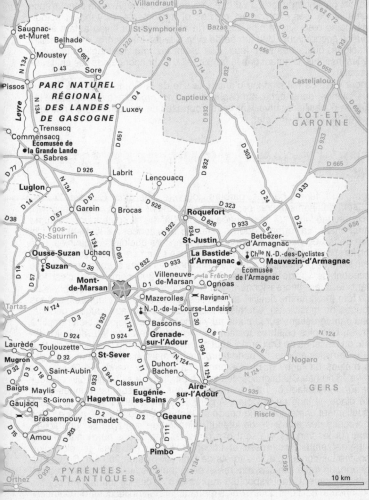

10 km

LES LANDES

recouvrant les villages, ouvrant des marécages avec les rivières ensablées, il fallait trouver une solution. Ce no man's land, « si pauvre que les vaches n'y avaient pas de lait », n'abritait qu'une poignée de bergers en échasses, perclus de malaria. Au début du XIXe siècle, les premiers docteurs arrivent. On tente de fixer les dunes littorales avec une herbe tenace, le gourbet. Et ce n'est qu'en 1857 que Napoléon III ordonne aux communes d'assainir et de boiser leurs terres. En acquérant un immense domaine, il donne lui-même l'exemple que suivront les grands propriétaires qui transformeront cette lande en forêt privée dont les familles descendantes entretiennent encore une assise économique sur les villages.

Le paysan se fait alors scieur de long, et le berger récolte la résine en gemmant : la plus grande forêt d'Europe s'invente une âme. Avec la concurrence internationale, ses charpentes, résines et agglomérés se vendent aujourd'hui moins bien. Et les pins, fixeurs de sable, sont un enjeu autant écologique qu'économique. Une armée de sylviculteurs, bûcherons, etc., les taille, les soigne, ouvre des pare-feux. Elle craint les touristes négligents autant que les insectes. D'autant que la nature, elle, n'abandonne pas ses châteaux de sable.

Et pour vivre ce témoignage d'antan, le site de la Grande Lande à Sabres nous plonge dans cette atmosphère où l'on croisera avec surprise les célèbres échassiers surveillant leurs troupeaux de moutons et des maisons d'autrefois restées en l'état.

TERRE DE GASTRONOMIE, DE FÊTES ET DE SPORTS

Rugby, surf, ferias, bandas, garbure, tourtière, foie gras, Guérard, Ducasse... sont des noms ancrés depuis des générations dans la culture landaise. La course landaise est mentionnée dès le XIIIe siècle comme une coutume immémoriale. Sa forme moderne remonte aux années 1830-1840 et fit la gloire de feu Guy Lux et d'Intervilles il y a encore quelques décennies. Ces exploits sportifs ne sont qu'une bonne excuse pour faire la fête : dès les premiers jours du printemps et jusqu'à l'automne, les ferias et autres festivals se succèdent de village en village. Avec plus de 300 communes, c'est tout autant de fêtes. Impressionnant, tout le monde se mobilise et on parle de vraie fête (programme détaillé auprès des OT ou du CDT) : fanfares, bandas (groupes de musiciens), chemises blanches et bandeaux rouges, bodega, repas pantagruélique sur la place du village, le verre (toujours bien rempli) à la main. Les plus célèbres restant Mont-de-Marsan et sa fête de la Madeleine, ou les ferias de Dax au 15 août qui vivent au rythme des lâchés de taureaux. Dans les arènes, on parle tauromachie mais, sur les terrains, c'est par des mêlées de rugby qu'on s'exprime. La liste des grands de l'ovalie est longue : Thomas Castaignède, les frères Boniface, les Lacroix, Olivier Roumat, Pierre Albaladejo, Titou Lamaison... tous sont issus des Landes.

Côté plage, le long de la Côte d'Argent, le surf est roi. Hossegor accueille annuellement une étape de la coupe du monde. On observe de plus en plus la présence des amateurs de kitesurf (planche de surf tirée par une voile), volant sur les vagues. Ne sont pas rares les champions du monde venant s'entraîner entre Biscarrosse et Labenne. Mais c'est aussi à vélo qu'on découvre les dunes et autres forêts de pins sur plus de 200 km. De Léon à Labenne, un tracé loin des voitures et de la foule estivale balade les promeneurs au calme. Carte disponible auprès des offices de tourisme. Pour les randonneurs, trois des quatre voies menant vers Saint-Jacques-de-Compostelle traversent le département. Indications, chemins aménagés, gîtes forestiers permettent d'agréables balades... et pour les pêcheurs en eau douce, de nombreuses réserves mettent en place des accueils adaptés (brochure complète et renseignements auprès de la Fédération des Landes pour la Pêche : ☎ 05-58-73-43-79).

Et si on ne devient pas rugbyman, on peut devenir grand chef. De Ducasse à Dutournier *(le Carré des Feuillants)*, originaire des Landes, en passant par Michel Guérard à Eugénie-les-Bains ou encore la médiatique Maïté à Rion-des-Landes, la plupart ont encore une table dans leur pays de naissance. C'est dans ce pays, premier producteur de foie gras et d'asperges en France, qu'a été inventé le magret. Les bonnes tables sont donc légion (quelques idées de recettes sur ● www.qualite-landes.org ●). Même Mitterrand le savait, lui qui venait régulièrement dans les Landes, à Latché près de Soustons, pendant les trente dernières années de sa vie.

PRÉCAUTIONS : ROUTES DE FORÊT ET BAÏNES

On n'est jamais trop prudent, alors nous préférons vous le dire tout de suite : les routes landaises sont assez dangereuses. Elles ont le charme de certains paysages canadiens, mais leur étroitesse en forêt et ces longues lignes droites rendent parfois difficile l'estimation de la distance d'un véhicule. C'est d'ailleurs pour ça qu'il est recommandé, même de jour, de rouler phares allumés. Les chevreuils sont ici assez courants, surtout la nuit.

Côté plage, on fera attention aux « baïnes », ces poches d'eau qui se forment à marée descendante dans le sable, et qui vous emportent au large. Les accidents sont rares, on ne veut pas être alarmiste, mais soyez vigilant ! Et pour ceux qui douteraient encore de la propreté des plages, sachez qu'elles n'ont jamais été aussi belles. Le souvenir du tanker *Prestige* est encore dans les mémoires mais, sur le sable, nulle trace. Les communes du littoral se sont rapidement mobilisées pour mettre en place un programme de nettoyage afin de débarrasser quotidiennement la côte des fameuses boulettes. Dorénavant, éliminé de ses impuretés, seul le sable humide et doré brille au soleil. Plus belles que jamais, on vous dit !

Adresses utiles

ℹ️ Comité départemental de tourisme des Landes : 4, av. Aristide-Briand, BP 407, 40012 Mont-de-Marsan Cedex. ● www.tourismelandes.com ● ☎ 05-58-06-89-89. Fax : 05-58-06-90-90. Nombreuses documentations sur demande par courrier, téléphone ou mail. Gère le service Clévacances.

■ Relais départemental des Gîtes de France : cité Galiane, BP 279, 40005 Mont-de-Marsan Cedex. ☎ 05-58-85-44-44. Fax : 05-58-85-44-45. ● www.gites-de-france-landes.com ●

■ Comité départemental de la Randonnée pédestre des Landes : Mairie, 40180 Narrosse. ☎ 05-58-90-12-84. Fax : 05-58-74-66-30. ● cdrp.40@wanadoo.fr ● Pour obtenir toutes les infos sur les 2 000 km de PR et GR des Landes.

MONT-DE-MARSAN ET SES ENVIRONS

MONT-DE-MARSAN   (40000)   32 234 hab.

À proximité de l'Océan, à deux pas des Pyrénées, à quelques encablures de Bordeaux ou de Toulouse, cette grande bourgade de province vit essentiellement au rythme des horaires de l'administration, son principal pôle d'activité. On y passe avec plaisir mais on ne s'y éternise généralement pas très longtemps... sauf la deuxième quinzaine de juillet pour la semaine des fêtes de la Madeleine, où la ville voit sa population tripler et revêt son habit festif, l'un des plus spectaculaires de la région. Hors saison, les dimanches et soirées sont assez calmes : voilà le moment d'aller découvrir cette ville fleurie et jonchée de sculptures. Deux grands sculpteurs (Despiau et Wlérick) sont passés par là et y ont laissé des traces : une belle statue de Condorcet trône place Pancaut. L'autre facette de la ville s'appelle rugby ! On est fier du « petit » Thomas Castaignède qui a grandi ici et a fait ses classes au club de la ville, la seule dans le département à avoir gagné, dans les années 1960 (contre le rival Dax !), le bouclier de Brennus. Depuis, le club a du mal à retrouver sa grandeur d'antan... Autre titre et autre victoire, celle d'Intervilles en 1998 sur... Dax ! Le trophée trône au sein de l'office de tourisme.

On assistera à quelques courses aux arènes ou parties de quilles, jeu typiquement landais et ancêtre de la pétanque. Les plus curieux iront jeter un œil aux quelques maisons médiévales du centre-ville et aux « castors landais », nom de ces maisons à loyer modéré construites à l'identique dans les années 1960 en périphérie de la ville pour loger les nouveaux arrivants et faciliter l'accès à la propriété. Mont-de-Marsan est aussi la ville de naissance d'Alain Juppé, maire de Bordeaux, mais dont il ne fut jamais l'élu.

Finalement, la vie à Mont-de-Marsan s'écoule doucement, un peu à l'image des deux rivières, le Midou et la Douze, qui se rejoignent pour former la Midouze et rafraîchir cette cité dite des « trois rivières ».

UN PEU D'HISTOIRE

Pierre de Laubaner fut, en 1133, à l'origine de la fondation du castelnau protégé par des murailles et un château. Au XIVe siècle, la cité devint un port prospère d'où partaient l'armagnac et le blé. Mont-de-Marsan accueillit les protestants avant d'être assiégée et conquise par les catholiques durant les guerres de Religion. C'est en 1790 que la ville devint la préfecture d'un département nouvellement créé, au détriment de Dax. Au départ, il était prévu une alternance administrative annuelle entre les deux villes. Bien sûr, cela n'était pas possible. L'administration centrale parisienne et révolutionnaire se devait de statuer. On demanda donc à des représentants de chaque ville de monter à Paris pour trancher (c'était la mode à l'époque !) le problème. L'histoire raconte que le représentant dacquois, ayant trop profité de la vie parisienne, ne se serait pas réveillé pour se rendre à la réunion. Faute de combattants, Mont-de-Marsan prit le titre de préfecture du département. La rivalité entre les deux cités ne s'est jamais éteinte.

La cité avait retrouvé une belle prospérité au XVIIIe siècle grâce au commerce des gabares qui descendaient vers Dax et Bayonne. Mais le train mit un coup d'arrêt à cette activité. Au début du XXe siècle, c'est l'aviation civile et militaire qui va donner sa marque à la ville, qui a gardé depuis son image militaire ainsi qu'administrative.

Adresses utiles

🛈 **Office de tourisme** (plan B2) : 6, pl. du Général-Leclerc, BP 305, 40011 Mont-de-Marsan Cedex. ☎ 05-58-05-87-37. Fax : 05-58-05-87-36. ● www.mont-de-marsan.org ● En plein centre, à côté de la poste. Ouvert du lundi au samedi de 9 h à 12 h 30 et de 13 h 30 à 18 h ; en saison, de 9 h à 18 h 30 sans interruption. Sympa et efficace. Nombreuses infos déclinées surtout sur les thèmes des jardins et des sculptures.

■ **Gîtes de France** : cité Galiane, BP 279, 40005 Mont-de-Marsan Cedex. ☎ 05-58-85-44-44. Fax : 05-58-85-44-45. ● www.gites-de-france-landes.com ●

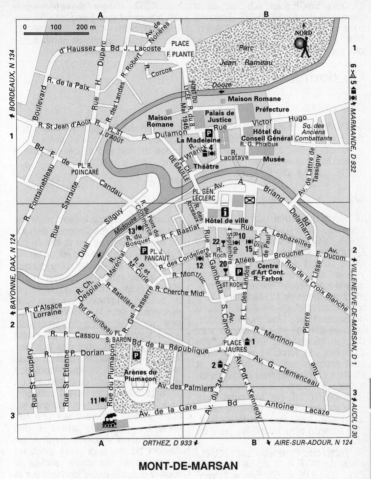

MONT-DE-MARSAN

■ **Adresses utiles**

ℹ Office de tourisme
✉ Poste
🚂 Gare SNCF

△ ▟ **Où dormir ?**

1 Hôtel du Sablar
2 Hôtel des Pyrénées
4 Hôtel Richelieu
5 Hôtel de la Renaissance
6 Camping municipal

🍴 **Où manger ?**

4 Restaurant de l'hôtel Richelieu
5 Restaurant de l'hôtel de la Renaissance
10 La Cidrerie
11 Chez Despons – Le Plumaçon
12 Le Thé de Clarisse
13 Le Bistrot de Marcel
15 Le Don Quijote

🍸 **Où boire un verre ?**

20 La Rhumerie
22 Le Havanita Café

Gare SNCF *(plan A3)* : av. de la Gare. ☎ 08-92-35-35-35. Liaisons avec Bordeaux et en bus avec Agen, Dax, Pau, Tarbes, Auch, Toulouse, etc.

RDTL (Régie départementale de transport des Landes) : 99, rue Pierre-Benoît. ☎ 05-58-05-66-00. Dessert toute l'année de nombreuses villes du département.

Où dormir ?

Camping

⚁ **Camping municipal** *(hors plan par B1, 6)* : 541, av. de Villeneuve. ☎ 05-58-75-04-73. Sur la route de Villeneuve, à environ 2 km du centre, sur la gauche de la route. Ouvert toute l'année. Compter 5 € pour 2 personnes avec voiture et tente. Ombragé et calme. Pas de machine à laver. Tennis à proximité.

De bon marché à prix moyens

🛏 **Hôtel du Sablar** *(plan B2, 1)* : pl. Jean-Jaurès. ☎ 05-58-75-21-11. Fax : 05-58-75-67-13. Ouvert toute l'année. Chambres doubles de 33 à 47 € selon le confort. À proximité du centre-ville et des arènes, voici l'adresse qu'affectionnent les matadors au moment des fêtes de la Madeleine. Ils y reviendraient d'une année sur l'autre par superstition... Une chose est sûre, l'accueil est poli et les proprios sont de vrais aficionados. Voyez la galerie d'affiches de ferias. Les chambres sont propres, simples, avec TV et chaînes câblées, et pour certaines un papier à fleurs bien kitschounet (chambre n° 25, par exemple) mais qui a tout son charme. Préférez celles à l'arrière, avec vue sur le jardinet. Une adresse bien fraîche les jours de chaleur.

🛏 **Hôtel des Pyrénées** *(plan B2, 2)* : 4, rue du 34ᵉ-R.-I. ☎ 05-58-46-49-49. Fax : 05-58-06-43-57. Fermé le vendredi soir et le dimanche soir. Doubles de 21 à 39 € avec lavabo, douche ou bains. Premier menu à 11,40 € sauf le dimanche, autres menus de 20 à 31 €. Possibilité de demi-pension. On la repère bien, cette vénérable maison rose connue de tous les Montois, reprise par la fille du patron. Il faut avouer que c'est un peu la cantine pour le déjeuner. Une fois que vous aurez goûté le premier menu avec un potage, une entrée, un plat et un dessert, on prend le pari que vous reviendrez. Pour la qualité de la cuisine (spécialité : le ris de veau), mais aussi parce que l'endroit se révèle plutôt agréable. Au gré des trois salles, on revit presque l'histoire de la maison en fonction des décorations qui sont restées en l'état, même si un petit rafraîchissement a été entrepris. Et puis, quand il fait beau, de grandes baies vitrées s'ouvrent une terrasse au milieu des arbres et des fleurs. Cuisine simple, roborative, rudement bonne, quoi ! Une vingtaine de chambres agréables, surtout si vous choisissez celles donnant sur la verdure. Sur le carrefour, c'est beaucoup plus bruyant. Il vaut mieux réserver pour être bien placé ! Service cordial et gentil, digne d'une école hôtelière.

Plus chic

🛏 |●| **Hôtel Richelieu** *(plan B1, 4)* : 3, rue Wlérick. ☎ 05-58-06-10-20. Fax : 05-58-06-00-68. ● le.richelieu@wanadoo.fr ● ✗ En plein cœur de la ville, juste derrière le théâtre. Restaurant fermé le samedi et le dimanche soir. Chambres doubles à 44,50 et 46 €. Premier menu à 15 € (22 € le dimanche) ; autres menus de 24 à 29 €. Le seul hôtel « élégant » du centre-ville. Chambres sans surprise, calmes, propres mais un peu impersonnelles. Sourire à l'accueil irrégulier. Agréable salon pour le petit dej'. Par ailleurs, la table est l'une des meilleures de la ville. La cuisine offre des valeurs sûres, exécutées avec talent. Une partition très classique, de qualité, avec des produits régionaux sélectionnés. Remise de 10 % sur le prix de la chambre sur présentation de ce guide, sauf en juillet et août.

🏠 |●| *Hôtel de la Renaissance* (hors plan par B1, 5) : 225, av. de Villeneuve. ☎ 05-58-51-51-51. Fax : 05-58-75-29-07. ● lerenaissance@wanadoo.fr ● Restaurant fermé les samedi midi et dimanche soir. Chambres de 57 à 88 € selon la saison. Menus « sagesse » à 22 €, « tentation » à 26 €, jusqu'à « inspiration » à 68 €. Voilà un beau 3 étoiles qui manque encore un peu d'histoire, mais on s'y sent plutôt bien et, surtout, l'endroit s'avère d'un calme absolu. Chambres qui portent des noms de musiciens, certaines donnant sur le parking, d'autres sur le jardin avec vue sur la piscine (nos 21 à 27). Resto très correct.

Où manger ?

|●| *Chez Despons – Le Plumaçon* (plan A3, 11) : 20, rue du Plumaçon. ☎ 05-58-06-17-56. ♿ À droite à côté des arènes. Ouvert à midi uniquement. Fermé le dimanche et les 3 premières semaines d'août. Toute une gamme de formules et de menus de 7 à 14 €. Cuisine familiale pour une adresse d'habitués qui dure depuis 1937. Un peu excentré, le détour vaut le coup pour l'entrecôte grillée premier choix ou le grillé « poivre vert », servi avec une salade, puis un dessert pour moins de 10 €. Buffet crudités-charcuterie avec dessert au choix, très agréable, en été sur les 2 terrasses. N'accepte pas les cartes de paiement. Café ou sangria offert sur présentation du *GDR*.

|●| *Le Thé de Clarisse* (plan B2, 12) : 9, rue des Cordeliers. ☎ 05-58-45-05-74. Ouvert le lundi de 10 h à 18 h et du mardi au samedi de 8 h 30 à 18 h 30. Formule unique à environ 8 €. Un simple menu renouvelé tous les jours avec produits frais et inspiration du patron : salade et plat du jour, chariot de desserts maison. Nous voici installés à l'étage d'une ancienne imprimerie remodelée en petits salons, avec une grande salle principale sous verrière, aérée et lumineuse. Dans un cadre coloré et printanier, un petit lieu qui nous a bien plu et où l'accueil est charmant. Petit dej' possible, mais on n'a pas essayé ! Préférable de réserver.

|●| *Le Bistrot de Marcel* (plan A2, 13) : 1, rue du Pont-de-Commerce. ☎ 05-58-75-09-71. Fermé le lundi midi et le dimanche. Menu à 8 € le midi en semaine ; autres menus de 14 à 25 €, dont un à 21 € « 100 % découverte des Landes ». N'allez pas vous imaginer un vieux bistrot à la mode d'autrefois, avec des vieux qui jouent aux cartes. C'est une vraie belle table, bénéficiant d'une salle décorée avec goût, assez moderne, d'une terrasse couverte et chauffée avec vue surplombant la Midouze. Des spécialités landaises, cela va sans dire, du magret à l'omelette aux cèpes en passant par la tourtière et un verre de floc de Gascogne. Accueil très aimable et une belle carte de vins. Café offert à nos lecteurs sur présentation du *GDR*.

|●| *La Cidrerie* (plan B2, 10) : 7, rue du 4-Septembre. ☎ 05-58-46-07-08. ♿ Service jusqu'à 23 h. Fermé le lundi midi et le dimanche. Menu à 10 € le midi en semaine ; autres menus de 17,50 à 23 €. Même les Landais ne mangent pas landais tous les jours, alors laissez-vous tenter par du lomo (porc mariné aux herbes) ou un filet de morue au cidre, le tout accompagné d'un verre de cidre (ça va de soi)... basque. Cuisine au feu de bois (grillades), agréable patio extérieur, ambiance jeune et conviviale font le succès du lieu. Formule efficace et économique.

|●| *Le Don Quijote* (plan B2, 15) : 7, rue Saint-Vincent-de-Paul. ☎ 05-58-06-22-04. ● donquijote@club-internet.fr ● Fermé le lundi, le dimanche midi et 2 semaines fin août-début septembre. Menus à 16,50 et 21,50 €. Pas de chevaliers à la triste figure ici, mais des amoureux de la vie à l'espagnole. Décor très olé-olé et bonnes spécialités maison allant des tapas à la paella ou autres *zarzuela, parilladas...* Salle climatisée, ce qui n'est

pas négligeable certains jours d'été. Apéritif maison offert sur présentation du *GDR*.

|●| Deux autres tables hautement recommandables : le *restaurant de* *l'hôtel Richelieu* (plan B1, **4**) et le *restaurant de l'hôtel de la Renaissance* (hors plan par B1, **5**) ; voir « Où dormir ? ».

Où dormir ? Où manger dans les environs ?

Camping

⚊ *Camping La Clavé :* 860, route de Rion-des-Landes, 40110 Morcenx-Bourg. ☎ 05-58-07-83-11. • www. camping-leclave.com • Ouvert toute l'année. Compter 15 € pour 2 personnes avec emplacement. Au cœur des Landes, en pays morcenais, à une trentaine de kilomètres au nord-ouest de Mont-de-Marsan, direction Rion-des-Landes. À l'entrée du village. Sur 7 ha, un camping frais et ombragé, tout confort, avec piscine, bungalows, terrain de pétanque, minigolf, installations récentes, laverie, VTT...

De bon marché à prix moyens

🏠 |●| *Domaine d'Agès, chambres et table d'hôte chez Elysabeth Haye :* 40110 Ousse-Suzan. ☎ 05-58-51-82-28. • haye.eeb@wanadoo. fr • Direction Morcenx jusqu'à Ygos-Saint-Saturnin (22 km) ; à gauche à l'entrée du village ; indiqué ensuite. Au bout d'un chemin, une vraie maison landaise prise dans la pinède. Ouvert toute l'année. Chambre double à 45 €, repas sur demande à 16 € (8 € pour les moins de 12 ans), avec les produits du potager. Élisabeth, amatrice de peinture, reçoit depuis 6 ans avec douceur et plaisir dans ce hameau paisible. Les chambres confortables à l'étage portent les noms de cannelle ou citronnier et profitent d'une déco au style Louis XV. La famille aime la lecture, les arts et les chevaux, et vous conseillera sur les découvertes à faire dans la région. Repas en terrasse ou près d'un bon feu de cheminée selon la saison. Calme garanti, petite piscine chauffée, grand airial de chênes et de pins, nombreux chemins de rando ou de VTT au départ du domaine et une multitude d'animaux autour de la maison qui raviront les enfants.

|●| *Auberge de La Pouillique* (hors plan par B2) : 656, chemin de la Pouillique, 40090 Mazerolles. ☎ 05-58-75-22-97. À 4 km du centre, sur la D 1. Dépasser de 100 m environ le grand rond-point et prendre le chemin sur la gauche (fléchage). Fermé le lundi, le mardi soir et le dimanche soir ; congés les 10 derniers jours d'août. Menus de 16 à 28 €. Grande et belle auberge au style landais, ombragée par de gros chênes et entourée de bosquets fleuris, où l'on vient volontiers s'attabler, l'été venu. Pour une soirée entre amis, on slalome entre les spécialités landaises, préparées par le patron lui-même. Cadre charmant.

|●| *Restaurant Didier Garbage :* 40090 Uchacq. ☎ 05-58-75-33-66. • www.restaurantdidiergarbage.fr • ♿ À 4 km, direction Sabres-Bordeaux, sur la N 134. Fermé le lundi, le mardi soir et le dimanche soir, ainsi que la 1re semaine de janvier et 15 jours fin juin-début juillet. Menus à 11,50 € et 20 € au bistrot ; quatre autres menus de 25 à 60 € au restaurant. L'adresse est réputée depuis quelques années déjà. Tout le monde fraternise autour du foie gras poêlé aux figues fondantes ou des lamproies à la bordelaise concoctées par ce personnage haut en couleur à la bonhomie sympathique. Au restaurant, on s'installe dans la salle cossue ou en terrasse pour un moment délicieux de la première à la dernière bouchée. Côté bistrot, la formule complète avec vin ou bière inclus est attrayante, mais on regrette que les accompagnements et la présentation soient un peu négligés. Pas toujours facile d'être au four

et au moulin. Les pièces de viande restent bien tendres, et on a eu un faible pour le riz au lait à l'écorce d'orange. Apéritif maison offert à nos lecteurs sur présentation du *GDR*.

Où boire un verre ?

▼ *La Rhumerie (plan B2, 20)* : 13, pl. Saint-Roch. ☎ 05-58-75-76-83. ⚹ Ouvert de 12 h à 5 h. Fermé le dimanche. Dans un décor de bois coloré, un endroit sympa et sage pour déguster un tas de cocktails pas trop chers (environ 6 €). Bières de 2,50 à 5 €. Pour les amateurs, un ti-punch délicieux arrangé par le patron et servi par la jolie Laetitia. Plein de bonnes choses à grignoter, comme les *gratouilles* (on vous laisse découvrir ce que c'est). Soirées à thème et concerts (jazz, rock, etc.). Agréable terrasse face à la place du marché.

▼ *Le Havanita Café (plan B2, 22)* : 9, rue du 4-Septembre. ☎ 05-58-85-29-63. ⚹ Ouvert de 17 h (18 h le dimanche) à 2 h. Fermé le lundi et en août. *Mojito*, daiquiri et autres cocktails au goût étrange venu d'ailleurs. Bar cubain, avec canapés, table de billard, portrait du « Che », concerts le samedi et un grand choix de cigares. Une ambiance salsa au cœur des Landes.

À voir

🎨 *Le musée Despiau-Wlérick (plan B1)* : ☎ 05-58-75-00-45. Ouvert de 10 h à 12 h et de 14 h à 18 h. Fermé les mardi et jours fériés. Entrée : 3,20 € ; de 12 à 18 ans : 1,60 € ; gratuit pour les moins de 12 ans ; gratuit pour tous le lundi. Compter une heure de visite. Situé en plein centre, dans une belle maison forte du XIVᵉ siècle, bien restaurée. Seul musée de France consacré à la sculpture figurative de 1890 à 1950. Sur trois niveaux, plus d'un millier d'œuvres qui mettent avant tout essentiellement le travail de Wlérick et Despiau dont Paul Belmondo (papa de Jean-Paul) fut l'élève. Tous deux naquirent à Mont-de-Marsan, firent partie du groupe des « sculpteurs indépendants ».

– *Au rez-de-chaussée :* superbe série d'œuvres de Despiau, où il exprime avec vigueur la beauté féminine. Noter un *Apollon, la Petite Fille des Landes* aux traits fins, et le plâtre de la statue du Maréchal Foch qui se trouve face au Trocadéro à Paris.

– *Au 1ᵉʳ étage :* nombreux bustes et visages souriants façonnés par Wlérick.

– *Au 2ᵉ étage :* mise en valeur de pièces des Expositions internationales de Paris de 1931 et 1937.

Agréable musée qui se termine par la visite du donjon et sa terrasse extérieure dominant la ville. Et n'oubliez pas que l'expo se prolonge jusqu'en ville avec un parcours qui vous fera découvrir des œuvres à travers tout Mont-de-Marsan.

🎨 *Le centre d'art contemporain Raymond Farbos (plan B2)* : ☎ 05-58-75-55-84. Ouvert les après-midi (en période d'exposition). Fermé le dimanche. Entrée adultes : 3 €. En centre-ville, cet agréable lieu d'expositions tempo-

MONT-DE-MARSAN
ET SES ENVIRONS

raires, créé par un mécène montois, présente des collections de sculptures d'artistes contemporains, tels que Paul Belmondo, Jean-Pierre Rives (artiste du ballon ovale reconverti dans l'art sculpturale), Ben, Dubuffet... Se renseigner sur le programme.

🐾 Quelques belles maisons bourgeoises dans la rue Victor-Hugo avec notamment l'*hôtel de la Préfecture (plan B1),* construit au XIXe siècle dans un style néo-classique. La symétrie et la rigueur du bâtiment sont caractéristiques de cette architecture en vogue sous le Premier Empire.

🐾 *Le parc Jean Rameau (plan B1) :* pl. Francis-Planté. ☎ 05-58-75-65-41 (service des espaces verts). Un joli parc, trop souvent oublié, créé à la fin du XVIIIe siècle. Longeant la Douze, il est ouvert gratuitement au public et présente plus de 600 espèces de plantes. On s'y promène avec grand plaisir entre les arbres centenaires (80 essences), le jardin de plantes vivaces ou le petit jardin japonais.

Manifestations

– *Festival d'Arte Flamenco :* la 1re semaine de juillet. Pour les amateurs de flamenco dans la plus grande tradition. Nombreux concerts et spectacles de danse. Renseignements à partir de juin au ☎ 05-58-06-86-86.
– *Fête de la Madeleine :* la 3e semaine de juillet. On tient à le préciser, ça n'a rien à voir avec la madeleine, le gâteau, Proust, etc. Ca se passe autour du 22 juillet (Sainte-Madeleine) et c'est une feria avec course de taureaux, bandas et grosses fêtes plutôt arrosées, qui dure une semaine et transforme Mont-de-Marsan en cité piétonne pour accueillir plus de 100 000 visiteurs. Le meilleur moment pour découvrir la ville, si on veut la voir s'animer. ● www.fetesmadeleine.com ●

Où trouver de bons produits ?

– *Marché Saint-Roch :* le mardi et le samedi matin. Un marché comme on n'en fait plus beaucoup, considéré comme l'un des 100 plus beaux de France, avec petits producteurs, produits frais du terroir (charcuterie, asperges, produits fermiers...).

🐾 *Foies gras Lafitte :* 62, rue Léon-Gambetta. ☎ 05-58-06-06-91. Excellents produits en provenance exclusive de la région (foies gras, magrets, confits...).

🐾 *La Tourtière :* 7, allée Raymond-Farbos. ☎ 05-58-75-77-00. Ouvert le dimanche matin. Fermé le lundi. Pour goûter ces deux incontournables desserts du pays que sont les tourtières et le pastis.

🐾 *Ferme La Source Jean-Louis Lafargue :* 971, route de la Gare, 40280 Benquet. ☎ 05-58-71-13-10. Conserves artisanales du terroir, tradition familiale. Nombreux produits, accueil charmant et passionné. Petit cadeau sur présentation du *GDR.*

➤ DANS LES ENVIRONS DE MONT-DE-MARSAN

🐾 *L'église Saint-Hippolyte :* à Villeneuve-de-Marsan (40190). À 13 km à l'est de Mont-de-Marsan. Dans cette ville rebâtie au XIIIe siècle sur les ruines d'une bourgade détruite par les invasions barbares, une église édifiée à la toulousaine, en briques rouges, dans un style gothique du XVIe siècle. À l'intérieur, fresques du XVIe siècle racontant la vie de Catherine d'Alexandrie, qui n'a pas eu une fin facile. Suite à sa conversion, on lui découpe les seins au sécateur (vu sur la représentation), pour ensuite lui faire subir le supplice de la roue quand soudain l'instrument se grippe. Pour en finir, on lui tranche la tête. Ce supplice à rebondissement lui valut d'être emmenée par les anges sur le mont Sinaï. Office de tourisme : 181, Grand'rue. ☎ 05-58-45-80-90.

🍴 *Le centre Jean-Rostand :* à Pouydesseaux, à 16 km route de Saint-Justin. Indiqué à droite sur la route D 933 en venant de Mont-de-Marsan. ☎ 05-58-93-92-43. 🍴 Ouvert du lundi au vendredi et le dimanche après-midi de Pâques à fin octobre, de 9 h à 12 h et de 14 h à 18 h. Entrée : 4 € ; tarif réduit sur présentation du *GDR* ; billet valable toute l'année ; gratuit jusqu'à 12 ans. Dans un grand parc naturel, Jean Rostand, qui a créé ce centre en 1962, a mené d'importantes recherches sur la flore et la biologie. Il a notamment étudié la polydactylie (malformation consistant en une soudure de deux ou plusieurs doigts) de la grenouille verte. Le centre est à la fois un conservatoire de faune et de flore (espèces protégées) en même temps qu'un laboratoire de biologie d'eau douce. Un sentier aménagé permet de découvrir la richesse de ce milieu (nombreux plans d'eau, zones humides et sèches, tourbières). Dans le bâtiment, documents audiovisuels.

🍴🍴 *La chapelle de Suzan :* à Ousse-Suzan, à 20 km à l'ouest de Mont-de-Marsan, direction Morcenx. Indiqué par une petite route sur la gauche. Perdue entre champs et pinède, cette petite chapelle d'origine romane, fraîchement restaurée, aspire au calme et à la tranquillité. Vouée à saint Jean-Baptiste, elle dispose d'une clef de voûte à croix de Malte, d'un curieux clocher et surtout d'une peinture murale datée du XVIe siècle où sont représentés les sept péchés capitaux dans une harmonie de teintes pastel et de formes naïves. Tout près, balades à faire dans les forêts de pins ou jusqu'aux sources avoisinantes car vous êtes en pays morcenais, terre de l'eau et des sources dans les Landes. Incroyable foire annuelle, datant du Moyen Âge, autour de la chapelle pour la Saint-Michel en septembre et s'étalant sur 2 km.

🍴🍴 *Le pays morcenais :* « Ça coule de source », voici comment se définit cette terre d'eau et de forêts, avec Morcenx pour capitale. Pris au centre du département, on l'apprécie doublement pour sa tranquillité et ses aménagements naturels comme le *site départemental d'Arjuzanx,* avec ses cinq lacs et sa plage surveillée (de mi-juin à fin septembre), qu'on peut découvrir à pied, à vélo ou en compagnie des gardes forestiers qui vous expliqueront en détails la faune et la flore des lieux (en été). C'est une étape essentielle pour les milliers d'oiseaux en route vers l'Afrique (grues cendrées). Planning des visites et renseignements : ☎ 05-58-08-11-52.
Nombreux circuits à faire à vélo autour des lavoirs, des fontaines, des sources... Dépliants auprès de la *maison du pays morcenais* à Morcenx, pl. Jean-Moulin, à côté de la gare. ☎ 05-58-04-79-50. ● pays.morce nais.anpe@wanadoo.fr ●

🍴🍴 *Le musée et la chapelle de la Course landaise :* 40090 Bascons. ☎ 05-58-52-91-76 (mairie). À 7 km au sud de Mont-de-Marsan par la route de Grenade. Indiqué ensuite. On ne rigole pas avec les courses landaises. Bascons, avec ses arènes qui doivent facilement pouvoir contenir l'ensemble de la population du village, se dote d'une part d'un musée sur le sujet, complet, attrayant et bien conçu, et d'autre part (juste en face) d'une chapelle Notre-Dame de la Course landaise, datée du XIIIe siècle et lieu de pèlerinage pour les aficionados (Jeudi de l'Ascension). Musée ouvert de mi-mars à mi-octobre les mercredi et vendredi de 14 h à 18 h, plus le jeudi de 14 h à 19 h de mi-mai à mi-septembre. Entrée à 4 € ; 2 € pour les 6-12 ans. Pris en pleine campagne (bien indiqué), c'est un surprenant musée que l'on découvre : carte complète de toutes les arènes de la région, costumes, portraits des grands toréadors, trophées... On apprendra que la course landaise est un jeu gascon, unique au monde, ancré dans les traditions et dont le musée cherche à transmettre les coutumes et les valeurs. Propose des journées complètes en groupe tournées autour du monde des courses landaises avec visite du musée, de la chapelle et d'une ganaderia (endroit où se fait l'élevage des vaches). Et qui est le saint protecteur des toréadors ? Compter 1 h de visite libre.

– Aire de pique-nique et sentiers balisés sur 11 km autour d'un lac tout proche où il est possible d'observer les oiseaux.

LE BAS-ARMAGNAC ET SES ENVIRONS

Verdoyante et vallonnée, cette petite région dénote du reste du département. On côtoie nature, forêts, cours d'eau mais aussi chais, petits châteaux, bastides et vastes vignobles. Terre de la célèbre eau-de-vie « l'armagnac », la plus ancienne de France (on en trouve trace dès 1348), et du « floc » (mariage entre armagnac et jus de raisin frais), revendiquant les coutumes ancestrales landaises, les ressemblances géographique restent toutefois troublantes avec le Gers. Forcément, pendant longtemps ces terres dépendaient des seigneurs voisins jusqu'à une délimitation administrative et la création des départements qui les rattachèrent aux Landes. Qui s'en plaindrait ?

LA BASTIDE-D'ARMAGNAC   (40240)   715 hab.

Un must des dépliants touristiques. Médiévale au possible, cette bastide, plantée au milieu des paysages vallonnés aux collines boisées, a conservé intacte toute sa force romantique. Elle date de la fin du XIIIe siècle et fut édifiée pour protéger le comte d'Armagnac contre ses adversaires. Les guerres de Religion l'affaiblirent, mais sa place royale est demeurée intacte. Barbey d'Aurevilly y séjourna plusieurs fois pour se désintoxiquer de l'alcool et de la drogue, chez celle qu'il appelait « l'ange blanc », la baronne de Bouglon. Il surnomma La Bastide la « Rossignolide » et il rédigea ici *Le Chevalier Des Touches*.

Bel ensemble à arcades avec maisons à colombages et briques. Charme de la pierre et du bois, des balcons fleuris, de la halle et de cette grosse tour fortifiée de l'église, à la fois clocher et donjon. Le site n'est pas encore trop encombré par la foule, on s'en réjouit.

Adresse utile

Office de tourisme : pl. Royale. ☎ 05-58-44-67-56. Fax : 05-58-44-84-15. ● www.labastide-d-armagnac. com ● Sous les arcades, à gauche de l'église. Ouvert d'avril à septembre, du lundi au samedi de 10 h à 12 h 30 et de 14 h à 18 h, et les dimanche et jours fériés de 14 h à 18 h. Accueil diligent et efficace. Plan-guide en vente. Visites guidées sur réservation le mardi après-midi de mai à septembre.

Où dormir ? Où manger ?

Chambres chez Jeanine Tardi-Clavé : rue de la Chaussée. ☎ 05-58-44-87-33. ● denisclave@cario.fr ● Trois chambres de 30 € (1 personne) à 50 € pour 2, petit dej' compris. Une maison qui ne manque pas de caractère (du XVIe siècle !), à deux pas de la place Royale, sur le chemin du lavoir, et décorées à l'ancienne avec goût. Une atmosphère certaine. Le petit dej' peut être pris là ou chez les propriétaires. Apéritif maison offert sur présentation du *GDR*.

I●I *Sucre Paille :* pl. Royale. ☎ 05-58-44-81-43. ⚒ Ouvert de mi-mai à mi-septembre tous les jours sauf le mercredi. Menu à 15 € ou crêpes de

1,60 à 6 €. Sur cette belle place historique, voici l'endroit idéal pour boire un verre ou se laisser tenter par les bonnes crêpes (à l'armagnac !) de Régine, au sourire accueillant. Installé au frais sous les arcades, on appréciera de même les salades aux produits du terroir ou les sorbets aux fruits. Fleuri et élégant, ce petit salon est bien reposant.

Où dormir ? Où manger dans les environs ?

🏠 I●I *Domaine de Paguy, chambres d'hôte chez Albert et Paulette Darzacq :* 40240 Betbezer-d'Armagnac. ☎ 05-58-44-81-57. Fax : 05-58-44-68-09. ● albert-darzacq@ wanadoo.fr ● De La Bastide-d'Armagnac, suivre la D 11 jusqu'au croisement avec la D 35, puis prendre à gauche ; la maison est sur la gauche, à 1 km. Chambres et gîtes ouverts toute l'année. Ferme-auberge ouverte de Pâques à fin juin le dimanche midi, et de début juillet à fin septembre tous les jours sauf le mercredi. Congés annuels 2 semaines fin mars. Chambres doubles de 40 à 47 € selon le confort, petit dej' compris. Aussi 3 gîtes confortables de capacités différentes. Menu à 15,50 €, sauf les samedi et dimanche, apéritif et vin compris.

Autres menus de 17 à 31 €. Cette ancienne et belle demeure de maître du XVIe siècle a été habilement transformée en chambres spacieuses et plaisantes, avec vue sur les vignobles. Le calme total dans un environnement typique de la région. Très bonne adresse pour le gîte certes, mais aussi pour le couvert : garbure, foie gras frais aux pommes et aux raisins, confit et magret de canard, poule au pot farcie superbe... qu'il faut accompagner d'un petit vin de la propriété, histoire d'aller faire une petite sieste au bord de la piscine après. À moins que vous ne préfériez la visite des chais et la dégustation d'armagnac. Accueil malheureusement quelquefois irrégulier. Mieux vaut réserver par avance en été. Digestif ou apéritif maison offert à nos lecteurs.

À voir

🚶🚶 *La place Royale :* la plus pittoresque et la mieux conservée des Landes. En sept siècles, elle n'a pratiquement pas bougé. Il paraît qu'Henri IV, avant d'instituer la poule au pot, est venu ici chercher l'inspiration. Du coup, il s'en serait inspiré pour l'aménagement de la place des Vosges à Paris. Des courses landaises s'y déroulaient il n'y a encore pas si longtemps. En passant devant la maison Jeanton, ayez une pensée pour cet homme qui, entre deux courses, restait dans son atelier de menuiserie, à travailler... ou à faire la sieste, dans le cercueil qu'il s'était lui-même confectionné et où on l'enterra d'ailleurs en 1954.
Dommage que personne ne soit vraiment décidé à chasser les voitures de la place, en dehors des après-midi d'été...
– *Brocante* le 4e dimanche de chaque mois d'avril à octobre, de 9 h à 18 h.

🚶 *L'église Notre-Dame :* conçue sur trois siècles, on y trouve une émouvante pietà en bois polychrome du XVe siècle à l'intérieur, ainsi qu'une voûte plutôt originale. De l'extérieur, on continue de s'interroger sur ce qui devait être à l'origine le donjon de la forteresse et serait devenu, aux XVe et XVIe siècles, le clocher actuel.

🎾 *Le temple des Bastides :* ☎ 05-58-44-81-06 (mairie) ou se renseigner à l'office de tourisme. Horaires irréguliers en été (l'après-midi). Entrée : 3 €. Dans l'ancien temple protestant de la ville, deux salles pour tout savoir sur la création et la vie des « villes nouvelles » qu'étaient les bastides. Expos temporaires organisées au rez-de-chaussée ; l'étage est consacré à une visite avec des écouteurs individuels (15 mn). Les commentaires sont concrets, mais on peut regretter le peu de matière qui vient les illustrer. Encore récent, ce musée ne pourra que s'enrichir avec le temps.

Manifestations

– *Peintres dans la rue :* le 1er week-end d'août.
– *Fêtes des vendanges « L'Armagnac en fête » :* le dernier samedi d'octobre, la place de la ville se transforme en rassemblement des amateurs d'armagnac (pieds de vigne répartis sur la place Royale, grand repas où l'on dîne assis sur des barriques, cérémonies d'intronisations...). Renseignements auprès de l'office de tourisme.

➤ DANS LES ENVIRONS DE LA BASTIDE-D'ARMAGNAC

🎾🎾 *La chapelle Notre-Dame-des-Cyclistes :* sur la D 626, à 2,5 km au sud de La Bastide-d'Armagnac. Ouvert de début mai à fin septembre de 15 h à 18 h. Fermé le lundi. Accès gratuit. Cette région réserve bien des surprises. Cette petite chapelle du XIIe siècle a été dédiée, avec l'appui clérical de feu l'abbé Massie (que l'on surnommait « le pape du cyclo ») et la bénédiction divine, à la « petite reine ». Inspiré d'une chapelle italienne dédié au vélo, ce lieu reste unique en France et le sanctuaire national du cyclisme. Cocasse, cette union entre la reine (aussi petite soit-elle) et la soutane. Ici, les maillots (plus de 400) de champions ou de clubs remplacent les ex-voto. En 1989, le Tour de France a honoré la chapelle de son passage pour son 30e anniversaire. L'étape Bordeaux-Pau partit de là.
À l'intérieur, véritable fresque de maillots presque encore dégoulinants de sueur. Merckx, Bobet, Hinault et bien d'autres y ont laissé des signes de leur passage. Luis Ocaña s'y maria. Un des vélos du premier Tour de France (1903) y est exposé, ainsi que le vélo de Bourvil dans *Les Cracks* et un spécimen à cardans dit « acatène ». Il appartenait à un prêtre. À noter l'accueil charmant et dévoué des bénévoles qui gèrent ce site. Et si vous avez une idée de qui est le saint du pédalier, faites-le nous savoir : on a cherché et on n'a pas trouvé.
– Le lundi de Pentecôte, grande fête dédiée aux cyclistes.

🎾 *L'écomusée de l'armagnac :* ☎ 05-58-44-88-38. ● château.garreau@wanadoo.fr ● 🎾 À quelques kilomètres au sud de La Bastide-d'Armagnac, sur la RN 626. Musée installé dans le château Garreau. Ouvert toute l'année du lundi au vendredi de 9 h à 12 h et de 14 h à 18 h, et les week-ends et jours fériés de 15 h à 18 h. Entrée : 4 € ; tarifs couple et famille à 6,50 €. La visite du petit musée du Vigneron permet de tout comprendre sur les origines, la fabrication ou le vieillissement de ladite eau-de-vie. Distillerie avec 11 alambics, visite des chais pour les groupes pour tout savoir sur la « part des anges », cette partie de la récolte qui, une fois en fût, s'évapore pour partir vers les cieux. On apprendra et découvrira que chaque armagnac a sa propre saveur. Entrée gratuite au pavillon d'accueil (dégustation). Accueil commercial.

🎾🎾 *Les chais du domaine d'Ognoas :* ☎ 05-58-45-22-11. 🎾 Fléché d'Arthez-d'Armagnac. Ouvert du lundi au vendredi de 9 h à 12 h et de 14 h à 17 h 30 ; de début mai à fin septembre, ouvert également le week-end de

14 h à 18 h. Visite gratuite d'environ 1 h. Cette belle exploitation rénovée, aujourd'hui sous la responsabilité du Conseil général, produit un excellent armagnac. On vous explique, très pédagogiquement, le système plutôt complexe de la distillation. Superbes murs dans la pièce où trône l'alambic, le plus ancien de Gascogne, puisque datant de 1804, et continuant de chauffer au bois, chaque année, quelque 800 hectolitres de vin qui, une fois distillés, vont fournir ces 150 hectolitres d'armagnac appelés à vieillir 10 ans au moins, 40 ans au plus, dégageant d'odorants effluves dans le vieux chai. Durant le long vieillissement en pièces de chêne d'environ 420 litres, l'eau-de-vie s'enrichit en effet de toutes les senteurs des fûts : arômes de pruneau, de vanille, de fruits confits... Dégustation en fin de parcours de floc (armagnac jeune mélangé à du moût de raisin) et d'armagnac millésimé. Visite hautement recommandable.

➤ *Des sentiers de randonnée pédestre et VTT* sont accessibles du domaine d'Ognoas en direction du moulin de la Gaube – magnifique moulin à eau, étang et aire de pique-nique aménagés – et du manoir de Tampouy, grande bergerie aujourd'hui restaurée et maison forte où François Ier venait chasser toutes sortes de gibier. Prévoyez du temps pour visiter l'ensemble du domaine, classé site remarquable du goût, qui s'étend en fait sur 540 ha, avec sa forêt de chênes pédonculés (220 ha) pour la tonnellerie, sa ferme expérimentale et sa polyculture : maïs (vous êtes au pays des « croque-maïs », comme les appellent les Basco-Béarnais), vignes (25 ha) et asperges.

🏃 *Le château de Ravignan :* à côté du petit village de Perquie. ☎ 05-58-45-22-04 ou 05-58-45-26-44. Visite de juin à septembre les week-ends à partir de 15 h, et tous les jours de mi-juillet à fin août de 16 h à 17 h 30. Durée : 1 h. Entrée : 5 €. Au fond des jardins de style français, un intéressant château classique du XVIIe siècle, plutôt rare dans le coin, et l'un des mieux conservés de la région. Jolies fenêtres à meneaux. À l'intérieur, on perçoit bien la marque qu'a laissée chacune des générations qui vécut ici. Mobilier de toutes les époques, toujours très beau. Salle à manger au plafond peint et tapisseries du XVIIe siècle. Dans un couloir, belle collection de gravures sur Henri IV, constituée par un aïeul. Visite chaleureuse et pleine d'authenticité, menée par un membre de la famille. Et pour finir, visite des chais.

🏃 *Le village de Mauvezin-d'Armagnac* : à 6 km sur la route d'Eauze. Modeste village pris dans les coteaux où se distinguent quelques belles maisons à colombages au style landais comme on en rêve... Et si, au hasard d'une promenade, vous croisez Emma Pils de *Chapeau melon et bottes de cuir,* ne soyez pas étonné, elle a élu domicile dans les parages, après un coup de foudre pour la région.

SAINT-JUSTIN   (40240)   888 hab.

Voici l'autre bastide aux portes du Bas-Armagnac. Érigé en 1280, joliment restauré mais moins impressionnant (donc moins touristique) que La Bastide-d'Armagnac, Saint-Justin en Bas-Armagnac fut longtemps marqué par d'importantes foires régionales au Moyen Âge. Aujourd'hui, les temps ont changé et la vie reste tout simplement bien paisible et agréable. Plusieurs tracés VTT et parcours de randonnée au départ du village, Saint-Justin se trouvant sur l'une des routes de Saint-Jacques-de-Compostelle.

Adresse utile

Office de tourisme : pl. des Tilleuls. ☎ et fax : 05-58-44-86-06. ● saintjustin@aol.com ● De mi-juin à mi-septembre, ouvert tous les jours de 10 h à 13 h et de 14 h à 19 h ; le reste de l'année, les lundi, mardi, jeudi et vendredi de 10 h à 12 h et de 14 h à 17 h et le mercredi matin. Dynamique et à l'accueil chaleureux. Organise les visites de la bastide sur réservation, pouvant être couplées avec la découverte d'un chai ou d'une ferme.

Où dormir ? Où manger ?

Camping Le Pin : route de Roquefort. À 2 km du centre, sur la gauche après le pont. Bien indiqué. ☎ 05-58-44-88-91. ● camping.lepin @wanadoo.fr ● Ouvert de début avril à fin octobre. Compter 17 € pour 2 personnes avec voiture et tente ; tarifs réduits hors saison pour les plus de 55 ans. Calme, frais et sous les pins. Environ 80 emplacements dans ce camping tout équipé, avec piscine, resto, chalet où se côtoie une clientèle d'habitués venant de toute l'Europe.

Hôtel de France : pl. des Tilleuls. ☎ 05-58-44-83-61. Fax : 05-58-44-83-89. ⚹ Sur la place principale. Fermé le lundi, le jeudi soir et le dimanche soir, ainsi que 1 semaine fin mars et de mi-octobre à mi-novembre. Chambres équipées de 38 à 46 €. Menu à 11 €, sauf le samedi soir et le dimanche ; autres menus de 21 € à celui dit « Bas-Armagnac » à 45 €. Posé au milieu d'une bastide du XIIIe siècle, sous les arcades et fleurie à souhait, on savoure le calme et le charme du lieu. Au service, une armada de jolies serveuses qui entretiennent une ambiance familiale et typique. Chambres confortables. Grande salle gastro au fond de la maison. Cuisine pleine de recherche et de saveurs agréables, préparée avec des produits frais. Bon accueil, mais attention au monde en été.

À voir à Saint-Justin et dans les environs

Le vieux centre : la place centrale vit le jour à la fin du XIIIe siècle dans un village qui remonte au Ve siècle. Bien que largement rénovée, elle possède encore de belles maisons à pans de bois, des corniches sculptées et des écussons. Visite de l'église Saint-André, qui était au cœur du système défensif de la bastide. Vous découvrirez aussi la prison, la place à arcades, la maison forte, les remparts et la tour des Templiers.

La ferme de découverte de Pinchaou : à 4 km par la route de Gabarret. Indiqué sur la droite. Accès par un chemin. ☎ 05-58-44-68-96. Entrée : 4 € ; enfants : 3 €. Dominique Dubrana fait découvrir sa ferme aux enfants (et aux parents) avec une approche ludique et pédagogique. On recueille des « indices » pour apprendre à identifier les animaux : adorable élevage de lapins nains, chevaux, pottocks, volaille, un lama, des autruches... Les petites têtes blondes en raffolent, surtout quand on découvre le nom de chaque animal choisi selon son caractère. Sur place, un gîte d'étape (ça peut dépanner !).

Le chai du Soube : à l'entrée de la ville en venant de Mont-de-Marsan. Indiqué sur la gauche, entrée dans les coteaux. ☎ 05-58-44-83-88. Entrée gratuite. Pour découvrir un chai, ses outils et finir par une dégustation. Le couple Escoubet, producteur d'armagnac, reçoit très gentiment dans cette belle bâtisse prise dans les vignobles et vous parlera avec passion de leur

PLANS ET CARTES EN COULEURS

BORDEAUX

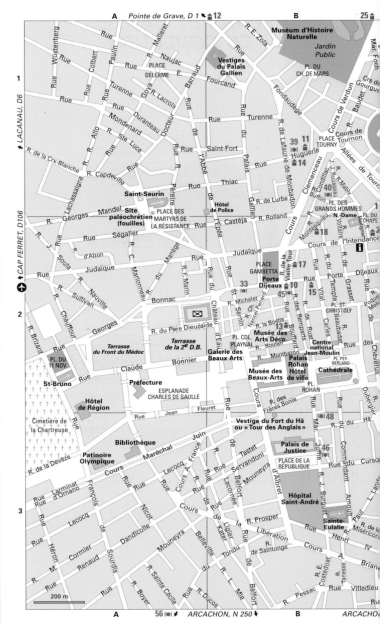

Muséum d'Histoire Naturelle

Jardin Public

R. E. Zola

PL. DU CH. DE MARS

Mar. Foch

Crs de Gourgue

Rue Wüstenberg

Rue Malleret

Rue Colbert

Rue Paulin

Rue Naujac E.

PLACE DELERME

Rue Barraud

Fourcand

Fondaudège

Cours de Verdun

Baldier

Rue Turenne

R. Gay

R. Lacroix

Rue

Rue du Docteur

Rue de l'Abbé

R. de Lafaure-de-Monbadon

Vestiges du Palais Gallien

Cours Clemenceau

Cours de Tournon

PLACE TOURNY

Allées de Tourre

R. de la Crx-Blanche

Rue Mondenard

R. Alfo

R. Ste Luce

Rue

Rue

Saint-Fort

Rue Turenne

Rue Pereire

39 11
🏛 14

Huguerie

R. Rousseau

R. Condillac

R. Mably

40

Rue Lachassagne

R. Georges Mandel

R. Capdeville

Saint-Seurin

PLACE DES MARTYRS DE LA RÉSISTANCE

Thiac

Hôtel de Police

Rue Castéja

R. de Lurbe

R. Rolland

Rue Buffon

PL. DES GRANDS HOMMES

N.-Dame

PL. DE L'CHAPE

Rue Ségalier

Rue d'Alzon

R. J.

R. Soula

Site paléochrétien (fouilles)

Rue de l'Épée

Rue Judaïque

18

Cours de l'Intendance

Rue Nauville

R. Sullivan

Rue Judaïque

Rue Marlonneau

R. du Manège

Rue Bonnac

R. F. Marin

PLACE GAMBETTA

17

Rue de la Vieille Tour

Porte Dijeaux

10

15

Porte Dijeaux

R. du Temple

R. Grasset

R. Poque Moli

Rue Chauffour

R. Brizard

Rue Georges

R. du Château

R. Serpin

R. Michelet

Marcel Penard

33

45

R. des Remparts

PL. ST-CHRISTOLY

⊠

R. du Père Dieuzaide

R. la Boëtie

13

Musée des Arts Déco.

R. Boufan

R. des Rempards

R. Buat

Cañes

PL. Baudababa

Rue des Chevaux

Terrasse du Front du Médoc

Terrasse de la 2ᵉ D.B.

PL. CDL. PLAYNAL

R. Montbazon

Galerie des Beaux Arts

Musée des Beaux-Arts

Palais Rohan Hôtel de ville

Centre national Jean-Moulin

PL. PEY-BERLAND

Cathédrale

R. Dubergier

PL. DU 11 NOV.

Rue Bonnier

Claude

Préfecture

ESPLANADE CHARLES DE GAULLE

Cours

R. des Frères Bonie

PL. ROHAN

St-Bruno

Hôtel de Région

Rue Jean

Fleuret

Vestige du Fort du Hâ ou « Tour des Anglais »

R. du Hâ

Cimetière de la Chartreuse

Bibliothèque

Rue Maréchal Juin

Rue Tastet

Palais de Justice

46

Rue du Curso

Patinoire Olympique

R. de la Devèze

Cours Larminat d'Ornano

Rue Lecocq

Rue François

Rue Nicot

Rue Lecocq

Cours A. France

Rue Servandoni

Rue de Belfort

Rue Lacroée

Mouneyra

PLACE DE LA RÉPUBLIQUE

Rue d'Albret

Hôpital Saint-André

Commandant

Paul L. Lant

Rue Héron

Rue Cormier

Rue Renaud

Rue M.

Rue Dandicolle

Sourdis

Mouneyra

Rue Belleville

R. Sainte Cécile

Rue Katel

Rue du Tondu

Cours de la Libération

R. Prosper

R. de Saintonge

Cours Henri IV

Sainte-Eulalie

R. de la Miséricorde

Amroult

Burguet

Cours A.

Briane

R. E. Costedoat

R. Tanesse

Rue Villedieu

Ru

R. Boyer

Rue Ducos

Rue Mie

R. L. Mie

Rue de Belfort

Rue Pessac

200 m

↑ LACANAU, D6

↑ CAP FERRET, D106

3

BORDEAUX

BORDEAUX – REPORTS AU PLAN

5

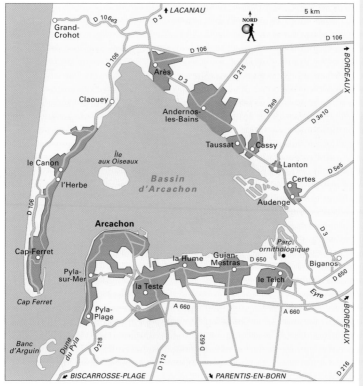

LE BASSIN D'ARCACHON

LE BASSIN D'ARCACHON

ARCACHON

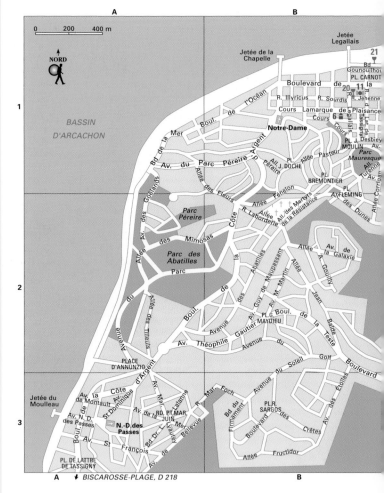

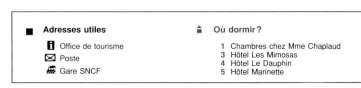

■ **Adresses utiles**

🛈 Office de tourisme
✉ Poste
🚂 Gare SNCF

🛏 **Où dormir ?**

1 Chambres chez Mme Chaplaud
3 Hôtel Les Mimosas
4 Hôtel Le Dauphin
5 Hôtel Marinette

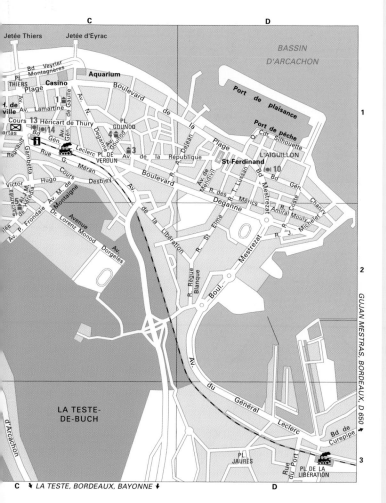

ARCACHON

ARCACHON *(side)*

6 Hôtel La Pergola

|◉| **Où manger ?**
10 Le Chipiron
11 La Plancha
13 Le Pavillon d'Arguin

14 Chez Yvette

🍸 **Où boire un verre ?**

20 La Feria
21 L'Escorida

8

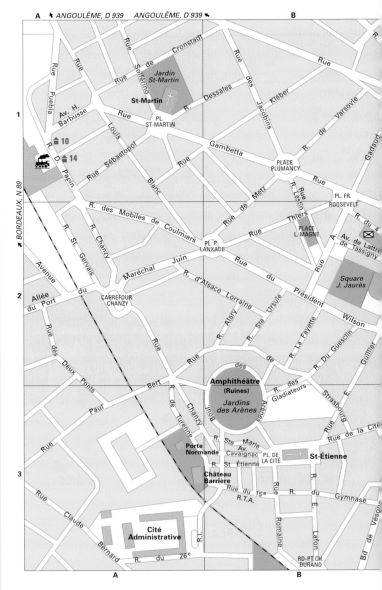

A ↖ ANGOULÊME, D 939   ANGOULÊME, D 939 ↖   B

Rue de Cronstadt

Rue des Jacobins

Rue

Rue Solférino

Rue

Jardin St-Martin

St-Martin

R. Dessales

Kléber

Rue de Varsovie

Puebla

Av. H. Barbusse

PL. ST-MARTIN

Rue

Gambetta

PLACE PLUMANCY

Rue

Gadaud

Louis

Rue Sébastopol

Blanc

R. de Metz

R. Lestin

Rue

PL. FR. ROOSEVELT

R. du 4

10

14

D. Papin

R. des Mobiles de Coulmiers

Rue

Thiers

PLACE L. MAGNE

Av. de Lattre de Tassigny

BORDEAUX, N 89

R. St. Gervais

R. Chanzy

PL. P. LANXADE

Rue du

Rue Président

Square J. Jaurès

Avenue

Maréchal Juin

R. d'Alsace Lorraine

R. Alary

R. Ste Ursule

Wilson

Allée du Port

du

CARREFOUR CHANZY

Rue

de

R. La Fayette

R. Du Guesclin

Rue des Deux Ponts

Bert

des

Amphithéâtre (Ruines)

Jardins des Arènes

R. des Gladiateurs

Guimier

Strasbourg

Paul

Rue de Turenne

Chanzy

Boul.

Arènes

Rue de la Cité

Rue

Claude

R. Ste Marie

Av. Cavaignac

Porte Normande

PL. DE LA CITÉ

St-Étienne

R. St Étienne

Château Barrière

Rue du 15e

R.T.A.

Rue

R. du

Gymnase

Cité Administrative

R.

Romaine

Lafon

Bd de Vésone

Bernard

R. du 26e

RD-PT CH. DURAND

A   B

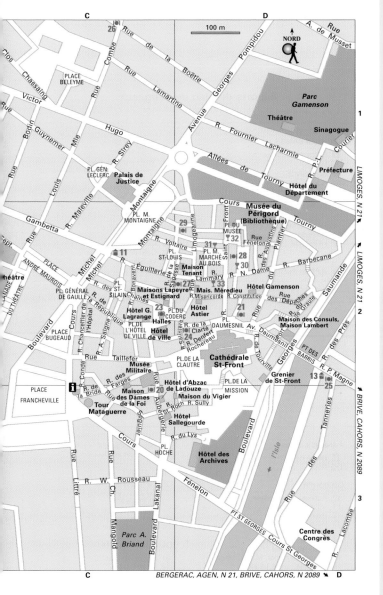

PÉRIGUEUX

PÉRIGUEUX ET SARLAT – REPORTS AUX PLANS

Reports du plan de Périgueux

■ **Adresses utiles**

🛈 Office de tourisme
✉ Poste
🚂 Gare SNCF
🚌 Bus

⌂ **Où dormir?**

10 Hôtel du Midi
11 Hôtel-restaurant L'Univers
13 Hôtel des Barris
14 Le Régina

🍴 **Où manger?**

20 Au Bien Bon

21 Hercule Poireau
23 Au Petit Chef
24 Le 8
25 Restaurant Aux Berges de l'Isle
26 Le Gaulois
27 Au Bouchon
28 Le Clos Saint-Front
29 La Picholine

🍸 **Où boire un verre?**

30 La Vertu
31 Café de la Place
32 Le Star Inn
33 Le VIP

Reports du plan de Sarlat

■ **Adresses utiles**

🛈 Office de tourisme
✉ Poste

⌂ **Où dormir?**

10 Auberge de jeunesse
11 Hôtel des Récollets
12 Hostellerie Marcel
13 Hôtel-restaurant Saint-Albert et Hôtel Montaigne
14 Hôtel de Compostelle
16 Hôtel de Selves
17 Chambres d'hôte, M. Toulemon
18 Hôtel-restaurant La Hoirie

19 Hôtel La Pagézie
22 Le Jardin en Douce

🍴 **Où manger?**

20 Le Grand Bleu
22 Le Jardin en Douce
23 Le Régent
24 Chez le Gaulois
25 Le Présidial
26 Restaurant Criquettamu's

🍸 **Où boire un verre?**

31 L'Hôtel de Gérard
32 Le Bataclan

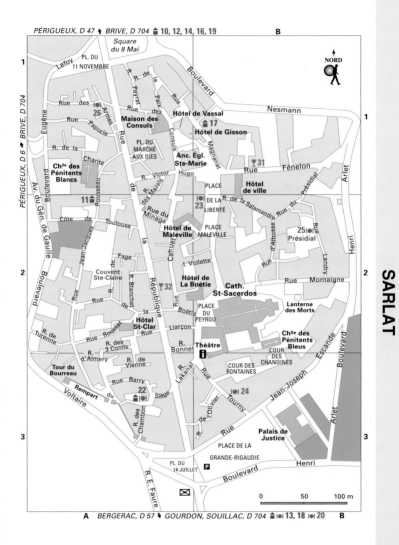

SARLAT

BERGERAC

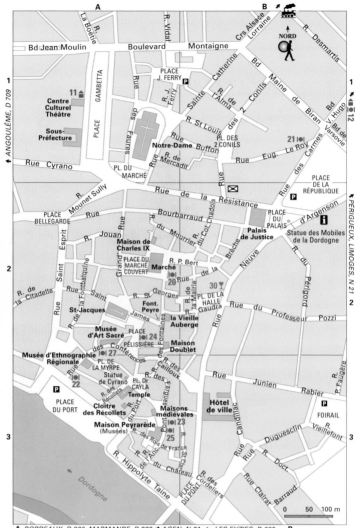

A *BORDEAUX, D 936, MARMANDE, D 933* ✈ *AGEN, N 21* ↘ *LES EYZIES, D 660* B

BERGERAC

■ **Adresses utiles**

🇮 Office de tourisme

✉ Poste

🚂 Gare SNCF

⌂ **Où dormir ?**

11 Hôtel de France
12 Hôtel-restaurant La Flambée

🍽 **Où manger ?**

20 La Blanche Hermine
21 La Sauvagine
22 La Treille
23 Le Sud
24 L'Enfance de Lard
25 Le Poivre et Sel
27 L'Imparfait

🍸 **Où boire un verre ?**

30 Le Memphy's

13

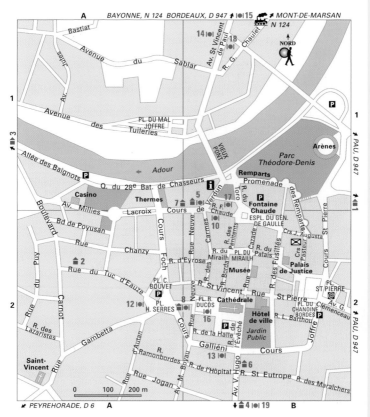

DAX

DAX

14

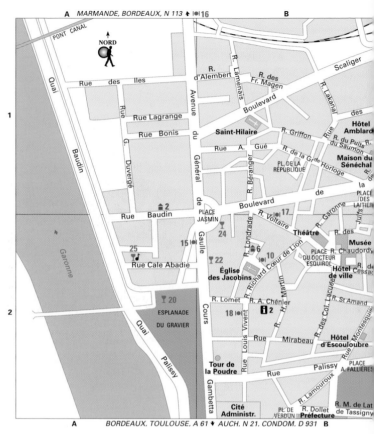

AGEN

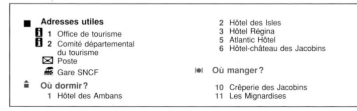

Adresses utiles

1 Office de tourisme
2 Comité départemental
du tourisme
Poste
Gare SNCF

Où dormir ?
1 Hôtel des Ambans

2 Hôtel des Isles
3 Hôtel Régina
5 Atlantic Hôtel
6 Hôtel-château des Jacobins

Où manger ?

10 Crêperie des Jacobins
11 Les Mignardises

15

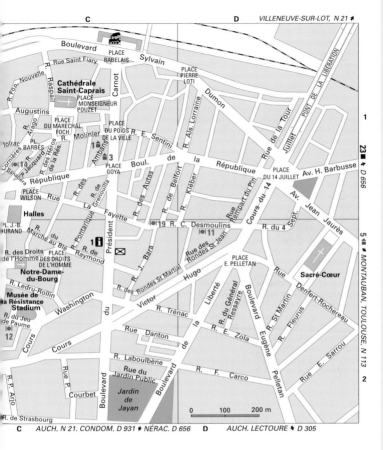

AGEN

12 L'Atelier	⛾ ♪ **Où boire un verre ? Où sortir ?**
14 Chez Angèle	20 Cohibar Café
15 Le Cauquil	22 Le Colonial Café
16 Restaurant Le Nostradamus	24 La Bodega
17 Las Aucos	25 Le Saint-Barth
18 Restaurant Mariottat	
19 L'Imprévu	■ **Culture**
	23 Théâtre du Jour et café littéraire

VILLENEUVE-SUR-LOT

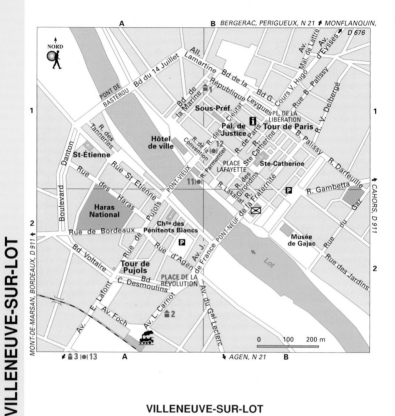

VILLENEUVE-SUR-LOT

■ **Adresses utiles**

🛈 Office de tourisme
✉ Poste
🚂 Gare SNCF

🛏 **Où dormir ?**

1 Hôtel Les Platanes

2 Hôtel La Résidence
3 Hôtel des Chênes

🍴 **Où manger ?**

11 Restaurant Chez Câline
12 L'Oustal
13 Restaurant La Toque Blanche

musée paysan sur la vie rurale de la région. Objets hétéroclites : tire-bouchons, fûts, clochettes, panneau surprise avec un piège à taupes, fossiles, sulfateur en cuivre... et si vous parlez gascon, c'est l'occasion de faire la conversation avec M. Escoubet autour d'un pruneau à l'armagnac.

🏃 *Roquefort et sa base de canoë-kayak :* petit village vert et de tradition d'où partent des balades à faire à pied ou à vélo. Syndicat d'initiative : ☎ 05-58-45-50-46.

Pour les descentes en canoë-kayak le long de la Doulouze, la Douze et l'Estampon, comptez sur l'association *CIEL* (26, chemin du Cousseillat ; ☎ 05-58-45-63-83) qui propose cette activité à partir de 7 ans (accompagné). Location à la demi-journée ou à la journée, de 11 à 37 €.

Manifestations

– *Les marchés de pays :* en juillet et août, en alternance avec La Bastide-d'Armagnac, le dimanche matin, producteurs et artisans d'art s'installent sur la place.

– *« L'été des arts » :* sur les deux mois d'été, un parcours artistique est établi entre Saint-Justin et La Bastide-d'Armagnac pour rencontrer et découvrir artistes de peinture, photographes, sculpteurs, spectacles de rue... Programme auprès de l'office de tourisme.

LE PARC NATUREL RÉGIONAL DES LANDES DE GASCOGNE

À cheval sur les Landes et la Gironde (voir « Généralités »), le Parc naturel régional des Landes de Gascogne est délimité au sud par Sabres, où se trouve le départ d'un petit train qui mène à l'écomusée de Marquèze. Il monte au nord jusqu'à l'estuaire de la Leyre qui se jette dans le bassin d'Arcachon, où se situe le parc ornithologique du Teich (à ne pas manquer en Gironde). Le parc s'articule sur les axes de la Grande et de la Petite Leyre, qui devient l'Eyre non loin du village de Saugnac-et-Muret.

La partie aval du fleuve côtier est la plus sinueuse. Son exploration en canoë provoque un véritable dépaysement au cœur d'une forêt préservée. Cette rivière, dans l'ancienne lande, faisait figure d'artère de vie : elle fut longtemps utilisée pour le flottage du bois avant que ses berges ne retrouvent un caractère sauvage. Les villages se sont implantés à la limite de ces vallées, s'adossant à la lande humide, laissée libre au parcours des innombrables troupeaux de brebis conduits par des bergers sur échasse.

Histoire étonnante de ce pays dont le paysage, la culture, l'économie ont été intégralement bouleversés dès lors que Napoléon III a ordonné l'assainissement des landes en vue de la plantation de pins maritimes, au milieu du XIXe siècle. Les bergers ont alors cédé la place aux résiniers. La concurrence chinoise ou portugaise, mais surtout les produits dérivés du pétrole ont eu raison à leur tour d'une économie qui a marqué l'âge d'or des Landes. La forêt de production actuelle fournit essentiellement des parquets, lambris et de la pâte à papier issue des coupes d'éclaircies et d'entretien.

L'écomusée de la Grande Lande, avec les sites de Marquèze à Sabres et l'atelier des Produits résineux à Luxey, constitue un centre de référence pour comprendre l'évolution d'un pays qui a fasciné chroniqueurs et voyageurs.

L'atelier-gîte de Saugnacq-et-Muret, centre d'éducation à l'environnement du Parc, propose également toutes sortes de programmes et d'activités pour partir à la découverte du patrimoine local. Ces équipements importants sont relayés par d'intéressants sites témoins d'une histoire singulière ou de savoir-faire originaux : site des Albret à Labrit, musée des Forges de Brocas...

Pour vous héberger, faute d'hôtellerie traditionnelle suffisante, et en dehors des chambres d'hôte et des campings municipaux, certains villages possèdent des gîtes forestiers qui sont en fait des petites maisons en bois très bien aménagées, notamment à Sore, Pissos, Labouheyre, Bourrideys, Brocas et Luxey (s'adresser aux offices de tourisme ou aux mairies). Idéal pour partir ensuite en famille à la découverte de cette forêt de pins qui, sur plus de 100 km, compose la géographie du parc.

Une forêt entièrement artificielle et exploitée par l'homme : ici des graines sont semées, là de jeunes pousses sont choyées (on les protège des chevreuils et lapins pendant les 10 premières années), plus loin on débroussaille pour ne garder que les plus solides. L'âge de maturation tourne autour de 50 ans et se reconnaît aux teintes de vert, de violet qui se détachent sur le bleu du ciel. Cette gigantesque entreprise à ciel ouvert fait vivre plus de 30 000 personnes dans tout le département, et reste malgré tout un magnifique environnement gorgé de surprises et surprenant à tout instant. Voyez les petites départementales, loin des nationales, traversant petits villages et grands espaces... on est bien loin de la monotonie !

Adresses utiles

▪ *Maison du Parc naturel régional des Landes de Gascogne :* 33, route de Bayonne, 33830 Belin-Beliet. ☎ 05-57-71-99-99. Fax : 05-56-88-12-72. ● www.parc-landes-de-gascogne.fr ● Fermé le week-end. Le parc édite un guide des hébergements remis à jour chaque année et donne des informations complémentaires sur son site Internet. Propose aussi des itinéraires d'une demi-journée à plusieurs jours (en gîtes cyclo) de balades à vélo sur les 350 km de pistes du Parc.

■ *Écomusée de la Grande Lande :* à Sabres. ☎ 05-58-08-31-31. Fax : 05-58-07-56-85. ● ecomusee-marqueze@parc-landes-de-gascogne.fr ● Ouvert de Pâques à la Toussaint.

Où monter à cheval dans le Parc?

Plusieurs centres équestres dans tout le Parc proposent des stages, des randonnées, des raids de plusieurs jours.

■ *À Belin-Beliet :* centre équestre de Volcelest. ☎ 05-56-88-02-68. Ouvert toute l'année. Pour tous niveaux. Gîtes de séjour.

■ *À Trensaeq :* le Ranch d'Elvire, route de Sore. ☎ 05-58-07-05-98. ● www.ranch-elvire.com ● Fermé le samedi en saison ; hors saison, sur rendez-vous. Pour des balades en forêt. Compter environ 15 € de l'heure (tarif dégressif).

■ *À Pissos :* centre équestre de Pissos. ☎ 05-58-08-96-54 ou 05-58-04-41-40. ● mairie-de-pissos@wanadoo.fr ● Ouvert toute l'année. Nombreuses activités, tout âge. Gîtes de groupes.

Randonnées à vélo

Le Parc possède peu de pistes cyclables à proprement parler, mais, il propose un circuit de 350 km par de petites routes qui le sillonnent. Bien que très peu fréquentées, ces routes sont tout de même accessibles aux voitures. Et quand on sait que dans ces régions les automobilistes roulent souvent comme des dingues, on vous conseille une grande prudence. Se renseigner aussi sur les périodes de chasse (on tient à vous voir revenir entier !).

En revanche, à VTT, possibilité d'emprunter des chemins forestiers qui sont en cours de balisage. Attention, le sable étant le support naturel de toute la région, ces pistes n'ont rien à voir avec celles de Fontainebleau. Le sable, c'est profond et meuble, donc jarrets d'acier recommandés. Les centres qui louent les VTT proposent des circuits en boucle à la demi-journée. On vous fournira les cartes.

Location de vélos et VTT

– **À Saugnac-et-Muret :** à l'atelier-gîte du Parc. ☎ 05-58-07-73-01. Dix boucles de 18 à 90 km. Fiches itinéraires.
– **À Belin-Beliet :** au centre du Graoux (Parc). ☎ 05-57-71-99-29. Boucles de 30 à 102 km. Fiches itinéraires.

– **À Hostens :** à l'accueil du domaine départemental de loisirs d'Hostens. ☎ 05-56-88-70-29. Fax : 05-56-88-76-89. Six boucles de 10 à 30 km.

L'ÉCOMUSÉE DE LA GRANDE LANDE

Il regroupe trois sites distants d'une vingtaine de kilomètres :
– le site de Marquèze, à **Sabres** (si vous n'en faites qu'un, choisissez plutôt celui-là) ;
– l'atelier des Produits résineux à **Luxey** ;
– le musée du Patrimoine religieux et des Croyances populaires à **Moustey.**
Trois visites idéales pour se pencher sur le passé et découvrir les faces cachées de la vie des Landais au XIXᵉ siècle. Surprenant.
Un système de passeport, plus économique, autour de 10 €, permet de visiter les trois sites, et à des dates différentes mais sur l'année.

SABRES (40630)

Du village de Sabres part un train, toutes les 40 mn, aux voitures anciennes qui mène à l'écomusée de Marquèze, à 5 km de là. C'est le seul moyen d'y accéder, et c'est fort sympathique. On remonte d'entrée le temps. Ce train reliait Sabres et Labouheyre depuis 1890 et transportait voyageurs et bois de pin. Depuis 1970, les touristes en profitent. Point d'informations touristiques de mi-juin à mi-septembre dans la gare.

Où dormir ? Où manger ?

🛏 |○| **Auberge des Pins :** route de la Piscine. ☎ 05-58-08-30-00. Fax : 05-58-07-56-74. ● www.aubergedes pins.fr ● 🕽 Fermé le dimanche soir et lundi hors saison, ainsi que 15 jours en janvier et 1 semaine en novembre. Chambres doubles de 60 à 75 € avec douche ou bains. Menu à 20 € sauf le dimanche ;

autres menus de 30 à 63 €. On l'aime beaucoup, cette grosse maison landaise à pans de bois, au balcon fleuri et au large toit. Ici, le mot tradition n'est pas vain. La famille Lesclauze met un point d'honneur à vous satisfaire. Toutes les chambres ont de beaux meubles, de jolis bibelots et des lits confortables,

TV et satellite, que vous logiez dans la demeure principale ou dans l'annexe, donnant directement sur le parc d'un hectare de pins. Dans cette ambiance à la fois rustique et un brin chicos, la table ne dépare pas. Pigeonneau rôti, agneau de pays aux amandes d'ail, ravioles de langoustines aux cèpes, tout est attirant sur cette carte proposant à la fois les produits traditionnels du pays mais aussi les dernières trouvailles du chef, subtiles et goûteuses. Une cuisine faite avec amour et sincérité, ça se sent. 10 % de réduction sur le prix des chambres de janvier à mars sur présentation du *GDR*.

Où dormir ? Où manger dans les environs ?

🏠 |●| *Chambres d'hôte Airial de Paguetout :* chez Danièle Le Gall-Cook, Paguetout, route de Brin, 40630 Sabres. ☎ et fax : 05-58-08-32-10 ou 06-16-84-88-77. ● info@paguetout.com ● À la sortie de Sabres sur la droite (indiqué), direction Bordeaux/Pissos. Ouvert toute l'année. Chambre à 55 € pour 2, petit dej' compris. Cet endroit magique vous plonge dans les Landes authentiques. Pins à perte de vue, et cette superbe ferme à colombages restaurée par Danièle, d'origine anglaise, suite à un coup de foudre. Installée avec son fils, elle accueille délicieusement dans ce petit paradis calme et loin de tout. Chambres spacieuses, dont une en bas à la vaste salle de bains toute bleue. Piscine sur place faisant face à un grand parc-jardin. Adresse encore récente mais déjà très appréciée, alors mieux vaut réserver. Également une bibliothèque, des jeux, des VTT à disposition et un gîte sur place.

|●| *La Maison :* 40630 Luglon (face à la mairie). ☎ 05-58-08-33-34 ● restaurantlamaison@wanadoo.fr ● 🍴 À 8 km de Sabres direction Luglon. Fermé le mercredi. Menus à 10 €, en semaine le midi, puis à 18 et 19 €. Belles pizzas ou grosses salades à 9 €. C'est la petite adresse qui monte dans la région. Ludivine est en cuisine, Loïc au service, et le résultat ne trompe pas : cuisine et plats créatifs selon l'inspiration du moment, associant produits « d'ici et d'ailleurs » comme ils aiment à se définir. Salle élégante pour un rapport qualité-prix appréciable. Une adresse pour se faire plaisir.

|●| *Auberge Chez Suzon :* à Garein, sur la N 134. ☎ 05-58-51-41-68. ● loubere.jean-paul@wanadoo.fr ● 🍴 À 14 km de Sabres direction Mont-de-Marsan. Fermé le vendredi soir et le samedi en hiver, ainsi que 15 jours en mars et en septembre. Menus à 11 € en semaine, puis de 21,50 à 31 €. Restaurant situé face à la place publique dans une belle maison landaise dissimulée par des platanes. Dès la porte franchie, on est frappé car ici rien n'a bougé depuis des années : les jambons pendent aux murs, les vieux sont assis près du bar et les gens du coin aiment y venir pour se faire plaisir. Les odeurs des petits plats flattent les narines. Et à table, on se régale d'une cuisine locale faite de confit, de magret de canard, de civet de marcassin ou de foie gras. Apéritif maison offert sur présentation du *GDR*.

À voir

🌿 *Le site de Marquèze :* navettes en train toutes les 40 mn, tous les jours. Le mercredi, c'est une locomotive à vapeur qui tire des wagons classés Monuments historiques, rien que ça ! ☎ 05-58-08-31-31. ● ecomusee-marqueze@parc-landes-de-gascogne.fr ● 🍴 De début juin à mi-septembre, tous les jours de 10 h à 12 h et de 14 h à 17 h 20 ; en avril, mai et de mi-septembre à fin octobre, du lundi au samedi de 14 h à 16 h 40 ; les dimanche et jours fériés de 10 h à 12 h et de 14 h à 16 h 40. Fermé de début novembre à fin mars. Prix : 8 € ; réductions. Compter environ 2 h 30 de

visite. Livret-guide offert aux visiteurs seuls. Visite guidée, facultative et passionnante de 1 h 30, un train sur deux. À l'arrivée du train, un guide fait visiter les différentes maisons composant un quartier de la Grande Lande au XIXᵉ siècle : maisons du maître, des métayers, des brassiers, les bergeries...
On vous conseille de venir le samedi, journée souvent beaucoup plus calme que le dimanche, et plutôt le matin par le train de 10 h 10. Il fait moins chaud et on peut pique-niquer sur place sur des tables bien ombragées. On peut apporter à boire et à manger. Buvette, vente de sandwichs avec une terrasse agréable. Tous les mercredis, on peut assister au travail du gemmeur sur une parcelle de pins à Marquèze et, chaque jour, on peut voir le moulin fonctionner et moudre la farine de seigle qui servira plus tard à la fabrication du pain, au four situé au centre de l'airial. Si vous dites au boulanger que son accent est local, il risque de vous jeter un regard amusé, mais pensez surtout à lui acheter, s'il y en a encore, son délicieux pain au jambon qui vous servira de casse-croûte matinal, à moins que vous ne craquiez pour la brioche ou le pastis landais. On assistera aussi à certaines récoltes comme celle du lin et du... chanvre, la dernière semaine de juillet et fin août, d'où suivra la transformation du produit avec rouissage et teillage.
Marquèze était un ancien quartier agricole dépendant de Sabres. On y élevait des brebis pour leur fumier, ce qui permettait la production de seigle sur ces terres pauvres où même le blé ne donne pas. Certaines maisons disposées dans une grande aire naturelle étaient là au XIXᵉ siècle, d'autres ont été entièrement démontées et reconstituées. Grâce à cette visite, on comprend un peu mieux la physionomie de cette région qui n'était que landes.
La société de la Grande Lande était très structurée, et la maison une des marques extérieures de cette hiérarchisation. Le domestique, le métayer ou le propriétaire-laboureur n'occupaient pas la même construction. La maison de ce dernier se distingue par la présence d'un auvent intégré à son habitation, du côté protégé de la pluie et du vent, qui laisse pénétrer la lumière du soleil levant. C'est là qu'on accueille les visiteurs, ou qu'on effectue certains travaux, sans avoir à pénétrer dans la pièce à feu. On ne peut qu'admirer le travail des charpentiers, maîtres d'œuvre d'un dispositif savant où le chêne et le pin jouent le premier rôle et que viennent compléter les torchis en paille de seigle et mortier de chaux et de sable. On transforma irrémédiablement le paysage de landes sèches et de marécages dès 1860, mettant ainsi au rancart les célèbres échasses landaises. Essayez un peu d'imaginer qu'à l'époque « le vent faisait monter en l'air les charrettes de foin » et « à 50 km de la mer, on entendait le bruit des vagues », comme le rappelle une phrase populaire.
Les différentes maisons que vous visiterez abritent des expos, du mobilier, et surtout expliquent la mutation de la région et le mode de vie des paysans et éleveurs de l'époque. On croisera quelques personnes en costumes. N'oubliez pas de jeter un œil en passant à un étonnant poulailler perché. Site idéal pour passer un agréable après-midi.

Fêtes et animations

De grands rendez-vous à ne pas manquer, si vous passez par là.
– *Le 1ᵉʳ mai, jour de maillade :* chacun suit un joyeux cortège, dont les plus vaillants portent un pin décoré destiné à orner la maison d'un habitant que l'on veut honorer. La plantation s'effectue en musique, au son d'une vielle et d'un accordéon, le tout arrosé de quelques boissons cordiales.
– *La mi-juin et le début août, pour la grande lessive :* la *bugade* avait lieu deux fois par an. On assiste aux différentes étapes de la fabrication du savon, au lessivage, au rinçage dans le ruisseau et au séchage dans le pré. Pendant que les grands s'essaient à la dentelle, les petits peuvent savonner le linge ou pousser des brouettes remplies de linge !

– *Le 24 juin, pour la Saint-Jean :* chacun sa croix. Ce ravissant assemblage en forme de croix, d'achillée mille feuilles, d'épis de seigle, de boutons de roses ou d'autres fleurs coupées dans le jardin vous mettra à l'abri du mauvais sort. Ici, on ne plaisante pas avec ces choses-là !

– *La 1ʳᵉ et la 3ᵉ semaines de juillet, pour les moissons et le battage du seigle :* céréale vivrière de l'ancien pays landais, elle est récoltée à la faucille et à la « claudinette » (une invention du cru), puis livrée à la batteuse.

– *Le 3ᵉ week-end d'octobre, pour la cuisine :* des recettes de grand-mère, de la garbure au pastis en passant par les confits et les sauces de gibier. Dégustations, tours de main, échanges nourris (évidemment) avec des cuisinières averties ou des professionnels passionnés. Pour tout renseignement : ☎ 05-58-08-31-31.

À voir dans les environs de Sabres

Solférino *(40210)*

Sur la D 44, prendre à droite vers Morcenx. Le musée Napoléon III a fermé ses portes, mais le village lui-même, au lieu-dit « des cottages », mérite le détour en ce qu'il symbolise l'avènement de la forêt de Gascogne et l'expérimentation d'un nouveau modèle de société et d'économie rurale initié par Napoléon III, qui y possédait 700 000 ha. Pour rendre à César ce qui lui appartient, précisons que c'est Napoléon Iᵉʳ qui, au début du XIXᵉ siècle, avait voulu transformer cette étendue inculte, marécageuse et insalubre, en « un jardin pour la vieille garde ». Son neveu eut le mérite d'accélérer l'histoire et créa cet insolite alignement parfait de petites maisons identiques de part et d'autre d'une allée barrée par l'église. Ce village, expérimental à l'époque, et destiné à héberger des citoyens modèles chargés de développer une sylviculture moderne, se trouve là comme par erreur, tant il étonne et semble désuet, à 2 mn de la N 10. Le nom de Solférino fut donné en l'honneur des Landais qui s'étaient illustrés en Italie à la bataille du même nom.

LUXEY *(40430)*

Ravissant village où se trouve l'atelier des produits résineux. Quelque peu endormi en temps ordinaire, il s'éclate trois jours durant, autour du 15 août, en une multitude de scènes ouvertes pour donner naissance au festival *Musicalarue*. Un rendez-vous d'amis fidèles et de curieux conquis par un esprit de fête propre à la région et un étrange mélange de création, d'impertinence et de déambulations extravagantes. Très surprenant et séduisant. Renseignements : ☎ 05-58-08-05-14. ● www.musicalarue.com ●

Où dormir ?

⚊ *Aire naturelle de camping Le Hariet :* sur la D 9, en direction de Lencouacq ; à environ 200 m de l'église. Camping géré par la mairie. ☎ 05-58-04-70-70. Ouvert de début avril à fin septembre. Environ 9 € pour 2 personnes avec voiture et tente. Très calme, au milieu des pins. Installations minimum mais suffisantes.

⚊ Également 2 *gîtes forestiers* aménagés au milieu des pins. Renseignements à la mairie : ☎ 05-58-04-70-70. 420 € la semaine en juillet et août, linge fourni ; beaucoup moins cher le reste de l'année. Une spécificité du parc, ce sont vraiment ces gîtes composés de petites maisons en bois en parfaite harmonie avec le paysage, indépendantes et pouvant accueillir de 4 à 6 personnes.

Où dormir ? Où manger dans les environs ?

⚕ ⌂ À Sore, possibilité de dormir dans l'un des neuf *gîtes forestiers* ou sur l'aire naturelle de *camping.* Bien équipés. S'adresser à la mairie : ☎ 05-58-07-60-06. Compter, pour le camping, environ 8 € pour 2 personnes avec voiture et tente. Les gîtes pour 6 personnes sont à 400 € la semaine en été. Les réservations se font par l'intermédiaire des Gîtes de France (voir « Adresses utiles » à Mont-de-Marsan), uniquement pour les mois de juin, juillet, août et septembre. À côté, piscine découverte chauffée au solaire.

📖 *Ferme-auberge du jardin de Violette :* manoir des Jourets, 40120 Lencouacq. ☎ 05-58-93-03-90. Fax : 05-58-93-02-61. ⚱ Fermé le lundi et le mardi d'avril à octobre, les lundi, mardi et mercredi de novembre à mars. Uniquement sur réservation 24 h avant. Menus de 20 à 34 €. Une des rares fermes-auberges landaises où le légume est célébré et où les volailles dégustées ne sont pas « engraissées » (poulets fermiers, cailles, pintades...). Si vous n'avez jamais avalé de soupe de broutes (fleurs du chou ou de la rave), c'est le moment. On mange dans les anciennes écuries d'une chartreuse du XVIIIᵉ siècle, qui était déjà une étape sur la route des pèlerins de Saint-Jacques au Moyen Âge. Coucher possible dans un petit gîte sympa aménagé dans l'ancienne chapelle. Attention, les réservations se font uniquement auprès des Gîtes de France (voir plus haut le chapitre « Mont-de-Marsan » pour les coordonnées). Café ou digestif maison offert sur présentation du *GDR.*

À voir

🎣 *L'atelier de Produits résineux :* derrière l'église, à Luxey. ☎ 05-58-08-01-39. Ouvert tous les jours d'avril à fin octobre. Mêmes horaires que le site de Marquèze (à Sabres). Visites guidées (facultatives) l'après-midi en juillet et août. Entrée : 4 € ou billet couplé avec Marquèze ; réduction enfants. Compter 45 mn de visite. Ancien atelier de distillation de la résine, en service jusqu'au milieu du XXᵉ siècle. La résine était transformée en deux produits distincts : l'essence de térébenthine et la colophane. Il ne reste plus aujourd'hui aucun gemmeur, contre 30 000 au début du XXᵉ siècle. La seule parcelle de pins gemmés se situe à Marquèze et est entretenue par un résinier tous les mercredis. La colophane était utilisée dans la composition des pneumatiques, des savons et de la peinture. L'essence de térébenthine était utilisée en peinture, dans les vernis. Le white-spirit la remplaça. Un vrai zoom pour les passionnés sur la forêt au XIXᵉ siècle. Beau site.

🎣 *La maison de l'Estupe-Huc :* ☎ 05-58-08-06-18 ou 05-58-04-70-70. Ouvert de début juin à fin octobre tous les jours de 10 h 30 à 18 h 30. Entrée : 4 € pour les adultes. Visite guidée de 1 h, ainsi que trois vidéogrammes. Le nom de ce petit musée signifie « Éteins le feu ». On expose ici l'appareil manuel utilisé pour rechercher et extraire l'eau du sol servant à éteindre les incendies jusqu'en 1934, mais aussi tous les moyens pour combattre le feu. Véritable plaie, les incendies ont ravagé entre 1937 et 1950 plus de 350 000 ha, faisant des dizaines de victimes. Depuis, les moyens en hommes et en matériel se sont considérablement développés pour protéger la forêt. Ils restent pourtant encore monnaie courante et dus, dans 90 % des cas, à la maladresse de l'homme. Un musée qui fait réfléchir car il fait comprendre qu'une malheureuse cigarette peut se transformer en une vraie catastrophe. Alors, attention ! Chaque été, une collection privée à découvrir.

À voir dans les environs de Luxey

🕯 *Le musée des Forges :* à Brocas (40420). ☎ 05-58-51-62-63 ou 05-58-51-40-68 (mairie). À une vingtaine de kilomètres au nord de Mont-de-Marsan (sur la D 651) et au sud-est de Sabres. Ouvert de mi-juin à mi-septembre, du mardi au dimanche de 15 h à 19 h. Entrée : 3,10 € ; réductions. Compter une heure. Brocas fut un des hauts lieux de la métallurgie dans les Landes au XIXᵉ siècle. Chaque objet était d'ailleurs signé d'une pomme de pin, marque de fabrique de Brocas. Musée installé dans une ancienne minoterie retraçant de A à Z l'histoire des forges. Collection d'objets en fonte, outils, plaques et ustensiles de cuisine... Tout aussi sur les techniques de l'époque et visite de la base d'un vénérable haut fourneau, dernier vestige de cette importante industrie.

🕯 *Le site des Albret :* à Labrit. ☎ 05-58-51-01-01. C'est le berceau de la puissante famille d'Albret. Le château de terre, classé Monument historique, se compose d'un ensemble de mottes, de fossés et d'une basse-cour érigés à partir du XIᵉ siècle. La maison landaise, au centre du village, abrite une exposition expliquant le site et présentant l'aventure de cinq années de fouilles archéologiques. Présentation d'objets.

MOUSTEY (40410)

Petit village dont l'originalité est donnée par ses deux églises côte à côte, datant de la fin du XIIIᵉ-début du XIVᵉ siècle : l'*église Saint-Martin,* toujours utilisée comme lieu de culte, et l'*église Notre-Dame,* rattachée à un hôpital (détruit en 1872) qui était destiné à l'accueil des pèlerins de Saint-Jacques-de-Compostelle, qui abrite aujourd'hui le musée du Patrimoine religieux et des Croyances populaires.

Où dormir ? Où manger ?

🛏 |●| *Gîte d'étape de l'Airial de Lavigne :* quartier de Lavigne. ☎ 05-58-07-75-60. Fax : 05-58-07-76-77. Compter 14 € la nuitée par personne ou 100 € à la semaine. Chez Jean-Claude Taris, trois bâtiments ont été investis : la maison de maître, pleine de charme mais restée nature, celle des métayers et le four à pain. Au résultat, des gîtes de 4 et 11 places. Table d'hôte. Et plein d'activités pour qui en a envie (voir plus loin « Attelages des vallées de la Leyre » dans « À voir. À faire »).

|●| *Le Haut Landais :* au centre du village. ☎ 05-58-07-77-85. ● bas.no oy@9online.fr ● 🕯 Fermé les mercredi et jeudi de septembre à mars, le mercredi soir et le jeudi d'avril à août, congés : 2 semaines à la mi-février. Menus à 11 €, le midi en semaine (et le soir pour les pèlerins sur la route de Saint-Jacques-de-Compostelle), et de 15,50 à 24,50 €. Subtil jeu de mots que les proprios ont donné à leur sympathique auberge pour signifier qu'ils viennent du plat pays. Adresse très prisée par les gens du coin, malgré un service parfois mitigé d'après nos lecteurs. Sur la place, l'été, sous les platanes, un dîner en terrasse est un vrai bonheur. Cuisine familiale sans fioritures mais copieuse, avec de bonnes spécialités régionales (foie frais aux fruits rouges) et aussi une étonnante assiette du port d'Amsterdam. Ici, on se sent un peu comme chez soi. Pour preuve ? Dans les toilettes, on a même prévu de vous mettre des revues ! Présente également un grand gîte. Digestif hollandais offert à nos lecteurs sur présentation du *GDR.*

Où dormir ? Où manger dans les environs ?

⚴ *Camping municipal L'Arriu :* 525, chemin de l'Arriu, 40410 Pissos. ☎ 05-58-08-90-38 (camping en saison) ou 05-58-04-41-40 (mairie). Fax : 05-58-08-92-93. • ● perso.wanadoo.fr/mairie-de-pissos ● Ouvert du 1er juillet au 15 septembre. Compter 10 € pour 2 personnes avec voiture et tente. Une vingtaine de gîtes forestiers à l'orée du bourg, en pleine zone forestière, ouverts toute l'année. Compter 240 € la semaine pour 4 personnes en été.

|●| *L'Auberge du Chêne Pascal (Restaurant Euloge) :* Le Chêne-Pascal, 40410 Belhade. ☎ 05-58-07-72-01. Fermé le lundi toute la journée et le dimanche soir hors vacances d'été. Menus de 16 à 45 €. Une petite auberge pleine de charme face à l'église tout aussi charmante, avec un personnel à l'image du décor, souriant, une terrasse ombragée à l'écart de la route et une cuisine « entre terre et mer » qui justifie le (grand) détour, si vous ne venez pas de Bordeaux. De la belle, de la bonne cuisine, menée par Jean-Paul Euloge, un Chef bardé de prix, qui joue avec la tradition en respectant le goût du produit. Très bon petit menu du jour. Une des grandes adresses du haut pays landais.

À voir. À faire

⚑ *Le musée du Patrimoine religieux et des Croyances populaires :* dans l'église Notre-Dame. ☎ 05-58-07-70-01. Ouvert de début juin à fin septembre ; en juin et septembre, les week-ends et jours fériés de 14 h à 18 h ; en juillet et août, tous les jours de 10 h à 12 h et de 14 h à 19 h. Entrée : 4 € ; réductions et billet couplé avec Marquèze (à Sabres). Deux expos en alternance pour s'imprégner des rites et des croyances populaires : les pèlerins de Saint-Jacques... Vous apprécierez le beau mur-clocher de l'église Notre-Dame qui renvoie le son des cloches vers le bas.

⚑ *Attelages des vallées de la Leyre :* quartier de Lavigne. ☎ 05-58-07-75-60. Fax : 05-58-07-76-77. Ouvert toute l'année. Proposent des randonnées en attelage pour découvrir le milieu forestier. Louent également des canoës. Autre variante : des ânes bâtés accompagnent des promeneurs munis d'une fiche-itinéraire. Balade à la journée, au week-end ou plus si affinités. Propose un gîte d'une capacité de 15 personnes à 14 € la nuitée par personne.

À voir. À faire dans les environs de Moustey

⚑ *L'église Saint-Jean-Baptiste-de-Richet :* à Richet. À 3 km de Moustey, fléché depuis le village. À l'écart du bourg, entourée de platanes, cette église dégage une sérénité très particulière. Notez son clocher en bardeaux de bois de châtaignier et, si vous avez la chance qu'elle soit ouverte, allez contempler ses fresques du XVe siècle. On y reconnaît la chevauchée des péchés capitaux : l'*Envie* avec son lévrier, la *Colère* près de son ours, la *Luxure* chevauche son bouc et la *Paresse* son âne. Imagé mais réaliste !

– *La fête du Cercle de l'Union :* à Pissos. L'un des quelques cercles encore en activité en Haute Lande. Sa fête annuelle donne l'occasion, même au visiteur de passage, d'entrer dans l'intimité de ces cafés associatifs créés dans un esprit très républicain il y a un siècle, où l'on buvait à prix réduit, jouait aux cartes, lisait le journal, le commentait... Vous avez peut-être, en passant à Luxey ou Sore, Labrit ou Brocas, été intrigué par ces cafés pas comme les autres, hauts lieux de la politique villageoise dont les femmes furent longtemps exclues (« le cercle des femmes, c'était le lavoir »), comme les étrangers. Leur but était « le progrès moral et civilisateur de ses membres », d'où la nécessité de leur fournir « toutes les distractions honnêtes et les agréments possibles ». On ne rigolait ni avec les retards de cotisation, ni avec les jeux de hasard. Aujourd'hui, les cercles encore existants ont évolué vers l'entraide et l'animation. Ne manquez pas cette fête, autour de la 2e quinzaine de juillet. Renseignements : ☎ 05-58-08-90-85.

LA DESCENTE DE LA LEYRE

Vraiment extraordinaire, cette descente en pente toute douce depuis l'une des bases nautiques situées sur la Grande Leyre. Promenade d'une demi-journée ou excursion d'une semaine, cette descente s'adresse à tous, même aux enfants, à condition de savoir nager. La Leyre, s'étirant sur 90 km, est calme et gentille. Il s'agit ici de canotage, sans aucun danger. En fonction de l'endroit où l'on se trouve, on peut louer un canoë et organiser sa descente. Il existe treize bases sur le territoire du Parc, et certaines d'entre elles sont ouvertes toute l'année. On observe la faune et la flore dans un cadre frais et apaisant. Attention, certains jours d'été, aux « embouteillages » en aval. Endroit 100 % naturel, où la rivière se découvre au rythme de la nature. Vous avez la possibilité de passer la nuit sous tente ou en gîte forestier. Les centres disposent souvent de tentes pour ceux qui n'en ont pas. Voici la liste des principales bases d'accueil d'où il est possible de démarrer la balade. La distance entre chaque base équivaut à une journée de canoë.

Où dormir ?

⚊ ⌂ ***Base nautique de Mexico :*** à Commensacq, à 5 km de Sabres (route de Mimizan). ☎ 05-58-07-05-15. Fax : 05-58-07-19-50. ● www.mexicoloisirs.com ● Base ouverte d'avril à fin octobre. Possibilité de camping ou location de gîte de groupe. Prix doux (11,50 € la nuitée). Lieu idéal pour le départ de la descente intégrale de la Leyre. Rando nautique sur 4 jours et 85 km. Nombreuses autres activités encadrées, dont le tir à l'arc, le VTT, la pêche, l'équitation, la rando...

⚊ ***Halte nautique de la Pouloye :*** à Trensacq, 4 km en aval de la base nautique de Mexico. ☎ 05-58-07-04-41. Ouvert en juillet et août.

⚊ ⌂ ***Base nautique de Testarrouman et Centre d'hébergement La Tauleyre :*** route de Sore, à Pissos. ☎ 05-58-08-91-58. Fax : 05-58-08-92-93. ⚒ Camping ouvert de juin à octobre. Camping et gîte de groupes. Pas mal d'activités possibles. Centre équestre à proximité. Halte de pique-nique.

⚊ ⌂ ***Atelier-gîte, base nautique de Saugnac-et-Muret :*** à Saugnac-et-Muret. ☎ 05-58-07-73-01. Fax : 05-58-07-72-71. ● atelier-gite@parc-landes-de-gascogne.fr ● Ouvert toute l'année. Un centre important du Parc. Très bien équipé. Logement en gîte de groupe, en chambre à deux lits ou en aire naturelle de camping.

⚊ ⌂ ***Centre du Graoux :*** à Belin-Beliet. ☎ 05-57-71-99-29. ● centre-graoux@parc-landes-de-gascogne.fr ● Centre d'éducation à l'environnement du Parc, ouvert toute l'année. Camping municipal en aire naturelle (à 3 km en amont, ☎ 05-56-88-00-06) ou gîtes de groupes dans des maisons en bois. 60 places. Bien équipé.

⌂ Deux ***haltes nautiques :*** à Salles et à Mios. Ouvert en juillet et août. Hébergement en gîte style refuge de montagne ; spécialiste de canoë-kayak, à Mios ; ☎ 05-56-26-69-82 ; ouvert tous les jours de 9 h à 17 h.

⚊ Juste à côté de la halte de Mios, le ***Camping municipal du Val-de-Leyre,*** à Mios : ☎ 05-56-26-42-04. Compter 11 € le forfait pour 2 personnes. Important camping.

Préparation

– Dans l'un des centres, des animateurs sportifs vous aideront à préparer votre parcours en fonction de vos désirs et capacités.
– Prix des canoës : environ 35 € par jour pour 2 personnes, navette comprise.
– Initiation aux manœuvres à la base de départ. Aucun danger en été car pas de courant fort ; le reste de l'année, plus de prudence est requise.
– Prévoir votre nourriture, bien que les villages ne soient pas loin des bases.
– Possibilité de venir vous chercher après la descente de la rivière ou de vous faire accompagner en camionnette en amont de la Leyre.

LA CÔTE LANDAISE

BISCARROSSE   (40600)   9 827 hab.

Station estivale (la plus importante des Landes en terme de capacité d'accueil) plutôt agréable qui, même si coincée entre deux zones militaires et de nombreux lacs, a le mérite de ne pas avoir été défigurée par le béton. Pas d'affolement, on croise plus de surfeurs que d'uniformes. Entre trois sites (plage, lac et bourg), on passe facilement et avec plaisir de l'océan à l'eau douce du lac et à la vie du bourg. Plutôt plaisant même si à vélo les distances sont longues... mais on est en vacances, non ?
Les étangs de Cazaux et de Sanguinet (le Lac Nord), à l'intérieur des terres, sont d'agréables endroits de villégiature pour qui aime les sports nautiques. Ils forment avec le Lac Sud (Biscarrosse/Parentis) et le Petit Lac un plan d'eau d'une superficie de 3 200 ha aux allures de lagon. Sachez quand même que cette ville de près de 10 000 habitants décuple en pleine saison. Mais la plage est longue (15 km) et les forêts vastes (13 510 ha) au milieu desquelles il fait bon aller se promener à pied ou à bicyclette sur les 125 km de pistes réparties en 16 circuits différents. Une station balnéaire qui travaille son image et surveille son évolution ce qui n'est pas toujours le cas le long de la côte... On notera qu'elle détient le titre de capitale de l'hydravion avec son impressionnant musée sur le sujet (unique en Europe) et un rassemblement de passionnés une fois tous les deux ans (les années paires). Et amis rugbymen, c'est aussi ici que notre entraîneur national, Bernard Laporte, a élu domicile... Envie d'un beach-rugby ?

Adresse et infos utiles

Office de tourisme : 55, place G., Dufau, BP1-40602 Biscarrosse Cedex. ☎ 05-58-78-20-96. Fax : 05-58-78-23-65. ● www.biscarrosse.com ● Ouvert toute l'année du lundi au vendredi de 9 h à 18 h (20 h en été et 17 h en hiver avec une pause midi), le samedi matin d'octobre à mars, les samedi et dimanche toute la journée d'avril à fin septembre. Ouverture tous les jours l'été et pendant les vacances scolaires. Super plan-guide gratuit disponible, avec les circuits rando à faire aux alentours. Accueil dynamique. Propose d'agréables formules week-ends thématiques ou clés en main toute l'année : ☎ 05-58-78-39-87.

■ *Location de vélos :*
– *Cycles Broniez :* 262, av. du 14-Juillet, à Biscarrosse-Bourg. ☎ 05-58-78-13-76. Ouvert toute l'année.
– *Au Vélo pour tous :* 997, av. de la Plage, à Biscarrosse-Plage. ☎ 05-58-78-26-59. De juin à septembre seulement. Compter 30 € pour la semaine.
– *Loisirs'Boulevard :* 543, bd d'Arcachon, à Biscarrosse-Plage. Trois autres points de location sur la commune (Campéole, Maguide et lac de Navarosse). ☎ 05-58-78-33-63 ● lafitte2@libertysurf.fr ● Loue aussi scooters, rollers, trottinettes... Beaucoup de choix.

■ *Location de surfs :* sur la plage.
– Parfois, possibilité de faire du *char à voile* hors saison.

◙ *Cybercafé « L'Estela » :* 93 av. de la République à Biscarrosse-Bourg. ☎ 05-58-78-74-86. Ouvert toute l'année. L'un des rares points sur la commune pour aller consulter ses mails.

Où dormir ?

Campings

⚊ *Camping Latécoère :* 265, rue Louis-Bréguet. ☎ 05-58-78-13-01. ● latecoere.biscarrosse@wanadoo.fr ● ⚊ À 1 km du centre, face au musée Latécoère, à Biscarrosse-Bourg. Ouvert toute l'année. Prix corrects : autour de 14 € pour 2 personnes avec une voiture et une tente. Également des bungalows à louer, équipés de douche, kitchenette, etc. Mobile homes et chalets à partir de 460 € la semaine en haute saison. Un joli petit camping sympa, bordant le lac, avec piscine en plus, pas concentrationnaire et non loin du bourg. Juste à côté, centre de loisirs nautiques et départs de pistes cyclables. 5 % de réduction à nos lecteurs sur présentation du *GDR*.

⚊ *Camping Le Vivier :* 681, rue du Tit, Biscarrosse-Plage. ☎ 05-58-78-25-76. Fax : 05-58-78-35-23. ● www.campeoles.fr ● ⚊ Ouvert de mai à septembre. De 10 à 20 € pour 2 avec une tente, selon la saison. Sur un grand terrain plat ombragé par les pins, à 900 m de la mer. Blocs sanitaires propres. Calme. L'endroit manque singulièrement de chaleur, mais les prix sont contenus. Piscine.

Biscarrosse a l'avantage de vous faire passer de l'Océan au lac en moins de 10 mn. Côté lac, on a bien aimé *Port-Maguide,* adorable coin au bord du lac, avec plage. Port-Maguide, c'est aussi un centre de loisirs et un petit port de plaisance. Location de planches, voiliers, skis nautiques... En longeant la partie sud du lac depuis Port-Maguide, vous trouverez :

⚊ *Camping Maguide :* 870, chemin de Maguide. ☎ 05-58-09-81-90. Fax : 05-58-09-86-92. ● maguide-loisirs@wanadoo.fr ● En arrivant au port, juste sur la gauche, sous les pins. Ouvert à l'année. Autour de 17 € pour 2 avec une tente. Idéalement situé, dans un environnement agréable. À 5 mn de la plage et du centre nautique. Laverie, jeux pour enfants, piscine.

⚊ *Camping En Chon les Pins :* 600, chemin d'En-Chon. ☎ 05-58-78-16-00. Fax : 05-58-82-08-33. Drôle de nom, mais un bon esprit de famille pour ce camping un peu à l'écart, spacieux, ouvert de Pâques à la Toussaint. Ombragé et verdoyant. Terrain de volley, piscine refaite en forme d'haricot. Compter 17 € pour 2 avec l'emplacement. Location de mobile homes possible.

⚊ *Camping Les Grands Pins :* 1039, av. de Losa, 40460 Sanguinet-Ville. ☎ 05-58-78-61-74. Fax : 05-58-78-69-15. ● www.campingles

grandspins.com ● À 10 km de Biscarrosse-Bourg, sur la droite à l'entrée de Sanguinet. Ouvert de mi-avril à fin octobre. Plus cher de mi-juillet à mi-

août : 23 € pour 2 ; hors saison, 11 €. Situé dans un lieu plus calme. Sanitaires impeccables. Piscine, tennis, mini-golf...

De prix moyens à plus chic

🛏 *Hôtel Atlantide :* 77, pl. Marsan, à Biscarrosse-Bourg. ☎ 05-58-78-08-86. Fax : 05-58-78-75-98. ● www.hotelatlantide.com ● 🍴 Ouvert toute l'année, tous les jours. Doubles tout confort de 43 à 59 €. Hôtel assez standardisé, au confort correct, en plein centre de la ville. Certaines chambres spacieuses et avec balcon donnent sur la place. Demandez à voir plusieurs chambres, elles sont d'un rapport qualité-prix inégal. Remise de 10 % sur le prix de la chambre (sauf en juillet et août) sur présentation du *GDR*.

🛏 *Le Saint-Hubert :* 588, av. Latécoère, à Biscarrosse-Bourg. ☎ 05-58-78-09-99. Fax : 05-58-78-79-37. ● le.saint-hubert@wanadoo.fr ● 🍴 au rez-de-chaussée. Chambres de 45 à 63 € selon le confort et la saison. À 500 m du centre-ville et à proximité du lac, mais déjà à la campagne, un petit hôtel oublié des hordes estivales, qui respire le calme... et le parfum des fleurs du jardin. Petit dej'... à l'anglaise dans le jardin quand il fait beau. Chambres confortables, refaites pour certaines comme la n° 6, avec vue sur le jardin. Mais on apprécie avant tout l'accueil, aux petits oignons, de la patronne qui ne manquera pas de vous glisser la bonne info pour bien dîner ou découvrir les alentours. Et pour les cyclistes, elle a sa petite idée sur la piste la plus agréable...

🛏 |●| *Hôtel La Caravelle :* 5314, route des lacs, à Biscarrosse-Lac, sur la baie d'Ispe (près du golf). ☎ 05-58-09-82-67. Fax : 05-58-09-82-18.

● www.lacaravelle.fr ● Hôtel fermé de début novembre à mi-février ; resto fermé le lundi midi hors saison. Chambres doubles de 49 à 61 € avec douche et w.-c., et de 60 à 76 € avec bains. Demi-pension obligatoire en été, de 50 à 54 €. Menus de 15 à 37 €. Au bord de l'eau, une plaisante bâtisse, idéale pour un court séjour. Choisissez une chambre avec petit balcon (la n° 24, par exemple) et vue sur le lac, bien plus calme. Établissement serein, même si au printemps, la nuit, le chant des grenouilles peut en indisposer certains. Certaines chambres ont reçu un petit coup de peinture depuis notre dernier passage, une bonne surprise ! Cuisine à base de beaux produits et original, comme le canard à l'orange ou les gambas sauce caravelle ! Quelques tables offrent une vue panoramique. Apéritif de bienvenue offert sur présentation du *GDR*.

🛏 *Auberge Régina :* 34, av. de la Libération, à Biscarrosse-Plage. ☎ 05-58-78-23-34. Ouvert toute l'année. Hôtel en été et chambres d'hôte le reste de l'année. Doubles à 40 €. Une petite adresse à 10 mn à pied de la plage, perdue entre les villas, sous les pins. Tenue par deux jeunes, l'esprit est plutôt à la bonne franquette. Les chambres restent simples, à l'étage ou à l'arrière de la maison, avec une petite déco « de la mer ». Repas en salle ou en terrasse. Quelques belles salades (9 €) et certains plats classiques de la région (14 €). Accueil souriant et serviable.

Où manger ?

Pour qui veut manger vraiment économique, pensez, en été, à Biscarrosse-Plage, aux petites gargotes qui longent la plage, où l'on peut déguster quelques sardines grillées les pieds dans l'eau.

▐●▌ Chez Camette : 532, av. Latécoère, à Biscarrosse-Bourg. ☎ 05-58-78-12-78. Fermé le vendredi soir et le samedi (sauf en juillet et août) et pendant les fêtes de fin d'année. Petit menu à 9,80 €, sauf le dimanche ; autres menus à 14,50 et 21,50 €. La bonne petite auberge populaire comme on les aime, avec sa façade blanche et ses volets rouges. C'est là que les ouvriers, les VRP et les gens de passage viennent le midi pour se rassasier autour du plat du jour. Accueil hors pair et cuisine généreuse de la patronne qui aime son pays et qui le fait savoir. C'est simple, sans prétention, si ce n'est celle de vous faire plaisir. Ne pas manquer le magret grillé au feu de bois.

▐●▌ Uncle Sam Saloon : 236, av. Latécoère, à Biscarrosse-Bourg. ☎ 05-58-78-80-80. Ouvert le soir seulement. Fermé le lundi et le dimanche, sauf en saison ; congés : les 15 derniers jours de décembre. Compter autour de 19 € à la carte. Soirée musicale le vendredi. Le patron est un fondu de l'Ouest américain, des cow-boys et des Indiens, et il a décidé de faire partager sa passion. La maison est éminemment sympathique, et on y mange la meilleure viande de la région : *spare-ribs, T-bone steak,* entrecôte, côte de bœuf. Très bon chili, savoureuses *fajitas*... et des *margaritas, sunrise* et *piña colada* de rêve.

Où dormir ? Où manger dans les environs ?

⚊ **Camping L'Arbre d'Or :** sur la route du Lac-Sud, 40160 Parentis-en-Born. ☎ 05-58-78-41-56. Fax : 05-58-78-49-62. ⚒ Ouvert de mi-avril à fin octobre. Compter 12 € pour 2 personnes avec voiture et tente. Juste à côté du lac, sous les pins, avec une petite piscine. Également des mobile homes et des chalets en location. Petit village tranquillou, sans véritable intérêt malgré son étang où fut découvert en 1954 le plus important gisement de pétrole d'Europe occidentale. Véliplanchistes, préparez-vous à slalomer entre les derricks !

▐●▌ Hôtel-restaurant Cousseau : 11, rue Saint-Barthélemy, au cœur du village de Parentis (40160). ☎ 05-58-78-42-46. ⚒ Fermé le vendredi soir et le dimanche soir hors saison, ainsi que de mi-octobre à début novembre. Menu à 10 € en semaine ; autres menus de 15 à 38 €. Le genre de petit hôtel-resto provincial au charme discret mais qui fleure bon l'authentique. Ici, c'est la cuisine qui compte, pas l'emballage. Menu ouvrier qui change tous les jours, où

l'on retrouve les bons petits plats de la région. Pour les gastronomes, toute une kyrielle de menus pour déguster une escalope de foie gras chaud aux pommes, une sole meunière, un tournedos ou un pigeonneau rôti aux févettes... Un resto d'habitués, parfait pour une réunion de famille.

⚊ **▐●▌ Camping La Réserve :** à 3,6 km de Gastes (40160). ☎ 05-58-09-78-72 et 05-56-07-90-10 (pour les réservations). Fax : 05-58-09-78-71. ● www.haveneurope.com ● À 7,5 km de Parentis par la D 652. Ouvert de début mai à fin septembre. Compter de 14 à 38 € pour 2 selon la saison et le choix de l'hébergement (en tente ou chalet). Un 4 étoiles avec plus de 900 emplacements spacieux, sous les pins et au bord du lac de Parentis. Nombreux équipements et activités sportives : VTT, ski nautique, tir à l'arc, planche à voile, tennis, animations... et pas moins de 3 piscines ! Un mini-club, un bar, un resto et une épicerie. Pas vraiment l'aventure, mais l'endroit est superbe.

À voir

Biscarrosse est devenu entre les deux guerres le centre du trafic aérien international vers le Nouveau Monde. Latécoère est venu installer ici sa base de montage et d'essais en vol, puis développa l'utilisation des hydravions.

Saint-Exupéry comme Mermoz passèrent aussi par là. Un musée se consacre à cet épisode de l'histoire de l'aviation.

Le Musée historique de l'Hydraviation : 332, av. Louis-Bréguet, à Biscarrosse-Bourg. ☎ 05-58-78-00-65. • www.latecoere.com • En juillet et août, ouvert tous les jours de 10 h à 19 h ; hors saison, ouvert de 14 h à 18 h, fermé le mardi et les jours fériés ; fermeture des portes 1 h avant. Entrée : 4,10 € ; réductions. Compter 1 h 30 de visite. Excellent musée qui a pu récupérer, malgré leur rareté, deux Grumman Widgeon de la Seconde Guerre mondiale, ainsi qu'un Thurston. Dans une série de maisonnettes, toute l'histoire de l'hydraviation et de l'aéropostale retracée avec intelligence au travers de nombreux souvenirs de pilotes, d'uniformes, de photos, quelques vidéos et objets divers (émetteur radio, hélices, moteurs), un flotteur, dernier reste d'une expédition en Norvège dans les années 1920, plusieurs hydravions restaurés, et même la carcasse de l'avion fait sur mesure qu'utilisait Stéphane Peyron pour son émission sur Canal + *Dans la nature*. Les usines Latécoère situées dans la région ont eu ici leur heure de gloire (jusqu'en 1954). La plupart des tentatives de traversée de l'Atlantique partaient ou arrivaient ici. Un musée passionnant.

Le musée des Traditions et de l'Histoire de Biscarrosse : 216, av. Louis-Bréguet, à Biscarrosse-Bourg. ☎ 05-58-78-77-37. • http://traditions.bisca.free.fr • ♿ En été, ouvert tous les jours de 10 h à 12 h et de 13 h 30 à 19 h ; hors saison, du mardi au dimanche de 14 h à 18 h. Entrée : 4 €. Agréable petit musée qui retrace l'historique de la région avec une exposition sur la vie des résiniers, l'archéologie aquatique et la chapelle ensevelie dans le lac de Biscarrosse, les mœurs d'antan, les habitations d'autrefois, ainsi qu'une ruche vivante.

➤ De mai à octobre, promenades en barque avec batelier (de 9 à 18 € selon les circuits, de 1 h 30 à 3 h 30). Réservations au musée. Une balade en barque, à l'ombre et à la fraîche, pour découvrir la faune et la flore des marais avoisinants.

L'église de Biscarrosse : l'extérieur n'a pas d'intérêt, mais n'hésitez pas à entrer. Intérieur de style gothique des XIVe et XVe siècles. Voûte en brique rose. Belle structure à trois nefs avec jolies croisées d'ogives. L'église a retrouvé sa parure de garluche, la jolie pierre de la région.

La dune verte : à Biscarrosse-Plage, face à la mer, une grande étendue de pelouse, bien entretenue, pour s'allonger, discuter, s'amuser tout en écoutant le bruit des vagues, scruter l'horizon ou contempler un coucher de soleil.

Aventure Parc : 4400, route de Bordeaux. ☎ 05-58-82-53-40. • www.aventure-parc.fr • Indiqué sur la route de Sanguinet, à 6 km sur la droite. Ouvert de février à novembre. Entrée de 12 à 18 € selon l'âge et la taille. Formule week-end possible. Tout nouveau, pour sauter ou passer d'arbre en arbre. On monte, on grimpe, on glisse et on peut même sauter à l'élastique d'une tour de 18 m de haut (à partir de 8 ans). 70 jeux avec des parcours adaptés aux niveaux. À faire sur un gros après-midi et pour tous les âges.

Sanguinet et son lac : à 10 km de Biscarrosse, la ville de Sanguinet propose d'agréables promenades le long de son lac, une balade en bateau miniature pour les enfants (en été seulement ; ☎ 05-58-78-63-59) et son petit musée municipal sur les sites archéologiques sublacustres (engloutis sous l'eau). Office de tourisme : ☎ 05-58-78-67-72. • www.sanguinet. com •

MIMIZAN

(40200)   7 052 hab.

Grand point de ralliement des estivants sur la côte, Mimizan se compose de deux villages séparés : Mimizan-Plage et Mimizan-Bourg. L'ensemble a heureusement été principalement préservé du béton et est même toujours très joliment fleuri. Seule la population multiplie par dix en été. Et puis, très curieusement, il subsiste ici quelques adresses à des prix incroyables et des tables de bonne qualité. La papeterie du coin, par contre, pour peu que le vent soit mal orienté, répand une odeur redoutable. Difficile d'imaginer qu'on puisse encore aujourd'hui supporter pareilles nuisances, même si tout cela fait entrer de l'argent dans les caisses de la commune et génère des emplois.

D'esprit très familial, cette station qui fait partie des 44 labellisées « kid » en France, se découvre tranquillement, à vélo ou à pied, de la plage à la forêt. Mimizan-Plage, avec ses 10 km de plage, doit son existence à la mode des bains de mer lancée par Napoléon III à Biarritz. Les bourgeois landais voulaient leur lieu de villégiature. C'est en 1905 que l'on baptisa le littoral gascon de ce nom de Côte d'Argent. Elle accueillit entre autres le roi de Suède, Charlie Chaplin, Churchill... Coco Chanel y fit construire une colonie de vacances pour les cousettes, un « alibi » pour venir rendre visite au duc de Westminster qui fit construire ses quartiers d'été face au lac, le château de Woolsack (privé). Cela dura trois ans, puis le maire demanda la fermeture de la colo. Trop dur pour la gent masculine !

Bel espace en pelouse sur la promenade qui longe la plage, avec une esplanade abritée du vent, des jeux pour enfants, où l'on viendra se reposer et écouter l'Océan...

Côté anecdote, en 1918, à la veille de la Grande Guerre, les Mimizannais étaient plus préoccupés par le naufrage d'un navire portugais chargé de fûts de... porto, qui s'échouèrent le long de la plage de la ville. La ville stoppa son activité pour se retrouver à ouvrir et vider les barriques... Ça changeait de l'armagnac !

Adresses utiles

🅸 *Office intercommunal de tourisme :* 38, av. Maurice-Martin, à Mimizan-Plage. ☎ 05-58-09-11-20. Fax : 05-58-09-40-31. ● www.mimizan-tourism.com ● En arrivant à Mimizan-Plage, juste sur la gauche. En juillet et août, ouvert du lundi au samedi de 9 h à 19 h et les dimanche et jours fériés de 10 h à 12 h 30 et de 16 h 30 à 19 h ; le reste de l'année, se renseigner pour les horaires. Un bon service, des brochures complètes et intelligentes sur la station et les environs autour du bois (visites possibles), les dunes, les sentiers aménagés, les activités pour les enfants...

🚈 *Gare SNCF :* à Labouheyre. ☎ 05-58-07-00-24.

🚌 *Cars Jarraud :* ils font la liaison avec la gare Saint-Jean de Bordeaux. ☎ 05-58-09-10-89.

■ *Le jardin des Vagues :* à Mimizan-Plage sud. ☎ 06-13-01-34-91. Ouvert tous les jours en juillet et août. Voilà un club de plage pour les petits à partir de 3 ans : animations, concours, jeux, leçons de surf et de natation. Formules de l'heure à la semaine.

Où dormir? Où manger?

Difficile de se décider ! On dénombre un grand choix de bonnes adresses... dans tous les styles et pour toutes les bourses. Par ailleurs, l'office de tourisme possède une liste de chambres chez l'habitant et de studios à louer, dont bon nombre sur Mimizan-Plage.

Campings

⚎ *Camping municipal de la Plage :* à 400 m de la plage environ. ☎ 05-58-09-00-32. Fax : 05-58-09-44-84. ● www.mimizan-camping.com ● ⚐ Ouvert de Pâques à fin septembre. Compter de 8,50 à 15 € selon la saison pour 2 personnes avec voiture et tente. Entre Mimizan-Plage et les kilomètres de forêt de pins, un vaste camping ombragé, agréable et calme. Prix corrects, à l'image des campings municipaux. Location de mobile homes et chalets. Bon entretien. Point Internet. Seul camping municipal près de la mer. Un autre camping municipal le long du lac. ☎ 05-58-09-01-21. 10 % de réduction sur le séjour en mai et juin sur présentation du *GDR*.

⚎ *Camping municipal Aurilandes Camping :* 1001, promenade de l'Étang, 40200 Aureilhan ; à 3 km de Mimizan. ☎ 05-58-09-10-88. Fax : 05-58-09-38-23. ● www.aurilandes. fr.fm ● ⚐ Ouvert de mi-mai à fin septembre. Pour deux avec une tente, compter 10 €. Réduction hors saison et long séjour. Équipement honnête : épicerie à l'entrée, sanitaires bien tenus et atmosphère du lieu agréable. À 10 mn en voiture de l'Océan mais à proximité de l'étang d'Aureilhan.

Bon marché

⚎ |●| *Hôtel Atlantique :* 38, av. de la Côte-d'Argent, à Mimizan-Plage. ☎ 05-58-09-09-42. Fax : 05-58-82-42-63. ● www.cortix.fr/atlantic ● ⚐ Hôtel ouvert toute l'année ; restaurant fermé le mercredi midi hors été, et les 3 dernières semaines de janvier. En basse saison, chambres de 22 à 51 € selon confort ; en été, de 28 à 61 €. Demi-pension recommandée en juillet et août, de 31,50 à 47,50 €. Menu à 9 € le midi en semaine. Autres menus de 12,90 à 23 €. Sur le front de mer mais sans la vue. Adresse familiale avec une trentaine de chambres, dans une vieille et grande bâtisse en bois derrière laquelle est venue se greffer une annexe. Confort de petite pension de famille où les habitués reviennent depuis des années. Une cuisine agréable qui tient le corps. 10 % de réduction sur l'hôtel à partir de 2 nuits consécutives, sauf en juillet et août, sur présentation du *GDR*.

⚎ *Hôtel L'Airial :* 6, rue de la Papeterie, à Mimizan-Plage sud. ☎ 05-58-09-46-54. Fax : 05-58-09-32-10. Fermé de début novembre à fin mars. Chambres doubles de 45 à 49 € selon la saison. La maison ne paye pas de mine, mais à l'intérieur, on se sent bien, au calme (pas de TV) et les chambres soignées sont décorées avec goût. Préférez celles à l'arrière donnant sur le jardinet, avec balcon. La patronne vous accueillera avec gentillesse et vous expliquera tout sur la ville et sa région : qu'est-ce qu'un airial, comment a évolué Mimizan, etc. Et passez le bonjour de notre part à Chipie, l'adorable petite chienne aveugle qui ne manque pas de se cogner dans chaque mur. Réveil au son des oiseaux.

|●| *Le Sunset :* résidence Le Grand Pavois, 2, rue de la Marine, à Mimizan-Plage. ☎ 05-58-09-43-04. ⚐ Ouvert toute l'année. Menus à 9 € (midi uniquement) et 12 €. Différentes combinaisons entre entrées, plats et dessert de 10 à 18 €. Un peu à l'écart du centre de Mimizan-Plage, sur les bords du canal, tout en faisant face à l'Océan et à l'esplanade pelousée où l'on aime venir se relaxer ou contempler un *sunset* ! Déco minimaliste de style « marine », mais un accueil du patron qui donne envie de s'éterniser pour une carte à moindres frais, certes limitée en choix mais bien suffisante : soupe de poisson, piquillo farci, omelette aux rillons de canard, brochettes, moules-frites, flan coco, glaces... Ça plaît tellement que son livre d'or est un vrai plébiscite !

LA CÔTE LANDAISE

Prix moyens

🛏 *Hôtel de France :* 18, av. de la Côte-d'Argent, à Mimizan-Plage. ☎ 05-58-09-09-01. Fax : 05-58-09-47-16. Fermé de début octobre à fin mars. Selon la saison et le confort, chambres doubles de 42 à 60 €. Bordant la dernière rue avant l'Océan, des chambres donnant sur cour ou sur rue et donc sur l'Océan (n⁰ˢ 24, 25 et 26). Accueil souriant. Les prix ont vite grimpé ces dernières années, mais le rapport qualité-prix-gentillesse est là. Parking privé. 10 % de remise sauf en juillet et août aux porteurs du *GDR*.

🛏 |◉| *L'Émeraude des Bois :* 66-68, av. du Courant, Mimizan-Plage sud. ☎ 05-58-09-05-28. Fax : 05-58-09-35-73. ● emeraudedesbois@wanadoo.fr ● Fermé de début octobre à fin mars. Restaurant ouvert le soir seulement. Chambres de 43 à 59 € selon la saison. Demi-pension recommandée en juillet et août : de 46 à 50,50 € par personne. Menus de 15,30 à 28 €. Encore une bien bonne petite adresse familiale, dans une charmante maison bordée de gros arbres et décorée à l'ancienne, à 10 mn à pied du centre. Hôtel entièrement rénové. Accueil vraiment adorable, confirmé par nos lecteurs. Une cuisine traditionnelle de qualité. Véranda et terrasse ombragée appréciables aux beaux jours. Apéritif maison offert à nos lecteurs sur présentation du *GDR*.

|◉| *L'Île de Malte :* 5, rue du Casino. ☎ 05-58-82-48-15. ♿ Ouvert toute l'année. Menus de 12,50 € (le midi en semaine) à 30 €. Tout nouveau, tout beau ! Depuis avril 2003, une jeune équipe se donne le challenge de proposer toute l'année une table élégante qui sait se transformer en adresse jeune et branchée les week-ends et aux beaux jours. Cuisine créatrice, fine et savoureuse, teintée d'épices. Service souriant et grande terrasse au mobilier tendance, à l'abri du vent, pour déjeuner ou boire simplement un verre. L'adresse en devenir... et « L'Île de Malte », c'est le nom historique de la maison.

|◉| *La Palangre :* 30, rue de Bel-Air, à Mimizan-Plage. ☎ 05-58-09-36-02. Ouvert toute l'année. Premier menu, le midi en semaine, à 11 €. Trois autres menus de 16 à 25 €. Il est frais, mon poisson, il est frais ! Ce restaurant tout longtemps une poissonnerie, vous l'aviez deviné. Goûtez par exemple aux petits casserons façon pibale ou aux gambas à la crème. Patronne faite pour l'entente cordiale, atmosphère détendue. Ne cherchez pas mieux ni plus loin.

Plus chic

🛏 *Le Patio :* 6, av. de la Côte-d'Argent, à Mimizan-Plage. ☎ 05-58-09-09-10. Fax : 05-58-09-26-38. ● www.le-patio.fr ● Ouvert tous les jours de début avril à fin septembre, fermé les week-ends le reste de l'année. Fermé 15 jours en novembre, 15 jours en décembre et en janvier. Chambres de 57 à 88 € selon la saison. Un lieu à retenir (et même longtemps à l'avance), face à l'Océan et à la plage, qui tient plus de la maison que de l'hôtel. Des chambres agréables et bien aménagées, dans un style étonnant, voire même provençal. Pris dans un... patio avec piscine, quelques bungalows de charme, au calme dans un environnement fleuri. D'ailleurs, chacun d'entre eux porte un nom de fleur (hibiscus, jonquille, coquelicot...). À 1 mn à pied de l'Océan... Écoutez au loin, on l'entend ! Remise de 10 % sur le prix de la chambre du 15 septembre au 15 juin sur présentation du *GDR*.

|◉| *Au Bon Coin du Lac :* au bord du lac, à Mimizan-Bourg. ☎ 05-58-09-01-55. Fermé le lundi et le dimanche soir hors saison. Menus de 28 à 58 €. Une chambre à 76 €. Une adresse célèbre pour la qualité de sa restauration, qui draine les notables du coin, dans un site au calme absolu avec vue sur le lac. Cuisine de haute volée avec Jean-Pierre Caule aux fourneaux, accompagnée par une bonne cave, aux prix malgré tout assez élevés.

Où dormir? Où manger dans les environs?

Camping

⚑ **Camping municipal Le Tatiou :** route de l'Especier, 40170 Bias. ☎ 05-58-09-04-76. Fax : 05-58-82-44-30. ● campingletatiou@wanadoo.fr ● ♿ Sur la route de la plage de Lespecier. À 5 km de l'océan et 1,5 km du village. Ouvert de début avril à mi-octobre. Une tente, 2 personnes et une voiture : entre 14 et 17 €. Si tous les campings autour de Mimizan sont complets, on peut essayer celui-ci, au cœur d'une pinède de 10 ha. Pas trop cher et calme. Petite piscine, épicerie, quelques courts de tennis, machines à laver. Ambiance familiale.

Gîte

⌂ **Gîte d'étape L'Airial du Tastot :** 285, route de Saint-Irosse, 40200 Pontenx-les-Forges. ☎ 05-58-09-11-20 et 05-58-07-45-40 (en été). Fax : 05-58-09-40-31. ● www.mimizan-tourism.com ● ♿ À 10 km à l'est. Accès par la D 626, puis fléchage depuis le village. Ouvert toute l'année sur réservation ; permanence en été. De 7 à 9,40 € la nuit, sans les draps. Grand parc au milieu de la forêt. Gîte d'étape communal de 16 lits répartis en quatre chambres claires et agréables (meubles en pin naturel). Adresse idéale pour une famille ou un groupe de copains. Jeux pour les enfants. Tranquillité garantie. 10 % de réduction sur présentation du *GDR*, à partir de 6 personnes lors d'un deuxième passage hors saison.

De bon marché à prix moyens

|●| **Le Relais des Platanes :** 40210 Escource. ☎ 05-58-04-27-94. À 17 km de Mimizan, direction Sabres ; sur la place principale du village. ♿ Fermé le lundi soir de mai à août, le dimanche et tous les soirs de septembre à mai. Copieux menu du midi à 11 € incluant quart de vin et café, puis menus de 14 à 28 €. Qu'on aime bien ces petites tables simples, aux menus estimés à leur juste valeur, faits de produits frais et en toute simplicité ! Agréable formule buffet avec légumes de saison et charcuterie en entrée, puis une spécialité landaise de son choix, pour finir par le traditionnel pastis des Landes. L'ensemble se déguste dans la salle climatisée les jours de cagnard ou en terrasse sous les platanes, ça va de soi ! Le plus, ce n'est pas la déco, mais un délicieux pain à l'ancienne impeccable pour saucer les plats. Du simple et efficace.

|●| **L'Auberge landaise :** 40210 Lüe. ☎ 05-58-07-06-13. À 22 km direction Labouheyre. Fermé le lundi, le dimanche soir, 3 semaines en janvier et tout le mois d'octobre. Menus de 9,50 € (sauf en été et le dimanche) à 30 €. Bienvenue dans la bonne grosse auberge landaise où aiment se retrouver toutes les classes sociales. Pas de discrimination ici, à chacun sa formule, qu'on soit VRP, notable, ouvrier ou touriste. Le rassemblement reste le même, il se fait autour d'un foie gras, d'un confit, d'un salmis de palombe ou de chevreuil.

⌂ **Chambres d'hôte L'Oustau :** quartier Baxentes, 40210 Lüe. ☎ 05-58-07-11-58. Fax : 05-58-07-13-99. À une vingtaine de kilomètres direction Labouheyre. Ouvert de mi-mai à fin septembre. Double à 45 €, petit dej' compris. Superbe maison de maître tout habillée de garluche (pierre locale) et entourée d'un parc verdoyant. Cinq chambres aérées et spacieuses, bien équipées. À côté, 2 locations meublées. Sur présentation du *GDR*, remise de 10 % sur le prix de la chambre pour un mini- | mum de 3 nuitées en juin et septembre.

À voir

🕴️🕴️ **L'abbaye de Mimizan et son espace muséographique :** à la sortie de Mimizan-Bourg, en direction de la plage. ☎ 05-58-09-00-61. ● www.musee. mimizan.com ● Ouvert du 15 juin au 15 septembre, de 10 h à 18 h. Fermé le dimanche. Visite à heure fixe sur rendez-vous (à 11 h, 15 h et 17 h). Compter 45 mn de visite. Entrée : 4 € ; réductions. D'un côté, les bâtiments anciens dont il ne reste que la tour où trône une sirène, mauvais présage pour les marins quand ils la voyaient depuis la mer, et signe qu'ils étaient trop près du rivage... À tel point qu'un proverbe disait « que Dieu nous garde de la queue de la baleine, du chant des sirènes, du clocher de Mimizan et de la tour de Cordouan » ! À son pied, l'ancien portail de l'abbaye, protégé du sel et des intempéries mais aussi par l'Unesco... et quel portail ! Après 15 ans de rénovation, on découvre une façade joliment restaurée, aux statues quasiment intactes et polychromes qui rappellent celle de l'abbaye de Conques dans l'Aveyron. Peintures murales cachées depuis plus de 350 ans et mises au jour il y a tout juste deux ans ! Cette abbaye bénédictine date des XIᵉ et XIIᵉ siècles et serait la première où l'on trouve une représentation de saint Jacques en habit de pèlerin.

De l'autre côté, un tout nouvel espace qui a misé sur les nouvelles technologies. L'abbaye a été reconstituée par images de synthèse en 3D, et l'on peut faire une visite à sa guise, à l'image d'un jeu vidéo, en se promenant à travers ces reconstitutions projetées sur écran, guidé par un guide virtuel du site. Impressionnant et séduisant. On retrouve les volumes de la nef, les vitraux, les colonnes, les sols... le patrimoine historique de cette abbaye aujourd'hui disparue.

Une belle initiative, permettant d'associer art médiéval bien réel et technologies du XXIᵉ siècle.

La visite est couplée avec le petit musée de l'autre côté de la rue, où se trouve une collection d'objets anciens de la région.

🕴️ **La maison de l'Airial et la maison du Pin :** deux lieux de visite dédiés au bois et à la forêt. Vitrine des produits fabriqués en pin des Landes, mini-ateliers d'expérimentation ou animations mettant à l'épreuve les 5 sens, pour découvrir les caractéristiques du bois... Maison de l'Airial, à *Bias*. ☎ 05-58-09-37-73. Maison du Pin à *Pontenx-les-Forges*. ☎ 05-58-07-49-23.

🕴️ **Le monument des Ailes :** surplombant la plage, ce monument rappelle le souvenir de Jean Assolant, René Lefevre et Armand Lotti, le premier équipage français à avoir traversé l'Atlantique en avion, dans l'« Oiseau Jaune », en juin 1929. Peu connus, ils sont pourtant partis de Old Orchard aux États-Unis pour atterrir dans l'urgence sur le sable de Mimizan. La cause : une panne d'essence et un passager clandestin qui a alourdi l'avion et augmenté sa consommation de carburant.

🕴️ **Landes Aventures – Accro-branche :** sur la route de Sainte-Eulalie-en-Born, près du lac. ☎ 06-03-53-74-75. Ouvert le week-end et les jours fériés du 1ᵉʳ mai au 15 juin, tous les jours du 16 juin au 15 septembre, ainsi que pendant les vacances de Pâques et de la Toussaint. Adultes : 17 €. Parcours « p'tits loups » à partir de 5 ans (8 €). Un parc forestier sur la cime des pins. On enchaîne les ateliers pour des sensations en hauteur sécurisées. Longue tyrolienne, passage sur corde, etc., pour un après-midi sportif de 5 à 95 ans.

🦌 La visite des **papeteries de Gascogne** est devenue assez difficile à faire car très demandée, mais c'est gratuit ! ☎ 05-58-09-19-01. Seulement les jeudis du mois de juillet et août (matin et après-midi). Il faut s'inscrire à l'office de tourisme plusieurs jours à l'avance (☎ 05-58-09-11-20) et les moins de 15 ans ne sont pas admis pour raison de sécurité.

À faire

Mimizan, c'est avant tout les plaisirs de la plage : détente, baignade, sports nautiques, mais aussi de nombreuses autres activités sportives.

⟩ **Se baigner :** il y a 5 plages surveillées et nettoyées très régulièrement en saison, *Remember, Ailes, plage Sud, Lespecier* et le *Courant.* Celle-ci est recommandée pour les familles avec des enfants en bas âge, sinon il y a la plage du lac d'Aureilhan-Mimizan qui est également surveillée. Cette dernière plage et celle de Lespecier sont sympas pour passer la journée : aire de jeux, de pique-nique, parking à vélo : la piste cyclable relie Mimizan (Plage ou Bourg) à ces deux plages. À l'extrémité des plages, naturisme toléré.

– **Surfer :** *école de surf et de bodyboard « Nicolas Capdeville »,* à Mimizan-Plage sud. ☎ 05-58-09-78-16 ou 06-20-52-57-40. ● ncap2@aol.com ● Ouvert tous les jours en juillet et août. Nicolas a été plusieurs fois champion de France, d'Europe et du Monde de bodyboard, il sait donc de quoi il parle. Alors, quel meilleur prof peut-on trouver ? Matériel fourni ou en location, selon la formule. Leçon à l'heure jusqu'au forfait 10 h, de 23 à 116 €. Cours particuliers possibles tous niveaux.

– **Naviguer :** *École française de voile,* Centre nautique, au bord du lac de Mimizan, quartier Woolsack. ☎ 05-58-09-17-74. Pour de la voile découverte, en libre ou pour des cours de perfectionnement. Location de dériveurs, catamarans ou planches à voile.

– **Voler :** *OJB Aérodrome,* aérodrome de Mimizan. ☎ 05-58-09-27-62. ● www.ojbpara.com ● Pour découvrir le « head down », le « free-style », le « sky-surf »... Une équipe de professionnels encadre les amateurs de sensations fortes désireux de sauter en parachute : baptême, chute libre, formation, initiation, saut en tandem...

⟩ **Sortir en forêt :** Mimizan est aussi désormais, depuis son rapprochement avec les villages environnants, un lieu aménagé pour mieux approcher et comprendre la forêt : découverte libre, ludique, pédagogique, il y en a pour tous les goûts.

⟩ **Pédaler :** location de vélos à Mimizan-Plage, au *Liberty Cycles,* 9, rue du Vieux-Marché et 2, rue du Courant. ☎ 05-58-09-18-03. Ouvert toute l'année, grand choix, du VTT au tandem. Ou *Cyclo'Land,* 8, rue du Casino. ☎ 05-58-09-16-65. Également à Mimizan-Bourg, rue de l'Abbaye : *Station Shell.* (☎ 05-58-09-11-58) et *Sport 2000* (☎ 05-58-09-04-98).

– **Pistes cyclables :** un réseau de 40 km jalonne Mimizan et ses environs. Prenez la piste des Dunes (5 km), entre le bourg et la plage, puis la piste de l'Océan entre Mimizan-Plage et Lespecier (5 km), avec possibilité de poursuivre vers le sud, le long de la côte. La piste qui relie Mimizan-Plage à Pontenx-les-Forges (belles maisons en garluche au centre du village) passe par Aureilhan, Saint-Paul-en-Born, petits villages de l'arrière-pays agréables et fleuris (18 km).

⟩ **La promenade fleurie :** départ du bord du lac à Aureilhan, devant le resto *Au Bon Coin du Lac.* Agréable chemin aménagé longeant le lac et fleuri. Balade bucolique et sympa. 300 espèces de fleurs et d'arbustes. Jolis points de vue, surtout le soir.

➤ *Balades pédestres :* près de 40 km de sentiers balisés. L'originalité ? Ce sont des sentiers de découverte, comme celui des étangs de Mailloueyre (3,6 km) ou celui de Pontenx-les-Forges (6 km). Il existe aussi une boucle de pays qui relie Mimizan à Pontenx-les-Forges en passant par le lac d'Aureilhan et la forêt de Saint-Paul-en-Born, sans oublier le GR8 qui passe à Mimizan.

🏃 *Les plages, sites et stations avoisinants :* pour se baigner en eau douce, dans un lac ou camper au calme, pensez aussi à *Sainte-Eulalie-en-Born* (office de tourisme : ☎ 05-58-09-73-48), *Gastes* et *Parentis-en-Born* (office de tourisme : ☎ 05-58-78-43-60 ; ● www.parentis.com ●), au nord de Mimizan. Plus au sud, on découvrira les bois et la piste cyclable de Petrocq qui rejoint *Lit-et-Mixe* (office de tourisme : ☎ 05-58-42-72-47), avant de rejoindre l'Océan à *Contis-Plage* et sa longue étendue de sable fin ou d'attaquer en canoë à la fraîche la descente du courant de Contis (*Atlantis Loisirs :* ☎ 05-58-42-84-51. Office de tourisme : ☎ 05-58-42-89-80. ● www. contisplage-stjulien-uza.com ●)

➤ *DANS LES ENVIRONS DE MIMIZAN*

LEVIGNACQ (40170)

À 25 km au sud de Mimizan. Joli village, plein de quiétude. Si le hasard vous y conduit, remarquez les rues bordées de jolies maisons, de fermes de brique et à pans de bois, et de toits croulant sous le poids du temps et mangés par la mousse. Délicieuse église au toit effilé, légèrement penché. Belle voûte de bois à l'intérieur, décorée de peintures du XVIIIe siècle. Sur le plafond de la nef, on découvrira la Nativité, la Trinité, la Transfiguration, etc. Voir également le plafond des chapelles. Il ne faut pas négliger le retable et le maître-autel, avec ses riches statues.

LESPERON (40260)

À 30 km au sud de Mimizan, au cœur des Landes. Le village en lui-même ne possède qu'un charme relatif, mais on y vient pour manger. À voir tout de même, l'église du XIVe siècle avec son puissant clocher fortifié. À l'intérieur, clair-obscur bucolique pour découvrir un endroit qui ressemble plus à une forteresse qu'à un lieu de culte.

Où dormir ? Où manger ?

🏠 |●| *Chez Darmaillacq, dit Coudic :* 1, rue du Commerce. ☎ 05-58-89-61-45. Fax : 05-58-89-64-96. Face à l'église. Fermé le lundi, le dimanche soir, 8 jours en mars, 15 jours fin septembre et 8 jours à Noël. Chambres de 31 à 40 €. Menu du jour à 11 €, puis menus de 17 à 32 €. Pour ce dernier, mieux vaut avoir l'estomac dans les talons ! Toute la gamme des spécialités du Sud-Ouest est sur la carte, en fonction des saisons : salmis de palombe, jambon d'oie séché au poivre, civet de chevreuil ou de marcassin... et puis les foies gras au raisin, etc. Atmosphère rustique, à l'intérieur, avec la grande table de bois et le plaisant patio ombragé faisant face à l'église.

LÉON (40550)

Avec son lac et la jolie descente du Courant d'Huchet, Léon s'avère une étape plaisante pour changer de la plage. Cette petite ville prise entre marais, lac et forêt est une vraie bouffée de nature. On savourera la piste cyclable du littoral à travers la pinède, qui descend dans le sud. Son centre reste un pôle animé avec ses quelques commerçants et son marché quotidien du matin de mi-juin à mi-septembre. Un arrêt s'impose, et en plus, on y a bien mangé.

Adresses utiles

Office de tourisme : 85, pl. Jean-Baptiste-Courtiau, BP 8. ☎ 05-58-48-76-03. Fax : 05-58-48-70-38. ● www.ot-leon.fr ● Hors saison, ouvert du mardi au vendredi de 9 h à 12 h et de 14 h à 17 h, ainsi que le samedi midi ; en été, ouvert du lundi au samedi de 9 h à 13 h et de 15 h à 19 h, et le dimanche de 10 h à 13 h ; à Pâques, en mai, juin et septembre, du lundi au samedi de 9 h à 12 h et de 13 h 30 à 18 h. Vente de circuits VTT.

Location de vélos : Atlantic' Cycles, ☎ 05-58-49-26-98 ou 05-58-48-90-30. Cycles Labat, ☎ 05-58-48-71-98. René Ducasse, ☎ 05-58-48-73-10.

Où dormir ? Où manger ?

Camping caravaning L'Océane : route des lacs, 40560 Vielle-Saint-Girons. ☎ 05-58-42-94-37. Fax : 05-58-42-00-48. ● www.camping-oceane.fr ● Ouvert de fin juin à début septembre. Compter de 10,50 à 13 € suivant la saison pour 2 personnes avec voiture et tente. Calme, ombragé, bien entretenu. Belle piscine, jeux pour enfants. Locations de mobile homes et caravanes possible. Ambiance familiale. À 6 km de la plage.

Restaurant Bodega Cervantes : pl. Abbé-Dulong. ☎ 05-58-49-22-23. D'avril à octobre, fermé le lundi toute la journée et le dimanche soir ; de novembre à mars, ouvert uniquement le week-end. Menus de 10,50 € (midi sauf week-end) à 23 €. Une adresse pour manger espagnol ! Tortilla, piquillos, plancha, tapas, pavillada de poisson, paella, chipiron... Toute cette bonne cuisine d'outre-Pyrénées dans un vrai décor de bodega tout en bois. Service parfois un peu long mais une fois en terrasse, un verre de sangria à la main, on excuse tout. Bon accueil et carte de vins espagnols.

À voir. À faire

La descente du Courant d'Huchet : au départ du lac de Léon, une balade en barque à ne pas manquer. Déversoir du lac, le Courant fut découvert en 1911. Et plus de 95 ans après, la descente du Courant est une vraie révélation. Le batelier fait avancer la barque avec sa longue perche. Elle glisse en silence et au milieu d'une nature luxuriante qui assombrit un peu l'ambiance, créant des ombres magiques. On se sent transporté au milieu d'un bayou de Louisiane, ou en plein cœur de l'Amazonie. Cyprès chauves, hibiscus sauvages, fougères arborescentes, chênes-lièges, saules pleurant dans l'eau, pins maritimes, c'est un dépaysement total, à tel point qu'on attend le cri du macaque au milieu de ces camaïeux de vert se déclinant à l'infini. On atteint Huchet, où le Courant se jette dans l'Océan. Mais il faut savoir que l'embouchure varie avec les saisons. Le retour est peut-être encore plus beau.

Plusieurs balades possibles de 2, 3 ou 4 h (en été). Prix : 11, 13,50 et 18 €. On pense que celle de 3 h est la meilleure. Balade fraîche et ombragée. Attention, la descente ne s'effectue que d'avril à fin septembre et la réservation est obligatoire (8 jours à l'avance en été) : bureau des bateliers, ☎ 05-58-48-75-39. ● www.batelier.com ●

– Possibilité de suivre le Courant à pied, seul ou en visite guidée. Sur la D 328, au lieu-dit du pont de Pichelèbe, parking et sentier qui longe le Courant sur 8 km, à travers une belle forêt de pins. Balade vraiment plaisante jusqu'à la plage de Moliets. Renseignements sur la réserve naturelle auprès du chalet d'accueil en été (sauf le dimanche) : ☎ 05-58-49-21-89.

🍴 *Adrenaline Parc :* à 3 km sur la route de Messanges. ☎ 05-58-48-56-62. Ouvert de début avril à fin septembre. Différents tarifs selon les activités : de 8 à 17 €. Alternez les sensations : quad (moto à 4 roues), paint-ball, location de VTT ou parcours aventure dans les arbres, à vous de choisir.

🍴 *La plage et le reptilarium de Vielle-Saint-Girons :* à une dizaine de kilomètres au nord de Léon. Une petite station agréable, plus sauvage, moins victime de l'invasion touristique que certaines voisines. Rando, balades sur la plage et un reptilarium, « La grange tropicale », au bourg, pour les jours de mauvais temps. ☎ 05-58-47-98-81. Ouvert toute l'année, l'après-midi. Office de tourisme : ☎ 05-58-47-94-94. • www.tourisme-vielle-st-girons.com •

🍴 *Station de Moliets et Maa :* à 6 km au sud de Léon. Une station balnéaire qui s'est agrandie à travers de nombreux aménagements plus ou moins nécessaires (ah ! l'avenue de l'Océan où se succèdent les restos estivaux...). La plage centrale conserve, elle, encore son charme, même si l'arrivée des locataires de belles villas se ressent aux premiers jours de l'été, avec une foule plus présente sur les dunes. Belles infrastructures sportives (golf, tennis, vélo, équitation, cerf-volant, beach-volley) et nombreuses structures d'hébergement pour une clientèle familiale et jeune. Office de tourisme : ☎ 05-58-48-56-58. • www.moliets.com •

MESSANGES (40660)

Discret village avec sa plage et les services habituels (nombreux campings), qui mérite l'arrêt pour qui aime les stations de taille moyenne. À noter sur la commune deux viticulteurs de « vin des Sables de l'Océan », ce vignoble implanté au XIII° siècle sur quatre communes et composé des cépages cabernet-franc et cabernet-sauvignon. Ce petit vin fut même exporté à une époque jusqu'en Angleterre et en Hollande via Bayonne.

Adresses utiles

🛈 *Office de tourisme :* route des Lacs. ☎ 05-58-48-93-10. Fax : 05-58-48-93-75. • www.ot-messanges. fr • D'avril à juin et en septembre, ouvert tous les jours sauf les mercredi après-midi et dimanche ; en juillet et août, tous les jours ; d'octobre à mars, tous les jours sauf le mercredi et le samedi après-midi. Très bon accueil et vend une brochure de l'ONF expliquant la faune et la flore sur le canton.

■ *École du surf - club de Messanges :* à la dune de Messanges. ☎ 05-58-48-99-53 ou 06-08-76-22-30. En juillet et août. Pour prendre des cours à la semaine, au week-end ou de façon individuelle pour réussir à surfer la vague.

■ *Location de vélos :* Cyclatlantic, ☎ 05-58-49-26-98. Location toute l'année, avec 20 % de remise d'octobre à mai. Grande gamme de VTT. Compter 7 € la demi-journée et 36 € la semaine.

■ *Piscine municipale :* quartier Moïsan. ☎ 05-58-48-98-90. Ouvert de mi-juin à fin août, tous les jours. Entrée : 3 € ; enfants : 1 €. On n'a pas pour habitude de recenser les piscines municipales, mais celle-ci est particulièrement agréable, vaste, entre la plage et le bourg, bien propre et sous les pins.

Où manger ?

▐●▌ *Bar-snack de la Plage :* à la plage de Messanges, sur la dune (se garer au parking au pied de la dune). ☎ 05-58-48-98-84. Ouvert tous les jours le midi de début mai à fin septembre, le soir à partir de mi-juin. À la carte, compter 17 €. Plats à 12 €, desserts à 6 €. Assiettes copieuses. Un snack-bar dans le *Routard* ! On aura tout vu... Mais celui-ci offre une terrasse et une vue imprenable, aux beaux jours, sur des kilomètres de plages et d'Océan. On vient surtout ici pour le cadre, mais comme la cui-sine n'est pas mauvaise non plus, pourquoi se priver ? Carte limitée certes, mais quelques bonnes petites suggestions : lomo, salade landaise, sangria maison. Des allures de guin-guette avec surfeurs qui déambulent et où même le service, vite débordé, se fait oublier. Attention au monde en été. Mieux vaut venir hors juillet et août, mais pensez à y dîner : taux maximal de romantisme au coucher du soleil !... Ou pour un petit dej' tar-dif : ils ouvrent dès 10 h.

VIEUX-BOUCAU-PORT-D'ALBRET (40480) 1 405 hab.

Vieux-Boucau, autrefois Port-d'Albret, aurait pu être l'un des premiers ports du département, à l'embouchure de l'Adour, si celui-ci n'avait été détourné en 1578 sur Bayonne. Aujourd'hui, Port-d'Albret est une station touristique construite autour d'un lac marin de 60 ha et greffée sur le village de Vieux-Boucau et Soustons, dont on a essayé de préserver le charme. Le tout donne un ensemble touristique relativement bien conçu, même s'il passe de 1 400 âmes en basse saison à 30 000 en haute saison. Agréable promenade aménagée le long du lac marin et bordée de terrasses, avec pontons en bois, tout autour du village en direction des plages, rendez-vous de plus en plus courant des surfeurs.

Adresses utiles

🅱 *Office de tourisme :* 11, prome-nade du Mail. ☎ 05-58-48-13-47. Fax : 05-58-48-15-37. ● www.ot-vieux-boucau.fr ● Hors saison, ouvert du lundi au vendredi de 9 h à 12 h et de 14 h à 18 h, ainsi que le samedi matin ; en été, ouvert du lundi au samedi de 9 h à 13 h et de 14 h 30 à 19 h, et le dimanche de 10 h à 12 h 30 et de 15 h à 19 h. Bel office en plein centre, à l'équipe dynamique. Circuits VTT en vente (1 €).

■ *Location de vélos :* Locacycles, 19, Grand'Rue. ☎ 05-58-48-04-79. ● www.locacycles.fr ● Location toute l'année, avec 20 % de remise d'octo-bre à mai. Grande gamme de VTT. Compter 7 € la demi-journée et 36 € la semaine. Nombreuses pistes cy-clables : Soustons à 8 km, Seignosse à 12 km, Léon à 14 km...

Où dormir ?

Camping

⚑ *Camping municipal Les Sa-blères :* bd Marensin. ☎ 05-58-48-12-29. ● www.les-sableres.com ● Fermé de mi-octobre à fin mars. Compter de 9,50 à 15 € suivant la saison pour 2 personnes avec voiture et tente. Camping municipal 3 étoiles à 5 mn de la plage, dans un coin très peu ombragé, dommage. Nombreux tennis à proximité.

À voir. À faire

⌂ **La plage,** évidemment. Baignade surveillée à quelques endroits.

– **Rendez-vous des surfeurs :** *Vieux-Boucau Surf-Club*. ☎ 05-58-48-30-70. Pour apprendre à bien prendre la vague. L'autre spot, pour se remettre de la vague, ne paye pas de mine, mais c'est « L'emporte et main », sur le parking de la plage des Sablères. Accueil sympa et conseils de connaisseurs. ☎ 05-58-48-34-04.

– **Les arènes :** importantes arènes où ont lieu tous les ans, de juin à septembre, de nombreuses courses landaises. Dates auprès de l'office de tourisme. Compter 8 € la soirée.

SOUSTONS (40140) 5872 hab.

Une charmante petite cité, dotée de quelques vieilles fermes du XVe siècle. Mais ce n'est pas pour son aspect pittoresque que vous croiserez des cars de touristes en direction de Soustons. C'est que Latché et l'ombre de « tonton » ne sont pas loin. La bergerie de François Mitterrand est posée quelque part au milieu de la forêt, mais on ne vous dira pas où. Par respect d'abord, et puis cela ne servirait à rien, elle n'est pas visible de la route. Heureusement, car quand on voit le nombre de touristes qui s'arrêtent pour se faire photographier à côté de la statue de l'ancien président, on en reste pantois. Deux anecdotes : François Mitterrand est représenté avec son fidèle chien Baltic, ce qui en fait le premier chien statufié de son vivant. La bergerie landaise qui est juste derrière la statue en plein cœur du village n'est pas la maison de campagne de la famille, c'est l'office de tourisme. Mais c'est plutôt amusant de voir le nombre de gens persuadés du contraire. Les autres figures de la ville, plus vivantes, se nomment Yves Lamarque, champion olympique d'aviron à Atlanta, et Ludovic Coumont, le champion du monde de jet-ski.

Adresse utile

🛈 **Office de tourisme :** grange de Labouyrie. ☎ 05-58-41-52-62. Fax : 05-58-41-30-63. ● tourisme.sous tons@wanadoo.fr ● En été, ouvert du lundi au vendredi de 9 h 30 à 13 h et de 14 h 30 à 19 h, plus le samedi et le dimanche matin ; hors saison, du lundi au vendredi de 9 h 30 à 12 h 30 et de 14 h à 18 h, ainsi que le samedi matin.

Où dormir ? Où manger ?

⛺ **Camping municipal de l'Airial :** près du lac de Soustons, à 8 km de Vieux-Boucau. ☎ 05-58-41-12-48. Fax : 05-58-41-53-83. ● www.cam ping-airial.com ● ⚒ Ouvert de début avril à mi-octobre. Compter, en été, environ 16 € pour deux avec une tente. Chalets et mobile homes (flambants neufs) pour 4 à 6 personnes autour de 280 € la semaine en basse saison (les prix doublent en été). Un camping convivial, calme et ombragé, point de départ de pistes cyclables et sentiers pédestres rejoignant l'Océan à travers la forêt. Belle situation et bien équipé (piscine chauffée et couverte, épicerie, tennis...).

🏠 |●| **Hôtel du Lac :** 63, av. Galleben. ☎ 05-58-41-18-80. Fax : 05-58-

41-29-84. Au bord du lac, face au parc. Fermé le lundi, le dimanche soir, en janvier, 1 semaine en octobre et du 25 au 31 décembre. Chambres à 43 €. Menus de 14 à 23 € ; soirée étape à 46 €. Chambres, véranda, terrasse : tout donne face au lac. Le calme est au rendez-vous dans cette adresse où des travaux sont envisagés pour redonner un coup de jeune aux chambres somme toute honnêtes. Voyez la n° 7, à l'étage, avec sa vue. Côté resto, on mise sur la cuisine locale à base de cèpes, jambon, canard, finement préparée par Michel Batby dont le nom s'est fait connaître dans la région. Dommage que ce soit encore du mobilier en plastique sous la belle véranda...

🛏 *Chambres d'hôte La Renardière :* lieu-dit Labranère, route de l'Étang-Hardy. ☎ 05-58-41-37-43 ou 06-73-59-05-46. ● www.chez.com/bertrandrenardiere ● Direction Tosse. À 2 km, dans un fort virage, prendre à droite la petite route (indiqué). Fermé de décembre à mars. Chambres de 38 à 66 € pour 2 à 4 personnes, petit dej' compris. Entre deux étangs, un lieu au calme, loin de tout, où l'on s'installe les doigts de pieds en éventail, dans l'herbe, face à la forêt ou dans des chambres gentiment aménagées dans les dépendances de cette maison au style bien landais. Accueil très gentil de Monsieur, qui gère les chambres et qui vous expliquera pourquoi ce nom tout en se baladant le long du cours d'eau qui traverse la propriété. Du charme pour une adresse idéale en famille. Un grand gîte (capacité 7 personnes) à louer également. Apéritif maison offert sur présentation du *GDR*.

Où dormir ? Où manger dans les environs ?

🛏 *Chambres d'hôte La Maison Bleue, chez Agnès et Thierry Louchard :* 173, av. des Fleurs, 40990 Herm. ☎ 05-58-91-04-16. À 17 km de Soustons direction Magescq, puis Herm. Près de l'église dans le centre du village. Compter de 45 à 47 € pour deux, avec copieux petit dej'. 2 chambres raffinées, propres, spacieuses et à l'étage de cette maison en retrait de la route tenue par un accueillant couple (et Max !) tout juste installé ici. On entre et sort par le salon, mais ça ne pose pas de problème aux propriétaires qui seront toujours aux petits soins avec leurs hôtes. Les amateurs d'équitation seront ravis, notre couple monte régulièrement et parle des chevaux avec passion.

🛏 *Chambres d'hôte Le Cassouat, chez Marlène Desbieys :* 314, route d'Herm, à Magescq. ☎ 05-58-47-71-55. À 11 km de Soustons par la D 116. Compter 47 € (43 € à partir de 2 nuits) pour 2, petit dej' compris. 2 chambres bien équipées avec kitchenette à 55 €. Un gîte pour 2 à 3 personnes également à la semaine. Marlène, hôtesse charmante, accueille dans une agréable maison contemporaine. Chambres bien fraîches mais quelconques. Parc de 10 ha et plan d'eau avec pédalos et canards. Les pêcheurs seront comblés, il y a aussi un ruisseau poissonneux. Calme et tranquillité assurés.

🍽 *Auberge du Soleil :* à Azur, à 6 km de Soustons. ☎ 05-58-48-10-17. En été, ouvert tous les jours sauf le samedi midi ; hors saison, ouvert tous les jours sauf le dimanche soir et le lundi. Menus à 11,60 € (le midi en semaine), puis 21,50 et 26,50 €. Quelques chambres de 34 à 39 €. On aurait pu appeler ce restaurant « Chez tonton », car M. Mitterrand y avait ses habitudes... mais finalement, « Auberge du soleil » à Azur, ça sonne bien aussi. L'adresse est discrète, à l'image de la patronne qui ne fait pas de vague et de la déco sobre. La cuisine est régionale – garbure, filet de canard à l'ail, desserts maison – et accompagnée de quelques bons petits vins. Un regret, les assiettes pourraient être un peu plus copieuses pour cette bonne table aux plats simples et efficaces.

À faire

– **Centre de formation nautique soustonnais :** allée de la Voile. ☎ 05-58-41-32-23. Fax : 05-58-41-27-72. ● snsoustons@wanadoo.fr ● Ouvert toute l'année. Pour perfectionner son style et ses connaissances de marin. Location de planches à voile, de canoës, organisation de stages, aviron... sur cette étendue d'eau de 750 ha. Bon équipement. Certaines activités se pratiquent sur l'étang des Soustons, d'autres sur la plage (surf, bodyboard)... Les sportifs y trouveront certainement une formule adaptée à leurs besoins. Antenne de la base nautique principale à Soustons, sur le lac. Également le **Club de voile Soustons Marensin,** route d'Azur, « Laurens », pour ne pratiquer que la voile, sur le lac. ☎ 05-58-41-11-95. ● www.cvsm.fr.st ● ✂ Cours, stages pour tous les âges.

– **Le port miniature :** au lac marin de Port-d'Albret, à Soustons-Plage (indiqué). ☎ 06-63-78-20-00. ● www.babelweb.biz ● Ouvert tous les jours en juillet et août tous les après-midi (sauf lundi) et le week-end d'avril à juin et en septembre. Adultes : 4,50 € ; tarif réduit pour les enfants. Faites-vous piloter dans une reproduction (sommaire) d'un chalutier, d'un ferry ou d'un vapeur du Mississippi par vos enfants, sur ce petit lac. Distrayant, a le mérite d'initier les plus jeunes aux balbutiements du pilotage.

– **La promenade du parc de la Pointe des Vergnes :** sur les bords du lac, en pleine ville, un grand parc agréable pour une promenade à la fraîche en fin de journée sous les cyprès chauves et autres vergnes. Beaux points de vue.

– **Le golf de Pinsolle :** Port-d'Albret sud, à Soustons-Plage. ☎ 05-58-48-03-92. Fax : 05-58-48-31-00. ● golf.pinsolle@wanadoo.fr ● Ouvert toute l'année et à tous. Un golf de 9 trous, entouré d'eau avec un practice où l'on frappe les balles pour les envoyer dans l'eau. Green-fee de 20 à 30 € selon la saison. Formule débutants.

CAPBRETON, HOSSEGOR ET SEIGNOSSE

(40130, 40150 et 40510)   6 957, 3 390 et 2 432 hab.

Trois stations balnéaires complémentaires mais à la fois bien distinctes les unes des autres, qui vivent essentiellement de tourisme. Rendez-vous des surfeurs (Hossegor), des campeurs (Seignosse) et des familles (Capbreton). Au nord du lac d'Hossegor, Seignosse la boisée et décontractée. Autour du lac, Hossegor la bourgeoise, élégante (cachez ces panneaux publicitaires que je ne saurais voir...), soignée (les torses nus sont verbalisés), aux al-

■ **Adresses utiles**

ℹ 1 Office de tourisme d'Hossegor
ℹ 2 Office de tourisme de Capbreton
ℹ 3 Office de tourisme de Seignosse

🛏 **Où dormir ?**

1 Les Huîtrières du Lac
2 Chambres d'hôte Ty-boni

3 Camping La Civelle
4 L'Océanide, Chambres d'hôte chez Micheline Mallet
5 Hôtel Barbary Lane
6 Hôtel L'Océan

🍴 **Où manger ?**

10 La Pêcherie Ducamp
11 Les Copains d'Abord
12 Le Bistro
13 Le Pavé du Port
14 Le Cottage

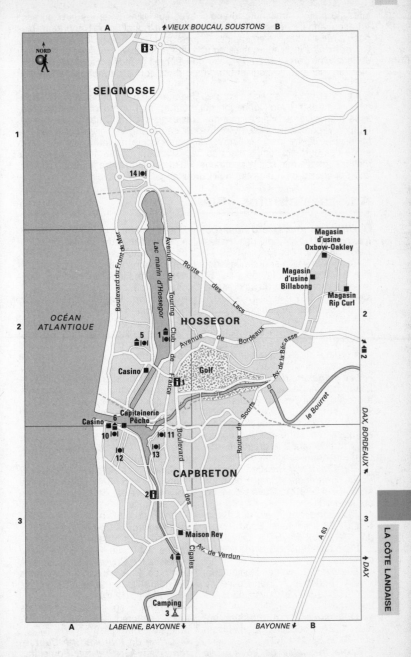

lures de petit « Arcachon du sud » avec ses villas sous les pins au style « basco-landais », est reliée par le canal du Boudigau à Capbreton, plus populaire, vivante, commerçante. Malgré tout, ces trois villes représentent l'un des pôles incontournables du surf en France avec Hossegor comme fer de lance, où l'on trouvera le siège de célèbres grandes marques d'équipementiers dans ce secteur et une étape de la coupe du monde (la Rip Curl Pro !).

Seignosse, la plus sauvage car peu dénaturée par les constructions bétonnées, contraste avec Capbreton qui, pour sa part, a été victime des poussées immobilières. Hôtels, marinas, résidences en tout genre, les promoteurs n'y sont pas allés avec le dos de la cuillère ! Heureusement, le minuscule centre a su conserver quelques maisons intéressantes, et la mode ces derniers temps étant au fleurissement, on ne lésine pas sur les moyens, quelle que soit la commune. Point commun entre les trois stations, leur population croît bien par huit ou dix en période estivale.

Adresses et infos utiles

Office de tourisme d'Hossegor *(plan A2, 1)* **:** 44, pl. des Halles. ☎ 05-58-41-79-00. Fax : 05-58-41-79-09. ● www.ville-soorts-hossegor.fr ● À côté de l'hôtel de ville. En basse saison, ouvert du lundi au samedi de 9 h à 12 h et de 14 h à 18 h ; en été, du lundi au samedi de 9 h à 19 h et le dimanche de 10 h à 13 h et de 15 h à 19 h. Belles brochures d'itinéraires découvertes dans la ville (autour du lac, quartier des villas...). Accueil charmant.

– **Les magasins d'usine** *(plan B2)* **:** Les amateurs de surf ne s'y tromperont pas ! Avec des réductions de 20 à 30 % sur le matériel, les vêtements et les collections des grandes marques, on surfe sur les économies. Également une grande braderie du lundi au vendredi de Pâques.

Rip Curl : 407, av. de la Tuilerie – ZA Pédebert, Soorts-Hossegor. ☎ 05-58-41-99-71. Ouvert du lundi au vendredi.

Billabong : 100, av. des Sabotiers – ZA Pédebert, Soorts-Hossegor. ☎ 05-58-43-75-71. Ouvert du lundi au samedi, mais fermé le lundi en hiver.

Oxbow : 92, av. des Rémouleurs – ZA Pédebert, Soorts-Hossegor. ☎ 05-58-43-64-78. Ouvert du mardi au samedi.

Quicksilver : 114, rue des Vanniers – ZA Pédebert, Soorts-Hossegor. ☎ 05-58-41-89-99.

– **École française de voile :** Lac rive Est, av. du Touring Club, BP 69 Hossegor-Lac. ☎ 05-58-43-96-48. ● yachtclublandais@wanadoo.fr ● Face à l'hôtel *Lacotel*, une école tout public pour s'initier ou se perfectionner à la pratique du dériveur, optimist, canoë...

– **Surf Trip :** Plage sud d'Hossegor, pl. du point d'or, BP 67. ☎ et Fax : 05-58-41-91-06. ● www.surftrip.fr ● Au pays du surf, voici une école de la discipline qui, d'avril à octobre vous apprendra à bien prendre la vague. Stages à l'heure, au week-end, en particulier ou collectif. Propose des formules avec hébergement selon la durée du séjour.

Location de vélos et cyclos sur Hossegor :

– **M. Lannemajou,** 619, av. du Touring-Club. ☎ 05-58-43-54-45. De la demi-journée au mois.

– **Sunrise :** Le Point d'Or, Hossegor Plage. ☎ 05-58-43-53-96. Toutes sortes de vélos, de la demi-journée à la semaine.

– **Locavelo :** 56 bis, av. du Maréchal-Leclerc. ☎ 05-58-72-48-68.

– **VTT-Loisirs :** allée des Pins-tranquilles. ☎ 05-58-41-91-81. ● www.vtt-loisirs.fr ● Ouvert tous les jours. À partir de 7 €. Aussi à Capbreton (☎ 05-58-72-19-99) et à Seignosse (☎ 05-58-43-12-13).

– **Marché :** en juillet et août les lundi, mercredi, vendredi et dimanche de 8 h à 13 h.

Office de tourisme de Capbreton *(plan A3, 2)* **:** av. Pompidou. ☎ 05-58-72-12-11. Fax : 05-58-41-

00-29. ● www.tourisme.fr/capbreton
En haute saison, ouvert du lundi au samedi de 9 h à 19 h et le dimanche de 10 h 30 à 12 h 30 et de 16 h à 19 h ; le reste de l'année, ouvert du lundi au samedi de 9 h à 12 h et de 14 h à 18 h, fermé le dimanche. Petit office bien documenté et serviable.

🛈 *Office de tourisme de Seignosse* *(plan A1, 3)* : av. des Lacs, BP 11. ☎ 05-58-43-32-15. Fax : 05-

58-43-32-66. ● www.seignosse.com ●
À l'entrée de la station. En haute saison, ouvert du lundi au samedi de 9 h à 13 h et de 14 h 30 à 19 h et le dimanche de 10 h à 12 h 30 et de 15 h à 19 h ; le reste de l'année, ouvert du lundi au samedi de 9 h à 12 h et de 14 h à 18 h, fermé le dimanche. Beaucoup d'informations, des expos temporaires autour de la faune et la flore.

Où dormir ? Où manger ?

À Hossegor

De prix moyens à plus chic

🛏 |●| *Hôtel Barbary Lane* *(plan A2, 5)* : 156, av. de la Côte-d'Argent. ☎ 05-58-43-46-00. Fax 05-58-43-95-19. ● www.barbarylane.com ● Entre l'Océan et le canal. Fermé de janvier à mi-février. Vivement conseillé de réserver. Chambres de 45 à 60 €. Notre coup de cœur en ville ! Jacques et Bruno tiennent cette adresse élégante et économique avec brio. Sourire, gentillesse et jolies petites chambres sont au rendez-vous. Bruno cuisine aussi (mais seulement de mi-juin à mi-septembre), et bien ! On pourra alors se laisser tenter par ses suggestions du jour en terrasse, avant une promenade jusqu'en bord de mer, à 10 mn à pied. Billard, petite piscine à l'arrière, chaise bébé, garage à vélo et impressionnant petit dej' avec flan coco et trucs secrets du cuistot ; et pour les curieux, « Barbary Lane », c'est le nom de la maison où se déroulent les *Chroniques de San Francisco* d'Amistead Maupin.

🛏 |●| *Les Huîtrières du Lac* *(plan A2, 1)* : 1187, av. du Touring-Club. ☎ 05-58-43-51-48. Fax : 05-58-41-73-11. ● leshuitrieresdulac@wanadoo.fr ● ♿ Au bord du lac (et de la route). Fermé les dimanche soir et lundi, sauf en saison et en janvier. Chambres de 70 à 80 €. Menus à 19 et 33 €. Possibilité de demi-pension, vivement recommandée en été. La maison est plutôt banale, mais la vue sur le lac, depuis les chambres

ou la salle de resto, mérite qu'on s'arrête, auprès de Céline et Laurent, les nouveaux propriétaires. Réservez suffisamment à l'avance pour être sûr d'avoir une chambre donnant sur l'eau. Que vous dormiez ici ou pas, goûtez les huîtres, la soupe de poisson ou le bar en croûte de sel. Attention aux prix en haute saison. Café offert sur présentation du *GDR*.

🛏 *Chambres d'hôte Ty-boni, Bab et Bernard Boniface* *(hors plan par B2, 2)* : 1831, route de Capbreton, 40150 Angresse. ☎ et fax : 05-58-43-98-75. ● www.ty-boni.com ● À 3 km du centre d'Hossegor. Ouvert toute l'année, mais réservez longtemps à l'avance pour l'été (fin avril, le planning est pratiquement bouclé). Compter de 45 € (hors saison) à 60 € pour 2, petit dej' compris ; tarif dégressif pour un séjour d'au moins 3 nuits. Belles chambres guillerettes et douillettes avec sanitaires privés : une préférence pour celles qui donnent sur le jardin et la piscine. Une nouvelle aile a été ajoutée au bâtiment initial, équipée d'une cuisine indépendante et d'une machine à laver. Belle vue sur le parc et l'étang issu d'une barthe (la patronne vous expliquera). Pas de table d'hôte. Accueil souriant et agréable des proprios et du chien Nouba, dans un cadre fleuri. Chambres à 58 € en haute saison sur présentation du *GDR*.

À Capbreton

Camping

⚠️ *Camping La Civelle* (plan A3, 3) : ☎ 05-58-72-15-11. Ouvert de début juin à septembre. Au plus haut de la saison, compter 15,10 € environ pour 2 avec tente et voiture. Pas tout près de la plage (20 mn à pied), mais on est certain d'être au calme et on a peut-être une chance d'y trouver de la place en dernier recours. Sous les pins, au calme et entouré de verdure. Très bonne tenue générale. Plats cuisinés et épicerie.
– Pour les campings dans la région, on recommande de descendre à 6 km vers le sud, sur Labenne, où l'on trouvera toutes les gammes de camping, en bordure de mer.
– Renseignements à l'*office de tourisme* de Labenne : ☎ 05-59-45-40-99. • www.tourisme-labenne.com •

De prix moyens à plus chic

🏠 *L'Océanide, chambres d'hôte chez Micheline Mallet* (plan A3, 4) : 22, av. Jean-Lartigau. ☎ 05-58-72-41-40. À 800 m de la plage et 300 m du centre-ville seulement (marché au bout de la rue). Ouvert toute l'année. Chambres doubles de 40 à 50 € en haute saison, petit déj' compris. Une bien belle maison pour qui rêve d'un séjour au calme. Plus pour des couples amoureux de la vie que pour une famille se déplaçant avec enfants, chat et belle-maman. Lieu merveilleux, spacieux, avec son beau jardin descendant en pente douce jusqu'à la rivière. Grandes chambres avec terrasse et vue sur ce paysage de rêve. Accès indépendant. En plus, Micheline Mallet se met en quatre pour ses hôtes. Vélos à disposition. Pot de confiture maison offert sur présentation du *GDR* et accueil avec un verre de l'amitié.

🏠 *Hôtel l'Océan* (plan A2-3, 6) : 85, av. Georges-Pompidou. ☎ 05-58-72-10-22. Fax : 05-58-72-08-43 • www.hotelcapbreton.com • 🍴 Ouvert toute l'année. Chambres de 43 à 84 € selon confort et la saison. Face à la capitainerie, un bâtiment des années 1950, à la déco simple, sans charme spécifique à part la vue sur le port pour certaines chambres dotées d'un balcon. Notre conseil : venir plutôt hors saison (prix beaucoup plus économiques) et demander une chambre au 2e étage (ascenseur) pour la vue et être le plus haut possible de cette rue passante (la n° 5 par exemple). Toutes sont très propres. Pizzeria et brasserie au rez-de-chaussée.

🍴 *Le Bistro* (plan A3, 12) : pl. des Basques. ☎ 05-58-72-21-98. Fermé le mardi, le mercredi soir hors saison, le samedi midi, le dimanche, ainsi qu'en octobre et au moment des fêtes de fin d'année. Agréable menu (plat, dessert, boisson et café) à 10 €, servi le midi en semaine. À la carte, compter 25 €. Une jolie surprise que ce petit resto, à l'écart du centre, qui ne paie pas de mine vu de l'extérieur. Le patron, tablier autour du ventre, vous voit arriver de loin, s'il n'est pas en cuisine ou en train de prendre la commande. Ici, vous vous régalez de plats mitonnés avec une juste simplicité, comme le palet de veau au whisky et à la noisette, le saint-marcellin en brioche ou la tarte à l'ananas. Pour patienter, il vous offre une feuille de chou maison, qui vous rendra le sourire (non, ça ne se mange pas !). Un petit détour qu'on ne regrette pas. Conseillé de réserver à l'avance.

🍴 *La Pêcherie Ducamp* (plan A3, 10) : 4, rue du Port-d'Albret. ☎ 05-58-72-11-33. 🍴 Ouvert seulement à midi, et le samedi soir hors saison. Fermé en saison, le lundi, le mardi midi et le vendredi midi en été, en février et 15 jours en octobre. Menus de 21 à 33 €. Directement du poissonnier au consommateur : le rayon poissonnerie est au milieu des tables, les serveuses circulent en bottes et tablier en plastique. Ça plaît beaucoup mais reste tout de même très touristique. Spécialité de *parrillada* (avec 7 variétés de poisson et fruits de mer grillés). Ne soyez pas surpris par les attroupements devant la terrasse. Il y a tellement de menus à lire qu'il faut du temps pour se décider. Attention à l'addition qui a tendance à vite grimper !

|●| *Les Copains d'Abord* (plan A3, 11) : port des Mille-Sabords. ☎ 05-58-72-14-14. Fermé le jeudi hors saison. Menus à 17 € (le midi en semaine) et 29 €. À la carte, compter dans les 28 €. Forte connotation « vacances » dans ce décor aux tons bleu océan, vert des landes et jaune soleil. Une cuisine, tout aussi colorée qui sort de l'ordinaire, avec des plats mijotés et faits à base de produits venus directement de la ferme ou de la mer : jeune agneau en croûte de chorizo, cuisse de poulet fermier farcie au foie gras, moules et chipirons à l'ail... Ambiance musicale. Quelques tables avec belle vue sur le port. Sur présentation du *GDR,* une surprise en fin de repas.

|●| *Le Pavé du Port* (plan A3, 13) : 2, quai de La Pêcherie, port des Mille-Sabords. ☎ 05-58-72-29-28. Fermé le lundi en été, le mardi et le mercredi hors saison ; congés annuels à la Toussaint et du 20 décembre au 20 janvier. Menus à 18 € (en semaine) et 26,50 €. À la carte, compter autour de 30 €. Un classique, qui continue de faire les beaux jours et les belles soirées de Capbreton. Accueil agréable, tables gaies et simples en salle ou sur la petite terrasse fleurie face à la marina. Du poisson excellent car très frais, de bonne qualité et délicieusement cuisiné : lotte à l'ail, canettes aux groseilles... Apéritif maison offert sur présentation du *GDR.*

À Seignosse

De prix moyens à plus chic

🛏 *Chambres d'hôte L'Orée de la forêt, chez Florence et Pascal Froesch :* av. Charles-de-Gaulle (route de Tyrosse). ☎ et fax : 05-58-49-81-31. ● www.loreedelaforet.com ● En sortie de Seignosse-Bourg, route de Tyrosse, indiqué sur la droite dans les champs. Fermé de janvier à mars. Chambres à 60 € (70 € en juillet et août). À l'écart de la route, caché dans un petit bois, une belle maison aux allures anciennes mais aménagée dans un style moderne. Chambres agréables et propres donnant sur la piscine. Cuisine commune à disposition pour des repas sous le patio. Grand parc à l'orée du bois avec pelouse et même un étang pour qui désire pêcher. Accueil des plus serviable, on vous renseignera sur tout dans la région et prêtera des cartes de circuits VTT si besoin.

|●| *Le Cottage* (plan A1, 14) : 1, av. Jean-Moulin. ☎ 05-58-43-31-39. Fermé le lundi et le mardi, sauf en saison et en janvier. Menus de 18 à 29 €. À quelques mètres du lac, une belle bâtisse landaise placée sous les pins où l'on est accueilli avec le sourire en terrasse ou dans la belle salle à la déco « Marine ». Une cuisine de pays simple et agréable avec un grand choix de desserts. Fait également glacier en journée.

|●| *Les Roseaux* (hors plan par A-B1) : route Louis-de-Bourmont, au bord de l'étang Blanc. ☎ 05-58-72-80-30. Fermé pendant les fêtes de fin d'année. Menus à 13,50 et 17 €. Compter 23 € à la carte. C'est déjà la commune de Seignosse, mais comme on est arrivé à l'étang, ce serait bête de se priver de cette vieille adresse longtemps favorite dans le cœur des habitués de la côte sud, qui venaient se cacher ici, dans ce lieu hors du temps, en pensant être les seuls à le connaître. Il y a la vue, inoubliable, sur le lac comme dans l'arrière-salle (!). Poêlée d'anguilles en persillade, foie aux raisins, salmis de palombe avec des frites et de la salade. Kir offert sur présentation du *GDR.*

À voir

À Capbreton

🏃 **Capbreton « cité marine » :** la capitainerie, sur le port (le seul du département), est le point de départ d'un des cinq itinéraires proposés par le SIVOM Côte Sud. Ne manquez pas, de bon matin, la vente de poissons à l'étal des pêcheurs professionnels. Seize ou dix-sept bateaux, aux noms hauts en couleur *(Le Gorille, Vil Coyote, Le P'tit Loup...)* proposent dès 9 h leur pêche du jour. Pas des chalutiers, des fileyeurs (le poisson n'est pas dans le même état, à l'arrivée !). Un spectacle unique, que vous ne verrez ni à Arcachon, ni à Saint-Jean-de-Luz, où la vente à quai n'est pas autorisée... (dérogation datant de Napoléon III).
– Marchez ensuite jusqu'à l'*estacade*, la jetée datant de Napoléon III, longez le front de mer... Pour découvrir le Musée de la mer :

🏃🏃 **Le Musée de la Mer :** casino municipal (au dernier étage), place de la Liberté. ☎ 05-58-72-40-50. ● ecomusee.capbreton@wanadoo.fr ● ♿ Ouvert toute l'année de 14 h à 18 h (de 9 h 30 à 12 h et 14 h à 18 h 30 en juillet et août). Entrée : 4,50 €. Réduction. Compter 1 h 30 de visite. Un agréable musée qui avant tout vaut le déplacement pour sa passerelle et sa vue panoramique sur la mer et le port. La visite comporte une animation au poste de pilotage, explique comment lire des cartes marines, et retrace l'histoire de la pêche à Capbreton. Bel aquarium, collection de coquillages, photos anciennes, et passionnante sensibilisation sur le monde des mammifères marins. Propose également une visite gratuite du port le mercredi matin à 10 h en été.
– Capbreton a su conserver d'autres traces de son passé, même s'il faut savoir les trouver. Ainsi, son église possède-t-elle des fresques intéressantes et des ex-voto émouvants. Un tour de guet permettait de surveiller les déplacements des baleines, qui foisonnaient dans le golfe de Gascogne : les Capbretonnais les poursuivaient jusque dans les « terres neuves »... Profitez-en pour faire un tour au marché (le matin en été), derrière l'église, le long de la rivière *Le Boudigau,* qui suit l'ancien cours de l'Adour (détourné à la fin du XVIe siècle). Promenez-vous dans les ruelles de la vieille ville, avec leurs maisons des XVe et XVIe siècles, dont celle dite du Rey (Henri IV, alors roi de Navarre) pour tenter de retrouver un peu de l'âme du Capbreton du XVIe siècle, quant il était le « port aux Cent-Capitaines »...

À Hossegor

🏃 **Hossegor « l'élégance océane » :** autre ambiance au cœur de cette station réputée pour l'élégance de ses boutiques (d'où le qualificatif gratiné que nous n'avons pu nous empêcher de reprendre ici !) et ses bars branchés. Si vous n'êtes pas accro du soleil, allez jeter un œil sur les splendides villas de style basco-landais 1930 qui se cachent entre lac et mer, au milieu des pins et des chênes-lièges. Belles maisons contemporaines au milieu de quelques bâtisses 1950 préservées. Jetez un œil au beau bâtiment du Sporting Casino.
Ne manquez pas le feu d'artifice au-dessus du lac le 14 Juillet, l'étape de la coupe du monde de surf (Rip Curl Pro) autour du 20 août et le festival des cerf-volants à la fin octobre. Renseignements auprès de l'office de tourisme.

⛱ **La plage :** le long de l'Océan, sur les portions de plages surveillées. C'est là qu'il faut aller. Ne pas se baigner ailleurs. Face au boulevard du front de mer, belle plage, ainsi que près de la place des Landais (face à l'*Hôtel de la Plage*), QG des surfeurs !

⛱ **Le lac :** plusieurs plages sont aménagées autour du lac marin d'Hossegor (plage des Chênes-Lièges, plage Blanche à l'ouest, plage du Parc et plage du Rey à l'est). Sachez qu'on y loue des pédalos et qu'on y pratique la planche à voile. On peut aussi y *déguster des huîtres* en saison. Ceux qui avaient gardé du lac l'image d'une vaste pataugeoire en été seront surpris de découvrir aujourd'hui ces produits de qualité, traités en eau de mer purifiée. Vente sur place (partie nord du lac) d'huîtres creuses et charnues, salées juste assez pour ouvrir la soif, autour de 5 € la douzaine. Et commentaires eux aussi salés de Marinette Lupuyau, qui se bat, avec sa famille, pour préserver cette tradition.

– Matchs de *pelote* et *courses landaises* aux arènes, tous les mercredis en été. Renseignements auprès de l'office de tourisme.

– *Surf :* plage centrale de Hossegor (front de mer). Rendez-vous des surfeurs. Pour les amateurs, un lieu de rendez-vous incontournable : le *Seaside Pub,* 704, av. de la Grande-Dune. ☎ 05-58-41-91-01. Look et esprit surf dynamique, repas tendance australo-landais. On y va pour l'ambiance, pas vraiment pour l'assiette.

À Seignosse

🕯 *Seignosse « cocon de verdure au bord de l'océan » :* Seignosse est le complément d'Hossegor et Capbreton avec ses grands espaces de forêts de pins, ses pistes cyclables ou ses 40 km de sentiers balisés. On mise sur un accueil familial et la nature. L'Office National des Forêts propose d'ailleurs des visites découvertes de la faune et la flore plusieurs fois par semaine en été en collaboration avec l'office de tourisme. Pour tout apprendre sur les palombières, le gemmage...

🕯 *Atlantic Park :* plage de Seignosse. ☎ 05-58-43-15-30 (en saison) ou 05-58-49-89-89. Ouvert de fin mai à mi-septembre. Entrée : 6,50 €. Réductions. Une installation d'eau douce, cachée derrière une dune, avec sa plage et ses transats. Cascades de piscines, toboggans, jets d'eau... Un lieu qui plaira aux plus jeunes. Beaucoup de monde les jours où le drapeau vert ne flotte pas sur la plage.

🕯 *Les étangs Blanc et Noir :* à 2 km au nord de la ville. ☎ 05-58-72-85-76. ● rn.etangnoir@libertysurf.fr ● Accès libre pour les individuels, réservation obligatoire pour les groupes. Possibilité de visites guidées en été. Les deux étangs sont des réserves biologiques étonnantes. Le Noir a même été classé réserve naturelle il y a une vingtaine d'années. On y trouve plus de 400 espèces de plantes. Un véritable éden pour les poissons et les oiseaux. On peut le visiter de mars à octobre grâce aux passerelles qui s'enfoncent dans la végétation sur les eaux du lac.
Évitez quand même d'y aller à la Toussaint. Une légende raconte qu'une cloche fut jetée dans les eaux glauques du lac il y a bien longtemps et qu'elle se fait entendre une fois par an, à cette date. Le hic, c'est que ceux qui l'entendent meurent dans l'année... Ça nous ennuierait de perdre nos lecteurs à cause d'une histoire abracadabrante devant laquelle on reste assez dubitatif ! Mais bon, on ne sait jamais.

➤ DANS LES ENVIRONS DE CAPBRETON, HOSSEGOR ET SEIGNOSSE

🕯 *Les marais d'Orx :* autour de Labenne, à 6 km au sud. Depuis Henri IV, on a toujours voulu assécher ces marais. Seul Napoléon III y parvint. Mais avec le temps, les frais d'entretien étant astronomiques, la nature a repris ses droits sur l'homme, et c'est à nouveau un sanctuaire pour les oiseaux migrateurs, qui trouvent ici un joli lieu pour se reposer. Ils ont plutôt bon goût, les oiseaux ! Depuis 1989, le domaine appartient au conservatoire du littoral et au WWF. Restaurés et aménagés, les 800 ha de marais permettent l'observation et la découverte de la flore et de la faune dans des conditions idéales (des sentiers ont été construits au-dessus des marais). On y trouve par exemple quelques-uns des derniers visons d'Europe. Renseignements : ☎ 05-59-45-42-46. Ouvert toute l'année.

🕴 ***Musée des Miniatures :*** RN 10, 40220 Tarnos. ☎ 05-59-64-20-28. Au sud de Capbreton, à 10 km par la RN 10. Ouvert toute l'année du mercredi au dimanche de 14 h 30 à 18 h 30 (10 h à 19 h en juillet et août). Entrée : 5,50 €. Réductions. Compter 1 h de visite. Un musée-hangar pour les amateurs du genre ou se faire plaisir en famille un jour un peu gris. À découvrir sur 1 000 m² de nombreuses maquettes recensées par un couple de passionné. Quelques pièces amusantes : camions en allumettes, un porte-avion américain à l'identique (1/72ᵉ), la cathédrale de Chartres (jetez un œil à l'intérieur !), la tour de Pise, les bateaux en pâtes alimentaires, Fort Boyard, et une salle dédiée au train miniature avec son TGV, qui à l'échelle, a conservé sa vitesse de croisière.

LE PAYS DACQUOIS

DAX (40100) 20 649 hab.

Pour le plan de Dax, voir le cahier couleur.

La première ville thermale de France doit sa renommée à ses boues curatives. Les curistes affluent au printemps et à l'automne et remplissent les nombreux hôtels. Ça parle cure un peu partout.

Dans la matinée, on peut voir l'incessant va-et-vient de ces minibus qui assurent la navette entre hébergements et thermes, et vice versa. Quelques visites culturelles intéressantes, mais la ville n'est pas vraiment mise en valeur pour l'instant. À quand un nouveau plan de circulation, dégageant le centre et permettant d'aller à pied jusque sur les bords de l'Adour, qui ne sont pas désagréables, bien au contraire ? Dax aurait pu être une jolie ville si l'absence de plan d'urbanisme et une certaine folie des grandeurs ajoutée à la crainte de ne pas être dans le vent, dans les années 1990, n'avait entraîné la démolition d'un bel hôtel et la construction de cubes en béton disparates çà et là dans la ville, pour stocker les curistes. Heureusement, l'été, les allées d'albizzia et de lagerstroemia, les deux arbres fétiches du Sud-Ouest, arrondissent les angles... Par ailleurs, la ville des rugbymen Ibanez, Lacroix ou Albaladejo se voit dotée de belles arènes (8 200 places), nouvellement rénovées, où l'ambiance est garantie à la mi-août lors des ferias.

Le samedi matin, jour de marché, Dax redevient une ville heureuse de vivre, à l'inverse des dimanche et lundi matin, où la ville semble plutôt endormie. Et puis, comme à Mont-de-Marsan, les grandes fêtes patronales font l'objet de réjouissances débridées et d'une sympathique animation diurne et nocturne. À ne pas manquer. Ville fleurie, on a plaisir à sillonner les rues piétonnes, et on apprécie la bonne initiative de la ville d'avoir lancé un programme de ravalement des façades depuis 1999... qui commence à porter ses fruits.

UN PEU D'HISTOIRE

À l'origine, il y avait une cité lacustre habitée par une tribu de chasseurs et de pêcheurs, les Tarbelles. En l'an 56 av. J.-C., sous l'impulsion de Crassus, lieutenant de César, la cité, alors appelée *Aquae Tarbellicae* (les Eaux des Tarbelles), se développa d'abord en tant que poste militaire à l'intersection de voies romaines, puis comme cité thermale. Julie, la fille d'Auguste, serait venue ici soigner ses rhumatismes.

Cette petite ville de province construite sur les bords de l'Adour doit aussi son essor à l'activité portuaire. Située sur le passage des grandes invasions barbares (du Ve au Xe siècle), elle a eu du mal à se relever de ses ruines. Après avoir été sous l'autorité des comtes de Gascogne, elle passa sous la domination anglaise par le mariage d'Aliénor d'Aquitaine et d'Henri Plantagenêt. Et elle le resta pendant trois siècles.

La ville prit doucement son essor quand Richard Cœur de Lion y fit édifier un château (aujourd'hui disparu). Elle résista ensuite aux guerres de Religion et aux troubles de la Fronde. Lieu d'étape pour les grands voyageurs depuis plusieurs siècles, elle accueille au milieu du XVIIe la cour, Anne d'Autriche et Mazarin en tête, en partance pour Saint-Jean-de-Luz et Hendaye afin de signer le traité de paix avec l'Espagne et le contrat de mariage de Louis XIV avec l'infante Marie-Thérèse.

Il faudra attendre ensuite l'apparition du chemin de fer et la construction des premiers établissements thermaux pour sortir Dax de sa léthargie. Aujourd'hui, la ville vit essentiellement du thermalisme, avec une fréquentation annuelle de plus de 55 000 curistes pour 17 établissements thermaux. Et pour les étymologistes, son nom viendrait de Acqs (eau), nouveau nom que lui donnèrent les Anglais pendant leur période d'invasion à la fin du XIIIe siècle, et encore présent sur le blason de la ville.

Adresses utiles

🄸 *Office de tourisme* (plan couleur B1) : pl. Thiers. ☎ 05-58-56-86-86. Fax : 05-58-56-86-80. ● www.dax.fr ● De décembre à mars, ouvert du lundi au vendredi de 9 h 30 à 12 h 30 et de 14 h à 18 h et le samedi de 9 h 30 à 12 h 30 ; d'avril à novembre, du lundi au samedi de 9 h 30 à 12 h 30 et de 14 h à 18 h 30, et le dimanche de 10 h à 12 h et de 15 h à 17 h ; en juillet et août, ouverture toute la journée jusqu'à 19 h. Équipe particulièrement efficace et compétente. Visite commentée de la ville en saison.

■ *RDTL (Régie départementale de transport des Landes)* : 11, av. de la Gare. ☎ 05-58-56-80-80. En face de la gare SNCF. Dessert toute l'année de nombreuses villes du département. De mai à septembre, liaisons régulières pour les stations balnéaires de la côte.

@ *Internet :* pl. Saint-Pierre. Au café *Le Grand Siècle,* un poste (seul et unique en ville) pour consulter ses messages. Compter 2 € les 15 mn.

Où dormir ?

L'activité thermale de Dax explique pourquoi cette ville de quelque 20 000 âmes propose de très nombreuses formules d'hébergement (1 200 chambres d'hôtel), à tous les prix, de styles souvent très différents et de toutes catégories de confort.

Campings

☒ **Les Chênes** (hors plan couleur par A1-2) : en lisière du bois de Boulogne. ☎ 05-58-90-05-53. Fax : 05-58-90-42-43. ● www.camping-les-chenes.fr ● ☒ Fermé de début novembre à avril. Pour une tente, une voiture et 2 personnes, compter autour de 13 €. Très bien situé, sous les arbres, fort bien équipé et prix convenables. Douche chaude, épicerie, restauration sur place, piscine... Plusieurs gammes de mobile homes à la semaine. Cocktail de bienvenue le lundi qui mérite bien son nom.

☒ **Le Bascat** (hors plan couleur par A1-2) : rue de Jouandin, un peu plus loin que *Les Chênes*. ☎ 05-58-56-16-68. Fax : 05-58-56-20-56. ● camping.bascat@wanadoo.fr ● À 1,5 km du centre-ville et près du bois. Fermé de novembre à mi-mars. Compter 10,70 € pour 2 personnes avec voiture et tente. Un camping très bien équipé, et des prix convenables. Location de caravanes et de mobile homes. Restauration et épicerie sur place.

Bon marché

☖ **Résidence La Source** (hors plan couleur par B1, *1*) : 1, rue de la Source. ☎ 05-58-74-25-15. Dans une rue parallèle à l'avenue des Sports. Chambres à 23 €. Cachée par les grands ensembles hôteliers, dans une petite rue calme, une maison blanche aux volets grenat organisée en hôtel (pour ceux qui aiment le bric-à-brac), ou en studios loués à la semaine (de 300 à 460 €). Accueil à l'ancienne, très familial, de Mme Renaud et ambiance de cure d'il y a quelques décennies. Dépaysant en diable ! 5 % de réduction à nos lecteurs.

De prix moyens à plus chic

☖ |●| **Les Champs de l'Adour** (plan couleur A-B2, *8*) : 5, rue Morancy. ☎ 05-58-56-92-81. Fax : 05-58-56-98-61. À deux pas des halles. ☒ (restaurant). Restaurant fermé le lundi soir et le dimanche soir en saison ; le dimanche toute la journée, le mardi soir et le mercredi soir le reste de l'année, ainsi qu'1 semaine à Noël. Chambres doubles de 44 à 47 €. Formule VRP à 45 €. Au restaurant, plats autour de 12 € et entrée ou desserts maison autour de 5 €. Sinon, menus de 13 à 21 €. Un joli petit hôtel, aux allures de maison privée, avec quelques petites chambres, toutes rénovées et calmes (double vitrage). Restaurant au rez-de-chaussée pour goûter une cuisine privilégiant les produits naturels et frais, d'où le nom de l'établissement. Ambiance gentille et décontractée. 10 % de remise sur le prix de la chambre hors saison et apéritif maison offert sur présentation du *GDR*.

☖ |●| **Hôtel Beausoleil** (plan couleur A2, *2*) : 38, rue du Tuc-d'Eauze. ☎ 05-58-56-76-76. Fax : 05-58-56-03-81. ● www.hotel_beausoleil_dax.fr ● ☒ Hôtel fermé de Noël à mi-février ; restaurant fermé les lundi et jeudi soir. Chambres doubles de 39 à 69 €. Premier menu à 12 € sauf le dimanche ; autres menus de 18 à 33 €. Le plus charmant et le plus sympa, sans conteste. Proche du centre mais au calme, cette gentille maison propose 32 chambres familiales et confortables, avec salle de bains et TV. Le genre d'endroit où votre bouteille vous attend sur la table avec serviette dans une pochette. Excellent rapport qualité-prix, qui vaut également pour la cuisine. Vous vous régalerez avec un beau foie gras de canard aux pommes ou un filet de bar aux petits oignons. Pas très régime tout ça mais, diable, on ne soigne pas les surcharges pondérales ici ! Le plus drôle, c'est le cas de le dire, c'est encore d'assister à la soirée-cabaret offerte aux pensionnaires un jeudi par mois ! Apéro ou petit dej' accordé à nos lecteurs sur présentation du *GDR* (sauf fêtes de Dax).

🛏 |●| **Auberge des Pins** (hors plan couleur par B2, 4) : 86, av. Francis-Planté. ☎ 05-58-74-22-46. Fax : 05-58-56-05-62. Un peu excentré, à 15 mn à pied du centre environ. Fermé de mi-décembre à mi-janvier et le samedi de novembre à février. Doubles à 37 € avec lavabo et w.-c. ou douche seule, de 43 à 46 € avec douche et w.-c. ou bains. Demi-pension de 36 à 48 € par personne. Menu à 10,50 € (12,60 € en terrasse !) le midi en semaine ; autres menus de 15 à 22 €. Gros hôtel, récemment repris, dans une maison de style landais avec une vaste terrasse très agréable en soirée. Chambres confortables et prix honnêtes. Accueil commercial. Possibilité de demi-pension intéressante pour qui veut goûter une bonne cuisine à l'ancienne. De novembre à mars, 10 % de réduction accordée sur présentation du GDR.

🛏 |●| **Hôtel-restaurant Le Richelieu** (plan couleur B2, 6) : 13, av. Victor-Hugo. ☎ 05-58-90-49-49. Fax : 05-58-90-80-86. • www.le-richelieu.fr • ⚕ Resto fermé le lundi, le samedi midi et le dimanche soir. Double à 50 €. Menu à 12 € le midi en semaine ; autres menus de 20 à 34 €. Chambres modernes et bien équipées. Pour manger, vous aurez le choix entre la coursive du patio ou une salle chaleureuse aux poutres au plafond. Cuisine de terroir plutôt riche et savoureuse, une table de référence en résumé. Attention au bruit de la boîte de nuit toute proche.

Très chic

🛏 |●| **Grand Hôtel Mercure Splendid** (plan couleur B1, 5) : 2, cours de Verdun. ☎ 05-58-56-70-70. Fax : 05-58-74-76-33. • www.mercure.com • ⚕ Fermé en janvier et février. Chambres doubles avec bains à 95 €. Menus à 25 et 32 €. Ouvert depuis 1928 et totalement Art déco. Établissement classé, aux chambres spacieuses et mobilier d'époque. C'est le rendez-vous luxe des curistes fortunés, des rhumatisants bourgeois. Sacha Guitry et Yvonne Printemps ont joué le jeu. Et c'est ici qu'Hemingway avait l'habitude de boire son cahors coupé d'eau. Immense hall, grand comme celui d'une gare, qui possède un charme un peu bizarre. Pour les curistes, c'est formidable. L'établissement thermal fait partie de l'hôtel. La déco des chambres, si elle n'est pas ancienne, a respecté le style de l'entre-deux-guerres. Adresse des matadors pendant les ferias. Menus largement axés sur le poisson et les spécialités régionales, à prix très corrects, vu le cadre. 10 % de réduction pour nos lecteurs sur les chambres toute l'année (hors ferias).

🛏 **Résidence thermale Les Thermes** (plan couleur A-B1, 7) : 4, cours de Verdun. ☎ 05-58-56-42-42. Fax : 05-58-56-48-10. ⚕ Fermé de décembre à mars. Double à 70 €. Forfaits 3 semaines pour curistes. On aime ou on déteste ce cube construit par Jean Nouvel, qui a remplacé un merveilleux établissement que la ville n'a pas su conserver. Architecture avant-gardiste qui joue avec les volumes et la lumière et vous donnera l'illusion de jouer un remake du Prisonnier. Chambres-studio au mobilier ultramoderne et dotées de tout le confort possible, avec vue sur l'Adour. Centre thermal intégré.

Où manger ?

Bon marché

|●| **La Guitoune** (plan couleur B2, 16) : pl. Roger-Ducos, sous les Halles. ☎ 05-58-74-37-46. ⚕ Service le midi seulement. Fermé le lundi, le dimanche et en février. Plats du jour autour de 8 €. Idéal pour les petits budgets. Venir de préférence le samedi pour partager un moment important de la vie dacquoise. C'est là que se retrouvent, entre les volailles de Chalosse réveillées de bonne heure pour être

amenées à la ville et les commerçants habitués des halles, les Dacquois prenant le prétexte du marché pour casse-croûter entre amis ou en famille. On s'avale une petite omelette aux asperges ou aux champignons (selon la saison) ou une douzaine d'huîtres arrosées d'un blanc de pays comme le tariquet, et on repart, laissant la table à ceux qui attendent leur tour. Apéritif offert sur présentation du *GDR*.

|●| *La Bodega* (plan couleur B1, 17) : 12, pl. Thiers. ☎ 05-58-56-00-99. Au cœur de la ville. Ouvert tous les jours ; fermé en décembre. Formule à 12 € ; sinon, compter autour de 20 €. En terrasse sous les tilleuls ou à l'intérieur dans un cadre basque-espagnol (tant qu'à faire !), bonnes spécialités de viande et de poisson *a la plancha*. Assiettes de tapas, côte de bœuf, morue biscaye, daurade à l'espagnole... Une adresse un poil touristique (qui abuserait de sa position ?) mais plaisante. Digestif maison offert sur présentation du *GDR*.

|●| *Restaurant du Bois de Boulogne* : allée du Bois de Boulogne. ☎ 05-58-74-23-32. Fermé le dimanche soir ; congés annuels en février. Menu espagnol à 17 €. Menu gastronomique landais à 26 €. Nombreuses salades autour de 8 €. Des produits du terroir où l'Espagne pousse un peu sa corne, la devise de la maison résume cet heureux mariage entre les plats espagnols les plus typiques et le meilleur de la gastronomie landaise. Des produits frais de qualité à déguster au calme, sous une terrasse ombragée, certainement une des plus sympas de la ville.

|●| *La Case Créol'* (plan couleur B1, 18) : 3, rue du Cap-Dou-Poun (nom qui signifie en gascon « la Tête du Pont » et s'explique par sa situation ; voilà, vous savez tout). ☎ 05-58-90-87-80. Fermé le lundi et le dimanche. Menu à 11 € le midi. À la carte, compter autour de 18 €. Pour changer d'air durant vos vacances, dégustez ici des spécialités antillaises et réunionnaises. Une cuisine familiale juste épicée comme il faut dans un cadre... vivifiant ! Pour les amateurs de biguine, repas dansant de temps à autre. Accueil sympa et bons cocktails. Concerts de zouk, reggae et salsa une fois par mois. Digestif maison offert sur présentation du *GDR*.

Prix moyens à plus chic

|●| *La Table de Pascal* (plan couleur B2, 10) : 4, rue de la Fontaine-Chaude. ☎ 05-58-74-89-00. Fermé le lundi et le dimanche ; congés 3 semaines en mars et 15 jours en octobre. Compter autour de 25 € le repas à la carte. Un petit bistrot dans un décor bistrot servant une bonne cuisine de... bistrot. Menus sur ardoise avec des plats de copains qu'on vient grignoter à midi avec un client ou le soir avec une amie. *Piquillos* farcis à la morue, parmentier de canard, *axoa* d'Espelette, aiguillettes de canard farcies au foie gras, etc.

|●| *Restaurant Lou Balubé* (plan couleur B1, 14) : 63, av. Saint-Vincent-de-Paul. ☎ 05-58-56-97-92. ⚒ Fermé le mercredi et le jeudi soir, et autour de Noël. Menus de 16 à 23 € et à 10 € le midi en semaine avec vin et café. Balubé pour... Baptiste, Lucas, et Bérénice, prénoms des trois enfants des nouveaux patrons de ce petit resto bien sympa qui au-delà de servir une agréable cuisine, a aussi le mérite d'être ouvert le dimanche, chose (très) rare à Dax. Accueil souriant de Valérie, déco printanière, et pain servi tiède. Assiettes garnies de belles tranches de viande ou d'un steak de thon accompagnés de légumes frais. Patrick aux fourneaux réalise des plats efficaces qui deviennent plus originaux quand on commande à la carte. Ici, on est aux petits soins avec vous, et l'on a bien aimé cette nouvelle adresse en ville.

|●| *L'Amphitryon* (plan couleur B2, 13) : 38, cours Gallieni. ☎ 05-58-74-58-05. Fermé le lundi midi, le samedi midi, le dimanche soir, 15 jours début janvier et du 25 août au 5 septembre. Menus à 20, 26 et 37 €.

« Un amphitryon est un hôte qui offre à dîner », peut-on lire dans le dictionnaire. C'est ce que réussit à faire remarquablement Éric Pujos dans une petite salle au décor clair, moderne et sobre. Des plats de terroir réinventés, comme la salade de gambas au foie gras ou les chipirons sautés *a la plancha*. Service prompt et souriant sous la houlette de Madame. Apéritif maison offert sur présentation du *GDR*.

|●| *El Mesón* (plan A2, 12) : 18, pl. Camille-Bouvet. ☎ 05-58-74-64-26. Fermé le lundi midi, le samedi midi et le dimanche ; congés annuels une semaine en avril, la 2ᵉ quinzaine d'août et de Noël au Nouvel An. Compter un minimum de 25 € pour un repas complet. L'Espagne, la vraie, autant dans le décor que dans la cuisine : assiette de vrai jambon *jabugo iberico,* chipirons poêlés, turbot entier *a la plancha,* plats au piment d'Espelette (signaler « relevé » pour ceux qui aiment, les plats étant souvent doux en raison de la clientèle de curistes), gaspacho, et des pibales en saison de pêche.

Et si vous avez seulement envie de grignoter, mettez-vous au comptoir pour les tapas en pagaille avec un verre de vin espagnol ou une délicieuse sangria *mesón*. Assiette copieuse mais vigilance sur certains prix. Dommage que les desserts ne soient pas maison.

🛏|●| *Marrakech – Le Grand Soleil* (hors plan couleur par B2, 19) : 88, av. F.-Planté. ☎ 05-58-74-02-78. Dans le quartier du Gond. Fermé le dimanche soir. Menus à 16 et 23 € et formule à 10 € en semaine. Vraiment exotique, avec son cadre comme là-bas, sa cuisine authentique (couscous roulé à la main, tajines, pastillas) qu'il vous faudra prendre le temps de déguster, et surtout ses drôles de chambres d'hôte dans le genre landais décalé que Fabrice et William proposent entre 35 et 65 € la double. Forfait en demi-pension possible pour les pèlerins sur la route de Compostelle. Service en terrasse idéal en été. Et cérémonie du thé pour finir la soirée.

Où dormir ? Où manger dans les environs ?

⚕ *Camping de l'Étang d'Ardy :* route de Bayonne, 40990 Saint-Paul-lès-Dax. ☎ 05-58-97-57-74. Fax : 05-58-97-52-82. ⚕ De Dax, prendre la route qui longe l'Adour, puis, après le rond-point, passer sous un pont et suivre la petite route jusqu'à la lisière de la forêt ; attention, les pancartes sont assez difficiles à voir. Fermé de début novembre à fin mars. Pour 2 personnes avec voiture et tente, compter dans les 15 €. Au milieu de 9 ha de chênes et de châtaigniers, au bord d'un lac. Location de mobile homes, de chalets. Certains emplacements (un peu plus chers) ont des sanitaires individuels. Accueil sympa.

🛏 *Gîte Les Fioretti :* 304, route du Boudicq, 40180 Goos. ☎ 05-58-98-55-01. ● www.monsite.wanadoo.fr/fioretti ● À 13 km à l'est de Dax par la route de Monfort-en-Chalosse. À Hinx, prendre sur la gauche vers Goos. Location à la semaine de 305 à 685 € selon la saison. Capacité de 5 personnes. Possibilité de formule week-end ou à la nuit hors saison. Bienvenue chez les Morin qui ont réaménagé tout récemment cet ancien dortoir de religieuses dans un style raffiné et élégant. Grandes chambres. Perdu dans la verdure, au calme, avec piscine, jardin, jeux pour enfants, vélos... Mieux vaut réserver, conseil de routard.

🛏 *Chambres d'hôte Les Sables, chez Nicole et Jacky Aubert :* 40990 Gourbera. ☎ 05-58-91-51-35. ● mathieu.aubert@wanadoo.fr ● À 10 km au nord de Dax par la route de Castets. Gourbera est indiqué sur la droite au bout de 7 km. Dans le village. Chambres doubles avec petit déj' à 46 €. Une bien belle maison landaise comme on peut les imaginer, avec sa piscine, son petit parc et ses belles chambres aux teintes douces et pastel. Accueil sympa de la famille... Les amateurs de Jeep apprécieront de découvrir l'ancien modèle des propriétaires.

🏠 |●| *Les Jardins du Lac* (hors plan couleur par B1) : 1, allée de Christus, 40990 Saint-Paul-lès-Dax. ☎ 05-58-91-43-43. Fax : 05-58-91-34-12. ● jardinsdulac@wanadoo.fr ● Chambres doubles de 76 à 87 €. Demi-pension de 56 à 67 € par personne. Menus de 14,50 à 30 €. De Saint-Paul, prendre la route de Bayonne. Suivre « Christus », c'est au bout de la route. Le nom est joli et pourrait prêter à confusion. Rien à voir avec une vieille maison de charme, mais voilà un hôtel moderne pratique et confortable, à quelques mètres du lac de Christus, qui ne manque pas de charme à sa façon, avec sa piscine, son bout de jardin et ses grandes chambres. Demander les chambres aux derniers étages avec vue sur le lac. Accueil très poli. Cuisine traditionnelle familiale pour qui ne voudrait plus quitter les lieux. Forfait semaine intéressant (les thermes sont à 300 m). 10 % sur le prix des chambres toute l'année

(hors août) sur présentation du *GDR*.

|●| *Auberge La Chaumière* (hors plan couleur par B1, 15) : quartier Hardy, route de Bayonne, 40990 Saint-Paul-lès-Dax. ☎ 05-58-91-79-81. Fermé le dimanche soir, le lundi soir, le mardi et la 1re quinzaine de décembre et celle de janvier. Menu à 15 € le midi ; autres menus à 25 et 30 €. Jean Labrit dirige ce temple pour aficionados entièrement dédié aux *toros* et aux *matadors*. Mais cette adresse, on l'aime surtout pour le côté chaleureux de son décor rustique : poutres au plafond, vaisselier, cheminée... et encore plus pour sa cuisine. On est dans l'authentique pur jus landais : noix de ris de veau poêlée aux cèpes, tourtière de foie gras aux pommes miellées, gasconnade de palombe aux cèpes, *sopa de mariscos* (velouté de tourteau). On est sûr de ne pas ressortir la faim au ventre. Accueil et ambiance bon enfant. Apéritif maison offert sur présentation du *GDR*.

À voir

🏛 *Le parc Théodore-Denis* (plan couleur B1) : bordé sur sa gauche par le fleuve et sur sa droite par les remparts gallo-romains. Dax n'a conservé qu'une toute petite partie de ses remparts édifiés au IVe siècle. Ils délimitaient la ville sur 1 465 m (38 tours) et constituaient une enceinte de 4 m d'épaisseur, d'une dizaine de mètres de hauteur. La démolition des remparts au XIXe siècle ouvrira la ville sur ses faubourgs.
Au fond du parc furent édifiées en 1913 les arènes. D'une capacité de plus 8 000 places, elles sont le théâtre de tous les spectacles tauromachiques : courses landaises, corridas espagnoles et portugaises. Découvrez, en passant par la conciergerie (bd Paul-Lasaosa), le patio de caballos et la chapelle des toreros.

🏃 *La source chaude* (plan couleur B1-2) : entourée d'arcades, elle est incontournable ! Inutile de vous rappeler que l'eau y coule à 64 °C (attention, sa brûle !), que les Romains l'utilisaient déjà, que les Dacquois s'en servaient pour cuire leurs œufs et plumer leurs volailles (!), que son débit est de 2 400 m^3 par jour et qu'elle se place ainsi au sommet du top 50 des fontaines d'eau chaude de France. On l'appelle également la source de la *Nèhe,* du nom d'une déesse des eaux. L'émergence des sources de Dax résulte d'une faille datant de l'époque d'érection des Pyrénées. On est en présence d'un circuit souterrain où la température élevée de l'eau est acquise à une grande profondeur (2 000 m).

🏛 *Le musée de Borda* (plan couleur B2) : 27, rue Cazade. ☎ 05-58-74-12-91. Ouvert de 14 h à 18 h. Fermé les lundi, dimanche et jours fériés. Entrée : 2,50 €. Billet jumelé pour musée, crypte et chapelle des Carmes : 3 €. Gratuit pour les enfants et les étudiants. Compter 1 h de visite. Il est installé dans un hôtel particulier du XVIIe siècle. Plusieurs sections intéressantes sont réunies. Dans la partie « préhistoire », une série d'étonnantes sculptures de bronze découvertes lors des fouilles des halles de Dax, pendant lesquelles on mit au jour un exceptionnel ensemble d'objets de la période gallo-romaine. Vitrine de monnaies diverses, salle consacrée à la tauromachie et à la course landaise : tableaux, affiches anciennes, historique... Les amateurs d'insolite s'arrêteront, songeurs, devant les souvenirs africains d'un ancien maire de la ville, faisant face à des instruments de physique d'aspect mystérieux, mis au point au XVIIIe siècle par le savant Jean-Charles de Borda, natif de la ville.

On peut visiter également, tous les jours à 16 h (de février à novembre), en compagnie d'un guide, la crypte archéologique (fascinantes fondations d'un temple romain du IIe siècle), située juste en face. De ce temple, qui fut un monument majeur de la ville avant d'être détruit dans un incendie au IIIe siècle.

Pour ceux qui ont encore un peu de temps, visite de la *chapelle des Carmes* (d'avril à novembre), devenue un centre d'exposition pour les œuvres de Léon Gischia, dacquois d'origine.

🏛 *Musée Georgette Dupouy :* 25, rue Cazade. ● www.gdupouy.fr.st ● ♿ Ouvert tous les jours de 14 h à 18 h. Entrée : 2,30 €. Gratuit pour les moins 18 ans. Tout près du musée de Borda, un petit espace touchant, en l'honneur de cette artiste décédée en 1992, qui avait côtoyé un grand nombre de peintres célèbres, dont Utrillo. Aujourd'hui, son âme créative perdure à travers cette collection, la plus importante en France : nature morte, scènes de Paris, d'Italie, peintures mystiques...

🏛 *La cathédrale (plan couleur B2) :* construite au XVIIe siècle dans un style classique d'après des plans de Vauban... pour n'être achevée qu'en 1894 ! Façade mastoc, pas jolie. Intérieur vaste, style jésuite et tristounet. Autel baroque italien, splendide buffet d'orgue et étonnantes stalles du XVIe siècle dans le chœur, sculptées de curieuses scènes de monstres aux positions bizarroïdes. Mais le clou de la cathédrale est le portail placé dans le bras gauche du transept. Seul reste de la cathédrale précédente qui s'écroula par manque d'entretien, il date du XIIIe siècle. Il fut installé à l'intérieur de l'église pour le protéger. Tympan et voussures gothiques richement sculptés. On y voit les apôtres, ainsi que des scènes bibliques où les bons s'en sortent bien et les méchants se font bouffer par des monstres. Un véritable feuilleton de série B. On verra encore le Christ et, sur le tympan, la Pesée des âmes ! Quelques tableaux de bonne facture du XVIe siècle, comme L'Adoration des bergers. Par la porte des Apôtres, récemment ouverte, gagnez la place de la cathédrale, joliment aménagée, qui vous racontera à sa façon, par la pierre et par l'eau, la légende de la cité. Nombreuses et agréables rues piétonnes à proximité.

🏛 *Le musée de l'ALAT et de l'Hélicoptère (Aviation Légère de l'Armée de Terre) :* 58, av. de l'Aérodrome. ☎ 05-58-74-66-19. ● aamalat@wanadoo.fr ● ♿ Sur la base de l'Alat. À la sortie de la ville, route de Peyrehorade. Ouvert de 14 h à 18 h, de février à novembre. Fermé les dimanche et jours fériés. Entrée : 5 € ; réductions. Beaux spécimens d'avions et d'hélicoptères de combat anciens, sur plus de 2 000 m² d'exposition. Unique en son genre, un musée passionnant pour les passionnés des Piper-Club ou H-21 « Banane volante ».

🏛 *Le parc du Sarrat :* rue du Sel-Gemme. ☎ 05-58-56-86-86 (office de tourisme). Fax : 05-58-74-00-47. Visites guidées mais décontractées les mardi, jeudi et samedi à 15 h 30 précises ; rendez-vous devant la grille du parc. Fermé en hiver. Entrée : 3,50 €. Ce jardin botanique est un compromis intelligent entre le style classique (jardin à la française) et le style paysager. Ce site exceptionnel, véritable conservatoire naturel, regroupe sur plus de 3 ha,

1 245 arbres de 27 familles différentes, pour la plupart locales, et à découvrir au fil des saisons.

À faire

– **Le complexe thermal de Borda** (plan couleur A2) : 30, rue des Lazaristes. ☎ 05-58-74-86-13. On peut y visiter l'établissement thermal, c'est un des plus beaux : tous les jours sauf le dimanche, de 14 h 30 à 17 h 30. Entrée payante et pas donnée (6,20 € l'heure). Détente aquatique en piscines de loisirs, piscine intérieure climatisée et piscine extérieure en eau chaude, bains californiens, cascades, jacuzzi, rampes de massage, nage à contre-courant (fortiches, ici !), relax et banquettes bouillonnantes... Le paradis ou presque, pour les amateurs. Bassins ouverts pour qui veut essayer, de fin février à début décembre, du lundi au samedi de 15 h à 20 h.

– **Le casino de Dax** (plan couleur A1) : 8, av. Milliès-Lacroix. ☎ 05-58-58-77-77. Ouvert de 11 h à 3 h (4 h les vendredi et samedi). On y joue bien sûr, mais à ceux qui ne veulent pas perdre la boule, il offre bien d'autres choses. Bar, restaurant (belle terrasse l'été), spectacles, galas, etc. C'est le tout dernier établissement : remplace celui édifié en 1891, qui brûla en 1926 et à son successeur, *L'Atrium Casino* (dont les architectes furent ceux du paquebot *Normandie* et de la salle Pleyel à Paris). Seule la salle de spectacle de ce dernier est encore en usage aujourd'hui. Animation le dimanche : thé dansant de 15 h à 18 h. Entrée : 8 €. Le samedi soir, buffet *fiesta,* musique *live* (20 €).

Marchés et brocante

– **Marchés traditionnels** : le samedi matin, volailles, fromages, fruits et légumes sous le marché couvert, place Camille-Bouvet ; étals divers place Roger-Ducos. Le dimanche matin, place Camille-Bouvet seulement.
– **Marché au gras et à la volaille** : le samedi matin, de 7 h à 12 h sous les halles. À ne pas louper. Oies et canards viennent à la foire avec leurs foies. Un beau spectacle, ma foi. Et l'on peut s'attabler au milieu, spectacle garanti (voir « Où manger ? *La Guitoune* »).
– **Brocante** : chaque 1ᵉʳ jeudi du mois, sous le marché couvert.

Où acheter de bons produits ?

☙ **Les véritables madeleines de Dax** (plan couleur A-B1) : 6, rue Fontaine-Chaude. ☎ 05-58-74-26-25. • www.madeleine-dax.com • Ouvert du lundi au samedi de 8 h 30 à 12 h et de 14 h à 19 h. Une recette que l'on se transmet, chez les Cazelle, de génération en génération. Ces madeleines sont fabriquées tous les matins avec des produits frais et naturels et vendues dans des boîtes à l'ancienne, dans cette boutique familiale, qui a gardé son charme d'antan. Unique point de vente.
☙ **La Tourtière** (plan couleur B2) : 12, rue Saint-Vincent. ☎ 05-58-74-00-75. Ouvert du lundi au samedi de 7 h à 19 h 30 et le dimanche de 8 h à 12 h. Congés en février. La spécialité de la maison est facile à deviner et, dirait-on à la voir fabriquer, facile à réaliser. Encore faut-il avoir le coup de main. De cette pâte très fine, posée en couches, on tapisse le moule, puis on intercale entre les lamelles de fines tranches de pommes ou des pruneaux. Sucre. Cuisson. Quand les lamelles du dessus sont bien dorées, on arrose d'armagnac et on déguste tiède. Un régal.

Fête et festivals

– **Festival Paso-Passion :** début août. Un temps fort mettant en scène la musique taurine et le paso doble. Il se déroule dans les arènes, à l'endroit même où, sur ces mêmes airs, quelques jours plus tard, des *toreros* affronteront les taureaux dans un combat passionné. La passion est le fil conducteur de toute la manifestation, et participe à l'envoûtement de cette musique.

– **La Feria :** autour du 15 août. L'événement dacquois à ne manquer sous aucun prétexte. La cathédrale de Dax étant dédiée à Marie, c'est autour du 15 août que tout se passe ici. Autrefois fête chrétienne, cette manifestation a fait depuis l'objet de débordements païens. La *feria* constitue ici un temps hors du temps, un des moments forts de l'année. 6 jours et 6 nuits pendant lesquels la vie quotidienne reste suspendue, pour ne laisser place qu'à la fête avec un grand « F ». Fanfares, groupes folkloriques, *bandas* et *tunas* s'ajoutent aux applaudissements du public et aux acclamations des aficionados en rouge et blanc, tenue de rigueur.

À l'aube du premier jour, la ville retient son souffle. Les bars et restaurants déploient comptoirs et terrasses à n'en plus finir et le maire livre les clés de la ville aux jeunes en leur recommandant d'en faire bon usage. Le dernier soir, lorsque les bombes du feu d'artifice auront explosé, ils rendront les clés.

S'il est parfois difficile de trouver à se loger à pareille époque, on peut toujours camper, gratuitement, sur les bords de l'Adour. Des sanitaires sont même installés pour l'occasion, ce qui, en ces temps de libation, n'est jamais un luxe...

– **Festival Toros y Salsa :** en septembre. Cette manifestation résulte de l'heureux mariage de la tauromachie espagnole et de la musique afrocubaine, cette dernière ayant pris, en quelques années, autant d'importance que la première. Une « re-fête », comme on dit dans les villages, pour célébrer la fin de l'été, durant trois jours et trois nuits, dans le parc Théodore-Denis.

– Plus de renseignements sur ces festivités auprès du service culturel de la ville au ☎ 05-58-56-80-07.

➤ DANS LES ENVIRONS DE DAX

🏃 **Maison de Pierre Benoit « La Pelouse » :** 650, av. Pierre-Benoit, 40990 Saint-Paul-lès-Dax. ☎ 05-58-91-09-63. Ouvert du mardi au vendredi de 14 h à 18 h, avec visite guidée à chaque début d'heure. Fermé de mi novembre à mai. Entrée : 5,40 €. Réductions. En sortie de Saint-Paul, route de Castets (indiqué). L'auteur à succès de l'entre-deux-guerres, Pierre Benoit, résidait dans cette belle maison où il venait chercher l'inspiration. L'action d'un de ses plus célèbres romans *Mademoiselle de la Ferté* se situe d'ailleurs ici. Visite guidée intéressante pour mieux apprendre et connaître l'environnement de l'ancien Académicien.

🏃 **Le berceau de saint Vincent de Paul :** à 6 km au nord de Dax par la N 124 puis la D 27 sur la gauche. Athées s'abstenir. C'est dans cette petite demeure à colombages mais reconstituée de toutes pièces que saint Vincent aurait vécu. Pas grand-chose à voir, mais d'adorables religieuses vous racontent la vie du saint. À côté, une église a été édifiée en style néo-byzantin. Pas super. En face, une grange où est présentée une vidéo sur saint Vincent de Paul. Tout à côté, **Notre-Dame-de-Buglose,** célébrissime lieu de pèlerinage, dont l'église est dotée d'un exceptionnel carillon de 60 cloches grâce à un évêque du diocèse, originaire du Nord de la France, terre de carillons. Pour les jours et horaires des auditions du carillon, ☎ 05-58-56-86-86 (office de tourisme de Dax).

PEYREHORADE

(40300)   3210 hab.

Au cœur du pays d'Orthe, carrefour entre le Béarn, la Chalosse et la forêt des Landes. Peyrehorade (« Pierre trouée »), pays du saumon, au club de rugby centenaire, dominé par les ruines du château d'Aspremont, arrosé par les Gaves réunis, constitue une délicieuse halte aux frontières du département. On est bien aux portes du Pays basque, car ici, se dressent les premiers murs de pelote. La cité eut longtemps une vocation portuaire, puisque denrées et textiles y transitaient. Aujourd'hui, il faut assister à son souriant marché du mercredi matin, actif depuis 1358 !!... Et demander Mme Erbin, pour déguster le midi ses fameux pieds de cochon.

Adresses utile

🛈 **Office de tourisme de Peyrehorade et du Pays d'Orthe :** 147, av. des Evadés (le long des Gaves réunis). ☎ 05-58-73-00-52. Fax : 05-58-73-16-53. ● ot-peyrehorade@wanadoo.fr ● Ouvert toute l'année du mardi au samedi de 9 h 30 à 12 h 30 et de 14 h à 17 h 30 (14 h 30 à 18 h en été). Accueil charmant et compétent. À disposition de nombreuses idées de balades à pieds ou en VTT dans les environs.

Où dormir ? Où manger ?

🛏 **Chambres d'hôte chez Claudine Lescoulié :** 174, rue Alsace-Lorraine. ☎ 05-58-73-09-86. À deux pas du marché. Chambre double à 40 €, petit dej' compris. Dans ce village qui a perdu l'espoir, semble-t-il, de retrouver une hostellerie-restauration digne de ce nom, il faut saluer l'initiative de la propriétaire d'une des vieilles maisons du centre, qui loue ses jolies chambres du deuxième aux hôtes de passage. C'est appréciable sur tous les plans, mais ça s'adresse avant tout à des couples ou à des amoureux de l'ancien, qui respecteront la tranquillité du lieu et l'ordonnancement des pièces. Salle de bains commune. Café, un petit dej' par chambre et une petite boîte de foie gras offerts sur présentation du guide de l'année.

🛏 ▐●▌ **Hôtel-restaurant Central :** pl. Aristide-Briand (face à l'église). ☎ 05-58-73-01-44. Fax : 05-58-73-01-56. Ouvert toute l'année. Chambres double à 61 €. Menus à 15 € le midi en semaine, puis de 23 à 40 €. Cet ancien relais de poste récemment repris, en plein centre, mérite un arrêt : chambres propres et convenables, cuisine de terroir à la fois élégante et originale, comme cette tête de veau sauce corail d'oursin et ou le cabillaud à la menthe.

Où dormir ? Où manger dans les environs ?

🛏 **La Vieille Auberge :** à Port-de-Lanne (40300). ☎ 05-58-89-16-29. Fax : 05-58-89-12-89. ⅃ (pour une chambre). Ouvert du 15 mai au 30 septembre. Doubles de 50 à 69 €. Demi-pension possible. Comme son nom l'indique, une adorable vieille auberge avec ses pierres, ses boiseries, ses meubles, son atmosphère et la gentille attention des patrons (ils vous raconteront tout sur leur auberge, qu'ils pensent être la plus ancienne d'Aquitaine). Beau jardin avec piscine aménagée à l'arrière de la maison. Hmm, ça respire une qualité de vie ici ! Belles chambres à l'ancienne dans la maison ou beaux bungalows indépendants à l'arrière. Recommandé de réserver. Pour ceux qui restent quelques nuits, le patron, qui est né ici, propose une visite gratuite et commentée de son petit musée privé des traditions locales.

|●| **Auberge de Piet :** 40390 Sainte-Marie-de-Gosse. ☎ 05-59-56-32-08. 🐾 De Peyrehorade, N 117 vers Bayonne ; après le pont de Port-de-Lanne, tourner à gauche et longer l'Adour sur 4 km. Fermé de mi-octobre à mi-février. Premier menu à 10,67 € ; autres menus à 16 et 25 €.

Réservation nécessaire. Petite auberge traditionnelle au bord de l'Adour (par beau temps, vous pourrez même manger sur la barge devant). Bonnes spécialités régionales comme le magret de canard aux pêches ou les pibales à l'espagnole. Spécialités de poisson de rivière : lamproie, anguille, alose, saumon de l'Adour, etc. Apéritif maison offert sur présentation du *GDR*.

À voir

🏃 **Le château dit de Montréal ou des vicomtes d'Orthe :** ne se visite pas puisqu'il a été transformé en mairie. Au passage, on pourra tout de même admirer ce logis aux quatre grosses tours et sa belle grille de fer forgé. Fiche pour un agréable circuit pédestre (1 h) disponible à l'office de tourisme.

🏃 **Les ruines du château d'Aspremont :** au sommet d'un mamelon dressé derrière le village, ces ruines offrent un superbe panorama sur la région.

➤ DANS LES ENVIRONS DE PEYREHORADE

SORDE-L'ABBAYE (40300)

Très belle abbaye, plusieurs fois remaniée au cours des siècles, dont le style dominant était roman. Plusieurs édifices sont à visiter : l'église, les ruines de l'abbaye derrière (porte à gauche de celle de l'église), dans lesquelles se trouvent des vestiges gallo-romains, et le monastère. Ce village est par ailleurs celui qui produit le plus de kiwis en France (!) avec plusieurs centaines de producteurs.

Où dormir ? Où manger ?

🛏 **Chambres d'hôte Maison Cantin, chez Christiane Riutort :** rue Lesplaces. ☎ 05-58-73-28-68. À partir de 38 € pour 2, petit dej' compris. Grande maison du XVIIIe siècle avec beau parc paysager et piscine. Quatre chambres correctes, aux noms de fruits exotiques (la patronne est incollable sur le kiwi !), récemment rénovées, avec cabinet de toilette ; salle de bains et w.-c. communs. Accueil agréable. Demandez à voir la mosaïque en marbre réalisée par des artistes de Ravennes. Café offert à nos lecteurs.

|●| **Auberge de l'Abbaye – Chez Cazaux :** pl. de l'église. ☎ 05-58-73-

08-90. Ouvert tous les jours sauf le samedi hors saison. Menus complets et copieux à 10 € le midi en semaine, puis à 13 et 20 € avec viande de la région. *Chez Cazaux,* c'est un peu le poumon du village... Bar, resto, boulangerie, cartes postales... On est polyvalent ici ! Côté repas, on choisira la salle du fond si on est pressé, pour la formule « ouvrier » en table commune, ou l'autre salle, plus cossue, pour un vrai marathon culinaire. Une cuisine franche dans une ambiance bonne franquette, avec pour spécialités en dessert, la fleurette à l'ancienne ou le moinillon de Sorde.

À voir

🕊 **L'église :** remarquable surtout pour les chapiteaux sculptés des absidioles où l'on découvre, taillés dans la pierre, *L'Arrestation du Christ, Daniel dans la fosse aux lions,* une *Nativité* et *La Présentation au Temple.* L'église fut malheureusement profondément remaniée au XIXᵉ siècle. Noter encore, dans le bras droit du transept, le balcon réservé aux malades. Intéressante maquette reconstituant le bâtiment (abbaye, église et cloître) au XVIIIᵉ siècle, avant sa destruction.

🕊🕊 **Monastère et abbaye bénédictine de Sorde :** ☎ 05-58-73-60-03. Ouvert tous les jours de 10 h 30 à 12 h et de 14 h 30 à 18 h 30. Entrée : 2 € (gratuit pour les moins de 12 ans). Environ 30 mn de visite, libre ou guidée que l'on recommande. Classée au patrimoine mondial de l'Unesco, cet édifice pour être resté des années à l'abandon, semble encore trop méconnu. À tort, car même si la visite est assez rapide, vu la taille des bâtiments, on y découvre un jardin médiéval, une salle capitulaire avec des stèles celtes, une magnifique vue depuis la terrasse sur l'île aux kiwis et le gave d'Oloron avec ses hérons et autres aigrettes. Mais surtout, on découvre une façade du XVIIᵉ siècle et un cryptoportique (galerie souterraine) avec une grange batelière (il n'y en a que deux en France, l'autre se trouvant à l'abbaye de Haute-Combe en Haute-Savoie). Le site est fleuri aux beaux jours et bien frais les jours d'été. Et dire qu'il n'y a pas encore si longtemps, c'était une ancienne champignonnière !

Des concerts de musique classique y sont organisés en juin dans le cadre du festival des abbayes, qui se déroule dans les différents édifices religieux de la région. ☎ 05-58-90-99-09.

SAINT-ÉTIENNE-D'ORTHE (40300)

Dans ce village tranquille, on pourra faire halte pour visiter un élevage de canards, déjeuner ou aller rendre visite à un sabotier.

Où dormir ? Où manger dans les environs ?

🛏 |❨| **Restaurant Peyres :** dans le village. ☎ 05-58-89-16-06. 🍴 Ouvert tous les soirs en saison, seulement le week-end hors saison. Chambres doubles à 31 et 35 €, petit dej' compris. Menus sur commande, de 20 à 26 €. On vous conseille cette adresse pour son foie aux raisins et champagne, son saumon grillé et ses anguilles persillade. Et les crêpes soufflées en dessert ! Quelques chambres pour qui ne veut plus faire de kilomètres supplémentaires. Accueil irrégulier. Apéritif maison offert sur présentation du *GDR*.

|❨| **Chambres et table d'hôte La Ferme du Brouquet, chez Michelle et Jean-Louis Guillaume :** 1262 route du Vicot, 40230 Saint-Jean-de-Marsacq. ☎ 05-58-77-78-94 ou 06-20-83-13-26. ● www.brouquet. com ● Ouvert toute l'année. Chambres doubles à 50 €. Repas sur réservation à 18 €. « La fête est le plaisir des fous... Le plaisir est le bonheur des sages ! », telle est la devise de cette très belle maison, à l'écart, au calme et décorée avec goût et soin par madame. Chambres spacieuses, aux couleurs vives, et petit salon commun pour la télé. On s'occupe de vous jusque dans le moindre détail, au point que chaque hôte a sa paire de chaussons réservée. Par contre, on ne fume pas à l'intérieur. Les propriétaires, grands voyageurs, ont envie de faire partager leur passion pour cette région et cette ancienne métairie, merveilleusement située pour sillonner la région.

À voir

🦆 *L'élevage de canards du moulin de Miremont :* visite à 6 h 30 ou à 18 h 30. ☎ 05-58-89-14-59. Le foie de ces pauvres volatiles donnera le succulent foie gras que l'on pourra acheter après la visite. Dieu que ce monde est cruel, mais la chère délicieuse !

🦆 *L'atelier du sabotier :* depuis 7 générations, la famille Labarthe donne dans le sabot. ☎ 05-58-89-16-81. L'après-midi en semaine, on peut voir l'artisan façonner les sabots, ainsi que le « plus grand sabot d'Occitanie » (3,60 m sur 1,04 m pour 1,5 t). Bon accueil et visite sympa pour les enfants. Petite boutique à côté.

HASTINGUES *(40300)*

Village créé par les Anglais au Moyen Âge et auquel le Prince Noir a donné le nom de la célèbre bataille gagnée par Guillaume le Conquérant. La minuscule bastide, absolument charmante, est caractérisée par sa porte, sa grosse tour rectangulaire par laquelle on accède à la rue principale, son ruisseau axial et les adorables maisons qui la bordent. La placette est, elle aussi, bien encadrée de demeures dignes d'intérêt avec porche, façade Renaissance et mairie aux allures de maison de maître.

À voir. À faire

🏛 *L'abbaye d'Arthous :* sur la commune d'Hastingues. Cette ancienne abbaye fondée au XIIe siècle a longtemps fait partie d'une exploitation agricole. Théoriquement ouverte de 9 h à 12 h et de 14 h à 18 h, sauf le mardi et les jours fériés. ☎ 05-58-73-03-89. Visite libre. Elle fut dévastée au XVIe siècle par les Espagnols. Les seuls éléments intéressants à l'extérieur sont le chevet et les absidioles qui présentent quelques chapiteaux sculptés. Depuis 2003, un musée interactif a ouvert, expliquant de façon ludique l'origine et l'histoire du site (3 € ; fermé le lundi).
Les vastes travaux de restauration entrepris sur l'église Sainte-Marie et les bâtiments conventuels ont permis une véritable réouverture de l'abbaye depuis l'été 2002. Un Centre d'éducation au Patrimoine a aussi ouvert.
⛺ 🏠 En dessous de l'abbaye, *camping à la ferme* et *gîte rural.*

➤ *Randonnée pédestre :* 8 km, 3 h aller et retour sans les arrêts. En boucle au départ d'Hastingues. Facile, mais humide en hiver. Balisage partiel en vert, sinon, petites routes. Réf. : *Les Sentiers d'Émilie dans les Landes,* éd. Randonnées Pyrénéennes. Carte IGN 1344 Est.
Depuis la bastide d'Hastingues (XIVe siècle), dirigez-vous vers la sortie sud pour rejoindre le parking de l'autoroute A 64. La visite, gratuite, du *Centre d'exposition Saint-Jacques-de-Compostelle*, très moderne (bornes audiovisuelles), qui permet de comprendre comment le Sud-Ouest est devenu le carrefour européen des itinéraires des pèlerins vers la Galice espagnole. Les Landes, avec 425 km, est le département français possédant le plus de kilomètres de chemins de Saint-Jacques-de-Compostelle. Remontez sur 300 m vers Hastingues pour emprunter à droite la D 343. Cette petite route de crêtes offre sur 2,5 km un panorama magnifique sur les gaves, le Pays basque et les montagnes des Pyrénées. À un carrefour, descendez (800 m) vers la gauche en direction de l'abbaye. De là, vous pouvez raccourcir l'itinéraire en revenant vers Hastingues par les rives de l'Estey, balisées en jaune. Par temps humide, il vaut mieux continuer plus au nord, par l'un des deux chemins qui traversent les « barthes » de l'Arribère pour

rejoindre la D 23 et retrouver les gaves réunis. Le trait caractéristique du paysage, ce sont en effet ces fameuses « barthes », terres alluviales inondées par la marée, pratiquement pas cultivables et riches d'une faune et d'une flore aquatiques remarquables. Attention à ne pas troubler les libellules ou la cistude, seule tortue indigène de France, qui se cache dans les marais. De là, le retour se fait par le lieu-dit Le Port, le long de la rivière jusqu'à Hastingues.

➤ **_Les promenades en couralins :_** prenez un pêcheur professionnel comme guide pour découvrir l'Adour. Depuis son couralin, ce bateau à fond plat utilisé ici depuis des siècles, il vous fera découvrir la faune et la flore des berges, la richesse piscicole et vous présentera sa propre pratique de la pêche à l'alose, la lamproie, le saumon et la mythique pibale, cet alevin d'anguille venu de si loin et qui coûte si cher, en saison, sur les tables. ☎ 05-58-73-16-08 ou 05-59-56-88-15 (réservation 24 h à l'avance). Compter de 35 à 80 € par couralin selon la durée et la formule (5 personnes par bateau).

🍴 **_Le pays charnegou :_** ne le cherchez pas sur les cartes, ni sur les guides. Et pourtant, il existe. Vous y êtes entré sans le savoir. _Charnegou_ est un mot gascon qui peut se traduire par « chair mêlée » (bâtard, si vous préférez). On désigne ainsi, en fait, les habitants du bas-Adour rive gauche. Le fleuve y a déposé sa marque. L'architecture fluctue d'un village à l'autre, les influences sont aussi changeantes que les roseaux. L'Adour prend des allures de Mississippi, les hérons, les aigrettes et les cormorans sont souvent les seuls habitants visibles. Parfois une légère brume irise le soleil. Mais, direz-vous, en vérifiant sur une carte, pourquoi nous parler de la rive gauche de l'Adour, qui est en Pays basque ? Parce que, comme toujours, les divisions territoriales de nos ancêtres ne sont pas simples et qu'on ne peut, dans ce guide _Aquitaine,_ éviter cette incursion.

Géographiquement, c'est le fleuve qui sert de trait d'union. Le fleuve et le pont d'Urt, seul point de passage entre les Landes et le Pays basque (reconstruit et élargi en 1997, c'est désormais un super itinéraire de délestage pour éviter la côte en été). Pendant des siècles, les habitants du fleuve ont vécu ensemble, se sont mariés, ont fait du commerce sans se poser la question de savoir si le voisin était basque ou gascon. Des bacs, avant le pont, traversaient le fleuve et faisaient que, d'une rive à l'autre, Landais et Basques se mêlaient joyeusement. De là vient ce surnom de _charnegou_ que les hommes du fleuve arborent aujourd'hui fièrement.

Le meilleur moyen de découvrir le pays charnegou, c'est le chemin de halage (très bien entretenu, mais un peu étroit) qui longe l'Adour rive gauche. Les vues sur le fleuve sont parfois à couper le souffle, les maisons cossues, basses, intégrées au paysage (et colonisées par la bourgeoisie locale et les éleveurs de chevaux).

Pour compléter la découverte du bas-Adour, on peut soit remonter le fleuve avec le bateau _Le Bayonne,_ au départ de la ville du même nom, qui n'est qu'à quinze kilomètres, soit aller déjeuner à l'_auberge de Piet_ (voir plus haut « Où dormir ? Où manger ? dans les environs de Peyrehorade ») et y louer un petit bateau électrique sans permis. Celui-ci vous permettra de découvrir des endroits inaccessibles en voiture et même à pied, où des dizaines d'oiseaux aquatiques nichent dans une végétation luxuriante. Autre départ possible depuis Peyrehorade, avec _La Hire_ pour une promenade le long des charmes de l'Adour et des Gaves réunis. Renseignements : ☎ 05-58-89-39-83 ou 06-87-34-56-31.

🍴 **_Les villages du pays d'Orthe :_** à noter de nombreux jolis villages à découvrir dans les environs, comme **_Cagnotte_** d'où est originaire le célèbre chef Alain Dutournier, et dont le nom vient de _caignota_ en gascon voulant dire petite chienne, représentée par une statue de l'abbaye au pied de la vierge ; **_Labatut_,** où grandit le petit Titou Lamaison, avant de devenir international dans le XV de France ; **_Cauneille_** avec ses plateaux de kiwis d'où l'on peut observer la plaine des Gaves sur 17 clochers voisins ; ou encore **_Oeyregave_** qui abrite des vestiges gallo-romains.

LA CHALOSSE ET SES ENVIRONS

Entre l'Adour et les Gaves, la Chalosse, rattachée au département des Landes par la Révolution, est un vieux pays de bocage qui a su conserver les traces du passé : maisons « capcazalières », villages typiques clairsemés au beau milieu de collines ensoleillées et de panoramas sans fin. Ici, l'architecture rurale des landes forestières, avec ses belles maisons à auvents et pans de bois, laisse la place à des fermes ouvertes aux influences basques ou béarnaises. Au détour d'une place, vous ne serez pas surpris de découvrir une arène aux couleurs pimpantes, d'assister à des novilladas ou de faire la fête accompagné d'une banda (orchestre de rue)... De plaines maïsicoles en coteaux verdoyants donnant au paysage une harmonie de couleurs, dépensez-vous pour arriver la faim au ventre dans les restos du pays : vous apprécierez encore plus toutes ces recettes traditionnelles à base de foie gras ou de bœuf de Chalosse, le tout arrosé d'un vin des coteaux voisins.

MONTFORT-EN-CHALOSSE (40380) 1 224 hab.

À plusieurs titres, il faut faire halte à Montfort. Le village est ravissant, même si une incertitude subsiste quant à sa création. Le plan a beau être celui d'une ville nouvelle, rien ne prouve que ce fut une bastide. Situé dans un environnement riant, fait de collines qui ondulent gentiment et de vallées sinueuses, il possède une table qui vous retient et un très beau musée. Pour vous convaincre, voici le détail des réjouissances.

Adresse utile

🗎 *Office de tourisme :* 25, pl. Foch. ☎ 05-58-98-58-50. ● ot.mon fort.chalosse@wanadoo.fr ● Ouvert du lundi après-midi uniquement au samedi.

Où dormir ? Où manger ?

🛏 🍴 *Aux Tauzins :* sur la D 2, route de Baigts et Hagetmau, sur la gauche. ☎ 05-58-98-60-22. Fax : 05-58-98-45-79. Fermé le lundi et le dimanche soir sauf en juillet et août ; congés en janvier et la 1re quinzaine d'octobre. Double de 51 à 54 €. Menu à 18 € en semaine ; autres menus à 27 et 34 €. Bel exemple d'hôtel-resto traditionnel qui a su garder sa clientèle d'habitués depuis trois générations. Familial et confor-table, avec des chambres à l'ancienne donnant sur le parc, au calme garanti. Piscine très agréable. Côté table, c'est bien sûr une vraie cuisine du terroir dans une salle claire, dominant la vallée et la Chalosse. Tournedos landais d'une rare tendreté, fricassée de lotte et Saint-Jacques aux cèpes, foie gras chaud aux raisins... 10 % de réduction sur le prix des chambres de novembre à février sur présentation du *GDR*.

Où dormir ? Où manger dans les environs ?

🛏 🍴 *Domaine de Testelin :* route de Lahosse, lieu-dit Hournets, 40380 Baigts. ☎ 05-58-98-61-21. Fax : 05-58-98-45-20. ● www.domaine-de-tes telin.fr ● À 2 km de Montfort-en-Chalosse. Fermé le lundi, le mardi soir, le dimanche soir, ainsi que 2 semaines début octobre et la dernière semaine de janvier. Chambres de 52 à 55 €. Demi-pension possible. Menu du jour à 13 €. Autres menus à 22 et 32 €. Dans un parc calme et ombragé, une vieille demeure qui a retrouvé la pêche grâce aux efforts de sa nouvelle propriétaire, Sylvia Kok, femme tonique qui est venue à bout de la rénovation de toutes ces chambres. Ici, on est polyglotte, du moins la propriétaire, qui a un sens de l'accueil étonnant. Comme elle a su, en cuisine, prendre un bon chef, qui sait traiter le terroir de façon allégée, on vient d'abord pour se mettre les pieds sous la table, et on reste pour la nuit.

🏠 ▮●▮ *Chambres d'hôte Capcazal de Pachiou, chez Colette Dufourcet :* 40350 Mimbaste. ☎ et fax : 05-58-55-30-54. À 15 km de Montfort par la D 107, puis la D 15 pour rejoindre Mimbaste ; fléchage à 1 km. Ouvert toute l'année. Chambres de 43 à 57 €, petit dej' compris. Table d'hôte à 17 €. Même si vous vous perdez un peu sur les petites routes environnantes, Colette Dufourcet vous guidera par téléphone jusqu'à la porte de cette ancienne et magnifique demeure seigneuriale du début du XVIIe siècle. Il y a toujours une chambre réservée aux pèlerins de Saint-Jacques-de-Compostelle pour une somme modique. Quant aux lits à baldaquin, ils ne sont pas vraiment faits pour la bagatelle... Côté table d'hôte, repas digne d'un roi : Tatin aux cèpes, caille farcie au foie gras, les grands soirs. Condition *sine qua non* (ici, on peut parler latin) pour apprécier votre séjour : aimer l'ancien et respecter la philosophie de la vie de la propriétaire, qui se bat pour faire vivre ce patrimoine familial. N'accepte pas les cartes de paiement. Sur présentation du *GDR*, remise de 10 % sur la chambre à partir de 3 nuits.

À voir

🏃 *Le musée de la Chalosse :* domaine de Carcher (bien indiqué). ☎ 05-58-98-69-27. ● musee.chalosse@libertysurf.fr ● Du 1er avril au 30 octobre, ouvert du mardi au vendredi de 10 h à 12 h et de 14 h à 18 h 30, les weekends et jours fériés de 14 h à 18 h ; du 1er novembre au 31 mars, ouvert du mardi au vendredi de 14 h à 18 h. Fermé du 15 décembre au 15 janvier. Entrée : 4,60 € ; réduction enfants. Chèques-vacances acceptés. Visite guidée. Vaste maison de maître du XVIIe siècle, le domaine de Carcher a été transformé en un joli musée, où est reconstituée la vie quotidienne et domestique au XIXe siècle. On passe en revue le salon, la chambre à coucher, la salle de bains, une cuisine... Éléments de mobilier (des XVIIe au XIXe siècles) intéressants, comme cette chaise où l'on cachait le sel à l'époque de la gabelle. On installait un papy sur la chaise, et les gabelous (douaniers) n'osaient pas faire déplacer l'ancien pour vérifier s'il n'y avait rien de caché. Visite des extérieurs également : granges, chais, jardins, vignes, potager... On assiste au travail du maréchal-ferrant, un boulanger vient toutes les semaines fabriquer du pain dans l'ancien four... Un lieu de mémoire bien vivant, avec les bœufs Yoan et Martin dans l'étable et le cochon dans sa loge.

🌿 *Le jardin de Payot :* dans ce jardin des années 1950, les allées bien à l'équerre sont bordées de buis, mais aussi de cette vigne qui fait une merveilleuse tonnelle. Jardin floral et potager avec sa terre noire, ses arbres fruitiers et sa vigne... Au fait, *payot* veut dire grand-père ! Et en repartant, n'oubliez pas de refermer le portail car dans le jardin de Payot, les poules sont interdites de jardinage.

MUGRON

(40250)   1 400 hab.

Situé au nord de la Chalosse, Mugron est en quelque sorte le chef-lieu de canton du pays du foie gras, puisque c'est dans ce terroir que se trouve la plus forte concentration de producteurs fermiers en conserves de canard. Cette Chalosse-là vous enchantera par la richesse de son patrimoine naturel et historique.

De l'église, *panorama* admirable sur toute la région et la forêt de Marsan.

Adresse utile

🖹 *Office de tourisme du pays de Mugron :* 6-8, rue Vincent-Depaul. ☎ 05-58-97-99-40. Fax : 05-58-97-99-41. ● mugron.office-du-tourisme@wanadoo.fr ● Ouvert toute l'année du lundi au vendredi de 8 h 30 à 12 h 30 et de 14 h à 17 h 30, et le samedi matin en été. Bel office moderne et serviable.

Où dormir ? Où manger ?

⚊ *Camping municipal et base de loisirs La Saucille :* ☎ 05-58-97-99-40 ou 05-58-97-71-26 (mairie). ● mugron.mairie@wanadoo.fr ● Ouvert en juillet et août. Compter autour de 9,50 € pour 2 personnes, avec 1 voiture et 1 tente. Tout à côté de la zone de loisirs comprenant lac de baignade avec toboggan aquatique, pêche en rivière, terrains de jeux, etc. à la disposition des campeurs, gratuitement. Camping ombragé, heureusement, d'environ 70 emplacements.

|●| *Ferme-auberge Marquine :* ☎ 05-58-97-74-23. À la sortie de Mugron, direction Saint-Sever, puis à droite, D 18, vers Hagetmau ; la *Marquine* est à gauche. Ouvert toute l'année sur réservation. Quelques chambres de dépannage à 36 €. Menus à 12,50 € à midi, puis de 18 à 31 €. Une allée ombragée et fleurie vous conduit chez les Cabannes. Jolie salle rustique, avec poutres juste là où il faut. Normal, c'est une ancienne étable. Quant à la cuisinière, Rosette, elle vous propose des plats à son image, qui ont du caractère et sont bien implantés dans le terroir. De l'authentique. Apéro maison offert sur présentation du *GDR*.

Où dormir ? Où manger dans les environs ?

🛖 |●| *Chambres d'hôte, chez Odile et Bernard Recurt :* Saint-Germain, 40250 Maylis. ☎ 05-58-97-72-89. Fax : 05-58-97-95-21. ● www.chambresdhoteslandes.com ● À Mugron, prendre la D 18 à droite direction Hagetmau ; à 2 km de Saint-Aubin, tournez à droite, direction Maylis. Chambres calmes et agréables à 39 € pour 2, petit dej' compris. Table d'hôte sur réservation, à 15 €, apéritif, vin et café compris. Très belle demeure familiale du XVIIe siècle, dotée d'un agréable jardin. À droite, les propriétaires, jeunes agriculteurs, occupent l'ancienne maison des ouvriers agricoles qui travaillaient autrefois sur la propriété. À la table d'hôte, vous retrouverez tous les bons produits de la ferme, le tout agrémenté d'un petit floc de Gascogne. Tout récemment, 2 gîtes 3 épis pour 4 à 6 personnes ont ouvert sur le même site. Sur présentation du *GDR,* apéritif maison et café offerts.

🛖 |●| *Auberge de Caoubet :* chez la famille Laborde, 40250 Maylis. ☎ 05-58-97-77-74. En été, ouvert tous les jours sauf le dimanche soir ; hors saison, sur réservation. Fermé la 1re quinzaine de janvier. Compter 30 € la nuit pour 2, petit dej' inclus. Menus de 15 à 30 €. Toute la famille vous reçoit dans sa ferme de production et de transformation du canard. Belle salle rustique de 60 couverts environ. Cuisine à base de produits maison, vous vous en doutez ! Vous pouvez même prolonger le séjour (en patois, *caoubet* signifie « chauffe-toi ») dans 2 gîtes spacieux et indépendants, ou encore dans 3 chambres d'hôte. Salles d'eau privées mais w.-c. communs. Belle piscine. Et, bien sûr, possibilité d'acheter les produits de la ferme. Accueil charmant, teinté par l'accent de Colette Laborde.

⬛ Ferme-auberge Salis : chez Rosine et Alain Lalanne, 40250 Toulouzette. ☎ 05-58-97-76-04. Sur la D 352, en direction de Saint-Sever.

Ouvert toute l'année sur réservation, sauf pendant les vacances de Noël. Fermé le dimanche soir et le lundi. Nombreux menus de 12 à 26 €. Encore une belle adresse où vous ne risquez pas d'être seul au monde, certains jours. Toutes les spécialités de la Chalosse, évidemment, voire même des Landes, mais aussi, sur commande, les poissons de l'Adour : alose grillée, filet de muge persillé, anguilles...

➤ DANS LES ENVIRONS DE MUGRON

🎏 **Le moulin de Poyaller :** 40250 Saint-Aubin. ☎ 05-58-97-95-72 ou 06-87-86-96-26. ● moulin.poyaller@wanadoo.fr ● Depuis Mugron, prendre la direction d'Hagetmau et suivre le fléchage. Ouvert du 15 mars au 11 novembre ; en été, tous les jours de 11 h à 19 h 30 ; hors saison, de 14 h 30 à 19 h, sauf les samedi non fériés. Entrée : 5 €. Visite guidée de 1 h 30. Martine et Jean-Charles Birembaut ne se sont pas contentés de tomber amoureux de ce moulin à eau vieux de quatre siècles, ils le font revivre depuis 10 ans, à coups de visites hautes en couleur. Tout est resté dans l'état, et l'on voit même sortir la farine, si on a été sage. Le site abrite aussi un élevage de cerfs et de biches. Plus originaux, des kangourous sont arrivés, et les bus qui viennent pour la visite repartent en faisant aussi des bonds de joie sur la route. Possibilités de promenades en barque.

🎏 **L'abbaye Notre-Dame de Maylis :** sur la D 18, après Saint-Aubin. ☎ 05-58-97-72-81. Un sanctuaire qui domine la région, haut lieu de pèlerinage, un site apaisant, appelant à la promenade, une chapelle du XIVᵉ siècle restaurée par les bénédictins olivetains... Si vous voyez des moines en bleu de travail travaillant la terre alentour, c'est qu'ici, appliquant à la lettre la règle de saint Benoît, les membres de la congrégation cultivent une plante aux multiples vertus qui devient, entre leurs mains, la fameuse « tisane de Maylis ». Produit aussi de la cire naturelle dite de « Benedit » ou du « Père Fulgence ». Pour le bon entretien des lambris de la paroisse. En vente au magasin, ouvert en dehors des offices qui rythment la vie monacale de tous les jours.

🎏 **Le village de Larbey :** Discrète et artistique petite commune à 7 km au sud de Mugron. Au sein du village, une maison d'édition, *Gaïa Editions,* qui publie depuis 10 ans un grand nombre d'auteurs français et scandinaves (☎ 05-58-97-73-26) et un café-boulanger-resto *Café Boissec* qui fait office de salle de spectacle les dimanches après-midi et qui lutte pour maintenir une activité artistique dans le secteur. Renseignements auprès de l'office de tourisme de Mugron.

Où acheter de bons produits ?

Voici quelques adresses de fermes qui ne vous prennent pas pour un pigeon ni pour une oie blanche.

◎ Ferme Spouys : chez Marie-Claude et Gilles Coudroy, 40250 Nerbis. ☎ 05-58-97-74-89. Accueil et visite tous les jours.

 Ferme Brougnon : chez Cathy et Francis Larrieu, 40250 Caupenne. ☎ 05-58-98-66-31.

 Ferme Birouca : chez Nicole, Michel Cabannes et Fils, 40250 Mugron. ☎ 05-58-97-70-30.

Et avec ceci, une côte de chalosse...

 Vignerons Landais Tursan-Chalosse : av. René-Bats, 40250 Mugron. ☎ 05-58-97-70-75. Du lundi au samedi, de 8 h 30 à 12 h et de 14 h à 18 h (plus tard en été). Entre 2,50 et 16 €. Des vins à redécouvrir, dans les trois couleurs. Bon Do-

 Ferme Lebasque : chez Monique et Xavier Etcheverry, 40380 Baigts. ☎ 05-58-98-53-68.

 Ferme Labouyrie : chez Jean-Claude Comet, 40250 Toulouzette. ☎ 05-58-97-74-04.

maine de L'Hoste rouge et remarquable Tradition des Coteaux, rouge vieilli en fût de chêne, idéal avec une viande. Pour le foie gras, un amusant Soleil des Coteaux et une Douceur de Chalosse qui fond dans la bouche.

SAINT-SEVER (40500) 4 608 hab.

Cité historique installée sur un plateau au-dessus des Landes. Elle fut édifiée aux Xe et XIe siècles autour du tombeau de saint... Sever, qui devint un des hauts lieux de la chrétienté. Saint-Sever est également la patrie du général Lamarque (1770-1832), grand républicain dont les obsèques ont tourné à l'insurrection (souvenez-vous, dans *Les Misérables,* c'est à cette occasion que Gavroche meurt sur les barricades). Aujourd'hui, la ville est réputée pour ses volailles, haut de gamme et élevées en liberté, nourries à 80 % au maïs landais, et dont vous pouvez visiter les élevages, chaque été. Renseignements à la Chambre d'Agriculture de Mont-de-Marsan : ☎ 05-58-85-44-44. Une petite ville bien aménagée où il est plaisant de se promener.

Adresse utile

 Office de tourisme : pl. du Tour-du-Sol. ☎ 05-58-76-34-64. Fax : 05-58-76-43-55. • www.saint-sever.fr • En saison, ouvert du lundi au samedi de 9 h 30 à 13 h et de 14 h 30 à 18 h 30, et le dimanche de 10 h à 12 h 30 et de 16 h 30 à 18 h 30 ; hors saison, du lundi au samedi de 9 h 30 à 12 h et de 13 h à 18 h (16 h 30 le samedi). Fait également billetterie SNCF : liaison en autocar avec Dax et Mont-de-Marsan.

Où dormir ? Où manger ?

 Le Relais du Pavillon : route de Grenade. ☎ 05-58-76-20-22. Fax : 05-58-76-25-81. • relaispavillon@club-internet • Fermé le lundi, le dimanche soir, ainsi que la 1re quinzaine de janvier. Chambres de 44 à 46 €. Demi-pension possible. Menu à 11 € le midi, sauf le dimanche. Autres menus à 24 et 45 €. La grande maison d'une ville plus connue pour ses poulets que pour ses bonnes adresses. Qui donnerait son âge à cette aimable centenaire relookée aux couleurs d'aujourd'hui ? Agréables chambres toutes équipées, avec balcon, et bonne cuisine, vous ne trouverez pas mieux à des kilomètres à la ronde. Ne vous fiez donc pas à l'extérieur du bâtiment, ni même à l'intérieur de cette maison reprise aujourd'hui par un jeune couple, Éric et Isabelle, qui réussit l'exploit de rendre légère, savoureuse et colorée une simple entrée à base de foie gras, et transforme la découpe d'un poulet cuit à point en œuvre d'art. Jardin, terrasse, piscine, le bonheur n'est pas seulement dans le pré, à Saint-Sever. Digestif offert sur présentation du *GDR*.

|●| **Restaurant Le Touron :** rue du Touron. ☎ 05-58-76-03-04. 🕊 Prendre la rue en face de l'abbaye, c'est tout au fond, après l'une des anciennes portes de la ville. Fermé le lundi soir et la 1ʳᵉ quinzaine de septembre. Premier menu à 10 € le midi, sauf le dimanche ; menus suivants de 13 à 21 €. L'extérieur ne paie pas de mine, mais c'est le rendez-vous de tous les travailleurs locaux, de l'ouvrier au cadre. Menu du jour (sauf week-end et jours fériés) : potage, entrée, plat, dessert, café et vin ! Cuisine largement tournée vers le terroir. Ne pas manquer le foie gras frais aux pommes et aux rai-

sins, à commander la veille. Ah ! au fait, rien à voir avec la friandise qu'on trouve au Pays basque (le touron !).

|●| **La Table des Jacobins :** pl. de Verdun. ☎ 05-58-76-36-93. 🕊 Fermé le lundi et les mercredi et dimanche soir. À midi du mardi au vendredi, menu autour de 10 €. Un look qui fait craindre l'erreur d'aiguillage, mais non, c'est bien là, la bonne petite adresse indiquée par les gens du coin. Le menu-carte, malin, vous réconcilie avec la vie, à coup de cake aux oreilles de cochon, de magret de canard au miel et soja ou de croustillant de Saint-Jacques aux blancs de poireaux. La carte changeant au fil des saisons, on est pas au bout de ses surprises...

Où dormir ? Où manger dans les environs de Saint-Sever ?

🏠 |●| **Le Porte Bonheur, chez Michel Piers et Denise Derieuw :** 501 route du Château, 40250 Lamothe. ☎ et fax : 05-58-76-22-40 ou 06-85-77-29-81 ● www.le-porte-bonheur.com ● À 6 km de Saint-Séver par la route de Tartas. Indiqué. Chambres doubles avec petit dej' à 42 €, 80 € avec dîner pour 2 personnes. Repas à 25 €, plat du jour à 14 € et pique-nique à 7 €. Bienvenue au domaine du château de Lamothe, sauf que vous ne serez pas dans un château

mais dans une dépendance restaurée avec soin par ce couple de flamands dynamique. Chambres de bon confort, propres et fleuries. À table, une cuisine variant selon l'inspiration de la chef et des produits de saison, servie en terrasse abritée ou dans le séjour. Petit parc avec son bois et son lac. Accueil chaleureux, avec au programme, des balades dans les environs, un stage « santé » ou « de cuisine » dirigé par nos hôtes.

À voir

🐾 **L'abbaye bénédictine :** pl. du Tour-du-Sol. Dans le centre. Visite libre. Son histoire remonte bien loin puisqu'elle fut fondée au Xᵉ siècle dans le style roman. Elle se caractérise par son chœur encadré d'absidioles et, à l'intérieur, par la richesse de ses chapiteaux sculptés entre les XIᵉ et XIIᵉ siècles : animaux, personnages et végétaux, plus ou moins finement réalisés. D'autres présentent des scènes telles que « le Banquet chez Hérode » et « Daniel dans la fosse aux lions ». Chœur à baldaquin du XVIIIᵉ siècle. Les réaménagements effectués au XIXᵉ siècle lui ont fait perdre pas mal de son charme. C'est sous l'autorité de l'abbé Grégoire de Montaner, au XIᵉ siècle, que fut enluminé le *Beatus*, un manuscrit traitant de l'Apocalypse. D'une qualité exceptionnelle, ce manuscrit inestimable n'est malheureusement pas visible à Saint-Sever. Il est à la Bibliothèque nationale. Toutefois, une exposition lui est consacrée au couvent des Jacobins.

🐾 **Le couvent des Jacobins :** cloître restauré qui abrite un petit *Musée archéologique et architectural*. ☎ 05-58-76-01-38. Ouvert du 1ᵉʳ juillet au

15 septembre de 15 h à 18 h 30. Visite libre. Belle collection de chapiteaux gallo-romains et préromans. Une salle est consacrée au manuscrit de l'Apocalypse. Dans la salle capitulaire, quelques traces de fresques du XIVe au XVIIIe siècle.

Manifestations

– **Reconstitution historique :** début août. Spectacle son et lumière reconstituant mille ans d'histoire avec la participation de 300 Saint-Séverins et quelques poulets. Renseignements à l'office de tourisme.
– **Les Festivolailles de Saint-Sever :** fin novembre. Des chapons, poulardes, dindes et pintades en compétition dans leurs plus beaux atours... Si vous n'êtes pas fan, le marché aux volailles et les menus « spécial Festivolailles » des restaurants du coin sauront vous convaincre. Un vrai week-end gastronomique landais ! C'est « gavé de monde », comme on dit ici... Surprenant !

GRENADE-SUR-L'ADOUR (40270) 2 305 hab.

Bastide fondée en 1322 par les Anglais, elle fut ravagée par les huguenots puis par Wellington. Il reste aujourd'hui une petite ville qui mérite le détour pour sa jolie place centrale et pour la maison de Philippe Garret, grand chef au pays de la gastronomie. On trouvera aussi la maison Cassaigne de l'ancien et dernier évêque de... Saïgon, décédé en 1973 !

Adresse utile

🖼 **Office de tourisme du pays Grenadois :** 1, pl. des Déportés. ☎ 05-58-45-45-98. Fax : 05-58-45-45-55. • www. tourismegrenadois.com • Ouvert toute l'année.

Où dormir ? Où manger ?

🏠 |●| **Pain, Adour et Fantaisie :** 14-16, pl. des Tilleuls. ☎ 05-58-45-18-80. Fax : 05-58-45-16-57. • pain.adour.fantaisie@wanadoo.fr • ⚒ Fermé le lundi, le mercredi et le dimanche soir (sauf en été). Congés annuels : 15 jours en novembre et 15 jours en février. Chambres de 64 à 122 €. Menu à 28 €, sauf les jours fériés ; autres menus de 37 à 83 €. Cette vieille maison de village, plantée entre la place principale et l'Adour, a tout pour plaire. Si vous avez prévu une étape par ici, venez vous lover dans l'une de ses chambres, confortables, décorées avec un goût sûr et pleines de charme. En cuisine, Philippe Garret est un artiste : s'il était peintre, il serait impressionniste. Il opère par petites touches, invente comme on compose des poésies lorsqu'on est amoureux. À l'arrivée, c'est une symphonie qui se joue dans votre assiette. Et que ce soit dans une salle au décor raffiné ou sur la terrasse au bord de l'Adour, le plaisir est là du début jusqu'à la fin. Service discret. Menus au rapport qualité-charme-prix sans égal.

|●| **Hôtel de France-Restaurant Bernadet :** 6, pl. des Tilleuls. ☎ 05-58-45-19-02. ⚒ Fermé le lundi, le jeudi soir et le dimanche soir, ainsi que les 15 premiers jours de janvier. Premier menu à 12 € sauf le dimanche ; menus suivants de 21 à 32 €. Une adresse qui ne paie pas de mine à

côté de son éminent voisin. Mais c'est une maison dans laquelle on mange solide et copieux. Vive la salade paysanne à l'œuf poché ou la terrine de foie gras ! Sans oublier la cuisse de poulet à l'étouffée aux champignons. Quelques beaux tursan, madiran et buzet. Accueil sympathique. Apéritif offert aux lecteurs du GDR.

À voir

🍴 *La place centrale* à cornières, autour de laquelle la bastide est organisée. Du pont sur l'Adour, on aperçoit quelques belles maisons anciennes des XIVe et XVe siècles. On peut également jeter un œil sur l'église, d'un style très sulpicien.

🍴 *La chapelle Notre-Dame-du-Rugby :* pour s'y rendre, sortir de Grenade et aller vers La Rivière. Prendre, sur la gauche (indiqué), une route étroite qui grimpe sec. Et puisqu'il y a une chapelle dédiée aux cyclistes (à 2 km de Labastide-d'Armagnac, au cas où vous l'auriez manquée), pourquoi pas une consacrée au rugby ? Nombreux maillots sur les murs (Penouille, Penous, Blanco, Lapasset et même un d'un club de Tahiti !), qui lui donnent un air de vestiaire. Vitraux assez drôles dédiés au rugby. La statue de Jésus tendant un ballon à la Vierge a été sculptée par un ancien capitaine du stade montois. Éloquent livre d'or où les joueurs laisseront leurs prières.

AIRE-SUR-L'ADOUR   (40800)   6 868 hab.

Le saviez-vous ? Aire-sur-l'Adour fut l'une des plus importantes villes wisigothiques avec Toulouse. Le roi Alaric II fut tué par Clovis à la bataille de Vouillé en 507 et, du coup, la cité tomba dans l'escarcelle des Francs. Trois siècles plus tard, les Normands dévastèrent la cité avant que les Anglais ne s'en emparent en 1152 pour y rester jusqu'au milieu du XVe siècle. Autre fait d'armes important, en 1814, lorsque les troupes de Soult se sont opposées à celles de Wellington.

Les vieux moulins, le canal, la halle aux grains octogonale témoignent d'une activité marchande intense au XIXe siècle, quand l'Adour était utilisée pour le transport en galupe.

Aire est aujourd'hui une petite bourgade qui se pose beaucoup de questions sur son avenir et qui attend avec impatience pour les uns, inquiétude pour les autres, le contournement routier, inévitable, pour redevenir une ville pleine de charme avec son animation matinale, notamment les mardi et samedi, jours de marché. Ici arrivent les produits non seulement de la Chalosse et du bas Armagnac voisins, mais surtout du Tursan, qui commence ici, région de vin, de vallons et de verdure, fiancée désormais officiellement avec la Chalosse. « Feria du Toro » réputée, à la mi-juin.

Adresses utiles

🄸 *Office de tourisme :* pl. Charles-de-Gaulle. ☎ et fax : 05-58-71-64-70. ● otsi.aire@wanadoo.fr ● Ouvert toute l'année. Visites commentées de la ville en été les mardis.

Où dormir ? Où manger ?

⛺ *Camping Les Ombrages de l'Adour :* ☎ 05-58-71-75-10. 🍴 Ouvert de mai à fin septembre. Compter environ 9 € pour 2 avec une voiture, branchement électrique compris. Sanitaires impeccables. Calme, ombragé, sur les bords de l'Adour, non loin du centre-ville.

🏠 |◉| **Chez l'Ahumat :** rue Pierre-Mendès-France. ☎ 05-58-71-82-61. Dans le centre. Fermé la 2ᵉ quinzaine de mars et la 1ʳᵉ quinzaine de septembre ; restaurant fermé le mercredi. Chambres doubles de 26,50 à 33 €. 1ᵉʳ menu à 10,50 € ; menus suivants de 17,50 à 25 €. Demi-pension demandée en été : compter 40 € par personne. Réductions pour les pèlerins. Dans une rue étroite, un hôtel plutôt sympathique et calme, installé dans un immeuble des années 1970. Accueil gentil, tendance commerciale avec blagues du patron. Déco agréable et chambres bon marché. Cuisine résolument tournée vers le terroir landais, mais aux portions parfois limitées ! On retrouve les saveurs d'antan à travers le salmis de palombe, la potée landaise, les cœurs de canard persillés, les magrets et les confits... Café offert sur présentation du *GDR*.

🏠 |◉| **Chambres et table d'hôte Ferme Crabot, chez M. et Mme Porte :**

quartier de Guillon. ☎ 05-58-71-91-73. ● ferme.crabot@mailclub.net ● À 3 km du centre, en pleine nature. Prendre la direction de Pau. Chambre à 31 € pour 2, petit dej' compris. Table d'hôte à 13 € avec produits de la ferme et du jardin. Dans une ferme, 4 chambres toutes simples pour profiter de la campagne environnante. Et la vue sur les Pyrénées, par temps clair, est magnifique. Accueil privilégié pour les pèlerins et les (pauvres) pêcheurs. Apéritif offert sur présentation du *GDR*.

|◉| **Le Plazza Café :** 53, rue Gambetta. ☎ 05-58-71-63-17. Fermé le dimanche, ainsi que le soir du lundi au jeudi hors saison, tous les soirs en juillet et août. Plat du jour autour de 6 €. Compter dans les 15 € à la carte. Petite brasserie dont la salle de restaurant, au 1ᵉʳ étage, donne sur le pont et l'Adour. Si vous cherchez un lieu sympa pour avaler sur le pouce une spécialité du pays, une salade ou un poisson, posez-vous là. Copieux et rapide. Apéritif offert sur présentation du *GDR*.

À voir

La ville se divise en deux parties, l'une au bord de l'Adour, l'autre sur la colline. C'est là que se dresse l'église Sainte-Quitterie.

🚶🚶 **L'église Sainte-Quitterie :** sur le coteau. Classée au patrimoine mondial de l'Unesco sur les chemins de Saint-Jacques-de-Compostelle. Pour la visite de l'église, contacter Mme Betna (☎ 06-77-02-43-44) ou la mairie (☎ 05-58-71-47-00). Se présenter au local à côté de l'église de mi-mai à fin septembre, du lundi au samedi de 10 h à 12 h (sauf lundi matin) et de 14 h à 17 h. Vous seront présentées les richesses de cet imposant édifice alliant éléments romans et gothiques, bien que sa crypte soit encore antérieure. La façade du XIVᵉ siècle présente un magnifique portail gothique, un clocher carré percé de nombreuses baies. Étonnant tympan où apparaissent des scènes du Jugement dernier. Sur les linteaux, on peut suivre en frise sculptée une étonnante bande dessinée où les damnés échouent dans la gueule d'un monstre, tandis que les âmes du purgatoire patientent dans la marmite. Et puis de nombreux motifs végétaux que le temps décharne peu à peu, les rendant plus pathétiques encore. À l'intérieur, le chœur accuse un style baroque italien avec colonnes de marbre polychrome et chapiteaux à feuilles d'acanthe. Tous ces chapiteaux furent masqués pendant plusieurs siècles, ce qui explique leur état.

– **La crypte :** une des plus vastes d'Europe. La source au cœur de l'église a sans doute déterminé la construction de l'église primitive. Cette eau était l'objet d'un culte païen. Mais sainte Quitterie allait passer par là. Princesse wisigothique très populaire, elle fut décapitée vers 476 pour avoir refusé d'abjurer sa foi chrétienne. Elle prit sa tête sous le bras et partit jusqu'à la fontaine. On dit que depuis, tous les 22 mai, jour de fête de Quitterie, l'eau de la fontaine se met à bouillonner et à déborder du bassin. On n'a pas pu vérifier, mais une chose est sûre : même en période de sécheresse, la source ne se tarit jamais. On a pensé que la fontaine possédait des vertus miraculeuses qui pouvaient guérir les maux de tête et exorciser la folie. Peu après sa mort, le culte de la sainte se répandit dans toute la Gascogne et même jusqu'en Espagne et au Portugal. Du coup, on amenait de pauvres fous à Aire-sur-l'Adour et pour les accueillir, on avait aménagé des cachots dans lesquels tous étaient enfermés durant plusieurs jours. On leur faisait boire des litres et des litres d'eau pour les guérir. Résultat pas forcément garanti. Il reste un baptistère alimenté par cette source.

Superbe sarcophage du IVe siècle en marbre blanc qui n'a certainement jamais contenu le corps de la sainte, mais, comme toujours, l'important c'est d'avoir réussi à faire croire aux pèlerins qu'elle était dedans. Il reste une véritable œuvre d'art totalement historiée, où l'on peut reconnaître dans les différentes sculptures la Création, la chute après le péché originel, le bon Pasteur, Daniel et la fosse aux lions, la résurrection de Lazare, etc.

En face, chapelle du XIe siècle avec la réplique d'une pierre de sacrifice. Acoustique remarquable quand on parle juste au niveau de l'autel.

À faire

➤ **Randonnées dans le Tursan :** de nombreux chemins balisés vous permettront de découvrir les vallons, les lacs, les orchidées... Parcours santé, mais aussi parcours-découverte de la flore et de la faune au lac du Brousseau, sur la route de Geaune. Et parcours botanique dans le bois d'Aire-sur-l'Adour, sur la route du Houga. Plaquette et renseignements à l'office de tourisme.

➤ **La route des villages du Tursan :** en voiture, une jolie route prise dans les vallons et les coteaux (ça change des pins) qui permet de découvrir un coin méconnu du sud du département via **Pimbo.** D'Aire, suivre Geaune, puis rejoindre Miramont-Sensacq, Lauret et Pimbo. Dans ce dernier village on découvre une imposante collégiale du XIIIe siècle (une des plus anciennes des Landes), avec son jardin botanique en contrebas, se situant sur la route de Saint-Jacques. Jolie vue sur la chaîne des Pyrénées par beau temps. À égale distance de la mer et de la montagne, au climat doux, on trouve même des palmiers dans le village, à 234 m d'altitude ! Balade recommandée aussi à nos amis cyclistes.

Poursuivre par Puyol pour rejoindre Geaune ou Samadet et son musée de la Faïence (voir plus loin, « Dans les environs d'Hagetmau »). Renseignements à l'office de tourisme du Tursan à Geaune : ☎ 05-58-44-50-01.

– **Canoë-kayak :** location de mai à octobre. ☎ 05-58-71-67-88. Petite balade tranquille au milieu des champs, des bosquets, des berges sauvages de l'Adour.

– **Pêche :** dans l'Adour, le Bahus et de nombreux lacs (Renung, Duhort-Bachen, Latrille). Carte vacances, carte journalière. Renseignements auprès de la société de pêche d'Aire-sur-l'Adour, auprès de M. Napoléon. ☎ 05-58-71-77-69.

EUGÉNIE-LES-BAINS   (40320)   516 hab.

Les eaux sulfureuses de la source Les Aygues étaient connues depuis les Romains, mais c'est Henri IV qui permit son exploitation. Dès lors, les rhumatisants vinrent ici soigner leurs bobos. Un nouvel établissement fut créé en 1750. La commune naquit seulement en 1861, avec l'impératrice Eugénie pour marraine. On s'en doutait un peu !

Non, les Guérard n'ont pas racheté TOUT Eugénie. Mais vous aurez du mal à échapper à l'empereur de la diététique qui en a fait le « 1er village-minceur de France », ou du moins à ses établissements. Aujourd'hui, entre deux bouquins et deux réunions, Michel Guérard trouve encore le temps de s'occuper de ses restaurants à Eugénie : *Les Prés* et *La Ferme aux Grives*. Il gère, avec son épouse, qui les a décorés avec un goût, plusieurs hôtels : *Le Couvent aux Herbes, La Maison Rose,* etc. Tout cela fonctionne autour d'un établissement thermal dont le fleuron est la *Ferme Thermale*, installée dans une ferme landaise entièrement repensée : c'est la cure thermale telle qu'on la rêve. Bien sûr, c'est pas donné, mais pour une folie... Mme Guérard est également à la tête de la toute puissante chaîne thermale du *Soleil*, qui fédère de nombreuses stations qu'il rachète au fil du temps. Alors, même s'il se définit avant tout comme un « cuisinier ayant envie de faire plaisir en se faisant plaisir », il n'oublie pas non plus le monde des affaires !

Adresses utiles

Office de tourisme : 147, rue René-Vielle. ☎ 05-58-51-13-16. Fax : 05-58-51-12-02. • www.ville-eugenie-les-bains.fr • Ouvert du lundi au vendredi de 9 h 30 à 12 h et de 14 h à 18 h, et le samedi de 10 h à 12 h et de 14 h 30 à 16 h. Fermé au moment des fêtes de fin d'année.
■ **Location de vélos :** chez *M. Dezon* (Bar-Tabac en face de l'office de tourisme). ☎ 05-58-51-18-70.
■ **Les Thermes d'Eugénie :** ☎ 05-58-05-06-06.

Où manger ?

Bien sûr, si vous avez les moyens, les hôtels de l'empire Guérard valent le détour mais ne sont pas abordables à toutes les bourses. Reste tout de même *La Ferme aux Grives* qui présente un bon rapport qualité-prix.

La Ferme aux Grives : Restaurant des *Thermes d'Eugénie*. ☎ 05-58-51-19-08 ou 05-58-05-05-06. Menu-carte à 36 €. Fermé le mardi soir et le mercredi. Une adresse où tout est soigné, du mobilier et de l'assiette jusqu'à la terrasse, pour retrouver les saveurs d'antan, réapprendre la simplicité des produits. C'est une bibliothèque du goût, à l'image de cette solide table paysanne sur laquelle s'étalent les légumes frais que vous retrouverez dans votre assiette. Les jambons sèchent au plafond, le cochon de lait tourne doucement sur la broche de la cheminée, les barriques qui l'entourent ont le parfum d'autrefois. On est heureux dès que l'on s'assied ici entre amis avec cette cuisine simple et élégante : moules brûle-doigts à la crème, tête de veau ravigote, poulet fermier landais grillé. En dessert : glace au lait caillé, crème brûlée à l'avoine grillée, tarte beurrée aux fruits de saison.

Où manger dans les environs ?

Ferme-auberge Lacère : au lieu-dit Fléton, 40320 Bahus-Soubiran. ☎ 05-58-44-40-64. • ferme.lacere @wanadoo.fr • À 5 km d'Eugénie, direction Bahus-Soubiran. Indiqué. Fermé le dimanche soir. Congés annuels : de mi-décembre à mi-janvier. Réservation obligatoire. Menus de 13 à 23 €. Un spécial poule au pot à 19 €. Faites un détour pour aller goûter, en pleine campagne, foie gras et confits de canard cuisinés par les frères Lacère (après avoir été élevés à la ferme, en plein air, par leurs dames). Du copieux, et à bon prix, qui contraste avec Guérard ! Poutres apparentes toute l'année et feu dans la cheminée hors saison. Apéritif offert sur présentation du *GDR*. Produits de la ferme en vente sur place.

Où goûter de bons produits ?

◈ **Les Vignerons Landais Tursan-Chalosse :** 30, rue Saint-Jean, 40320 Geaune. ☎ 05-58-44-51-25. ● www.vlandais.com ● La vigne et ses fruits sont à l'origine d'un vin de grande souche que l'on peut déguster dans ce lieu convivial, véritable vitrine du terroir et de la culture locale. Ne manquez pas, surtout, un vin de pays comme le Gailande Sainte-Flora, moelleux, vendanges tardives, autour de 3 €, ou le Château Bourda rouge, à 5,10 €. Vous pouvez également rendre visite à la *Maison Dulucq*, à Payrots-Cazauzets. ☎ 05-58-44-50-68. Au passage, jetez un œil à la place centrale de *Geaune,* bastide de caractère au style gothique du Midi, créée en 1318, qui doit son nom au représentant du roi d'Angleterre, d'origine génoise, qui la baptisa donc Genoa.

HAGETMAU   (40700)   4 500 hab.

S'il n'avait pas été détruit, Hagetmau aurait attiré les routards de tout poil pour son château, résidence de la famille de Navarre, qui abrita les amours de la belle Corisande, comtesse de Guiche, avec Henri de Navarre, pas encore IVᵉ du nom. Il paraît même qu'ils eurent un rejeton, mais pas d'information là-dessus. Un autre masque de fer ? Qu'importe, on ne fait pas dans la presse à scandales ! Hagetmau est en tout cas une petite ville sympathique, riante et par ailleurs la capitale française de la... chaise ! Le plus grand producteur y a élu domicile. Quelques belles maisons colorées en entrant en ville.

Adresse utile

🛈 **Office de tourisme :** pl. de la République (face à la fontaine). ☎ 05-58-79-38-26. Fax : 05-58-79-47-27. ● tourisme.hagetmau@wanadoo.fr ● Ouvert toute l'année du lundi au samedi de 9 h à 12 h 30 et de 14 h 30 à 18 h 30. Office dynamique proposant des stages toute l'année pour apprendre à cuisiner l'oie ou le foie gras, et en réservant la veille, on vous prépare une « escapade-pique-nique gourmand » pour découvrir le canton à pied.

Où dormir ? Où manger ?

⊼ **Camping municipal La Cité Verte :** à la sortie de la ville, près des arènes, bien indiqué. ☎ 05-58-79-79-79. Fax : 05-58-79-79-99. À 100 m du centre-ville. Ouvert de juin à fin septembre. Forfait journalier à 18 €. 25 beaux emplacements privatifs avec sanitaires individuels complets, le long de la rivière et du complexe sportif de la Cité Verte (tennis, piscines, aires de pétanque...).

🏠 ⦿ *Le Jambon* : 245, av. Carnot. ☎ 05-58-79-32-02. Fax : 05-58-79-34-78. ● www.perso.wanadoo.fr/hotel.jambon ● ● Fermé le lundi et le dimanche soir. Congés annuels : en octobre. Chambres doubles de 40 à 60 € selon standing. Soirée étape à 55 €. Menus de 17 à 30 €. Derrière la façade rose et blanche toute rafraîchie se cache la maison respectable locale, réputée pour ses mets comme le foie gras maison ou le râble de lièvre farci à la royale. Sans oublier le bœuf de Chalosse aux petits légumes. La table mérite vraiment des éloges, les 6 chambres aussi d'ailleurs, spacieuses, confortables. Une suite également et même une piscine. Apéritif offert à nos lecteurs sur présentation du *GDR* de l'année.

🏠 ⦿ *Hôtel-restaurant des Lacs d'Halgo :* route de Cazalis. ☎ 05-58-79-30-79. Fax : 05-58-79-36-15. ●

www.hotel-des-lacs-dhalgo.fr ● À 2 km du centre ville, route d'Orthez (indiqué). Ouvert tous les jours, toute l'année. Chambres doubles de 58 à 90 € selon la saison. Menus à 30 € (autour du poisson) ou 32 €. Pas évident à trouver mais une fois qu'on y est, c'est une découverte. L'architecture dénote un peu avec la traditionnelle maison landaise et pourtant ce sont des matériaux naturels de la région qui ont été utilisés pour la construction de cet établissement qui en intrigue plus d'un. Maître d'œuvre : Éric Raffy, l'architecte du restaurant de Michel Bras à Laguiole dans l'Aveyron. C'est moderne, surprenant, peut-être un peu austère au départ mais on s'y habitue très vite, et très bien surtout une fois qu'on a goûté au confort des chambres avec vue sur le lac... et à la cuisine élégante (dont un menu « foie gras ») dans la salle dite « nénuphar » (vous comprendrez pourquoi!). Piscine intérieure chauffée...

À voir

🗡 *La crypte Saint-Girons :* à l'entrée du village. En juillet et août, ouvert tous les jours sauf le mardi, de 15 h à 18 h ; le reste de l'année, s'adresser à la mairie, ☎ 05-58-05-77-77. Cette crypte vaut à Hagetmau le qualificatif de « perle » de la Chalosse. Girons était un copain de Sever et il vint en même temps que lui pour évangéliser ces peuplades tribales qui habitaient les Landes à l'époque. Mais comme il ne faisait pas bon être chrétien en ces temps, il fut occis par les Vandales. Et comme d'habitude, son tombeau détermina l'édification d'une crypte et d'une abbaye. Sur place, on s'aperçoit que les voûtes sont récentes mais les chapiteaux sont magnifiques. On peut y reconnaître Lazare, ainsi que d'autres scènes étonnantes, notamment celle avec un monstre à tête de lion, ailes d'oiseau et corps de reptile qui est vaincu par un homme.

➤ DANS LES ENVIRONS D'HAGETMAU

🏃🏃 *Le musée de la Faïence :* 2378, route de Hagetmau, 40320 Samadet. ☎ 05-58-79-13-00. ● www.museesamadet.org ● 👣 À 8 km d'Hagetmau sur la route de Samadet. À l'entrée de la ville. Ouvert d'avril à mi-octobre de 10 h à 12 h 30 et de 14 h à 18 h 30. Le reste de l'année de 14 h à 18 h. Fermé les lundi et jours fériés. Entrée : 4 € ; réductions. Compter 1 h 30 de visite. Visite guidée conseillée. Samadet a connu son heure de gloire au XVIIIᵉ siècle avec sa faïencerie royale de grande réputation. Créée en 1732, elle réalisait des services de grande facture, colorés, aux motifs floraux aux teintes violettes, vertes, jaunes et des scènes de chasse. Son activité prit fin en 1838. Mais depuis 2002, le musée fait revivre la faïencerie sous dorme de panneaux explicatifs et de maquette du site détruit au XIXᵉ siècle. Belles tables mettant en scène les différents style de service (russe, Renaissance, « à la française »...), nombreux vases, assiettes, céramiques... pour finir dans un atelier où l'on vous expliquera de A à Z les techniques de fabrication d'une faïence. Un musée qui place à sa juste valeur l'art de la faïence. Vente de pièces sur place.

– Un peu plus loin dans le village, *Muriel* perpétue encore ce savoir-faire dans son atelier : 88, rue de Tursan. ☎ 05-58-79-61-39. Pour suivre le déroulement de la fabrication ou contempler quelques belles pièces réalisées à l'ancienne.

POMAREZ
(40360)   1 479 hab.

Pomarez est connu surtout pour être la véritable Mecque de la *course landaise,* sport traditionnel des Gascons qui, selon la légende, viendrait des Crétois. Ces derniers pratiquaient déjà les jeux taurins et, ayant émigré en Espagne et dans le sud de ce qui n'était pas encore la France, ils seraient venus avec leurs traditions. Une autre théorie attribue aux Maures l'apparition de la tauromachie au VIIIe siècle. Mais l'histoire prouve qu'ils n'ont jamais taquiné le taureau ! Ce qui est sûr, c'est que la course landaise reste l'événement principal des fêtes de village dans le département.

Une course dure environ deux heures dans une arène rectangulaire ou circulaire. Les écarteurs affrontent dix vaches au travers de figures très codifiées : l'écart, la feinte et le saut. Ces figures sont jugées en fonction du risque, de l'élégance et du style. On note également la vache pour son comportement. Les compétitions se déroulent de mai à septembre sur environ 90 courses. À l'issue, les six meilleurs écarteurs et les cinq meilleurs sauteurs participent à la finale du championnat de France qui se déroule le 1er dimanche d'octobre. À cette occasion, les meilleures vaches sont en piste.

C'est à Pomarez qu'est jalousement préservée toute l'âme de la course landaise. Ce petit village fut le premier de France à faire construire des arènes couvertes. Et ici, on sait faire perdurer cette tradition.

Où boire un verre ?

🍸 Ne pas manquer d'aller boire un verre au célèbre *Café des Sports* où le proprio, un vrai passionné de course landaise, a tapissé son troquet d'affiches de ce sport et passe des vidéos sur le sujet. À l'étage, il a même aménagé un chouette petit musée. Halte sympa.

➤ DANS LES ENVIRONS DE POMAREZ

🎭 *Le château de Gaujacq (40330) :* à 1 km du village, au sommet d'un mamelon. ☎ 05-58-89-01-01. ⚜ Ouvert de mi-février à mi-novembre, tous les jours sauf le mercredi, de 14 h 30 à 18 h. Visites guidées à 15 h, 16 h et 17 h ; visites supplémentaires à 18 h en juin, ainsi qu'à 11 h, 14 h et 18 h en juillet et août. Entrée : 5 € ; tarif réduit sur présentation du *GDR* de l'année ; réduction enfants. Compter environ 1 h de visite. Beau château du XVIIe siècle, encore habité, curieusement construit en forme de chartreuse, édifié sur les bases d'un castrum romain. Visite de la galerie à l'italienne du XVIIe siècle avec ses quatre corps de bâtiments et ses appartements (salon, salle à manger, bibliothèque, 3 chambres, et jardin intérieur, ainsi que la salle de billard du marquis de Sourdis qui fit construire le château). Mobilier des trois derniers siècles et superbes lambris. Du balcon au bout du cloître, délicieux panorama qui s'étend par beau temps jusqu'aux Pyrénées.

Pépinières et *plantarium* sont ouverts tous les après-midi de 14 h 30 à 18 h 30 sauf le mercredi. ☎ 05-58-89-24-22. ● www.thoby.com ● Les clématites côtoient les camélias... Magnifique pergola. Du coup, on aurait presque envie d'arrêter ses tomates cerises ou ses géraniums sur le balcon ! Une multitude d'idées pour toutes les saisons.

🎥🎥 *Brassempouy* (40330) : ce village tranquille et mignon (285 âmes ; et qui se prononce « brassempouille ») est surtout connu parce que c'est ici que Piette et de Laporterie découvrirent en 1894 la désormais célèbre Dame à la Capuche (elle mesure 36,5 mm de haut !), qui reste de nos jours le premier visage sculpté humain de la préhistoire. Elle fut taillée il y a plus de 20 000 ans dans de l'ivoire de mammouth, à l'aide de pierres de silex. Même si la *Dame à la Capuche* se trouve au musée de Saint-Germain-en-Laye, son sosie est resté ici ! Le nouvel espace muséographique « la maison de la Dame » regroupe des copies de Venus provenant du monde entier. On y découvre également l'histoire des bourgs de Chalosse, la géologie régionale, l'histoire de la femme depuis la découverte de la Dame, ainsi que la présentation de fouilles du XIXᵉ et du XXᵉ siècles. ☎ 05-58-89-21-73. ● www.brassempouy.org ● Ouvert toute l'année ; se renseigner pour les horaires. Entrée : 4,50 € ; réductions.

🎥 *Le jardin de la Dame de Brassempouy :* ☎ 05-58-89-25-89. ● harmset compagnie@club-internet.fr ● Ouvert tous les jours en été ; tous les après-midi, sauf le lundi d'avril à fin septembre. Entrée : 7 € couplée avec le musée ou 4 € ; réductions. Compter 1 h 30 de visite. En contrebas du musée, un jeune couple archéologue vient d'installer des « ateliers » pour les plus jeunes pour apprendre à reproduire les gestes, attitudes et habitudes de nos ancêtres de la Préhistoire : chasse à la lance, taille de silex, « jardin botanique » préhistorique, fouille archéologique, recherche d'empreintes d'animaux... Visite guidée le matin, ateliers à thème l'après-midi.

🎥 À la sortie, arrêtez-vous à l'*église Saint-Sernin :* romano-gothique, construite au XIIᵉ siècle, fortifiée au XIIIᵉ et modifiée par la suite. À l'intérieur, dans la 1ʳᵉ chapelle à gauche, noter la clé pendante représentant un ange aux ailes repliées. Joli clocher en pierre, d'où vous aurez une belle vue sur les alentours en accédant au chemin de ronde... mais à vos risques et périls (escaliers assez dangereux).

➤ Promenez-vous une dernière fois sur les petites routes du sud de la Chalosse avant de rejoindre Dax ou Pau, à égale distance. Vous éviterez ainsi les poids lourds et en passant par *Amou* (office de tourisme : ☎ 05-58-71-64-70), vous pourrez faire du canoë-kayac le long du Luy de Béarn (☎ 05-58-89-21-78), vous arrêterez *Chez Darracq* (☎ 05-58-89-02-28), une bonne table, et visiter le château du XVIIᵉ siècle construit selon les plans de Mansart.

m'man, p'pa, 'faut pô laisser faire !

HANDICAP INTERNATIONAL

titeuf "totem" de nos 20 ans

Pour découvrir l'engagement de Titeuf et nous aider à continuer :

www.handicap-international.org

**NE LES LAISSONS
PAS PAYER
DE LEUR VIE,
LE PRIX DE LA PAUVRETÉ**

La chaîne
de l'espoir

**Gravement
malades ou
blessés, des
milliers
d'enfants
dans le monde
sont condamnés
faute de moyens
humains, financiers
et médicaux dans
leur pays.
Pourtant, souvent, un
acte chirurgical relativement simple pourrait les
sauver...**

La Chaîne de l'Espoir, association
humanitaire, s'est donnée pour mission
de combattre cette injustice en mobilisant
médecins, chirurgiens, infirmières, familles
d'accueil, parrains, donateurs, artistes et
partenaires financiers.
Depuis sa création en 1988 par Alain
Deloche, professeur en chirurgie cardiaque,
La Chaîne de l'Espoir a permis à des
milliers d'enfants pauvres du monde
entier d'être opérés dans plus de 20
pays, principalement en Asie, en Afrique,
et en Europe de l'Est.

Pour soutenir notre action
envoyez vos dons à :
La Chaîne de l'Espoir
96, rue Didot - 75014 PARIS
Tél. : 01 44 12 66 66
www.chaine-espoir.asso.fr
CCP 370 3700 B LA SOURCE

L'action de La Chaîne
de l'Espoir est triple:

• **LES SOINS EN FRANCE**
Transférer et accueillir les enfants en
France parce qu'il n'existe pas dans leur
pays d'origine les moyens pour mener à
bien une intervention chirurgicale.

• **LES SOINS ET LA FORMATION À
L'ÉTRANGER**
Opérer les enfants dans leur pays, former
des équipes médico-chirurgicales locales,
apporter du matériel et des équipements
médicaux, réaliser et réhabiliter sur place
des structures hospitalières afin de donner
aux pays dans lesquels elle intervient les
moyens de soigner leurs enfants.

• **LE PARRAINAGE**
Développer une activité de parrainage
scolaire et médical parce qu'un enfant qui
ne peut pas aller à l'école reste un enfant
handicapé.

La Chaîne de l'Espoir est une association de
bienfaisance assimilée fiscalement
à une association reconnue d'Utilité Publique.

routard
A S S I S T A N C E
L'ASSURANCE VOYAGE
INTEGRALE A L'ETRANGER

VOTRE ASSISTANCE « MONDE ENTIER » LA PLUS ETENDUE

RAPATRIEMENT MEDICAL **ILLIMITÉ**
(au besoin par avion sanitaire)
VOS DEPENSES : MEDECINE, CHIRURGIE, (env. 1.960.000 FF) **300.000 €**
HOPITAL, GARANTIES A 100% SANS FRANCHISE
HOSPITALISE ! RIEN A PAYER… (ou entièrement remboursé)
BILLET GRATUIT DE RETOUR DANS VOTRE PAYS : **BILLET GRATUIT**
En cas de décès (ou état de santé alarmant) **(de retour)**
d'un proche parent, père, mère, conjoint, enfant(s)
*BILLET DE VISITE POUR UNE PERSONNE DE VOTRE CHOIX **BILLET GRATUIT**
si vous être hospitalisé plus de 5 jours **(aller - retour)**
Rapatriement du corps – Frais réels **Sans limitation**

avec CERTAINS SOUSCRIPTEURS DES LLOYDS DE LONDRES

RESPONSABILITE CIVILE «VIE PRIVEE» A L'ETRANGER

Dommages CORPORELS (garantie à 100%) .... (env. 29.500.000 FF) **4.500.000 €**
Dommages MATERIELS (garantie à 100%) .... (env. 2.900.000 FF) **450.000 €**
(dommages causés aux tiers) (AUCUNE FRANCHISE)
EXCLUSION RESPONSABILITE CIVILE AUTO : ne sont pas assurés les dommages causés ou subis par votre véhicule à moteur : ils doivent être couverts par un contrat spécial : ASSURANCE AUTO OU MOTO.
ASSISTANCE JURIDIQUE (Accident) .... (env. 1.960.000 FF) **300.000 €**
CAUTION PENALE .... (env. 49.000 FF) **7500 €**
AVANCE DE FONDS en cas de perte ou de vol d'argent .... (env. 4.900 FF) **750 €**

VOTRE ASSURANCE PERSONNELLE «ACCIDENTS» A L'ETRANGER

Infirmité totale et définitive (env. 490.000 FF) **75.000 €**
Infirmité partielle – (SANS FRANCHISE) **de 150 €** à **74.000 €**
(env. 900 FF à 485.000 FF)
Préjudice moral : dommage esthétique (env. 98.000 FF) **15.000 €**
Capital DECES (env. 19.000 FF) **3.000 €**

VOS BAGAGES ET BIENS PERSONNELS A L'ETRANGER

Vêtements, objets personnels pendant toute la durée de votre voyage à l'étranger : vols, perte, accidents, incendie, (env. 6.500 FF) **1.000 €**
Dont APPAREILS PHOTO et objets de valeurs (env. 1.900 FF) **300 €**

À PARTIR DE 4 PERSONNES
TARIFS
"Spécial Famille"
Nous consulter au 01 44 63 51 00

INDEX GÉNÉRAL

Attention, le Béarn ainsi que le Pays basque (France, Espagne) font l'objet d'un guide à part.

– A –

– B –

– C –

– D –

– E –

– L –

– M –

– N –

– P –

– R –